BRISINGR

CHRISTOPHER PAOLINI

BRISINGR

L'héritage
III

Traduit de l'anglais (États-Unis)
par Danièle Laruelle

bayard jeunesse

Ouvrage publié originellement par Random House Children's Books,
un département de Random House, Inc.
sous le titre *Brisingr*
Texte © 2008, Christopher Paolini
Illustration de couverture © 2005, John Jude Palencar
Illustrations pages 8 et 9 © 2002, Christopher Paolini

Pour la traduction
© Bayard Éditions Jeunesse, 2009
18, rue Barbès, 92128 Montrouge Cedex
ISBN : 978-2-7470-1456-4
Dépôt légal : mars 2009
Première édition

*Comme toujours, ce livre est dédié
à ma famille.
Ainsi qu'à Jordan, Nina et Sylvie,
lumières vives d'une nouvelle génération.
Atra esterní ono thelduin.*

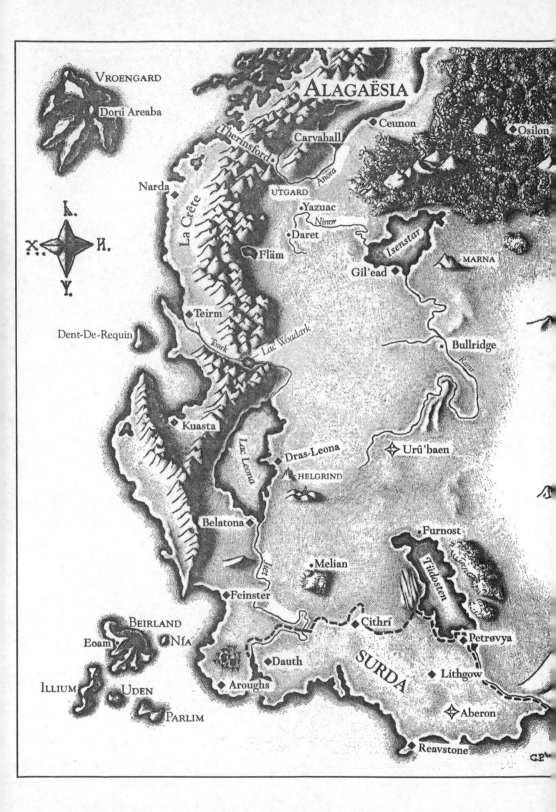

Résumé de Eragon et de l'Aîné
Livres I et II de L'héritage

Alors qu'il chasse dans les montagnes de la Crête, Eragon, un jeune paysan de quinze ans, s'étonne de voir tomber, à quelques pas de lui, une pierre bleue et lisse. Il la rapporte à la ferme où il vit avec son oncle, Garrow, et son cousin, Roran, près du petit village de Curvulull. Garrow et son épouse, Marian – aujourd'hui décédée –, ont élevé le garçon. On ne sait rien de son père ; sa mère, Selena, la sœur de Garrow, n'a plus donné signe de vie depuis la naissance de l'enfant.

Un peu plus tard, la pierre se brise, et un bébé dragon en sort. Lorsqu'Eragon le touche, une marque argentée apparaît sur sa paume, et un lien irrévocable se tisse entre leurs deux esprits, faisant de l'adolescent l'un des légendaires Dragonniers. En souvenir d'un dragon mentionné par Brom, le conteur du village, il nomme le sien Saphira.

Vieille de plusieurs millénaires, la caste des Dragonniers fut créée au terme de la guerre dévastatrice entre les elfes et les dragons, afin d'éviter toute reprise du conflit. Les Dragonniers devinrent les garants de la paix, des éducateurs, des guérisseurs, des alchimistes, ainsi que les plus puissants des magiciens grâce au lien qui les unissait à leur dragon. Sous leur autorité et leur protection, le pays connut un âge d'or.

Quand les humains arrivèrent en Alagaësia, certains d'entre eux se joignirent à cet ordre d'élite. Après de longues années de paix, les Urgals, peuple belliqueux, tuèrent le dragon d'un jeune Dragonnier humain ; le malheureux, appelé Galbatorix, en devint fou. Les anciens ayant refusé de lui fournir un nouveau dragon, il résolut de détruire la caste des Dragonniers.

Il vola un dragon, qu'il nomma Shruikan, le soumit à sa volonté par la magie noire, puis il rassembla autour de lui un groupe de treize traîtres, les Parjures. Avec l'aide de ces cruels disciples, Galbatorix anéantit les Dragonniers, tua leur chef, Vrael, et se proclama roi de l'Alagaësia. Sa conduite poussa les elfes à se retirer au cœur de leur forêt de pins, et les nains à se cacher dans leurs grottes et leurs tunnels. Aucune des deux races ne se risquait plus hors de ses retraites secrètes. Le *statu quo* entre Galbatorix et les autres peuples dura plus d'un siècle, pendant lequel tous les Parjures trouvèrent la mort. C'est dans ce climat de troubles politiques qu'Eragon sera précipité.

Plusieurs mois après l'éclosion de Saphira, deux étrangers menaçants aux allures de scarabées géants, des Ra'zacs, arrivent à Carvahall en quête de la pierre bleue, l'œuf de dragon perdu. Eragon et sa jeune dragonne parviennent à leur échapper, pour découvrir à leur retour que les odieuses créatures ont rasé la ferme et torturé Garrow à mort.

Eragon se jure alors de traquer les Ra'zacs et de les tuer pour venger son oncle. Tandis qu'il quitte Carvahall, Brom, le conteur du village, qui connaît l'existence de Saphira, lui propose de l'accompagner. Il lui donne une épée de Dragonnier rouge, Zar'roc, mais refuse de lui dire d'où il la tient.

Au cours de leur périple, Brom enseigne à Eragon l'art de se battre à l'épée et la pratique de la magie. Ayant perdu la trace des Ra'zacs, ils se rendent dans la cité portuaire de Teirm, où vit Jeod, un vieil ami de Brom qui pourrait les aider. Là, ils apprennent que le repaire des Ra'zacs se trouve à proximité de Dras-Leona ; l'herboriste Angela, voisine de Jeod, dit la bonne aventure à Eragon, et son compagnon, le chat-garou Solembum, donne deux étranges conseils au garçon.

Sur le chemin de Dras-Leona, Brom finit par révéler qu'il est un agent des Vardens, un peuple rebelle décidé à renverser

Galbatorix, et qu'il se cachait à Carvahall en attendant que surgisse un nouveau Dragonnier. Vingt ans plus tôt, avec Jeod, il a volé l'œuf de Saphira à Galbatorix et tué Morzan, premier et dernier des Parjures. Il n'existe plus que deux œufs de dragon, toujours en la possession de Galbatorix.

Près de Dras-Leona, les Ra'zacs se manifestent. En voulant protéger Eragon, Brom est mortellement blessé. Un mystérieux jeune homme du nom de Murtagh met les Ra'zacs en fuite. La nuit suivante, avant de s'éteindre, Brom avoue qu'il a été Dragonnier et que son dragon s'appelait lui aussi Saphira.

Eragon et Saphira se résolvent alors à rejoindre les Vardens. Capturé à Gil'ead, le garçon est conduit devant Durza, un Ombre puissant et malfaisant au service de Galbatorix. Avec l'aide de Murtagh, il s'évade de prison, emmenant avec lui une autre captive, l'elfe Arya, ambassadrice auprès des Vardens. Sous l'effet du poison que lui administrait Durza, elle est inconsciente, dans un état qui nécessite des soins urgents.

Poursuivis par une horde d'Urgals, Eragon, Saphira et leurs deux compagnons s'efforcent de gagner le quartier général des Vardens dans les montagnes des Beors, qui culminent à neuf mille toises. Murtagh veut bien faire le voyage, mais pas aller chez les Vardens ; il se trouve contraint de révéler qu'il y sera mal accueilli, car il est le fils de Morzan. Il a toutefois renié son traître de père et quitté la cour de Galbatorix pour forger son propre destin. Eragon apprend à cette occasion que Zar'roc était autrefois l'épée de Morzan le Parjure.

Sur le point d'être débordés par une attaque des Urgals, Eragon et ses amis sont secourus par les Vardens, qui semblent sortis tout droit de la paroi rocheuse ! Il s'avère que les rebelles sont basés à Farthen Dûr, vaste cratère au centre d'une haute montagne qui abrite Tronjheim, la capitale des nains. Là, Eragon est amené à Ajihad, chef des Vardens, et Murtagh, jeté en prison en raison de son ascendance.

Eragon rencontre le roi des nains, Hrothgar, et la fille d'Ajihad, Nasuada ; il est mis à l'épreuve par les Jumeaux, deux magiciens chauves et antipathiques au service d'Ajihad. Pendant que les Vardens guérissent Arya, Eragon et Saphira bénissent une enfant orpheline à la demande de la foule.

On apprend alors qu'une armée d'Urgals approche, empruntant les galeries creusées par les nains sous la montagne. Au cours de la bataille qui s'ensuit, Eragon est séparé de Saphira et doit affronter Durza seul. Plus puissant que n'importe quel humain, l'Ombre a facilement raison du garçon et lui ouvre le dos de l'épaule à la hanche d'un coup d'épée. Au même moment, Arya et Saphira brisent le plafond du hall, une étoile de saphir de soixante pieds de large. Cette diversion permet à Eragon de frapper son adversaire au cœur. Les Urgals, libérés des enchantements de l'Ombre qui les maintenaient sous son emprise, sont repoussés.

Après la bataille, tandis qu'Eragon gît sans connaissance, il est contacté mentalement par un être mystérieux qui se présente sous le nom de Togira Ikonoka, l'Infirme Inchangé. Il presse le garçon de venir suivre son enseignement à Ellesméra, la cité des elfes.

Lorsqu'il revient à lui, Eragon découvre l'impressionnante cicatrice qui lui barre le dos. À sa grande déception, il comprend aussi qu'il a abattu Durza sur un simple coup de chance et qu'il manque cruellement d'une véritable formation.

À la fin du premier livre, il décide que, oui, il ira trouver Togira Ikonoka à Ellesméra pour que celui-ci l'instruise.

L'Aîné commence trois jours après la victoire d'Eragon sur Durza. Le peuple des Vardens se remet de la bataille pendant qu'Ajihad, Murtagh et les Jumeaux traquent les Urgals qui se sont échappés sous Farthen Dûr par les tunnels. Surpris par un groupe de guerriers ennemis, Ajihad est tué ; Murtagh et les Jumeaux disparaissent dans la mêlée. Après délibération du Conseil des Vardens, Nasuada succède à son père, et Eragon lui prête serment d'allégeance en tant que vassal.

Avant le départ d'Eragon et Saphira pour Ellesméra, où ils entameront leur entraînement auprès de l'Infirme Inchangé,

Hrothgar, le roi des nains, propose d'intégrer le jeune homme au sein de son clan, le Dûrgrimst Ingeitum ; Eragon accepte cette offre qui lui confère les mêmes droits que les nains et lui permet de siéger à leurs conseils.

Arya et Orik, le fils adoptif de Hrothgar, accompagnent Eragon et Saphira dans leur voyage au pays des elfes. En chemin, ils s'arrêtent dans la cité naine de Tarnag. Tous les habitants ne sont pas amicaux, loin de là ; un clan en particulier, le Az Sweldn rak Anhûin, s'oppose à la présence du dragon et de son Dragonnier, espèces auxquelles il voue une haine farouche depuis que les Parjures ont décimé ses membres.

Le groupe arrive enfin au Du Weldenvarden, la forêt des elfes. À Ellesméra, Eragon et Saphira sont reçus par la reine Islanzadí, dont ils apprennent qu'elle est la mère d'Arya. Ils rencontrent aussi l'Infirme Inchangé, un très vieil elfe appelé Oromis, Dragonnier lui aussi. Lui et son dragon, Glaedr, dont l'existence est tenue secrète depuis un siècle, cherchent un moyen de détrôner Galbatorix.

Dragon et Dragonnier souffrent tous deux des séquelles d'anciennes blessures qui les empêchent de combattre : Glaedr a perdu une patte ; capturé par les Parjures, Oromis a été brisé. S'il est capable d'enseigner, il est sujet à des crises qui l'épuisent et ne maîtrise plus la magie que pour les sorts mineurs.

Tantôt ensemble, tantôt séparément, Eragon et Saphira entament leur apprentissage. Le jeune Dragonnier étudie l'histoire des races d'Alagaësia, le maniement de l'épée, et la langue ancienne qu'emploient les magiciens. C'est ainsi qu'il découvre l'erreur terrible qu'ils ont commise, Saphira et lui, en bénissant la petite orpheline de Farthen Dûr : désireux de lui épargner les souffrances, il s'est trompé dans sa formulation. Au lieu de dire « Puisses-tu être protégée du malheur », il a dit en réalité « Puisses-tu être une protection contre le malheur », condamnant le bébé à subir les douleurs des autres à leur place.

Grâce à l'enseignement de Glaedr, Saphira progresse rapidement, mais la cicatrice qu'Eragon garde de son duel contre Durza ralentit son apprentissage. La douleur se réveille sans crier gare et lui inflige des spasmes si violents qu'il se demande comment il réussira à parfaire ses talents de magicien et de combattant avec un tel handicap.

Eragon prend aussi conscience des tendres sentiments qu'il éprouve pour Arya et les lui avoue. Hélas, elle le repousse et le quitte bientôt pour retourner chez les Vardens.

Entre-temps, les elfes célèbrent l'Agaetí Sänghren, ou Serment du Sang, une cérémonie au cours de laquelle Eragon est transformé par la magie en un hybride mi-elfe, mi-humain. Sa cicatrice a disparu, il est guéri et possède à présent les extraordinaires capacités physiques des elfes. Ses traits se sont modifiés et son visage a pris quelque chose d'elfique.

Il apprend que les Vardens, à la veille d'une guerre contre l'Empire, ont cruellement besoin de lui et de Saphira. Pendant leur absence, Nasuada a conduit les Vardens de Farthen Dûr au Surda, pays situé au sud de l'Empire, dont il demeure indépendant, échappant ainsi à la tyrannie de Galbatorix.

Après avoir promis à Oromis et Glaedr qu'ils reviendront dès que possible terminer leur formation, Eragon et Saphira quittent Ellesméra en compagnie d'Orik.

De son côté, Roran, le cousin d'Eragon, vit ses propres aventures. Galbatorix a dépêché les Ra'zacs et une légion de soldats de l'Empire à Carvahall pour le prendre en otage, espérant se servir de lui pour soumettre Eragon. Roran leur échappe et se réfugie dans les montagnes voisines. Puis, avec les autres villageois, il tente de repousser les soldats. Le village essuie de nombreuses pertes au cours des escarmouches. Enfin, Sloan, le boucher, pactise avec l'ennemi : il déteste Roran, qui voudrait épouser sa fille, Katrina. Suite à cette trahison, les Ra'zacs attaquent le jeune homme en pleine nuit dans sa chambre. Il réussit à se libérer, mais les immondes créatures enlèvent Katrina.

Roran convainc alors le peuple de Carvahall de quitter le village pour chercher refuge auprès des Vardens au Surda. Ils partent vers l'ouest, vers la côte, dans l'espoir de trouver un bateau qui les y conduira. Menés par Roran, dont les qualités de chef se confirment, les villageois traversent la Crête et atteignent la mer sains et saufs. Dans la cité portuaire de Teirm, ils rencontrent Jeod. Celui-ci leur révèle qu'Eragon est un Dragonnier, qu'à leur première visite à Carvahall, les Ra'zacs venaient chercher l'œuf de Saphira ; Jeod se propose d'aider les villageois à se rendre au Surda. Lorsqu'ils seront en sécurité auprès des Vardens, Roran pourra demander l'aide d'Eragon pour délivrer Katrina. S'étant emparés d'un vaisseau de l'Empire, Jeod et les villageois font voile vers le Surda.

Pendant ce temps, Eragon et Saphira ont rejoint les Vardens qui se préparent pour la bataille. Dans le camp, Eragon découvre le résultat de sa bénédiction mal formulée : bien que la petite Elva soit encore un bébé par son âge, elle a l'apparence d'une fillette de quatre ans, la voix et les manières d'une adulte désabusée. Le sort prononcé par Eragon la condamne à ressentir les douleurs de tous ceux qui l'entourent et à les en protéger ; si elle résiste à cette obligation, c'est elle qui en pâtit.

Avec l'armée des Vardens, Eragon et Saphira se mettent en marche pour affronter les troupes de l'Empire dans les Plaines Brûlantes, vaste étendue déserte consumée par des feux de tourbe souterrains qui dégagent des nuages de fumée méphitique. Ils sont stupéfaits de voir apparaître un autre Dragonnier chevauchant un dragon rouge. Le Dragonnier inconnu tue Hrothgar, le roi des nains, avant de s'en prendre à Saphira et Eragon. Au cours de la lutte, Eragon parvient à lui arracher son heaume et reconnaît... Murtagh !

Le jeune homme n'est pas mort dans l'affrontement avec les Urgals sous Farthen Dûr. Les Jumeaux – des traîtres – avaient organisé cette embuscade dans le but de faire abattre Ajihad et de capturer Murtagh pour le ramener à Galbatorix. Sous la contrainte, le jeune homme a dû jurer fidélité au roi en ancien langage, de sorte qu'à présent lui et Thorn, son dragon nouvellement éclos, sont ses esclaves. Eragon le supplie d'abandonner Galbatorix pour se joindre aux Vardens, mais Murtagh affirme que les serments qu'il a prononcés l'empêchent à jamais de désobéir à son maître.

Le duel reprend. Doté d'une puissance inexplicable, Murtagh soumet Eragon et Saphira sans difficulté. Il décide cependant de leur rendre la liberté en raison de leur amitié passée. Mais il s'empare de Zar'roc, épée qu'il revendique comme son héritage en tant que fils aîné de Morzan. Et il révèle qu'il n'est pas le seul fils du dernier des Parjures : Eragon et Murtagh sont frères, tous deux nés de Selena, la compagne de Morzan. C'est en examinant les souvenirs d'Eragon lors de son arrivée à Farthen Dûr que les Jumeaux ont découvert la vérité sur ses origines.

Bouleversé par cette révélation, le jeune Dragonnier vaincu se retire avec Saphira. Il retrouve bientôt Roran et les villageois de Carvahall, qui ont atteint les Plaines Brûlantes juste à temps pour prêter main-forte aux Vardens dans la bataille. Au terme d'un combat héroïque, Roran a réussi à abattre les Jumeaux.

Les cousins se réconcilient : Roran pardonne à Eragon sa part de responsabilité dans la mort de Garrow, et Eragon promet de l'aider à tirer Katrina des griffes des Ra'zacs.

1
LES PORTES DE LA MORT

api au sommet d'une éminence sablonneuse parsemée de
rares touffes d'herbes, de buissons épineux et de petits cactus
en forme de bouton de rose, Eragon fixait le sinistre repaire des
monstres qui avaient tué son oncle Garrow.

Les tiges sèches et cassantes des pousses de l'année passée lui
griffaient les paumes tandis qu'il rampait à plat ventre pour
avoir une meilleure vue sur Helgrind. La tour de pierre noire,
surgie telle une lame des entrailles de la terre, dominait tout
le paysage.

Le soleil déclinant zébrait les collines basses d'ombres
obliques, et illuminait au loin la surface du lac Leona, transformant l'horizon en une bande ondoyante d'or liquide.

À sa gauche, Eragon entendait la respiration régulière de
son cousin, Roran, étendu près de lui. Inaudible pour une
oreille normale, ce léger souffle lui semblait presque bruyant
tant ses sens étaient aiguisés depuis l'Agaetí Sänghren, ou
Serment du Sang, cérémonie elfique au cours de laquelle il
avait été transformé.

Il n'y prêtait guère attention, se concentrait sur la procession – à l'évidence venue de Dras-Leona, à quelques miles de
là – qui progressait lentement vers la base de Helgrind, menée
par vingt-quatre hommes et femmes en longues robes de cuir.
Au sein du groupe, les modes de déplacement étaient variés,
curieux : on y boitait, traînait les pieds, sautillait ou se tortillait ;

certains se balançaient entre des béquilles, d'autres, aux jambes bien trop courtes, se propulsaient avec les bras. Alors qu'ils approchaient, Eragon s'aperçut que les vingt-quatre meneurs du cortège se contorsionnaient de la sorte parce qu'ils avaient perdu un ou plusieurs membres. Sur une litière soutenue par six esclaves au corps huilé, leur chef – homme ou femme, impossible à dire – se tenait droit, ce qui relevait de l'exploit, car il n'avait ni bras ni jambes ; une couronne haute de trois pieds, faite de cuir ouvragé, était posée en équilibre sur sa tête.

– Les prêtres de Helgrind, murmura Eragon à Roran.

– Ils ont accès à la magie ?

– Peut-être. Je ne veux pas risquer une exploration mentale de Helgrind avant leur départ. S'il y a des magiciens parmi eux, ils le sentiront et nous serons découverts.

Derrière les prêtres marchait une double file de jeunes gens drapés de toges dorées. Chacun d'eux portait un cadre traversé par douze barres horizontales auxquelles étaient accrochées des cloches de fer grosses comme des rutabagas. La moitié d'entre eux secouaient leur cadre lorsqu'ils posaient le pied droit, produisant une douloureuse cacophonie ; l'autre moitié procédait de même en posant le pied gauche, et les battants cognaient contre l'enveloppe de métal, répandant à travers les collines leur clameur lugubre. Dans l'extase de leur transe, les acolytes accompagnaient ce carillon de leurs cris et de leurs plaintes.

La procession grotesque se prolongeait en une queue de comète formée par les habitants de Dras-Leona : nobles, riches marchands, négociants, officiers militaires de haut rang, et la masse moins fortunée des paysans, mendiants et simples soldats d'infanterie.

Eragon se demanda si Marcus Tabor, le gouverneur de la ville, était parmi la foule.

Les prêtres s'arrêtèrent en bordure de l'immense rempart de pierraille qui entourait Helgrind, et se rangèrent de chaque côté d'un rocher couleur de rouille au sommet lisse. Lorsque toute la colonne se fut immobilisée devant cet autel rudimentaire, la créature portée sur la litière entonna une mélopée d'une voix aussi discordante que les lamentations des cloches. Des bourrasques répétées emportaient l'incantation du chaman, de sorte qu'Eragon n'en percevait que des bribes, des phrases en ancien langage déformé et mal prononcé entrecoupées de mots venus du nain ou de l'urgal, mélange auquel s'ajoutaient des passages dans le dialecte archaïque de sa langue maternelle. Ce qu'il en comprenait lui donnait le frisson. Le sermon traitait de sujets qu'il aurait mieux valu laisser dans l'ombre, d'une haine venimeuse, nourrie pendant des siècles dans les cavernes obscures des cœurs, qui s'était répandue au grand jour en l'absence des Dragonniers, d'une frénésie sanguinaire et de rites infâmes célébrés à la lune noire.

Au terme de cette homélie abjecte, deux prêtres de moindre rang s'avancèrent et soulevèrent leur maître de la litière pour le hisser sur l'autel. Le Grand Prêtre lança alors un ordre bref. Scintillant comme des étoiles, des lames d'acier jumelles se levèrent pour frapper. De chaque épaule du Grand Prêtre jaillit un flot de sang qui ruissela le long de son torse gainé de cuir pour s'accumuler au sommet du rocher jusqu'à déborder et couler sur les cailloux.

Deux autres prêtres se précipitèrent pour recueillir le liquide vermeil dans des gobelets. Sitôt remplis, ils étaient distribués parmi les fidèles, qui buvaient avec empressement.

– Ça alors ! souffla Roran. Tu avais omis de préciser que ces dévoyés avides de carnage, ces hystériques abrutis par leur culte insensé étaient des cannibales !

– Pas tout à fait. Ils ne consomment pas la chair du sacrifice.

Lorsque l'assistance eut communié, les acolytes serviles remirent le Grand Prêtre sur sa litière et pansèrent ses épaules avec des bandes de drap blanc. Des taches sombres souillèrent aussitôt l'étoffe immaculée.

L'homme-tronc ne semblait pas souffrir de ses blessures car, sitôt retourné face à la foule des fidèles aux lèvres cramoisies, il déclara :

13

– À présent que vous avez goûté la sève de mes veines au pied du tout-puissant Helgrind, vous êtes vraiment mes Frères et mes Sœurs. Le sang appelle le sang, et si un jour votre famille a besoin d'aide, faites alors ce que vous pourrez pour l'Église et pour ceux qui vénèrent le pouvoir de notre Effroyable Seigneur... Afin de proclamer notre fidélité au Triumvirat, récitez avec moi les Neuf Serments... Par Gorm, Ilda et Fel Angvara, nous jurons de rendre hommage au moins trois fois par mois, à l'heure qui précède le crépuscule, puis de faire offrande de notre chair afin d'apaiser la faim éternelle de notre Grand et Terrible Seigneur... Nous jurons d'observer les pénitences telles qu'elles sont décrites dans le livre de Tosk... Nous jurons de toujours porter le Bregnir sur nous, d'éviter à jamais le douze des douze comme le contact de la corde à nœuds multiples afin de n'être pas corrompus...

Le vent forcit soudain, emportant le reste de son oraison. Eragon vit ensuite les fidèles sortir un petit couteau à lame recourbée et, l'un après l'autre, s'entailler le pli du coude pour oindre l'autel de leur sang.

Quelques minutes plus tard, la bourrasque furieuse se calma, et la voix du Grand Prêtre redevint audible :

– ... tout ce que vous désirez ou convoitez vous sera accordé en récompense de votre obéissance... Notre culte s'achève. Toutefois, s'il est des braves parmi vous qui souhaitent témoigner de la profondeur de leur foi, qu'ils se présentent !

L'assistance se raidit, se pencha en avant. Les visages exprimaient une fascination fébrile : c'était apparemment le moment attendu.

À en juger par le long silence qui suivit, ces gens risquaient d'être déçus. Enfin, un acolyte sortit du rang et s'écria :

– Moi !

Avec un rugissement de plaisir, ses frères brandirent leurs cadres et agitèrent leurs cloches avec frénésie, déchaînant l'enthousiasme des fidèles, qui se mirent à sauter en hurlant comme des possédés. Malgré la répugnance que lui inspirait la cérémonie, Eragon n'était pas insensible à cette musique sauvage qui éveillait en lui une certaine excitation, quelque chose d'enfoui, de primitif et de brutal.

Ayant ôté sa toge dorée, le jeune homme brun, vêtu d'une simple culotte de peau, bondit sur l'autel. Des gouttes de rubis giclèrent de chaque côté de ses pieds. Face à Helgrind, il se mit à trembler, à s'agiter au rythme impitoyable des cloches. Sa tête roulait sur son cou, ses bras ondulaient, tels des serpents, de l'écume se formait aux commissures de ses lèvres. Avec ses muscles luisants de sueur, dans la lumière mourante, on aurait dit une statue de bronze animée.

Le tempo des cloches s'accéléra encore, les notes se heurtaient, s'entrechoquaient. Dans ce chaos sonore, le jeune homme tendit une main derrière lui. Un prêtre y plaça le pommeau d'une bizarre épée de deux pieds et demi de long à simple tranchant, avec une poignée munie d'écailles pour la prise, une garde minimale, et une lame plate qui s'élargissait pour s'échancrer au bout en arc de cercle et former une pointe. Cette arme, qui rappelait l'aile d'un dragon, était conçue dans le seul but de pourfendre les armures, les os et les muscles aussi facilement que des outres remplies d'eau.

15

Le jeune homme la brandit vers le point culminant de Helgrind, puis il tomba à genoux et, avec un cri de bête, il abattit la lame sur son poignet droit.

Le sang éclaboussa les roches derrière l'autel.

Eragon grimaça et détourna les yeux, ce qui ne lui épargna pas les hurlements stridents du garçon. S'il avait vu pire sur le champ de bataille, il trouvait malséant qu'on se mutile ainsi de son plein gré quand d'autres étaient défigurés par les simples accidents de la vie quotidienne.

Froissant l'herbe sous lui, Roran changea de position et marmonna un juron qui se perdit dans sa barbe.

Tandis qu'un prêtre s'occupait du jeune homme et arrêtait l'hémorragie en prononçant un sort, un acolyte détacha deux des esclaves qui portaient la litière du Grand Prêtre pour les enchaîner par les chevilles à un anneau de fer serti dans l'autel. Les autres acolytes tirèrent de dessous leur toge des paquets qu'ils entassèrent sur le sol, hors de portée des esclaves.

La cérémonie terminée, les prêtres et leur suite quittèrent Helgrind pour regagner Dras-Leona dans un concert de lamentations et de carillons. Le jeune fanatique amputé d'une main clopinait derrière la litière du Grand Prêtre, le visage éclairé par un sourire béat.

– Eh bien, souffla Eragon alors que la colonne disparaissait derrière une colline lointaine.

– Eh bien, quoi ?

– J'ai séjourné parmi les elfes et les nains, et jamais ils ne se sont conduits d'une manière aussi étrange que ces gens, ces *humains*.

– Ils sont aussi monstrueux que les Ra'zacs.

Roran pointa le menton en direction de Helgrind :

– Maintenant qu'ils sont partis, tu peux tenter de savoir si Katrina est là-haut ?

– Je vais essayer. Prépare-toi à courir au cas où.

Les yeux fermés, Eragon étendit sa conscience vers l'extérieur, allant d'un être vivant à l'autre, comme l'eau se propage à travers le sable. Son esprit effleura des cités grouillantes d'insectes vaquant à leurs affaires, des lézards et des serpents cachés parmi les roches tièdes, diverses espèces d'oiseaux chanteurs et de nombreux petits mammifères. Insectes et animaux s'activaient en prévision de la nuit ; les diurnes se retiraient dans leurs trous et leurs tanières tandis que les nocturnes bâillaient et s'étiraient avant de se mettre en quête de nourriture.

De même que l'acuité de ses sens, sa capacité de contacter d'autres esprits diminuait avec la distance. Parvenu mentalement à la base de Helgrind, il ne percevait guère qu'une faible émanation des animaux les plus gros.

Prudent, il était prêt à se rétracter s'il effleurait ceux qu'ils traquaient : les Ra'zacs ou bien leurs parents et montures, les Lethrblakas. Il en prenait le risque parce qu'aucun membre de cette race n'était en mesure d'utiliser la magie ; de plus, il ne croyait pas que des non-magiciens puissent être entraînés au combat par télépathie et capables de briser les barrières mentales. Ra'zacs et Lethrblakas se passaient d'ailleurs fort bien de tels subterfuges puisque leur seule haleine provoquait la stupeur chez les plus solides gaillards.

Son enquête à distance pouvait certes révéler sa présence, mais il fallait que Roran, Saphira et lui sachent si Katrina, la fiancée de son cousin, était emprisonnée à Helgrind. La réponse déciderait du but de leur mission : libération de la captive, ou capture de l'ennemi pour interrogatoire.

Pendant un long moment, avec une attention soutenue, Eragon sonda la citadelle rocheuse. Lorsqu'il revint en lui-même, Roran le dévisageait tel un loup affamé. Un mélange de rage, d'espoir et de désarroi flambait dans ses yeux gris avec une intensité à liquéfier les roches.

Cela, Eragon le comprenait.

Sloan le boucher, père de Katrina, avait trahi Roran pour le livrer aux Ra'zacs. Faute d'avoir réussi à le capturer, ils avaient enlevé Katrina et l'avaient emmenée loin de la vallée de Palancar, laissant aux soldats du roi Galbatorix le soin de tuer les habitants de Carvahall ou de les réduire en esclavage. Dans l'incapacité de secourir Katrina, Roran avait pu convaincre les villageois d'abandonner leurs maisons et de le suivre à travers les montagnes de la Crête – il n'était que temps ! Sous sa conduite, ils avaient ensuite fait route vers le sud, longé la côte d'Alagaësia, et rejoint le camp rebelle des Vardens. Après ce long détour parsemé d'embûches, après avoir triomphé des épreuves, Roran avait finalement retrouvé son cousin ; Eragon connaissait l'emplacement du repaire des Ra'zacs et lui avait promis de l'aider à sauver Katrina.

Comme il l'avait expliqué plus tard, Roran n'aurait pu mener l'entreprise à bien sans la force de son amour ; sa passion le poussait à des extrémités qui rebutaient les uns et effrayaient les autres, mais qui lui permettaient de vaincre ses ennemis.

Une ferveur identique animait Eragon.

Il s'élancerait au-devant du danger sans souci de sa propre sécurité si un être cher se trouvait menacé. Il aimait Roran comme un frère, et, puisque Roran allait épouser Katrina, son sens de la famille s'étendait à elle aussi. Il y attachait d'autant plus d'importance que son cousin et lui étaient les derniers de la lignée. Eragon récusait tout lien de parenté avec Murtagh, son frère de naissance. Il n'avait donc plus que Roran, et maintenant Katrina.

Ces nobles sentiments n'étaient pas l'unique motivation des jeunes gens. Alors même qu'ils projetaient d'arracher Katrina aux griffes des Ra'zacs, les deux guerriers, simple mortel et Dragonnier, rêvaient de vengeance : ils comptaient bien abattre les serviteurs contre nature du roi Galbatorix pour les punir d'avoir torturé et tué Garrow, le père de Roran, qui avait été un père pour Eragon.

Pour l'un comme pour l'autre, les renseignements glanés par Eragon étaient cruciaux.

— Je crois l'avoir sentie, déclara-t-il enfin. N'ayant encore jamais touché son esprit, je n'en jurerais pas. D'autant que nous sommes trop loin de Helgrind. Je pense toutefois qu'elle est là-haut, cachée à l'intérieur de ce pic isolé, près du sommet.

— Elle est malade ? Blessée ? Par pitié, Eragon, parle ! Ils lui ont fait du mal ?

— Elle ne souffre pas pour le moment. Je ne peux pas t'en dire davantage. J'ai dépensé toute mon énergie pour repérer la tache lumineuse de sa conscience, et je n'ai pas réussi à communiquer avec elle.

Eragon s'abstint de mentionner qu'il avait détecté une seconde personne dont il devinait l'identité. Si ses soupçons se confirmaient, sa tâche en serait singulièrement compliquée.

— Je n'ai toutefois trouvé ni Ra'zacs, ni Lethrblakas. En supposant que je n'aie pas perçu les Ra'zacs, leurs parents sont si énormes que leur force vitale devrait briller comme un millier de lanternes, à l'égal de celle de Saphira. En dehors de

Katrina et de quelques vagues taches lumineuses, il n'y a rien là-haut, Helgrind est noir, noir, noir.

Roran plissa le front et, crispant le poing, il fixa le pic rocheux dont les contours s'estompaient pour se fondre dans les ombres violettes du crépuscule.

– Que tu aies raison ou non, cela ne change pas grand-chose, murmura-t-il d'une voix sans timbre.

– Comment cela ?

– Nous n'attaquerons pas ce soir. C'est la nuit que les Ra'zacs sont les plus forts. S'ils rappliquent, nous serons désavantagés. Ce serait idiot de se battre, tu es d'accord ?

– Oui.

– Nous attendrons donc l'aube.

D'un geste de la main, Roran désigna les esclaves enchaînés à l'autel sanglant, et poursuivit :

– Si ces deux malheureux ont disparu entre-temps, nous saurons que les Ra'zacs sont au nid, et nous procéderons comme prévu. Sinon, pas de chance pour nous, c'est que l'ennemi nous a échappé. Nous libérerons les esclaves, nous délivrerons Katrina, et nous nous envolerons au plus vite avec elle pour regagner le camp des Vardens avant que Murtagh nous donne la chasse. Dans un cas comme dans l'autre, je doute que les Ra'zacs laissent Katrina longtemps sans surveillance, pas si Galbatorix tient à ce qu'elle survive pour l'utiliser contre moi.

Eragon acquiesça d'un hochement de tête. Il aurait détaché les esclaves sans plus tarder s'il n'avait craint d'alerter l'adversaire. Saphira et lui ne pourraient pas intervenir non plus quand les Ra'zacs viendraient chercher leur repas. Un combat aérien entre un dragon et des créatures de l'envergure des Lethrblakas attirerait l'attention de tous les hommes, femmes et enfants sur des lieues à la ronde. Il y avait fort à parier que ni lui, ni Roran, ni Saphira n'en réchapperait si Galbatorix apprenait qu'ils étaient seuls sur le territoire de l'Empire.

Attristé, il se détourna des pauvres hères enchaînés. « J'espère pour eux que les Ra'zacs sont à l'autre bout de l'Alagaësia ou, au moins, qu'ils n'auront pas faim ce soir. »

Sans s'être consultés, Eragon et Roran entamèrent en rampant la descente de la petite éminence au sommet de laquelle ils étaient tapis. Arrivés en bas, ils se redressèrent un peu, changèrent de direction et, pliés en deux, coururent entre les rangées de collines. Creusée par les crues soudaines, la dépression se mua en un ravin bordé de schiste qui s'effritait.

Évitant les genévriers noueux qui en parsemaient le fond, Eragon leva les yeux et vit, entre des touffes d'aiguilles, les premières constellations piqueter le ciel de velours. Elles semblaient aussi froides et dures que des éclats de glace. Puis il reporta son attention sur le sol et se concentra pour ne pas glisser tout en trottant au côté de son cousin vers le sud et leur bivouac.

2

AUTOUR DU FEU DE CAMP

Le lit de braises palpitait comme le cœur de quelque animal géant. De temps en temps, une grappe d'étincelles dorées jaillissait et courait à la surface du bois pour disparaître dans une crevasse incandescente.

Les restes du feu mourant baignaient le périmètre immédiat d'une lueur rouge, révélant une zone de sol rocheux avec, au premier plan, quelques buissons d'un gris d'étain, puis la masse indistincte d'un genévrier, et derrière, plus rien.

Jambes tendues vers les braises de rubis, Eragon chauffait ses pieds nus, le dos calé contre la puissante patte droite écailleuse de Saphira. En face de lui, Roran était perché sur une vieille souche dure comme fer, décolorée par le soleil et polie par les vents. À chacun de ses mouvements, le vestige de tronc crissait avec véhémence, vrillant les tympans sensibles d'Eragon.

Le calme régnait au creux du vallon, les braises elles-mêmes couvaient en silence. Roran avait choisi du bois mort très sec afin d'éviter que la fumée n'attire sur eux l'attention d'ennemis potentiels.

Eragon achevait de raconter les évènements de la journée à Saphira. En temps normal, ce récit aurait été inutile, car pensées, sentiments et sensations diverses circulaient entre eux comme l'eau entre les berges d'un lac. Aujourd'hui cependant, il avait dû élever des barrières mentales pour se protéger pendant son incursion désincarnée dans le repaire des Ra'zacs.

Après une pause prolongée, Saphira bâilla, découvrant une rangée de crocs redoutables. « Les Ra'zacs sont peut-être cruels et mauvais, mais, s'ils envoûtent leurs proies et leur instillent le désir d'être mangées, ils m'impressionnent. Ce sont de très grands chasseurs... Il faudra que je tente ça, un jour. »

« Pas sur des gens ! protesta Eragon. Essaie plutôt sur des moutons. »

« Des gens, des moutons, quelle différence, pour un dragon ? » Un rire fit vibrer sa gorge, roulement sourd qui rappelait les grondements du tonnerre.

Pour ne plus sentir la morsure des écailles au bord acéré contre son dos, Eragon se redressa, puis il ramassa le bâton d'aubépine posé près de lui. Il le fit tourner entre ses paumes, contempla les jeux de lumière sur l'entrelacs de racines polies à son sommet, sur la pique de métal éraflée à sa base.

Avant de quitter le camp des Vardens dans les Plaines Brûlantes, Roran le lui avait flanqué dans les bras en déclarant : « Fisk l'a confectionné pour moi quand le Ra'zac m'a mordu l'épaule. Je sais que tu n'as plus d'épée, j'ai pensé qu'il pourrait te servir... Si tu veux te procurer une autre lame, libre à toi, mais l'expérience m'a enseigné qu'un bon gourdin permettait de remporter presque tous les combats. » Se rappelant alors le bâton qui accompagnait Brom où qu'il aille, Eragon avait renoncé à l'épée en faveur de cette branche d'aubépine noueuse. Dépossédé de Zar'roc, il n'avait aucune envie de se rabattre sur une lame de moindre qualité. Cette nuit-là, il avait renforcé le bâton d'aubépine et le manche du marteau de Roran par des sorts qui les empêcheraient de se briser, à moins d'une pression extrême.

Des souvenirs importuns lui revinrent par bouffées. *Un ciel orange et pourpre qui tourbillonne tandis que Saphira plonge à la poursuite du dragon rouge et de son Dragonnier. Le vent qui siffle à ses oreilles... Ses doigts rendus gourds par le choc des lames alors qu'il se bat au sol contre ce même Dragonnier... Arrachant le heaume de son adversaire en plein duel, il découvre le visage de son*

ancien ami et compagnon de voyage, Murtagh, qu'il croyait mort…
Le rictus satisfait sur les traits de Murtagh, qui lui prend Zar'roc et
revendique l'épée rouge comme son héritage en tant que fils aîné de
Morzan, leur père…

Tandis que le bruit et la fureur des combats se dissipaient,
l'agréable parfum du bois de genévrier se substitua à l'odeur
rance du carnage. Désorienté, Eragon cligna des yeux et passa
la langue sur ses dents pour chasser de sa bouche le goût amer
de la bile.

Murtagh.

Ce seul nom éveillait en lui une foule d'émotions contradic-
toires. D'un côté, il avait une réelle affection pour le jeune
homme. Murtagh les avait sauvés des Ra'zacs après leur première et tragique visite à Dras-Leona, il avait risqué sa vie pour
le tirer des geôles de Gil'ead et combattu avec honneur aux
côtés des Vardens pendant la bataille de Farthen Dûr ; enfin,
malgré les tourments que son geste lui vaudrait, il avait choisi
d'interpréter les ordres de Galbatorix de manière à les libérer,
Saphira et lui, au lieu de les emmener captifs. Ce n'était pas la
faute de Murtagh si les Jumeaux l'avaient enlevé, si le dragon
rouge avait éclos pour lui, et si Galbatorix avait découvert leur
vrai nom à tous deux pour leur arracher des promesses de fidélité en ancien langage.

Eragon ne pouvait rien reprocher de tout cela à Murtagh.
Il avait été victime du destin, comme il l'était depuis sa naissance.

Et pourtant, pourtant… Si Murtagh servait Galbatorix contre
sa volonté, s'il répugnait aux atrocités que le roi l'obligeait à
commettre, une part de lui semblait se délecter des pouvoirs
nouveaux dont il jouissait. Au cours de l'affrontement récent
entre les Vardens et les forces de l'Empire dans les Plaines
Brûlantes, Murtagh avait visé Hrothgar, le roi des nains, et
l'avait abattu de son propre chef, sans ordre en ce sens de
Galbatorix. De plus, s'il les avait épargnés, Saphira et lui, s'il
leur avait rendu la liberté, il les avait maîtrisés dans une brutale
épreuve de force pour écouter ensuite les suppliques d'Eragon.

Pire, son ancien ami avait pris bien trop de plaisir à le faire souffrir en lui révélant qu'ils étaient frères, fils de Morzan, premier et dernier des treize Dragonniers parjures, ces traîtres qui avaient livré leurs pairs à Galbatorix.

Quatre jours s'étaient écoulés depuis la bataille et, près du feu de camp, une explication vint à l'esprit d'Eragon : peut-être Murtagh se réjouissait-il de voir un autre endosser le terrible fardeau qu'il portait depuis toujours ?

Que l'hypothèse soit vraie ou fausse, Eragon le soupçonnait d'avoir embrassé son nouveau rôle pour les raisons qui poussent un chien battu à se retourner un jour contre son maître. Le jeune homme avait été si souvent puni et fustigé par le sort que, l'occasion lui en étant offerte, il avait résolu de se venger d'un monde bien peu clément envers lui.

Hélas, même si une flamme de bonté brûlait encore dans le cœur de Murtagh, ses promesses en ancien langage le liaient pour toujours à Galbatorix par des chaînes indestructibles, et le condamnaient à devenir l'ennemi mortel d'Eragon.

« Si seulement il n'avait pas poursuivi les Urgals avec Ajihad sous Farthen Dûr ! S'il avait été plus vif, les Jumeaux... »

« Eragon », l'interrompit Saphira.

Il s'ébroua mentalement, heureux qu'elle soit intervenue. Malgré ses efforts pour ne pas s'abîmer en tristes réflexions sur Murtagh et leurs parents communs, ces pensées refoulées se plaisaient à le surprendre lorsqu'il s'y attendait le moins.

Désireux de revenir au présent, il prit une longue inspiration et relâcha lentement son souffle afin de se vider la tête. Sans résultat.

Au lendemain de l'importante bataille des Plaines Brûlantes, tandis que les Vardens se rassemblaient et se préparaient à suivre les troupes de l'Empire qui s'étaient retirées à quelques lieues en amont de la rivière Jiet, Eragon était allé voir Nasuada et Arya de bon matin. Il leur avait expliqué la situation de Roran et demandé l'autorisation d'accompagner son cousin pour lui prêter main-forte, en vain. Les deux femmes s'opposaient avec véhémence à ce que Nasuada qualifiait de « projet fou dont les conséquences seraient désastreuses pour toute l'Alagaësia s'il venait à mal tourner ».

La discussion s'était envenimée et se serait encore prolongée si Saphira n'avait soudain poussé un rugissement tel que la tente de commandement en avait tremblé sur ses bases. Après quoi, elle avait déclaré : « Je suis moulue, fatiguée, et Eragon défend fort mal sa cause. N'avons-nous pas mieux à faire que de rester là à jacasser comme des pies soûles ? Bien sûr que si. Alors, écoutez-moi. »

Avec le recul, Eragon songea qu'il était difficile d'argumenter contre un dragon.

Complexes dans le détail, les remarques de Saphira s'enchaînaient selon une logique aussi limpide qu'imparable. Elle soutenait Eragon parce qu'elle savait combien cette mission lui tenait à cœur ; de son côté, Eragon soutenait Roran au nom de l'amour, de la famille, et parce qu'il savait qu'avec ou sans lui, son cousin tenterait de délivrer Katrina. Seul, Roran n'avait aucune chance contre les Ra'zacs ; de plus, aussi longtemps que l'Empire garderait Katrina en otage, Galbatorix était en possession d'une arme pour le manipuler, et Eragon à travers lui. Si l'usurpateur menaçait de tuer Katrina, Roran serait contraint de se soumettre à sa volonté.

C'était là une faille dans leur défense, qu'il était préférable de combler avant que l'ennemi n'en tire avantage.

Le moment était de surcroît idéal. Ni Galbatorix, ni les Ra'zacs ne s'attendraient à un raid au centre de l'Empire alors même que les Vardens combattaient les troupes du tyran à la frontière du Surda. On avait vu Murtagh et Thorn voler en direction d'Urû'baen, sans doute pour y être châtiés dans les règles. Comme Eragon, Nasuada et Arya pensaient que ces deux-là repartiraient vers le nord pour affronter la reine Islanzadí et l'armée qu'elle commandait dès que les elfes auraient frappé, signifiant leur entrée en guerre. Si la chose s'avérait possible, il serait donc utile d'éliminer les Ra'zacs au plus tôt, avant qu'ils ne sèment la terreur dans le camp des Vardens et démoralisent les guerriers.

Saphira avait ensuite fait valoir, en termes des plus diplomatiques, que, si Nasuada usait de son autorité de suzeraine pour interdire à Eragon de participer à ce raid, la rancœur liée à ce désaccord empoisonnerait leurs relations, ce qui nuirait à la cause des rebelles. « Le choix vous appartient, avait-elle ajouté. Libre à vous d'exiger qu'Eragon reste. Je ne suis cependant tenue par aucun engagement, et j'ai quant à moi résolu d'accompagner Roran. L'aventure me paraît belle. »

Un sourire se dessina sur les lèvres d'Eragon au souvenir de la scène.

Les arguments de Saphira alliés à son raisonnement implacable avaient convaincu Nasuada et Arya de donner leur accord malgré leurs réticences.

Nasuada avait alors déclaré : « Eragon, Saphira, nous nous en remettons à votre jugement. Pour votre bien comme pour le nôtre, j'espère que l'expédition se déroulera sans heurt. » Au ton de sa voix, Eragon n'aurait su dire si ses paroles exprimaient un vœu sincère, ou si elles recelaient une subtile menace.

Suite à cet entretien, il avait passé la journée à rassembler le nécessaire pour le voyage, à étudier des cartes de l'Empire avec Saphira, à prononcer les sorts qu'il jugeait nécessaires, en particulier pour éviter que Galbatorix ou ses sbires n'aperçoivent Roran par magie.

Le lendemain matin, son cousin et lui avaient enfourché Saphira pour s'élever au-dessus des épaisses nuées orange qui étouffaient les Plaines Brûlantes et filer vers le nord-est. Elle avait volé sans relâche, jusqu'à ce que le soleil ait traversé la voûte céleste et disparu sous l'horizon avant de renaître dans une glorieuse débauche de rouges et de jaunes.

Cette première étape les avait menés aux confins peu peuplés de l'Empire. Là, ils avaient mis le cap à l'ouest, vers Dras-Leona et Helgrind, se déplaçant de nuit pour ne pas attirer l'attention, car la vaste étendue de prairie qui les séparait de leur destination était parsemée de nombreuses bourgades.

Eragon et Roran s'étaient emmitouflés de capes et de fourrures, gantés de chaudes mitaines et coiffés de chapeaux de feutre, Saphira ayant choisi de voler plus haut que les sommets couronnés de neiges éternelles, si haut que l'air raréfié et sec leur brûlait les bronches. Ainsi, rien ne la distinguerait d'un aigle si un fermier soignant un veau malade dans son champ ou un guetteur faisant sa ronde venait à lever les yeux à son passage.

Partout, la guerre était en marche, ce n'était que camps de soldats, chariots de ravitaillement regroupés pour le bivouac, files d'hommes au cou cerclé de métal qu'on avait arrachés à leurs foyers et enrôlés sous la bannière de Galbatorix. On déployait contre les rebelles des ressources impressionnantes.

Vers la fin de la seconde nuit, la silhouette de Helgrind était apparue au loin, masse inquiétante de colonnes déchiquetées aux contours encore flous dans la lumière couleur de cendre qui précède l'aube. Saphira s'était posée dans le vallon qu'ils occupaient maintenant, où ils avaient dormi presque toute la journée avant de partir en reconnaissance.

Roran jeta une branche sur le reste de braise, ce qui souleva une petite tempête de poussières ambrées. Surprenant le regard de son cousin, il haussa les épaules et dit :

– Froid.

Eragon n'eut pas le temps de répondre qu'un bruit de friction, comme d'une lame qu'on tire d'un fourreau, se fit entendre.

D'instinct, il se jeta dans la direction opposée, roula sur lui-même et se releva à croupetons, brandissant son bâton d'aubépine pour parer un coup éventuel. Roran fut presque aussi rapide. Quittant la souche sur laquelle il était assis, il agrippa son bouclier et tira son marteau de sa ceinture en l'espace de quelques secondes.

Immobiles, ils attendaient l'attaque.

Le cœur d'Eragon tambourinait et ses muscles tremblaient tandis qu'il scrutait les ténèbres, guettant l'esquisse d'un mouvement.

« Je ne sens rien », remarqua Saphira.

Plusieurs minutes passèrent sans incident. Eragon se risqua à étendre sa conscience sur le paysage environnant et déclara :

– Personne.

Il plongea en lui pour capter le flux de magie et prononça les mots « Brisingr raudhr ! ». Une boule lumineuse d'un rouge pâle se matérialisa à quelques pas devant lui, baignant le vallon d'une clarté liquide. Elle flottait dans l'air au niveau de ses yeux où qu'il se tourne, comme s'ils étaient reliés à elle par une barre invisible.

Ensemble, les jeunes gens se dirigèrent vers la source du bruit, dans le ravin qui courait vers l'est. À environ vingt coudées de leur bivouac, Roran fit signe à Eragon de s'arrêter et lui montra du doigt une plaque de schiste qui gisait dans l'herbe, à l'évidence déplacée. Il s'agenouilla puis en frotta un petit morceau contre la plaque, produisant un crissement métallique identique à celui qu'ils avaient entendu. Après avoir examiné les parois du ravin, Eragon laissa la boule de lumière se dissoudre et conclut :

– Elle a dû tomber.

Roran hocha la tête, se releva et épousseta son pantalon.

Tandis qu'ils retournaient auprès de Saphira, Eragon réfléchissait à la vivacité de leurs réactions. Il en était encore oppressé, ses mains tremblaient, et il brûlait d'envie de s'élancer à travers la campagne sur des lieues et des lieues, aussi vite que le porteraient ses jambes. « Nous n'aurions pas bondi de la sorte autrefois. »

Leur vigilance accrue s'expliquait d'elle-même : chaque combat avait entamé leurs placides certitudes, laissant leurs nerfs à vif, si bien qu'ils sursautaient pour un rien.

Roran devait remuer des pensées similaires, car il demanda :

– Tu les vois ?

– Qui ?

– Les hommes que tu as tués. Tu les vois dans tes rêves ?

– Parfois, oui.

Le rougeoiement des braises éclairait le visage de Roran par en dessous ; des ombres lui barraient le front et la bouche, ses yeux aux paupières tombantes avaient quelque chose d'inquiétant. Il s'exprimait lentement, comme si chaque mot lui pesait :

– Je n'ai jamais voulu être un guerrier. Plus jeune, comme tous les garçons, j'avais des fantasmes de gloire sanguinaire, mais c'est la terre qui comptait pour moi. La terre et la famille... À présent, j'ai tué... tué, et tué encore. Et tu as tué bien plus que moi.

Son regard se perdit au loin, concentré sur des images que lui seul voyait.

– Il y avait ces deux hommes à Narda... Je t'ai déjà parlé d'eux ?

Bien qu'il lui eût relaté l'incident, Eragon secoua la tête en silence.

– Ils gardaient la porte principale... tous les deux. Celui de droite avait les cheveux d'un blanc de neige. Cela m'a frappé, parce qu'il n'avait guère que vingt-quatre ou vingt-cinq ans. Ils portaient l'insigne de Galbatorix, mais ils avaient l'accent de Narda. Ce n'était pas des soldats de métier. Juste des hommes ordinaires qui avaient décidé de protéger les leurs contre les Urgals, les pirates, les brigands... Nous n'avions pas l'intention de lever la main sur eux, je te le jure, Eragon. Ce n'était pas prévu comme ça. Seulement, je n'ai pas eu le choix. Ils m'ont reconnu. J'ai poignardé le jeune aux cheveux blancs sous le menton... j'ai eu l'impression de revoir Papa égorger le cochon. Et l'autre, je lui ai fracassé le crâne. Je sens encore ses os céder sous le choc... Je me souviens de chaque coup donné, depuis les soldats de Carvahall jusqu'à ceux des Plaines Brûlantes... Tu sais, quand je ferme les yeux, il y a des nuits où je ne peux pas dormir... La lumière des incendies que nous avons allumés dans les docks de Teirm est si vive à mon esprit que j'ai l'impression de devenir fou.

Eragon serrait son bâton si fort que les jointures de ses doigts avaient blanchi et que les tendons de ses poignets saillaient.

– Oui, dit-il. Au début, ce n'étaient que des Urgals, et puis il y a eu des hommes et des Urgals, et ensuite la dernière bataille... J'ai beau savoir que notre cause est juste, que nous agissons au nom du bien, la tâche n'en est pas plus facile. En raison de ce que nous sommes, Saphira et moi, les Vardens comptent sur nous à la tête de leur armée pour exterminer des bataillons entiers de soldats. Ce que nous faisons. Avons fait.

Sa voix se brisa, il se tut.

« Tout bouleversement entraîne des désordres, leur déclara Saphira. Et, puisque nous sommes les agents du changement, nous sommes aussi les plus touchés. En tant que dragon, je ne regrette pas la mort de ceux qui nous mettent en danger. Si tuer les gardes de Narda n'est pas un titre de gloire, il n'y a pas lieu non plus de culpabiliser. Il fallait le faire, Roran. Ne sens-tu pas l'excitation farouche du combat qui te donne des ailes lorsque tu dois te battre ? Ne connais-tu pas le plaisir de te mesurer à un adversaire digne de toi ? Le plaisir de voir les corps de tes ennemis s'entasser à tes pieds ? Eragon, toi qui as vécu cela et qui comprends, aide-moi à l'expliquer à ton cousin. »

Le garçon fixait les braises. Elle venait d'énoncer une vérité qu'il hésitait à reconnaître par peur de se mépriser lui-même s'il admettait qu'on pouvait prendre plaisir à la violence. Il garda donc le silence. En face de lui, Roran était également songeur.

« Ne soyez pas fâchés, reprit Saphira d'une voix plus douce. Je ne voulais pas vous causer de peine... J'oublie parfois que vous n'êtes pas encore habitués à ces émotions, alors que moi, je me suis battue bec et ongles pour survivre depuis le jour où je suis sortie de l'œuf. »

Eragon se leva pour aller prendre, dans ses sacoches de selle, la petite bouteille en terre cuite qu'Orik lui avait donnée avant qu'ils se séparent. Il avala deux bonnes goulées d'hydromel à la framboise, grimaça et tendit le flacon à Roran tandis que le feu liquide lui réchauffait l'estomac.

Plusieurs gorgées plus tard, quand l'hydromel eut en partie dissipé sa morosité, Eragon prit la parole :

– Nous aurons peut-être un problème, demain.

– Quel genre de problème ?

– Je t'ai dit que Saphira et moi, nous aurions raison des Ra'zacs sans difficulté, tu te souviens ?

– Oui.

« Et c'est vrai », renchérit la dragonne.

– Eh bien, j'y ai réfléchi pendant que nous observions Helgrind, et je n'en suis plus aussi sûr. L'usage de la magie offre des possibilités sans nombre. Supposons que je veuille allumer un feu. Je pourrais le faire à partir de la chaleur prise dans l'air ambiant et le sol, ou bien créer une flamme d'énergie pure ; je pourrais susciter un éclair, concentrer les rayons du soleil sur un point, employer la friction, et ainsi de suite.

– Et alors ?

– Le problème, c'est que, si je suis en mesure d'imaginer une foule de sorts pour réaliser une action, il suffit d'un seul contre-sort pour les neutraliser tous. Quand on empêche l'action de se produire, il n'est plus nécessaire d'adapter le contre-sort aux propriétés particulières de chaque sort déclencheur.

– Je ne vois pas le rapport avec l'expédition de demain.

« Moi si », intervint Saphira, qui avait parfaitement saisi les implications. « Cela signifie qu'au cours du siècle écoulé, Galbatorix... »

– ... pourrait avoir placé des barrières autour des Ra'zacs...

« ... afin de les protéger contre... »

– ... toute une gamme de sorts. Si bien que je serais sans doute...

« ... incapable de les tuer en utilisant... »

– ... les mots mortels qu'on m'a enseignés, ou encore...

« ... des plans d'attaque que nous pourrions inventer ce soir ou dans le feu de l'action. Nous devrons peut-être... »

– ... nous en remettre...

– Arrêtez ! s'écria Roran.

Il les gratifia d'un sourire penaud, puis ajouta :

— Je vous en prie, cessez cela. Vous me donnez le tournis, tous les deux.

Eragon en resta bouche bée ; jusqu'à ce que son cousin les interrompe, il ne s'était pas aperçu que Saphira et lui s'exprimaient à tour de rôle. Il s'en réjouit, car c'était la preuve qu'ils avaient atteint un niveau de coopération supérieur et réagissaient comme un seul être, ce qui les rendait plus puissants que s'ils additionnaient simplement leurs forces. En même temps, de par sa nature, cette symbiose réduisait l'individualité de chacun, et cette pensée le troublait.

Il se ressaisit et rit.

— Excuse-nous. Pour résumer, ce qui m'inquiète, c'est que, si Galbatorix a pris certaines précautions, les armes seront le seul moyen d'abattre les Ra'zacs. En ce cas...

— Je vais te gêner demain.

— Au contraire. Tu es sans doute moins rapide que les Ra'zacs, mais tu leur donneras de bonnes raisons de te craindre, Roran Puissant Marteau.

Le compliment parut faire plaisir à son cousin.

— Le danger, c'est que les Ra'zacs ou les Lethrblakas parviennent à te séparer de nous. Tant que nous resterons groupés, nous serons en sécurité. Avec Saphira, je m'efforcerai de les occuper. Il n'est cependant pas improbable que l'un d'eux nous échappe. À quatre contre deux, mieux vaut faire partie des quatre.

« Si j'avais une épée, Saphira, je suis sûr que je réussirais à abattre les Ra'zacs. Y arriverai-je avec mon seul bâton, alors qu'ils sont aussi vifs que des elfes ? »

« C'est toi qui as insisté pour emporter ce vieux bout de bois à la place d'une arme digne de ce nom. Je t'avais pourtant prévenu que ce ne serait pas suffisant contre des ennemis aussi dangereux. »

Eragon concéda le point à regret :

« Si mes sorts se révèlent inefficaces, nous serons plus

vulnérables que prévu... L'aventure de demain pourrait mal se terminer. »

Ignorant tout de cet échange mental, Roran reprit le fil de la conversation où ils l'avaient laissé :

— C'est compliqué, cette histoire de magie.

La souche sur laquelle il était assis émit un long gémissement tandis qu'il posait les coudes sur ses genoux.

— En effet, confirma Eragon. Le plus délicat consiste à anticiper tous les sorts possibles ; je passe la majeure partie de mon temps à m'interroger sur la manière de me protéger si on m'attaque comme ci, à me demander si un autre magicien s'attendrait à ce que je réagisse comme ça.

— Tu pourrais me rendre aussi fort et rapide que tu l'es ?

Eragon réfléchit pendant quelques minutes avant de répondre :

— Je ne vois pas comment. Il faut que l'énergie vienne de quelque part. Si Saphira et moi te la donnions, nous perdrions en force et en vitesse ce que tu y gagnerais.

Il s'abstint de mentionner qu'on pouvait extraire cette énergie des plantes et animaux des environs, au prix du sacrifice des plus petits d'entre eux — un bien lourd tribut à payer. C'était là une technique entourée de secret qu'il préférait ne pas révéler à la légère, voire ne pas révéler du tout. De plus, elle ne servirait à rien ici. Il y avait trop peu de vie sur Helgrind pour y puiser l'énergie nécessaire à alimenter le corps d'un homme comme Roran.

— Tu m'apprendrais à utiliser la magie ?

Voyant qu'Eragon hésitait, il s'empressa d'ajouter :

— Pas maintenant, cela va de soi. Nous n'en avons pas le temps, et je n'espère pas devenir magicien en une nuit. Je voulais dire de façon générale. Pourquoi pas ? Nous sommes du même sang, et ce serait un atout précieux.

— J'ignore comment les non-Dragonniers apprennent la magie, avoua Eragon. Je n'ai pas étudié la question.

Il regarda autour de lui, ramassa une pierre ronde et plate et la lança à son cousin, qui l'attrapa au vol.

33

— Tiens, essaie ça. Concentre-toi pour soulever ce caillou d'environ un pied en disant « Stenr rïsa ».

— Stenr rïsa ?

— Parfait.

Le front plissé, Roran louchait sur la pierre posée sur sa paume, dans une attitude qui rappelait à Eragon ses premières tentatives ; une bouffée de nostalgie l'envahit au souvenir des heures passées à travailler avec Brom. Les sourcils de son cousin se touchaient, ses lèvres crispées se retroussaient, et il gronda soudain « Stenr rïsa » avec une intensité telle qu'Eragon s'attendait à voir le caillou s'envoler et disparaître.

Rien ne se produisit.

Fronçant les sourcils et louchant de plus belle, Roran répéta l'ordre :

— Stenr rïsa !

La pierre ne bougea pas davantage.

— Bon, dit Eragon. Ne te décourage pas, continue. C'est le seul conseil que je puisse te donner. Mais attention...

Il leva l'index en signe d'avertissement et enchaîna :

— Si par hasard tu réussis, viens me trouver immédiatement ou, si je ne suis pas là, va consulter un magicien. Tu peux te tuer ou tuer les autres en expérimentant la magie sans en comprendre les règles. Et rappelle-toi ceci : si tu jettes un sort qui exige trop d'énergie, *tu en mourras*. Ne te lance pas dans des projets qui dépassent tes capacités, n'essaie pas de ressusciter les morts ni de défaire ce qui est fait.

Roran hocha la tête sans quitter la pierre des yeux.

— En dehors de la magie, reprit Eragon, je viens de penser à une chose beaucoup plus importante qu'il te faut apprendre.

— Ah oui ?

— Tu dois être capable de protéger ton esprit contre la Main Noire, le Du Vrangr Gata et leurs semblables. Ce que tu sais maintenant pourrait nuire aux Vardens. Il est donc capital que tu maîtrises cette technique, et nous nous y emploierons dès que nous serons rentrés. Tant que tu ne seras pas en mesure de bloquer les incursions mentales des espions, ni Nasuada, ni moi, ni personne ne te livrera de renseignements susceptibles de servir les desseins de nos ennemis.

– Je comprends. Sauf en ce qui concerne le Du Vrangr Gata. Ils sont à tes ordres et à ceux de Nasuada, non ?

– Oui. Il n'empêche que, même parmi nos alliés, beaucoup donneraient leur bras droit – cette image lui tira une grimace – pour découvrir nos plans et nos secrets. Les tiens aussi, Roran. Tu es devenu *quelqu'un*, Puissant Marteau. Du fait de tes exploits, et parce que nous sommes parents.

– Je sais. Et je me sens tout drôle quand des inconnus me saluent.

– Certes.

D'autres observations du même ordre brûlaient les lèvres d'Eragon, qui jugea préférable de remettre cette discussion à plus tard.

– À présent que des consciences ont contacté la tienne, que les sensations te sont familières, tu serais peut-être en mesure de te projeter pour toucher d'autres esprits.

– Je ne suis pas certain d'en avoir envie.

– Peu importe. De toute façon, rien ne prouve que tu y arriveras. Avant de t'y essayer, il faut que tu pratiques l'art de la défense mentale.

Roran haussa un sourcil interrogateur :

– Comment ?

– Choisis un son, une image, une émotion, ce que tu voudras. Ensuite, tu te concentres dessus jusqu'à chasser toute autre pensée de ta tête.

– C'est tout ?

– C'est plus difficile que tu ne crois. Vas-y, essaie. Quand tu seras prêt, fais-moi signe, que je voie comment tu t'en sors.

Plusieurs minutes passèrent. Enfin, d'un geste de l'index, Roran invita son cousin à le tester, et Eragon se projeta vers lui pour examiner le résultat.

La pleine puissance de son mental se heurta à un mur composé de souvenirs de Katrina qu'il ne put pénétrer. Impossible de trouver une faille, une crevasse par laquelle s'infiltrer.

En cet instant, la personnalité de Roran se résumait à ses sentiments pour Katrina. Jamais Eragon n'avait rencontré de défenses aussi solides. L'esprit de son cousin ne laissait pas de prise qui permette de se glisser en lui pour le manipuler.

Il remua alors la jambe gauche, et la souche sur laquelle il était assis émit un grincement aigu.

Le mur qui tenait Eragon en échec se fractura soudain tandis que Roran luttait contre une foule de pensées parasites : « Qu'est-ce que... Zut ! Ne t'occupe pas de ça, il va passer. Katrina. Pense à Katrina. Pas à Eragon. La nuit où elle a accepté de m'épouser, l'odeur de l'herbe, de ses cheveux... C'est lui que je sens ? Non ! Se concentrer ! Ne pas... »

Profitant de sa confusion, Eragon s'engouffra dans la brèche et immobilisa son cousin avant qu'il puisse se protéger.

« Tu as compris le principe », dit-il. Puis il se retira de l'esprit de Roran pour poursuivre à voix haute :

– Il faut cependant que tu apprennes à rester concentré, même en pleine bataille. À penser sans penser... à te vider d'espoirs et d'inquiétudes pour ne garder en tête qu'une seule idée : celle qui constitue ton armure mentale. Les elfes m'ont enseigné un truc qui m'a beaucoup aidé : réciter une énigme, une strophe d'un poème, un couplet d'une chanson. Lorsqu'on répète les mêmes mots en boucle, l'esprit a moins tendance à vagabonder.

– J'y travaillerai, c'est promis.

– Tu l'aimes vraiment, hein ? murmura Eragon.

Ce n'était pas une question – la réponse s'imposait d'elle-même –, plutôt l'énonciation d'une vérité, l'aveu timide de son étonnement fasciné. S'ils avaient autrefois passé des heures à discuter des mérites respectifs des jeunes filles de Carvahall et de ses environs, jamais ils n'avaient échangé de confidences sentimentales.

– Comment c'est arrivé ?

– Elle me plaisait. Je lui plaisais. Qu'importent les détails ?

– Allez, raconte ! J'étais trop en colère pour te le demander avant que tu partes pour Therinsford, et nous ne nous sommes pas revus jusqu'à ce que nous nous retrouvions il y a quatre jours. Je suis curieux.

Roran se massa les tempes, étirant et plissant la peau autour de ses yeux.

— Il n'y a pas grand-chose à raconter. J'ai toujours eu le béguin pour elle. Avant de devenir un homme, je ne m'en souciais pas plus que ça. Et puis, après les rites de passage, j'ai commencé à m'interroger sur la femme que j'aimerais prendre pour épouse, qui serait la mère de mes enfants. Au cours d'une de nos visites à Carvahall, j'ai vu Katrina s'arrêter devant la maison de Loring pour cueillir une fleur de pourpier qui poussait à l'ombre de l'avant-toit. Elle souriait en regardant la fleur... un sourire si tendre, si débordant de bonheur que ça a été plus fort que moi. J'ai eu envie de la faire sourire comme ça du matin au soir et de contempler son sourire jusqu'à ma mort.

Des larmes brillèrent dans les yeux de Roran, puis il cligna des paupières, et elles disparurent sans se répandre.

— Je crains d'avoir échoué, conclut-il.

Après une pause convenable, Eragon le relança :

— Donc, tu l'as courtisée. En dehors des compliments que tu m'envoyais lui porter, comment t'y es-tu pris ?

— J'ai l'impression que tu cherches à t'instruire pour ton compte...

— Certainement pas ! Tu te fais des...

— À ton tour d'avouer, cousin. Je sais que tu me caches quelque chose. Je le vois à ton air niais et à tes oreilles qui rougissent. Les elfes t'ont peut-être donné un nouveau visage, mais cette part de toi n'a pas changé. Qu'est-ce qu'il y a entre toi et Arya ?

La perspicacité de Roran avait quelque chose de troublant.

— Rien ! Il n'y a rien. La lune te met la tête à l'envers.

— Sois franc. Tu bois ses paroles, tu chéris chacun de ses mots comme si c'étaient des diamants, tu la dévores des yeux comme un affamé devant un banquet auquel il n'est pas convié.

Un plumet de fumée grise s'échappa des naseaux de Saphira, suivi d'un curieux bruit étranglé. Ignorant le rire qu'elle réprimait, Eragon reprit :

– Arya est une elfe.

– Elle est aussi très belle. Ses oreilles pointues et ses yeux en amande n'ôtent rien à son charme. Et puis, maintenant, tu ressembles à un chat, toi aussi.

– Elle a plus de cent ans !

Cette révélation surprit Roran au point qu'il en resta bouche bée.

– Ça alors ! Je ne te crois pas. Elle est dans la fleur de l'âge.

– C'est pourtant vrai.

– Quoi qu'il en soit, Eragon, tu te réfugies derrière des prétextes raisonnables, et il est rare que le cœur écoute la raison. Elle t'attire, ou pas ?

« Si elle l'attirait davantage, intervint Saphira, je ne résisterais pas moi-même à l'envie d'embrasser Arya. »

Mortifié, Eragon lui donna une tape sur la patte.

« Saphira, je t'en prie ! »

Roran eut le bon sens de ne pas se gausser de son cousin.

– Tu veux bien répondre à ma première question, et me dire ce qu'il y a entre vous ? Tu lui as déclaré tes sentiments ? Tu as parlé à sa famille ? J'ai découvert qu'il valait mieux ne pas laisser traîner ce genre de situation.

– Oui, murmura Eragon en fixant son bâton d'aubépine. Je me suis déclaré à elle.

– Et alors ?

Comme son cousin tardait à le satisfaire, Roran laissa échapper un grognement frustré.

– Tu es impossible ! Obtenir des explications de toi est encore plus pénible que de tirer Birka à travers un bourbier.

Eragon ne put s'empêcher de rire au souvenir de leur cheval de trait.

– Saphira, par pitié, éclaire-moi, ou nous n'en finirons jamais.

– Alors, rien, Roran. Elle ne veut pas de moi.

Le ton était neutre, comme s'il commentait les malheurs d'un tiers, mais un torrent de douleur bouillonnait en lui, si violent qu'il sentit Saphira reprendre ses distances.

— Je suis désolé pour toi, dit Roran.

Le cœur serré, la gorge nouée, Eragon déglutit avec peine.

— Ce sont des choses qui arrivent.

— Aussi improbable que cela te paraisse pour le moment, un jour, tu rencontreras une femme qui te fera oublier Arya. Les demoiselles ne manquent pas, et je suis prêt à parier que plus d'une femme serait ravie d'attirer l'œil d'un Dragonnier. Tu n'auras aucun mal à trouver une épouse parmi toutes les beautés d'Alagaësia.

— Et toi, comment aurais-tu réagi si Katrina avait repoussé ta demande ?

Roran écarquilla les yeux comme des soucoupes. À l'évidence, il n'en avait aucune idée.

Eragon poursuivit :

— Contrairement à ce que toi, Arya et tous les autres semblez croire, je suis conscient qu'il existe des jeunes femmes disponibles en Alagaësia, et que certains peuvent tomber amoureux plusieurs fois. Si je passais mon temps à la cour du roi Orrin en compagnie des dames, j'en trouverais sans doute une à mon goût. Quoi qu'il en soit, la voie qui m'est tracée ne me le permet pas. Et, à supposer même que mes affections s'attachent à un autre objet – car, comme tu le soulignais, le cœur est imprévisible –, reste à savoir si ce serait une bonne idée.

— Cesse de t'exprimer par énigmes. Ton langage est devenu aussi tortueux que les racines d'un pin.

— Très bien. Quelle femme humaine pourrait comprendre ce que je suis et l'étendue de mes pouvoirs afin de partager ma vie ? Une magicienne. Il y en a peu. Parmi ce groupe restreint, parmi toute la gent féminine, combien sont immortelles ?

Roran éclata d'un grand rire sonore qui se répercuta à travers le ravin :

— Autant vouloir mettre le soleil dans sa poche, ou encore...

Il s'interrompit soudain, se tendit comme un ressort et se figea :

— Pas possible. Tu n'es pas...

— Si.

– C'est le résultat de ta transformation à Ellesméra, ou cela tient à l'état de Dragonnier ?

– Cela tient à l'état de Dragonnier.

– Voilà pourquoi Galbatorix n'est pas mort.

– Exactement.

La branche que Roran avait jetée sur le feu crépita et se fendit. Les braises avaient chauffé le bois noueux jusqu'à atteindre une petite poche d'eau ou de sève qui avait échappé aux rayons du soleil pendant des décennies et qui sifflait maintenant pour se muer en vapeur.

– C'est tellement... énorme que c'en est presque inconcevable, commenta Roran. La mort nous définit. Elle nous guide, elle nous forme, elle nous rend fous. Es-tu encore humain si tu n'es plus mortel ?

– Je ne suis pas invincible. On peut toujours me tuer d'un coup d'épée, d'une flèche. Je ne suis pas immunisé contre les maladies incurables.

– Mais, si tu évites ces dangers, tu vivras éternellement.

– Si j'y parviens, Saphira et moi, nous perdurerons.

– C'est à la fois un don et une malédiction.

– Certes. En toute bonne foi, je ne peux pas épouser une femme qui vieillira et mourra alors que les ravages du temps ne m'affectent pas. Ce serait cruel pour nous deux. Je t'avouerais aussi que l'idée de mariages à répétition au fil des siècles me déprime.

– La magie te permettrait de rendre quelqu'un immortel ?

– On peut redonner leur couleur aux cheveux blancs, lisser les rides et guérir la cataracte. Si l'on tient à se surpasser, on peut rendre un corps de jeune homme à un vieillard. Toutefois, les elfes n'ont jamais découvert le moyen de rajeunir qui que ce soit sans effacer ses souvenirs. Qui voudrait perdre la mémoire tous les vingt ou trente ans en échange de l'immortalité ? Devenir un autre, un étranger pour continuer à vivre ? Un vieux cerveau dans un corps jeune n'est pas une solution non plus. Même avec une santé de fer, la matière dont sont faits les humains n'est pas prévue pour qu'ils durent beaucoup plus d'un siècle. On ne peut pas davantage empêcher les gens de vieillir. Cela entraîne toutes sortes de complications... Oh, les elfes et les hommes ont essayé mille et une recettes pour tromper la mort, sans jamais y arriver.

— En d'autres termes, il vaut mieux que tu aimes Arya plutôt que de garder ton cœur libre au risque qu'une femme humaine le prenne.

— Qui pourrais-je épouser si ce n'est une elfe ? Surtout avec mon physique.

Eragon réprima l'envie de tortiller la pointe de ses oreilles, un tic qui lui était venu.

— Quand je séjournais à Ellesméra, il m'était facile d'accepter ma métamorphose physique. D'autant que les dragons m'avaient beaucoup donné. Et puis, les elfes étaient plus amicaux envers moi après l'Agaetí Sänghren. C'est à mon retour chez les Vardens que j'ai réalisé à quel point j'étais *différent*... Et cela me perturbe. Sans être tout à fait un elfe, je ne suis plus un humain normal. Je suis un hybride, un sang-mêlé.

— Du cœur, que diable ! Tu n'auras peut-être pas à t'inquiéter longtemps de ton immortalité. Galbatorix, Murtagh, les Ra'zacs, ou même les soldats de l'Empire peuvent nous abattre n'importe quand. Le sage ne se soucie pas de l'avenir ; il boit, chante, fait ripaille et profite des joies de ce monde tant qu'elles s'offrent à lui.

— Je sais ce que Papa aurait répondu à cela.

— Et il nous aurait flanqué une raclée pour faire bonne mesure !

Ils en rirent tous deux, puis le silence qui ponctuait si souvent leurs conversations s'installa de nouveau, produit de la fatigue, de la familiarité et, à l'inverse, du fossé que le destin avait creusé entre les deux jeunes gens, dont les vies n'étaient autrefois que des variations sur un même thème.

« Vous feriez bien de dormir, leur dit Saphira. Il est tard et nous devons repartir à l'aube. »

Levant les yeux vers la voûte noire du ciel, Eragon estima l'heure à la rotation des étoiles. La nuit était plus avancée qu'il ne l'imaginait.

— Excellent conseil, déclara-t-il. Je regrette seulement que nous n'ayons pas eu quelques jours de repos avant de nous lancer à l'assaut de Helgrind. La bataille des Plaines Brûlantes nous a vidés de nos forces. Entre le vol pour venir ici et l'énergie que j'ai transférée dans la ceinture de Beloth le Sage ces deux dernières nuits, Saphira et moi n'avons pas encore récupéré. J'ai les membres courbatus et plus de bleus que je n'en saurais compter. Regarde...

Détachant le poignet de sa manche gauche, il retroussa la souple étoffe de lámarae, que les elfes tissaient avec du fil d'ortie sur une trame de laine, et découvrit une traînée jaunâtre à l'endroit où son bouclier avait heurté son bras.

— Ha ! s'exclama Roran. Tu oses appeler ça un bleu ? Je me suis fait plus mal ce matin en me cognant le gros orteil ! Attends. Je vais t'en montrer un digne de ce nom.

Il délaça une botte, l'ôta, et remonta son pantalon pour exhiber une zébrure noire et large comme le pouce en travers du quadriceps.

— La hampe du javelot d'un soldat qui se retournait.

— Impressionnant, mais j'ai mieux.

Eragon se débarrassa de sa tunique, dégagea sa chemise de sa ceinture et se tourna de côté pour que Roran admire une large tache décolorée sur ses côtes, et une autre identique sur son abdomen.

— Des impacts de flèches, expliqua-t-il.

Puis il dénuda son avant-bras droit, révélant une marbrure symétrique à celle de son bras gauche, coup essuyé en arrêtant de son brassard l'épée d'un adversaire.

À son tour, Roran découvrit une collection de taches bleu-vert de la taille d'une pièce d'or, qui lui couraient de l'aisselle gauche au bas des reins, résultat d'une chute sur un tas de cailloux et d'armures.

Eragon examina les lésions et pouffa :

— Pff ! Des piqûres d'épingle ! Tu t'es battu contre un rosier ? J'ai là de quoi te faire rougir de honte.

Ayant enlevé ses bottes, il se redressa et tomba le pantalon, de sorte qu'il ne portait plus que sa chemise et un caleçon de laine.

— Je te défie d'égaler ça, dit-il en désignant l'intérieur de ses cuisses.

La peau moirée d'une débauche de couleurs allant du vert pomme au violet sale ressemblait à celle de quelque fruit exotique en train de mûrir.

— Aïe, commenta Roran. Qu'est-ce qui t'est arrivé ?

— Au cours du combat aérien contre Murtagh, j'ai sauté de Saphira en vol, ce qui m'a permis de blesser Thorn. Saphira a réussi à plonger pour se placer en dessous de moi et m'a rattrapé de justesse. J'ai atterri un peu brutalement sur son dos.

Roran grimaça en frissonnant.

— Ça monte jusque...

Il laissa la phrase en suspens et désigna l'endroit du geste.

— Hélas, oui, répondit Eragon.

— Voilà une meurtrissure remarquable ! Tu peux en être fier. Se blesser... *là*... dans des circonstances aussi exceptionnelles relève de l'exploit.

— Le compliment me ravit.

— N'empêche. Si tu as le plus extraordinaire des bleus, le Ra'zac m'a infligé une blessure que tu n'es pas près d'égaler, puisque j'ai cru comprendre que les dragons avaient effacé la balafre que tu avais dans le dos.

Tout en parlant, il se défit de sa chemise et exposa son torse nu à la lueur palpitante des braises.

Sous le choc, Eragon écarquilla les yeux, puis il se ressaisit et adopta une expression plus neutre en se reprochant cette réaction excessive : cela ne pouvait pas être si grave. Pourtant, à mesure qu'il examinait la cicatrice, sa consternation s'accrut.

Une longue trace rouge plissée et luisante s'enroulait autour de l'épaule droite de Roran, depuis la clavicule pour jusqu'au milieu du bras. À l'évidence, le Ra'zac avait en partie sectionné le muscle, dont les deux moitiés ne s'étaient pas ressoudées,

43

formant une vilaine grosseur à l'endroit où les fibres s'étaient rétractées. Plus haut, la peau se creusait en une dépression profonde d'un demi-pouce.

– Roran ! Tu aurais dû me montrer ça plus tôt. Je ne pensais pas que ton Ra'zac avait fait autant de dégâts... Tu as des difficultés à remuer le bras ?

– Pas vers l'arrière, ni sur le côté – il le prouva. Le problème, c'est devant. Je n'arrive pas à lever la main plus haut... que ma poitrine.

Il grimaça et l'abaissa.

– Même ce simple geste m'est pénible. Il faut que je garde le pouce dans l'alignement, sinon, je ne sens plus mon bras. Ce que j'ai trouvé de mieux, c'est de le balancer par l'arrière et de le laisser retomber sur ce que je veux attraper. Avant de maîtriser la technique, je me suis éraflé les doigts à plusieurs reprises.

Songeur, Eragon tournait et retournait son bâton.

« Saphira, à ton avis ? »

« Je crois que ça s'impose. »

« Nous risquons de le regretter demain. »

« Tu regretterais bien davantage de ne pas l'avoir fait si Roran venait à mourir faute d'avoir frappé de son marteau quand la situation l'exigeait. En puisant l'énergie autour de nous, tu éviteras le surcroît de fatigue. »

« Tu sais que je n'aime pas ça. Rien que d'en parler, j'en suis malade. »

« Nos vies sont plus importantes que celle d'une fourmi, Eragon. »

« Pas pour la fourmi. »

« Tu n'es pas une fourmi. Ne joue pas au plus fin, s'il te plaît. »

Avec un soupir, il posa son bâton et fit signe à son cousin :

– Viens, je vais t'arranger ça.

– Vrai ? Tu peux me guérir ?

– Il semblerait que oui.

Dans l'enthousiasme du moment, les traits de Roran s'éclairèrent, puis il se rembrunit et demanda :

– Maintenant ? Tu es sûr que c'est une bonne idée ?

– Comme me l'a dit Saphira, il vaut mieux que je te soigne pendant que j'en ai le loisir afin d'éviter que ta blessure te coûte la vie ou nous mette en danger.

Roran s'approcha, Eragon posa la main droite sur la cicatrice tout en étendant sa conscience aux arbres, plantes et animaux qui peuplaient le ravin, à l'exception de ceux qu'il jugeait trop fragiles pour survivre au sort.

Il se mit ensuite à réciter une longue incantation en ancien langage. Réparer des lésions de cette ampleur était bien plus complexe que de refermer les lèvres d'une plaie superficielle. Il eut recours à des formules curatives qu'il avait apprises à Ellesméra et passé des semaines à mémoriser.

La marque argentée de sa paume, la gedwëy ignasia, devint incandescente lorsqu'il libéra la magie. Une seconde plus tard, il ne put retenir un gémissement en mourant à trois reprises : deux avec un couple d'oiseaux qui nichaient dans un genévrier voisin, une avec un serpent caché parmi les roches. En face de lui, Roran rejeta la tête en arrière et retroussa les lèvres dans un cri silencieux tandis que le muscle de son épaule se tordait et tressautait sous la surface ondoyante de la peau.

L'instant d'après, c'était fini.

Eragon inspira par saccades et se couvrit le visage de ses mains pour essuyer discrètement ses larmes avant de contempler le fruit de ses efforts. Roran haussa les épaules et fit de grands moulinets avec son bras. Des années durant, il avait creusé des trous, enfoncé des piquets, déplacé des cailloux et rentré le foin, travaux qui lui avaient donné une solide musculature. Malgré lui, Eragon eut un pincement d'envie. Il avait beau être le plus fort, jamais il n'avait eu le physique d'athlète de son cousin.

Roran sourit d'une oreille à l'autre :

– Parfait ! Il est comme neuf. Je te remercie.

– De rien.

— C'était drôlement bizarre. J'ai eu l'impression que j'allais sortir de ma peau. Et ça me démangeait, une horreur ! J'ai dû me retenir à deux mains pour ne pas m'arracher...

— Tu veux bien aller me chercher du pain dans ta sacoche ? J'ai faim.

— Alors que nous venons de dîner ?

— La magie. J'ai besoin de manger un morceau après une telle dépense d'énergie.

Eragon renifla. Il sortit son mouchoir, s'essuya le nez et renifla de nouveau. De fait, il avait déformé la vérité ; ce n'était pas le sort qui l'avait épuisé, mais son coût en vies animales qui le bouleversait et lui soulevait le cœur, de sorte qu'il voulait se caler l'estomac afin d'atténuer sa nausée.

— Tu n'es pas souffrant, au moins ? s'enquit Roran.

— Non, ça va.

Accablé par la mort d'innocentes petites bêtes, il tendit le bras pour prendre le flacon d'hydromel dans l'espoir d'endiguer le flot de pensées morbides.

Un coup s'abattit sur sa main, qu'un gros objet lourd et pointu plaqua au sol. Avec une grimace de douleur, il baissa les yeux et vit une imposante griffe d'ivoire s'enfoncer dans sa chair : Saphira ! Elle le fixait de son grand œil brillant, sa paupière cligna une fois, et, après un long moment, elle leva sa griffe comme on lève un doigt, libérant Eragon. Il déglutit, renonça à l'hydromel et reprit son bâton d'aubépine, puis il s'efforça de se concentrer sur cette réalité tangible au lieu de s'abîmer en tristes ruminations.

Roran tira une miche de pain entamée de sa sacoche, réfléchit, ébaucha un sourire et demanda :

— Tu ne préférerais pas du chevreuil ? Il m'en reste.

De son autre main, il brandissait maintenant une broche de fortune faite d'une branche de genévrier noircie sur laquelle étaient empalés trois morceaux de viande dorée. L'odeur riche, un peu âcre, chatouillait les narines sensibles d'Eragon, évocatrice des nuits de bivouac sur la Crête, des longs dîners d'hiver près du poêle en compagnie de Roran et de Garrow tandis que le blizzard se déchaînait dehors. L'eau lui vint à la bouche.

— C'est encore chaud, insista Roran en lui agitant la broche sous le nez.

Résistant à la tentation, Eragon secoua la tête.

— Le pain me suffira, merci.

— Tu es sûr ? La viande est cuite à point, pas trop sèche, pas trop tendre, avec juste ce qu'il faut d'assaisonnement. Elle est si juteuse qu'on croirait déguster le meilleur ragoût d'Elain.

— Non, je ne peux pas.

— Allons, tu aimes ça !

— Roran, je t'en prie, cesse de me tarabuster et donne-moi ce pain !

— Ah ! Tu as déjà meilleure mine. Ce n'est pas de pain que tu avais besoin, mais de quelqu'un pour te rebrousser le poil.

Eragon le foudroya du regard et, plus vif que l'éclair, lui arracha la miche des mains. Tandis qu'il la rompait, son cousin, que l'échange amusait, déclara :

— Je ne comprends pas comment tu tiens le coup à ce régime de pain, de fruits et de légumes. Pour conserver ses forces, il faut qu'un homme mange de la viande. Cela ne te manque donc pas ?

— Si, plus que tu ne l'imagines.

— Alors, pourquoi te torturer ? Toutes les créatures de ce monde se nourrissent d'autres êtres vivants, même si ce ne sont que des plantes. Nous sommes faits ainsi. À quoi bon aller contre la nature ?

« Je lui ai tenu le même discours à Ellesméra, remarqua Saphira. C'est sans espoir, il ne veut rien entendre. »

Eragon haussa les épaules :

— Nous avons déjà eu cette discussion, Roran. Tu es libre d'agir à ta guise, je n'impose rien à personne. Cela étant, je suis incapable de consommer sans remords la chair d'un animal dont j'ai partagé les pensées et les sensations.

La queue de Saphira s'agita, et ses écailles tintèrent contre un affleurement de rochers.

« C'est trop bête ! »

Elle redressa la tête, tendit le cou et croqua dans la viande sans se soucier de la broche. Le bois craqua sous ses crocs acérés, et le tout disparut dans la fournaise de son ventre.

« Miam ! Tu n'avais pas exagéré. Quel succulent morceau, si fondant, si salé, si savoureux et délectable que je m'en roulerais par terre de plaisir ! Tu devrais cuisiner pour moi plus souvent, Roran Puissant Marteau. Seulement, une prochaine fois, il vaudrait mieux préparer plusieurs chevreuils pour m'offrir un repas à ma mesure. »

Ne sachant si elle plaisantait ou si sa requête était sérieuse, Roran semblait réfléchir à un moyen poli de se soustraire à cette obligation aussi imprévue qu'onéreuse. Dans l'embarras, il leva un regard suppliant sur Eragon, qui éclata de rire devant son air déconfit.

48   Le rire énorme de Saphira se joignit bientôt au sien pour se répandre en vagues sonores à travers le vallon. À la lueur des braises, ses dents luisantes avaient des reflets garance.

Une heure plus tard, ils étaient couchés. Blotti contre Saphira, enveloppé de bonnes couvertures pour se protéger du froid, Eragon contemplait la voûte céleste. Tout n'était que silence, à croire qu'un mage avait enchanté la terre entière, figeant les êtres et les choses dans l'immobilité d'un repos éternel et que, sous le regard scintillant des étoiles, jamais plus rien ne changerait.

Sans bouger, il murmura en pensée :

« Saphira ? »

« Oui, petit homme ? »

« Suppose que j'aie raison et qu'il soit à Helgrind ? Je n'ai aucune idée de ce que je dois faire... Conseille-moi. »

« Je ne peux pas, petit homme. Cette décision t'appartient. Les méthodes des humains ne sont pas celles des dragons. Je lui arracherais la tête et je le dévorerais sans sourciller. De ton point de vue, ce serait mal. »

« Tu me soutiendras, quoi que je décide ? »

« Toujours, petit homme. Et maintenant, dors. Tout se passera bien. »

Rasséréné, Eragon fixa le vide entre les étoiles et ralentit son souffle pour sombrer dans la transe qui lui tenait lieu de sommeil. S'il demeurait conscient de ce qui l'entourait, les personnages de ses rêves éveillés lui apparurent sur la toile de fond des blanches constellations, théâtre d'ombres confus qui habitait ses nuits.

3
À L'ASSAUT DE HELGRIND

Un quart d'heure avant l'aube, Eragon se redressa. Il claqua des doigts deux fois pour réveiller Roran, puis il rassembla ses couvertures et les noua en un baluchon. Roran se leva et fit de même.

Tout frémissants d'excitation, ils se regardèrent.

– Si je meurs, Eragon, tu veilleras sur Katrina ?

– Je te le promets.

– Tu lui diras que je suis allé au combat avec la joie au cœur et son nom sur mes lèvres.

– Je n'y manquerai pas.

Le jeune Dragonnier murmura une brève formule en ancien langage. La baisse d'énergie fut presque imperceptible.

– Là. Voilà qui filtrera l'air et nous protégera de l'haleine paralysante des Ra'zacs.

Il prit son armure dans sa sacoche, la débarrassa de la toile de jute dans laquelle il l'avait enveloppée. Encrassé de sang et de sueur depuis la bataille des Plaines Brûlantes, le corselet avait perdu de son brillant, et les mailles de sa cotte portaient des traces de rouille ici et là. S'il avait négligé de la nettoyer, il en avait cependant réparé les accrocs avant de se mettre en route pour l'Empire.

Fronçant le nez tant elle empestait la mort et le désespoir, Eragon enfila une chemise au dos renforcé de cuir. Il attacha des brassards durcis au feu à ses bras, des grèves[1] à ses jambes. Après s'être couvert le crâne d'un bonnet matelassé, il passa son camail[2] et coiffa par-dessus un simple heaume d'acier. Pendant le duel aérien entre Saphira et Thorn, il avait perdu celui qu'il arborait à la bataille de Farthen Dûr, cadeau des nains gravé à l'emblème du Dûrgrimst Ingeitum, de même que son bouclier. Enfin, il mit des gantelets de mailles.

Roran endossa un harnachement semblable, augmenté d'un écu de bois dont le tour était renforcé d'une bande de métal pour mieux parer les coups. Ayant besoin de ses deux mains pour manier le bâton d'aubépine, Eragon ne s'était pas encombré d'un tel objet, mais il portait en bandoulière le carquois que lui avait offert la reine Islanzadí. Outre vingt solides flèches en bois de chêne, empennées de plumes d'oie grise, il contenait aussi, tendu et prêt à l'emploi, l'arc aux ferrures d'argent que la reine des elfes avait « chanté » pour lui dans de l'if.

« En route ! » leur lança Saphira qui piaffait d'impatience.

Laissant leurs sacoches accrochées aux branches d'un genévrier, Roran et Eragon se hissèrent sur son dos. Pour gagner du temps, ils ne l'avaient pas dessellée la veille au soir. Le siège de cuir était tiède, presque chaud. Eragon empoigna une pique de son cou pour se stabiliser lors des brusques changements de direction. Derrière lui, Roran s'accrochait d'un bras à sa taille, brandissant son marteau de sa main libre.

Une plaque de schiste craqua sous le poids de Saphira qui se ramassait pour s'élancer. Puis, d'un bond vertigineux, elle atteignit la lèvre du ravin, où elle resta quelques instants en équilibre avant de déployer ses immenses ailes. La fine membrane vibrait tandis qu'elle les levait vers le ciel. Tendues à la verticale, on aurait dit deux voiles bleues transparentes.

— Doucement, tu me fais mal ! grommela Eragon.

— Désolé, répondit Roran en desserrant sa prise.

---

1. Pièces d'armure couvrant le bas de la jambe.
2. Capuchon de mailles métaliques protégeant la tête, le cou, les épaules.

Tout échange devint impossible dès que Saphira reprit son essor, abaissant ses ailes avec un bruit de tempête pour les emporter plus haut dans les airs. Chaque nouveau battement les rapprochait des longs nuages étroits.

Alors que Saphira virait en direction de Helgrind, Eragon vit, sur sa gauche, la vaste étendue du lac Leona à quelques miles d'eux. Une épaisse couche de brume montait de sa surface, grise et fantomatique dans le rougeoiement de l'aube, comme si un feu magique brûlait sous l'eau. Malgré son acuité visuelle, le jeune Dragonnier ne parvenait pas à apercevoir l'autre rive et moins encore, au-delà, les contreforts méridionaux de la Crête, ce qu'il déplora. Il y avait si longtemps qu'il n'avait pas posé les yeux sur les montagnes de son enfance !

Au nord la masse trapue et irrégulière de Dras-Leona se dessinait contre le mur de brouillard qui bordait son flanc ouest. Le seul bâtiment qu'Eragon put identifier était la cathédrale où les Ra'zacs l'avaient attaqué. Sa flèche hérissée de collerettes se dressait au-dessus de la ville telle une lance barbelée.

Quelque part dans le paysage qui défilait sous lui se trouvaient les restes du campement où les Ra'zacs avaient infligé une blessure mortelle à Brom. Il laissa remonter les souvenirs de cette journée, du meurtre de Garrow, de la destruction de leur ferme, la rage et la douleur qui y étaient associées, pour y puiser le courage – y nourrir son désir – d'affronter les Ra'zacs.

« Eragon ? Pas de secrets entre nous aujourd'hui ? Nous n'aurons pas besoin d'élever des barrières mentales, n'est-ce pas ? »

« En principe, non. À moins qu'un autre magicien se manifeste. »

Un éventail de rayons dorés jaillit soudain autour du soleil qui émergeait de dessous l'horizon. En un clin d'œil, le monde jusque-là terne retrouva ses couleurs : la brume devint blanche, lumineuse, l'eau d'un bleu profond, le mur qui entourait le centre de Dras-Leona révéla son triste enduit d'ocre sale, les arbres se parèrent de tous les verts possibles, et le sol prit une teinte rose orangé. Seul, Helgrind demeura d'un noir immuable.

La montagne de roche grossissait à mesure qu'ils avançaient, intimidante, même d'en haut.

Piquant vers sa base, Saphira s'inclina si fort sur la gauche qu'Eragon et Roran seraient tombés s'ils n'avaient attaché leurs jambes à la selle. Puis elle dépassa le rempart de pierraille et survola l'autel où les prêtres de Helgrind tenaient leurs cérémonies. Le vent de ses ailes contre le métal du casque d'Eragon produisait un sifflement à déchirer les tympans.

– Alors ? demanda Roran qui ne voyait pas devant lui.

– Les esclaves ne sont plus là !

Une pression terrible plaqua Eragon à la selle quand Saphira redressa pour remonter en spirale autour de Helgrind à la recherche d'une entrée au repaire des Ra'zacs.

« Pas même un trou assez gros pour une gerbille ! » annonça-t-elle en ralentissant pour se maintenir sur place au-dessus d'une saillie qui reliait le troisième pic à celui qui le dominait. Cet arc-boutant irrégulier amplifiait le tonnerre de ses ailes, et le déplacement d'air faisait pleurer les yeux d'Eragon.

Un réseau de veines blanches décorait l'arrière des piliers rocheux, là où le givre s'était accumulé dans les fissures. Rien d'autre n'entamait la noirceur sinistre de cette forteresse naturelle battue par les vents. Pas un arbre ne poussait sur ses pentes, pas même un buisson, une touffe d'herbe, un lichen, et les aigles n'osaient pas nicher sur les entablements déchiquetés de ses tours. Comme son nom l'indiquait, Helgrind était un lieu de mort, drapé dans les plis acérés de ses arêtes et de ses crevasses tel un spectre d'ébène surgi de nulle part pour hanter les vivants.

Projetant son esprit hors de lui, Eragon vérifia la présence des deux prisonniers qu'il avait découverts la veille lors de son exploration mentale. Il ne perçut pas celle des esclaves et, beaucoup plus troublant, il ne parvenait toujours pas à localiser les Ra'zacs ni les Lethrblakas. « S'ils ne sont pas là, où se cachent-ils ? » Il chercha encore et remarqua un détail qui lui avait échappé : une unique fleur, une gentiane épanouie à moins de cinquante pieds de lui, là où il n'aurait dû y avoir que de la roche. « Où trouve-t-elle assez de lumière pour survivre ? »

Saphira répondit à sa question en se perchant sur un éperon qui s'effritait. L'espace d'un instant, elle perdit l'équilibre et releva les ailes pour se stabiliser. Au lieu de frotter contre la masse de Helgrind, le bout de son aile droite s'enfonça dans le roc et en ressortit.

« Saphira, tu as vu ça ! »

« J'ai vu. »

Elle se pencha alors et avança le museau, à quelques pouces de la paroi, attendant qu'un piège se déclenche. Rien. Elle continua à avancer. Écaille après écaille, la tête de Saphira se glissa à l'intérieur de Helgrind, jusqu'à ce que son Dragonnier ne voie plus que son cou et ses ailes.

« Une illusion ! » s'exclama-t-elle.

Poussant sur ses membres puissants, elle abandonna l'éperon pour s'élancer tout entière dans la brèche. Tenté de se couvrir le visage afin de se protéger de la masse rocheuse qui fonçait vers lui, Eragon s'en retint de justesse par un suprême effort de volonté.

Quelques secondes plus tard, ils étaient dans une vaste grotte baignée par la douce lumière matinale. Les écailles de Saphira reflétaient le soleil et pailletaient les murs de taches bleues mouvantes. En se retournant, Eragon s'aperçut que la caverne était bien ouverte et donnait une vue dégagée sur l'immensité du paysage.

Il grimaça. Il n'avait pas pensé que Galbatorix pouvait avoir camouflé le repaire des Ra'zacs par la magie. « Quel imbécile ! Il faut que je fasse mieux que ça », s'admonesta-t-il. Sous-estimer le roi était le meilleur moyen de les conduire à la mort tous les trois.

Roran lâcha un juron.

— Préviens la prochaine fois que tu comptes me jouer un tour de ce genre !

Attentif au moindre signe de danger, Eragon se pencha pour détacher ses jambes de la selle sans cesser d'examiner les lieux.

L'ouverture de la grotte était en forme d'ovale irrégulier, haute d'environ cinquante pieds pour soixante de large. À partir de là, la chambre s'évasait et doublait de largeur pour se terminer à une bonne portée de flèche en une pile de dalles entassées les unes contre les autres à des angles divers. Le sol était couvert d'un tapis de griffures, témoin des allées et venues, décollages et atterrissages des Lethrblakas. Tels de mystérieux trous de serrure, cinq tunnels bas perçaient les parois, ainsi qu'un couloir en fer de lance, seul à pouvoir livrer passage à Saphira. Eragon étudia les tunnels avec soin. Plus noirs que la suie, ils paraissaient déserts, ce que confirma une rapide projection mentale. D'étranges échos lui parvenaient des profondeurs de Helgrind, murmures indistincts de créatures non identifiées rôdant dans les ténèbres, *ploc-ploc* sempiternel de l'eau. À ce concert de chuchotis s'ajoutait le souffle régulier de Saphira, trop bruyant dans l'espace confiné de la grotte. Le plus curieux en était l'odeur de pierre froide, d'humidité et de moisi, à laquelle se mêlaient des relents fétides de charogne.

Après avoir détaché les dernières lanières, Eragon passa la jambe droite par-dessus la selle de Saphira, de sorte qu'il était assis en amazone, prêt à sauter à terre. Roran fit de même de l'autre côté.

C'est alors que, parmi les nombreuses rumeurs, des cliquetis simultanés se firent entendre, comme si une collection de petits marteaux frappaient la roche. Une demi-seconde plus tard, le son se répéta.

Eragon et Saphira se retournèrent.

Une silhouette énorme, monstrueuse, émergea alors du couloir en fer de lance. Avec de gros yeux globuleux, sans paupières, un bec de sept pieds de long, des ailes de chauve-souris. Son torse aux muscles saillants était dépourvu de fourrure, ses griffes étaient comme des piques d'acier.

Saphira s'écarta pour éviter le Lethrblaka, en vain. La créature se jeta contre son flanc droit avec la violence impétueuse d'une avalanche.

Eragon n'en sut pas davantage. Le choc l'éjecta de son siège sans lui laisser le temps de penser. Son vol intempestif se termina aussi brutalement qu'il avait commencé lorsque son dos heurta une surface plane. Il s'effondra à terre, se cogna la tête, et ce second impact lui coupa le souffle. Roulé en boule, à demi assommé, il hoquetait et cherchait à reprendre le contrôle de ses membres inertes.

« Eragon ! » s'écria Saphira.

L'angoisse de la dragonne le dynamisa, rendant vie à ses bras et ses jambes. Empoignant le bâton d'aubépine qui gisait près de lui, il en ficha la pointe métallique dans une crevasse voisine, et se remit debout en s'appuyant dessus tandis qu'un essaim d'étincelles rouges envahissait son champ de vision.

Autour de lui, la confusion était telle qu'il ne savait où poser le regard.

Saphira et le Lethrblaka roulaient sur le sol de la grotte, ruant, griffant et claquant des mâchoires avec assez de force pour entamer la roche. Le fracas du combat devait être terrible, il en sentait les vibrations sous ses semelles tandis que les deux géants basculaient d'un côté à l'autre, au risque d'écraser quiconque les approchait. Pour lui cependant, les titans luttaient en silence : ses oreilles étaient sourdes.

Un torrent de flammes bleues, jailli de la gueule de Saphira, plongea le flanc gauche et la tête du Lethrblaka dans une fournaise qui aurait suffi à fondre de l'acier. Sans résultat. Imperturbable, le monstre donnait des coups de bec répétés, obligeant Saphira à cesser les jets de feu pour se défendre.

Plus vif qu'une flèche, le second Lethrblaka sortit en trombe du couloir en fer de lance et se précipita sur Saphira. Au hurlement strident de l'horrible bête, les cheveux d'Eragon se dressèrent sur sa tête, son ventre se noua. Il en gronda de douleur ; cela, il l'entendait.

Avec deux Lethrblakas dans l'espace confiné de la caverne, l'air empuanti était irrespirable. On aurait cru que vingt livres de viande avariée fermentaient depuis une bonne semaine dans un tonneau d'ordures et d'eaux usées en pleine canicule.

Serrant les dents pour retenir un haut-le-cœur, Eragon s'efforça de se concentrer sur autre chose.

À quelques pas de lui, Roran était affalé contre la paroi de la grotte, victime d'une chute, lui aussi. Il reprit connaissance, se mit d'abord à quatre pattes, puis se releva. Les yeux vitreux, il chancelait comme un homme ivre.

Derrière lui, les deux Ra'zacs débouchèrent d'un des tunnels. Leurs mains difformes tenaient de pâles lames de facture ancienne. Contrairement à leurs parents, les Ra'zacs étaient à peu près de taille humaine. Un exosquelette couleur d'ébène les couvrait de la tête aux pieds, encore qu'il ne fût guère visible car, à Helgrind comme ailleurs, ils étaient drapés de longues robes sombres et de capes.

Ils avançaient avec une rapidité confondante. Leurs gestes secs, saccadés rappelaient les mouvements des insectes.

Et pourtant, malgré leur proximité, Eragon ne sentait ni leur présence, ni celle des Lethrblakas. « Serait-ce encore une illusion ? » Sans doute pas. La chair que déchiraient les griffes de Saphira était bien réelle, et l'explication, évidente : il était impossible de les détecter. Peut-être avaient-ils la capacité de cacher leur esprit à leurs proies – les humains – de même que les araignées se rendent invisibles pour les mouches. Ce qui expliquerait leurs succès lorsqu'ils chassaient magiciens et Dragonniers pour le compte de Galbatorix, alors qu'eux-mêmes n'usaient pas de magie.

« Et zut ! » Le juron était bien faible. Eragon en aurait trouvé de plus colorés s'il en avait eu le temps, mais le moment était venu d'agir. Brom affirmait qu'en plein jour, jamais les Ra'zacs ne l'auraient vaincu, et sans doute était-ce vrai pour lui qui avait passé des années à imaginer des sorts contre ces monstres. Il n'en restait pas moins que, sans l'avantage de la surprise, Saphira, Roran et lui auraient de la chance d'en réchapper vivants. Quant à délivrer Katrina...

Levant haut la main droite, il cria : « Brisingr ! » et lança une boule de feu rugissante sur ses adversaires. Les Ra'zacs esquivèrent, et la boule de feu s'écrasa sur le sol rocheux avant de s'étaler pour disparaître. C'était un sort inepte, enfantin, qui ne risquait pas de causer de dégâts si Galbatorix avait protégé les Ra'zacs comme les Lethrblakas. Eragon prit cependant grand plaisir à cette attaque, qui eut pour effet de distraire l'ennemi et lui permit de rejoindre Roran. Le dos contre celui de son cousin, il lui hurla pour se faire entendre :

– Occupe-les deux minutes !

Que le choc de sa chute l'ait rendu sourd ou non, Roran comprit l'intention. Il se couvrit de son écu et brandit son marteau, prêt au combat.

Les protections magiques contre les blessures dont Eragon avait entouré Saphira faiblissaient déjà sous les redoutables assauts des Lethrblakas, et les monstres lui avaient infligé plusieurs séries de griffures aux cuisses. Rien de grave, de longues entailles superficielles. En revanche, les plaies causées par leurs becs acérés étaient plus courtes, mais profondes et très douloureuses.

De son côté, Saphira avait déchiré les côtes d'une des créatures et amputé la queue de l'autre de trois bons pieds. À la grande surprise d'Eragon, le sang des Lethrblakas était d'un bleu vert métallique, un peu comme l'oxydation qui se forme à la surface du cuivre.

Pour le moment, les monstres avaient repris leurs distances et tournaient autour de Saphira en la menaçant de leurs becs pour la tenir en respect. Ils attendaient qu'elle s'épuise ou qu'une occasion de porter le coup fatal se présente.

Dotée d'une cuirasse d'écailles plus résistante que le cuir grisâtre des Lethrblakas, de crocs plus dangereux que leurs becs en combat rapproché, elle était mieux adaptée qu'eux à la situation présente. Elle avait toutefois du mal à se défendre contre les deux créatures dans cet espace restreint au plafond trop bas qui l'empêchait de bondir et de voleter, réduisant ses possibilités de manœuvre. S'il ne doutait pas qu'elle l'emporterait, Eragon craignait que ses adversaires ne la mutilent avant qu'elle les abatte.

Après une brève inspiration, il lança un sort qui contenait les douze mots mortels qu'Oromis lui avait enseignés, veillant à formuler son incantation comme une série d'actions consécutives, de manière à pouvoir interrompre le flux de magie si les protections de Galbatorix le mettaient en échec. Ainsi, il ne risquait pas de mourir vidé de toute énergie vitale.

Sage précaution. Sitôt le sort jeté, Eragon constata que la magie restait sans effet sur les Lethrblakas et renonça à l'attaque. Il ne s'attendait pas à ce que les traditionnelles paroles mortelles atteignent leur cible, mais il se devait d'essayer au cas où Galbatorix aurait, par ignorance ou par négligence, laissé des failles dans l'armure des Lethrblakas et de leur progéniture.

Derrière lui, Roran lâcha un « Yah ! » retentissant. Une fraction de seconde plus tard, une épée cogna contre son bouclier ; sa cotte de mailles tinta sous le choc tandis qu'une seconde épée heurtait son casque avec un son de cloche.

Eragon s'aperçut alors que son audition s'améliorait.

Les Ra'zacs avaient beau frapper à coups répétés, leurs armes rebondissaient contre la cuirasse de son cousin, ou manquaient de justesse son visage et ses membres. Trop lent pour riposter face à des adversaires aussi rapides, Roran n'en demeurait pas moins indemne. Les Ra'zacs sifflaient de frustration et crachaient des torrents d'invectives qui semblaient d'autant plus immondes qu'ils estropiaient la langue par les claquements de leurs mâchoires rigides.

Eragon sourit. Le cocon d'enchantements qu'il avait tissé autour de Roran s'avérait efficace. Il espérait seulement que l'écran d'énergie invisible tiendrait jusqu'à ce qu'il trouve un moyen de neutraliser les Lethrblakas.

L'air vibra soudain. Tout devint gris autour d'Eragon tandis que, avec un bel ensemble, les deux monstres ailés poussaient un hurlement strident. L'espace d'un instant, le jeune Dragonnier se trouva privé de volonté et perdit l'usage de ses membres. Il se ressaisit, s'ébroua comme le ferait un chien pour se soustraire à l'influence néfaste du bruit, qui ressemblait à s'y méprendre à des cris de douleur d'enfants.

Puis il se mit à psalmodier aussi vite qu'il le pouvait sans écorner l'ancien langage. Les phrases se succédaient en un flot ininterrompu, chacune étant capable d'infliger la mort de manière différente. Pendant ce monologue improvisé, Saphira reçut une blessure au flanc gauche. En retour, elle brisa l'aile de son agresseur et réduisit la membrane en lambeaux. Plus vifs que l'éclair, les Ra'zacs s'escrimaient de taille et d'estoc avec frénésie, et les impacts subis par Roran se transmettaient au dos d'Eragon. Le plus grand des deux esquissa un mouvement circulaire pour s'attaquer de front au Dragonnier.

Alors, dans le fracas des épées qui s'entrechoquaient, de l'acier contre le bois, des griffes contre la pierre, on entendit le grincement d'une épée qui s'insinuait entre les mailles de métal, suivi d'un crissement humide. Roran hurla, et du sang tiède éclaboussa le mollet droit d'Eragon.

Du coin de l'œil, il vit une silhouette bossue se précipiter sur lui, le bras tendu pour l'embrocher. Le monde parut rétrécir jusqu'à se limiter à l'étroite épée effilée dont la pointe luisait comme un éclat de cristal et dont chaque rayure devenait un fil de vif-argent sous le clair soleil matinal.

Il lui restait juste assez de temps pour un dernier sort avant d'être contraint de se défendre s'il voulait empêcher le Ra'zac de lui planter sa lame entre le foie et les reins. Abattre les Lethrblakas paraissait impossible. En désespoir de cause, il y renonça et s'écria :

– Garjzla letta !

Bien que maladroitement prononcée, cette formule magique rudimentaire eut l'effet désiré. Les yeux globuleux du Lethrblaka à l'aile brisée devinrent deux miroirs ronds qui renvoyèrent la lumière au lieu qu'elle ne pénètre dans la pupille du monstre. Aveugle, il chancelait et gesticulait dans le vain espoir de toucher Saphira.

Sans perdre une seconde, Eragon fit tourner son bâton d'aubépine, écartant la lame de son adversaire direct alors qu'elle n'était plus qu'à un pouce de ses côtes. Nez à nez avec lui, le Ra'zac tendit le cou. Eragon se recula quand apparut un court et solide bec de dessous son capuchon. L'appendice chitineux claqua à deux doigts de son œil droit. Alerte et détaché, Eragon remarqua que la langue violette du Ra'zac était hérissée de piques et se tortillait comme un serpent sans tête. Puis il ramena les deux mains au centre du bâton et, d'une poussée, frappa le torse cave de son ennemi et l'envoya voler à dix bons pieds de lui. Le monstre retomba à quatre pattes.

Contournant Roran, dont le côté droit ruisselait de sang, Eragon esquiva l'attaque du second Ra'zac, feinta, dégagea et, lorsque l'ennemi lui pointa sa lame sur la gorge, il retourna le bâton pour parer le coup, se fendit dans le même élan et enfonça l'extrémité en bois de son arme dans le ventre de son assaillant.

S'il avait eu Zar'roc en main, il l'aurait tué. Quelque chose craqua, le Ra'zac roula à terre sur une douzaine de pas. Et se releva aussitôt, laissant une tache gluante de liquide bleuâtre sur le sol de pierre inégal.

« Il me faut une épée », songea Eragon tandis que les deux Ra'zacs revenaient à la charge.

Il assura son équilibre, jambes écartées, afin de les affronter tous deux. Il n'avait pas le choix, il était le seul rempart entre Roran et ces charognards aux griffes crochues. Alors qu'il ouvrait la bouche pour répéter le sort si efficace contre le Lethrblaka, les monstres se déchaînèrent dans des attaques répétées à la tête et aux jambes sans lui laisser le temps de prononcer une syllabe.

Leurs épées cognaient contre le bois d'aubépine avec des bruits sourds. Le bâton enchanté résistait, n'en était pas même marqué.

À gauche, à droite, en haut, en bas. Eragon ne réfléchissait plus, il agissait, réagissait, rendait coup pour coup. Idéal dans la lutte contre plusieurs adversaires, le bâton permettait de bloquer d'un côté tout en frappant de l'autre, avantage qu'il mettait à profit. Le souffle court, il haletait ; la sueur ruisselait sur son front, s'accumulait aux coins de ses yeux, lui trempait le dos, le dessous des bras. La brume rouge des batailles obscurcissait sa vue et palpitait au rythme accéléré de son cœur.

Jamais il ne se sentait plus vivant, jamais il n'avait plus peur qu'au combat.

Ses propres protections magiques étaient réduites, car il avait concentré ses efforts sur Saphira et sur Roran. Elles ne tardèrent pas à céder, et le plus petit des Ra'zacs le toucha à l'extérieur du genou gauche. La blessure n'était pas mortelle, mais elle le handicapait ; sa jambe ne soutenait plus la totalité de son poids.

Empoignant son bâton par la base, il s'en servit comme d'une massue et l'abattit sur le crâne d'un des Ra'zacs, qui s'effondra. Mort ou assommé, l'avenir le dirait. Eragon s'en prit sans attendre au second Ra'zac, il le frappa aux bras, aux épaules, avant de le délester de son épée d'un brusque moulinet.

Il n'eut pas le temps d'achever son ennemi désarmé que le Lethrblaka aveugle à l'aile brisée vola d'un bout à l'autre de la grotte pour emboutir la paroi du fond et provoquer un éboulis. Surpris par le spectacle comme par le fracas épouvantable, Eragon, Roran et le Ra'zac sursautèrent et se retournèrent d'instinct.

Bondissant à la suite du Lethrblaka mutilé, qu'elle venait de projeter dans les airs d'un coup de patte, Saphira se jeta sur lui et planta les crocs dans sa nuque musculeuse. Le monstre se débattait dans un ultime effort pour se dégager quand, d'une secousse, elle lui brisa la colonne vertébrale. Lorsqu'elle eut relâché sa proie inerte, la dragonne se redressa et emplit la caverne d'un rugissement sauvage en signe de victoire.

Sans une hésitation, le Lethrblaka rescapé s'élança à son tour, agrippa Saphira en plongeant les griffes sous ses écailles, la déséquilibra et l'entraîna dans une chute incontrôlable.

Ils roulèrent ensemble jusqu'à l'entrée de la grotte, oscillèrent quelques secondes au bord du précipice et, sans cesser de lutter, ils basculèrent dans le vide. Cette habile manœuvre mettait le Lethrblaka hors de portée des sens d'Eragon et, par là même, hors d'atteinte de ses sorts.

« Saphira ! » s'écria-t-il.

« Surveille tes arrières ! Celui-ci ne m'échappera pas. »

Eragon pivota aussitôt et vit les deux Ra'zacs s'enfoncer dans l'un des tunnels, le plus petit soutenant le plus grand. Il ferma les yeux, localisa l'esprit des prisonniers de Helgrind, marmonna quelques mots en ancien langage, puis annonça à son cousin :

– J'ai scellé la cellule de Katrina afin que les Ra'zac ne se servent pas d'elle comme bouclier humain. À présent, il n'y a que toi qui puisses ouvrir la porte.

– Parfait, grommela Roran entre ses dents serrées. Tu aurais un remède pour ça ?

Du menton, il lui désigna sa main droite pressée contre son flanc. Le sang filtrait entre ses doigts. Eragon tâta la plaie, ce qui arracha une grimace de douleur à son cousin.

– Tu as de la chance. L'épée a buté contre une côte.

Plaçant une paume sur la blessure et l'autre sur l'un des douze diamants cachés dans la ceinture de Beloth le Sage, Eragon puisa l'énergie mise en réserve dans la pierre et dit :

– Waíse heill !

Une onde traversa Roran tandis que le muscle et la peau se ressoudaient sous l'effet de la magie.

Cela fait, Eragon s'occupa de l'entaille que le Ra'zac lui avait faite au genou gauche. Il se redressa alors et regarda dans la direction prise par Saphira. Le contact entre eux s'amenuisait à mesure qu'elle s'éloignait vers le lac Leona à la poursuite du Lethrblaka. Il aurait aimé lui venir en aide, mais elle devrait se débrouiller seule.

– Vite ! s'exclama Roran. Ils vont filer !

– Tu as raison.

63

Armé de son bâton, Eragon pénétra dans le sombre tunnel. Il examinait une avancée rocheuse après l'autre, craignant de voir surgir les Ra'zacs de derrière l'une d'elle. Il marchait à pas de loup pour ne pas produire d'échos dans le boyau sinueux, prenant parfois appui sur la paroi gluante pour se stabiliser.

Au bout d'une quarantaine de coudées, les courbes et les replis du passage leur cachaient l'entrée de la grotte, les plongeant dans une obscurité telle qu'Eragon lui-même n'y voyait plus rien.

— Tu n'es peut-être pas comme moi, mais je suis incapable de me battre dans le noir, murmura Roran.

— Si je conjure de la lumière, les Ra'zacs n'oseront plus approcher. Ils savent que je connais un sort pour les neutraliser. Ils se terreront dans leur trou jusqu'à qu'à notre départ. Mieux vaut les tuer tant que l'occasion s'offre à nous.

— Et qu'est-ce que je fais ? J'ai davantage de chances de me casser le nez contre un rocher que de débusquer ces maudits scarabées... Ils sont capables de nous prendre à revers pour nous poignarder dans le dos.

— Chut... Accroche-toi à ma ceinture et suis-moi. À mon signal, tu plonges en cas de danger.

Si Eragon n'y voyait pas plus que son cousin, ses autres sens très aiguisés lui fournissaient une idée assez précise de ce qui l'entourait. Il n'y aurait péril que si les Ra'zacs attaquaient à distance, à l'arc par exemple. Il comptait cependant sur la vivacité de ses réflexes pour les sauver tous deux d'éventuels projectiles.

Un courant d'air lui effleura la peau. Le flux cessa, puis s'inversa, sans doute en fonction des variations de la pression extérieure. Le cycle se répétait à intervalles irréguliers, créant de légers tourbillons, des remous qui le caressaient, le chatouillaient.

Sa respiration et celle de Roran semblaient bruyantes comparées aux sons divers qui se propageaient à travers le tunnel. Outre leurs souffles haletants, Eragon entendait les *bing, bang, badaboum* ponctuels de pierres qui dégringolaient quelque part dans le dédale des boyaux, les *ploc… ploc… ploc* ininterrompus des gouttes de condensation qui martelaient la surface d'une nappe d'eau souterraine, le crissement de graviers gros comme des pois sous ses bottes. Un long ululement sinistre vibra au loin comme une étrange plainte.

Les odeurs demeuraient immuables – odeurs de sueur, de sang, d'humidité et de moisi.

Pas à pas, Eragon les conduisait toujours plus loin au cœur de Helgrind. Le tunnel descendait en pente douce ; entre les nombreux méandres et les multiples fourches, il se serait déjà perdu s'il n'avait eu l'esprit de Katrina comme point de repère. Les passages étroits, bas de plafond, regorgeaient d'aspérités. Eragon se cogna la tête et fut soudain déstabilisé par un accès de claustrophobie.

« Je suis de retour ! » annonça Saphira, alors qu'il posait le pied sur une marche rudimentaire taillée dans la roche.

Il s'arrêta. Elle n'avait pas reçu de nouvelles blessures, cette idée le soulagea.

« Et le Lethrblaka ? »

« Son cadavre flotte sur le lac Leona. Des pêcheurs ont assisté au combat, j'en ai peur. Aux dernières nouvelles, ils ramaient en direction de Dras-Leona. »

« Il n'y a rien que nous puissions faire. Regarde si tu trouves quelque chose dans le couloir d'où sont sortis les Lethrblakas. Et guette les Ra'zacs. Ils tenteront peut-être de nous échapper en passant par où nous sommes entrés. »

« Je suppose qu'ils ont une issue de secours au niveau du sol. »

« Possible. Mais je les soupçonne de ne pas être si pressés de filer. »

Prisonnier de l'obscurité depuis dix à quinze minutes qui lui avaient paru des heures, Eragon s'arrêta sur une surface enfin plane après s'être enfoncé de cent bons pieds dans les profondeurs de Helgrind. Là, il transmit en silence ses pensées à Roran :

« La cellule de Katrina se trouve à une cinquantaine de pieds devant nous, sur la droite. »

« Nous n'allons pas prendre le risque de la libérer alors que les Ra'zacs courent toujours ! »

« Et s'ils refusent de se montrer tant que nous ne l'avons pas délivrée ? Pour une raison inexpliquée, je ne parviens pas à sentir leur présence. Ils se terreraient ici jusqu'à la fin des temps que je ne les repérerais pas ! Tu préfères attendre le déluge, ou profiter de ce que la voie est libre pour tirer Katrina de son cachot ? Je l'entourerai de sorts qui la protégeront contre la plupart des attaques. »

Roran hésitait encore.

« D'accord. Délivrons-la, » répondit-il enfin.

Ils reprirent leur marche à tâtons dans les ténèbres du tunnel au sol de pierre inégal. Eragon se concentrait sur ses pieds afin de ne pas buter, de ne pas perdre l'équilibre. À tel point qu'il faillit rater le froissement d'étoffe suivi d'un léger *zing* quelque part sur sa droite.

Il se plaqua contre le mur, entraînant Roran avec lui. Au même moment, un projectile l'effleura, qui lui entailla la joue au passage. L'éraflure brûlait comme un cautère.

– Kveykva ! s'écria-t-il.

Une lumière rouge, aussi vive que le soleil de midi, éclaira alors l'espace entier dans ses moindres recoins. N'ayant pas de source, elle ne projetait pas d'ombre et gommait le relief, de sorte que tout paraissait étrangement plat. L'illumination soudaine éblouit Eragon. Le Ra'zac solitaire qui lui faisait face en souffrit bien davantage : il laissa tomber son arc, se couvrit la face sous son capuchon et poussa un cri perçant. Un hurlement semblable retentit derrière eux – le second Ra'zac, aveuglé lui aussi.

« Roran ! »

Le temps qu'Eragon se retourne, son cousin chargeait déjà, brandissant son marteau. Désorienté et chancelant, le Ra'zac battait en retraite. Le marteau s'abattit sur la créature trop lente.

– Pour mon père ! rugit Roran.

Il frappa de nouveau :

– Et voilà pour la ferme !

Le monstre était déjà mort, mais Roran frappa une troisième fois :

– Et pour Carvahall !

La carapace du Ra'zac se fracassa comme une coquille vide. Sous l'impitoyable lumière de rubis, la flaque de sang qui s'étalait prenait une teinte violette.

D'un moulinet de son bâton, Eragon tenta de dévier la flèche ou la lame qui – croyait-il – le menaçait. Et il pivota pour affronter l'ennemi. Rien. Il lâcha un juron : le tunnel était désert.

Rejoignant son cousin près du cadavre informe qui gisait à terre, il leva son bâton et frappa à son tour. Le torse du Ra'zac émit un crac satisfaisant.

– Il y a longtemps que j'attendais ça, déclara-t-il.

– Moi aussi !

Ils échangèrent un regard, puis Eragon porta la main à sa joue de plus en plus douloureuse.

– Aïe !

– Ça bouillonne ! s'exclama Roran. Fais quelque chose !

« Le Ra'zac a dû enduire sa flèche d'huile de Seithr, » songea le jeune Dragonnier. Grâce à sa formation, il put nettoyer la plaie et les tissus environnants à l'aide d'une incantation appropriée, puis il répara les dégâts causés à sa joue, ouvrit et referma la bouche à plusieurs reprises pour s'assurer du bon fonctionnement des muscles avant de remarquer avec un sourire triste :

– Imagine l'état dans lequel nous serions sans la magie.

– Sans la magie, nous n'aurions pas à nous soucier de Galbatorix.

« Vous discuterez plus tard, » intervint Saphira. « Dès que les pêcheurs du lac auront atteint Dras-Leona, le roi pourrait avoir vent de nos exploits par un de ses magiciens en ville. Si

Galbatorix décidait de scruter Helgrind par la magie, mieux vaudrait que nous ayons déjà quitté les lieux. »

« Certes, certes, » approuva Eragon.

Il éteignit le flamboiement omniprésent et prononça la formule « Brisingr raudhr, » créant un globe de lumière rouge comme celui de la veille, à ceci près qu'au lieu de l'accompagner partout, celui-ci resta suspendu à six pouces du plafond.

Cette fois, il eut le loisir d'examiner le tunnel en détail. Les parois de pierre étaient percées de vingt portes munies de ferrures et réparties des deux côtés.

– C'est la neuvième sur la droite annonça-t-il à son cousin. Je vais vérifier les autres au cas où les Ra'zacs y auraient laissé des choses intéressantes.

Roran acquiesça de la tête ; il se pencha pour fouiller le cadavre à ses pieds puis haussa les épaules :

– Pas de clés, tant pis. J'emploierai la méthode brutale.

Il courut jusqu'à la bonne porte, posa son bouclier et se mit au travail avec son marteau. Chaque coup sur les gonds produisait un fracas épouvantable.

Eragon ne lui proposa pas son aide. D'une part, son assistance n'était pas requise et ne serait pas appréciée, d'autre part, il avait à faire. Il alla jusqu'à la première cellule, murmura trois mots et poussa la porte dès qu'elle fut ouverte. Comme il s'en doutait, l'étroit cachot ne contenait qu'une chaîne noire et un amas d'os en décomposition. Il savait déjà où trouver ce qu'il cherchait, mais préférait jouer l'ignorance pour ne pas éveiller les soupçons de Roran.

Deux autres portes cédèrent ainsi sous les doigts d'Eragon et furent refermées. À la quatrième, le battant s'ouvrit, laissant filtrer un rai de lumière magique sur l'homme que le Dragonnier espérait encore ne pas découvrir là : Sloan.

4
LES CHEMINS SE SÉPARENT

Assis sur le sol, le boucher était affalé contre le mur de gauche, les deux mains enchaînées au-dessus de sa tête.

Ses vêtements en loques couvraient à peine son corps pâle, émacié ; les pointes de ses os saillaient sous sa peau translucide, de même que ses veines bleues. Du sang mêlé à un liquide clair suintait des plaies de ses poignets, entamés par le frottement des fers. Les cheveux qui lui restaient, devenus gris, pendaient en mèches poisseuses sur son visage grêlé.

Tiré de son apathie par les coups de marteau de Roran, Sloan releva le menton vers la lumière et demanda d'une voix chevrotante :

– Qui est-ce ? Qui est là ?

Ses cheveux glissèrent vers l'arrière, découvrant des orbites creuses aux paupières déchiquetées, dont les lambeaux frangeaient les cavités à vif. Autour, la chair était meurtrie, parsemée de croûtes.

Eragon comprit alors que les Ra'zacs lui avaient arraché les yeux !

Que faire à présent ? Il s'interrogeait sans réussir à se décider. Le boucher l'avait dénoncé aux Ra'zacs, leur révélant qu'il avait trouvé l'œuf de Saphira. Sloan avait également tué Byrd, le guetteur, et trahi Carvahall pour livrer le village à l'Empire. S'il devait comparaître devant les villageois ses pairs, il serait jugé coupable et condamné à mort par pendaison.

Il était légitime que le boucher meure pour ses crimes. De cela, Eragon ne doutait pas. Ses incertitudes tenaient au fait que Roran aimait Katrina – Katrina qui, malgré la conduite discutable de son père, devait encore avoir de l'affection pour lui. Elle trouverait à coup sûr pénible d'entendre un accusateur réciter en public la liste des méfaits de Sloan et d'assister ensuite à son exécution. Roran en souffrirait aussi. Cette épreuve risquait de créer entre eux des tensions suffisantes pour briser leurs fiançailles. De toute façon, Eragon était convaincu que ramener Sloan au camp des Vardens serait une erreur et ne servirait qu'à semer la discorde entre lui, Roran, Katrina et les autres villageois, à engendrer des rancœurs qui les détourneraient de leur combat contre l'Empire.

« Le plus simple serait de le tuer et de leur annoncer que je l'ai trouvé mort dans sa cellule... »

Ses lèvres tremblaient ; l'un des mots assassins pesait sur sa langue quand le boucher tourna la tête de côté pour mieux

entendre et grommela :

– Qu'est-ce que vous me voulez ? Je vous ai déjà dit tout ce que je savais !

Eragon se maudit d'avoir hésité. Sloan était un traître, un meurtrier. Nul ne mettrait sa culpabilité en cause. N'importe quel juge l'enverrait sans sourciller à la potence.

Et pourtant, malgré la logique de ces arguments, c'était Sloan qui gisait à ses pieds, Sloan qu'il connaissait depuis toujours. Pour méprisable que fut le boucher, Eragon partageait avec lui une foule de souvenirs, d'expériences communes à la vie du village. Il ne pouvait l'abattre sans remords. De même qu'il n'aurait pu lever la main sur Horst, Loring ou les autres anciens de Carvahall. Sa conscience s'y opposait...

De nouveau, Eragon se prépara à prononcer l'une des paroles fatales.

Une image lui revint en mémoire, celle de Torkenbrand, le marchand d'esclaves que Murtagh et lui avaient croisé pendant leur fuite chez les Vardens ; soumis, il était agenouillé dans la poussière, et Murtagh s'avançait vers lui, le décapitait. Eragon s'était offusqué de la conduite de son compagnon, il avait protesté, en était resté troublé pendant de longs jours.

« Ai-je changé au point d'être à mon tour capable d'un tel acte ? Roran a raison, j'ai tué, mais seulement dans le feu de la bataille... jamais de sang-froid. »

Il jeta un coup d'œil par-dessus son épaule au moment où son cousin brisait le dernier gond du cachot de Katrina. Après avoir posé son marteau, Roran prit son élan pour enfoncer la porte, se ravisa soudain et s'efforça de la soulever pour la dégager de son cadre. Le battant monta d'un quart de pouce, pas plus, et se mit à trembler. Roran peinait.

– Viens m'aider ! cria-t-il. Je ne voudrais pas que ce truc lui tombe dessus !

Eragon se tourna vers le misérable boucher. L'heure n'était plus à tergiverser. Il lui fallait se décider. Dans un sens ou un autre...

– Eragon ! Vite !

Et le jeune Dragonnier de songer : « Je ne sais pas quel est le bon choix. »

Aurait-il hésité s'il avait été juste et sage de tuer Sloan ou de le ramener chez les Vardens ? Non, bien sûr. Mais que faire d'autre ? Il n'en avait aucune idée, devait imaginer une troisième solution moins évidente, moins violente.

Levant la main comme pour une bénédiction, il murmura : « Slytha. » Les chaînes de Sloan tintèrent tandis que le boucher s'affaissait, plongé dans un profond sommeil. Dès que l'enchantement eut agi, Eragon verrouilla la cellule et l'entoura de protections magiques.

« Qu'est-ce que tu fabriques, Eragon ? » s'exclama Saphira.

« Attends que nous soyons ensemble, je t'expliquerai. »

« Quoi ? Il n'y a rien à expliquer, tu n'as pas l'ombre d'un plan ! »

« Donne-moi cinq minutes, j'en trouverai un. »

Et il alla prendre place en face de son cousin pour soulever le battant avec lui.

– Qu'est-ce qu'il y avait, là-bas ? s'enquit Roran.

– Sloan. Il est mort.

De surprise, Roran écarquilla les yeux :

– Comment ?

– Apparemment, ils lui ont brisé la nuque.

Un silence suivit. Craignant que Roran ait des doutes, Eragon fut soulagé de l'entendre déclarer après un bref grognement :

– Ça vaut sans doute mieux. Tu es prêt ? À trois, on y va. Un... Deux... Trois...

Ensemble, ils hissèrent le battant massif hors de son cadre et le jetèrent en travers du couloir. Les parois de pierre répercutèrent le bruit de la chute, qui leur revint sous forme d'échos multiples. Sans perdre une seconde, Roran se précipita dans le cachot, qu'éclairait une unique chandelle. Eragon y entra, mais resta en retrait.

Recroquevillée au bout d'un étroit lit de métal, Katrina s'écria :

– Fichez-moi la paix, bande de brutes édentées ! Je vous...

Elle s'interrompit, éberluée, en voyant Roran approcher. Pâle d'avoir manqué de soleil, son visage souillé de crasse s'illumina de tendresse, d'amour et d'émerveillement. En cet instant, elle était transfigurée, d'une beauté qui laissa Eragon pantois.

Sans quitter Roran des yeux, elle se leva pour effleurer sa joue d'une main tremblante :

– Tu es venu.

– Je suis venu.

Riant et sanglotant à la fois, Roran l'enveloppa de ses bras, la serra contre lui. Ils demeurèrent longtemps enlacés, perdus dans cette étreinte. Enfin, il s'écarta pour poser trois baisers sur les lèvres de sa fiancée.

– Hé ! Tu as de la barbe, maintenant ! s'exclama-t-elle en fronçant le nez.

Elle semblait si choquée, si surprise, sa réflexion était si inattendue qu'Eragon ne put retenir un gloussement amusé. Alors seulement, Katrina remarqua sa présence. Reportant son attention sur lui, elle l'examina, détailla son visage avec étonnement.

— Eragon ? C'est bien toi ?

— Oui.

— Il est Dragonnier, expliqua Roran.

— Dragonnier ? C'est...

Les mots lui manquaient face à une telle révélation. Quêtant sa protection du regard, elle se pressa contre Roran, comme pour s'éloigner d'Eragon.

— Comment... Comment vous m'avez retrouvée, Roran ? Qui d'autre est avec vous ?

— Plus tard. Il faut que nous sortions de Helgrind avant que tout l'Empire soit à nos trousses.

— Attends ! Et mon père ? Il est là ?

Le regard de Roran se porta sur son cousin avant de revenir à Katrina :

— Nous sommes arrivés trop tard pour lui.

La jeune fille frissonna et ferma les paupières. Une larme solitaire roula sur sa joue.

— Paix à son âme, murmura-t-elle.

Tout au long de cet échange, Eragon réfléchissait au moyen de se débarrasser du boucher ; il tenait ses pensées secrètes, car Saphira ne manquerait pas de protester. Un plan se dessinait dans son esprit, aussi tortueux et rocambolesque que périlleux, mais c'était la seule solution viable étant donné les circonstances.

Il renonça cependant à creuser la question plus avant pour passer à l'action. Le temps pressait et il avait encore beaucoup à faire. Il pointa l'index et lança.

— Jierda !

Des étincelles bleues jaillirent, des morceaux de métal volèrent, et Katrina fut libérée des fers à ses chevilles. Surprise, elle sursauta en bredouillant :

— De la magie...

— Un sort de débutant.

Elle eut un mouvement de recul quand Eragon tendit la main vers elle.

– Katrina, je dois m'assurer que Galbatorix ou ses magiciens ne t'ont pas ensorcelée pour nous tendre un piège, ou obligée à prononcer des serments en ancien langage.

– En ancien...

– Eragon, je t'en prie. Nous ne pouvons pas rester ici, tu feras ça au campement.

– Non, maintenant, répliqua le jeune Dragonnier avec un geste catégorique.

Sourcils froncés, Roran s'écarta pour laisser son cousin poser les mains sur les épaules de la jeune femme.

– Regarde-moi dans les yeux, Katrina.

Elle obéit.

Comme Eragon n'avait encore jamais eu recours aux sorts qu'Oromis lui avait enseignés pour détecter les enchantements d'un autre magicien, il avait du mal à se rappeler les phrases apprises sur les parchemins d'Ellesméra. Sa mémoire était si défaillante qu'à trois reprises il dut employer des synonymes pour formuler l'incantation.

Pendant un long moment, il sonda le regard humide de Katrina, marmonnant parfois quelques mots en ancien langage afin d'examiner, avec sa permission, un détail particulier et de vérifier si personne n'avait altéré ses souvenirs. Contrairement aux Jumeaux qui, lors de son arrivée à Farthen Dûr, avaient mis son esprit à sac au cours d'un examen semblable, il procéda avec autant de douceur que de délicatesse.

Roran montait la garde à l'entrée du cachot. Plus agité de seconde en seconde, il allait et venait, faisait tourner son marteau et s'en frappait la cuisse, comme s'il battait la mesure.

Enfin, Eragon s'écarta de Katrina :

– Tu es libre, j'ai fini.

– Qu'as-tu trouvé ? balbutia-t-elle, anxieuse, en s'enveloppant de ses bras.

Le front plissé, elle attendait son verdict. Roran s'était immobilisé. Un silence total régnait dans la cellule.

– Rien que tes pensées. Pas la moindre trace d'envoûtement.

– J'en étais sûr, grommela Roran.

Il attira sa fiancée contre lui et, ensemble, ils quittèrent le cachot.

– Brisingr, iet tauthr, lança Eragon le doigt pointé vers le globe de lumière magique qui flottait toujours sous le plafond du passage.

À son commandement, la boule rougeoyante vint se placer au-dessus de lui, dansant dans l'air tel un bouchon sur les vagues.

Eragon prit la tête du groupe et guida ses compagnons à travers le dédale des tunnels jusqu'à la grotte dans laquelle Roran, Saphira et lui avaient atterri. Marchant d'un bon pas sur le sol glissant, il guettait un signe du dernier Ra'zac tout en érigeant des barrières protectrices autour de Katrina. Derrière lui, il entendait par bribes les échanges ponctuels des fiancés : « Je t'aime... Horst et les autres indemnes... Toujours... Pour toi... Oui... Oui... Oui... Oui. » Leur confiance mutuelle, leur tendresse partagée si évidente éveillaient en lui un désir teinté de regret.

À une vingtaine de coudées de la caverne, une lueur filtrait au bout du souterrain. Eragon éteignit le globe rougeoyant. Katrina fit encore quelques pas, ralentit et se plaqua contre la paroi en se cachant le visage de ses mains.

– Je ne peux pas continuer. La lumière est trop vive, elle me brûle les yeux.

Roran se mit aussitôt devant elle pour la couvrir de son ombre.

– Quand es-tu sortie au grand jour pour la dernière fois ?

– Je ne sais pas... Je ne sais plus... Pas depuis qu'ils m'ont amenée ici. J'ai peur, Roran... peur de devenir aveugle...

Une pointe d'hystérie perçait dans sa voix qui se brisa, et elle éclata en sanglots.

Ses larmes soudaines surprirent Eragon. Il se souvenait d'elle comme d'une jeune femme posée, courageuse et dotée d'une grande force morale. Mais elle avait passé des semaines enfermée dans le noir à craindre pour sa vie. « Si j'étais à sa place, je ne réagirais peut-être pas mieux... »

– Non, calme-toi, ce n'est pas grave, la rassura Roran en lui caressant les cheveux. Il faut juste que tu te réhabitues au soleil. Ne t'inquiète pas, tout se passera bien... Tu es en sécurité maintenant, *en sécurité*, Katrina. Tu m'entends ?

– Je t'entends.

S'il répugnait à gâter l'une des tuniques que les elfes lui avaient offertes, Eragon déchira cependant une bande de tissu au bas de son vêtement et la tendit à Katrina :

– Tiens. Noue ceci sur tes yeux. Tu devrais voir suffisamment au travers pour ne pas risquer de tomber ou de buter contre un obstacle.

Elle le remercia, mit le bandeau, et ils reprirent leur marche.

Ils débouchèrent bientôt dans la grotte au sol ensoleillé et aux parois éclaboussées de sang ; l'air y empestait plus que jamais, vicié par les émanations nauséabondes du cadavre du Lethrblaka. Au même moment, Saphira apparut en face d'eux, à l'entrée du passage en fer de lance. Katrina se réfugia contre Roran, se cramponna à son bras.

– Katrina, permets-moi de te présenter à Saphira. Je suis son Dragonnier. Tu peux lui parler, elle comprend.

– C'est un grand honneur, ô dragonne, balbutia la jeune femme.

Fléchissant les genoux, elle ébaucha une révérence, à laquelle Saphira répondit d'un salut de la tête avant de reporter son attention sur Eragon.

« J'ai fouillé le nid des Lethrblakas ; je n'y ai trouvé que des os, des os, encore des os, dont certains avaient une odeur de chair fraîche. J'en déduis que les Ra'zacs ont mangé les esclaves pendant la nuit. »

« J'aurais bien aimé les sauver. »

« Je sais, mais c'est la guerre. On ne peut pas protéger tout le monde. »

– En selle, tous les deux, ordonna le jeune Dragonnier à ses compagnons. Je vous rejoins dans un moment.

Katrina hésitait ; elle consulta Roran, qui opina du chef en murmurant :

— Ne t'inquiète pas. Nous sommes venus sur son dos.

Le couple contourna le cadavre du Lethrblaka tandis que Saphira se mettait sur le ventre pour leur permettre de monter. Roran fit la courte échelle à Katrina, qui se hissa sur la patte gauche de la dragonne et grimpa jusqu'à son épaule en prenant appui sur les boucles formées par les lanières. Roran l'imita, bondissant à sa suite avec l'aisance d'un bouquetin.

Pendant ce temps, Eragon examinait les griffures, lacérations, entailles et autres plaies de Saphira. Afin d'évaluer leur gravité, il complétait son diagnostic visuel par l'examen de ses sensations.

« Pour l'amour du ciel, remets les soins à plus tard et attends que nous soyons hors de danger. Je ne vais pas saigner à mort. »

« Rien n'est moins sûr, et tu le sais. Tu as une hémorragie interne. Si je ne l'arrête pas, tu risques des complications que je ne serai pas en mesure de guérir, et nous n'arriverons jamais chez les Vardens. Inutile de discuter, d'ailleurs, ce ne sera pas long. »

Il lui fallut plusieurs minutes pour rendre la pleine santé à Saphira. Certaines lésions étaient si importantes qu'il dut vider l'énergie stockée dans la ceinture de Beloth le Sage et puiser dans les vastes réserves de la dragonne pour les soigner par ses incantations. Lorsqu'il passait d'une blessure sérieuse à une autre plus superficielle, elle lui enjoignait de cesser ses enfantillages et protestait avec d'autant plus de véhémence qu'il ne voulait rien entendre.

Enfin, fatigué par les combats et l'usage de la magie, Eragon s'affaissa contre son flanc. L'un après l'autre, il désigna d'une pichenette les points où le Lethrblaka avait enfoncé le bec dans sa chair.

« Tu demanderas à Arya ou à un elfe d'inspecter mon travail. J'ai fait de mon mieux, mais j'ai peut-être négligé un détail. »

« Si ta sollicitude me touche, ce n'est ni le lieu, ni le moment de jouer les âmes sensibles. Une fois pour toutes, filons d'ici ! »

« Oui. Il est temps de partir. »

S'écartant de Saphira, Eragon recula en direction du tunnel le plus proche.

– Viens ! lui cria Roran. Vite !

« Eragon ! » s'exclama Saphira.

Il secoua la tête :

– Non. Je reste.

– Tu..., commença Roran.

Un rugissement féroce l'interrompit. Saphira donna un violent coup de queue contre la paroi de la caverne et gratta le sol dans sa rage. Les griffes raclant la pierre produisaient un grincement strident, insupportable.

– Écoute ! hurla Eragon par-dessus le vacarme. L'un des Ra'zacs est toujours en vie. Et va savoir ce qui se cache encore à Helgrind : des potions, des parchemins, des renseignements sur les activités de l'Empire, toutes choses qui nous seraient utiles ! Les Ra'zacs ont peut-être même laissé des œufs, ici. En ce cas, je dois les détruire avant que Galbatorix s'en empare.

Pour Saphira, il ajouta mentalement :

« Je ne peux pas tuer Sloan, il ne faut pas que Roran et Katrina le voient ; je ne tiens pas non plus à ce qu'il meure de faim dans son cachot, ou à ce qu'il soit repris par les sbires de Galbatorix. Je suis désolé, c'est à moi de veiller sur son sort. »

– Comment comptes-tu quitter l'Empire, cousin ? s'inquiéta Roran.

– En courant. Souviens-toi que je suis aussi rapide que les elfes.

Le bout de la queue de Saphira remua. Sans plus d'avertissement, elle bondit vers Eragon, qui battit en retraite dans le tunnel alors même qu'elle tendait une patte scintillante pour l'agripper.

La dragonne pila devant l'entrée trop étroite pour elle et gronda de frustration. Sa masse bloquait toute lumière ; les parois vibraient tandis qu'elle tentait d'agrandir l'ouverture, brisant la pierre de ses griffes, de ses crocs. Ses grognements sauvages, la vue de sa gueule béante aux dents longues comme un avant-bras emplirent Eragon de terreur. Il comprit alors ce qu'éprouvait le lapin au fond de son terrier quand le prédateur qui l'y avait acculé se mettait à creuser.

– Gánga ! s'écria-t-il.

« Non ! »

Posant la tête sur le sol, Saphira leva vers lui un regard pitoyable, puis émit une plainte déchirante.

– Gánga ! Je t'aime, Saphira, mais il faut que tu t'en ailles.

Elle s'éloigna du tunnel, reniflant et miaulant comme un chat.

« Petit homme... »

Il regrettait de lui faire de la peine et n'avait aucune envie de l'obliger à partir. Cette séparation lui fendait le cœur. La douleur de Saphira déferlait sur lui par le lien qui les unissait et s'ajoutait à son angoisse. Presque tétanisé, il rassembla tout son courage pour lui dire :

– Gánga ! Et ne reviens pas me chercher, n'envoie personne d'autre. Je m'en tirerai seul. Gánga ! Gánga !

Avec un feulement exaspéré, elle finit par céder et gagner l'entrée de la grotte.

– Eragon, viens ! lança Roran du haut de la selle. Ne fais pas l'imbécile ! Tu es trop précieux pour risq...

Un tourbillon de bruit et de mouvement emporta le reste de la phrase : Saphira prenait son essor. Dans le ciel limpide, ses écailles scintillaient comme des milliers de diamants bleus. « Elle est superbe, songea Eragon. Fière, noble, plus belle que toute autre créature vivante. Aucun cerf, aucun lion n'égale la majesté d'un dragon en vol. »

« Je te donne une semaine, Eragon. Une semaine, pas plus. Et je reviendrai te chercher, dussé-je me battre contre Thorn, Shruikan et mille magiciens pour te rejoindre. »

Il la suivit des yeux jusqu'à ce qu'elle disparaisse, jusqu'à perdre tout contact mental avec elle. Puis, le cœur lourd, il redressa les épaules, tourna le dos au soleil, à la lumière et à la vie pour s'enfoncer une fois de plus dans les ténèbres des tunnels.

5
DRAGONNIER ET RA'ZAC

Assis dans le passage bordé de cellules au cœur même de Helgrind, son bâton posé sur les genoux, Eragon baignait dans le froid rayonnement cramoisi du globe de lumière magique.

Il répétait inlassablement une phrase en ancien langage dont la pierre renvoyait l'écho. Ce n'était pas une incantation, mais un message qu'il adressait au dernier des Ra'zacs : « Viens à moi, ô mangeur de la chair des hommes, et mettons un terme à notre combat. Tu es blessé et je suis las. Tes compagnons sont morts, et je suis seul. Nous lutterons à armes égales. Je promets de ne pas user de la gramarie contre toi, de n'employer aucun des sorts que j'ai déjà lancés pour t'atteindre ou te réduire à merci. Viens à moi, ô mangeur de la chair des hommes, et mettons un terme à notre combat... »

Le temps désarticulé s'abolissait dans le flot de ses paroles, et la sinistre chambre teintée de rouge demeurait inchangée par le cycle sans fin des mots dont l'ordre et la signification n'avaient plus d'importance. Après ce qui lui sembla être une éternité, le tumulte de ses pensées s'apaisa, le silence se fit dans sa tête, et un calme étrange l'emplit.

Il s'interrompit, referma ses lèvres entrouvertes, attentif à l'instant présent.

Le Ra'zac se tenait à trente pas de lui. Du sang gouttait au bas de son vêtement déchiré.

— Mon ssseigneur et maître ne veut pas que je te tue, siffla la créature.

– Mais tu n'en as cure, à présent.

– Certes. Sssi je tombe sssous les coups de ton bâton, Galbatorix décidera lui-même de ton sssort. Il a des cœurs, plus que tu n'en posssèdes.

– *Des cœurs ?* s'exclama Eragon en riant. Je suis le champion du peuple, pas lui.

– Jeune sot.

Inclinant la tête de côté, le Ra'zac regarda le cadavre de son semblable qui gisait un peu plus loin dans le tunnel.

– Elle était ma compagne de nichée. Tu es devenu fort depuis notre dernière rencontre, Tueur d'Ombre.

– C'était ça ou mourir.

– Je te propose un pacte.

– Quel genre de pacte ?

– Je sssuis le dernier de ma race, Tueur d'Ombre. Une race ancienne. Je ne voudrais pas qu'on nous oublie. Dans tes chansons, dans tes récits, pourrais-tu rappeler à tes frères humains la terreur que nous leur inssspirions ?... Qu'ils se sssouviennent de nous comme de la peur incarnée !

– Pourquoi le ferais-je ?

Ramenant le bec contre sa poitrine, le Ra'zac caqueta et grésilla pour lui-même pendant quelques instants.

– Parce que... je te confierai un sssecret. Oui, un sssecret.

– Eh bien, dis.

– Promets d'abord. Je tiens à être sssûr que tu ne me duperas pas.

– Non, toi d'abord. Dis-moi, et je déciderai si j'accepte ou non.

Une longue minute passa. Ni l'un ni l'autre ne bougeait. Le corps tendu, Eragon était prêt à réagir en cas d'attaque surprise. Enfin, après une volée de crissements aigus, le Ra'zac déclara :

– Il a presssque trouvé *le nom.*

– Qui cela ?

– Galbatorix.

– Le nom de quoi ?

Le Ra'zac siffla de frustration.

– Je ne peux pas te le dire. Le nom ! Le *vrai* nom.

– Il faudrait me donner quelques précisions.

– Je ne peux pas !

– Alors, pas de pacte.

– Sois maudit, Dragonnier ! Je te maudis ! Puisssses-tu ne jamais trouver de gîte ni de foyer, de paix ni de repos sur cette terre qui est la tienne ! Puisssses-tu quitter l'Alagaësia et n'y jamais revenir !

Des picotements coururent sur la nuque d'Eragon, dont le sang se glaça d'effroi. Il entendit de nouveau les paroles d'Angela, l'herboriste qui avait jeté ses os de dragon pour lui lire l'avenir et lui avait prédit cette même destinée.

Une large traînée en demi-cercle sépara le Dragonnier de son ennemi quand celui-ci rejeta sa cape trempée de sang en arrière, découvrant l'arc déjà armé qu'il tenait à la main. Le Ra'zac banda l'arme et décocha sa flèche.

Le trait fila vers la poitrine d'Eragon, qui l'écarta de son bâton.

Comme s'il s'agissait là d'un simple rituel préliminaire dicté par l'usage avant l'affrontement véritable, le Ra'zac se pencha pour déposer son arc à terre, puis il se redressa, ajusta son capuchon et, avec une lenteur délibérée, il tira sa lame en feuille de saule de dessous sa cape. Pendant ce temps, Eragon se mit debout, se campa sur ses jambes et assura sa prise sur son bâton.

Ils se ruèrent l'un vers l'autre. Le Ra'zac tenta de pourfendre son adversaire de la clavicule à la hanche, mais Eragon s'effaça pour esquiver le coup. Redressant son bâton, il en planta la pique de métal sous le bec du monstre et l'enfonça, brisant les plaques rigides qui protégeaient sa gorge.

Après un unique spasme, le Ra'zac s'effondra.

Eragon fixait le corps de son ennemi le plus abhorré, ses yeux noirs sans paupières, quand une faiblesse soudaine l'envahit.

Pris de nausée, il vomit contre la paroi du passage, s'essuya la bouche, puis il arracha son bâton de la carapace en murmurant :

– Pour notre père. Pour notre ferme. Pour Carvahall. Pour Brom... J'en ai soupé de la vengeance. Puisses-tu pourrir ici à jamais, Ra'zac.

Il se rendit ensuite dans la cellule où Sloan dormait toujours d'un sommeil enchanté, hissa le boucher sur son épaule, puis se dirigea vers la grotte principale et la sortie. En route, il posa son fardeau à diverses reprises pour explorer une chambre souterraine ou un passage encore inexplorés. Il découvrit une foule d'objets nuisibles, dont quatre fioles d'huile de Seithr, qu'il détruisit sans hésiter afin que nul autre n'utilise cet acide capable de ronger les chairs pour accomplir de maléfiques desseins.

Un chaud soleil picota les joues d'Eragon lorsqu'il émergea en titubant du réseau de tunnels. Retenant son souffle, il se hâta de contourner le cadavre du Lethrblaka pour gagner l'entrée de la vaste caverne. Là, il regarda les collines qui ondulaient au pied de la falaise à pic. À l'ouest, une colonne de poussière orange s'élevait au-dessus de la route qui reliait Helgrind à Dras-Leona : un groupe de cavaliers approchait.

Sloan lui pesait, son flanc gauche en était endolori. Il changea le boucher d'épaule, cligna des yeux pour chasser la sueur qui collait à ses cils, et réfléchit au délicat problème qui se posait à lui : comment rejoindre le sol et descendre de quelque cinq mille pieds avec son chargement ?

– Presque un mile, murmura-t-il. S'il y avait un sentier, je couvrirais aisément cette distance en marchant, même avec Sloan sur le dos. Je dois donc avoir assez de force pour nous amener en bas par la magie... Sans oublier que l'effort risque d'être fatal lorsqu'on tente d'accomplir en un instant une chose possible sur une certaine durée. Comme me l'enseignait Oromis, le corps est incapable de convertir ses ressources en énergie à une vitesse suffisante pour entretenir un sort pendant plus de quelques secondes. En un temps donné, je dispose d'une réserve limitée. Quand elle est épuisée, je dois attendre qu'elle se reconstitue... Et parler seul ne m'avance en rien.

Tenant fermement Sloan, Eragon concentra son attention sur une étroite plate-forme à une centaine de pieds en dessous de lui. « Ce sera dur », songea-t-il pour se préparer, puis il s'écria :

– Audr !

Il se sentit soulevé de quelques pouces au-dessus du sol.

– Fram, dit-il alors.

Le sort l'éloigna de Helgrind pour le propulser dans le ciel, où il flottait comme un nuage. Habitué à voler avec Saphira, il n'en éprouvait pas le moindre vertige. En manipulant le flux de magie, il descendit depuis le repaire des Ra'zacs – que la paroi de pierre immatérielle recouvrit de nouveau – jusqu'à la plate-forme.

À l'atterrissage, une roche branlante céda sous sa botte. Pendant quelques secondes haletantes, son bras libre s'agita tandis qu'il cherchait l'équilibre, un endroit sûr où poser le pied. Impossible de baisser les yeux ; s'il se penchait, il basculerait dans le vide. Son autre pied ripa, ce qui lui arracha un cri de surprise. Il tombait. Avant qu'il ait recours à la magie, le pied coupable resta pris dans une faille, arrêtant brusquement sa chute. La roche lui meurtrissait le mollet à travers sa jambière, mais au moins elle le maintenait en place.

S'adossant contre la paroi pour caler son fardeau, il se dit qu'il ne s'en tirait pas si mal. L'effort lui avait coûté, sans toutefois le handicaper au point de compromettre la suite. « C'est faisable. » Il respira à pleins poumons, attendit que les battements précipités de son cœur se calment. Il lui semblait avoir sprinté sur une cinquantaine de coudées avec le boucher sur son dos. « Je devrais y arriver... »

Les cavaliers retinrent son attention. Ils s'étaient rapprochés et galopaient à travers la plaine désertique à une allure inquiétante. « C'est une course entre eux et moi. Il me faut filer d'ici avant qu'ils n'atteignent Helgrind. Il y a sans doute des magiciens parmi eux, et je ne suis pas en état de lutter contre ceux de Galbatorix. »

– Et si tu me donnais un coup de main ? murmura-t-il en regardant Sloan sur son épaule. Je risque la mort et pire pour toi, c'est le moins que tu puisses faire, hein ?

La tête du boucher roula de droite à gauche ; il dormait toujours, perdu dans ses rêves. Eragon reprit son poids sur lui, se détacha de la muraille rocheuse, et répéta :

– Audr.

De nouveau, il flottait dans les airs, puisant dans les maigres forces de Sloan comme dans les siennes. Ensemble, ils plongèrent tels deux étranges oiseaux jusqu'à une autre plate-forme dont la largeur offrait un espace sûr.

Eragon orchestra leur descente par étapes, non pas en ligne droite, mais en légère spirale, de sorte qu'à présent la courbe et la masse de Helgrind les cachaient à la vue des cavaliers.

De palier en palier, leur progression ralentissait. Accablé de fatigue, Eragon ne couvrit bientôt plus que de courtes distances et il peinait à récupérer pendant les pauses. Soulever ne fût-ce qu'un doigt devenait une tâche aussi exaspérante que laborieuse. Une douce somnolence l'enveloppait de ses plis cotonneux, émoussant sa lucidité et ses sensations ; les rochers les plus durs semblaient aussi moelleux que des coussins pour ses muscles endoloris.

Enfin, trop épuisé pour amortir le choc, il se laissa tomber avec sa charge sur le sol aride, brûlé par le soleil. Les bras bizarrement croisés sous sa poitrine, il resta à plat ventre, fixant de ses yeux mi-clos les éclats jaunes de citrine enchâssés dans un petit caillou à deux doigts de son nez. Sloan pesait sur son dos comme un sac de plomb, chassait l'air de ses bronches et l'étouffait. Sa vue s'obscurcit comme si le ciel se voilait. Les battements affaiblis de son cœur s'espaçaient.

Incapable d'articuler une pensée cohérente, Eragon n'en savait pas moins qu'il allait mourir. Il n'avait pas peur, au contraire. Dans son infinie lassitude, cette idée le réconfortait presque ; la mort le libérerait de sa chair malmenée et lui apporterait le repos éternel.

Un bourdon gros comme le pouce vint survoler sa tête, fit le tour de son oreille, puis s'intéressa au caillou, dont il palpa les nodules de citrine d'un jaune aussi éclatant que les chardons qui étoilaient les pentes des collines. Le corps velu de l'insecte brillait sous la lumière matinale, chaque poil se détachait avec une netteté confondante ; le duvet de ses pattes était poudré de pollen, et le mouvement rapide de ses ailes presque invisibles produisait un grondement semblable à un roulement de tambour.

Le bourdon était si présent, si beau, si débordant de vitalité que son apparition arracha Eragon à son désir de mort. Un monde qui recelait de pareilles merveilles était un monde où il faisait bon vivre.

À force de volonté, le jeune Dragonnier dégagea sa main gauche de dessous son torse pour saisir la tige ligneuse d'un buisson voisin puis, tel un parasite, une tique, une sangsue, il absorba l'énergie vitale de la plante, qui brunit et s'étiola. Le regain de vigueur éclaircit l'esprit d'Eragon et réveilla sa peur. Si l'instinct de conservation avait repris le dessus, il ne voyait devant lui que terreur et ténèbres.

Il se traîna jusqu'à un autre buisson, puis jusqu'à un troisième, un quatrième, et répéta l'opération autant de fois que nécessaire pour reconstituer ses réserves. Alors, il se leva. Une bile amère lui emplit la bouche face au triste sillage de plantes desséchées qu'il laissait derrière lui.

Le constat était pénible : il avait usé de magie sans discernement, et, s'il en était mort, sa folle témérité aurait condamné les Vardens à la défaite. Il grimaça en songeant qu'il s'était conduit comme un sot. « Brom me flanquerait une raclée pour m'être mis dans ce pétrin. »

Dès qu'il eut rejoint Sloan, il souleva le boucher amaigri et s'éloigna de Helgrind au petit trot pour se mettre à l'abri au creux d'un vallon. Dix minutes plus tard, il s'arrêta pour voir où en étaient ses poursuivants. Un nuage de poussière tourbillonnait au pied de la tour de pierre noire, signe que les cavaliers avaient atteint leur but.

Un sourire naquit sur ses lèvres. Les sbires de Galbatorix étaient trop loin pour que leurs magiciens repèrent son esprit ou celui de Sloan. « Le temps qu'ils découvrent les cadavres des Ra'zacs, j'aurai couru plus d'une lieue et je doute fort qu'ils me retrouvent. Et puis, ils cherchent un dragon et son Dragonnier, pas un homme voyageant à pied. »

Toute crainte d'une attaque imminente écartée, il repartit à longues foulées régulières, une allure qu'il pouvait maintenir pendant toute une journée.

Le soleil d'or blanc brillait au-dessus de lui. Devant lui, le désert vierge s'étendait sur des lieues à la ronde avant de venir lécher les abords d'un village. À nouveau, l'espoir et la joie fleurissaient dans son cœur.

Enfin, les Ra'zacs étaient morts !

Enfin, sa vengeance était accomplie, il s'était acquitté de son devoir envers Garrow et Brom. Enfin, la peur et la colère qui le hantaient depuis la première visite des Ra'zacs à Carvahall l'avaient quitté. S'il lui avait fallu plus longtemps que prévu pour se débarrasser d'eux, c'était maintenant chose faite, et une fière prouesse. Il s'autorisa à savourer le plaisir de son exploit, en partie dû, il est vrai, à l'aide de Roran et de Saphira.

Gâtée par un sentiment de perte qui le surprit, sa victoire avait un goût de cendre. Cette quête des Ra'zacs comptait parmi les derniers liens qui le rattachaient à son ancienne vie dans la vallée de Palancar, lien qu'il répugnait à trancher malgré son caractère macabre. De plus, cette tâche lui avait donné un but alors qu'il n'en avait pas ; c'est pour la mener à bien qu'il était parti de chez lui. Les Ra'zacs disparus, la haine qu'il nourrissait envers eux s'était muée en un vide béant.

Comment pouvait-il déplorer la fin de sa terrible mission ? Atterré, Eragon se jura qu'il ne commettrait pas deux fois la même erreur. « Je refuse de m'identifier à mon combat contre l'Empire, Murtagh et Galbatorix au point de ne pas vouloir passer à autre chose le moment venu – s'il vient – ou, pire encore, au point de faire durer le conflit plutôt que de m'adapter à une situation nouvelle. » Refoulant son deuil malvenu, il résolut de se concentrer sur son seul soulagement : enfin, il était libéré des sordides contraintes qu'il s'était imposées ; seules lui incombaient maintenant les obligations dues à son état.

L'allégresse allégea ses pas. Débarrassé à jamais des Ra'zacs, Eragon avait le sentiment qu'il pouvait se refaire une vie fondée non sur ce qu'il était autrefois, mais sur ce qu'il était devenu : un Dragonnier.

Souriant à l'horizon de collines, il riait en courant sans se soucier qu'on l'entende. L'écho de sa voix résonnait à travers la vallée et tout autour de lui ; l'avenir semblait radieux et rempli de promesses.

6
SEUL DANS LE DÉSERT

L'estomac d'Eragon gargouilla.

Étendu sur le dos, jambes repliées, il étirait ses cuisses après avoir couru plus longtemps et plus chargé que jamais, quand le grondement liquide émanant de ses entrailles se produisit.

Le bruit était si inattendu qu'il se redressa en sursaut, la main sur son bâton.

Le vent soufflait sur le paysage désert. Le soleil s'était couché. Rien ne bougeait dans ce décor de bleus et de violets, à l'exception de l'herbe ondoyante et de Sloan, dont les doigts s'ouvraient et se refermaient en réaction à quelque vision née de son sommeil enchanté. Le froid mordant annonçait l'arrivée de la nuit.

Eragon se détendit et laissa un léger sourire flotter sur ses lèvres.

Sourire qui s'effaça dès qu'il réfléchit à la cause de ce soudain séisme viscéral. La lutte contre les Ra'zacs, l'usage immodéré de la magie et le trajet d'une journée avec le boucher sur son dos l'avaient laissé si affamé qu'il s'imaginait capable d'engloutir la totalité du festin que les nains avaient offert en son honneur lors de sa visite à Tarnag. Le souvenir du Nagra rôti, le parfum épicé de ce sanglier géant glacé au miel et ruisselant de graisse, suffit à le faire saliver.

Hélas, il n'avait pas de provisions. L'eau ne posait pas de problème, il la tirait à volonté du sol ou de l'humidité ambiante.

Trouver de quoi se nourrir en ce lieu désolé était beaucoup plus difficile et le plongeait dans l'éternel dilemme qu'il redoutait.

Oromis avait consacré de nombreuses leçons aux diverses régions d'Alagaësia et à leurs climats. Grâce à cet enseignement, quand Eragon quitta leur bivouac pour explorer les environs, il n'eut aucune peine à identifier les plantes qui poussaient là. De petite taille et manquant de consistance, elles étaient rarement comestibles ; à moins qu'il passe des heures à en cueillir, jamais elles ne fourniraient un repas pour deux hommes adultes. Les animaux avaient sans doute caché des réserves de graines et de fruits, mais comment savoir où chercher ? Et puis, les souris du désert n'auraient pas amassé plus de quelques bouchées...

Il lui restait deux solutions, dont aucune ne l'enthousiasmait. Comme il l'avait fait précédemment, il pouvait prendre l'énergie des plantes et des insectes autour de leur campement. Ce qui se solderait par une zone morte à la surface de la terre, un secteur sinistré où rien, pas même les minuscules organismes du sol, ne survivrait. De telles transfusions d'énergie leur permettraient de poursuivre leur voyage sans pour autant leur remplir l'estomac...

Ou alors il pouvait chasser.

Sourcils froncés, Eragon tournait et retournait son bâton. Après avoir partagé les pensées et les désirs de nombreux animaux, il avait mal au cœur à l'idée de les manger. Quoi qu'il en soit, il ne se laisserait pas dépérir, au risque d'être capturé par l'Empire, en se passant de dîner pour épargner un lapin. Comme l'avaient souligné Saphira et Roran, chaque être vivant en consommait d'autres. « Notre monde est cruel et je ne le changerai pas... Les elfes ont peut-être raison d'éviter la viande, mais je suis dans le besoin et n'ai pas d'autres ressources. Inutile de culpabiliser puisque les circonstances m'y obligent. Ce n'est tout de même pas un crime d'apprécier une tranche de lard ou une truite. »

Il eut beau se raisonner, tenter de se rassurer par tous les arguments possibles, son dégoût persistait. Il resta planté là longtemps sans se résoudre à faire le nécessaire. Enfin, il prit conscience de l'heure tardive et s'en voulut d'avoir perdu son temps ; il lui fallait du repos, et chaque minute comptait.

Jugulant son malaise, Eragon se livra à une exploration mentale du paysage, jusqu'à repérer deux gros lézards et, blottie au fond d'un terrier sablonneux, toute une colonie de rongeurs, espèce curieuse qui rappelait à la fois le rat, le lapin et l'écureuil. Il prononça le mot « Deyja », tuant les lézards et l'un des rongeurs. Bien que leur mort fût instantanée et indolore, il ne put s'empêcher de crisper les mâchoires en voyant s'éteindre la flamme lumineuse de leurs esprits.

Il alla chercher les lézards à la main, retourna les cailloux qui leur servaient d'abri. En revanche, il sortit le rongeur de son terrier par la magie, remonta le corps en prenant soin de ne pas réveiller ses congénères. Leur révéler qu'un prédateur invisible pouvait les massacrer dans leur refuge le plus secret lui paraissait par trop cruel et ne servirait qu'à les terroriser sans raison.

Lorsqu'il eut dépecé et vidé ses proies, il enterra les viscères afin de ne pas attirer les charognards. Puis, avec des pierres plates et minces, il construisit un four de fortune et y alluma un feu. Sans sel, la viande risquait d'être fade. Par chance, certaines plantes locales dégageaient une odeur agréable lorsqu'on froissait leurs feuilles. Il en cueillit, frotta les carcasses avec et les en farcit pour les assaisonner.

Plus petit, le rongeur fut bientôt prêt. Eragon le tira du four, le porta à sa bouche et grimaça. Sa répugnance l'aurait figé sur place s'il n'avait été contraint de surveiller le feu et la cuisson des lézards. Distrait par ces activités, il obéit sans réfléchir à l'appel de son ventre qui criait famine.

La première bouchée lui resta en travers de la gorge, le goût de graisse fondue lui donnait la nausée. Il frissonna, déglutit deux ou trois fois, et les haut-le-cœur cessèrent. Passé ce moment pénible, tout devint d'autant plus facile que la chair était insipide. Le manque de goût lui permit d'oublier ce qu'il mâchait, ce dont il fut soulagé.

Il mangea le rongeur entier et une bonne part de lézard. En suçant un reste de chair sur l'os d'une maigre patte, il soupira d'aise, puis s'en voulut d'avoir, malgré lui, pris plaisir au repas. Il avait si faim que, sitôt ses inhibitions surmontées, ce dîner frugal lui avait semblé délicieux. Et de songer : « Peut-être... peut-être qu'à mon retour... si on sert de la viande à la table de Nasuada ou à celle du roi Orrin... si j'en ai envie, s'il est impoli de refuser, j'en prendrai une petite portion... Je n'en mangerai pas autant que par le passé, mais je ne serai pas non plus aussi strict que les elfes. La modération est, je crois, un choix plus sage que l'abstinence à tout prix. »

À la lueur des braises, Eragon examina les mains de Sloan, qui dormait toujours à quelques pas de lui. De petites cicatrices blanches zébraient ses longs doigts osseux aux jointures proéminentes ; leur faible nombre témoignait du peu d'erreurs commises par le boucher au fil des décennies passées à manier les couteaux. Jadis entretenus avec soin, ses longs ongles étaient à présent fendillés, cassés, noirs de crasse. Des veines soulevaient comme des vers la peau ridée, parcheminée, et cependant les muscles demeuraient fermes.

Assis sur les talons, les bras croisés autour des genoux, Eragon murmura pour lui-même :

– Je ne peux pas le laisser partir comme ça...

Remis en liberté, Sloan était capable de retrouver la trace de Roran et Katrina. Mieux valait ne pas prendre ce risque. Pas question de tuer le boucher, bien sûr. Mais il devait payer pour ses crimes.

Sans être un proche de Byrd, Eragon le connaissait pour un homme bon, loyal et droit ; il se souvenait de son épouse, Felda, et de leurs enfants avec affection. Garrow, Roran et lui avaient soupé et dormi chez eux à diverses reprises. De sorte que le meurtre de Byrd lui apparaissait comme un acte d'une cruauté sans nom. La famille du guetteur méritait que justice lui soit rendue, qu'elle l'apprenne plus tard ou non.

93

Restait à trouver un châtiment approprié... « Je refuse d'être son bourreau. De quel droit m'érigerais-je en juge ? Que sais-je de la loi ? »

Il se leva, puis alla rejoindre Sloan pour lui souffler à l'oreille :

— Vakna.

Le boucher s'éveilla en sursaut, tâta le sol de ses mains noueuses. Un mouvement réflexe agita les vestiges de ses paupières absentes, qu'il tentait de soulever pour regarder autour de lui. Il était, hélas, à jamais prisonnier de sa propre nuit.

— Tiens. Mange, dit Eragon en lui présentant une moitié de lézard.

Si le boucher ne voyait pas, il avait certainement senti la nourriture.

— Où suis-je ? demanda-t-il.

De ses doigts tremblants, il se mit à explorer les plantes et les roches. Il effleura ses poignets blessés, puis ses chevilles, surpris d'être libéré de ses fers.

— Les elfes et les Dragonniers d'autrefois ont nommé ce lieu Mírnathor. Les nains l'appellent Werghadn, et les humains, Grise-Lande. Si cela ne te suffit pas, j'ajouterai que nous sommes à un certain nombre de lieues au sud-est de Helgrind, où tu étais emprisonné.

— *Helgrind*, marmonna le boucher. Tu m'as délivré ?

— Oui.

— Qu'en est-il...

— Mange d'abord. Tu poseras des questions ensuite.

La sécheresse de la remarque eut sur Sloan l'effet d'un coup de fouet. Il tressaillit, puis tendit le bras pour prendre la nourriture. Eragon la lui donna et regagna sa place près du four de pierre. Là, il jeta de la terre sur les braises afin que la lumière ne trahisse pas leur présence, dans l'hypothèse peu probable où quelqu'un serait dans les parages.

Après avoir goûté du bout des lèvres pour savoir ce qu'il mangeait, Sloan mordit dans le lézard et déchira un gros morceau de viande. Il engouffrait d'énormes bouchées, prenant à peine le temps de mâcher avant d'avaler, et recommençait. Il nettoyait les os avec l'efficacité d'un initié aux secrets de l'anatomie animale, capable de débiter n'importe quelle bête en un éclair, puis il les déposait à sa gauche en un petit tas ordonné. Quand le dernier bout de queue eut disparu, Eragon lui offrit le second reptile encore entier. Sloan grogna un vague merci et se remit à s'empiffrer sans se soucier de la graisse qui lui coulait sur le menton.

C'était trop, même pour un affamé. Il cala sur les dernières côtes et mit le reste de carcasse sur le cairn d'ossements. Puis il se redressa, s'essuya la bouche du revers de la main, lissa ses cheveux derrière ses oreilles et déclara :

— Étranger, je te remercie de ton hospitalité. Il y a bien longtemps que je n'avais pas eu un vrai repas, et j'apprécie ce don de nourriture plus que ma liberté... Si je peux me permettre, connais-tu ma fille, Katrina ? Sais-tu ce qui lui est arrivé ? Elle était prisonnière à Helgrind, elle aussi.

Le ton de sa voix reflétait un ensemble complexe d'émotions : le respect, la crainte et la soumission face à une autorité inconnue, l'espoir et l'inquiétude concernant sa fille, et une volonté farouche, aussi inébranlable que les montagnes de la Crête. Seule y manquait la moquerie méprisante dont il accablait Eragon à Carvahall.

— Elle est avec Roran.

— Roran ! s'exclama Sloan, médusé. Comment est-il arrivé là ? Les Ra'zacs l'ont donc capturé ? Est-il...

— Les Ra'zacs et leurs montures sont morts.

— Tu les as *tués* ? Comment ?... Qui...

Il s'interrompit, bouche bée, parut bégayer de tous ses membres, puis ses joues, ses lèvres, ses épaules s'affaissèrent, il s'agrippa à un buisson pour se stabiliser et secoua la tête :

— Non, non, non... *Non*... C'est impossible... Les Ra'zacs faisaient des allusions en ce sens ; ils me questionnaient, exigeaient des réponses que je n'avais pas, mais je pensais... C'est vrai, quoi, qui croirait une chose pareille... ?

Il étouffait. Ses flancs se soulevaient avec tant de violence qu'Eragon craignait pour lui. Enfin, dans un hoquet, comme s'il parlait sous la torture et venait de prendre un coup au plexus, il conclut :

— Tu n'es tout de même pas *Eragon*.

Le jeune homme sentit alors peser sur lui la fatalité et le destin, deux maîtres impitoyables dont il était l'instrument. Il répondit en conséquence, s'exprima lentement pour que chaque mot frappe comme une masse, avec toute la force de sa dignité, de son rang et de sa colère :

— Je suis Eragon et bien davantage. Je suis Argetlam, et Tueur d'Ombre, et aussi Épée Flamboyante. Mon dragon s'appelle Saphira, également connue sous les noms de Bjartskular et Langue de Feu. Nous avons été formés par Brom, qui était Dragonnier avant nous, par les nains et par les elfes. Nous avons combattu les Urgals, et un Ombre, et Murtagh, le fils de Morzan. Nous servons les Vardens et les peuples d'Alagaësia. Je t'ai conduit ici, Sloan Aldensson, afin de te juger pour le meurtre de Byrd, pour avoir trahi et livré Carvahall à l'Empire.

— Tu mens ! Tu ne peux pas être...

— Mentir, moi ? Je ne mens pas !

Projetant son esprit dans celui de Sloan, il lui imposa les souvenirs qui confirmaient son identité et la véracité de ses propos. Il tenait aussi à ce que le boucher prenne conscience du pouvoir qui était le sien et comprenne qu'il n'était plus entièrement humain. Malgré lui, Eragon dut admettre qu'il prenait plaisir à dominer cet homme qui lui avait causé tant d'ennuis, qui l'assaillait de ses sarcasmes, l'insultait, lui et sa famille. Trente secondes plus tard, il se retira.

Sloan tremblait toujours, mais il ne s'effondra pas, ne chercha pas à l'amadouer par des bassesses, comme Eragon s'y attendait. Il se raidit et répliqua d'un ton dur et cassant :

— Va au diable ! Je n'ai pas à me justifier devant toi, Eragon, Fils de Personne. Et dis-toi bien que, si j'ai fait ce que j'ai fait, c'est pour Katrina, et rien d'autre.

— Je sais. Et c'est à cela que tu dois d'être encore en vie.

— Eh bien, punis-moi, je m'en fiche. Tant qu'elle est en sécurité... Alors ? Vas-y ! Qu'est-ce que tu proposes ? Le fouet ? Une marque au fer rouge ? Ils m'ont déjà arraché les yeux, tu veux une de mes mains ? Tu comptes m'abandonner ici pour que je meure de faim ou que l'Empire me reprenne ?

— Je n'en ai pas encore décidé.

Avec un bref hochement de tête, Sloan resserra les pans de ses vêtements en haillons pour se protéger du froid de la nuit. Raide et droit, il fixait de son regard vide les ombres qui entouraient le bivouac. Il ne supplia pas, ne demanda pas grâce. Il ne nia pas ses actes, ne tenta pas de se disculper. Stoïque, il attendait, image même de la fortitude.

Eragon en fut impressionné.

Il eut le sentiment que le paysage plongé dans l'obscurité était sans fin, qu'il en était le centre et que cette immensité convergeait vers lui. Son choix n'en était que plus angoissant. « Le reste de ma vie dépendra de mon verdict. »

Mettant de côté la question du châtiment, il réfléchit à ce qu'il connaissait de Sloan : l'amour qu'il portait à Katrina et qui le gouvernait – un amour qui avait été beau et qui était devenu obsessionnel, égoïste, malsain –, sa haine et sa peur de la Crête, nées de son chagrin lorsqu'il avait perdu sa femme, Ismira, morte d'une chute au milieu ces pics ennuagés ; la brouille qui l'isolait des autres branches de sa famille, la fierté qu'il mettait dans son travail, les histoires qu'on racontait sur son enfance ; enfin, Eragon se remémora ce que lui-même savait de la vie du boucher à Carvahall.

Il tourna et retourna ces aperçus parcellaires, médita sur leur signification. Il s'efforça de les ordonner, un peu comme on reconstruit un puzzle. Il persista d'abord en vain, puis, petit à petit, des liens se dessinèrent entre les évènements et les émotions, tissant progressivement un motif complexe, représentatif du boucher dans sa totalité. Lorsqu'il inséra le dernier brin dans cette toile, Eragon comprit les raisons qui avaient motivé la conduite de Sloan.

À présent, il était en mesure de se mettre à sa place, il le pénétrait, l'avait percé à jour. Il avait identifié les éléments qui constituaient le cœur de sa personnalité, ceux-là mêmes qu'on ne peut changer sans modifier l'homme. Trois mots en ancien langage lui vinrent alors à l'esprit, trois mots qui, à eux seuls, lui paraissaient rendre compte du personnage et, sans même y penser, il les murmura dans un souffle.

Sloan était trop loin pour entendre, et pourtant il réagit : sa main se crispa sur sa cuisse, une expression de malaise se peignit sur ses traits.

Eragon en eut la chair de poule, un frisson parcourut son dos. Il imagina des explications à cet étrange phénomène, plus tortueuses et improbables les unes que les autres. Une seule paraissait plausible, bien que tirée par les cheveux. À tout hasard, il répéta les trois mots à voix basse et, de nouveau, Sloan réagit ; il changea de position tout en marmonnant dans sa barbe : « Quelqu'un a marché sur ma tombe. »

L'expérience ne laissait plus de doute. Sans le vouloir, par pur accident, Eragon avait découvert le vrai nom de Sloan. Il n'en revenait pas. Connaître le vrai nom de quelqu'un était une lourde responsabilité, car cela donnait dès lors un pouvoir absolu sur cette personne. En raison des risques encourus, les elfes ne révélaient leur vrai nom qu'en de très rares occasions, et seulement à des proches en lesquels ils avaient une confiance aveugle.

Eragon ignorait tout du sien et n'avait pas appris le vrai nom de qui que ce soit. Il était convaincu que, si la chose se produisait un jour, ce serait un don reçu d'un être cher. Avoir deviné celui de Sloan sans lui demander son consentement l'embarrassait fort ; rien ne l'avait préparé à cela. Il prit alors conscience que, pour en arriver là par déduction, il devait comprendre le boucher mieux qu'il ne se comprenait lui-même.

Cette dernière pensée le troublait d'autant plus qu'étant donné la nature de ses ennemis, de telles lacunes pouvaient s'avérer fatales. Il se promit qu'à l'avenir il consacrerait davantage de temps à l'introspection et à la quête de son vrai nom. « Qui sait... Oromis et Glaedr me le révéleraient peut-être. »

Si sa découverte concernant Sloan semait le doute et la confusion dans son esprit, elle lui donnait cependant un embryon de solution au problème que lui posait le boucher. L'hypothèse de base établie, il mit encore dix bonnes minutes à peaufiner son plan afin de s'assurer qu'il obtiendrait ainsi le résultat souhaité.

Satisfait, il se leva. Dès qu'il s'éloigna du camp dans la nuit étoilée, Sloan tourna la tête vers lui.

– Où vas-tu ?

Eragon ne répondit pas.

Il erra dans le désert jusqu'à dénicher une large roche basse parsemée de lichen et creusée d'une cuvette en son milieu. Là, il prononça : « Adurna rïsa. » Autour du rocher, de minuscules gouttelettes d'eau montèrent du sol et s'assemblèrent en arches argentées d'une régularité parfaite qui retombaient dans le creux. Lorsque l'eau déborda pour retourner à la terre, Eragon interrompit le flux de la magie, puis attendit que la mare ainsi créée soit aussi lisse et réfléchissante qu'un miroir. Devant le bassin étoilé, il dit alors : « Draumr kópa », et récita le sort qui lui permettrait de communiquer à distance. Oromis lui avait enseigné cette variante du sort de visualisation lointaine deux jours avant que Saphira et lui quittent Ellesméra pour le Surda.

L'eau devint noire, comme si une main invisible avait éteint les étoiles. Quelques instants plus tard, une forme ovale plus claire se dessina à sa surface, montrant l'intérieur d'une vaste tente blanche éclairée par la lumière rouge d'un Erisdar, l'une de ces lanternes sans flamme nées de la magie des elfes.

En temps normal, Eragon n'aurait pas pu visualiser une personne ou un lieu inconnus de lui, mais les miroirs des elfes étaient enchantés de manière à projeter une image du décor à celui qui les contactait. De même, le sort prononcé par Eragon transmettrait son reflet ainsi que son environnement. Ce système rendait les échanges possibles entre des étrangers depuis n'importe quel endroit du monde, un précieux atout en période de guerre.

Un grand elfe aux cheveux d'argent et à l'armure marquée par les batailles apparut sous les yeux d'Eragon. Il reconnut en lui le seigneur Däthedr, conseiller de la reine Islanzadí et ami d'Arya. Sans manifester la moindre surprise, Däthedr porta deux doigts de sa main droite à ses lèvres et dit de sa voix chantante :

— Atra esterní ono thelduin, Eragon Shur'tugal.

Se préparant mentalement à converser en ancien langage, le jeune Dragonnier imita le geste et répondit :

— Atra du evarínya ono varda, Däthedr-vodhr.

Däthedr poursuivit dans sa langue natale :

— Je me réjouis de constater que tu vas bien, Tueur d'Ombre. Arya Dröttningu nous a informés de ta mission il y a quelques jours, et nous nous inquiétions pour toi et Saphira. Il n'y a pas eu de dégâts, j'espère ?

— Non, mais j'ai rencontré des difficultés imprévues et, si ce n'est pas trop exiger, j'aimerais consulter la reine Islanzadí afin qu'elle m'éclaire de sa sagesse.

Les yeux de chat de Däthedr se fermèrent à demi, étroites fentes obliques qui lui conféraient une expression aussi farouche qu'indéchiffrable.

— Tu ne solliciterais pas cet entretien s'il ne s'agissait d'une question importante, j'en suis conscient, Eragon-vodhr. Sache cependant qu'un arc tendu peut tout aussi bien se briser et blesser l'archer que décocher une flèche... Si tel est ton désir, il te faudra attendre que je m'enquière de la reine.

— J'attendrai. Ton aide est la bienvenue, Däthedr-vodhr.

Dès que son interlocuteur eut tourné le dos au miroir, Eragon grimaça. Il n'appréciait guère le côté cérémonieux des elfes et détestait plus encore leur manie de s'exprimer par énigmes qu'il lui fallait ensuite interpréter. « À quoi rimait cette mise en garde ? Voulait-il dire qu'il est dangereux d'intriguer autour de la reine Islanzadí ? Qu'Islanzadí est un arc bandé, prêt à craquer ? Autre chose ? Et si oui, quoi ? Bah. Je peux communiquer avec les elfes, c'est déjà ça. »

Les sorts de protection tissés par ces derniers empêchaient de pénétrer le Du Weldenvarden par des moyens magiques et contrecarraient la vision à distance. Tant qu'ils restaient dans leurs cités, on ne pouvait les contacter qu'en envoyant des messagers dans leur forêt. À présent, ils étaient en marche, ils avaient quitté l'ombre de leurs pins aux aiguilles noires, l'abri de leurs puissants enchantements, ce qui rendait possible l'usage des miroirs de communication.

Une minute passa, puis une autre.

– Vite ! murmura Eragon, tendu et anxieux.

D'un bref coup d'œil, il s'assura qu'aucun être, homme ou bête sauvage, n'approchait en cachette pendant qu'il se concentrait sur la surface de l'eau.

Dans un bruit de toile déchirée, l'abattant de la tente se souleva sur la reine Islanzadí, qui s'avança au pas de charge vers le miroir. Elle portait une cuirasse étincelante faite de lamelles dorées, une cotte de mailles et des grèves ; un splendide casque orné d'opales et de pierres précieuses retenait ses longues tresses noires. De ses épaules tombait une cape pourpre bordée de blanc qui flottait autour d'elle comme un nuage d'orage. Sa main gauche brandissait une épée nue, et sa main droite vide semblait gantée de rouge. À l'examen, Eragon s'aperçut que du sang ruisselait de son poignet et lui couvrait les doigts.

Dès que la reine vit Eragon, ses yeux en amande s'étrécirent et son front se plissa. Ainsi, elle ressemblait à Arya de manière frappante, encore qu'elle fût plus altière et plus intimidante que sa fille. Elle était à la fois belle et terrible, comme une déesse guerrière.

Selon la coutume des elfes, Eragon porta les doigts à ses lèvres, puis il plaça le dos de sa main droite sur sa poitrine en signe de loyauté et de respect avant de réciter le premier vers de leur salut traditionnel, prenant l'initiative comme il était séant lorsqu'on s'adressait à une personne de rang supérieur. Islanzadí répondit dans les règles et, pour lui être agréable et lui montrer sa connaissance de leur culture, Eragon conclut par le dernier vers optionnel du salut :

— Que la paix règne dans ton cœur.

Soudain moins agressive dans son maintien, Islanzadí esquissa un sourire, témoignant qu'elle avait perçu sa manœuvre.

— Qu'elle règne dans le tien aussi, Tueur d'Ombre.

Dans sa voix grave et chaude, on entendait bruire les aiguilles des pins, gargouiller les ruisseaux, chanter les flûtes de roseau mélodieuses. Rangeant l'épée dans son fourreau, elle traversa la tente pour gagner une table pliante et lava le sang de ses mains avec l'eau d'une carafe.

— La paix est rare de nos jours, j'en ai peur.

— Les combats font rage, Majesté ?

— Cela ne saurait tarder. Mon peuple se rassemble à la frontière ouest du Du Weldenvarden, où nous nous préparerons à tuer et être tués tout en restant proches des arbres que nous chérissons. Notre race est dispersée. Contrairement aux autres, elle ne s'agglutine pas en masses qui causent trop de dégâts à la Terre. Il faut donc du temps pour que tous arrivent des confins de la forêt.

— Je comprends. Cependant...

Il cherchait un moyen de poser la question qui lui brûlait les lèvres sans paraître grossier.

— ... si les combats n'ont pas encore commencé, je m'étonne que vos mains soient teintes de vermeil.

Secouant l'eau de ses doigts, Islanzadí leva un bras parfait d'un brun doré pour qu'Eragon l'inspecte. Il comprit alors qu'elle avait posé pour la statue des deux bras entrelacés située à l'entrée de la maison dans l'arbre qu'il occupait à Ellesméra.

— De la teinture, rien de plus. Le sang ne tache que l'âme, pas le corps. J'ai dit que la guerre se déchaînerait bientôt, non qu'elle n'avait pas commencé.

Islanzadí recouvrit son poignet de sa manche. De la ceinture ornée de joyaux qui enserrait sa taille fine, elle détacha un gantelet cousu de fil d'argent et l'enfila.

— Nous surveillons la ville de Ceunon, que nous attaquerons en premier. Il y a deux jours, nos gardes forestiers ont repéré des convois d'hommes et de mules allant de Ceunon au

Du Weldenvarden. Nous pensions qu'ils venaient prendre du bois en lisière de la forêt selon leur habitude. Nous tolérons cette pratique, car les humains ont besoin de bois ; aux abords de la forêt, les arbres sont encore jeunes, presque au-delà de notre influence, et, jusqu'ici, nous préférions ne pas nous exposer. Les bûcherons ne se sont cependant pas arrêtés là. Ils se sont enfoncés dans le Du Weldenvarden en empruntant des pistes laissées par le gibier qui semblaient leur être familières ; ils étaient à la recherche des arbres aux troncs les plus hauts, les plus épais, d'arbres aussi vieux que l'Alagaësia elle-même, d'arbres qui avaient atteint leur pleine maturité quand les nains ont découvert Farthen Dûr. Lorsqu'ils en trouvaient un, ils se mettaient en devoir de l'abattre.

La rage vibrait dans sa voix tandis qu'elle poursuivait :

– À leurs conversations, nous avons appris les raisons de leur présence : Galbatorix voulait les plus gros arbres possibles pour remplacer ses engins de siège et ses béliers détruits pendant la bataille des Plaines Brûlantes. Si leurs motivations avaient été justes et pures, nous aurions pardonné et accepté la perte d'un des seigneurs de notre forêt. Peut-être même de deux. Certainement pas de vingt-huit.

Eragon en eut froid dans le dos.

– Qu'avez-vous fait ? demanda-t-il, tout en se doutant de la réponse.

Islanzadí releva le menton et ses traits se durcirent.

– J'étais sur place, avec deux de nos forestiers. Ensemble, nous avons *rectifié* cette erreur des humains. Il fut un temps où les habitants de Ceunon n'auraient pas osé s'introduire sur nos terres. Nous nous sommes chargés de leur rappeler pourquoi.

Le regard lointain, absorbée par quelque vision personnelle, elle frotta sa main droite d'un geste machinal, comme pour atténuer une douleur persistante.

– Eragon-finiarel, tu sais à présent communier avec la force vitale des plantes et des animaux qui t'entourent. Imagine l'amour que tu leur porterais si tu possédais ce don depuis des siècles. Nous donnons de nous-mêmes pour nourrir le Du Weldenvarden ; la forêt est une extension de nos corps, de nos âmes. Lorsqu'elle souffre, nous souffrons aussi... Nous nous emportons rarement, mais, lorsque notre colère se déchaîne, nous sommes aussi indomptables que les dragons. Voilà plus de cent ans que ni moi ni la plupart des elfes n'avons versé notre sang au combat. Le monde a oublié de quoi nous sommes capables. Si nos forces ont décliné depuis la chute des Dragonniers, elles sont encore assez redoutables pour faire croire à nos ennemis que tous les éléments se sont ligués contre eux. Nous appartenons à une race ancienne dont les aptitudes et les connaissances surpassent celles des mortels. Que Galbatorix et ses alliés se méfient, car nous autres, les elfes, sommes sur le point de quitter notre forêt pour ne plus y revenir, sauf en triomphateurs.

Eragon frissonna. Jamais il n'avait rencontré tant d'opiniâtreté, une détermination aussi brutale, aussi implacable, pas même pendant son duel contre Durza. « Ce n'est pas humain. » Cette pensée spontanée lui tira un sourire de dérision. « Rien de plus normal, puisqu'ils ne le sont pas. Je serais bien avisé de m'en souvenir. Nous leur ressemblons, certes, moi plus que tout autre, je pourrais presque passer pour un des leurs ; mais nous sommes différents. »

— Si vous prenez Ceunon, dit-il, comment comptez-vous contrôler la population ? Ces gens ont beau haïr l'Empire plus que la mort elle-même, je doute qu'ils vous fassent confiance, ne serait-ce que parce qu'ils sont humains.

Islanzadí évacua la remarque d'un geste.

— Faux problème. Dès que nous serons dans les murs, nous veillerons à neutraliser toute opposition. Nous en avons les moyens. Ce n'est pas la première fois que nous combattons tes semblables.

Elle ôta son casque, libérant ses cheveux, et des boucles noires retombèrent autour de son visage.

— À mon grand déplaisir, j'ai appris que tu partais à l'assaut de Helgrind. Je présume que tout s'est bien terminé ?

– Oui, Majesté.

– En ce cas, je n'ai rien à redire. Sache cependant, Eragon Shur'tugal, que tu ne dois pas risquer ta vie dans ce genre d'aventure inconsidérée. C'est cruel, j'en conviens, il n'en reste pas moins que ta sécurité est plus importante que le bonheur de ton cousin.

– J'avais fait serment d'aider Roran.

– Tu t'es engagé à la légère, sans réfléchir aux conséquences.

– Voudriez-vous que j'abandonne ceux que j'aime ? Je serais alors un être méprisable, indigne de confiance, un piètre véhicule pour les espoirs de ceux qui croient en moi et pensent que je soumettrai *un jour* Galbatorix. De plus, tant que le roi scélérat détenait Katrina, il disposait d'une arme pour manipuler Roran.

La reine haussa un sourcil effilé comme une lame.

– Vulnérabilité à laquelle tu pouvais remédier en dictant à Roran certains serments dans notre langue, qui est celle de la magie, afin que Galbatorix n'exploite pas la faille... Loin de moi l'idée que tu renies tes amis ou ta famille. Ce serait pure folie. Songe toutefois à ce qui est en jeu : l'Alagaësia dans sa totalité. Si nous échouons, la tyrannie de Galbatorix s'étendra à toutes les races, et son règne ne connaîtra plus de fin. Notre action est une lance dont tu es le fer. Si ce fer venait à se briser ou disparaître, la lance glisserait sur l'armure de notre adversaire, et nous serions perdus, nous aussi.

Les doigts crispés sur le rebord de la cuvette rocheuse à en faire craquer le lichen, Eragon ravala une impertinence. L'envie de dire qu'un guerrier digne de ce nom aurait une épée ou une arme de secours en plus de la lance lui brûlait les lèvres. La conversation prenait un tour frustrant, il avait hâte de changer de sujet ; il n'avait pas contacté la reine pour s'entendre réprimander comme un gamin ! Cela étant, laisser parler son irritation ne servirait en rien sa cause. Réprimant son impatience, il déclara d'un ton posé :

– Majesté, soyez assurée que je prends vos inquiétudes très au sérieux. En toute sincérité, je dois cependant vous avouer que, si je n'avais pas aidé Roran, j'en aurais souffert autant que lui, et plus encore s'il avait trouvé la mort en tentant de délivrer Katrina par ses propres moyens. Dans un cas comme dans l'autre, j'aurais été trop malheureux pour être utile à qui que ce soit. Ne pourrions-nous pas en rester là, puisque nous ne tomberons pas d'accord et qu'aucun de nous ne convaincra l'autre ?

— Très bien. Restons-en là... du moins pour le moment. N'imagine surtout pas que ta conduite échappera à une enquête dans les règles, Dragonnier Eragon. Tu me sembles trop désinvolte eu égard à tes lourdes responsabilités. L'affaire est grave. J'en discuterai avec Oromis, qui décidera de ce qu'il y a lieu de faire à ton sujet. Et maintenant dis-moi ce qui t'amenait à solliciter cette audience.

Eragon serra et desserra les dents plusieurs fois avant d'être capable d'expliquer, en termes courtois, les évènements de la journée, les raisons de son choix concernant Sloan, et le châtiment qu'il envisageait pour lui.

106   Lorsqu'il eut terminé, Islanzadí pivota sur ses talons et, de sa démarche féline, elle arpenta le périmètre de la tente. Enfin, elle s'arrêta et rendit son verdict :

— Pour sauver un meurtrier et un traître, tu as pris sur toi de rester en arrière au milieu de l'Empire. Tu es seul avec cet homme, à pied, sans provisions, sans autre arme que la magie, et l'ennemi est à tes trousses. Je constate que mes réprimandes de tout à l'heure n'étaient pas sans fondement. Tu...

— Majesté, si je dois encourir votre courroux, vous me l'exprimerez plus tard. Je souhaiterais résoudre ce problème au plus vite afin d'avoir le temps de me reposer avant l'aube. Un long trajet m'attend demain.

La reine hocha la tête :

— Ta survie passe avant toute chose. Je serai furieuse contre toi dès la fin de cet entretien... Pour en revenir à ta requête, elle est sans précédent dans notre histoire. Si j'avais été à ta place, j'aurais tué Sloan sans hésiter, et la question ne se poserait plus.

— Je sais. J'ai vu un jour Arya abattre un gerfaut blessé, voué, selon elle, à une mort certaine. Elle estimait qu'en le tuant, elle lui épargnait des heures de souffrance. J'aurais peut-être dû agir de même avec Sloan, seulement, je n'ai pas pu. L'eussé-je fait, je l'aurais regretté toute ma vie, j'en ai peur. Pire encore, il m'aurait été plus facile de tuer à l'avenir.

Islanzadí soupira. Soudain, elle paraissait lasse. Eragon se souvint qu'elle avait combattu, elle aussi, le jour même.

— Oromis a été ton véritable maître, mais tu te révèles être le digne héritier de Brom. En dehors de toi, il était le seul à s'empêtrer en permanence dans des situations inextricables. Comme lui, il faut que tu trouves les pires sables mouvants pour sauter dedans à pieds joints.

Flatté de la comparaison, Eragon réprima un sourire.

— Et Sloan ? s'enquit il. Son sort repose entre vos mains.

Avec une lenteur calculée, elle s'assit sur un tabouret près de la table pliante, posa les mains sur ses genoux et regarda de côté, pensive, énigmatique – son beau visage, un masque impénétrable qui cachait ses pensées comme ses sentiments. Enfin, elle se décida à parler :

— Puisque tu as jugé bon de sauver cet homme, au prix d'efforts considérables et malgré les difficultés, je ne puis m'opposer à ta requête sans ôter tout sens à ton sacrifice. Si Sloan survit à l'épreuve que tu lui imposes, alors, Gilderien le Sage le laissera passer, et Sloan aura un toit, un lit et de quoi manger. Je ne t'en promettrai pas davantage, car ce qu'il adviendra ensuite dépend de lui. Et si les conditions, telles que tu les as énoncées, sont remplies, alors, nous éclaircirons sa nuit.

— Je vous remercie, Majesté. Vous êtes très généreuse.

— Non, pas généreuse. Pragmatique. La guerre ne m'autorise pas la générosité. Va, fais ce que tu as à faire, et sois prudent, Eragon le Tueur d'Ombre.

— Majesté, reprit-il en s'inclinant. Puis-je quêter une dernière faveur ? Je vous serais reconnaissant de ne rien dire de ma situation à Arya, Nasuada ou à d'autres représentants des Vardens. Je ne voudrais pas qu'ils s'inquiètent pour moi plus longtemps que nécessaire, et ils seront prévenus bien assez tôt par Saphira.

– J'y réfléchirai.

Comme elle demeurait silencieuse, Eragon comprit qu'il n'en obtiendrait pas davantage et s'inclina de nouveau :

– Merci.

L'image lumineuse à la surface de l'eau tremblota avant d'être engloutie par les ténèbres tandis qu'Eragon rompait l'enchantement. Il leva la tête pour contempler la multitude des étoiles, laissa ses yeux s'accoutumer à leur faible lueur, puis s'éloigna de la roche, y abandonnant la cuvette d'eau, et regagna le bivouac entre les touffes d'herbe et les maigres buissons. Rigide, droit comme un I, Sloan n'avait pas bougé.

Pour l'avertir de sa présence, Eragon donna un coup de pied dans un caillou. Le boucher se tourna dans la direction du bruit avec la vivacité d'un oiseau :

– Tu t'es décidé ?

– Oui, répondit Eragon en s'accroupissant devant lui, une main sur le sol pour se stabiliser. Écoute-moi bien, je n'ai pas l'intention de me répéter. Tu affirmes avoir agi par amour pour Katrina. Que tu l'admettes ou non, je pense que tu voulais aussi la séparer de Roran pour des raisons moins nobles : la colère... la haine... la vengeance... la jalousie.

Sloan pinça les lèvres.

– Tu me noircis à tort.

– Je ne le crois pas, non. Puisque ma conscience m'interdit de te tuer, ton châtiment sera le plus terrible que je puisse imaginer faute de te donner la mort. Je suis convaincu que tu ne mentais pas en affirmant que Katrina comptait pour toi plus que tout au monde. En conséquence, tu ne reverras ta fille ni ne lui parleras jusqu'à ton dernier jour. Tu es condamné à vivre sachant qu'elle est avec Roran, qu'ils sont heureux ensemble, loin de toi.

Sloan inspira entre ses dents serrées.

– C'est *ça* ton châtiment ? Risible ! Comment me l'imposeras-tu sans une prison où m'enfermer ?

– Je n'ai pas terminé. Je te l'imposerai en te faisant jurer dans la langue des elfes – langue de la vérité et de la magie – que tu te soumettras aux termes de ma sentence.

– Tu ne m'obligeras pas à te prêter serment, pas même sous la torture, gronda le boucher.

– Je ne te torturerai pas, ce ne sera pas nécessaire, mais tu prêteras serment. De plus, j'instillerai en toi un besoin impérieux de marcher vers le nord, jusqu'à ce que tu atteignes Ellesméra, la cité des elfes qui se trouve au cœur du Du Weldenvarden. Tu es libre de résister à ce désir si tu le souhaites. Sache seulement que tu lutteras en vain. L'enchantement te taraudera à te rendre fou tant que tu ne lui obéiras pas.

– Tu n'as donc pas le courage de me tuer de tes mains ? Trop lâche pour m'égorger, tu m'envoies errer dans le désert à l'aveuglette, jusqu'à ce que les intempéries ou les bêtes sauvages aient raison de moi !

Il cracha aux pieds d'Eragon :

– Tu n'es qu'un foie jaune, le rejeton d'un misérable tâcheron rongé par le chancre. Un bâtard et un ours mal léché, voilà ce que tu es ! Un bouseux à face de suif, un croque-caillasse, une vomissure de manant, un crapaud à la bave venimeuse, l'avorton malingre et geignard d'une truie grasse. Je ne te donnerais pas mon dernier quignon de pain si tu mourais de faim, pas une seule goutte d'eau si la soif te dévorait, ni la tombe d'un mendiant si tu étais mort. Tu as du pus dans les veines et la cervelle moisie, tu n'es qu'un vil pleutre qui tremble dans ses chausses !

Ce chapelet d'insultes colorées avait en soi quelque chose d'admirable. Bien qu'impressionné, Eragon brûlait d'une furieuse envie d'étrangler le boucher, ou tout au moins de lui rendre la pareille. Il s'en retint, car il soupçonnait Sloan d'attiser sa colère pour le pousser à bout dans l'espoir de hâter sa propre délivrance, fin miséricordieuse qu'il ne méritait pas.

– Je suis peut-être un bâtard, mais pas un assassin.

Sloan reprit son souffle. Avant qu'il se relance dans un torrent d'injures, Eragon enchaîna :

– Où que tes pas te conduisent, tu ne manqueras de rien et tu ne seras pas attaqué. Je t'entourerai d'enchantements afin qu'hommes et bêtes te laissent en paix et que les animaux t'apportent la nourriture dont tu auras besoin.

– Impossible, murmura Sloan.

À la faible lueur des étoiles, Eragon le vit pâlir et se décomposer.

– Tu ne peux pas faire ça. Tu n'en as ni les moyens, ni le droit.

– Je suis Dragonnier. J'ai tous les droits d'un roi ou d'une reine.

Jugeant inutile d'accabler le boucher de sa supériorité, il s'en tint là et prononça son vrai nom à voix haute. Atterré par cette révélation, Sloan leva les bras au ciel en hurlant comme s'il avait reçu un coup de couteau. Cris de désespoir déchirants d'un homme condamné par sa propre nature à un sort auquel rien ne saurait le soustraire. Il tomba en avant, paumes et face contre terre, et demeura prostré à sangloter, caché par ses cheveux en désordre.

Eragon l'observait, sidéré par la violence de sa réaction. « Cela produit toujours cet effet, lorsqu'on découvre son vrai nom ? Serai-je moi aussi dans cet état ? »

Fermant son cœur à la douleur de Sloan, il se mit en devoir de faire ce qu'il avait dit. Il répéta le vrai nom du boucher puis, mot après mot, il lui dicta en ancien langage les serments qui assuraient que jamais plus il ne rencontrerait ni ne serait en contact avec Katrina. Sloan résistait, pleurait, geignait, grinçait des dents, sans résultat. Il avait beau lutter de toutes ses forces, il était contraint d'obéir dès qu'Eragon invoquait son vrai nom. Cette tâche terminée, le jeune Dragonnier prononça les cinq sorts qui pousseraient Sloan vers Ellesméra, le protégeraient contre les agressions, et inciteraient les oiseaux, les animaux terrestres, les poissons des rivières et des lacs à le nourrir. Il veilla à les formuler de façon qu'ils tirent l'énergie propre à les entretenir du boucher et non de lui.

Minuit n'était qu'un lointain souvenir quand Eragon acheva sa dernière incantation. Ivre de fatigue, il s'appuya sur son bâton d'aubépine et déclara :

– C'est fini.

Une plainte indistincte émana de Sloan, recroquevillé à ses pieds. À l'évidence, il cherchait à dire quelque chose. Plissant le front, Eragon s'agenouilla près de lui. Le boucher faisait bien piètre figure avec ses joues rougies, griffées, maculées de sang là où il s'était arraché la peau ; son nez coulait, des larmes dégoulinaient au coin de son œil gauche, le moins abîmé des deux. Le remords et la pitié emplirent le cœur du garçon. Il ne prenait aucun plaisir à voir cet homme brisé, dépouillé de tout ce à quoi il tenait, y compris ses propres illusions, d'autant moins que c'était lui, Eragon, qui l'avait réduit à cela. Il n'en était pas fier et se sentait souillé, comme s'il avait commis un acte honteux. « Il le fallait, mais personne ne devrait être obligé de faire ce que j'ai fait là. »

Sloan gémit de nouveau, balbutiant des paroles sans suite :

– ... juste un bout de corde. Je ne voulais pas ça... Ismira... Non, non, je t'en prie...

Ses divagations cessèrent. Eragon posa alors une main sur son bras. Sloan se raidit et murmura :

– Eragon... je suis aveugle, et tu m'envoies seul dans le désert... seul dans le désert. Je suis un parjure abandonné de tous. Je sais ce que je suis et ne le supporte pas. Aide-moi et tue-moi ! Épargne-moi cette agonie.

Sur une impulsion, Eragon lui mit le bâton d'aubépine dans la main droite :

– Prends. Puisse mon bâton te guider dans ton voyage.

– Tue-moi !

– Non.

Un cri fêlé jaillit de la gorge du boucher. Il s'agitait, roulait d'un côté à l'autre, martelait le sol de ses poings en répétant :

– Cruel ! Tu es cruel ! Cruel ! Cruel !

Ses pauvres forces épuisées, il se lova sur lui-même, hoquetant et pleurnichant.

Eragon se pencha pour lui souffler à l'oreille :

– Je ne suis pas sans pitié, je te donne un espoir : si tu arrives à Ellesméra, tu y trouveras un logis. Les elfes veilleront sur toi et te laisseront vivre à ta guise le reste de tes jours à une seule condition : que tu ne quittes plus le Du Weldenvarden... Sloan, écoute-moi. Pendant mon séjour chez les elfes, j'ai appris que le vrai nom d'une personne change souvent avec l'âge. Tu comprends ce que cela signifie ? Ce qui te définit n'est pas fixé pour toute l'éternité. Un homme peut se refaire s'il en a le désir.

Sloan ne répondit pas.

Laissant le bâton d'aubépine près de lui, Eragon alla s'étendre de l'autre côté du bivouac. Les paupières déjà closes, il murmura un sort qui le réveillerait avant l'aube, puis il s'abandonna à la paisible étreinte du repos semi-conscient qui lui tenait lieu de sommeil.

Il faisait froid et noir dans la Grise-Lande inhospitalière quand un bourdonnement sourd résonna dans la tête d'Eragon. Il le fit taire du simple mot « Letta », puis il étira ses muscles douloureux, se leva et tendit les bras vers le ciel, les secoua pour activer le sang. Il se sentait moulu, comme si on l'avait roué de coups. Il espérait ne pas avoir à manier une arme avant longtemps. Baissant les bras, il chercha Sloan des yeux.

Le boucher n'était plus là.

Eragon sourit en voyant la trace de ses pas qui s'éloignait du camp, accompagnée par l'empreinte circulaire du bâton. Toute sinueuse qu'elle fût, elle partait vers le nord et la grande forêt des elfes.

« Je veux qu'il réussisse, songea le jeune Dragonnier, non sans surprise. Je veux qu'il réussisse, car, s'il y parvient, cela signifie que nous avons tous une chance de rachat. Si Sloan peut corriger ses défauts et reconnaître le mal qu'il a fait, il s'apercevra que sa peine est moins lourde qu'il ne l'imaginait. » Eragon s'était bien gardé de lui expliquer que, s'il regrettait sincèrement ses crimes, s'il s'amendait, la reine Islanzadí demanderait à l'un de ses magiciens de lui rendre la vue. Sloan devait mériter cette récompense sans en connaître l'existence ; ainsi, il ne serait pas tenté de duper les elfes afin de l'obtenir plus vite.

Eragon fixa les traces du boucher pendant un long moment, puis il leva les yeux vers l'horizon et dit :

– Bonne chance !

Fatigué mais satisfait, il se retourna dans la direction opposée et partit en courant à travers la Grise-Lande. Au loin, vers le sud-ouest, se dressaient les formations de grès où Brom reposait dans sa tombe de diamant. Malgré l'envie qu'il en avait, il n'osa pas s'écarter de son chemin pour aller saluer son compagnon défunt. Si par malheur Galbatorix avait découvert le tombeau, il y enverrait ses sbires en quête du jeune Dragonnier.

– Je reviendrai, Brom ! lança-t-il sans interrompre sa course. Je te promets qu'un jour je reviendrai.

7
L'ÉPREUVE
DES LONGS COUTEAUX

—Mais nous sommes ton peuple !

Fadawar, un homme de haute stature, au nez fier et à la peau noire, parlait avec emphase, accentuant les mots et déformant les voyelles, élocution familière qui avait bercé l'enfance de Nasuada à Farthen Dûr, où elle somnolait sur les genoux d'Ajihad quand des émissaires de leur tribu d'origine venaient en visite et discutaient avec le roi en fumant le cardus.

Elle regrettait un peu de ne pas être plus grande de six pouces et de ne pouvoir regarder le seigneur de la guerre et ses quatre sénéchaux droit dans les yeux sans avoir à lever la tête. Détail mineur. Elle avait l'habitude de s'adresser à des hommes qui la dominaient par la taille. Être entourée de gens à la peau aussi sombre que la sienne la déconcertait davantage. Pour une fois, elle n'était pas objet de curiosité et de chuchotis, c'était une expérience nouvelle.

Sous la vaste tente de commandement rouge, elle se tenait devant l'imposante chaise de bois sculpté sur laquelle elle donnait ses audiences, l'un des seuls sièges solides que les Vardens eussent emportés en campagne. Sur sa droite, la toile filtrait les rayons du couchant comme un vitrail, teintant les objets de vermeil. Une longue table basse, encombrée de rapports et de cartes, occupait la moitié de l'espace.

Dehors, près de l'entrée, six membres de sa garde personnelle veillaient, l'arme au poing : deux humains, deux nains et deux Urgals prêts à l'attaque au premier signe de menace. Jörmundur, le plus âgé et le plus fidèle de ses commandants, lui avait imposé des gardes du corps à la mort d'Ajihad, mais pas en permanence ni en aussi grand nombre. Après la bataille des Plaines Brûlantes, le même Jörmundur avait exprimé son inquiétude constante quant à sa sécurité, inquiétude qui, disait-il, lui causait des insomnies et des brûlures d'estomac. Un assassin ayant tenté de la tuer à Aberon, et Murtagh ayant réussi à abattre le roi Hrothgar quelques jours plus tôt, Jörmundur avait exigé que Nasuada se dote d'un corps dédié à sa protection. Elle avait protesté que cette mesure excessive ne s'imposait en rien, sans parvenir à le convaincre ; Jörmundur avait même menacé de démissionner si elle refusait de prendre les précautions les plus élémentaires à ses yeux. De guerre lasse, elle avait fini par céder... pour passer les heures suivantes à se disputer avec lui sur le nombre de ses gardes. Il en voulait un minimum de douze à toute heure du jour et de la nuit. Elle n'en voulait pas plus de quatre. Ils s'étaient mis d'accord sur six, beaucoup trop selon elle, de quoi donner l'impression qu'elle avait peur ou, pire encore, qu'elle cherchait à intimider ses visiteurs. De nouveau, ses protestations avaient été vaines, et lorsque, exaspérée, elle avait traité Jörmundur de vieil anxieux indécrottable, il avait répondu en riant :

— Mieux vaut être un vieil anxieux indécrottable qu'une jeune tête brûlée morte prématurément.

Relevée toutes les six heures, la garde affectée à la protection de Nasuada comptait en tout trente-quatre guerriers, dont dix de réserve, prêts à remplacer leurs camarades souffrants, blessés ou tués au combat.

Sur ordre de Nasuada, la troupe avait été recrutée parmi les trois races mortelles alliées contre Galbatorix. Elle espérait ainsi promouvoir la solidarité entre les humains, les nains et les Urgals, leur prouver qu'elle représentait les intérêts des peuples sous son commandement et pas des seuls hommes. Elle y aurait inclus les elfes si Arya n'avait été alors la seule à combattre au côté des Vardens ; quant aux douze magiciens qu'Islanzadí avait envoyés pour protéger Eragon, on attendait encore leur arrivée. Au grand dam de Nasuada, ses gardes nains et humains se montraient hostiles envers les Urgals qui servaient auprès d'eux, une réaction compréhensible qu'elle n'avait pu éviter ni même tempérer. Elle se doutait bien qu'il faudrait plus d'une bataille contre l'ennemi commun pour atténuer les tensions entre des races qui se haïssaient et se combattaient depuis des temps immémoriaux. Signe encourageant tout de même, les guerriers affectés à sa garde personnelle avaient choisi d'appeler leur corps les Faucons de la Nuit, une référence à sa peau sombre, mais aussi au nom que les Urgals lui donnaient invariablement lorsqu'ils s'adressaient à elle : Dame Qui-Marche-La-Nuit.

Chose que jamais elle n'aurait avouée devant Jörmundur, Nasuada n'avait pas tardé à apprécier la sécurité accrue dont elle jouissait grâce à eux. Non contents d'être maîtres dans le maniement de leur arme d'élection – l'épée pour les humains, la hache pour les nains, et divers instruments insolites pour les Urgals –, beaucoup étaient des enchanteurs de talent. Et tous lui avaient juré fidélité éternelle en ancien langage. Depuis l'instant où les Faucons de la Nuit avaient pris leurs fonctions, ils ne l'avaient pas laissée seule avec qui que ce fût, à l'exception de Farica, sa servante.

Du moins jusqu'à ce jour.

Elle leur avait demandé de sortir de la tente, consciente que sa rencontre avec Fadawar risquait d'entraîner le genre d'effusion de sang que les Faucons de la Nuit se sentiraient contraints d'empêcher par sens du devoir. Même en leur absence, elle n'était pas sans défense : elle cachait une dague dans les plis de sa robe, un poignard plus petit sous son corsage, et Elva, l'enfant-sorcière dotée de prescience, masquée par un rideau derrière le siège sculpté, était à son poste, prête à intervenir en cas de nécessité.

Fadawar frappa le sol de son sceptre long de quatre pieds. Le bâton ouvragé était en or massif, comme l'incroyable assortiment de bijoux dont le chef s'était paré : ses avant-bras étaient couverts de bracelets en or et son torse, d'un plastron en or martelé ; d'épaisses chaînes d'or pendaient à son cou, et des disques d'or blanc ciselé étiraient les lobes de ses oreilles. Sur sa tête reposait une couronne d'or resplendissante, de proportions telles que Nasuada se demandait comment le cou de Fadawar en supportait le poids, et par quel prodige elle tenait en place. C'était à croire qu'on avait boulonné cet édifice monumental, haut de deux pieds et demi, aux os du crâne qui lui servait de socle pour éviter qu'il ne bascule.

Les hommes de Fadawar arboraient des tenues semblables, encore que moins fastueuses. L'or qu'ils étalaient témoignait de leur richesse, mais aussi de leur statut, des exploits de chacun, et du talent de leurs célèbres artisans. Nomades ou citadins, les peuples à peau sombre de l'Alagaësia étaient réputés de longue date pour la qualité de leurs bijoux, dont les plus beaux rivalisaient avec ceux des nains.

Si Nasuada en possédait, elle avait choisi de ne pas les mettre. Sa sobre tenue paraissait misérable face à l'opulence ostentatoire de Fadawar. Elle jugeait imprudent de s'associer à un groupe particulier, quelle que soit sa richesse ou son influence. Il lui fallait traiter avec les différentes factions de la coalition et parler au nom de toutes. En favorisant l'une ou l'autre, elle affaiblissait son autorité sur l'ensemble des Vardens.

L'enjeu de cette discussion avec Fadawar se résumait à cela.

De nouveau, le chef frappa le sol de son sceptre :

– Le sang est ce qu'il y a de plus important. Tes premières responsabilités sont envers ta famille, puis envers ta tribu ; viennent ensuite dans cet ordre ton seigneur de la guerre, les dieux d'en haut et d'en bas, et, en dernier lieu, ton roi et ta nation si tu en as. C'est ainsi qu'Unulukuna a voulu que les hommes vivent, et c'est ainsi que nous devons vivre si nous voulons être heureux. Aurais-tu l'audace de cracher sur les pieds de l'Unique Ancêtre ? Si un homme n'aide pas sa famille, sur qui peut-il compter pour l'épauler dans l'adversité ? Les amis sont inconstants, la famille est éternelle.

— Sous prétexte que tu es le cousin de ma mère, et que mon père, Ajihad, est né parmi vous, tu me demandes de confier des postes de pouvoir à de tiens parents. Je te l'accorderais volontiers si ces gens étaient en mesure de remplir ces fonctions mieux que quiconque chez les Vardens, mais rien de ce que tu as dit ne m'en a encore convaincue. Avant de gaspiller l'or de ton éloquence, sache qu'il est inutile d'en appeler à notre sang commun. Ce lien n'a aucun sens pour moi. Je prêterais une oreille plus attentive à tes requêtes si tu avais soutenu mon père au lieu de lui faire porter des babioles et des promesses vides à Farthen Dûr. Tu as attendu que je sois victorieuse et influente pour te manifester en personne. Eh bien, je suis à présent sans père ni mère, je n'ai d'autre famille que moi-même. Vous êtes mon peuple, rien de plus.

Les yeux de Fadawar s'étrécirent, il releva le menton :

— L'orgueil des femmes est insensé ! Tu échoueras sans notre appui.

Il était revenu à sa langue natale, ce qui obligeait Nasuada à l'adopter aussi. Elle lui en voulut, car elle la maîtrisait mal, cherchait ses mots et parlait d'un ton hésitant, prouvant ainsi qu'elle n'avait pas grandi au sein de la tribu, qu'elle était une étrangère. Cette manœuvre nuisait à son autorité.

— De nouveaux alliés sont toujours les bienvenus, dit-elle. Toutefois, je m'interdis le favoritisme, et tu n'as pas besoin de briguer des faveurs. Tes tribus sont puissantes, dotées de talents nombreux. Elles s'élèveront rapidement dans la hiérarchie des Vardens sans dépendre des largesses d'autrui. Êtes-vous des chiens affamés pour quémander à ma table, ou des hommes capables de se nourrir seuls ? Si vous êtes des hommes, je me réjouis de collaborer avec vous pour améliorer le sort des Vardens et renverser Galbatorix.

— Bah ! s'exclama Fadawar. Ton offre est aussi fausse que tu l'es. Nous ne nous abaisserons pas à des tâches serviles ; nous sommes les élus. Tu nous insultes. Sous tes sourires, ton cœur de scorpion est rempli de venin.

Réprimant sa colère, Nasuada s'efforça de calmer le chef :

— Si je t'ai offensé, ce n'était pas mon intention. Je cherchais à t'expliquer ma position. Je n'ai ni affection particulière pour les tribus errantes, ni animosité à leur encontre. Est-ce bien grave ?

— C'est pire que grave ! C'est une trahison éhontée ! Ton père nous a fait certaines demandes en vertu des liens qui nous unissent, et voilà qu'aujourd'hui tu nous tournes le dos pour nous renvoyer les mains vides comme de vulgaires mendiants !

Nasuada se sentit accablée par une soudaine résignation. « Ainsi, Elva avait raison. C'était inévitable. » Un frisson de crainte mêlée d'excitation lui parcourut le corps. « Puisqu'il le faut, inutile de prolonger cette mascarade. » D'une voix ferme et sonore, elle répliqua :

— Demandes que, la plupart du temps, vous n'honoriez pas.

— Si, nous les honorions !

— Non. Et, en supposant même que tu ne mentes pas, les Vardens sont dans une situation trop précaire pour que je t'offre quelque chose pour rien. Tu revendiques des faveurs ? Alors, dis-moi ce que tu proposes en retour. M'aideras-tu à financer la rébellion avec ton or et tes bijoux ?

— Pas directement, mais...

— Permettras-tu que tes artisans travaillent pour moi à titre gratuit ?

— Nous n'avons pas les moy...

— En ce cas, comment comptes-tu gagner ces avantages ? Tu ne peux pas me payer en guerriers ; tes hommes se battent déjà pour moi dans les troupes des Vardens ou dans l'armée du roi Orrin. Contente-toi de ce que tu as, Seigneur de la Guerre, et ne tente pas d'obtenir plus que ce qui te revient de droit.

— Tu déformes la vérité pour servir tes buts égoïstes. Je ne brigue que ce qui nous revient de droit ! C'est la raison de ma présence ici. Tu parles, tu parles, et ce n'est que du vent puisque, par tes actes, tu nous as trahis.

Ses multiples bracelets tintèrent tandis qu'il balayait l'espace d'un geste large, comme s'il s'adressait à une foule :

— Tu reconnais que nous sommes ton peuple. Observes-tu toujours nos coutumes ? Vénères-tu nos dieux ?

Et Nasuada de songer : « Nous y voilà. » Rien ne l'empêchait de déclarer qu'elle avait renoncé à leurs traditions. Hélas, si elle le faisait, les Vardens perdraient les tribus de Fadawar et les autres nomades dès qu'ils seraient au courant. « Nous avons besoin d'eux. Nous avons besoin de tous ceux que nous pourrons rassembler si nous voulons avoir une chance de renverser Galbatorix. »

— Bien sûr, répondit-elle.

— En ce cas, je déclare que tu n'es pas apte à commander les Vardens et, comme j'en ai le droit, je te mets au défi de subir l'Épreuve des Longs Couteaux. Si tu en sors victorieuse, je m'inclinerai devant toi, et jamais plus je ne mettrai ton autorité en doute. Si tu en sors vaincue, tu abdiqueras, et je prendrai ta place à la tête des Vardens.

Nasuada vit passer une lueur de jubilation dans les yeux de Fadawar. « C'est ce qu'il voulait depuis le début. Il m'aurait imposé l'épreuve, même si j'avais accédé à ses requêtes. »

— Selon la tradition, le vainqueur, quel qu'il soit, garde ses fonctions et prend, il me semble, la tête des tribus de son rival. Je me trompe ?

Elle manqua d'éclater de rire devant la déconfiture de Fadawar. « Ah ! Tu n'attendais pas cela de moi, hein ? »

— Non, tu ne te trompes pas.

— En ce cas, j'accepte ton défi. Étant entendu que, si je gagne, ta couronne et ton sceptre seront miens. Nous sommes d'accord ?

Fadawar fronça les sourcils et opina du chef :

— D'accord.

Il planta son sceptre dans le sol ; de sa main ainsi libérée, il saisit le premier bracelet de son bras gauche et entreprit de l'enlever.

– Pas si vite ! lança Nasuada.

Elle alla jusqu'à la table qui occupait l'autre moitié de la tente, prit une petite cloche en laiton, sonna deux fois, puis quatre autres après une pause.

Quelques secondes plus tard, Farica entra sous la tente. Son regard franc se posa sur les hôtes de Nasuada, qu'elle salua d'une révérence avant de reporter son attention sur sa maîtresse :

– Madame ?

Nasuada fit signe à Fadawar :

– Nous pouvons commencer. Farica, aide-moi à ôter ma robe, je ne voudrais pas l'abîmer.

La servante d'âge mûr en parut choquée :

– Ici, Madame ? Devant tous ces... messieurs ?

– Oui, ici. Et dépêche-toi ! Je n'ai pas à discuter avec mes domestiques.

Plus sèche qu'elle ne l'aurait voulu, Nasuada n'avait plus de patience. Son cœur battait à se rompre, sa peau devenait si sensible que le fin coton de sa lingerie l'irritait comme de la bure. L'heure n'était plus aux politesses. Tout son être était concentré sur l'épreuve à venir.

Elle demeura immobile tandis que Farica détachait sa robe, lacée dans le dos jusqu'au creux des reins. Le vêtement desserré, la servante le fit glisser des épaules de sa maîtresse, et il tomba, nuage de tissu autour de ses pieds, la laissant presque nue, en chemise blanche. Gênée devant les quatre guerriers qui l'examinaient avec convoitise, Nasuada réprima un frisson, résolut de les ignorer et fit un pas en avant. Farica ramassa la robe abandonnée dans la poussière.

Pendant ce temps, Fadawar s'était défait de ses bracelets, laissant voir ses manches brodées. Il ôta la couronne monumentale de sa tête et la tendit à l'un de ses sénéchaux.

Des voix venues du dehors les interrompirent soudain. La portière se souleva sur un garçon, un petit messager nommé Jarsha, se souvint Nasuada. Il entra, se campa à deux pas de l'ouverture et proclama :

– Le roi Orrin du Surda, Jörmundur des Vardens, Trianna du Du Vrangr Gata, ainsi que Naako et Ramusewa de la tribu Inapashunna.

Tout en parlant, le gamin fixait ostensiblement le plafond. Lorsqu'il eut terminé, il claqua des talons et se retira. Le cortège annoncé pénétra sous la tente à la suite d'Orrin. Apercevant Fadawar, le roi le salua :

– Quelle plaisante surprise, Seigneur de la Guerre. J'espère qu'avec vos...

À la vue de Nasuada, une stupéfaction incrédule se peignit sur son visage juvénile :

– Enfin, Dame Nasuada, que faites-vous dans cette... tenue ?

– J'aimerais le savoir aussi, gronda Jörmundur.

La main crispée sur le pommeau de son épée, il foudroyait des yeux quiconque osait la regarder avec trop d'attention.

– Je vous ai convoqués ici, déclara-t-elle, afin que vous assistiez à l'Épreuve des Longs Couteaux entre Fadawar et moi-même et puissiez rendre un témoignage véridique sur son issue à qui le demandera.

Alarmés par cette révélation, Naako et Ramusewa, les deux chefs tribaux aux cheveux gris, se penchèrent l'un vers l'autre et se mirent à murmurer. Trianna se contenta de croiser les bras, découvrant le bracelet en forme de serpent enroulé autour de son fin poignet. Jörmundur jura, puis protesta :

– As-tu perdu l'esprit, Dame Nasuada ? C'est de la folie pure ! Tu ne peux pas...

– Je le peux, et je le ferai.

– Si tu persistes, je...

– Je prends note de tes louables inquiétudes. Quoi qu'il en soit, ma décision est irrévocable. Personne ne doit intervenir, je l'interdis.

L'envie de désobéir se lisait sur les traits de Jörmundur, mais, s'il était prêt à mettre tout en œuvre pour la protéger, il était avant tout d'une loyauté indéfectible.

– Nasuada, vous n'y pensez pas, objecta à son tour le roi Orrin. Cette épreuve, ce n'est pas celle où...

– Si.

– Eh bien, n'y songez plus et renoncez à cette entreprise démente. Il faut que vous ayez la tête à l'envers pour accepter une chose pareille.

– J'ai donné ma parole à Fadawar.

L'ambiance orageuse se fit plus lourde encore. Si elle s'était engagée, elle ne pouvait revenir sur sa promesse, car elle passerait alors pour une personne sans foi et sans honneur que les honnêtes gens renieraient et voueraient aux gémonies. Orrin hésita, puis il insista de nouveau :

– Dans quel but, Nasuada ? Réfléchissez. En supposant que vous soyez vaincue...

– En supposant que je sois vaincue, Fadawar prendra la tête des Vardens à ma place.

Au lieu du concert de protestations attendu, un silence de mort accueillit sa remarque, et la rage qui enflammait le roi Orrin se mua en une colère froide et cassante :

– Je n'apprécie guère cette décision. Vous mettez notre cause en péril.

À l'attention de Fadawar, il ajouta :

– Montrez-vous raisonnable et libérez Nasuada de ses obligations. Je vous couvrirai de biens en récompense si vous oubliez vos ambitions déplacées.

– Je suis déjà riche, répliqua Fadawar. Je n'ai pas besoin de votre or frelaté. Seule l'Épreuve des Longs Couteaux me lavera des propos calomnieux que Nasuada a tenus sur mon peuple et sur moi.

– Je vous prends à témoin, lança Nasuada.

Serrant les plis de sa robe dans ses poings, Orrin s'inclina et dit :

– Je témoignerai.

Des amples manches de leur vêtement, les quatre guerriers de Fadawar sortirent de petits tambours velus en peau de chèvre. Ils s'accroupirent, les calèrent entre leurs genoux et commencèrent à jouer. Ils frappaient si vite que leurs mains n'étaient plus que des taches noires mouvantes. Cette musique barbare noyait tout autre son, oblitérant aussi les hordes de pensées anxieuses qui harcelaient Nasuada. Il lui semblait que son cœur battait au même rythme frénétique qui faisait vibrer ses tympans.

Sans rompre la cadence, le plus vieux des hommes de Fadawar plongea une main sous sa veste et en tira deux longs couteaux à lame courbe, qu'il lança vers le sommet de la tente. Nasuada les regarda tomber en tournoyant, fascinée par la beauté de leur mouvement.

Lorsqu'ils furent suffisamment proches, elle leva le bras pour en saisir un. Le manche incrusté d'opales lui griffa la paume.

Fadawar attrapa l'autre au vol.

Il remonta ensuite sa manche gauche au-dessus du coude, dénudant son avant-bras épais et musclé. Consciente que son physique athlétique lui serait de peu de secours dans cette épreuve, Nasuada étudiait sa peau, cherchait à y apercevoir des bourrelets plus clairs de scarifications.

Elle en compta cinq.

« Cinq ! C'est beaucoup. » Sa confiance vacilla devant cette preuve évidente de force morale. Elle aurait perdu tout courage si Elva ne lui avait pas prédit qu'elle sortirait triomphante de l'épreuve. Nasuada s'accrochait à ce souvenir comme si c'était son unique enfant. « Elle m'a dit que je vaincrais. Je dois donc être capable de tenir, d'aller plus loin que Fadawar... Il le faut ! »

Étant à l'origine du défi, il commença le premier. Bras gauche tendu, paume vers le haut, il plaça la lame du couteau juste au-dessous du pli du coude et tira. Tel un fruit trop mûr, la peau se fendit sous la lame acérée, et le sang s'échappa de la crevasse vermeille.

Il regarda Nasuada droit dans les yeux.

Elle sourit en positionnant son couteau sur son bras. Le métal était glacial. Ils étaient engagés dans un concours de volonté, à qui supporterait le plus grand nombre d'entailles. La croyance voulait que tout aspirant au rôle de chef de tribu ou de guerre soit prêt à endurer plus de souffrance que n'importe qui pour le bien de son peuple. Comment les tribus sauraient-elles sans cela que leurs meneurs feraient passer les intérêts de la communauté avant leurs propres désirs égoïstes ? Selon l'opinion de Nasuada, cette pratique incitait à l'extrémisme. Cependant, ce rituel spécifiques aux tribus à peau sombre était de par sa nature, propre à gagner le cœur des gens. En triomphiant de Fadawar dans l'épreuve des Longs Couteaux, elle affirmirait sa position chez les Vardens et, elle l'espérait, dans l'entourage du roi Orrin.

Elle offrit une brève prière à Gokukara, la déesse-mante religieuse, pour lui demander des forces, et elle tira la lame. L'acier tranchant entamait la peau sans difficulté, le plus délicat étant d'éviter qu'il s'enfonce trop. Sensation déplaisante qui la faisait frémir. Elle brûlait d'envie de rejeter au loin le maudit couteau, de hurler en pressant la plaie.

Elle s'en abstint. S'efforça au contraire de se détendre. Si elle se crispait, la douleur serait plus intense. Et elle sourit en se mutilant d'un geste délibéré. Trois secondes, et c'était fini. Mais, dans ces trois secondes, sa chair outragée l'avait assaillie de mille protestations véhémentes dont chacune aurait presque suffi à la faire renoncer. Lorsqu'elle abaissa le couteau, elle remarqua que, si les quatre guerriers tribaux jouaient toujours du tambour, elle n'entendait plus que le martèlement de son cœur affolé.

Fadawar s'entailla une deuxième fois. Pendant que la lame laissait sa trace sanglante sur son bras, les tendons de son cou saillaient et sa veine jugulaire semblait sur le point d'exploser.

De nouveau, ce fut au tour de Nasuada. Sachant à quoi s'attendre, elle n'en était que plus réticente. Il lui fallut se battre contre son instinct de préservation, un instinct qui l'avait bien servie jusque-là, et qui s'opposait farouchement à l'ordre qu'elle donnait à sa main. Pour ne pas céder au désespoir, elle se concentra sur son désir de protéger les Vardens et de renverser Galbatorix, deux causes auxquelles elle s'était vouée de tout son être. En esprit, elle revit son père, Jörmundur,

Eragon, le peuple varden entier. « Pour eux ! Je le fais pour eux ! Je suis née pour servir, et c'est ainsi que je les sers. »

Elle incisa la peau.

Quelques instants plus tard, Fadawar s'infligeait une troisième coupure. Nasuada l'imita.

Une quatrième entaille suivit bientôt.

Puis une cinquième...

Une étrange léthargie s'empara de Nasuada. Elle se sentait bien lasse, elle avait froid. Elle songea alors que la résistance à la douleur ne déciderait sans doute pas de l'issue du combat : le perdant serait celui qui s'évanouirait le premier pour avoir perdu trop de sang. Le sien ruisselait sur ses poignets et le long de ses doigts, gouttait dans la flaque qui s'étalait à ses pieds. Une flaque plus large grossissait autour des bottes de Fadawar.

Les coupures rouges, béantes, alignées sur le bras du seigneur guerrier rappelaient à Nasuada les branchies d'un poisson. Cette idée lui parut d'une telle drôlerie qu'elle dut se mordre la langue pour s'empêcher de rire.

Avec un hurlement, Fadawar s'infligea une sixième entaille.

– Égalise si tu peux, misérable sorcière ! aboya-t-il par-dessus les roulements de tambour.

Mais il mit un genou à terre.

Elle égalisa.

Fadawar tremblait en transférant le couteau de sa main droite dans sa gauche. La tradition imposait un maximum de six entailles par bras pour éviter que les concurrents se tranchent les veines ou les tendons du poignet. Nasuada changeait elle aussi son couteau de main quand Orrin s'interposa entre eux.

– Arrêtez ! s'écria-t-il. Je ne permettrai pas que cette épreuve se prolonge. Vous allez vous tuer, tous les deux !

Il s'approcha de Nasuada, pour reculer aussitôt.

– Arrière ! gronda-t-elle entre ses dents serrées en le menaçant de sa lame.

Fadawar attaquait déjà son avant-bras droit, et le sang giclait de son muscle tendu. « Il se crispe, une erreur qui pourrait bien lui être fatale. »

Malgré elle, Nasuada laissa échapper un cri quand le couteau entama sa chair une fois de plus. Plus aiguisé qu'un rasoir, le tranchant brûlait comme un sillage de feu. Au milieu de l'entaille, un spasme parcourut son bras blessé. La lame ripa, lui laissant une longue estafilade irrégulière, deux fois plus profonde que les autres. Elle retint son souffle le temps que la douleur s'atténue. « Je ne peux pas continuer. Je ne peux pas... C'est trop dur, je n'en peux plus. Plutôt mourir... Par pitié, faites que cela cesse ! » Si ces litanies de plaintes la soulageaient, elle savait au fond de son cœur qu'elle n'abandonnerait pas.

Pour la huitième fois, Fadawar positionna la lame au-dessus de son avant-bras. Le métal clair resta suspendu à un cheveu de sa peau brune tandis que le guerrier transpirait à grosses gouttes, que des larmes de rubis coulaient de ses blessures. Il semblait avoir perdu tout courage quand, dans un rugissement, il trancha dans le vif.

Son hésitation raffermit la résolution vacillante de Nasuada. Une joie farouche l'envahit, muant presque sa souffrance en plaisir. Elle égalisa, entaille pour entaille, et, dans un élan d'enthousiasme sauvage, au mépris de sa personne, abaissa le couteau une seconde fois pour s'infliger une plaie supplémentaire.

– Égale ça, murmura-t-elle.

Fadawar se troubla, manifestement anxieux à l'idée de devoir se blesser deux fois afin de maintenir son avance. Il cligna des yeux, s'humecta les lèvres, ajusta par trois fois sa prise sur le manche avant de lever l'arme.

De nouveau, il s'humecta les lèvres du bout de la langue.

Ses doigts pris de crampes lâchèrent le couteau, qui se ficha dans le sol.

Il le reprit. Sous ses vêtements, sa poitrine se soulevait et retombait à un rythme précipité. Effleurant son bras de la lame, il fit couler un peu de sang. Des spasmes déformèrent sa mâchoire, puis un frisson le parcourut tout entier. Plié en deux, il pressa son membre blessé contre son ventre et déclara :

– Je capitule.

Les tambours se turent.

Un bref silence suivit, bientôt rompu par les exclamations du roi Orrin, de Jörmundur, et de toutes les personnes présentes sous la tente.

Sans même prêter l'oreille à leurs remarques, Nasuada tâtonna derrière elle pour trouver son siège, et elle s'y laissa choir sans attendre que ses jambes flageolantes la trahissent. Sa vision se brouillait, elle luttait pour ne pas perdre connaissance. Hors de question qu'elle s'évanouisse devant les guerriers tribaux ! Une légère pression sur son épaule l'avertit que Farica était là. Les bras chargés de pansements, la servante, qui craignait une réprimande, demanda d'une voix mal assurée :

– Puis-je vous panser, Madame ?

Nasuada acquiesça d'un signe de tête.

Tandis que Farica bandait les plaies de sa maîtresse, Naako et Ramusewa s'avancèrent. Ils s'inclinèrent tous deux, et Ramusewa dit :

– Jamais personne ne s'est infligé autant d'entailles au cours de l'Épreuve des Longs Couteaux. Fadawar et vous-même avez prouvé votre bravoure, mais, à l'évidence, c'est à vous que revient la victoire. Nous témoignerons de votre exploit devant notre peuple ; sa loyauté vous est acquise.

– Merci, répondit Nasuada.

Sa douleur se fit plus cuisante, et elle ferma les yeux.

– Madame.

Autour d'elle régnait une confusion sonore qu'elle ne tenta pas de déchiffrer, préférant rentrer en elle-même pour moins souffrir de ses blessures. Elle flottait dans un espace noir qu'éclairaient des taches informes aux couleurs changeantes.

Ce moment de répit fut interrompu par la voix impérieuse de Trianna, la sorcière :

– Ôte ces bandages, servante, et écarte-toi que je puisse guérir ta maîtresse.

Nasuada rouvrit les yeux sur Jörmundur, Orrin et Trianna rassemblés autour d'elle. Fadawar et sa suite avaient quitté la tente.

— Non, répliqua-t-elle.

Le groupe la dévisageait, éberlué. Enfin, Jörmundur prit la parole :

— Dame Nasuada, tu n'es pas en état de réfléchir sainement. L'épreuve est terminée. Rien ne t'oblige à vivre avec ces entailles une minute de plus. De toute façon, il faut arrêter l'hémorragie.

— Farica s'y emploie. Je veillerai à ce qu'un guérisseur suture les plaies et me prépare un emplâtre pour réduire l'enflure. Cela suffira.

— Mais enfin, pourquoi ?

— L'Épreuve des Longs Couteaux exige que les participants laissent cicatriser leurs plaies de manière naturelle et subissent la douleur dans sa pleine mesure. Si je déroge à cette règle, Fadawar sera déclaré vainqueur.

— M'autoriserez-vous au moins à alléger vos souffrances ? s'enquit Trianna. Je connais plusieurs sorts capables d'éliminer toute douleur. Si vous m'aviez consultée avant l'épreuve, je me serais arrangée pour que vous puissiez vous sectionner le bras sans rien sentir.

Nasuada éclata de rire. Prise d'un léger vertige, elle dodelinait de la tête :

— Ma réponse aurait été la même : il est indigne de tricher. Il fallait que je remporte l'épreuve sans subterfuge pour qu'à l'avenir personne ne conteste mes aptitudes à diriger.

— Et si vous aviez perdu ? remarqua le roi Orrin avec une douceur assassine.

— Je n'avais pas le droit de perdre. Dussé-je en mourir, jamais je n'aurais permis que Fadawar prenne la tête des Vardens.

Le visage grave, Orrin la dévisagea un long moment :

— Je vous crois. Cela étant, la loyauté des tribus vaut-elle un pareil sacrifice ? Vous n'êtes pas si ordinaire qu'il soit aisé de vous remplacer.

— La loyauté des tribus ? Non. Mais, comme vous le savez, les effets dépasseront le cadre des tribus et contribueront à unifier nos forces. Pour un tel bénéfice, j'étais prête à endurer mille morts.

– Dites-moi, je vous prie, qu'y auraient gagné les Vardens si vous étiez morte, aujourd'hui ? Ils n'en auraient retiré aucun avantage. Vous leur laissiez en héritage le découragement, le chaos, et une défaite probable.

Quand Nasuada buvait du vin, de l'hydromel, et surtout des alcools forts, elle surveillait ses paroles et ses gestes, car, même si elle n'en était pas consciente sur le moment, la boisson altérait son jugement comme sa coordination, et elle ne tenait pas à se conduire de manière inconvenante, ni à perdre la face devant ses interlocuteurs.

Elle comprit plus tard qu'au cours de cet échange avec le roi Orrin, ivre de douleur comme elle l'était, elle aurait été bien avisée de se surveiller comme si elle avait englouti trois chopes du redoutable hydromel à la mûre des nains. Son sens de la courtoisie aidant, elle se serait alors abstenue de lui répondre :

– Vous vous rongez les sangs comme un vieillard, Orrin. Il est bien inutile de s'en inquiéter maintenant... J'ai pris un risque, j'en conviens. N'allez cependant pas croire que nous triompherons de Galbatorix sans danser constamment au bord du gouffre. En tant que roi, vous devriez comprendre que c'est là le lot de quiconque a l'arrogance de décider du sort des peuples.

– Je le comprends assez, gronda Orrin. Ma famille et moi avons défendu le Surda bec et ongles contre les incursions de l'Empire depuis des générations, pendant que les Vardens se terraient à Farthen Dûr et vivaient de la générosité de Hrothgar.

Dans un tourbillon de tissu, il pivota sur les talons et quitta la tente au pas de charge.

– Ce n'était pas bien malin, Dame Nasuada, observa Jörmundur.

Farica ajusta les bandages de sa maîtresse, qui grimaça de douleur.

– Je sais, Jörmundur. Je recollerai les morceaux de son orgueil brisé. Demain.

8
DES NOUVELLES VENUES
DU CIEL

Il y eut un trou noir dans les souvenirs de Nasuada, une absence de sensation si totale que le temps s'y abîma. Elle ne prit conscience de ce vide qu'en revenant à elle, secouée avec insistance par Jörmundur qui parlait très fort. Il lui fallut encore une bonne minute pour déchiffrer le flot sonore qui sortait de ses lèvres. Enfin, elle entendit clairement :

– ... bon sang, mais regarde-moi ! Là, comme ça ! Et ne te rendors pas, ou tu ne te réveilleras plus.

– Tu peux relâcher mon épaule, Jörmundur, dit-elle avec l'ébauche d'un sourire. Je me sens beaucoup mieux, à présent.

– Oui. Et mon oncle Undset était un elfe, peut-être.

– Ah bon ? Ce n'est pas le cas ?

– Bah ! Tu es comme ton père, tu ne tiens aucun compte de ta sécurité. Les tribus et leurs vieilles coutumes sanguinaires peuvent moisir dans leur trou ! Il faut qu'un guérisseur te soigne. Tu n'es pas en état de prendre des décisions.

– Pourquoi crois-tu que j'aie attendu le soir ? Tu vois, le soleil est presque couché. Je me reposerai cette nuit et, demain, je serai d'attaque pour traiter les affaires qui réclament mon attention.

Farica apparut et vint se pencher sur Nasuada :

– Oh, Madame, vous nous avez fait une de ces peurs !

– Et ce n'est pas fini, marmonna Jörmundur.

Ignorant la brûlure de ses bras, Nasuada se redressa sur son siège.

– Rassurez-vous, je suis presque remise. Vous pouvez vous retirer tous les deux, il n'y a plus rien à craindre. Jörmundur, dépêche un messager pour informer Fadawar qu'il gardera le commandement de sa tribu s'il me reconnaît pour son chef de guerre et me jure fidélité. C'est un meneur d'hommes trop habile pour que nous nous dispensions de lui. Toi, Farica, en regagnant ta tente, passe dire à Angela, l'herboriste, que j'ai besoin de ses services. Elle a accepté de me préparer des toniques et des emplâtres.

– Tu es beaucoup trop faible, je refuse de te laisser seule.

Farica approuva d'un hochement de tête :

– Sauf votre respect, Madame, Jörmundur a raison. Ce ne serait pas prudent.

Nasuada jeta un coup d'œil à l'entrée de la tente pour s'assurer qu'aucun des Faucons de la Nuit n'était à portée d'oreille, puis elle leur dit dans un murmure :

– Je ne serai *pas* seule.

Les sourcils de Jörmundur s'envolèrent vers son front, et l'inquiétude se peignit sur les traits de Farica.

– Je ne suis *jamais* seule. Est-ce compris ?

– Tu as pris certaines... précautions, Nasuada ? s'enquit Jörmundur.

– Oui.

À l'évidence, son assurance perturbait ses deux protecteurs.

– Nasuada, reprit Jörmundur, le devoir m'impose de veiller à ta sécurité. Il me faut savoir de quelle protection supplémentaire tu disposes et qui a accès à ta personne.

– N'y compte pas, répondit-elle avec douceur.

Puis, voyant briller une lueur d'indignation dans le regard de Jörmundur, elle ajouta :

– Je ne doute pas de ta loyauté, loin de là. Mais cela doit rester mon secret. Pour ma tranquillité d'esprit, je tiens à avoir en réserve une dague dont tous ignorent l'existence, une arme cachée dans ma manche si tu préfères. Considère que c'est une faiblesse de ma part, et ne te tourmente plus. Je ne critique en rien la manière dont tu t'acquittes de ta tâche.

– Très bien, Ma Dame.

Et Jörmundur s'inclina avec une solennité dont il usait rarement envers elle.

D'un geste de la main, Nasuada les congédia ; Jörmundur et Farica quittèrent aussitôt la tente rouge.

Pendant une minute ou deux, Nasuada n'entendit plus que les cris rauques des corbeaux charognards qui tournoyaient autour du campement varden. Puis il y eut un léger bruissement, comme de petites souris furetant en quête de nourriture. Elle se retourna au moment où Elva apparaissait entre les deux pans du rideau qui séparait sa cachette de la pièce principale.

Nasuada l'examina.

La croissance surnaturelle de la fillette se poursuivait. À leur première rencontre, assez récente tout de même, l'enfant semblait avoir trois ou quatre ans. À présent, elle en paraissait six. Elle portait une robe noire ordinaire, rehaussée de quelques touches de violet au col et aux emmanchures. Ses longs cheveux raides étaient encore plus noirs, cascade de néant qui lui tombait au creux des reins. Son visage aux traits anguleux était d'une blancheur de porcelaine, car elle s'aventurait rarement dehors. La marque argentée du dragon brillait à son front, et ses yeux, ses yeux violets, étaient empreints de lassitude désabusée, résultat de la bénédiction malencontreuse d'Eragon, en réalité une malédiction qui obligeait la petite à endurer les souffrances d'autrui et à tenter de les prévenir. Assaillie par la douleur cumulée de milliers de combattants, elle avait failli ne pas survivre à la dernière bataille ; afin de la protéger, un membre du Du Vrangr Gata l'avait pourtant plongée dans un sommeil artificiel pour toute la durée des combats. La fillette recommençait tout juste à parler et s'intéresser à ce qui l'entourait.

Du dos de la main, elle essuya sa bouche en bouton de rose.

– Tu as vomi ? demanda Nasuada.

Elva haussa les épaules :

– Souffrir, j'ai l'habitude, mais résister au sort d'Eragon est toujours aussi pénible... Il en faut beaucoup pour m'impressionner,

Nasuada, et je dois reconnaître que tu as du cran pour avoir supporté ces entailles.

Nasuada ne s'y faisait pas ; malgré leurs contacts quotidiens, la voix d'Elva l'angoissait par son amertume et son cynisme d'adulte blasé qui choquaient chez une enfant si jeune. Ignorant le trouble qui l'oppressait, elle répondit :

– Tu es plus forte que moi. Je n'ai pas eu à subir la douleur de Fadawar en plus de la mienne. Merci d'être restée à mes côtés. Je sais ce qu'il t'en a coûté et je t'en suis reconnaissante.

– Reconnaissante ? Ha ! Voilà un mot creux s'il en est, Dame Qui-Marche-La-Nuit.

Les petites lèvres d'Elva se retroussèrent en un rictus :

– Tu as quelque chose à manger ? J'ai une faim de loup.

– Farica a laissé du pain et du vin derrière ces rouleaux de parchemin.

Elle désigna l'endroit du doigt, regarda la fillette traverser la tente et se jeter sur le pain tel un chien affamé.

– Au moins, ton calvaire prendra bientôt fin. Dès qu'Eragon sera rentré, il lèvera le sort.

– Peut-être.

Après avoir englouti une demi-miche, Elva s'interrompit :

– J'ai menti concernant l'Épreuve des Longs Couteaux.

– Comment cela, tu as menti ?

– Je te voyais perdre, pas triompher.

– Pardon ?

– Si j'avais laissé les évènements suivre leur cours, tu aurais craqué à la septième entaille, et Fadawar serait assis à ta place. Alors, je t'ai dit ce qu'il te fallait entendre pour que tu l'emportes sur lui.

Nasuada en eut froid dans le dos. Si c'était vrai, sa dette envers l'enfant-sorcière était plus lourde que jamais. Quoi qu'il en soit, elle n'appréciait guère d'avoir été manipulée, fût-ce à son avantage.

– Je vois. Il semblerait que je doive te remercier une fois de plus.

Elva émit un petit rire cassant :

— Et cela t'irrite au plus haut point, n'est-ce pas ? Aucune importance. N'aie pas peur de me vexer, Nasuada. Nous sommes utiles l'une à l'autre, rien de plus.

Affreusement gênée, Nasuada éprouva un vif soulagement quand l'un des nains en faction devant la tente, le capitaine de la garde, causa une diversion. Frappant son bouclier de son marteau, il annonça :

— Angela l'herboriste demande à vous voir, Dame Qui-Marche-La-Nuit.

— Permission accordée, lança-t-elle d'une voix forte.

Angela pénétra sous la tente, avec un assortiment de sacs et de paniers accrochés à ses bras. Comme toujours, sa crinière bouclée formait un nuage orageux autour de son visage, marqué ce soir-là par l'anxiété. Sur ses talons venait Solembum, le chat-garou, sous sa forme animale. Il alla droit vers Elva et se frotta contre ses jambes en faisant le gros dos.

Lorsqu'elle eut déposé son bagage sur le sol, Angela roula des épaules pour détendre ses muscles et soupira :

— C'est un comble, tout de même ! Entre vous et Eragon, j'ai l'impression de passer mon temps à soigner des gens trop sots pour se rendre compte qu'ils devraient *éviter* de se faire hacher menu.

Tout en parlant, l'herboriste haute comme trois pommes rejoignit Nasuada et entreprit de défaire les bandages qui enveloppaient son avant-bras droit. Puis elle claqua la langue d'un air réprobateur :

— En temps normal, c'est le moment où le guérisseur demande au patient comment il se sent, où le patient pas très honnête répond : « Oh, ça va plutôt bien », et où le guérisseur l'encourage d'un : « Parfait. Parfait. Ne vous démoralisez pas et vous vous remettrez. » Inutile de se leurrer, toutefois ; vous n'êtes pas près de danser la sarabande ni de mener des charges contre l'Empire.

— Mais je guérirai, non ?

135

– Vous guéririez si vous m'autorisiez à user de la magie pour refermer ces plaies. Puisque ce n'est pas possible, je préfère ne rien affirmer. Vous cicatriserez cahin-caha comme le commun des mortels, à condition qu'aucune de ces entailles ne s'infecte.

Elle s'interrompit dans sa tâche, leva les yeux vers Nasuada :

– Vous êtes consciente que vous en garderez des cicatrices ?

– Qui vivra verra.

– Très juste.

Réprimant un gémissement, Nasuada regarda en l'air tandis qu'Angela suturait les blessures et les recouvrait d'une couche épaisse de bouillie de plantes humide. Du coin de l'œil, elle aperçut Solembum qui sautait sur la table pour s'asseoir à côté d'Elva. D'une patte velue, le chat-garou prit un morceau de pain sur l'assiette de la fillette et le grignota du bout de ses crocs luisants. Ses oreilles démesurées, surmontées de pompons noirs, frémissaient et s'orientaient d'un côté à l'autre, suivant les mouvements des guerriers en armure qui passaient à proximité de la tente.

– Barzûl, marmonna Angela. Il n'y a que des hommes pour imaginer de se taillader de la sorte afin de décider qui sera le chef de meute. Bande d'imbéciles !

Rire lui faisait mal, mais Nasuada ne put s'en empêcher.

– C'est bien vrai, approuva-t-elle lorsqu'elle se fut calmée.

Alors qu'Angela achevait d'attacher la dernière bande, le capitaine nain de la garde s'écria :

– Halte-là !

Un véritable carillon retentit dehors : les gardes humains croisaient leurs épées pour barrer l'entrée de la tente.

D'instinct, Nasuada tira son poignard du fourreau cousu dans son corset. Elle eut quelque peine à en agripper le manche, ses doigts étaient gourds, maladroits, ses muscles, lents à répondre. Son bras était comme mort, n'était la brûlure des lignes gravées dans sa chair.

Angela sortit elle aussi un poignard des plis de ses vêtements ; elle se plaça devant Nasuada et marmonna quelques mots en ancien langage. D'un bond, Solembum vint se poster aux pieds d'Angela ; grondant et crachant, il paraissait plus gros que la plupart des chiens tant son poil était hérissé.

Elva continuait de manger, imperturbable. Elle examina le morceau de pain qu'elle tenait entre le pouce et l'index comme on étudierait un insecte bizarre, puis elle le trempa dans un gobelet de vin avant de l'enfourner dans sa bouche.

– Dame Nasuada ! hurla un homme. Eragon et Saphira arrivent du nord-est à vive allure !

Nasuada remit le poignard dans son étui, se leva de son siège et dit à Angela :

– Aidez-moi à me vêtir.

Angela tint sa robe ouverte devant la jeune femme, qui entra d'un pas dans le cercle de tissu. L'herboriste l'aida ensuite à enfiler les manches, puis elle s'employa à lacer le dos du vêtement. Elva la rejoignit ; ensemble, elles eurent bientôt rendu Nasuada présentable.

Examinant ses bras, cette dernière demanda :

– Dois-je montrer ou cacher mes blessures ?

– Cela dépend, déclara Angela. Pensez-vous accroître votre autorité en les montrant, ou craignez-vous que vos ennemis en profitent parce qu'ils vous croient affaiblie et vulnérable ? C'est en réalité une question d'ordre philosophique dont la réponse est déterminée par votre réaction à la vue d'un homme qui a perdu le gros orteil. Diriez-vous : « Le pauvre est mutilé ! », ou bien : « Ah, celui-ci a évité le pire ! Il est malin, très fort, il a de la chance » ?

– Vos comparaisons sont des plus curieuses.

– Merci.

– L'Épreuve des Longs Couteaux est un concours de force et de volonté, intervint Elva. Tous les Vardens et les Surdans le savent. Es-tu fière de ton courage, Nasuada ?

– Coupez mes manches.

Comme les deux autres hésitaient, elle insista :

– Vite, exécution ! Et ne vous inquiétez pas de la robe, je la ferai remettre en état plus tard.

En quelques gestes habiles, Angela amputa le vêtement aux endroits désignés et laissa tomber le tissu excédentaire sur la table.

Nasuada redressa le menton :

– Elva, si tu sens que je suis sur le point de m'évanouir, préviens Angela pour qu'elle me soutienne. Vous êtes prêtes ?

Elles se regroupèrent en formation serrée, Nasuada en tête ; Solembum allait seul, à l'écart.

Lorsqu'elles sortirent de la tente, le capitaine nain aboya :

– À vos postes !

Et les six membres des Faucons de la Nuit se rangèrent autour du groupe : les hommes et les nains devant et derrière, les gigantesques Kulls-Urgals, hauts de huit pieds et plus, de chaque côté.

Le crépuscule étendait ses ailes d'or et de pourpre sur le camp varden, auréolant de mystère les rangées de tentes qui s'étiraient à perte de vue. Les ombres fonçaient, prélude à la tombée de la nuit ; les torches et les feux innombrables brillaient déjà, clairs et gais dans la tiédeur du jour finissant. À l'est, le ciel était limpide. Au sud, des nuages noirs et bas cachaient l'horizon et les Plaines Brûlantes, à une lieue et demie seulement du campement. À l'ouest, une longue file de hêtres et de trembles bordait le cours de la rivière Jiet, sur laquelle flottait l'*Aile du Dragon*, le vaisseau de l'Empire dont Jeod, Roran et les villageois de Carvahall s'étaient emparés. Mais Nasuada n'avait d'yeux que pour le nord et la silhouette scintillante de Saphira qui approchait. La lumière déclinante la nimbait d'un glorieux halo bleu. On aurait dit une constellation qui descendait du firmament.

Émerveillée par ce majestueux spectacle, Nasuada se sentait privilégiée d'y assister et en remerciait sa chance. « Ils sont sauvés ! » songea-t-elle avec un soupir de soulagement.

Le guerrier qui lui avait annoncé la nouvelle, un homme maigre à la barbe hirsute, s'inclina, puis montra la dragonne du doigt :

– Madame, comme vous le constatez, je n'avais pas menti.

– En effet. C'est bien, mon brave. Pour repérer Saphira comme vous l'avez fait, vous devez avoir un œil d'aigle. Quel est votre nom ?

– Fletcher, fils de Harden, Madame.

– Vous avez ma gratitude, Fletcher. À présent, vous pouvez regagner votre poste.

L'homme s'inclina de nouveau, puis il s'éloigna d'un pas alerte.

Le regard rivé sur Saphira, Nasuada se fraya un chemin entre les tentes pour gagner le vaste espace dégagé réservé aux décollages et atterrissages de la dragonne. En tant que chef des Vardens – en tant qu'amie aussi, ce qui l'avait surprise – elle s'était beaucoup inquiétée pour Eragon et Saphira ces jours derniers.

Saphira volait aussi vite qu'une buse ou un faucon ; elle mit cependant une dizaine de minutes à parcourir les miles qui la séparaient du camp. Pendant ce temps, une foule de guerriers s'était massée autour de la clairière : des hommes, des nains, et même un contingent d'Urgals à peau grise sous la conduite de leur chef, Nar Garzhvog, qui éructait dans sa langue à l'intention des siens. Le roi Orrin et sa cour avaient pris place à l'opposé de Nasuada. Il y avait aussi Narheim, l'ambassadeur des nains qui assumait les fonctions d'Orik, parti pour Farthen Dûr ; Jörmundur et les membres du Conseil des Anciens ; et il y avait Arya.

L'elfe à la silhouette élancée se faufilait parmi la foule pour rejoindre Nasuada, et les regards se détournaient du ciel et de Saphira pour la contempler tant elle avait d'allure. Tout de noir vêtue, elle portait des jambières, comme un homme, une épée à la hanche, un arc et un carquois de flèches sur le dos. Elle avait la peau couleur de miel blond, un visage de chatte, et elle se déplaçait avec une grâce féline, une souplesse et une puissance qui témoignaient de son aisance au combat et de sa force surnaturelle.

De l'avis de Nasuada, cette tenue excentrique qui moulait ses formes avait quelque chose d'indécent. Elle devait cependant reconnaître que, même couverte de haillons, Arya aurait été plus royale et plus digne que n'importe quel mortel de noble lignage.

S'arrêtant devant Nasuada, l'elfe désigna les blessures de ses bras d'un long doigt élégant :

— Comme l'affirmait Earnë, le poète, se mettre en danger par amour de son peuple et de son pays est le plus beau des gestes. J'ai connu les chefs successifs des Vardens, de grands meneurs, hommes ou femmes. Ajihad les surpassait tous, et je crois qu'aujourd'hui tu l'as surpassé à ton tour.

— Tu m'honores, Arya. Hélas, si mon étoile brille d'un éclat si vif, je crains qu'on ne se souvienne pas de mon père comme il le mérite.

— Les actes des enfants donnent la mesure de l'éducation qu'ils ont reçue. Brille comme un soleil, Nasuada ! Plus tu brilleras et plus nombreux seront ceux qui respecteront Ajihad pour t'avoir si bien instruite, te rendant apte à gouverner à un âge aussi juvénile.

Nasuada hocha la tête avec gravité. Puis elle sourit et dit :

— Aussi juvénile ? Je suis adulte aux yeux de notre société.

Une lueur amusée dansa dans les prunelles vertes d'Arya :

— C'est vrai. Mais, si l'on en jugeait en termes d'années et non de sagesse, aucun humain ne serait considéré comme adulte parmi mon peuple. À l'exception de Galbatorix, bien sûr.

— Et de moi, intervint Angela.

— Allons, vous ne pouvez pas être beaucoup plus vieille que moi !

— Les apparences sont trompeuses, Dame Nasuada. Depuis le temps que vous côtoyez Arya, je m'étonne que vous vous laissiez abuser de la sorte.

Nasuada n'eut pas le loisir de lui demander son âge car, dans son dos, on tirait sur sa robe. C'était Elva qui avait pris cette liberté. De l'index, elle lui faisait signe de se pencher. Nasuada obéit, et la fillette lui murmura à l'oreille :

— Eragon n'est pas sur Saphira.

Soudain oppressée, Nasuada releva les yeux vers la dragonne qui décrivait un cercle à quelque mille pieds au-dessus du camp, ses immenses ailes membraneuses presque noires contre le ciel. On distinguait ses griffes d'un blanc étincelant, le motif des écailles sur son ventre, mais on ne voyait pas ceux qui la chevauchaient.

– Comment le sais-tu ?

– Je ne sens ni son chagrin ni ses craintes. Roran est là, avec une femme, sans doute Katrina. Il n'y a personne d'autre.

Nasuada se redressa, frappa dans ses mains et lança d'une voix impérieuse :

– Jörmundur !

Fort de son expérience, il comprit qu'il y avait urgence et se hâta de parcourir les trente coudées qui les séparaient, écartant sans ménagement ceux qui se trouvaient sur son passage.

– Oui, Ma Dame.

– Dégage le terrain. Je ne veux personne ici quand Saphira atterrira.

Pas même Orrin, Narheim et Garzhvog ?

Elle grimaça :

– Ils peuvent rester. Fais évacuer les autres. Dépêche-toi.

Tandis que Jörmundur criait ses ordres, Arya et Angela se rapprochèrent de Nasuada, dont l'angoisse se reflétait sur leurs visages inquiets.

– Saphira ne serait pas aussi calme si Eragon était blessé ou mort, observa l'elfe.

– En ce cas, où est-il ? Dans quel guêpier s'est-il encore fourré ?

La clairière fut bientôt plongée dans un bruyant chaos ; Jörmundur et ses hommes repoussaient les curieux vers leurs tentes, jouant de la badine quand les soldats récalcitrants s'attardaient ou protestaient. S'il y eut quelques échauffourées, les capitaines de Jörmundur maîtrisèrent rapidement les coupables pour éviter que les violences ne s'étendent. Par chance, les Urgals se retirèrent sans incident sur un signe de Garzhvog, leur chef, ce qui n'empêcha pas ce dernier de s'avancer vers Nasuada, de même que le roi Orrin et Narheim, le nain.

Le sol tremblait sous les pas du gigantesque Urgal. Il leva son menton osseux, découvrant sa gorge selon la coutume de sa race :

– Que signifie ceci, Dame Qui-Marche-La-Nuit ?

La forme de sa mâchoire, l'implantation de ses dents et son accent le rendaient difficile à comprendre.

– Oui, j'aimerais bien des explications, moi aussi, s'impatienta Orrin, cramoisi.

– Et moi donc ! renchérit Narheim.

Nasuada les observa en songeant que les différentes races de l'Alagaësia ne s'étaient pas rassemblées dans la paix en si grand nombre depuis des milliers d'années. Il ne manquait que les Ra'zacs et leurs montures, des créatures immondes que jamais un être sensé n'inviterait à siéger parmi les membres de son conseil. Enfin, elle déclara en montrant Saphira du doigt :

– C'est elle qui satisfera à vos revendications.

Alors que les derniers retardataires quittaient la clairière, une bourrasque annonça l'approche de la dragonne. Les ailes relevées pour ralentir sa chute, elle se posa sur les pattes arrière, puis laissa retomber ses pattes de devant dans un *boum* retentissant. Aussitôt, Roran et Katrina défirent leurs attaches pour mettre pied à terre.

Nasuada s'avança vers eux en observant Katrina, curieuse de savoir quel genre de femme poussait un homme à accomplir de tels exploits pour la sauver. C'était une jeune personne à l'ossature solide, au teint pâle des malades, à la crinière cuivrée ; elle portait une robe si déchirée, si sale, qu'il était impossible d'avoir la moindre idée de ce qu'elle était à l'origine. Attirante malgré les effets délétères de la captivité, Katrina n'était pas ce que les bardes appellent une beauté. Son regard et son attitude témoignaient cependant d'une force de caractère qui inclinait Nasuada à penser que, si Roran avait été enlevé, sa fiancée aurait été tout aussi capable d'entraîner les villageois de Carvahall jusqu'au sud du Surda, d'en découdre à la bataille des Plaines Brûlantes, et de poursuivre jusqu'à

Helgrind pour sauver l'être aimé. Lorsqu'elle aperçut Garzhvog, la jeune femme ne manifesta aucune frayeur et demeura bien droite au côté de Roran.

Ce dernier s'inclina devant Nasuada, salua Orrin et déclara, le visage grave :

– Ma Dame, Majesté, permettez-moi de vous présenter Katrina, ma fiancée.

Celle-ci fit une révérence.

– Bienvenue parmi les Vardens, Katrina, dit Nasuada. Nous te connaissions de nom. Le culte que te voue Roran t'a rendue célèbre et des ballades à la gloire de son amour pour toi se répandent déjà à travers le pays.

– Vous êtes la bienvenue, ajouta Orrin. La très bienvenue.

Nasuada nota que le roi n'avait d'yeux que pour la jeune femme, comme tous les hommes et les nains présents ; ils ne manqueraient pas de vanter ses charmes à leurs compagnons d'armes avant que la nuit s'achève. Ce que Roran avait fait pour elle l'avait élevée au rang de légende, transformée en objet de mystère et de fascination. Pour qu'on lui sacrifie autant, il fallait que ce soit là une personne d'exception.

Katrina sourit en rougissant.

– Merci, murmura-t-elle.

Sa gêne face à tant d'attention se teintait de fierté, comme si, consciente des extraordinaires qualités de Roran, elle se réjouissait d'être, entre toutes les femmes d'Alagaësia, celle qui avait su capturer son cœur. Il lui appartenait, lui tenait lieu de rang et de fortune, elle n'en désirait pas davantage.

Un sentiment de profonde solitude s'empara de Nasuada. « J'aimerais bien avoir ce qu'ils ont », songea-t-elle avec un pincement de regret. Ses responsabilités l'empêchaient de nourrir des rêves d'idylle et de mariage, sans même parler d'enfants. À moins bien sûr d'un mariage de convenance pour le bien des Vardens. Elle avait souvent envisagé de s'unir à Orrin dans ce but, mais ne s'y résolvait pas et perdait tout courage. Quoi qu'il en soit, elle ne se plaignait pas de son lot, ne jalousait pas le bonheur de Roran et Katrina. Elle avait voué sa vie à sa cause ; vaincre Galbatorix était de loin plus important qu'une bagatelle comme le mariage. Si tout le monde ou presque réussissait à se marier, combien avaient la chance de contribuer à l'avènement d'une ère nouvelle ?

« Je ne suis pas dans mon état normal, ce soir. Mes blessures troublent ma raison et mes pensées bourdonnent comme un essaim d'abeilles. » S'arrachant à ses ruminations, elle détacha les yeux du couple pour reporter son attention sur Saphira, ouvrit les barrières mentales dont elle s'entourait pour entendre ce que la dragonne avait à dire, et lui demanda :

– Où est-il ?

Dans un bruissement d'écailles, Saphira s'avança et abaissa sa tête à la hauteur de Nasuada, Arya et Angela. Des flammes bleues dansaient dans son œil gauche. Elle renifla deux fois, darda sa langue vermeille. Son souffle chaud et humide souleva la dentelle qui ornait le col de Nasuada.

La jeune femme déglutit avec peine quand l'esprit du dragon effleura le sien. Le contact avec Saphira était hors du commun. C'était une forme de conscience ancienne, totalement étrangère, faite de douceur et de férocité. À cela s'ajoutait son physique impressionnant, de sorte qu'en sa présence Nasuada n'oubliait jamais qu'elle les dévorerait tous si l'envie l'en prenait : on ne jouait pas les malins à côté d'un dragon.

« Je sens une odeur de sang. Qui t'a blessée, Nasuada ? Nomme-les, et je les mets en pièces pour t'apporter leurs têtes en guise de trophée. »

– Inutile de mettre qui que ce soit en pièces. Du moins pas encore. C'est moi qui me les suis infligées. Et le moment me paraît mal choisi pour en discuter. Tout ce qui m'intéresse pour l'instant, c'est de savoir où se trouve Eragon.

« Eragon a décidé de rester sur le territoire de l'Empire. »

Nasuada en demeura comme paralysée, incapable de réfléchir, d'articuler un son. Le premier choc passé, sa stupeur incrédule céda la place à un pressentiment de malheur. Les autres réagirent de diverses manières, d'où Nasuada déduisit que Saphira s'était adressée à tout le groupe.

– Pourquoi... Pourquoi ne l'en as-tu pas empêché ? demanda-t-elle.

Saphira s'ébroua, de petites langues de feu ondoyèrent autour de ses naseaux :

« Parce que ce n'était pas possible. Eragon a choisi. Il insiste pour agir selon ce qu'il pense être le bien, sans se soucier des conséquences pour lui ou pour l'Alagaësia... Si je m'écoutais, je le secouerais comme un dragonneau sorti de l'œuf, mais je suis fière de lui. N'ayez crainte, il est assez grand pour se défendre. Jusqu'ici, il ne lui est rien arrivé. S'il était blessé, je le saurais. »

– Pourquoi a-t-il fait ce choix, Saphira ? s'enquit Arya.

« Ça irait plus vite si je vous montrais plutôt que de tout vous expliquer avec des mots. Je peux ? »

Ils y consentirent.

Le flot des souvenirs de Saphira déferla alors dans la tête de Nasuada. Elle vit d'en haut les noirs pics de Helgrind au-dessus des nuages ; elle entendit Eragon, Roran et Saphira discuter de la meilleure stratégie d'attaque, assista à leur découverte du repaire des Ra'zacs et revécut le combat épique entre la dragonne et le Lethrblaka. Le défilé des images la fascinait. Née au cœur de l'Empire, elle n'en gardait aucun souvenir ; en tant qu'adulte, c'était la première fois qu'elle en apercevait des paysages autres que les frontières sauvages des terres de Galbatorix.

Vint enfin la confrontation entre Eragon et Saphira. Bien qu'elle s'efforçât de masquer son angoisse, l'évocation de cette déchirante séparation affectait la dragonne au point que Nasuada, bouleversée, dut essuyer ses larmes de ses bras bandés. Malgré son émotion, les prétextes qu'avait invoqués Eragon pour rester – tuer le dernier Ra'zac et explorer Helgrind – lui parurent bien légers.

Elle fronça les sourcils. « Tout impulsif et téméraire qu'il soit, Eragon n'est pas assez fou pour compromettre notre entreprise dans le seul but de visiter quelques grottes et de boire jusqu'à la lie la coupe amère de sa vengeance. Il doit y avoir une autre explication. » Tentée d'interroger Saphira plus avant pour connaître la vérité, elle songea que la dragonne ne la lui cacherait pas sur un caprice. « Elle veut peut-être que nous en discutions en privé... »

– Bon sang ! s'exclama le roi Orrin. Eragon a choisi le pire moment pour partir seul à l'aventure. Que nous importe un unique Ra'zac quand l'armée de Galbatorix au complet n'est qu'à quelques miles de nous ?... Il faut que nous le récupérions.

Angela éclata de rire. Elle tricotait une chaussette avec cinq aiguilles d'os qui cliquetaient et frottaient les unes contre les autres à un rythme des plus curieux.

– Comment ? Il voyagera de jour, et Saphira ne se lancerait pas à sa recherche en pleine lumière de peur qu'on la repère et que Galbatorix en soit averti.

– Peut-être, mais c'est notre Dragonnier ! Nous ne pouvons pas rester à nous tourner les pouces pendant qu'il est en territoire ennemi.

– C'est bien mon avis, renchérit Narheim. Par quelque moyen que ce soit, nous devons faire en sorte qu'il rentre sain et sauf. Grimstborith Hrothgar a adopté Eragon au sein de sa famille et de son clan, qui est aussi mon clan, comme vous le savez. Notre loyauté et notre sang lui sont acquis de droit.

Arya mit un genou à terre et, à la grande surprise de Nasuada, elle entreprit de dénouer les lacets de ses bottes pour les rattacher. Tenant un cordon entre les dents, elle demanda :

– Où était Eragon lors de ton dernier contact avec lui, Saphira ?

« À l'entrée de Helgrind. »

– Tu as une idée du chemin qu'il comptait prendre ?

« Il l'ignorait lui-même. »

L'elfe se releva d'un bond et déclara :

– En ce cas, je vais devoir chercher un peu partout.

Telle une biche, elle s'élança à travers la clairière pour filer vers le nord entre les tentes, vive et légère comme le vent.

– Arya, non ! s'écria Nasuada.

Trop tard. L'elfe était déjà loin.

Une vague de désespoir submergea Nasuada tandis qu'elle la regardait disparaître. « Le centre s'effondre », songea-t-elle.

Agrippant les bords de la bizarre cuirasse qui lui couvrait le torse comme pour l'arracher, Garzhvog dit à Nasuada :

– Veux-tu que je la suive, Dame Qui-Marche-La-Nuit ? Je ne cours pas aussi vite que les petits elfes, mais je cours aussi longtemps.

– Non... non, reste. Arya peut passer pour humaine de loin. Toi, tu auras les soldats à tes trousses dès qu'un fermier t'apercevra.

– J'ai l'habitude qu'on me donne la chasse.

– Pas au milieu de l'Empire, avec des centaines d'hommes de Galbatorix lâchés dans la nature. Non. Arya devra se débrouiller seule. Je prie le ciel qu'elle retrouve Eragon et parvienne à le protéger, car sans lui nous sommes perdus.

9
FUITE ET FAUX-FUYANTS

Les pieds d'Eragon martelaient le sol.

À chaque foulée, les vibrations partaient de ses talons, remontaient ses jambes jusqu'aux hanches, puis se propageaient le long de son dos pour se terminer à la base du crâne où les chocs répétés ébranlaient ses dents et exacerbaient son mal de tête qui semblait empirer avec chaque mile parcouru. Le rythme monotone de sa course l'avait d'abord exaspéré avant de le plonger dans une sorte de transe : il ne réfléchissait plus, n'était plus que mouvement.

L'herbe sèche et cassante crépitait sous ses bottes comme des brindilles de bois mort, et de petits nuages de poussière montaient de la terre craquelée. Il n'avait pas dû pleuvoir depuis au moins un mois dans ce coin de l'Alagaësia. L'air desséché absorbait l'humidité de son souffle, laissant sa gorge à vif. Il avait beau boire tant et plus, il ne parvenait pas à compenser la quantité d'eau que le soleil et le vent lui volaient.

D'où la migraine.

Il était déjà loin de Helgrind, moins cependant qu'il ne l'avait espéré. Les patrouilles de Galbatorix, composées de soldats et de magiciens, arpentaient la région par centaines, l'obligeant trop souvent à se cacher pour les éviter ce qui ralentissait sa progression. Car elles le recherchaient, il n'en doutait pas une seconde. La veille au soir, il avait même aperçu Thorn, volant bas sur l'horizon ouest. Il avait aussitôt élevé des barrières mentales et s'était jeté dans un fossé, où il était resté une demi-heure en attendant que le dragon rouge disparaisse sous le bord du monde.

Eragon préférait emprunter les routes et pistes existantes dans la mesure du possible. Les évènements de la semaine précédente l'avaient poussé à la limite de sa résistance physique comme émotionnelle. Mieux valait que son corps se repose ; inutile de l'épuiser encore à franchir des ronciers, gravir des collines et traverser des rivières boueuses. Le temps des efforts violents et désespérés viendrait toujours assez tôt.

Sur les routes, il n'osait pas courir aussi vite qu'il en était capable ; il aurait d'ailleurs été plus sage de ne pas courir du tout dans cette zone parsemée de fermes et de villages. Le spectacle insolite d'un homme solitaire filant à travers la campagne aussi vite que s'il avait une meute de loups aux trousses éveillerait à coup sûr la curiosité et les soupçons des habitants, et pourrait même inciter un paysan inquiet à rapporter l'incident aux représentants de l'Empire. Ce qui serait fatal à Eragon, dont la meilleure défense consistait à passer inaperçu.

S'il courait à présent, c'est qu'il n'avait pas croisé âme qui vive sur plus d'une lieue, à l'exception d'un long serpent sommeillant au soleil.

Soucieux de regagner le camp des Vardens au plus vite, il souffrait de se traîner comme un vulgaire vagabond. Ce qui ne l'empêchait pas d'apprécier sa solitude. Depuis qu'il avait trouvé l'œuf de Saphira sur la Crête, il n'avait pas eu l'occasion d'être seul, vraiment seul. Les pensées de sa dragonne se frottaient toujours aux siennes, et puis il y avait Brom, ou Murtagh, ou un autre avec lui. Pour ajouter au poids de cette compagnie constante, Eragon s'était soumis à un rude apprentissage au cours des mois qui avaient suivi son départ de la vallée de Palancar, ne s'interrompant que pour voyager ou prendre part au fracas des batailles. Jamais auparavant il n'avait eu le loisir de se concentrer pleinement pendant aussi longtemps, ni de réfléchir aux montagnes d'angoisses et de craintes qui l'oppressaient.

Il profitait donc de la paix que lui apportait cette solitude bienvenue. Le silence, l'absence de toute voix, dont la sienne, lui étaient une douce berceuse et lui permettaient d'oublier pour un temps sa peur de l'avenir. Il n'éprouvait aucun désir de contacter Saphira par la magie. Trop loin d'elle pour que leurs deux esprits puissent se parler, il savait que le lien qui les unissait l'avertirait si elle était blessée. Il n'avait pas envie non plus de communiquer avec Arya ou Nasuada pour entendre leurs récriminations. Mieux valait écouter le chant des oiseaux de passage, les soupirs du vent dans l'herbe et les branches feuillues.

Des bruits tirèrent soudain Eragon de sa rêverie : tintement de harnais, martèlement de sabots, braillements d'hommes. Inquiet, il s'arrêta, regarda autour de lui pour savoir d'où venaient les inconnus. Un couple de choucas monta en caquetant d'une gorge voisine.

Le seul abri possible était un petit bosquet de genévriers. Il fila se réfugier sous les branches tombantes au moment où un groupe de six soldats émergeait du ravin et gagnait au petit galop l'étroite piste de terre à moins de dix pieds de lui. En temps normal, Eragon aurait senti leur présence avant qu'ils ne l'approchent de trop près, mais, depuis l'apparition de Thorn sur l'horizon, il avait fermé son esprit au monde qui l'entourait.

Ayant ralenti leurs montures, les soldats tournaient en rond et se disputaient.

– Puisque je te dis que j'ai vu quelque chose ! hurla l'un d'eux, un homme de taille moyenne, aux joues rouges et à la barbe jaune.

Le cœur battant à se rompre, Eragon s'obligeait à respirer lentement et sans bruit. Il porta une main à son front pour s'assurer que le bandeau de tissu noué autour de sa tête couvrait toujours ses sourcils obliques et ses oreilles pointues. « Dommage que je n'aie pas ma cuirasse sur le dos ! » Afin de ne pas attirer l'attention, il s'était confectionné une hotte avec des branches mortes et un carré de toile acquis auprès d'un marchand itinérant, et y avait rangé son armure. Plus question de l'en sortir pour la mettre, les soldats risquaient de l'entendre.

L'homme à la barbe jaune descendit de son destrier bai, puis marcha en bordure de la route, examinant le sol et le bosquet de genévriers. Comme tous les membres de l'armée de Galbatorix, il arborait une tunique rouge, ornée d'une flamme contournée surlignée de fils d'or ; l'emblème scintillait au rythme de ses mouvements. Son armure était rudimentaire : un casque, un écu et une brigandine de cuir, preuve qu'il s'agissait d'un sans-grade. Il avait une lance au poing et une épée longue à la ceinture.

L'homme s'approchait dans un cliquetis d'éperons. Eragon murmura alors une incantation complexe en ancien langage. Les mots coulaient en un flot ininterrompu, jusqu'à ce que – horreur ! – il bute sur un ensemble de voyelles particulièrement difficile à prononcer, ce qui l'obligea à recommencer du début.

Le soldat fit un pas en avant.

Puis un autre.

Au moment où l'homme s'arrêtait devant lui, Eragon acheva sa récitation et sentit ses forces diminuer tandis que la magie prenait effet, une fraction de seconde trop tard.

– Aha ! s'écria le soldat en écartant les branches qui le cachaient.

Eragon ne bougea pas d'un cil.

Le soldat le fixait, sourcils froncés.

– Nom d'un..., grommela-t-il.

Et il planta sa lance dans le buisson, manquant d'un doigt le visage du garçon. Eragon enfonça les ongles dans ses paumes pour juguler le tremblement soudain de ses muscles crispés.

– Et zut ! dit encore Barbe Jaune.

Il relâcha les branches, qui reprirent leur place et recouvrirent Eragon.

– Qu'est-ce que c'était ? lança un de ses compagnons alors qu'il les rejoignait.

— Rien, répondit le barbu en s'épongeant le front. Je dois avoir la berlue.

— Qu'est-ce que ce salopard de Braethan attend de nous ? C'est à peine si on a fermé l'œil depuis deux jours.

— Ouais. Il faut que le roi soit aux abois pour nous mener la vie aussi dure... Franchement, j'aime autant ne pas trouver celui que nous sommes censés chercher. Pas que je sois froussard, mais un type qui inquiète Galbatorix à ce point, hein ? Il vaut mieux que les gens comme nous l'évitent. Que Murtagh et son monstre de dragon se débrouillent pour mettre la main sur notre mystérieux fugitif !

— Sauf si c'est Murtagh que nous recherchons, intervint un troisième.

— Tu as entendu comme moi ce qu'a déclaré le rejeton de Morzan.

Un silence pesant s'abattit sur la petite troupe. Enfin, Barbe Jaune remonta en selle, prit les rênes dans sa main gauche et dit :

— Ferme-la, Derwood. Tu parles trop.

Sur ces mots, les six cavaliers piquèrent des deux et repartirent vers le nord par la route.

Lorsque le bruit des chevaux se fut affaibli, Eragon rompit l'enchantement, se frotta les yeux de ses poings et posa les mains sur ses genoux, puis il éclata de rire en secouant la tête, amusé par la bizarrerie de cette situation comparée à sa vie dans la vallée de Palancar où il avait grandi. « J'étais loin d'imaginer qu'une chose pareille m'arriverait un jour ! »

La formule qu'il avait employée se composait de deux sorts : le premier détournait la lumière de son corps pour le rendre invisible, et le second visait à empêcher que d'autres magiciens s'aperçoivent qu'il usait de magie. Le principal inconvénient de l'enchantement tenait à ce qu'il ne cachait pas les empreintes, obligeant celui qui l'utilisait à demeurer parfaitement immobile. De plus, il n'éliminait pas en totalité l'ombre projetée par la personne.

En sortant de dessous les branches, Eragon étira les bras au-dessus de sa tête, puis il se tourna vers le ravin d'où les soldats avaient surgi. Une question le hantait tandis qu'il reprenait sa course : qu'avait donc déclaré Murtagh ?

– Ahh !

L'illusion diaphane de son rêve éveillé s'évanouit. Ses mains s'agitaient dans le vide, il se contorsionna et roula à l'écart de l'endroit où il était couché, recula à croupetons puis se redressa, bras tendus devant lui pour amortir des coups éventuels.

La nuit noire l'enveloppait. Là-haut, les étoiles indifférentes dansaient leur éternelle et lente valse céleste. Sur terre, rien ne bougeait. On n'entendait que la caresse légère du vent sur les herbes.

Eragon projeta son esprit hors de lui, certain d'une attaque imminente. Il l'étendit sur mille pieds, dans toutes les directions, et ne trouva personne.

Enfin, il baissa les bras. Il avait le souffle court, sa peau le brûlait, il empestait la sueur. Une tempête grondait dans sa tête, véritable tornade de lames éclatantes et de membres amputés. L'espace d'un instant, il crut qu'il combattait les Urgals à Farthen Dûr, puis qu'il croisait le fer avec ses frères humains dans les Plaines Brûlantes. Les deux lieux étaient si précis et réalistes qu'il lui semblait avoir été transporté en arrière dans l'espace et le temps par quelque étrange magie. Devant lui s'alignaient les hommes et les Urgals qu'il avait tués, si réels qu'ils semblaient sur le point de lui parler. Et, s'il ne lui restait pas de cicatrices de ses blessures, son corps se souvenait de toutes ; il frissonnait sous les coups des épées, sous les flèches qui perçaient sa chair.

Avec un cri inarticulé, Eragon se laissa tomber à genoux, noua les bras autour de lui, se balança d'avant en arrière. « Ce n'est rien... ce n'est rien. » Pressant le front contre le sol, il se roula en une boule compacte. Son haleine lui chauffait le ventre.

– Qu'est-ce qui m'arrive ?

Aucune des épopées que récitait Brom à Carvahall ne mentionnait des héros d'antan tourmentés par de telles visions. Aucun des guerriers qu'il avait rencontrés parmi les Vardens ne paraissait troublé d'avoir versé le sang. Et, si Roran reconnaissait n'avoir aucun goût pour tuer, il ne se réveillait pas la nuit en hurlant.

« Je suis un faible, songea Eragon. Un homme ne devrait pas se torturer de la sorte. Et surtout pas un Dragonnier. Je suis sûr que Garrow et Brom n'auraient pas eu ce genre de crise. Ils faisaient le nécessaire, un point c'est tout. Pas de larmes, pas de remords, pas de grincements de dents ni d'autoflagellation... Je suis un faible. »

D'un bond, il se releva, arpenta le périmètre de son nid dans l'herbe et tenta de se calmer. Au bout d'une demi-heure, l'angoisse le tenaillait toujours ; il était oppressé, tout son corps le démangeait comme si des milliers de fourmis rampaient sous sa peau, il sursautait au moindre bruit. De guerre lasse, il reprit sa hotte et s'en fut aussi vite que ses jambes pouvaient le porter. Peu lui importait ce qui l'attendait dans les ténèbres de l'inconnu ou qu'on le voie courir comme un fou.

Il fuyait ses cauchemars. Son esprit se révoltait contre lui, la raison était impuissante à dissiper sa panique. Il n'avait plus qu'un recours : faire confiance à l'instinct ancestral, à cette sagesse animale de la chair qui lui enjoignait de *bouger*. S'il courait assez vite, y mettait toutes ses forces, peut-être parviendrait-il à s'ancrer dans l'instant. Peut-être que le balancement de ses bras, le choc de ses pieds sur le sol, la fraîcheur moite de la sueur sur son dos et une myriade d'autres sensations l'obligeraient à oublier.

Peut-être.

Dans l'après-midi, un vol d'étourneaux traversa le ciel tel un banc de poissons dans le bleu de l'océan.

Plissant les yeux, Eragon regarda passer les oiseaux. Lorsque les étourneaux revenaient après l'hiver dans la vallée de

Palancar, ils arrivaient par troupes si denses qu'ils transformaient le jour en nuit. Bien que peu nombreux, ceux-ci lui rappelaient les soirées d'autrefois où, avec Garrow et Roran, ils observaient le ballet de ces nuées sombres et bruissantes depuis la terrasse de la maison en buvant une tisane de menthe.

Perdu dans ses souvenirs, il s'arrêta et s'assit sur une pierre pour renouer les lacets de ses bottes.

Le temps avait changé, il faisait plus frais à présent. Une barre grise sur l'horizon ouest laissait présager un orage. La végétation plus luxuriante s'agrémentait de mousses, de roseaux, de touffes d'herbe verte. À quelques miles de là, cinq collines venaient ponctuer la monotonie du paysage plat. Celle du milieu s'ornait d'un épais bois de chênes. Au-dessus de la masse brumeuse de feuillage, Eragon distinguait des restes de bâtiments abandonnés depuis des lustres, construits jadis par une race ou une autre.

Curieux, il résolut de rompre son jeûne parmi les ruines. Le petit gibier y abonderait sans doute, et la chasse lui fournirait un prétexte pour explorer les lieux avant de repartir.

Une heure plus tard, il arrivait au pied de la colline ; là, il trouva les vestiges d'une route pavée avec des dalles carrées, qui conduisait aux ruines. Il la suivit tout en s'interrogeant sur ce mode de construction si différent de ce qu'il avait vu chez les hommes, les elfes ou les nains.

L'ombre dense des chênes le rafraîchissait tandis qu'il gravissait la pente. Près du sommet, le sol redevint plat, et le bois s'ouvrit sur une vaste clairière dans laquelle se dressait une tour brisée. La base en était large, côtelée comme un tronc d'arbre. L'édifice montait vers le ciel en rétrécissant sur une trentaine de pieds pour se terminer en dents de scie irrégulières. Le haut de la tour s'était effondré et gisait à terre, brisé en des milliers de fragments.

Dans un élan d'enthousiasme, Eragon songea qu'il était peut-être tombé par hasard sur un avant-poste des elfes, bâti longtemps avant la chute des Dragonniers. Aucune autre race n'avait le savoir-faire ou seulement le désir d'ériger de telles structures.

C'est alors qu'il remarqua le potager au bout de la clairière.

Un homme y était assis parmi les rangées de plantes, occupé à désherber un carré de pois gourmands. Invisible dans l'ombre, son visage tourné vers le sol était prolongé par une barbe grise si longue qu'elle s'entassait sur ses genoux comme un monceau de laine à carder.

– Tu viens m'aider à nettoyer ces pois, ou pas ? demanda l'inconnu sans même lever les yeux. Il y a un repas pour toi si tu me donnes un coup de main.

Eragon hésita. Puis il réfléchit : pourquoi aurait-il peur d'un vieil ermite ? Et il alla se présenter :

– Je m'appelle Bergan... Bergan, fils de Garrow.

– Tenga, fils d'Ingvar, grommela le vieillard.

L'armure d'Eragon tinta lorsqu'il posa sa hotte. Pendant une heure, il travailla en silence avec Tenga. Il n'aurait pas dû s'attarder autant, mais la tâche lui était agréable et le distrayait de ses ruminations. Pendant qu'il désherbait, il laissa sa conscience s'étendre à tous les êtres de la clairière, goûtant la paix que lui procurait cette sensation de ne faire qu'un avec le vivant.

Quand ils eurent arraché chaque pied de pourpier, de pissenlit, et toutes les mauvaises herbes, Eragon suivit Tenga jusqu'à une porte étroite sur le devant de la tour. Elle ouvrait sur une salle spacieuse. Au milieu de la pièce, un escalier en colimaçon montait à l'étage. Des livres, des rouleaux et des piles de parchemins non reliés couvraient tous les meubles et la majeure partie du sol.

Tenga pointa l'index sur un petit tas de branchages dans l'âtre. Le bois mort crépita et s'enflamma aussitôt. Eragon se raidit, prêt pour une empoignade physique et mentale avec le vieil ermite.

Ce dernier ne parut pas remarquer sa réaction, il continuait à s'activer, sortait des chopes, des assiettes, des couteaux, des restes pour leur repas tout en marmonnant pour lui-même.

Les sens en alerte, Eragon s'installa sur le coin dégagé d'une chaise voisine. « Il n'a pas prononcé un mot en ancien langage !

Même s'il a récité le sort dans sa tête, il a tout de même risqué la mort ou pire pour allumer un simple feu de cuisson ! » Oromis lui avait enseigné que les mots étaient l'instrument par lequel on contrôlait le flux de la magie. En jetant un sort sans en canaliser la puissance agissante à travers le filtre du langage, on courait le risque qu'une pensée vagabonde ou une émotion en modifie l'effet.

Le jeune Dragonnier regarda autour de lui en quête d'indices sur son hôte. Ses yeux tombèrent sur un rouleau ouvert, avec des colonnes de mots en ancien langage. Il reconnut l'un de ces recueils de vrais noms comme il en avait étudié à Ellesméra. Les magiciens convoitaient ces ouvrages, pour lesquels ils auraient sacrifié n'importe quoi ou presque : ils permettaient d'apprendre du vocabulaire nouveau afin de créer des enchantements, et l'on y consignait les noms qu'on avait découverts. Peu de gens étaient en mesure d'acquérir de telles listes ; elles étaient rares, et ceux qui les possédaient ne s'en séparaient pas de leur plein gré.

Plus étrange encore, Tenga en avait six autres dans cette seule pièce, en plus d'écrits savants sur divers sujets, dont l'histoire, les mathématiques, l'astronomie et la botanique.

Une chope de bière apparut devant Eragon, et Tenga poussa sous son nez une assiette garnie de pain, de fromage et d'une part de pâté en croûte.

– Merci, dit-il.

Le vieux l'ignora et alla s'installer en tailleur près du feu. Là, il engloutit son déjeuner sans cesser de grommeler dans sa barbe.

Après avoir vidé son assiette et bu la dernière goutte de bonne bière de houblon, Eragon ne put s'empêcher de demander :

– Ce sont les elfes qui ont construit cette tour ?

Tenga le dévisagea comme s'il avait affaire à un sot :

– Oui. Les elfes ingénieux ont bâti Edur Ithindra.

– Que fais-tu ici ? Tu es seul, ou...

– Je cherche la réponse ! s'exclama Tenga. La clé d'une porte close, le secret des arbres et des plantes. Du feu, de la chaleur, des éclairs, de la lumière... La plupart des gens ne connaissent pas la question et errent au hasard dans la plus grande ignorance. Certains connaissent la question et craignent la réponse autant que ses conséquences. Bah ! depuis des millénaires, nous vivons comme des sauvages. Oui, des sauvages ! Je mettrai un terme à cela. Grâce à moi, une ère de lumière verra le jour, et tous vanteront mes mérites.

– Si je puis me permettre, que cherches-tu exactement ?

Des plis creusèrent le front de Tenga, qui fronça les sourcils :

– Tu ne connais donc pas la question ? Je pensais que si. À l'évidence, je me trompais. Quoi qu'il en soit, je vois que tu comprends le sens de ma quête. Tu cherches une réponse différente, mais tu cherches, toi aussi. La même flamme brûle dans nos deux cœurs. Qui d'autre qu'un frère pèlerin saurait apprécier les sacrifices que l'on consent pour trouver la réponse ?

– La réponse à quoi ?

– À la question que nous avons choisie.

« Il est fou », songea Eragon. Dans l'idée de distraire Tenga, il avisa une rangée de statuettes en bois représentant des animaux sur le rebord d'une fenêtre en forme de goutte.

– Comme elles sont jolies ! remarqua-t-il en les montrant du doigt. Qui les a faites ?

– *Elle*... avant de s'en aller. Elle fabriquait des babioles en permanence.

Tenga se leva d'un bond et posa l'index sur la première des statuettes :

– Lui, l'écureuil qui remue la queue, il est malin et vif, facétieux et moqueur.

Son doigt passa à la suivante :

– Et voilà le dangereux sanglier avec des défenses mortelles... Et le corbeau avec...

Absorbé par son discours, Tenga ne prêtait plus la moindre attention à Eragon, qui battit en retraite, souleva le loquet de la porte et quitta Edur Ithindra. Il remit sa hotte sur son dos, dévala la pente à travers le bois de chênes, puis laissa derrière lui le groupe de cinq collines et le mage dément qui y résidait.

Durant le reste de la journée et toute la suivante, le nombre de personnes qui fréquentaient la route ne cessa de croître, à croire qu'il en sortait de terre. Si la plupart étaient des réfugiés, il y avait aussi des soldats et des marchands vaquant à leurs affaires. Eragon les évitait dans la mesure du possible, se refermait sur lui-même et marchait le menton rentré dans son col dès qu'il n'était plus seul.

C'est ainsi qu'il fut contraint de faire étape pour la nuit dans le village d'Eastcroft, à vingt miles au nord de Melian. Il avait prévu de déserter la route bien avant d'y arriver et de se mettre en quête d'un creux ou d'une grotte où se reposer jusqu'au matin. N'étant pas familiarisé avec la région, il avait mal évalué les distances et se trouva aux abords du village alors qu'il cheminait en compagnie de trois soldats. S'il s'esquivait maintenant, à moins d'une heure de la sécurité des murs et des grilles, du confort d'un lit douillet, même le plus niais du lot ne manquerait pas de s'en étonner. Serrant les dents, il s'employa à répéter mentalement les histoires qu'il avait inventées pour justifier son voyage.

Un soleil rebondi flottait à deux doigts de l'horizon quand Eastcroft se dressa devant eux, bourgade de taille moyenne enclose d'une palissade. La nuit était presque tombée au moment où ils en franchirent la grille. Derrière lui, Eragon entendit une sentinelle demander aux soldats s'il y avait encore des gens à venir.

– Pas que je sache.

– Ça me va comme ça, répondit la sentinelle. Tant pis pour les retardataires, ils rentreront demain.

Puis il cria à son collègue :

– On ferme !

Ensemble, ils poussèrent le battant haut de quinze pieds renforcé de ferrures, et les quatre poutres de chêne massif qui le bloquaient.

« Ils se préparent pour un siège, ma parole ! » songea Eragon avant de sourire de sa propre candeur. « Il est vrai que ces temps-ci tout le monde s'attend à du vilain. » Quelques mois plus tôt, il se serait inquiété à l'idée d'être prisonnier d'Eastcroft. Aujourd'hui, il ne doutait pas de pouvoir escalader les fortifications et s'échapper sous le couvert de la nuit en se rendant invisible. Il choisit cependant de rester. Il était las, et il craignait qu'un sort n'attire l'attention d'autres magiciens s'il y en avait.

Il n'avait pas fait dix pas le long de l'allée boueuse qui menait à la place du village qu'un veilleur l'aborda et lui mit sa lanterne sous le nez :

– Halte-là. Tu n'es jamais venu à Eastcroft, pas vrai ?

– C'est ma première visite.

Le bonhomme opina du chef :

– Tu as des parents ou des amis pour t'accueillir ?

– Non, je n'ai personne.

– Qu'est-ce qui t'amène ici, alors ?

– Rien. Je vais dans le sud chercher la famille de ma sœur pour la ramener à Dras-Leona.

Le veilleur ne réagit pas. « Il ne m'a pas cru, se dit Eragon. Ou il a entendu tant d'histoires comme la mienne que ça le laisse indifférent. »

– Dans ce cas, c'est l'auberge des voyageurs qu'il te faut. À côté du puits principal. Tu y trouveras le gîte et le couvert. Si tu restes quelque temps à Eastcroft, je te préviens, nous ne tolérons chez nous ni le meurtre, ni le vol, ni le libertinage. Le pilori et le gibet ont eu leur part de clients. Est-ce bien clair ?

– Parfaitement.

– Alors, va, et que la chance t'accompagne. Ah ! Une dernière question. Tu as un nom, l'étranger ?

– Bergan.

Sur ce, le veilleur reprit sa ronde vespérale. Eragon attendit que lui et sa lanterne disparaissent derrière les maisons avant d'aller voir les messages affichés à gauche de la grand-porte.

Là, cloués par-dessus les portraits d'une demi-douzaine de criminels, il y avait deux parchemins de trois pieds de haut ou peu s'en fallait. L'un représentait Eragon, et l'autre Roran, qualifiés tous deux de traîtres à la Couronne. Le jeune Dragonnier examina ces placards avec intérêt et s'étonna des récompenses offertes : un comté pour chacun à qui les capturerait. Le portrait de Roran était ressemblant, jusqu'à la barbe qu'il s'était laissée pousser depuis sa fuite de Carvahall. Le sien en revanche le montrait tel qu'il était avant la cérémonie de l'Agaetí Sänghren, quand il avait encore son apparence humaine.

« Comme les choses ont changé ! »

Passant son chemin, il s'enfonça dans le village, jusqu'à l'auberge des voyageurs. La salle unique au plafond bas, aux poutres teintées à la créosote [1], baignait dans la lumière vacillante des chandelles de suif jaune, dont la fumée flottait en nappes superposées, alourdissant l'air de son odeur. Couvert de sable et de roseaux, le sol crissait sous ses bottes. Sur la gauche, il y avait des tables, des chaises et, au fond, une immense cheminée dans laquelle un porc rôtissait sur une broche que faisait tourner un gamin. De l'autre côté, un long comptoir s'étendait sur toute la largeur de la pièce, véritable forteresse avec ses ponts-levis pour protéger les tonneaux de bière blonde, brune ou rousse de la horde d'assoiffés qui l'assaillait de toutes parts.

Une bonne soixantaine de personnes s'entassaient dans cet espace trop exigu pour une telle foule. Après les longues heures de marche sur la route, le brouhaha des conversations était un choc d'autant plus douloureux qu'Eragon avait les oreilles sensibles. Il avait presque l'impression de se trouver pris dans le tonnerre d'une cataracte, ne parvenait pas à se concentrer, à isoler une voix des autres. Dès qu'il croyait saisir un mot, une expression, le tumulte engloutissait le reste de la phrase. Dans un coin, un trio de ménestrels jouait et chantait une parodie

161

---

1. Créosote : mélange huileux obtenu par distillation des goudrons du bois.

de « La belle Aethrid de Dauth », ce qui ajoutait encore au bruit ambiant.

Accablé par ce vacarme, Eragon grimaçait tout en se frayant un chemin jusqu'au comptoir pour parler à la serveuse. Elle était occupée et mit cinq bonnes minutes avant de le remarquer :

— Vous désirez, jeune homme ?

Des mèches de cheveux collaient à son visage luisant de sueur.

— Vous auriez une chambre à louer ? Un endroit où je puisse dormir ?

— Je ne saurais pas dire. Pour ça, il faudra vous adresser à la patronne. Elle ne devrait pas tarder à redescendre.

Du doigt, la serveuse lui indiqua l'entrée sombre d'un escalier.

Calé contre le comptoir, Eragon trompa son attente en observant les clients. Cet assortiment bigarré se composait pour moitié de villageois d'Eastcroft venus passer la soirée à boire. Les autres étaient pour la plupart des exilés : des hommes, des femmes, souvent des familles en transit vers des lieux plus sûrs. On les reconnaissait à leurs vêtements effilochés et sales, à la manière dont ils se tassaient sur leur siège et examinaient de dessous quiconque s'approchait d'eux. Ils s'appliquaient cependant à ne pas regarder le troisième et dernier groupe, le moins nombreux : celui des soldats de Galbatorix. Les hommes en tuniques rouges étaient les plus bruyants du lot. Ils riaient fort, parlaient haut et cognaient sur les tables de leurs poings gantés de fer, engloutissaient la bière comme s'il en pleuvait et pelotaient les jouvencelles assez sottes pour passer près d'eux.

« Pourquoi se conduisent-ils ainsi ? Parce qu'ils savent que personne ne s'opposera à eux et qu'ils prennent plaisir à faire étalage de leur pouvoir ? N'est-ce pas plutôt parce qu'on les a enrôlés de force dans l'armée de Galbatorix, et qu'ils cherchent à noyer leur honte et leur peur dans la débauche ? »

Les ménestrels chantaient :

La belle Aethrid de Dauth s'en fut, cheveux au vent,
Trouver le sire Edel et lui dit en pleurant :
« Libère mon amant, ou le sorcier viendra
Et en un bouc puant il te transformera. »
À quoi le sire Edel en riant répondit :
« Bouc puant point ne suis, le sorcier soit maudit ! »

Un mouvement dans la foule donna à Eragon vue sur une petite table poussée contre un mur. Une femme seule y était assise, le visage masqué par le capuchon de sa pèlerine noire. Quatre hommes l'entouraient, quatre costauds de fermiers à la peau comme cuir et au visage rougi, enfiévré par l'alcool. Adossés au mur de chaque côté de l'inconnue, deux d'entre eux la toisaient. En face d'elle, le troisième riait, assis à califourchon sur une chaise retournée ; le quatrième avait le pied gauche sur la table et se penchait vers elle, un coude sur le genou. Ils discutaient, gesticulaient avec désinvolture. À l'évidence, les réactions ou les paroles de la voyageuse les avaient irrités, car ils fronçaient maintenant les sourcils, bombaient le torse, se gonflaient comme des coqs. L'un d'eux la menaçait de son index.

Aux yeux d'Eragon, c'était là de braves paysans durs à la tâche, qui avaient laissé leurs bonnes manières au fond de leur chope, erreur fréquente dont il n'avait que trop souvent été témoin les jours de fête à Carvahall. Garrow n'avait guère de patience envers ceux qui ne tenaient pas l'alcool, mais qui buvaient quand même et se ridiculisaient publiquement. « C'est inconvenant, disait-il. Et puis, si on boit pour oublier ses peines et pas pour le plaisir, il vaut mieux faire ça dans son coin sans déranger personne. »

Soudain, l'homme qui se tenait à gauche de l'inconnue accrocha du doigt le bord de son capuchon, sans doute dans l'intention de le tirer en arrière. La femme leva la main droite pour lui saisir le poignet, puis le relâcha et reprit sa position. Son geste fut si vif qu'Eragon le surprit de justesse ; à part lui, personne dans la salle n'avait dû le remarquer, pas même celui qu'elle avait touché.

La capuche retomba autour de son cou. Eragon se raidit, incrédule, éberlué. La voyageuse était humaine... et ressemblait trait pour trait à Arya. À ceci près qu'elle avait les yeux ronds, pas en amande et à l'oblique comme les chats ; et qu'elle n'avait pas les oreilles pointues des elfes. Égale à celle d'Arya, sa beauté était moins exotique, plus familière.

Sans une hésitation, Eragon étendit sa conscience vers elle. Il fallait qu'il en ait le cœur net.

À peine avait-il effleuré son esprit qu'il prit l'équivalent d'une gifle mentale et perdit toute concentration. Puis, des tréfonds de son crâne, jaillit une exclamation assourdissante : « Eragon ! »

« Arya ? »

Leurs regards se croisèrent l'espace d'un instant et, de nouveau, la foule la lui cacha.

En hâte, Eragon traversa la salle pour la rejoindre, jouant des coudes pour se frayer un chemin entre les clients entassés. Lorsqu'il émergea de cette marée humaine, les quatre fermiers le dévisagèrent d'un air mauvais.

— Tu es bien grossier de débarquer là, comme ça, sans invitation, dit l'un d'eux. Tu ferais mieux de déguerpir.

Le jeune Dragonnier répondit avec autant de diplomatie qu'il le put :

— Sans vouloir vous vexer, Messieurs, cette dame me semble préférer qu'on la laisse en paix. Vous n'iriez pas contre les vœux d'une honnête femme, n'est-ce pas ?

— Une honnête femme ? s'esclaffa un autre. Aucune honnête femme ne voyage seule.

— Eh bien, permettez-moi de dissiper vos doutes sur ce point. Il se trouve que je suis son frère. Nous allons vivre chez notre oncle à Dras-Leona.

Les quatre rustres, perplexes, se consultèrent en silence. Trois d'entre eux reculaient déjà quand le plus costaud se planta devant Eragon pour lui souffler dans le nez :

– Je ne suis pas sûr de te croire, *l'ami*. Tu essaies de nous éloigner, hein ? Tu voudrais la garder pour toi.

« Il ne se trompe pas de beaucoup », songea Eragon. Et, baissant le ton pour ne s'adresser qu'au costaud, il plaida sa cause :

– Je vous en prie, Monsieur, je vous assure qu'elle est ma sœur. Je n'ai rien contre vous. Soyez gentil, allez-vous-en.

– Pas question, alors que tu me mens, moustique.

– Voyons, Monsieur, ne soyez pas déplaisant. Une querelle serait déplacée. La nuit est encore jeune, il y a à boire, de la musique. Ne nous battons pas pour un petit malentendu. Nous valons mieux que ça.

Au grand soulagement d'Eragon, le colosse se détendit et, après une pause, il grommela, méprisant :

– De toute façon, je ne me battrais pas contre un gamin comme toi.

Sur ces mots, il pivota et se propulsa vers le comptoir avec ses camarades.

Sans cesser de surveiller la foule, Eragon se glissa derrière la table pour s'asseoir à côté d'Arya.

– Qu'est-ce que tu fabriques ici ? demanda-t-il sans remuer les lèvres.

– Je te cherchais.

Surpris, il se tourna vers elle, la vit hausser un sourcil qui n'avait rien d'oblique, puis il reporta son attention sur la cohue, fit mine de sourire et demanda encore :

– Tu es toute seule ?

– Plus maintenant... Tu as pris un lit pour la nuit ?

Il fit non de la tête.

– Tant mieux. J'ai loué une chambre. Nous pourrons y discuter en paix.

Ils se levèrent de concert, et Eragon la suivit jusqu'à l'escalier situé au fond de la salle. Les marches usées grinçaient sous leurs pas tandis qu'ils montaient à l'étage. Sur le palier, une unique chandelle éclairait pauvrement le triste couloir au lambris de bois sombre. Arya le conduisit jusqu'à la dernière porte sur la droite ; elle tira une clé de son ample manche, ouvrit et entra. Dès qu'Eragon eut franchi le seuil de la pièce, elle referma derrière lui et verrouilla de nouveau.

Une pâle lueur orange filtrait par la fenêtre à résille de plomb. Elle provenait d'une lanterne située de l'autre côté de la place du village. Dans la quasi-obscurité, Eragon avisa une lampe à huile sur une table basse.

– Brisingr, murmura-t-il, et l'étincelle née de son doigt enflamma la mèche.

Même avec la lampe allumée, la chambre demeurait sombre. Le lambris d'un brun foncé, comme celui du couloir, absorbait la lumière, de sorte qu'on se sentait à l'étroit, oppressé. Le reste du mobilier se réduisait à un lit étriqué, avec une unique couverture, jetée à même le coutil du matelas. Dessus, il y avait un petit sac contenant des provisions.

Immobiles, Eragon et Arya se faisaient face. Enfin, il se décida à ôter le bandeau noué autour de sa tête ; elle détacha la broche qui retenait sa pèlerine sur ses épaules et posa le vêtement sur le lit. Elle portait une robe vert forêt, la première qu'il lui eût vue.

Étrange renversement de situation, elle avait les traits d'une humaine, et lui, d'un elfe. L'admiration qu'il lui vouait n'en était en rien diminuée. Il se sentait plus à l'aise en sa présence, elle lui semblait moins étrangère.

Ce fut Arya qui rompit le silence :

– Saphira nous a expliqué que tu étais resté sur place pour tuer le dernier Ra'zac et explorer Helgrind. C'est vrai ?

– En partie.

– Je pourrais connaître toute la vérité ?

Rien d'autre ne la satisferait, il le savait.

– Promets-moi que tu ne répéteras ce que je vais te confier à personne, du moins pas sans ma permission.

– Je te le promets, répondit-elle en ancien langage.

Eragon lui raconta alors comment il avait découvert Sloan et pourquoi il avait résolu de ne pas le ramener chez les Vardens ;

il lui exposa le sort auquel il avait condamné le boucher, la chance qu'il lui avait donnée de se racheter et de recouvrer la vue, avant de conclure :

– Quoi qu'il arrive, il ne faut pas que Roran et Katrina apprennent un jour qu'il est encore en vie. Cela causerait des dissensions à n'en plus finir.

Arya s'assit au bord du lit et fixa la flamme dansante de la lampe pendant un long moment. Enfin, elle déclara :

– Tu aurais dû le tuer.

– Sans doute, mais je n'ai pas pu.

– On ne recule pas devant une tâche sous prétexte qu'elle vous répugne. Tu t'es conduit en lâche.

Piqué au vif par cette accusation, Eragon se rebiffa :

– Tu crois ? Tuer Sloan était à la portée du premier venu armé d'un couteau. Ce que j'ai fait était de loin plus difficile.

– Physiquement, oui. Moralement, non.

– Je ne l'ai pas tué parce que ma conscience s'y opposait.

Le front plissé, Eragon se concentrait, cherchait les mots propres à justifier son choix :

– Je n'avais pas peur... non. Pas après l'expérience des batailles... C'est autre chose qui me retenait. Au combat, je tue. Seulement, je ne m'arrogerai pas de sang-froid le droit de vie et de mort sur autrui. Je n'ai ni l'expérience ni la sagesse requises... Chacun a ses limites et se trouve un jour devant une frontière qu'il ne franchira pas. J'ai trouvé la mienne quand j'ai posé les yeux sur Sloan dans son cachot. Même si Galbatorix était mon prisonnier, je ne le tuerais pas. Je le conduirais devant Nasuada ou devant le roi Orrin et, s'ils le condamnaient à mort, je lui trancherais la tête de bon cœur. Mais pas avant qu'on ne l'ait jugé. Appelle cela une faiblesse si tu veux, je suis fait comme ça et je ne m'en excuserai pas.

– Tu seras donc un instrument entre leurs mains ?

– Je servirai le peuple de mon mieux. Je n'ai jamais souhaité diriger. L'Alagaësia n'a pas besoin d'un nouveau tyran.

Arya se massa les tempes :

– Pourquoi tout est-il si compliqué avec toi, Eragon ?
Où que tu ailles, il faut que tu t'embourbes dans des situations
inextricables. À croire que tu as décidé de traverser tous les
ronciers de la Terre.

– Ta mère m'a tenu le même genre de discours.

– Cela ne me surprend pas... Je propose que nous laissions
la question de côté. Nous ne changerons d'opinion ni l'un
ni l'autre. Inutile de nous disputer à propos de justice et de
morale quand des affaires pressantes réclament notre attention.
À l'avenir cependant, tu ferais bien de ne pas oublier ce que tu
représentes pour les différentes races d'Alagaësia.

– Je ne l'oublie jamais.

Eragon marqua une pause, il attendait une réaction d'Arya,
qui ne releva pas. Il s'assit alors sur un coin de la table et déclara :

– Rien ne t'obligeait à partir à ma recherche, tu sais. Je me
débrouillais très bien.

– Si, j'y étais obligée.

– Comment m'as-tu retrouvé ?

– J'ai deviné quel chemin tu emprunterais depuis Helgrind.
Par chance, mes estimations m'ont amenée à quarante miles
d'ici, suffisamment près pour que je parvienne à te localiser en
écoutant les murmures du paysage.

– Je ne comprends pas.

– Un Dragonnier ne passe pas inaperçu en ce monde,
Eragon. Ceux qui ont des oreilles et des yeux interprètent les
signes sans difficulté. Les oiseaux chantent à ton approche,
les animaux terrestres repèrent tes traces, les arbres et les plantes
se souviennent de ton contact. Le lien entre un Dragonnier et
son dragon est si puissant que les êtres sensibles aux forces de la
nature le détectent.

– Il faudra un jour que tu m'enseignes ton truc.

– Mon *truc*, c'est tout simplement l'art de prêter attention
à ce qui m'entoure.

– Ça ne me dit pas pourquoi tu es à Eastcroft. Il aurait été
plus prudent que tu me rejoignes en dehors du village.

– J'ai été victime des circonstances. Comme toi, je présume. Tu n'es pas venu ici de ton plein gré, n'est-ce pas ?

– Non...

Il roula des épaules pour chasser la fatigue du voyage et l'envie de dormir puis, d'un geste vague, il désigna sa robe :

– Aurais-tu renoncé à la chemise et au pantalon ?

Un sourire se dessina sur les lèvres d'Arya :

– Juste pour la durée du trajet. Je vis parmi les Vardens depuis une éternité, pourtant, il m'arrive encore d'oublier à quel point les humains tiennent à distinguer leurs hommes de leurs femmes. Je n'ai jamais pu me plier à vos coutumes, même si je ne me conduis pas tout à fait comme une elfe. Qui me le reprocherait, hein ? Ma mère ? Elle est à l'autre bout de l'Alagaësia.

Arya se reprit, comme si elle en avait trop dit, puis elle enchaîna :

– Quoi qu'il en soit, j'avais à peine quitté le camp des Vardens que j'ai fait une rencontre fâcheuse avec une paire de bouviers. Après quoi, j'ai volé cette robe.

– Elle te va bien.

– Privilège des magiciennes. Pas besoin d'attendre la couturière.

Eragon rit, puis demanda :

– Quel est le plan ?

– Nous nous reposons. Demain, avant l'aube, nous filerons d'ici à l'insu de tous.

Eragon passa la nuit devant la porte ; Arya occupait le lit. C'était une mesure de prudence plus qu'une marque de déférence ou de galanterie de la part du jeune Dragonnier, qui aurait de toute façon insisté pour le lui laisser. En cas de visite intempestive, l'intrus aurait trouvé bizarre de voir une femme couchée par terre.

Les heures mornes et vides se traînaient, Eragon fixait les poutres au-dessus de sa tête, en suivait les fissures sans réussir à calmer son esprit enfiévré. Il essaya toutes les méthodes qu'il connaissait pour se détendre. En vain. Ses pensées revenaient sans cesse à Arya, à la surprise que leur rencontre lui avait causée, aux commentaires dont elle l'avait gratifié sur sa manière de traiter Sloan et, surtout, à ses sentiments pour elle. Comment les définir au juste ? Il n'en avait aucune idée. Il brûlait d'être à son côté, mais elle avait repoussé ses avances, le blessant dans son affection, désormais teintée de rancœur. De frustration, aussi, car, s'il se refusait à perdre tout espoir, il ne savait comment procéder pour tenter d'obtenir gain de cause.

La douleur lui serrait le cœur tandis qu'il écoutait la calme respiration d'Arya. Sa proximité le troublait, et il ne pouvait l'approcher. Contraint à l'inaction par la force des choses, il triturait le bord de sa tunique, incapable de se résigner à un sort dont il ne voulait pas.

Il se débattit avec ses émotions en révolte jusque tard dans la nuit. Enfin, l'épuisement eut raison de lui, et il sombra dans l'étreinte de ses rêves pour quelques heures d'errance incertaine entre veille et sommeil. Puis les étoiles pâlirent. Le moment était venu pour Arya et lui de quitter Eastcroft.

Ensemble, ils ouvrirent la fenêtre, grimpèrent sur le rebord et sautèrent au sol, douze pieds plus bas, une bagatelle lorsqu'on possédait les capacités d'un elfe. Arya serrait sa jupe contre elle pour éviter qu'elle gonfle et se soulève. Ils atterrirent côte à côte et partirent en courant le long des ruelles pour gagner la palissade.

— Les gens vont se demander où nous sommes passés, observa Eragon entre deux foulées. Nous aurions dû attendre et repartir comme des voyageurs ordinaires.

— Trop risqué. L'aubergiste ne s'inquiétera pas de notre départ. J'ai payé ma chambre, peu lui importe le reste.

Ils se séparèrent quelques instants pour contourner un chariot, puis Arya ajouta :

— Le plus important, c'est de rester en mouvement. Si nous traînons en route, le roi nous retrouvera à coup sûr.

Lorsqu'ils atteignirent la palissade, Arya la longea jusqu'à un poteau qui dépassait un peu. Elle le prit entre ses mains, tira dessus, s'assura qu'il supporterait son poids. Le poteau remuait et cognait contre ses voisins, mais il tenait bon.

– Toi d'abord, Eragon.

– Je t'en prie. Passe devant.

Elle eut un soupir agacé :

– Je porte une robe, pas un pantalon !

Gêné, il s'empourpra, agrippa le poteau et grimpa en s'aidant des genoux et des pieds. Parvenu en haut, il se hissa en équilibre sur les piques des fortifications.

– Ne reste pas là, vas-y ! l'encouragea Arya à voix basse.

– Non, je t'attends.

– Ne sois donc pas si...

– Veilleur en vue ! coupa-t-il en montrant du doigt une lanterne qui flottait dans l'obscurité entre deux maisons.

À mesure que la lumière se rapprochait, la silhouette dorée d'un homme tenant une épée nue émergea des ténèbres.

Aussi silencieuse qu'un spectre, Arya rejoignit Eragon, grimpant à la force des bras. Elle s'élevait sans effort, comme par enchantement. Lorsqu'elle fut suffisamment proche, il lui prit le poignet et la tira auprès de lui. Perchés au sommet de la palissade tels deux étranges oiseaux, ils retenaient leur souffle, immobiles tandis que le veilleur passait à leurs pieds, balançant sa lanterne et guettant d'éventuels intrus.

« Surtout, ne lève pas les yeux », supplia mentalement Eragon.

Quelques instants plus tard, le veilleur remit l'épée dans son fourreau et reprit sa ronde en fredonnant.

Sans un mot, Eragon et Arya sautèrent de l'autre côté. L'armure du garçon tinta dans sa hotte lorsqu'il toucha le sol et se laissa rouler dans l'herbe pour amortir le choc. D'un bond, il se redressa et fila loin d'Eastcroft pour se fondre dans la grisaille, Arya sur ses talons. Courbés en deux, ils coururent le long des fossés et des lits de ruisseaux à sec le temps de dépasser les fermes qui entouraient le village. À plusieurs reprises, des chiens indignés foncèrent vers eux en donnant de la voix, prêts à défendre leur territoire contre les envahisseurs. Eragon arrivait à les calmer en leur disant par télépathie qu'Arya et lui fuyaient leurs terribles mâchoires. Tout fiers de leur succès et remuant la queue, les molosses regagnaient la niche, la grange, le porche où ils montaient la garde sur leur fief. « Quelle suffisance ! songea Eragon, amusé. Ils ne doutent vraiment de rien. »

À cinq miles d'Eastcroft, lorsqu'ils furent certains que personne ne les avait suivis, ils s'arrêtèrent près d'une souche noircie par le feu. Arya creusa le sol meuble devant elle et dit :

– Adurna rïsa.

Avec un léger glouglou, l'eau monta des profondeurs pour emplir la petite cuvette. Dès qu'elle fut remplie, Arya interrompit le flux d'un « Letta » et entonna une incantation. Bientôt, le visage de Nasuada apparut à la surface de l'eau. L'elfe la salua.

– Ma Dame, murmura Eragon en s'inclinant.

– Eragon, répondit-elle.

Les joues creuses, les traits tirés, elle semblait se remettre d'une longue maladie. Une mèche de cheveux s'échappa de son chignon pour s'enrouler sur son front. Tandis que Nasuada remettait la boucle rebelle en place et la lissait, Eragon remarqua les gros pansements qu'elle avait au bras.

– Tu n'as pas de mal, Gokukara soit louée ! s'exclama-t-elle. Nous étions très inquiets.

– Je regrette de vous avoir causé des soucis, mais j'avais mes raisons.

– Tu m'expliqueras ça à ton retour.

– Comme tu veux. D'où te viennent tes blessures ? Quelqu'un t'a attaquée ? Pourquoi ne te fais-tu pas soigner par un membre du Du Vrangr Gata ?

– Je leur ai demandé de me laisser tranquille. Je te raconterai quand tu seras là.

Perplexe, Eragon hocha la tête et ravala le reste de ses questions.

– Arya, tu m'impressionnes. Je n'étais pas sûre que tu le retrouverais.

– La chance m'a souri.

– Peut-être. J'incline cependant à croire que tes talents y sont pour autant que ta bonne fortune. Dans combien de temps pensez-vous nous rejoindre ?

– Deux à trois jours si nous ne rencontrons pas de difficultés.

– Très bien. Je vous attends. D'ici là, je tiens à ce que vous me contactiez au moins matin et soir. Si je n'ai pas de nouvelles, j'en déduirai qu'on vous a capturés, et j'enverrai Saphira avec des renforts pour vous délivrer.

– Nous ne serons peut-être pas toujours en mesure d'utiliser la magie.

– Débrouillez-vous. J'ai besoin de savoir où vous êtes et de m'assurer que tout va bien.

Arya réfléchit un moment.

– Bien. Je m'y emploierai. Tant que cela ne risque pas de mettre Eragon en danger.

– Parfait.

– Nasuada ? intervint le jeune homme, profitant de la pause. Est-ce que Saphira est dans les parages ? J'aimerais lui parler... Nous n'avons pas eu de contact depuis Helgrind.

– Elle est sortie il y a une heure pour surveiller les alentours. Si vous pouvez maintenir l'enchantement, je vais voir si elle est rentrée.

– Va, dit Arya.

En deux pas, Nasuada avait quitté leur champ de vision, laissant derrière elle l'image statique de la table et des sièges à l'intérieur de la tente rouge. Eragon étudia ce décor pendant un long moment, puis, pour tromper son impatience, il laissa son regard vagabonder sur la nuque d'Arya, dont l'épaisse chevelure noire tombait d'un côté, découvrant une bande de peau satinée au-dessus de son col. Ce détail retint son attention pendant une bonne minute. Enfin, il s'arracha à sa fascination et s'adossa contre la souche brûlée.

Dans un fracas de bois brisé, une chape d'écailles bleues scintillantes recouvrit la surface de l'eau : Saphira forçait l'entrée de la tente. Eragon n'aurait su dire quelle partie minuscule de son corps il voyait. Les écailles défilèrent, il aperçut le dessous d'une cuisse, un piquant de la queue, la membrane lâche d'une aile repliée, puis le bout d'un croc luisant tandis qu'elle se tournait et se retournait en quête d'une position confortable qui lui permette de voir dans le miroir que Nasuada utilisait pour les communications magiques. Aux bruits inquiétants que produisaient ses mouvements, Eragon devina qu'elle écrasait le mobilier. Finalement, elle trouva sa place et approcha la tête du miroir ; un grand œil de saphir remplit alors la mare que fixait son Dragonnier.

Ils se regardèrent toute une minute, sans un mot, sans un geste. Eragon éprouvait un vif soulagement qui le surprit lui-même. Depuis qu'ils étaient séparés, il ne se sentait pas tranquille.

— Tu m'as manqué, murmura-t-il.

Elle répondit d'un battement de paupières.

— Nasuada ? Tu es toujours là ?

De quelque part à droite de Saphira, la réponse lui parvint, lointaine, étouffée :

— Plus ou moins.

— Tu veux bien me transmettre les remarques de Saphira ?

— Avec plaisir. Mais, pour le moment, je suis coincée entre une aile de dragon et un poteau, je ne peux pas me dégager, il n'y a pas une once d'espace. Tu auras sans doute du mal à m'entendre. Si cela ne t'ennuie pas trop, je vais tout de même essayer.

— Pas de problème.

Il y eut un bref silence. Quand Nasuada reprit, son intonation était si semblable à celle de Saphira qu'Eragon faillit en rire.

— Tu vas bien, petit homme ?

– Très. Comme un bœuf au pré. Et toi ?

– Je ne me ferais pas l'insulte de me comparer à un bovin, ce serait ridicule, mais je suis en excellente forme, si c'est là ce que tu veux savoir. Et je me réjouis qu'Arya soit avec toi. Il est bon que tu aies quelqu'un de raisonnable à ton côté pour surveiller tes arrières.

– Je ne le nie pas. Toute aide est précieuse quand le danger menace.

Eragon appréciait cette chance d'échanger quelques mots avec Saphira, encore que par personne interposée. Il trouvait toutefois le langage trop restrictif comparé à la libre transmission des pensées et des émotions dont ils usaient lorsqu'ils étaient ensemble. De plus, comme Arya et Nasuada écoutaient leur conversation, il hésitait à poser des questions d'ordre plus personnel, à lui demander, par exemple, si elle lui avait pardonné de l'avoir obligée à quitter Helgrind sans lui. Saphira devait partager ses réticences, car elle s'abstint aussi d'aborder ce sujet. Ils discutèrent de petites choses sans importance, et ils se dirent au revoir. Avant de s'écarter de la mare, Eragon posa un doigt sur ses lèvres et articula en silence : « Je suis désolé. »

Les fines écailles qui entouraient l'œil de la dragonne frémirent de manière à peine perceptible. Lentement, très lentement, sa paupière cligna : elle avait compris son message, elle ne lui en voulait pas.

Dès qu'Arya et lui eurent pris congé de Nasuada, l'elfe rompit l'enchantement. Du dos de la main, elle épousseta sa robe. Pendant ce temps, Eragon piaffait. Il mourait d'impatience de rejoindre Saphira pour se lover contre elle devant un feu de camp.

– En route ! lança-t-il.

L'elfe ne s'était pas relevée qu'il partait déjà.

10
UNE AFFAIRE DÉLICATE

Roran souleva le bloc rocheux du sol ; les muscles de son dos saillaient et ondoyaient. Il cala un instant l'énorme pierre contre ses cuisses, puis, grognant sous l'effort, il la hissa au-dessus de sa tête. Bras tendus, il la tint là-haut pendant une bonne minute, jusqu'à ce que ses épaules tremblent et menacent de céder sous le poids. Alors, il lança le bloc, qui atterrit avec un bruit sourd et s'enfonça de plusieurs pouces.

Autour de lui, vingt guerriers vardens s'échinaient à soule-ver des pierres de taille similaire. Deux seulement y par-vinrent ; les autres se rabattirent sur les spécimens moins lourds auxquels ils étaient habitués. Roran se réjouissait d'avoir acquis assez de force au cours des années de travaux à la ferme et des mois passés à la forge de Horst pour ne pas se ridiculiser face à des hommes qui s'exerçaient au maniement des armes depuis l'âge de douze ans.

Il secoua les bras pour en chasser le feu, prit quelques grandes inspirations, goûta la fraîcheur de l'air sur son torse, puis il se massa l'épaule droite, en pétrit la masse musculaire et l'explora, constatant une fois encore qu'il ne gardait aucune trace de la morsure du Ra'zac. Il sourit, ravi d'être guéri, comme neuf, miracle tout aussi improbable que de voir une vache danser la gigue.

Un cri de douleur attira son attention sur Albriech et Baldor. Ils faisaient assaut avec Lang, le vétéran au teint mat couturé de cicatrices qui enseignait les arts du combat. Celui-ci tenait ses deux adversaires en échec ; de son épée d'entraînement en bois, il avait désarmé Baldor, l'avait frappé de taille à la poitrine et touché Albriech à la jambe, d'un coup si brutal qu'il l'avait envoyé au sol, tout cela en l'espace de quelques secondes. Roran compatissait. Il sortait lui-même d'une telle séance d'escrime et avait récolté quelques bleus pour ajouter à ceux qui lui restaient de Helgrind. Savoir manier une lame pouvait rendre service en cas de besoin, même s'il préférait le marteau. L'épée demandait trop de finesse, alors qu'avec un bon coup assené sur le poignet du plus fin bretteur, qu'il soit ou non en armure, l'adversaire était trop occupé avec ses os brisés pour songer à se défendre.

Après la bataille des Plaines Brûlantes, Nasuada avait invité les villageois de Carvahall à se joindre aux Vardens. Tous avaient accepté son offre. Ceux qui l'auraient refusée avaient déjà choisi de rester au Surda quand le groupe avait fait halte à Dauth avant de poursuivre son chemin. Les hommes avaient troqué leurs lances et leurs boucliers de fortune contre des armes dignes de ce nom et s'étaient employés à devenir les égaux des autres guerriers d'Alagaësia. La vie était rude dans la vallée de Palancar. La pratique de l'épée demandait moins d'efforts que de fendre le bois, labourer la terre ou biner les betteraves au plus chaud de l'été. Les artisans continuaient d'exercer leur profession au service des Vardens, ce qui ne les empêchait pas de s'entraîner aux arts martiaux dans leur temps libre ; tous étaient censés se battre le moment venu.

Depuis son retour de Helgrind, Roran s'exerçait avec assiduité, car, pour protéger les villageois et Katrina, le seul moyen consistait à aider les Vardens afin qu'ils triomphent de l'Empire et renversent Galbatorix. Il n'avait certes pas l'outrecuidance de croire qu'à lui seul il infléchirait la balance en leur faveur, mais il ne doutait pas de ses capacités de changer le cours des évènements ; en y mettant du sien, il pouvait accroître les chances de victoires de son camp. Pour cela, il lui fallait rester en vie, donc entretenir son corps et maîtriser les instruments et techniques de la guerre afin de ne pas tomber sous les coups de soldats plus expérimentés.

En traversant le terrain d'entraînement pour regagner la tente qu'il partageait avec Baldor, Roran passa près d'une bande herbeuse longue de soixante pieds sur laquelle se trouvait un tronc long de vingt, débarrassé de son écorce et lissé par le frottement quotidien de milliers de mains. Sans ralentir l'allure, Roran le souleva par un bout jusqu'à le redresser. Il le fit alors basculer, souleva l'autre extrémité et recommença par deux fois.

N'ayant pas l'énergie de le retourner une quatrième fois, il partit au petit trot à travers le dédale des tentes de toile grise, saluant Loring, Fisk et autres connaissances de la main, répondant aux inconnus qui lui lançaient avec chaleur :

– Salut à toi, Puissant Marteau.

Cela lui faisait toujours drôle d'être reconnu par des gens qu'il n'avait jamais rencontrés. Quelques minutes plus tard, il arriva devant la tente qui était devenue son domicile, y pénétra, puis rangea l'arc, le carquois de flèches et l'épée courte que les Vardens lui avaient donnés.

Il récupéra l'outre d'eau près de son lit, ressortit au soleil, la déboucha et s'en versa le contenu sur les épaules et le dos. Il se baignait rarement, mais, aujourd'hui était un grand jour ; il tenait à être impeccable. Avec un grattoir de bois poli, il ôta la crasse de ses bras et de ses jambes, il se cura les ongles, puis il se peigna et tailla sa barbe.

Lorsqu'il fut présentable, il passa sa tunique lavée de frais et glissa son marteau dans sa ceinture. Il s'apprêtait à repartir quand il remarqua que Birgit l'observait de derrière le coin de la tente, les deux mains crispées sur une dague dans son fourreau.

Roran s'immobilisa, prêt à dégainer son marteau à la moindre provocation. Il se savait en danger de mort et, malgré ses exploits, il n'était pas certain de vaincre Birgit si elle l'attaquait ; comme lui, elle poursuivait ses ennemis avec une détermination féroce.

— Tu m'as un jour demandé de t'aider, dit-elle. J'ai accepté, parce que je voulais retrouver ce Ra'zac et le tuer pour avoir dévoré mon mari. N'ai-je pas tenu parole ?

— Si.

— Tu n'as pas oublié qu'à la mort des Ra'zacs tu me devrais à ton tour réparation pour la mort de Quimby dont tu es responsable ?

— Je ne l'oublie pas.

Birgit serrait le manche du poignard si fort que les tendons de ses poings saillaient. La dague sortit de son fourreau, découvrant un pouce d'acier luisant, puis reprit lentement sa place.

— Parfait. Je voulais te rafraîchir la mémoire. *J'exige* réparation, fils de Garrow. Et je l'obtiendrai, n'en doute pas une seconde.

Sur ces mots, elle s'en fut d'un pas décidé, la dague cachée dans les plis de sa robe.

Avec un soupir, Roran s'assit sur un tabouret qui se trouvait là et se frotta la gorge, soulagé d'avoir échappé à Birgit, dont il était certain qu'elle allait l'étriper. Cette visite l'avait troublé sans pour autant le surprendre ; depuis des mois, avant même leur départ de Carvahall, il savait qu'il lui faudrait un jour régler sa dette envers elle.

179

Un corbeau planait dans les airs. Il suivit son vol des yeux et sourit, de meilleure humeur. « Bah ! Il est rare qu'on connaisse le jour et l'heure de sa mort. Je risque d'être tué en permanence, et je n'y peux absolument rien. Qui vivra verra. Je refuse de gâcher mon temps sur Terre à m'inquiéter. Le malheur s'abat toujours sur ceux qui l'attendent. L'astuce, c'est de chercher le bonheur dans les brefs intervalles entre deux désastres. Birgit agira selon sa conscience, je m'en débrouillerai le moment venu. »

Avisant une pierre jaune à côté de son pied gauche, il la ramassa, la fit rouler entre ses doigts, puis il se concentra de toutes ses forces et dit :

— Stenr rïsa !

Immobile sur sa paume, la pierre ignora l'ordre. Déçu, il renifla et la lança au loin avant de se lever.

Tout en se dirigeant vers le nord entre les rangées de tentes, il s'escrimait sur le lacet de son col pour démêler un nœud récalcitrant. Il renonça en arrivant devant la tente de Horst, deux fois plus grande que la plupart des autres.

— Il y a quelqu'un ? lança-t-il en frappant contre le poteau entre les deux rabats de l'entrée.

Katrina sortit en trombe dans un nuage de cheveux roux et noua les bras à son cou. En riant, il la saisit par la taille, la souleva de terre et la fit tourner ; il ne voyait plus que son visage, tout était flou autour d'eux. Enfin, il la déposa doucement. Elle planta un, deux, trois baisers sur ses lèvres. Immobile, il plongea son regard dans le sien. Jamais il n'avait été plus heureux.

— Tu sens bon, murmura-t-elle.

— Comment vas-tu ?

Seule ombre à sa joie, l'emprisonnement l'avait laissée si pâle et amaigrie qu'il en aurait ressuscité les Ra'zacs pour leur faire subir les tortures qu'ils avaient infligées à son père et à sa fiancée.

— Tu me demandes la même chose tous les jours, et, tous les jours, je te réponds : « Mieux. » Sois patient, je me remettrai. Il faut un peu de temps. Le meilleur remède, c'est d'être ici au soleil avec toi. Tu n'imagines pas le bien que ça me fait.

— Ma question ne concernait pas que ça.

Katrina rosit et renversa la tête en arrière, les lèvres retroussées en un sourire espiègle.

— Quelle audace, Monsieur ! Vous abusez ! Il vaudrait sans doute mieux que je ne reste pas seule avec vous de crainte que vous ne preniez des libertés.

Cette plaisanterie calma les inquiétudes de Roran :

— Des libertés, hein ? Eh bien, puisque tu me considères déjà comme un voyou, pourquoi ne m'offrirais-je pas le plaisir de quelques *libertés* ?

Et il l'embrassa, jusqu'à ce qu'elle en perde le souffle et rompe leur baiser. Elle resta cependant blottie dans son étreinte.

– Oh, haleta-t-elle. Il est difficile de lutter contre tes arguments, Roran Puissant Marteau.

– Certes, certes.

Il eut un signe de tête en direction de la tente, baissa le ton et ajouta :

– Elain est au courant ?

– Elle le serait si sa grossesse ne lui causait pas tant de soucis. Les fatigues du voyage depuis Carvahall l'ont éprouvée, elle risque de perdre l'enfant. Elle souffre de nausées chroniques et de douleurs qui... disons que ce n'est pas bon signe. Gertrude s'occupe d'elle sans parvenir à la soulager. Quoi qu'il en soit, plus vite Eragon sera de retour, mieux cela vaudra. J'ai peur de ne pas pouvoir garder ça secret très longtemps.

– Tout se passera bien, ne te bile pas.

Il la relâcha et tira sur le bas de sa tunique pour en ôter les plis :

– Comment tu me trouves ?

Katrina l'examina d'un œil critique. Elle humecta le bout de ses doigts et lui lissa les cheveux en arrière. Puis elle remarqua le nœud à son encolure et entreprit de le défaire :

– Il faut que tu fasses plus attention à tes vêtements.

– Pourquoi ? Ils n'essaient pas de me tuer, que je sache.

– Les choses ont changé, Roran. Tu es le cousin d'un Dragonnier à présent. Tu dois avoir de l'allure. Ça compte pour les gens.

Il la laissa rectifier de menus détails jusqu'à ce qu'elle soit satisfaite de sa tenue, lui dit au revoir et l'embrassa, puis il repartit vers le centre de l'immense campement varden et la tente de commandement rouge de Nasuada. À son sommet, l'oriflamme portant un écu noir souligné de deux épées parallèles claquait sous un chaud vent d'est.

Les six gardes qui en surveillaient l'entrée – deux humains, deux nains et deux Urgals – lui barrèrent le passage de leurs armes, et l'un des Urgals, une brute colossale aux dents jaunes, gronda :

– Qui va là ?

Il avait un tel accent qu'on peinait à comprendre ses paroles.

– Roran Puissant Marteau, fils de Garrow. Dame Nasuada m'a convoqué.

Frappant du poing le plastron de sa cuirasse, qui résonna comme un gong, l'Urgal annonça :

– Roran Puissant Marteau demande audience auprès de Dame Qui-Marche-La-Nuit !

– Qu'il entre, répondit cette dernière.

Les guerriers relevèrent leurs épées, et Roran passa devant eux. Prudents, ils s'observaient avec le froid recul de ceux qui peuvent être amenés à se combattre d'un moment à l'autre.

Une fois sous la tente, Roran s'inquiéta de voir la majeure partie du mobilier renversée et brisée. Seuls un miroir monté sur un piquet et le siège imposant qu'occupait Nasuada étaient intacts. Ignorant le saccage, il mit un genou à terre et s'inclina.

Par son physique, par son attitude, Nasuada était si différente des femmes auprès desquelles Roran avait grandi qu'il ne savait quelle conduite adopter. Elle lui semblait distante, autoritaire, avec sa robe brodée et les chaînettes d'or qui ornaient ses cheveux, sa peau sombre aux reflets cuivrés sous la lumière filtrée par les parois rouges de la tente. En contraste flagrant avec sa tenue princière, des bandages de lin lui enveloppaient les avant-bras, témoins de son extraordinaire courage pendant l'Épreuve des Longs Couteaux. On ne parlait que de cela dans le camp des Vardens depuis qu'il était rentré avec Katrina, et c'était bien la seule facette de sa personnalité que Roran avait le sentiment de comprendre. Lui aussi était prêt à tous les sacrifices pour protéger les siens. Le reste était affaire de proportions : alors qu'il se dévouait pour sa famille et son village, elle était responsable de plusieurs milliers de personnes.

– Relève-toi, je te prie, dit Nasuada.

Il obéit et, une main posée sur la tête de son marteau, il patienta tandis qu'elle l'examinait.

– Ma position ne m'autorise guère le luxe de m'exprimer en termes clairs et francs. Je te parlerai pourtant sans détour, car tu me parais être du genre carré, et nous avons beaucoup à discuter en peu de temps.

— Je vous en sais gré, Dame Nasuada. Je n'ai jamais aimé jouer avec les mots.

— Parfait. Pour ne rien te cacher, tu me poses deux problèmes qu'il ne m'est pas si facile de résoudre.

Il fronça les sourcils :

— Quels problèmes ?

— L'un d'ordre psychologique, et l'autre, politique. Tes exploits dans la vallée de Palancar et pendant ta fuite avec ceux de ton village relèvent de l'impossible. À ce qu'on m'a rapporté, tu as l'âme téméraire, des dons pour le combat, la stratégie, et celui d'entraîner les autres à ta suite et de leur inspirer une loyauté indéfectible.

— Indéfectible... Ils m'ont certes suivi, mais ils n'ont pas cessé de douter de moi.

— Peut-être, répondit Nasuada en souriant. Il n'empêche que tu les as conduits jusqu'ici. Tu possèdes des talents de grande valeur, Roran, des talents qui seraient bien utiles aux Vardens. Je présume que tu souhaites servir notre cause ?

— Oui.

— Comme tu le sais, Galbatorix a divisé son armée et envoyé des troupes au sud pour renforcer la ville d'Aroughs, à l'ouest vers Feinster et au nord vers Belatona. Il espère ainsi prolonger la bataille, nous disperser, nous épuiser et nous saigner à blanc. Jörmundur et moi ne pouvons pas être sur douze fronts à la fois. Nous avons besoin de capitaines dignes de confiance pour prendre en charge les myriades de conflits qui éclatent autour de nous. En cela, tu nous serais d'une aide précieuse. Seulement, voilà...

Elle s'interrompit. Il termina pour elle :

— Seulement vous n'êtes pas sûrs de pouvoir compter sur moi.

— Exact. Défendre sa famille, ses amis donne du cran. Je me demande comment tu t'en tirerais sans eux. Serais-tu aussi brave ? Et puis, tu as prouvé que tu étais un meneur, mais sais-tu obéir aux ordres ? Je ne dis pas cela pour te déprécier, Roran. Le sort de l'Alagaësia est en jeu et je ne veux pas prendre le risque de mettre un incompétent à la tête de mes hommes. La guerre ne pardonne pas ce genre d'erreur. D'autre part, si je te plaçais à un poste de commandement sans de solides raisons, ce serait injuste envers les hommes qui ont rejoint les Vardens de longue date. Il te faut mériter tes galons parmi nous.

– Je comprends. Quelle tâche êtes-vous prête à me confier ?

– Hélas, ce n'est pas si simple. Eragon et toi êtes presque frères, ce qui complique singulièrement les choses. Comme tu ne l'ignores pas, en Eragon reposent tous nos espoirs. Il est donc capital de lui éviter les soucis afin qu'il concentre son énergie sur sa tâche. Suppose que je t'envoie en mission et que tu meures au combat, il me le reprocherait ; le deuil et la colère pourraient le déstabiliser. Cela s'est déjà produit, je l'ai vu de mes yeux. De plus, il me faut choisir avec soin celui qui sera ton supérieur, car certains chercheraient à t'influencer en raison de tes relations privilégiées avec Eragon. À présent, tu as une idée globale des questions qui se posent à moi. Quel est ton avis ?

– Si le pays entier est en jeu et que la guerre se dispute sur tous les fronts comme vous le laissez entendre, il vaudrait mieux pour vous que je ne reste pas dans mon coin à me tourner les pouces. M'employer comme simple soldat ne serait guère plus efficace. J'imagine que vous le savez déjà. Quant à la politique... – il haussa les épaules – peu m'importe sous les ordres de qui vous me placerez. Personne n'obtiendra les faveurs d'Eragon par mon entremise. Je n'ai qu'un but, renverser l'Empire pour que les miens puissent rentrer chez eux et vivre en paix.

– Tu es déterminé.

– Très. Et si vous m'autorisiez à commander les hommes de Carvahall ? Nous sommes comme les doigts de la main, nous faisons du bon travail ensemble. Ainsi, vous me mettrez à l'épreuve et, si j'échoue, les Vardens n'en souffriront pas.

Elle secoua la tête :

– Non. À l'avenir, peut-être, mais pas encore. D'abord, ils ont besoin d'un entraînement sérieux. Ensuite, je ne serai pas en mesure de juger tes résultats si tu es entouré par un groupe d'une telle loyauté qu'à ta requête ces gens ont quitté leur foyer pour traverser l'Alagaësia.

« Elle me considère comme une menace ! Mon ascendant sur les villageois l'inquiète. Elle se méfie de moi. » Il tenta de la rassurer :

– Leur bon sens les guidait aussi. Ils savaient bien que rester dans la vallée était de la folie.

– Cela ne suffit pas à expliquer leur conduite, Roran.

– Que voulez-vous de moi, Dame Nasuada ? Me permettrez-vous de servir, ou pas ? Et, si oui, comment ?

– Voilà ce que je te propose. Ce matin, mes magiciens ont détecté une patrouille de vingt-trois soldats de Galbatorix à l'est d'ici. J'envoie un contingent commandé par Martland Barbe Rouge, comte de Thun, pour les anéantir et faire un repérage sur place. Si tu es d'accord, tu seras sous les ordres de Martland. Tu l'écouteras, tu lui obéiras, et tu apprendras à son contact. De son côté, il t'observera et me dira s'il juge que tu mérites une promotion. Martland a beaucoup d'expérience et j'ai toute confiance en son opinion. Cela te paraît raisonnable, Roran Puissant Marteau ?

– Très. J'ai cependant une question : quand partirais-je et pour combien de temps ?

– Tu partirais aujourd'hui même pour revenir dans une quinzaine de jours.

– En ce cas, puis-je vous demander d'attendre et de m'affecter à une autre expédition ? Je souhaiterais être là au retour d'Eragon.

– Un louable signe d'attachement à ton cousin, j'en conviens. Hélas, les évènements se précipitent et nous obligent à agir sans tarder. Dès que j'aurai des nouvelles d'Eragon, bonnes ou mauvaises, je te les ferai transmettre par un membre du Du Vrangr Gata.

Roran effleurait du pouce l'arête de son marteau, cherchant des arguments propres à convaincre Nasuada de revenir sur sa décision sans pour autant trahir son secret. La tâche se révéla impossible, et il se résigna à avouer la vérité :

— Je m'inquiète pour Eragon, c'est vrai, mais il est à même de se défendre mieux que personne. Si je tiens à rester, ce n'est pas pour m'assurer qu'il est entier et en bonne forme.

— Pourquoi, alors ?

— Parce que Katrina et moi aimerions qu'il nous marie.

Nasuada pianota du bout des ongles sur les accoudoirs de son siège, produisant un chapelet de cliquetis agacés.

— Si tu espères te prélasser au lieu de prêter main-forte aux Vardens pour que Katrina et toi profitiez de votre nuit de noces **avec** quelques jours d'avance, tu te trompes, Roran.

— C'est assez urgent, Dame Qui-Marche-La-Nuit.

Les doigts de Nasuada cessèrent leur pianotage et ses yeux se plissèrent :

— Si urgent que ça ?

— Plus vite nous serons mariés, mieux cela vaudra pour l'honneur de Katrina. Vous me connaissez un peu, vous savez que je ne briguerais pas de faveurs pour moi-même.

La lumière dansa sur ses traits tandis qu'elle penchait la tête :

— Je vois... Pourquoi Eragon ? Pourquoi ne pas demander à un autre de vous marier ? Un ancien du village, par exemple ?

— Parce qu'il est mon cousin, que nous sommes très proches, et parce qu'il est Dragonnier. Katrina a presque tout perdu à cause de moi : sa maison, son père, sa dot. Faute de pouvoir les lui rendre, je veux lui offrir un mariage dont elle se souvienne. Sans or et sans troupeau, impossible de payer une cérémonie fastueuse. Il me fallait donc trouver un moyen pour que ce jour soit mémorable, et rien ne serait plus grandiose que d'être unis par un Dragonnier.

Nasuada demeura si longtemps silencieuse que, dans l'incertitude, Roran songeait à se retirer. Enfin, elle déclara :

— Ce serait un honneur, en effet, que d'être mariés par un Dragonnier. Il serait toutefois bien triste que Katrina te prenne pour époux sans une dot digne de ce nom. Pendant mon séjour à Tronjheim, les nains m'ont couverte d'or et de bijoux. J'en ai déjà vendu afin de financer les Vardens. Ce qu'il m'en reste suffirait à parer une femme de satin et de vison pendant des lustres. Si tu acceptes, j'en fais don à Katrina.

Surpris, Roran s'inclina bien bas :

– Vous êtes très généreuse, Dame Nasuada. Comment vous en remercier, pauvre hère que je suis ?

– En te battant pour les Vardens comme tu t'es battu pour Carvahall.

– Je vous en donne ma parole. Galbatorix maudira le jour où il a lancé ses Ra'zacs contre moi.

– Je suis certaine qu'il le maudit déjà. À présent, va. Tu es autorisé à rester au campement jusqu'à ce qu'Eragon rentre et te marie à Katrina. Cela étant, dès le lendemain matin, tu seras en selle.

11
SANG DE LOUP

« Quel homme fier, songea Nasuada en regardant Roran quitter la tente, et comme c'est curieux. Eragon et lui se ressemblent, tout en ayant des personnalités très différentes. Eragon a beau être l'un des guerriers les plus redoutables d'Alagaësia, il n'a rien de dur ni de cruel. Roran est fait d'une étoffe plus rude. Si par malheur un jour il devait encourir ma colère, je serais obligée de me débarrasser de lui. »

Après s'être assurée que ses pansements étaient encore frais, elle sonna Farica et commanda un repas. Lorsque la servante eut apporté la nourriture et se fut retirée, Nasuada appela Elva, qui sortit de sa cachette derrière les doubles tentures. Ensemble, elles partagèrent une collation rituelle de milieu de matinée.

Nasuada passa les heures qui suivirent à examiner les derniers rapports d'inventaire, à calculer le nombre de convois de chariots nécessaires pour transporter les Vardens vers le nord, à additionner et soustraire les colonnes de chiffres qui rendaient compte des finances de son armée. Elle envoya des messages aux nains et aux Urgals, ordonna aux forgerons d'accroître la production de fers de lance, menaça le Conseil des Anciens de dissolution comme toutes les semaines, et vaqua de manière générale aux affaires des Vardens. Puis elle monta son étalon, Foudre de Guerre, et, accompagnée d'Elva, elle se rendit auprès de Trianna, qui avait capturé et interrogeait un espion de Galbatorix, membre de la Main Noire.

Alors qu'elle rentrait à pied, toujours avec l'enfant, des cris et des acclamations lui parvinrent. Un homme surgit soudain d'entre les tentes et se précipita vers elle. Sans un mot, ses gardes resserrèrent les rangs, à l'exception d'un Urgal, qui coupa la route du coureur en brandissant sa massue. L'homme s'arrêta net et, sans même reprendre son souffle, s'écria à un débit précipité :

– Dame Nasuada ! Les elfes sont là ! Les elfes sont arrivés !

Dans un moment de fol espoir, Nasuada crut qu'il parlait d'Islanzadí et de son armée. Puis elle se souvint que la reine des elfes et les siens se trouvaient près de Ceunon ; malgré leur vitesse, même eux n'auraient pas pu traverser l'Alagaësia en moins d'une semaine. « Il s'agit sans doute des douze magiciens qu'Islanzadí envoie pour protéger Eragon. » Elle claqua des doigts :

– Mon cheval ! Vite !

Ses bras blessés brûlaient tandis qu'elle entourchait Foudre de Guerre. Elle attendit tout juste que l'Urgal le plus proche lui tende la petite Elva, et piqua des deux. Les muscles de l'étalon frémirent, il partit au galop. Penchée sur son encolure, Nasuada le guida le long d'une sorte de ruelle entre deux rangées de tentes, évitant hommes et bêtes qui se trouvaient sur son chemin, sautant par-dessus un tonneau d'eau de pluie qui bloquait le passage. Personne ne s'en offusqua. Les spectateurs riaient, couraient dans son sillage pour aller voir les elfes de leurs yeux.

Lorsqu'elles atteignirent l'entrée nord-est du camp, Nasuada et Elva mirent pied à terre et scrutèrent l'horizon, guettant un mouvement.

– Là, dit la fillette.

Elle montrait du doigt douze silhouettes élancées qui émergeaient d'un bosquet de genévriers à deux miles de distance, formes floues et ondoyantes dans l'air chaud du matin. Elles couraient d'une même foulée, si vives et si légères qu'elles ne soulevaient pas de poussière et paraissaient voler à travers la campagne. Nasuada réprima un frisson. Leur mouvement était beau et leur rapidité, surnaturelle. On aurait dit une meute de prédateurs. Elle éprouvait le même sentiment de danger que le jour où elle avait vu un Shrrg – un loup géant – dans les montagnes des Beors.

– Impressionnant, n'est-ce pas ?

Nasuada sursauta, surprise de découvrir Angela à son côté. Par quel miracle l'herboriste avait-elle réussi à franchir la barrière de sa garde personnelle ? C'était agaçant, à la fin ! Et pourquoi Elva ne l'avait-elle pas prévenue ?

– Comment faites-vous pour être toujours là dès qu'une chose intéressante est sur le point de se produire ?

– Facile. J'aime bien savoir ce qui se passe. Mieux vaut être sur place que d'attendre qu'on vous raconte ce que vous avez raté. Et puis, le narrateur oublie toujours de mentionner des détails capitaux : le fait qu'une personne ait l'annulaire plus long que l'index, qu'elle soit ou non protégée par un écran magique, que l'âne qui lui sert de monture ait une tache pelée en forme de tête de coq. Vous êtes d'accord ?

Nasuada plissa le front :

– Vous ne dévoilez jamais vos secrets, hein ?

– Quel intérêt ? Tout le monde s'exciterait pour un pauvre sort de rien du tout, il faudrait que je m'explique pendant des heures, après quoi le roi Orrin déciderait de me couper la tête, et je serais obligée de lutter contre la moitié de vos magiciens pour réussir à m'échapper. Vous voulez mon avis ? Le jeu n'en vaut pas la chandelle.

– Votre réponse n'inspire pas confiance. En même temps...

– Vous êtes trop sérieuse, Dame Qui-Marche-La-Nuit.

– Il n'empêche, insista l'intéressée. Pourquoi serait-ce si important qu'un âne ait une tache pelée en forme de tête de coq ?

– Ah, c'est donc ça ! Eh bien, le propriétaire de l'âne en question m'a roulée de trois boutons et d'un éclat de cristal enchanté très particulier en trichant aux osselets.

– Il vous a roulée ? *Vous* ?

Angela fronça les lèvres, manifestement irritée :

– Les osselets étaient lestés. Je les avais changés, et il a remplacé les miens par les siens pendant que je regardais ailleurs... Je ne comprends toujours pas comment il m'a bernée.

– En fait, vous trichiez tous les deux.

– C'était un cristal de valeur ! Et puis, est-ce tricher que de duper un tricheur ?

Nasuada n'eut pas le temps de répondre que les six Faucons de la Nuit la rejoignaient au pas de charge et l'encadraient. Assaillie par la chaleur qu'ils dégageaient, par leur odeur trop forte – en particulier celle des Urgals –, elle réprima une réaction de dégoût. C'est alors que, à sa grande surprise, le capitaine de la garde, un colosse au nez de travers répondant au nom de Garven, l'aborda :

– Madame, puis-je avoir deux mots en privé avec vous ?

Il parlait entre ses dents serrées, comme s'il s'efforçait de contenir une émotion violente.

Ne sachant si elles devaient se retirer, Angela et Elva consultèrent Nasuada du regard et, sur son signe, elles s'éloignèrent en direction de la rivière Jiet. Dès qu'elles furent hors de portée d'oreille, Garven prit la parole sans lui laisser le temps d'ouvrir la bouche :

– Bon sang, Dame Nasuada, vous n'auriez pas dû nous fausser compagnie comme vous l'avez fait !

– Du calme, capitaine. Le risque était minime, et il m'incombait d'être là pour accueillir les elfes.

Dans un cliquetis de cotte de mailles, Garven se frappa la cuisse du poing :

– *Minime ?* Il n'y a pas une heure, vous avez eu la preuve que Galbatorix a encore des agents parmi nous. Ses espions trouvent toujours de nouveaux moyens pour nous infiltrer, et vous plantez là votre escorte pour foncer à bride abattue au milieu d'une horde d'assassins potentiels ! Auriez-vous oublié l'attentat d'Aberon et la manière dont les Jumeaux ont tué votre père ?

– Capitaine Garven, vous allez trop loin.

– J'irai plus loin encore, il s'agit de votre sécurité.

Nasuada constata que les elfes avaient réduit de moitié la distance qui les séparait du camp. Très irritée, elle avait hâte de mettre un terme à la conversation :

– Je ne suis pas sans une protection personnelle, capitaine.

Garven jeta un coup d'œil sur Elva et déclara :

– C'est ce que nous soupçonnions, Ma Dame.

Il marqua une pause dans l'espoir qu'elle s'expliquerait puis, comme elle demeurait silencieuse, il enchaîna :

– Si votre sécurité était assurée, je vous reprochais à tort votre témérité et je vous prie de m'en excuser. Cela étant, il convient aussi de préserver les apparences ; l'image de la sécurité n'est pas si négligeable. Pour que les Faucons de la Nuit soient efficaces, ils doivent être les guerriers les plus malins, les plus forts et les plus redoutables du pays. Il faut aussi que les gens nous *croient* plus malins, plus forts et plus redoutables que les autres. Ils doivent être persuadés que, s'ils tentent de vous poignarder, de vous abattre d'une flèche ou d'user de magie contre vous, nous les en empêcherons. S'ils pensent ne pas avoir plus de chances de vous tuer qu'une souris n'en a de vaincre un dragon, ils renonceront devant cette tâche impossible, et nous éviterons les attaques sans même lever le petit doigt. Nous ne pouvons pas nous battre contre tous vos ennemis, Dame Nasuada. Eragon lui-même ne vous sauverait pas si tous ceux qui veulent votre mort avaient le courage de passer à l'acte. Vous survivriez peut-être à cent, voire mille tentatives d'assassinat, mais, un jour ou l'autre, quelqu'un réussirait. Le seul moyen pour que cela ne se produise pas consiste à convaincre la majorité de vos ennemis que *jamais* ils ne franchiront vivants la barrière des Faucons de la Nuit. Notre réputation vous protège aussi sûrement que nos épées et nos armures. Il n'est donc pas bon que le peuple vous voie partir seule au galop sous notre nez. Nous devions avoir l'air d'une fameuse bande d'imbéciles, à courir derrière vous tout à l'heure. Soyons sérieux, Ma Dame, si vous ne nous respectez pas, qui nous respectera ?

Garven s'approcha d'elle et reprit d'une voix plus basse :

— Nous sommes prêts à mourir pour vous s'il le faut. Tout ce que nous demandons en retour, c'est que vous nous permettiez de faire notre devoir. Une bien modeste faveur, en somme. Un jour viendra peut-être où vous vous féliciterez de nous avoir sous la main. Quels que soient ses pouvoirs, votre autre protection est humaine, donc faillible. Contrairement aux Faucons de la Nuit, elle n'a pas prêté serment dans l'ancien langage. Elle pourrait changer de camp. Pensez au sort qui serait le vôtre si elle se retournait contre vous. En revanche, les Faucons de la Nuit ne vous trahiront jamais. Nous vous appartenons corps et âme, Dame Nasuada. Alors, laissez les Faucons de la Nuit faire ce qu'ils sont censés faire... Laissez-nous vous protéger.

D'abord indifférente à ses arguments, elle s'y rangea cependant, impressionnée par son éloquence et la limpidité de son raisonnement. Et de songer qu'elle tenait là un homme dont les talents lui seraient utiles ailleurs.

— Je vois que Jörmundur m'a entourée de guerriers aussi habiles de leur langue que de leurs lames, dit-elle en souriant.

— Ma Dame.

— Vous avez raison. J'ai eu tort de vous planter là avec vos hommes et je le regrette. C'était une imprudence, un acte irréfléchi. N'ayant pas l'habitude d'être flanquée de gardes nuit et jour, j'oublie parfois que je ne suis plus aussi libre de mes mouvements que par le passé. Cela ne se reproduira pas, capitaine Garven. Je vous en donne ma parole d'honneur. Je n'ai pas plus que vous l'intention de discréditer les Faucons de la Nuit.

— Merci, Dame Nasuada.

De nouveau, elle s'intéressa aux elfes, invisibles à présent car ils traversaient le lit d'une rivière à sec distant d'un quart de mile.

— Il me semble, Garven, que vous avez trouvé une devise pour les Faucons de la Nuit tout à l'heure.

– Vrai ? Je ne m'en souviens pas.

– Absolument. « Les plus malins, les plus forts et les plus redoutables. » Ce serait une belle devise. Peut-être sans ce « et ». Si vos compagnons d'armes en sont d'accord, demandez à Trianna de traduire la phrase en ancien langage ; je la ferai graver sur vos écus et broder sur vos étendards.

– C'est généreux à vous, Ma Dame. Quand nous regagnerons nos tentes, j'en discuterai avec Jörmundur et les autres capitaines. Toutefois...

Il s'interrompit, hésitait à poursuivre. Devinant ce qui le troublait, Nasuada le tira d'embarras :

– Vous craignez que cette devise ne soit par trop commune pour des hommes de votre rang et aimeriez quelque chose de plus noble, de plus relevé. Je me trompe ? Je comprends votre objection. Les Faucons de la Nuit représentent les Vardens ; dans l'exercice de vos fonctions, vous êtes amenés à fréquenter des notables de diverses races. Il serait regrettable que vous fassiez mauvaise impression... Bon, je vous laisse le soin de trouver une devise appropriée avec vos collègues. Je suis certaine que vous vous en tirerez très bien.

Les elfes émergèrent alors du lit de la rivière à sec. Après avoir murmuré de nouveaux remerciements, Garven reprit sa place parmi ses hommes. Nasuada se composa un visage de chef d'État, puis elle fit signe à Angela et Elva de revenir.

Lorsqu'il ne fut plus qu'à un jet de pierre, le meneur des elfes se révéla être couleur de suie de la tête aux pieds. Nasuada crut d'abord que, comme elle, il avait la peau sombre et qu'il était vêtu de noir. Tandis qu'il se rapprochait, elle s'aperçut que l'elfe ne portait qu'un pagne et une ceinture de tissu tressé à laquelle était accrochée une petite bourse. Le reste de sa personne était couvert d'une fourrure de jais lustrée qui brillait au soleil. Son poil était dense et lisse, long en moyenne d'un quart de pouce, armure souple qui épousait les mouvements de ses muscles ; aux chevilles et sous les avant-bras, il s'étendait à deux pouces, et une sorte de crinière haute d'une bonne paume se dressait entre ses épaules pour s'amenuiser en descendant vers ses reins. Une frange irrégulière ombrait son regard, et des pompons comme ceux des chats terminaient ses oreilles en pointe. Sur son visage, le pelage ras et lisse se voyait à peine. L'elfe avait les yeux jaune d'or, et une griffe remplaçait l'ongle de ses deux majeurs. Quand il s'arrêta devant elle, Nasuada remarqua l'odeur qui flottait autour de lui, odeur de sel, de musc qui rappelait le bois de cade, le cuir huilé et la fumée. Son parfum était si entêtant, si manifestement viril qu'elle en eut le frisson et sentit le feu lui monter aux joues. Par chance, son teint ne trahirait pas son trouble...

Plus conformes à ce qu'elle attendait, les autres elfes vêtus de courtes tuniques orange foncé et vert pin avaient la peau dorée et la même allure générale qu'Arya. À l'exception de deux femmes à la chevelure de lune, ils avaient les cheveux aile de corbeau. Il était impossible de leur donner un âge tant ils avaient le visage lisse, sans ride et sans défaut. Jamais encore Nasuada n'avait rencontré d'autres elfes qu'Arya, et elle était curieuse de savoir si cette dernière était représentative de sa race.

Portant deux doigts à ses lèvres, le chef du groupe s'inclina, imité par ses compagnons, puis il retourna la main droite contre sa poitrine et dit :

– Salut à toi et félicitations, Nasuada, fille d'Ajihad. Atra esterní ono thelduin.

Plus prononcé que celui d'Arya, son accent donnait un rythme chantant à ses paroles.

– Atra du evarínya ono varda, répondit Nasuada, comme Arya le lui avait enseigné.

L'elfe velu sourit, découvrant des dents anormalement pointues :

– Je suis Lupusänghren, Sang de Loup, fils d'Ildrid le Beau.

Il présenta le reste du groupe avant de poursuivre :

– Nous apportons d'heureuses nouvelles de la reine Islanzadí ; hier soir, nos magiciens ont réussi à détruire les portes de

Ceunon. Alors même que nous parlons, nos troupes ont investi la ville et marchent vers la tour dans laquelle le sire Tarrant s'est barricadé. Il y a encore quelques poches de résistance, mais la cité est prise et nous en serons bientôt maîtres.

Les gardes de Nasuada et les Vardens assemblés derrière elle lancèrent des cris de joie et des acclamations. Si elle s'en réjouissait aussi, un sentiment de malaise tempérait son enthousiasme à l'idée que des elfes aussi puissants que Lupusänghren envahissent les demeures des hommes. « Quelles forces d'un autre monde ai-je libérées ? » songea-t-elle, inquiète.

– En effet, ce sont là d'heureuses nouvelles qu'il est plaisant d'entendre. Ceunon étant tombée, nous avons fait un pas de plus vers Urû'baen, donc vers Galbatorix et l'accomplissement de notre mission.

Plus bas, elle ajouta sur le ton de la confidence :

– J'espère que la reine Islanzadí se montrera clémente envers le peuple de Ceunon, envers ceux qui, sans apprécier Galbatorix, n'ont ni le courage ni les moyens de lutter contre l'Empire.

– La reine Islanzadí est juste et bonne envers ses sujets, même s'ils le sont contre leur gré. Toutefois, quiconque osera s'opposer à nous sera balayé comme les feuilles mortes par les tempêtes d'automne.

– Je n'en attends pas moins d'une race aussi ancienne et puissante que la vôtre.

Après avoir sacrifié aux exigences de la politesse à travers des échanges courtois d'une banalité croissante, Nasuada estima qu'elle pouvait maintenant aborder le sujet de la visite des elfes. Elle fit disperser la foule et reprit :

– J'ai cru comprendre que le but de votre présence ici est d'assurer la protection d'Eragon et de Saphira. C'est bien cela ?

– Oui, Nasuada Svit-kona. Nous savons aussi qu'Eragon se trouve encore sur le territoire de l'Empire et sera bientôt de retour.

– Savez-vous également qu'Arya est partie à sa recherche et qu'ils font route ensemble ?

Lupusänghren remua les oreilles :

— Nous en avons été informés. Il est regrettable que tous deux soient ainsi en danger. Souhaitons qu'il ne leur arrive pas de mal.

— Quelles sont vos intentions ? Comptez-vous les rejoindre pour les escorter jusqu'ici, ou resterez-vous à les attendre en espérant qu'Eragon et Arya sauront se défendre contre les sbires de Galbatorix ?

— Nous serons vos hôtes d'ici leur retour, Nasuada, fille d'Ajihad. Eragon et Arya sont en sécurité relative tant qu'ils évitent de se faire remarquer. En nous aventurant dans l'Empire, nous courons le risque d'attirer l'attention. Il vaut donc mieux patienter ici, où nous pourrons nous rendre utiles. Il y a de grandes chances que Galbatorix décide de frapper le camp des Vardens. S'il le fait, et si Thorn et Murtagh reparaissent, Saphira n'aura pas trop de notre aide pour les chasser.

— Eragon affirmait que vous étiez parmi les meilleurs magiciens de votre race. Votre assurance m'étonne cependant. Seriez-vous vraiment en mesure de vaincre ce maudit couple ? Comme Galbatorix ils possèdent des pouvoirs qui dépassent de beaucoup ceux d'un simple Dragonnier.

— Avec l'aide de Saphira, nous pensons les tenir en échec, voire les battre. Nous savons de quoi les Parjures étaient capables, et, si Galbatorix a rendu Thorn et Murtagh plus forts encore que ne l'était chacun d'eux, il n'en aura pas fait ses égaux. En cela au moins, sa peur d'une trahison joue en notre faveur. Trois Parjures ensemble n'ont pu avoir raison de notre groupe allié à un dragon. D'où notre certitude que nous résisterons contre tous, à l'exception de Galbatorix.

— Voilà qui me rassure. Depuis la défaite d'Eragon contre Murtagh, je me demandais si nous ne devrions pas nous retirer et nous cacher jusqu'à ce que notre Dragonnier prenne des forces. Votre discours m'a convaincue que la situation n'est pas désespérée. Nous ignorons encore comment éliminer Galbatorix lui-même, mais, tant que nous n'aurons pas défoncé les portes de sa citadelle à Urû'baen, tant qu'il ne décide pas d'enfourcher Shruikan pour venir nous défier sur le champ de bataille, rien ne nous arrêtera.

Elle marqua une pause avant de poursuivre :

– Vous ne m'avez donné aucune raison de me méfier de vous, Lupusänghren, et je regrette de vous imposer cela. Avant de pénétrer dans le camp, permettez que l'un de mes hommes effleure vos consciences pour confirmer que vous êtes bien des elfes et non des humains travestis envoyés par Galbatorix. Loin de moi l'idée de vous offenser, mais la guerre nous enseigne la prudence et nous sommes harcelés par les traîtres et les espions. Vous qui avez entouré de charmes protecteurs le vaste espace feuillu du Du Weldenvarden, vous devriez le comprendre. J'espère que vous n'y verrez pas d'objection.

Une lueur sauvage brillait dans les yeux fauves de Lupusänghren, dont les lèvres se retroussèrent sur ses dents de loup :

– Les arbres du Du Weldenvarden sont en majorité des conifères et non des feuillus. Quoi qu'il en soit, testez-nous si vous le jugez nécessaire et laissez-moi vous mettre en garde : celui auquel vous assignerez cette tâche risque la folie s'il s'aventure trop loin dans nos esprits. Il est dangereux pour les mortels de vagabonder parmi nos pensées ; ils s'y perdent souvent et ne retrouvent plus le chemin de leur corps. De plus, nos secrets ne sont pas accessibles à ce genre d'inspection.

Nasuada s'en doutait, les elfes anéantiraient quiconque se hasarderait en territoire interdit.

– Capitaine Garven, dit-elle.

Avec le visage sombre d'un condamné, le garde s'avança jusqu'à Lupusänghren. Les yeux clos, sourcils froncés, il se concentra pour scruter l'esprit de l'elfe. Nasuada l'observait en se mordant les lèvres. Quand elle était petite, un unijambiste appelé Hargrove lui avait appris à cacher ses pensées aux télépathes, à bloquer et à détourner les attaques mentales. Elle maîtrisait ces techniques défensives à la perfection et, si elle n'avait jamais réussi à entrer en contact avec d'autres consciences, elle savait ce que cela impliquait. L'étrange nature des elfes compliquait encore l'exercice délicat et périlleux auquel se livrait l'infortuné Garven. Elle en souffrait pour lui.

Angela se pencha pour lui souffler à l'oreille :

– Il aurait été plus judicieux et moins dangereux de vous en remettre à moi.

– Peut-être, murmura Nasuada, évasive.

Malgré l'aide que l'herboriste apportait aux Vardens, elle ne se résolvait pas à lui confier des missions officielles.

Garven peina encore pendant un moment, puis il rouvrit les yeux, soupira à grand bruit. Il avait le visage et le cou congestionnés, les pupilles dilatées comme si c'était la nuit. Lupusänghren, quant à lui, ne semblait nullement affecté : son poil était toujours aussi lisse et lustré, sa respiration calme. Un sourire amusé flottait au coin de ses lèvres.

– Alors ? s'enquit Nasuada.

Garven mit un temps infini à répondre. Enfin, il déclara :

– Il n'est pas humain, Ma Dame. Je n'en ai pas le moindre doute. Pas le moindre.

Satisfaite, Nasuada était cependant troublée par l'air lointain et vague du solide garde au nez de travers.

– Parfait. Continuez, je vous prie.

Garven fut plus rapide dans ses examens et ne passa guère qu'une poignée de secondes sur le dernier elfe du groupe. Nasuada le surveillait de près ; elle vit ses doigts blanchir sous l'effort, ses tempes se creuser comme les tympans d'une grenouille. Ses gestes alanguis rappelaient ceux d'un plongeur en eau profonde.

Lorsqu'il eut terminé, il regagna son poste auprès d'elle. Ce n'était plus le même homme. Sa farouche détermination, sa combativité l'avaient déserté, remplacées par l'expression rêveuse d'un somnambule. S'il la regardait lorsqu'elle l'interrogeait, s'il lui répondait d'une voix égale, elle sentait bien qu'il avait l'esprit ailleurs, qu'il battait la campagne par les sentiers ombreux et les clairières ensoleillées de mystérieuses forêts elfiques.

Nasuada espérait de tout cœur qu'il s'en remettrait bien vite. Sinon, elle demanderait à Eragon ou à Angela – peut-être à tous les deux – de le guérir. D'ici là, mieux valait l'écarter du service actif dans les Faucons de la Nuit ; Jörmundur lui trouverait un emploi facile. Ainsi, elle n'aurait pas à craindre pour sa vie, et il pourrait jouir à loisir des visions que lui laissait ce contact avec les elfes.

Amère d'avoir perdu un élément de valeur, furieuse contre elle-même, contre les elfes, plus furieuse encore contre Galbatorix et l'Empire qui rendaient de tels sacrifices nécessaires, elle eut du mal à retenir sa langue et à rester courtoise :

– Lorsque vous évoquiez les risques de ces explorations, Lupusänghren, vous avez omis de mentionner que ceux qui retrouvaient leur corps n'en revenaient pas indemnes.

– Je n'ai rien de cassé, Dame Nasuada, je vais très bien, intervint Garven.

Sa voix était si faible que presque personne ne l'entendit protester, ce qui ne fit qu'accroître l'exaspération de Nasuada.

Le poil de Lupusänghren se hérissa sur sa nuque :

– Si mes explications manquaient de clarté, je m'en excuse. Vous auriez tort de nous rendre responsables de ce qui s'est passé, notre nature est ce qu'elle est, nous n'y pouvons rien. Ne vous le reprochez pas non plus, nous vivons dans le soupçon par la force des choses. Nous permettre d'entrer dans le camp sans vérification aurait été une négligence de votre part. Et, s'il est regrettable que cet incident entache notre rencontre historique, vous êtes désormais rassurée sur nos origines : nous sommes ce que nous semblons être, des elfes du Du Weldenvarden.

Son parfum musqué flotta jusqu'aux narines de Nasuada. Malgré la colère qui lui crispait les muscles, elle se sentit faiblir, assaillie par des fantasmes de tonnelles tendues de soieries, de gobelets de vin précieux, de ballades nostalgiques comme celles que chantaient les nains, dont résonnaient les salles désertes de Tronjheim. Distraite, elle soupira :

— J'aurais préféré qu'Eragon et Arya soient là. Ils vous auraient examinés sans crainte de perdre la raison.

De nouveau, elle était sous le charme ; séduite par l'odeur de Lupusänghren, en proie à un étrange désir, elle s'imaginait caressant sa fourrure. Tirant sur son bras avec insistance, la petite Elva l'arracha à sa transe sensuelle. Nasuada se pencha pour savoir ce que voulait l'enfant-sorcière.

— Marrube, murmura celle-ci d'un ton sec. Pense au goût du marrube.

Suivant ce conseil, Nasuada se concentra sur un souvenir de l'année précédente, le jour où elle avait mangé un bonbon au marrube au cours d'un festin donné par le roi Hrothgar. La simple évocation de la saveur médicinale et astringente de la plante lui sécha la bouche, antidote efficace contre les effets délétères de Lupusänghren et de son musc. Sitôt son aplomb retrouvé, elle s'employa à justifier l'interruption :

— Ma jeune compagne s'étonne que vous soyez si différent des autres elfes. J'avoue que la question m'intrigue, moi aussi. Votre physique n'a rien de commun avec l'image que nous avons des vôtres. Auriez-vous la gentillesse de nous dire d'où vous viennent ces caractéristiques animales ?

Une onde parcourut le pelage lustré de Lupusänghren tandis qu'il haussait les épaules :

— J'aime cette apparence. Certains écrivent des poèmes au soleil ou à la lune, d'autres cultivent des fleurs, créent de belles structures ou composent de la musique. Si j'apprécie ces diverses formes d'art, la vraie beauté réside pour moi dans le croc du loup, dans la fourrure du lynx, dans l'œil de l'aigle. J'ai donc fait miens ces attributs. D'ici cent ans, j'aurai peut-être perdu cette fascination pour les animaux terrestres et décidé que les créatures marines incarnent ce qu'il y a de meilleur. Je me couvrirai alors d'écailles, je transformerai mes mains en nageoires, mes pieds en une queue, et je disparaîtrai sous les vagues pour ne plus revenir en Alagaësia.

Nasuada crut qu'il plaisantait, mais il n'en avait pas l'air. Il était si sérieux qu'elle se demanda même s'il ne se moquait pas d'elle.

– Intéressant, répondit-elle. J'espère que l'envie de devenir poisson ne vous prendra pas trop vite, car nous avons besoin de vous sur la terre ferme. Évidemment, si Galbatorix se mettait en tête de réquisitionner les requins et les poissons-pierres, un magicien capable de respirer sous l'eau serait alors un avantage.

Sans crier gare, les douze elfes éclatèrent d'un rire cristallin et frais comme une cascade. Sur des miles à la ronde, tous les oiseaux du ciel joignirent leurs trilles et leurs chants à cette réjouissante musique. Nasuada se dérida malgré elle. La joie contagieuse des elfes avait contaminé ses gardes, jusqu'aux deux Urgals qui ne se tenaient plus. Lorsque les elfes se turent, le monde redevint terne. Une étrange tristesse envahit Nasuada, sa vision se brouilla l'espace d'un instant, puis tout se dissipa.

Avec un sourire, ce qui le rendait plus séduisant et plus inquiétant encore, Lupusänghren déclara :

– Ce sera un honneur de servir auprès d'une femme aussi subtile, compétente et pleine d'esprit que vous l'êtes, Dame Nasuada. Un jour, lorsque vos devoirs le permettront, je serai ravi de vous apprendre notre jeu des Runes. Vous seriez une adversaire redoutable, j'en suis sûr.

Le brusque changement d'attitude des elfes lui rappela que les nains les qualifiaient souvent de « capricieux ». Enfant, cela lui semblait charmant et renforçait l'idée qu'elle se faisait d'eux : des êtres de légèreté, butinant de plaisir en plaisir telles des fées dans un jardin fleuri. Elle comprenait maintenant le sens de l'adjectif. Il s'agissait en réalité d'une mise en garde : méfie-toi car les elfes sont imprévisibles. Elle soupira, accablée par la perspective d'avoir à subir les pressions d'un groupe supplémentaire qui, comme les autres, chercherait à la manipuler. « La vie est-elle toujours aussi compliquée, ou est-ce moi qui attire les complications ? »

Se tournant vers le camp, elle vit le roi Orrin qui chevauchait vers eux à la tête d'un immense cortège de nobles, de courtisans, de fonctionnaires hauts et moins hauts, de conseillers, d'assistants, de serviteurs, de soldats, ainsi que d'une pléthore d'autres spécimens qu'elle ne prit pas la peine d'identifier, tandis que, venant de l'ouest, Saphira descendait du ciel toutes ailes déployées. Elle se raidit pour affronter la foule, le bruit et l'ennui de ce qui allait suivre.

– Lupusänghren, dit-elle, je doute de pouvoir accepter votre offre avant des mois, mais elle est la bienvenue. Le jeu serait une distraction agréable au terme d'une longue journée de travail. Nous devrons, hélas, remettre ce plaisir à plus tard. Nous croulerons bientôt sous le poids de toute la société humaine, et je suggère que vous vous prépariez pour une avalanche de noms, de questions et de requêtes. Nous autres, les humains, sommes curieux de nature, et aucun de nous n'a vu autant d'elfes de sa vie.

– Nous n'en attendions pas moins, Dame Nasuada.

Alors que la cavalcade du roi Orrin se rapprochait, que l'air déplacé par Saphira sur le point d'atterrir aplatissait l'herbe, une dernière pensée traversa la tête de Nasuada : « Ciel ! Il va falloir que j'entoure Lupusänghren d'un bataillon pour éviter que les femmes du camp le mettent en pièces... et cela risque de ne pas suffire ! »

12
PITIÉ, Ô DRAGONNIER

Le lendemain de leur départ d'Eastcroft, vers le milieu de l'après-midi, Eragon sentit devant eux la présence d'une patrouille comptant quinze soldats. Il fit part de cette observation à Arya.

– Je les ai remarqués aussi, dit-elle.

Ni l'un ni l'autre n'exprima ses inquiétudes. Pourtant, l'anxiété nouait le ventre d'Eragon, et les sourcils froncés d'Arya donnaient à son visage une expression farouche.

Le terrain plat n'offrait pas le moindre abri.

S'ils avaient déjà croisé des groupes de soldats, c'était toujours en compagnie d'autres voyageurs. Cette fois, ils étaient seuls sur une vague piste.

– Nous pourrions creuser un trou grâce à la magie, le recouvrir de broussailles et nous y cacher jusqu'à ce qu'ils s'en aillent, suggéra Eragon.

Sans ralentir l'allure, Arya secoua la tête :

– Que ferions-nous de la terre déblayée ? Ils auront l'impression de tomber sur le plus vaste terrier de blaireau jamais découvert. Et puis, je préfère que nous gardions nos forces pour courir.

– Hmm, grommela Eragon.

« Je me demande combien de miles je tiendrai encore... »

Sans être essoufflé, il souffrait des chocs répétés que lui infligeait cette course impitoyable. Ses genoux et ses chevilles lui faisaient mal, son gros orteil meurtri était rouge, enflé, et des ampoules se formaient en permanence sur ses talons pour crever ensuite malgré les pansements serrés. La nuit précédente, il avait guéri quelques bobos et douleurs par des sorts qui l'avaient soulagé, et qui avaient accru sa fatigue.

La patrouille apparut sous forme d'un mince nuage de poussière jaune, et il fallut encore une bonne demi-heure avant qu'Eragon distingue les silhouettes des hommes et des chevaux. Sa vue et celle d'Arya étant plus perçantes que celle des humains, les cavaliers avaient peu de chances de les apercevoir à cette distance. Ils continuèrent donc de courir pendant une dizaine de minutes. Puis Arya s'arrêta, sortit sa robe de son sac et la passa par-dessus les jambières qu'elle portait pour courir. Eragon rangea la bague de Brom dans le sien et frotta sa paume droite avec de la terre pour masquer la marque argentée de la gedwëy ignasia. Ils se remirent en marche, la tête baissée, le dos voûté et traînant les pieds. Si tout se passait bien, les soldats les prendraient pour un couple de réfugiés comme les autres.

La terre vibrait sous le martèlement des sabots, ils entendaient au loin les cris des hommes encourageant leurs montures. La plaine était si vaste qu'une heure s'écoula avant que leurs deux groupes se rejoignent. À l'approche des cavaliers, Eragon et Arya se rangèrent en bordure de la route et fixèrent leurs pieds. Du coin de l'œil, Eragon entrevit les pattes des premiers chevaux, puis la poussière l'enveloppa, si dense qu'il n'y voyait plus rien et dut fermer les yeux. À l'oreille, il compta les soldats. La moitié de la troupe passée, il songea : « Ils continuent ! Ils ne prendront pas la peine de nous interroger ! »

Sa joie ne dura pas. Quelques instants plus tard, une voix jaillit de la tornade de poussière :

– Compagnie, halte !

Des « Ho ! » et des « Tout doux ! » retentirent tandis que les quinze hommes amenaient leurs montures en cercle autour d'Eragon et Arya. Avant qu'ils aient terminé la manœuvre et que le nuage tourbillonnant se dissipe, Eragon gratta le sol pour s'armer d'un caillou et se redressa.

— Tiens-toi tranquille ! lui souffla Arya.

En attendant que les soldats se décident à énoncer leurs intentions, il s'employa à calmer son cœur affolé en répétant la fable qu'Arya et lui avaient concoctée afin de justifier leur présence si près de la frontière du Surda. Vains efforts. Malgré son entraînement, sa force, les batailles gagnées et la douzaine d'enchantements qui le protégeaient, sa chair demeurait convaincue que la mort ou une mauvaise blessure le guettait. Son ventre se nouait, sa gorge se serrait, ses membres étaient pris de faiblesse. « Du cran, que diable ! » L'envie le brûlait de déchirer quelque chose de ses mains, comme si cet acte de destruction pouvait libérer la tension qui montait en lui, ce qui aggravait encore sa frustration, car il n'osait pas bouger. Seule, la proximité d'Arya apaisait son angoisse et lui rendait courage. Pas question qu'elle le considère comme un lâche ! Il se serait plutôt coupé une main. Et puis, un besoin instinctif le poussait à la défendre bien qu'elle fût une guerrière accomplie.

La voix qui avait ordonné l'arrêt de la patrouille résonna de nouveau :

— Montrez vos visages !

Relevant la tête, Eragon vit un homme monté sur un destrier aubère [1], ses mains gantées croisées sur le pommeau de la selle. Ses cheveux raides tombaient sur ses épaules, et, curieusement, sa lèvre supérieure s'ornait d'une moustache frisée qui, depuis les coins de sa bouche, s'étendait sur neuf bons pouces de chaque côté. Que cette phénoménale sculpture de boucles ne croule pas sous son propre poids stupéfiait Eragon, d'autant que l'appendice pileux, terne et sans lustre, n'était à l'évidence pas imprégné de cire d'abeille.

---

1. Aubère : se dit d'un cheval dont la robe est mélangée de poils blancs et de poils roux.

Les autres soldats menaçaient Eragon et Arya de leurs lances. Ils étaient si couverts de poussière qu'on ne distinguait plus les flammes brodées sur leurs tuniques.

– Bien, reprit le chef du groupe, dont la moustache oscillait comme une balance cherchant le point d'équilibre. Qui êtes-vous ? Où allez-vous ? Que venez-vous faire sur les terres du roi ?

À peine les avait-il posées qu'il évacua les questions d'un geste :

– Inutile de répondre. Peu importe. Plus rien n'a d'importance de nos jours. Le monde touche à sa fin, et nous perdons notre temps à interroger des paysans. Fi de cette vermine superstitieuse qui erre de lieu en lieu, dévore toute la nourriture et se reproduit à une vitesse alarmante ! Dans mon fief près d'Urû'baen, si nous vous prenions à vagabonder sans autorisation, vous auriez le fouet, et, si nous apprenions que vous aviez volé votre maître, vous seriez pendus. Quoi que vous nous racontiez, ce ne sera qu'un tissu de mensonges. Vous mentez tous... Qu'est-ce que tu trimballes dans ta hotte, hein ? Des provisions, des couvertures, sans doute, et peut-être aussi une paire de chandeliers en or, hein ? De l'argenterie prise dans un coffre forcé ? Des lettres secrètes pour les Vardens ? Alors ? Tu es muet ou quoi ? Bah ! Nous en aurons vite le cœur net. Langward, regarde donc quels trésors il nous cache, là-dedans.

Eragon chancela quand l'un des soldats le frappa dans le dos avec la hampe de sa lance. Il avait enveloppé son armure dans des chiffons pour éviter que les pièces frottent les unes contre les autres. Hélas, cette protection ne suffit pas à absorber le choc ni à étouffer les tintements métalliques.

– Aha ! s'exclama l'homme à la moustache.

Agrippant la hotte d'Eragon, le soldat en dénoua les lacets pour en sortir son haubert et s'écria :

– Et voilà le travail, chef !

– Une armure ! Et de très belle facture, s'il vous plaît ! Eh bien, tu es un garçon plein de surprises. En route pour rejoindre les Vardens, c'est ça ? Trahison, sédition, hmm...

Il se rembrunit.

– ... À moins que tu ne sois de ceux qui donnent mauvaise réputation aux honnêtes soldats ? Si oui, tu es un bien piètre mercenaire. Tu n'es même pas armé ! C'était trop compliqué pour toi de tailler un bâton ? Alors ? Oui ou non ?

– Non, Monsieur.

– Non, Monsieur ? Ça ne t'a pas effleuré, je suppose. Quelle tristesse d'en être réduit à accepter des gueux au cerveau ramolli ! Fichue guerre qui nous oblige à racler les fonds de tiroirs !

– À m'accepter, Monsieur ? Où ? À quel titre ?

– Silence, scélérat ! Pas d'insolence. Tu parles quand on t'y autorise !

Dans un frémissement de moustache, il fit un signe à son soldat, et un coup s'abattit sur le crâne d'Eragon, qui en vit trente-six chandelles.

– Que tu sois un voleur, un traître ou un imbécile, ton sort sera le même. Quand tu auras juré fidélité, tu n'auras d'autre choix que de servir Galbatorix et ses représentants. Nous formons la première armée au monde où personne ne se rebiffe. Pas de protestateurs, pas de contestataires, on obéit aux ordres, un point, c'est tout. Toi aussi tu embrasseras la cause et tu auras l'insigne privilège de contribuer à l'avènement de l'avenir radieux imaginé par notre grand roi. Quant à ta jolie compagne, l'Empire lui trouvera bien une utilité, hein ? Et maintenant attachez-les !

Eragon comprit ce qui lui restait à faire. Il jeta un coup d'œil à Arya qui le fixait, le regard brillant d'une lueur sauvage. Il battit des paupières, et elle répondit de même. Il crispa les doigts sur son caillou.

La plupart des soldats qu'il avait combattus dans les Plaines Brûlantes étaient entourés de charmes rudimentaires destinés à les protéger contre les attaques magiques. Ceux-ci l'étaient probablement aussi. Mais, s'il était capable de briser les sorts inventés par les mages de Galbatorix, il n'en avait pas le temps. Levant le bras, il visa l'homme à la moustache, donna un coup de poignet et lança la pierre.

Elle heurta le côté du casque et y laissa un trou.

Avant que la troupe réagisse, il se retourna, arracha la lance des mains de son persécuteur et s'en servit pour le renverser de son cheval. L'homme n'était pas à terre qu'il lui transperçait le cœur à travers son armure. La lance se rompit sous le choc. Il l'abandonna là et plongea vers l'arrière pour éviter les sept javelots qui filaient dans sa direction. En touchant le sol, il vit les traits mortels flotter au-dessus de lui.

Son caillou n'était pas plutôt lancé qu'Arya bondissait sur le cheval le plus proche, et donnait un coup de pied dans la tête du soldat distrait qui le montait... Il vola à plus de trente pas. Elle sauta ensuite d'un destrier à l'autre, tuant les soldats de ses genoux, de ses pieds et de ses mains dans une spectaculaire démonstration de grâce et d'équilibre.

Pendant ce temps, Eragon atterrissait à plat ventre sur un lit de gravier. Il grimaça et se releva aussitôt. Quatre soldats lui faisaient face, l'épée au poing. Ils chargèrent. Il esquiva sur sa droite, saisit le poignet du premier soldat au moment où celui-ci levait sa lame, et le gratifia d'un direct du poing à l'aisselle. L'homme s'effondra, et ne bougea plus. Eragon expédia deux autres adversaires de vie à trépas en leur tordant la tête jusqu'à leur briser la colonne vertébrale. Le quatrième fonçait sur lui en brandissant son arme. Trop tard. Eragon ne pouvait plus l'éviter.

Acculé, il frappa de toutes ses forces à la poitrine. Une fontaine de sang et de sueur jaillit de son poing sous le choc, qui défonça les côtes de l'adversaire et l'envoya rouler dans l'herbe à douze pas de là. Un cadavre arrêta sa chute.

Plié en deux par la douleur, Eragon pressait sa main blessée contre lui, quatre articulations démises. La peau déchirée laissait voir le cartilage blanc. « Et zut ! » songea-t-il en regardant le sang couler. Ses doigts refusaient d'obéir ; sa main ne lui serait d'aucun secours tant qu'il ne l'aurait pas guérie. Craignant une nouvelle attaque, il fit un point rapide de la situation.

Les chevaux s'étaient dispersés. Il ne restait que trois soldats vivants. À quelque distance de lui, Arya était aux prises avec deux d'entre eux tandis que le troisième et dernier s'enfuyait vers le sud par la route.

Rassemblant son énergie, le jeune Dragonnier s'élança à sa poursuite. Quand il l'eut presque rattrapé, l'homme se mit à crier grâce, à promettre qu'il ne dirait rien du massacre ; il tendait ses deux mains ouvertes pour montrer qu'elles étaient vides. Lorsqu'Eragon ne fut plus qu'à trois foulées de lui, il obliqua brusquement, puis changea encore de direction et continua de zigzaguer à travers la campagne tel un lapin affolé. Les larmes ruisselaient sur ses joues, il ne cessait de supplier, de gémir qu'il était trop jeune pour mourir, qu'il voulait se marier et avoir des enfants, que ses parents le regretteraient, qu'on l'avait enrôlé de force dans l'armée, que ce n'était que sa cinquième mission, qu'il ne méritait pas ça.

— Qu'est-ce que vous avez contre moi ? sanglota-t-il encore. Je n'ai fait que mon devoir. Je suis un homme bon !

Eragon s'arrêta et s'obligea à dire :

— Nous ne pouvons pas t'emmener, tu ne suivrais pas. Nous ne pouvons pas te laisser partir, tu récupérerais un cheval et tu nous trahirais.

— Non, je ne vous trahirai pas !

— On te demandera des comptes sur ce qui s'est passé. Ton serment à Galbatorix t'interdira de mentir. Je suis désolé, mais je ne connais pas d'autre moyen de t'en libérer que...

— Pourquoi moi ? Ce n'est pas juste ! Vous êtes un monstre ! hurla le malheureux.

Terrorisé, il tenta de contourner Eragon pour regagner la route. Peine perdue. Il ne fit pas dix pas. Il pleurait et suppliait toujours quand, de sa main gauche, Eragon le saisit à la gorge et serra. Lorsqu'il relâcha son étreinte, l'homme tomba mort à ses pieds.

Une bile amère emplit la bouche d'Eragon tandis qu'il fixait les traits figés du jeune inconnu. Et de songer : « Quand nous tuons, nous tuons une partie de nous-mêmes. » Ébranlé, tremblant d'émotion, de douleur et de dégoût, il regagna l'endroit où le combat avait commencé. Agenouillée près d'un cadavre, Arya se lavait les mains et les bras avec l'eau d'une gourde prise sur un soldat.

— Comment se peut-il que tu aies réussi à tuer ce type alors que tu n'as pas été capable de toucher un cheveu de Sloan ?

Elle se releva, le regarda droit dans les yeux.

— Il était dangereux. Pas Sloan, répondit-il avec un haussement d'épaules. C'est pourtant évident, non ?

Arya garda le silence pendant quelques instants.

— Cela devrait l'être, seulement, ça ne l'est pas... J'ai honte d'être en butte à tes leçons de morale alors que tu n'as pas le quart de mon expérience. Je suis peut-être trop sûre de moi et de mes choix.

Ses paroles effleurèrent les oreilles d'Eragon sans que le sens pénètre. Toute son attention se concentrait sur les corps des soldats abattus. « Est-ce donc là ce qu'est devenue ma vie ? Une série de batailles sans fin ? »

— Je me fais l'effet d'un assassin.

— Je comprends que ce soit difficile, Eragon. Mais souviens-toi que tu ne connais encore qu'une petite partie du rôle de Dragonnier. Cette guerre se terminera un jour, et tu te rendras compte que tes devoirs n'impliquent pas tous la violence, loin de là. Les Dragonniers étaient des maîtres à penser, des guérisseurs et des érudits.

Il sentit sa mâchoire se crisper, puis se détendre :

— Pourquoi combattons-nous ces gens, Arya ?

— Parce qu'ils se dressent entre nous et Galbatorix.

— Eh bien, il nous faut trouver un moyen direct de l'atteindre, lui.

— Il n'y en a pas. Nous ne serons en mesure de marcher sur Urû'baen qu'après avoir vaincu ses troupes. Et nous ne pourrons pénétrer sa forteresse qu'après avoir désactivé des batteries de pièges, magiques et autres, élaborés sur près d'un siècle.

— Il y a sûrement une autre solution, marmonna-t-il.

Tandis qu'il restait là, pensif, Arya alla ramasser une lance, puis elle s'approcha d'un cadavre. Lorsqu'il la vit mettre la pointe acérée sous le menton du mort et la lui enfoncer dans le crâne, Eragon bondit pour l'écarter du corps en s'écriant :

– Arrête ! Pourquoi tu fais ça ?

Une expression de colère passa comme un nuage sur le visage de l'elfe :

– Je te pardonne parce que tu es sous le choc et pas dans ton état normal. Réfléchis, Eragon ! Il est temps que tu te prennes en charge. Pourquoi est-ce nécessaire, à ton avis ?

La réponse s'imposa à lui.

– Parce que, sinon, les hommes de l'Empire s'apercevront que la plupart de ces soldats ont été tués à mains nues, reconnut-il à contrecœur.

– Exact ! Et les seuls capables d'accomplir un tel exploit sont les elfes, les Dragonniers et les Kulls. Le premier imbécile venu saura que les responsables de ce massacre n'étaient pas des Kulls. L'Empire en déduira que nous sommes dans le secteur et, d'ici une journée au plus, Thorn et Murtagh survoleront la région pour nous retrouver.

Elle tira sur la lance, qui sortit du corps avec un bruit de succion. Puis elle la lui tendit et ne bougea pas jusqu'à ce qu'il la prenne :

– Ça me répugne autant qu'à toi, alors, rends-toi utile et donne-moi un coup de main.

Eragon hocha la tête. Arya récupéra une épée et, ensemble, ils entreprirent d'effacer leurs traces. Cette tâche sordide ne les occupa pas longtemps ; ils n'avaient guère envie de s'attarder et connaissaient assez le genre de blessures qu'infligeaient en combat des guerriers ordinaires pour maquiller les morts et assurer le succès de la tromperie. Lorsqu'ils en arrivèrent à l'homme dont Eragon avait défoncé le thorax, Arya déclara :

– Difficile de camoufler ce genre de dégâts. Autant qu'il reste comme il est. Avec un peu de chance, les gens croiront qu'un cheval l'a piétiné.

Ils terminèrent par le chef de la patrouille, dont la fière moustache avait perdu de sa superbe.

Après avoir agrandi le trou percé par le caillou pour qu'il ressemble à la marque triangulaire laissée par la pique d'un marteau de guerre, Eragon s'interrompit pour contempler la dépouille du commandant :

– Il avait raison, tu sais.

– À quel sujet ?

– J'ai besoin d'une arme, d'une vraie. Il me faut une épée.

Il s'essuya les paumes sur sa tunique, balaya la plaine du regard et compta les corps.

– Et voilà ! Nous avons terminé.

Il alla rassembler les pièces éparses de son armure, les réenveloppa de tissu et les rangea au fond de sa hotte, puis il rejoignit Arya en haut d'une modeste éminence.

– Mieux vaut désormais que nous évitions les routes, dit-elle. Nous ne pouvons risquer une nouvelle rencontre avec les hommes de Galbatorix.

De la tête, elle désigna sa main droite déformée, dont le sang tachait sa tunique :

– Tu devrais arranger ça avant que nous repartions.

Et, sans attendre la réponse, elle prit ses doigts paralysés et prononça :

– Wafse heill.

Eragon ne put retenir un gémissement tandis que les articulations se remettaient en place, que les tendons abîmés et les cartilages écrasés retrouvaient leur forme, que la peau déchiquetée recouvrait la chair à vif. Le sort ayant fait son effet, il ouvrit et ferma le poing pour vérifier si tout était en ordre.

– Je te remercie, Arya.

Capable de guérir lui-même ses blessures, il s'étonnait qu'elle l'ait fait pour lui. Gênée, elle détourna les yeux et son regard se perdit à l'horizon :

– Je suis heureuse que tu aies été à mon côté, Eragon.

– Et moi de t'avoir eue au mien.

Elle le gratifia d'un bref sourire hésitant. Peu pressés de reprendre leur voyage, ils s'attardèrent un moment encore. Enfin, Arya soupira :

– Les ombres s'allongent. Il est temps de repartir avant que d'autres n'arrivent et poussent les hauts cris devant ce festin pour corbeaux.

Abandonnant la petite élévation, ils s'orientèrent vers le sud-ouest et s'éloignèrent de la route à longues foulées souples au milieu d'une mer herbeuse. Derrière eux, les premiers charognards descendaient du ciel.

13
LES OMBRES DU PASSÉ

Ce soir-là, Eragon fixait leur maigre feu en mâchant une feuille de pissenlit. Ils avaient dîné d'un assortiment de racines, de graines et de plantes qu'Arya avait ramassées aux alentours de leur bivouac. Crue, sans assaisonnement, cette nourriture n'était pas très goûteuse. Si le petit gibier ne manquait pas, il s'était abstenu d'augmenter ce frugal repas d'un oiseau ou d'un lapin pour ne pas s'attirer les reproches d'Arya. Et puis, après leur combat contre les soldats de l'Empire, l'idée de prendre une vie de plus le rendait malade.

Il se faisait tard. Il leur faudrait lever le camp de bonne heure le lendemain, et pourtant ni lui ni Arya ne manifestaient le désir de se coucher. Elle était assise à l'écart, les bras noués autour de ses jambes repliées, le menton sur les genoux. Sa robe s'étalait autour d'elle comme une fleur aux pétales fripés.

Tête baissée, Eragon massait sa main droite pour en chasser un reste de douleur. « J'ai besoin d'une épée. Ou de quelque chose pour me protéger les mains afin de ne pas m'estropier dès que je cogne. Le problème, c'est qu'avec ma force il me faudrait des gants rembourrés épais de plusieurs pouces, ce qui serait ridicule. Ils seraient trop encombrants, j'aurais trop chaud avec, et je ne vais pas me promener avec des gants le reste de ma vie. » Sourcils froncés, il examina son pouce qui pressait la chair, qui déplaçait les os de sa main meurtrie, il observa les jeux de lumière sur la peau, s'émerveilla de la malléabilité de son corps. « Et qu'adviendra-t-il si je dois me battre alors que je porte la bague de Brom ? C'est un bijou elfique, je n'ai pas à m'inquiéter de casser le saphir, seulement, si je frappe, je n'en sortirai pas avec quelques articulations luxées. Je vais me fracasser tous les os de la main... Pas sûr que je sois en mesure de réparer les dégâts... »

Il ferma les deux poings, les fit tourner dans un sens, puis dans l'autre, étudiant le mouvement des ombres à la naissance des doigts. « Je pourrais imaginer un sort qui empêcherait tout objet approchant à une vitesse dangereuse de toucher mes mains. Non. Erreur de raisonnement. Et si c'était un gros rocher ? Une montagne ? Trop d'efforts. Le sort me tuerait. Bon, puisque les gants et la magie me sont inutiles, j'aimerais avoir un jeu d'Ascûdgamln, le poing de fer des nains. » Il sourit en repensant à Shrrgnien, qui avait des pointes vissées sur un socle de métal implanté dans l'articulation de chaque doigt à l'exception des pouces. Ces pointes lui permettaient de frapper ce qu'il voulait sans craindre la douleur, et elles étaient commodes, car il les enlevait à volonté. Mais, pour séduisant que soit le concept, Eragon ne tenait pas à creuser ses articulations. « D'ailleurs, mes os sont sans doute plus fins que ceux des nains, trop fragiles pour qu'on y insère le socle métallique. Et cela risque de réduire la mobilité de mes doigts. Donc, pas d'Ascûdgamln non plus. Cela dit, il me vient une idée... »

Se penchant sur ses mains, il murmura :

– Thaefathan.

La peau se mit à le picoter, à le brûler comme s'il était tombé dans les orties : une sensation si vive, si déplaisante qu'il mourait d'envie de se gratter. Au prix d'un effort de volonté, il s'en retint et la regarda enfler à la naissance des doigts, se transformer en cals blanchâtres au-dessus de chaque articulation, un peu comme les plaques cornées qu'on voit sur les jambes des chevaux. Lorsqu'il fut satisfait de leur taille et de leur densité, il interrompit le flux de magie et entreprit d'explorer les montagnes toutes neuves qui surplombaient ses doigts.

Ses mains étaient plus lourdes, plus raides ; elles conservaient cependant leur liberté de mouvement. Frottant de la paume gauche les protubérances rugueuses de sa main droite, il songea : « Peu m'importe que ce soit laid, que ceux qui le remarquent se moquent, ce cal fera l'affaire et pourrait bien me sauver la vie. »

Débordant de joie silencieuse, il frappa le dôme rocheux qui dépassait du sol entre ses jambes écartées. Le choc produisit un bruit sourd atténué et se transmit à son bras sans lui causer plus de douleur que s'il avait heurté une porte capitonnée. L'expérience l'enhardit. Il sortit la bague de Brom de son bagage, passa l'anneau à son doigt, goûta le contact frais de l'or, puis il s'assura que le tampon de cal était plus haut que le saphir. Et, de nouveau, il testa la validité de ses observations en assenant un fameux coup de poing au rocher. Rien. Juste le bruit mat du matelas de peau sèche contre le caillou.

— À quoi tu joues ? demanda Arya, qui le regardait à travers le noir rideau de ses cheveux.

217

— Je ne joue pas.

Il lui montra ses deux mains et ajouta :

— Comme je vais sans doute devoir me battre encore, je me suis dit que ce ne serait pas plus mal de me protéger.

Arya examina ses articulations :

— Ça te gênera pour porter des gants.

— Je les entaillerai pour faire de la place.

Elle hocha la tête et reporta son attention sur le feu.

Eragon se cala sur les coudes et étira ses jambes, satisfait d'être paré pour d'éventuels affrontements sur le chemin du retour. Il préférait en rester là, ne pas se poser de questions sur l'avenir. S'il commençait à s'inquiéter de savoir comment Saphira et lui parviendraient à vaincre Murtagh ou Galbatorix, la panique se saisirait de lui pour ne plus le lâcher.

Il fixa le cœur dansant des flammes, se concentra sur la fournaise tourbillonnante afin d'oublier ses soucis et ses responsabilités. Le mouvement constant le plongea dans une sorte de léthargie ; des bribes de pensées, des émotions, des sons et des images sans suite flottaient aux marges de sa conscience comme des flocons de neige dans un clair ciel d'hiver. Parmi eux apparut le visage du soldat qui implorait sa pitié. Eragon le revit pleurer, entendit de nouveau ses suppliques désespérées, sentit sa nuque craquer comme du bois mort.

Troublé par ce souvenir, il serra les dents et soupira bruyamment. Son corps se couvrit d'une sueur glaciale. Il changea de position dans l'espoir de chasser le fantôme hostile, sans résultat. « Va-t'en ! lui cria-t-il de toute son âme. Je n'y suis pour rien. C'est Galbatorix le coupable, pas moi. Je ne voulais pas te tuer ! »

Un loup hurla, quelque part dans l'obscurité. En divers endroits de la plaine, d'autres lui répondirent, ajoutant leur voix à ce concert discordant. Eragon en eut la chair de poule. Pendant un bref instant, les hurlements fusionnèrent sur une même note, point d'orgue qui ressemblait au cri de guerre d'un Kull en pleine charge.

Eragon remua, inquiet.

— Qu'est-ce qui te tracasse ? demanda Arya. Les loups ? Ils ne nous dérangeront pas, tu sais. Ils éduquent leurs petits à la chasse, et ils ne leur permettront pas d'approcher de créatures à l'odeur aussi bizarre que la nôtre.

— Ce ne sont pas les loups du dehors, mais ceux de là-haut, dit-il en se tapotant le front.

Elle eut un petit geste vif et sec de la tête qui rappelait ceux des oiseaux et révélait que, si elle s'était donné une apparence humaine, elle ne l'était pas.

— C'est toujours comme ça. Les monstres nés de l'esprit sont bien pires que ceux du monde réel. La peur, le doute et la haine ont causé plus de souffrances que n'importe quelle bête.

— Sans oublier l'amour.

— L'amour aussi, reconnut-elle. De même que la cupidité, la jalousie, et toutes les pulsions obsessionnelles qui affectent les espèces conscientes.

Eragon songea à Tenga, seul parmi les ruines d'Edur Ithindra, l'avant-poste elfique, penché sur son précieux trésor de grimoires en quête de sa mystérieuse « réponse ». Il s'abstint de mentionner le vieil ermite à Arya, il n'était pas d'humeur à évoquer cette curieuse rencontre ce soir-là. Il demanda simplement :

– Cela te perturbe de tuer ?

Les yeux verts de l'elfe s'étrécirent :

– Ni moi ni mon peuple ne consommons la chair des animaux, car nous ne supportons pas d'abattre d'autres créatures pour assouvir notre faim, et tu oses me poser cette question ? Il faut que tu nous connaisses bien mal pour nous croire capables d'assassiner de sang-froid.

– Non, bien sûr que non, je ne crois pas ça. Ce n'est pas ce que je voulais dire.

– Alors, exprime ta pensée clairement et ne sois pas insultant par inadvertance.

Choisissant ses mots avec soin, il reprit :

– J'ai posé plus ou moins la même question à Roran avant que nous n'attaquions Helgrind. Ce que j'aimerais savoir, c'est ce que tu éprouves quand tu tues, ce qu'on est supposé éprouver.

Il fixa le feu, sourcils froncés :

– Les guerriers que tu as vaincus reviennent-ils te narguer ? Est-ce que tu les revois, aussi présents, aussi réels que je te vois devant moi ?

Pensive, elle resserra les bras autour de ses jambes. Une flamme jaillit du feu, brûlant une des phalènes qui voletaient autour du bivouac.

– Gánga ! murmura-t-elle avec une pichenette.

Dans un froufrou d'ailes duveteuses, les papillons de nuit s'en furent.

Sans relever les yeux des braises rougeoyantes, elle enchaîna :

– Neuf mois après être devenue ambassadrice – la seule ambassadrice de ma mère, en vérité –, j'ai quitté les Vardens et Farthen Dûr pour me rendre dans la capitale du Surda, qui était un tout jeune pays, à l'époque. Mes compagnons et moi sortions des montagnes des Beors quand nous avons croisé une bande d'Urgals en maraude. Nous aurions poursuivi notre chemin sans dégainer nos épées si, selon leur coutume, les Urgals n'avaient insisté pour tenter de gagner en gloire et en honneur afin de rehausser leur statut au sein de leurs tribus. Nos forces étaient supérieures aux leurs, car Weldon, l'homme qui a succédé à Brom comme chef des Vardens, était avec nous. Il nous a donc été facile de les mettre en déroute... Ce jour-là, j'ai pris une vie pour la première fois. Ce souvenir m'a obsédée pendant des semaines. Et puis, j'ai compris qu'il me rendrait folle si je continuais à le ressasser. C'est fréquent, beaucoup se laissent dévorer par la colère, le chagrin, et on ne peut plus compter sur eux. Ou leur cœur se transforme en pierre, et ils ne distinguent plus le bien du mal.

— Comment t'es-tu réconciliée avec toi-même ?

— J'ai examiné les raisons pour lesquelles j'avais tué afin de m'assurer qu'elles étaient justes. Elles l'étaient. Je me suis alors demandé si notre cause avait une importance suffisante pour que je persiste à la défendre, sachant qu'elle m'obligerait sans doute à tuer de nouveau. Enfin, j'ai résolu de m'imaginer dans les jardins de Tialdarí Hall dès que les morts reviendraient me hanter.

— Ça a marché ?

Elle écarta ses cheveux de son visage, les repoussa derrière ses oreilles :

— Oui. Trouver la paix en soi est le seul remède contre le poison de la violence. On ne l'obtient pas si facilement, mais ça en vaut la peine.

Elle marqua une pause, puis ajouta :

— Respirer aide aussi.

— Respirer ?

— De lentes respirations régulières, comme quand tu médites. C'est la méthode la plus efficace pour se calmer.

Mettant le conseil en pratique, Eragon s'appliqua à inspirer et expirer sans précipitation, en prenant soin de vider tout l'air de ses poumons avant de recommencer. Au bout de quelques minutes, la boule d'angoisse cessa de peser sur son estomac, son front se détendit, la présence de ses ennemis abattus se fit plus intangible... Les loups se remirent à hurler et, le premier sursaut d'inquiétude passé, il les écouta sans peur ; leur étrange concert avait perdu tout pouvoir sur lui.

– Je te remercie, Arya.

Elle lui répondit d'un signe gracieux du menton.

Il n'y avait plus un bruit. Ils se taisaient tous deux. Après un long moment, Eragon reprit :

– Les Urgals.

Il marqua une pause, laissa ces mots s'inscrire sur le silence, monolithiques et lourds d'ambivalence.

– Tu penses que Nasuada a eu raison de les autoriser à se joindre aux Vardens ?

De ses longs doigts souples, Arya ramassa une brindille près de l'ourlet de sa robe, examina le frêle morceau de bois tordu avec attention, comme s'il recelait un secret :

– Je l'admire d'avoir pris cette décision courageuse. Quel qu'en soit le prix, elle agit toujours pour servir au mieux les intérêts des Vardens.

– Elle s'en est aliéné beaucoup en acceptant l'aide de Nar Garzhvog.

– Et elle a reconquis leur loyauté par l'Épreuve des Longs Couteaux. Fine mouche, Nasuada a l'art de consolider sa position.

Arya jeta la branchette dans le feu :

– Si je n'aime pas beaucoup les Urgals, je ne les hais pas non plus. À l'inverse des Ra'zacs, ils ne sont pas foncièrement mauvais, juste un peu trop belliqueux. À défaut de consoler les familles de leurs victimes, cette différence mérite qu'on s'y attache. Nous, les elfes, nous avons traité avec les Urgals par le passé, et nous le ferons encore si les circonstances l'exigent. Quoi qu'il en soit, il n'y a pas grand-chose à espérer d'eux.

Le commentaire se passait d'explications. Dans les nombreux rouleaux sur le sujet qu'Oromis lui avait donnés à lire, dans *Les voyages de Gnaevaldrskald* en particulier, Eragon avait découvert que toute la culture des Urgals reposait sur les exploits guerriers. Les mâles ne s'élevaient dans la hiérarchie qu'en lançant des raids sur les villages de leurs congénères, des humains, des elfes ou des nains – peu leur importait –, ou bien encore en se battant contre leurs rivaux dans des duels pouvant aller jusqu'à la mort. Le moment venu de choisir un compagnon, les femelles jugeaient indigne d'elles tout bélier n'ayant pas vaincu au moins trois adversaires. De sorte que chaque nouvelle génération d'Urgals se devait de mettre au défi ses pairs comme ses aînés, et de parcourir les campagnes à la recherche d'occasions de prouver sa valeur. Cette tradition était si ancrée dans les mœurs que toutes les tentatives pour l'éradiquer avaient échoué. « Au moins, ils demeurent fidèles à eux-mêmes, songea Eragon. Ce n'est pas le cas d'une majorité d'hommes. »

— Comment se fait-il que Durza et des Urgals aient réussi à vous prendre en embuscade, toi, Glenwing et Faolin ? Vous n'étiez donc pas protégés contre les attaques physiques ?

— Les flèches étaient enchantées.

— Il y avait des magiciens parmi les Urgals ?

Fermant les yeux, Arya soupira et secoua la tête :

— Non. C'était de la magie noire, une invention de Durza. Il s'en vantait quand j'étais prisonnière à Gil'ead.

— J'ai vu ce que tu as subi entre ses mains. Je ne sais pas comment tu as pu résister si longtemps.

— Ce... ça n'a pas été facile. Je considérais les tortures qu'il m'infligeait comme une chance de tester mon engagement, de prouver que je ne m'étais pas trompée de voie, que j'étais digne du yawë. J'ai donc accueilli cette épreuve comme un défi.

— N'empêche. Même les elfes sont sensibles à la douleur. Je m'étonne que tu sois parvenue à lui cacher l'emplacement d'Ellesméra pendant des mois.

Une pointe de fierté perça dans sa réponse :

— Pas seulement l'emplacement d'Ellesméra, mais aussi l'endroit où j'avais envoyé l'œuf de Saphira, mon vocabulaire en ancien langage, et tout ce que Galbatorix risquait d'utiliser.

Il y eut une nouvelle pause dans la conversation. Enfin, Eragon dit :

— Tu y penses souvent, à ce que tu as enduré là-bas ?

Comme elle se taisait, il ajouta :

— Tu n'en parles jamais. Si tu racontes sans te faire prier les circonstances de ton emprisonnement, tu ne dis rien de ce que tu as vécu, ni de ce que tu éprouves aujourd'hui quand tu y penses.

— Souffrir, c'est souffrir. Pas besoin de description.

— Certes. Mais tout garder pour soi peut causer plus de dégâts que la blessure d'origine... On ne sort pas indemne de ce genre d'expérience, même si cela ne se voit pas.

— Pourquoi présumer que je ne me suis pas déjà confiée à quelqu'un ?

— À qui ?

— C'est si important ? Ajihad, ma mère, un ami à Ellesméra.

— Pardonne-moi si je me trompe, je n'ai pas l'impression que tu aies des amis proches. Où tu vas, tu vas seule, même parmi les tiens.

Arya demeura de marbre, si impassible qu'Eragon se demanda si elle daignerait lui répondre. Alors que ses doutes se muaient en conviction, elle y mit fin et murmura :

— Il n'en a pas toujours été ainsi.

Tendu dans l'attente de la suite, Eragon n'osait plus remuer un cil de crainte qu'elle ne se ravise et se taise.

— Autrefois, j'avais quelqu'un à qui parler, quelqu'un qui savait qui j'étais et pourquoi. Autrefois... Il était plus âgé, mais nos âmes étaient sœurs. Nous étions tous deux curieux du monde qui s'étendait au-delà de notre forêt, avides de l'explorer, avides de frapper Galbatorix. Nous ne supportions pas de rester confinés au Du Weldenvarden, à étudier, pratiquer la magie et vaquer à nos projets personnels alors que le Tueur de Dragons, le fléau des Dragonniers, cherchait un moyen de soumettre notre race. Avec un peu de retard, il en est venu aux mêmes conclusions que moi, plusieurs décennies après ma prise de fonction comme ambassadrice, et quelques années avant que

Herfring ne vole l'œuf de Saphira. Ayant arrêté sa décision, il s'est porté volontaire pour m'accompagner où qu'Islanzadí m'envoie.

Elle cligna des paupières, déglutit avec peine :

— Je m'y serais opposée si l'idée n'avait séduit la reine. Et puis, il s'est montré très persuasif...

Elle fronça les lèvres, cligna de nouveau des paupières. Ses yeux brillaient plus que de coutume.

— Était-ce Faolin ? s'enquit Eragon avec douceur.

— Oui, souffla-t-elle d'une voix à peine audible.

— Tu l'aimais ?

Elle rejeta la tête en arrière et contempla le ciel ; la lueur du feu dorait son cou de cygne tandis que son visage reflétait la pâle clarté des étoiles.

— Tu me poses la question en tant qu'ami, ou par intérêt personnel ?

Elle eut un petit rire étranglé, gouttes d'eau dégringolant sur un rocher glacé.

— Oublie ce que je viens de dire. L'air nocturne me brouille l'esprit. J'en perds toute courtoisie au point de lancer la première méchanceté qui me passe par la tête.

— Ce n'est pas grave.

— Si, c'est grave, parce que je le regrette. Je ne tolère pas l'impudence. Aimais-je Faolin ? Comment définir l'amour ? Pendant plus de vingt ans, nous avons voyagé ensemble, seuls immortels à côtoyer les races à la vie brève. Nous étions compagnons de route... et amis.

En proie à un brusque accès de jalousie, Eragon s'efforça de chasser le sentiment importun sans y parvenir tout à fait. Il en restait une trace rebelle qui continuait à l'irriter comme une écharde sous la peau.

— Plus de vingt ans..., répéta Arya.

Sans cesser de scruter la voûte céleste, elle se balançait d'avant en arrière, semblait seule avec ses pensées.

— ... Et puis, en l'espace d'un instant, Durza m'a privée de tout cela. Faolin et Glenwing étaient les premiers elfes à mourir au combat depuis près d'un siècle. Quand Faolin est tombé, j'ai compris que la vraie souffrance de la guerre n'est pas d'être blessé soi-même, mais de voir mourir les êtres auxquels on tient. Je croyais avoir appris la leçon pendant mon séjour chez les Vardens où, les uns après les autres, des hommes et des femmes que je respectais mouraient par l'épée, les flèches, le poison, ou encore de vieillesse. Mais jamais une disparition ne m'avait touchée d'aussi près. Ce jour-là, je me suis dit : « À présent, je vais sûrement mourir, moi aussi. » Puisque nous avions survécu ensemble à tous les dangers que nous avions affrontés, je doutais d'en sortir vivante s'il n'avait pas pu s'en tirer.

Eragon s'aperçut alors qu'elle pleurait. De grosses larmes roulaient du coin de ses yeux le long de ses tempes pour se perdre dans ses cheveux. À la lumière des étoiles, elles ressemblaient à des perles de verre argenté. L'intensité de son chagrin le surprit. Il ne l'imaginait pas capable d'une telle réaction et s'étonnait d'en être la cause involontaire.

— ... Ensuite, il y a eu Gil'ead. Les jours les plus longs de ma vie. Faolin n'était plus, je ne savais pas si l'œuf de Saphira était en sécurité ou si je l'avais rendu à Galbatorix par inadvertance, et Durza... Durza assouvissait les désirs des esprits assoiffés de sang qui le possédaient en me faisant subir les pires horreurs nées de son imagination malsaine. Parfois, lorsqu'il allait trop loin, il me guérissait pour pouvoir recommencer le lendemain matin. S'il m'avait donné une chance de rassembler mes esprits, j'aurais peut-être réussi à tromper la surveillance de mon geôlier comme tu l'as fait, et à ne pas avaler la drogue qui m'empêchait d'user de la magie. Hélas, je n'ai jamais eu plus de quelques heures de répit. Durza n'avait pas besoin de plus de sommeil que toi ou moi, il me harcelait dès que j'étais consciente et que ses autres occupations le lui permettaient. Quand il me travaillait au corps, chaque seconde était une heure, chaque heure une semaine, et chaque jour une éternité. Il veillait à ne pas me rendre folle – Galbatorix n'aurait pas apprécié – mais il n'en était pas loin. Il s'en est fallu de très, très peu. Je commençais à entendre chanter des oiseaux alors qu'il n'y en avait pas, à voir des choses impossibles. Un jour, une lumière dorée a inondé ma cellule, j'en avais chaud partout. En levant les yeux, j'ai découvert que j'étais étendue sur une branche en haut d'un arbre, près du centre d'Ellesméra. Le soleil se couchait et la ville entière rougeoyait comme si elle était en feu. Les Äthalvards chantaient en bas, sur le sentier. Tout était si calme, si paisible... si beau que j'y serais restée à jamais. Puis la lumière s'est estompée, et je me suis retrouvée sur ma paillasse... Je l'avais oublié, et c'est pourtant le seul témoignage de bonté dont on m'ait gratifiée à Gil'ead : un jour, un soldat a laissé une rose blanche dans mon cachot. Cette nuit-là, la fleur a pris racine et donné naissance à un immense rosier qui a grimpé le long du mur, s'est insinué entre les blocs de pierre du plafond, les fissurant pour forcer le passage hors du donjon et à l'air libre. Il a continué à grandir jusqu'à toucher la lune, formant une gigantesque tour sinueuse qui me promettait l'évasion si seulement j'arrivais à me soulever du sol. J'ai essayé, j'y ai mis tout ce qui me restait de force, je n'ai pas pu. Le temps de me retourner, et le rosier s'était évanoui... C'est là l'état dans lequel j'étais quand tu rêvais de moi et que je sentais ta présence. Pas étonnant que j'aie pris cette sensation pour une illusion de plus...

Elle esquissa un pâle sourire :

— ... Et puis, tu es venu, Eragon. Toi et Saphira. Alors que l'espoir m'avait quittée, qu'on allait me conduire devant Galbatorix à Urû'baen, un Dragonnier est apparu pour me délivrer. Un Dragonnier et son dragon !

— Et le fils de Morzan, dit-il. Les *deux* fils de Morzan.

— Présente ça comme tu veux, c'était si improbable que je me demande parfois si je n'ai pas réellement perdu la tête et imaginé tout ce qui s'est passé depuis.

— Aurais-tu imaginé que je vous causerais autant de soucis en restant seul à Helgrind ?

— Non. Sans doute pas.

Du poignet de sa manche, elle tamponna ses yeux pour les sécher :

— Quand je me suis réveillée à Farthen Dûr, il y avait trop à faire pour que je m'attarde sur le passé. Mais les évènements ont pris ces derniers temps une tournure si sombre et si sanglante que je me surprends souvent à revivre des souvenirs qu'il vaudrait mieux ne pas raviver. Cela me rend morose, irritable, je n'ai plus de patience pour les menus retards qu'impose la vie.

Elle se mit à genoux, posa les mains sur le sol de chaque côté de ses jambes, comme pour se stabiliser :

— Tu dis que je vais seule. Il est vrai que je suis de nature solitaire et, contrairement aux nains et aux humains, les elfes ne sont guère démonstratifs. Malgré cela, si tu m'avais connue telle que j'étais avant Gil'ead, tu ne m'aurais pas jugée froide et distante. Je chantais et dansais, alors, je n'étais pas accablée par des pressentiments de malheur.

Eragon recouvrit la main gauche d'Arya de sa droite :

— Les épopées sur les héros de naguère ne disent pas que c'est là le prix à payer lorsqu'on se bat contre les monstres des ténèbres et ceux qu'enfantent nos pensées. Ne perds jamais de vue les jardins de Tialdarí Hall, et tout ira mieux, j'en suis sûr.

Arya laissa le contact se prolonger près d'une minute, moment de douce camaraderie et non de passion pour Eragon, qui ne tenta pas de pousser l'avantage. La confiance d'Arya lui était presque aussi précieuse que le lien qui l'unissait à Saphira, et il serait allé de bon cœur au combat plutôt que risquer de la perdre. Puis, d'un léger mouvement du bras, elle lui fit comprendre que c'était assez, et il ôta sa main de la sienne sans protester.

Il n'en gardait pas moins le désir d'alléger son fardeau par tous les moyens. Examinant le sol autour de lui, il murmura « Loivissa », si bas qu'on l'entendit à peine. Guidés par le pouvoir du vrai nom, ses doigts trouvèrent ce qu'il cherchait dans la terre meuble : un mince disque plus petit qu'un ongle à la texture parcheminée. Retenant son souffle, il le déposa sur sa paume, au centre de la gedwëy ignasia, avec la plus grande délicatesse. Afin de ne pas commettre d'erreur, il repassa en esprit les leçons d'Oromis sur le type d'enchantement qu'il projetait, puis il se mit à psalmodier sans heurt ni interruption à la manière des elfes :

Eldhrimner O Loivissa nuanen, dautr abr deloi,
Eldhrimner nen ana weohnataí medh solus un thringa,
Eldhrimner un fortha onr feon vara,
Wiol allr sjon.

Eldhrimner O Loivissa nuanen...

Il répéta ces quatre vers encore et encore, les projetant vers le copeau brunâtre dans sa main. Le mince disque s'enfla et devint sphère. Des vrilles blanches, longues d'un pouce ou deux, jaillirent au bas du globe, chatouillant la paume d'Eragon, tandis qu'une fine pousse verte émergeait au sommet de la sphère et, sur son ordre, s'élevait d'un bon pied. Une unique feuille plate et large apparut sur le côté de la tige, dont le haut s'épaissit et retomba. Après quelques instants d'inactivité apparente, ce renflement se divisa et s'ouvrit, révélant les pétales cireux d'un lys bleu pâle en forme de cloche.

Quand la plante eut atteint sa taille normale, il arrêta le flux de magie et examina son œuvre. Façonner les plantes par le chant était un art que la plupart des elfes maîtrisaient dès leur plus jeune âge, un art auquel Eragon s'était si peu exercé qu'il avait craint de ne pas réussir. Le sort lui avait coûté cher. Il fallait une quantité surprenante d'énergie pour nourrir un lys et l'amener à maturité, l'équivalent d'un an et demi de pousse.

Satisfait du résultat, il tendit la fleur à Arya :

— Ce n'est pas une rose blanche, mais...

Il sourit et haussa les épaules.

— Tu n'aurais pas dû, dit-elle. En même temps, je suis heureuse que tu l'aies fait.

Elle caressa le dessous des pétales, porta le lys à son nez pour le sentir. Ses traits se détendirent. Pendant plusieurs minutes, elle admira la fleur, puis elle creusa le sol à côté d'elle, planta le bulbe et tassa la terre de la paume. De nouveau, elle en effleura les pétales, elle ne se lassait pas de le regarder.

– Je te remercie, Eragon. Offrir des fleurs est une coutume commune à nos deux races, et les elfes y attachent plus de valeur que les humains. Pour nous, cela symbolise tout ce qu'il y a de meilleur : la vie, la beauté, le renouveau, l'amitié, et bien davantage. Je te l'explique afin que tu comprennes à quel point ton cadeau me touche. Tu l'ignorais sans...

– Non, je le savais.

Elle le considéra d'un air grave, comme si elle l'évaluait :

– Pardonne-moi. Voilà deux fois que je sous-estime ton éducation. Je ne commettrai plus cette erreur.

Elle lui répéta ses remerciements en ancien langage et, dans cette même langue maternelle des elfes, il lui fit part de sa joie que le cadeau lui plaise. Puis il frissonna, soudain affamé alors qu'ils achevaient de manger. Arya s'en aperçut :

– Tu as dépensé trop de forces. S'il te reste de l'énergie dans Aren, utilise-la pour te remettre d'aplomb.

Eragon dut se rappeler qu'Aren était la bague de Brom ; jusque-là, il n'avait entendu son nom qu'une fois, dans la bouche de la reine Islanzadí le jour de son arrivée à Ellesméra. « Ma bague, à présent. Il faut que j'arrête de penser qu'elle est à Brom. » Il posa un regard dubitatif sur le gros saphir qui étincelait à son doigt :

– Je ne suis pas sûr qu'il y ait de l'énergie dans Aren. Je n'en ai jamais stocké là et je n'ai pas vérifié si Brom l'avait fait.

Tout en parlant, il étendit sa conscience vers le bijou. Dès qu'il fut en contact avec la pierre, il sentit une vaste réserve d'énergie bouillonnante. Sous l'œil de son esprit, le saphir vibrait de puissance vitale à en faire exploser les facettes aux arêtes aiguës qui la contenaient. Après avoir puisé à cette source pour rendre à son corps la vigueur, pour effacer toute trace de fatigue et de douleur, il s'aperçut que les trésors d'Aren en étaient à peine diminués.

Des fourmillements couraient sur sa peau quand il rompit le contact. Ravi de sa découverte, de son soudain bien-être, il éclata de rire et dit à Arya :

— Brom a dû y emmagasiner toute l'énergie dont il disposait pendant les années où il se cachait à Carvahall.

Il rit de nouveau, osant à peine y croire :

— Toutes ces années... Imagine ! Rien qu'avec Aren, je pourrais démolir un château entier d'un seul sort.

— Il se doutait qu'il en aurait besoin pour assurer la sécurité du nouveau Dragonnier à l'éclosion de Saphira, remarqua-t-elle. Et je suis sûre qu'Aren était aussi pour lui un moyen de protection, au cas où il devrait affronter un Ombre ou un adversaire de même niveau. Ce n'est pas par accident qu'il a réussi à frustrer ses ennemis pendant près d'un siècle... À ta place, je garderais ce don d'énergie pour une situation critique, et je m'emploierais à l'accroître quand les circonstances le permettent. Ce pourrait être une ressource précieuse. Il ne faut pas la gâcher.

« Non, songea Eragon, je ne la gâcherai pas. » Il fit tourner la bague autour de son doigt, en contempla l'éclat à la lueur du feu. « Depuis que Murtagh m'a volé Zar'roc, c'est tout ce qu'il me reste de Brom, avec la selle de Saphira et Feu de Neige. Les nains ont ramené Feu de Neige de Farthen Dûr, mais je le monte rarement à présent. À vrai dire, Aren est mon seul souvenir de Brom... Tout ce qu'il m'a légué. Mon unique héritage. Si seulement il était encore vivant ! J'aurais tant aimé lui parler d'Oromis, de Murtagh, de mon père... Oh, la liste est sans fin ! Qu'aurait-il pensé de mes sentiments pour Arya ?... Bah ! J'ai comme idée qu'il m'aurait gourmandé, traité d'imbécile aveuglé par l'amour, reproché de me gaspiller pour une cause perdue... Et il aurait sans doute eu raison, mais qu'y puis-je ? Elle est la seule femme qui m'attire, auprès de laquelle j'aie envie d'être. »

Le feu crépitait. Une gerbe d'étincelles en jaillit. Les yeux mi-clos, Eragon regarda les flammes en réfléchissant aux confidences de l'elfe. Puis son esprit revint sur une question qui le tourmentait depuis la bataille des Plaines Brûlantes :

– Arya ? Est-ce que les dragons mâles grandissent plus vite que les femelles ?

– Non. Pourquoi cette question ?

– À cause de Thorn. Il n'a que quelques mois, et il est déjà presque aussi grand que Saphira. Je ne comprends pas.

Elle cueillit un brin d'herbe, se mit à dessiner, traçant sur la terre meuble les lignes courbes des glyphes elfiques, le Liduen Kvaedhí.

– Je présume que Galbatorix a accéléré sa croissance pour que Thorn soit de taille à lutter contre Saphira.

– Et... ce n'est pas dangereux ? Oromis m'a expliqué que, s'il usait de magie pour me doter de la force, de la vitesse, de l'endurance et des capacités dont j'avais besoin, je ne comprendrais pas mes nouvelles aptitudes aussi bien que si je les avais acquises par le travail et l'expérience. Il avait d'ailleurs raison. Aujourd'hui encore, les modifications que les dragons ont apportées à mon corps pendant l'Agaetí Sänghren me prennent parfois au dépourvu.

Arya hocha la tête tout en continuant à écrire :

– Il est possible d'atténuer les effets indésirables grâce à certains sorts, mais c'est long, difficile. Si tu veux maîtriser ton corps, le mieux est d'user de moyens normaux. Thorn doit être très perturbé par la transformation que Galbatorix lui a imposée. Il a l'esprit d'un dragonneau dans le corps d'un dragon presque adulte.

Eragon tâta les tampons de cal tout neufs à l'articulation de ses doigts :

– Tu sais aussi pourquoi Murtagh est aussi puissant... plus puissant que je ne le suis ?

– Si je le savais, je comprendrais sans doute comment Galbatorix s'est arrangé pour accroître ses propres forces à ce degré surnaturel. Hélas, je l'ignore.

« Mais Oromis le sait », songea Eragon. Du moins le lui avait-il laissé entendre. Il n'avait cependant pas jugé bon de partager sa science avec Saphira et lui. Dès qu'ils seraient en mesure de retourner au Du Weldenvarden, Eragon comptait bien demander au vieux Dragonnier de lui livrer la vérité nue. « Il faut qu'il nous le dise, maintenant ! Murtagh nous a vaincus à cause de notre ignorance, il aurait pu nous amener à Galbatorix. » Sur le point de répéter les commentaires d'Oromis à Arya, il retint sa langue de justesse. Le vieux sage n'aurait pas gardé un secret de cette importance pendant plus d'un siècle s'il n'avait pas été crucial de le taire.

Arya mit un point final à la phrase qu'elle avait écrite sur le sol. Eragon se pencha et lut : « À la dérive sur l'océan du temps, le dieu solitaire vogue de lointain en lointain, de rivage en rivage, et suit la loi des corps célestes. »

— Qu'est-ce que ça veut dire ?

— Je n'en sais rien.

Et, d'un geste ample, elle effaça la phrase mystérieuse.

Après un silence, il reprit lentement, formulant sa pensée à mesure qu'il parlait :

— Comment se fait-il... que personne n'appelle jamais... les dragons des Parjures par leur nom ? On dit « le dragon de Morzan », « le dragon de Kialandí », et on ne donne pas leur nom. Ils devaient pourtant compter autant que les Dragonniers ! D'ailleurs, je ne me souviens pas d'avoir vu leurs noms sur les rouleaux qu'Oromis me confiait... et je suis à peu près sûr qu'ils y figuraient... Oui, ils y étaient bien, j'en suis convaincu... sauf que ça n'a laissé aucune trace dans ma tête. Tu ne trouves pas ça bizarre ?

Arya s'apprêtait à répondre quand il l'interrompit :

— Pour une fois, je suis content que Saphira ne soit pas là. J'ai honte de ne pas avoir remarqué le phénomène plus tôt. Même toi, même Oromis, tous les elfes que j'ai rencontrés refusent de les appeler par leur nom, comme si c'étaient des bêtes stupides, indignes de cet honneur. C'est voulu ? Parce qu'ils étaient vos ennemis ?

— On ne t'a rien appris à ce sujet ? s'enquit-elle, surprise.

— Je crois... que Glaedr en a touché deux mots à Saphira. Je n'en jurerais pas. J'étais au beau milieu d'un pont arrière dans la Danse du Serpent et de la Grue, je ne prêtais qu'une attention distraite à Saphira.

Il rit, gêné de sa propre négligence, éprouva le besoin de s'expliquer :

— Par moments, j'avais du mal à m'y retrouver. Oromis me parlait pendant que j'écoutais les pensées de Saphira qui communiquait avec Glaedr par télépathie. Le pire, c'est qu'avec elle Glaedr s'exprime rarement dans une langue reconnaissable ; il projette des images, des odeurs, des sensations plutôt que d'employer des mots. Au lieu de désigner un objet ou une personne par son nom, il transmet un ensemble d'impressions.

— Tu te rappelles ce qu'il lui racontait ? Tu saurais mettre des mots dessus ?

Eragon hésita :

— Une histoire de nom qui n'en était pas un, ou quelque chose comme ça. Je n'ai rien compris.

— Le Du Namar Aurboda, le Bannissement des Noms.

— Le Bannissement des Noms ?

De la pointe de son brin d'herbe, elle se remit à écrire sur le sol :

— Ce fut l'un des évènements capitaux pendant la lutte entre les Dragonniers et les Parjures. Lorsqu'ils ont découvert que treize des leurs avaient trahi, collaboraient avec Galbatorix pour éliminer le reste de la race, et que rien ne les arrêterait, les dragons étaient furieux. Ils se sont rassemblés, ont conjugué leurs forces pour créer un de leurs enchantements inexplicables. Ensemble, ils ont dépouillé les treize dragons renégats de leurs noms.

— Comment est-ce possible ? s'exclama Eragon, impressionné.

— Je viens de te le dire, c'est inexplicable. On ne sait qu'une chose : dès que les dragons ont eu jeté leur sort, personne n'a pu prononcer le nom des treize renégats ; ceux qui s'en souvenaient les ont oubliés et, s'il est possible de les lire sur les rouleaux, les documents d'archives, s'il est possible de les recopier en ne se concentrant que sur un glyphe à la fois, ils ont perdu leur sens. Le sort n'a épargné que les deux dragons de Galbatorix, Jarnunvösk, le premier, qui n'avait pas trahi et que des Urgals ont tué, et Shruikan, qui n'a pas choisi de servir le roi félon, mais y a été contraint par Galbatorix et Morzan.

« Perdre son nom, quelle horreur ! songea Eragon en frissonnant. Si j'ai appris une chose depuis que je suis Dragonnier, c'est qu'il ne faut pas – jamais – se faire un ennemi d'un dragon. »

– Et leurs vrais noms ? Ils les ont effacés aussi ?

– Oui. Vrais noms, prénoms, surnoms, patronymes, titres, tout. Après cela, les treize ne valaient pas mieux que des bêtes. Ils ne pouvaient plus dire « J'aime ceci, pas cela » ou « J'ai des écailles vertes » car c'est déjà se définir. Privés d'identité, ils ne se reconnaissaient même plus pour des dragons. Mot après mot, le sort a oblitéré tout ce qui faisait d'eux des créatures conscientes et dotées de raison. La mort dans l'âme, les Parjures impuissants ont vu leurs dragons sombrer peu à peu dans l'ignorance. L'expérience était si éprouvante que cinq des treize au moins et plusieurs Parjures en sont devenus fous.

Arya marqua une pause, examina le dessin d'un glyphe sur le sol et l'effaça pour le redessiner :

– Si les gens d'aujourd'hui s'imaginent le plus souvent que les dragons n'étaient que de banales montures pour se rendre d'un lieu à un autre, c'est à cause du Bannissement des Noms.

– Ils ne croiraient pas cela s'ils avaient rencontré Saphira.

Elle ajouta une fioriture finale à ce qu'elle écrivait et sourit :

– J'en doute aussi.

Eragon s'approcha, inclina la tête de côté pour déchiffrer la phrase : « Le joueur de tours, le maître des énigmes, le gardien des équilibres, l'être aux visages multiples qui trouve la vie dans la mort et ne craint pas le mal ; celui qui passe au travers des portes. »

– Qu'est-ce qui t'a poussée à écrire ça ?

– L'idée que beaucoup de choses ne sont pas ce qu'elles paraissent.

Elle tapota le sol, soulevant de petits nuages de poussière, et ses glyphes disparurent de la surface de la terre.

– Quelqu'un a essayé de deviner le vrai nom de Galbatorix ? demanda Eragon. Il me semble que ce serait le moyen le plus rapide d'en finir avec la guerre et, pour être honnête, sans doute notre seul espoir de le vaincre au combat.

– Pour être honnête ? répéta Arya, une flamme dans le regard. Tu ne l'étais donc pas jusqu'ici ?

Il ne put réprimer un léger gloussement :

– Bien sûr que si ! Simple figure de style.

– Une sotte figure de style. Sauf pour les menteurs.

Déstabilisé, Eragon mit quelques instants à retrouver le fil de son discours :

– Découvrir le vrai nom de Galbatorix ne serait pas une mince affaire, j'en suis conscient. Mais, si tous les elfes et tous les Vardens qui connaissent l'ancien langage s'y mettaient, nous y parviendrions.

Tel un minuscule fanion décoloré par le soleil, le brin d'herbe sèche pendait entre le pouce et l'index d'Arya, tremblant au rythme des pulsations de son sang. De sa main gauche, elle en pinça l'extrémité libre et déchira l'étroite feuille en deux dans le sens de la longueur ; elle fit de même avec les deux morceaux et entreprit de les tresser en une tige rigide.

– Le vrai nom de Galbatorix n'est pas un grand secret, tu sais. Trois elfes – un Dragonnier et deux magiciens ordinaires – l'ont découvert chacun de leur côté à bien des années d'intervalle.

– Ah oui ? s'exclama Eragon.

Imperturbable, Arya cueillit un autre brin d'herbe, le déchira en lanières qu'elle inséra dans les interstices de la tige, puis elle se remit à tresser dans une autre direction.

– Galbatorix connaît-il son vrai nom ? Vaste question ouverte à toutes les conjectures. Je suis d'avis que non, car son nom doit être si abominable qu'il n'y survivrait pas s'il l'entendait.

– À moins qu'il ne soit assez malfaisant ou assez fou pour que la vérité n'ait plus prise sur lui.

– Possible.

Ses doigts agiles volaient, tordaient, tressaient, tissaient si vite qu'ils étaient presque invisibles. Elle cueillit deux nouveaux brins d'herbe.

– Qu'il le connaisse ou non, Galbatorix ne peut ignorer que, comme tout ce qui existe, il possède un vrai nom, et que c'est là une faiblesse potentielle. À un moment donné, avant d'embarquer pour sa croisade contre les Dragonniers, il a lancé un sort qui tue quiconque l'utilise. Et, comme nous n'avons pas la moindre idée de la façon dont ce sort mortel opère, nous sommes incapables de nous en protéger. Tu comprends maintenant pourquoi nous avons plus ou moins renoncé à chercher son vrai nom. Il n'y a qu'Oromis qui soit assez brave pour poursuivre l'enquête, par des voies détournées.

Avec une expression de satisfaction, elle tendit les mains vers lui ; sur ses paumes ouvertes reposait un joli bateau fait de brins d'herbe verts et blancs, long de quatre pouces au plus, si finement détaillé qu'on distinguait les bancs des rameurs, le minuscule bastingage le long du pont, les hublots pas plus gros que des graines de framboise. La proue relevée et courbe ressemblait à une tête de dragon sur son long cou. Vers le centre se dressait un mât unique.

– Qu'il est beau !

Arya se pencha sur son œuvre et murmura :

– Flauga.

Puis elle souffla dessus. Le bateau se souleva, vogua autour du feu puis, prenant de la vitesse, il monta dans les airs pour se perdre dans les profondeurs du ciel étoilé.

– Il ira loin, comme ça ?

– Au bout du temps. Il tire l'énergie des plantes pour se maintenir en altitude. Partout où les plantes poussent, il vole.

Émerveillé, Eragon s'attristait aussi à l'idée de ce délicat bateau d'herbe errant parmi les nuages pour l'éternité, avec les oiseaux pour seule compagnie :

– Imagine les histoires que les gens raconteront sur lui dans les années à venir.

Arya croisa ses doigts nerveux, comme pour les empêcher de fabriquer autre chose.

— Il y a beaucoup de curiosités de ce genre de par le monde. Plus longtemps tu vivras, plus loin tu voyageras, et plus tu en verras.

Il fixa les braises palpitantes pendant un moment, puis il reprit le fil de la discussion interrompue :

— S'il est aussi important de protéger son vrai nom, tu crois que je devrais créer un sort pour éviter que Galbatorix se serve du mien contre moi ?

— Si tu y tiens. Je doute toutefois que ce soit nécessaire. Il est plus malaisé de découvrir un vrai nom que tu ne sembles le penser. Galbatorix ne te connaît pas assez pour deviner le tien, et, s'il pénétrait en toi pour examiner ton esprit, pour passer au crible le moindre de tes souvenirs, tu serais déjà perdu, à sa merci. Avec ou sans vrai nom. J'ajouterais pour te rassurer que je serais bien incapable de trouver le tien.

— Tu en serais incapable, vraiment ? s'étonna-t-il, à la fois ravi et vexé d'avoir du mystère pour elle.

Elle le regarda, baissa les yeux :

— Oui, vraiment. Et toi ? Tu trouverais le mien ?

— Non.

Le silence enveloppa leur bivouac. Les étoiles luisaient là-haut, blanches et froides. Un vent d'est se leva et traversa la plaine, malmenant l'herbe et gémissant comme s'il pleurait la perte d'un être cher. Sur son passage, les braises se ranimèrent, une crinière de flammes sinueuses en jaillit et s'étira vers l'ouest. Eragon rentra la tête dans les épaules et resserra le col de sa tunique autour de son cou. Ce vent mauvais le mordait avec une férocité inhabituelle et paraissait les isoler, Arya et lui, du reste du monde. Ils étaient là tous deux, immobiles, abandonnés sur leur petite île de lumière et de chaleur, tandis que le flot d'air impétueux déferlait sur le vaste paysage désert, hurlant sa douleur et sa rage.

Les bourrasques forcirent. Elles emportaient maintenant des flammèches avec elles, loin de l'espace dégagé choisi par

Eragon pour faire le feu. Arya jeta une poignée de terre sur le bois. Il s'agenouilla près d'elle et l'imita, ramassant la terre à deux mains pour accélérer l'opération. Le feu éteint, tout devint indistinct, la campagne fantomatique se peuplait d'ombres mouvantes, de formes vagues, de feuilles argentées.

Arya allait se lever, elle s'arrêta dans son élan, accroupie, bras tendus pour assurer son équilibre, attentive. Eragon avait lui aussi perçu quelque chose. L'air bourdonnait et picotait, comme quand la foudre va frapper. Le duvet de sa nuque se hérissa.

— Qu'est-ce que c'est ? demanda-t-il.

— On nous observe. Quoi qu'il arrive, n'use pas de la magie, tu risques de causer notre mort.

— Qui...

— Chut.

Cherchant autour de lui, il repéra une pierre de la taille d'un poing, la dégagea, la soupesa.

Au loin, un groupe de taches lumineuses multicolores apparut. Elles venaient vers eux, volant au ras de l'herbe à vive allure. À mesure qu'elles se rapprochaient, il remarqua que leur taille changeait en permanence, allant de celle d'une perle à des globes de plusieurs pieds de diamètre. Leur couleur variait aussi, passant par toutes les teintes de l'arc-en-ciel. Chacune était entourée d'un halo, nuage d'orage crépitant fait de tentacules qui s'agitaient et fouettaient l'air avec la frénésie d'êtres avides d'attraper une proie. Incapable de les compter tant ces boules de lumière se déplaçaient vite, Eragon estima leur nombre à environ deux douzaines.

Elles déboulèrent dans le camp, les entourèrent d'un mur tourbillonnant, les inondèrent de pulsations colorées. Pris de vertige, Eragon posa une main sur le sol pour se stabiliser. Le bourdonnement était si fort que ses dents vibraient, s'entrechoquaient. Un goût de métal lui emplit la bouche, et ses cheveux se dressèrent sur sa tête. Malgré leur longueur, ceux d'Arya en firent autant, spectacle si grotesque qu'il dut se retenir de rire.

— Qu'est-ce qu'elles nous veulent ? s'écria-t-il.

Arya ne répondit pas. Un globe s'était détaché du mur et flottait devant elle, à la hauteur de ses yeux. Tel un cœur vivant, il se dilatait et se contractait, tantôt bleu roi et tantôt vert émeraude, parfois traversé d'éclairs rouges. L'un des tentacules saisit une mèche de ses cheveux. Il y eut un *pop*, et la mèche se mit à briller comme un astre. Puis s'éteignit. Une odeur de roussi parvint aux narines d'Eragon.

Impassible, le visage serein, Arya leva un bras et, avant qu'il bondisse pour l'en empêcher, elle posa la main sur l'orbe resplendissant, qui vira à l'or, au blanc, qui s'enfla jusqu'à trois bons pieds de diamètre. Paupières closes, l'elfe renversa la tête en arrière ; une joie indicible illuminait ses traits. Ses lèvres remuèrent, mais ses paroles demeuraient inaudibles. Lorsqu'elle se tut, l'orbe devint rouge sang, passa au vert, au violet, à l'orangé, à un bleu si vif qu'Eragon dut se détourner, et enfin au noir absolu, bordé de langues blanches serpentines, comme le soleil pendant une éclipse. Les modifications cessèrent, à croire que seule l'absence de couleur était apte à traduire l'humeur de la chose.

Trou noir dans le tissu de l'univers, entouré d'une couronne de flammes, l'entité mystérieuse quitta Arya pour Eragon et resta suspendue face à lui. Son bourdonnement était d'une intensité telle que les larmes lui vinrent aux yeux. Il lui semblait lécher du cuivre, des frissons couraient sur sa peau, de l'électricité s'échappait de ses doigts. Anxieux, il hésitait à la toucher, consulta sa compagne du regard. Elle l'encouragea d'un signe.

Il tendit alors la main droite vers le vide couronné de feu et s'étonna de rencontrer une résistance. Bien qu'immatériel, l'orbe appuyait contre sa paume comme l'eau d'un torrent, et la pression croissait à mesure qu'il avançait. Il dut forcer pour entrer en contact avec le centre de l'entité.

Des rais bleutés fusèrent entre l'orbe et sa peau, s'étalèrent en un éventail éblouissant qui oblitéra tout autre rayonnement, décolorant le paysage, le nimbant de blanc bleuté. Aveuglé, Eragon gémit de douleur et baissa la tête. Quelque chose s'anima au centre de la sphère, comme un dragon qui se réveille, se déroule. Une présence s'insinua en lui, balayant ses défenses qui ne pesaient pas plus que feuilles mortes au vent d'automne. Il en eut le souffle coupé. Et soudain il baignait dans la félicité. Quelle que soit la nature de la créature, elle semblait constituée d'un concentré de bonheur, aimait la vie, se délectait de ce qui l'entourait. Eragon en aurait pleuré de plaisir... s'il avait encore eu le contrôle de son corps : elle le tenait sous son emprise. Les rayons bleus fusaient toujours sous sa paume tandis qu'elle parcourait ses os, ses muscles, s'attardait aux endroits où il avait été blessé pour revenir à ses pensées. Malgré son euphorie, il était tenté de fuir ce contact trop étranger, surnaturel, mais sa conscience à nu n'offrait pas de refuge. Il lui fallait subir l'intrusion de l'âme de feu qui examinait ses souvenirs, passait de l'un à l'autre à la vitesse d'une flèche elfique. Comment pouvait-elle démêler tant d'informations aussi vite ? Mystère. Tandis qu'elle l'étudiait, il tenta de s'infiltrer en elle pour en apprendre un peu sur sa nature, ses origines. Sans résultat, le défi était trop grand, les impressions qu'il glanait, trop différentes de ce qu'il avait rencontré jusque-là. C'était un être incompréhensible.

Après avoir parcouru son corps une dernière fois en un éclair, la créature se retira. Le contact entre eux se rompit comme un câble sous tension. L'éventail de rayons bleus s'évanouit, laissant des images résiduelles d'un rose fluorescent.

Changeant encore de couleur, la sphère rétrécit, puis, réduite à la taille d'une pomme, elle alla se fondre avec les autres dans le vortex de lumière qui entourait Eragon et Arya. Le bourdonnement s'accrut, se fit plus aigu, insoutenable, et la spirale éclata tandis que les orbes se dispersaient dans toutes les directions. Ils se regroupèrent à une centaine de pieds du bivouac, roulant et culbutant les uns par-dessus les autres comme des chatons joueurs, puis ils filèrent vers le sud et disparurent sans laisser de traces. Le vent retomba, remplacé par une douce brise.

À genoux, Eragon tendait les bras vers les sphères absentes. Privé de la joie qu'elles lui donnaient, il se sentait vide :

– Qu'est-ce...

Sa gorge était si sèche qu'il dut s'interrompre pour s'éclaircir la voix :

– Qu'est-ce que c'était ?

– Des esprits, répondit Arya en s'asseyant.

– Ils ne ressemblaient pas à ceux qui sont sortis de Durza quand je l'ai tué.

– Les esprits peuvent prendre des formes variées selon leur fantaisie.

Il cligna des paupières, s'essuya le coin des yeux d'un doigt :

– Et dire que certains osent les soumettre par la magie pour en faire leurs esclaves, c'est monstrueux ! À leur place j'aurais honte de me qualifier de sorcier. Et Trianna s'en vante ! Il faut qu'elle cesse d'asservir des esprits, sinon je l'expulse du Du Vrangr Gata et je demande à Nasuada de la bannir des Vardens.

– Pas de décisions hâtives, s'il te plaît.

– Parce que tu trouves ça bien, que les magiciens obligent les esprits à leur obéir ? Ils sont tellement beaux que...

Il s'en étrangla d'émotion, agita la tête et reprit :

– Quiconque les maltraite mérite d'être fouetté à rester sur le carreau !

Arya esquissa un sourire :

– Je présume qu'Oromis n'avait pas abordé ce sujet quand tu as quitté Ellesméra avec Saphira.

– Les esprits ? Il les a mentionnés plusieurs fois.

– Sans traiter la question dans le détail, j'imagine.

– Sans doute pas.

Dans l'obscurité, la silhouette sombre de l'elfe se pencha de côté :

– Les esprits provoquent toujours une sorte d'extase quand ils décident de communiquer avec nous autres, les êtres de matière, mais il ne faut pas s'y tromper. Ils ne sont pas aussi bienveillants, béats et joyeux qu'ils le paraissent. Faire plaisir est leur moyen de défense. Ils ont horreur d'être maintenus dans un même endroit, et ils ont compris depuis longtemps que, si leur interlocuteur est heureux, il sera moins tenté de les enchaîner pour les garder à son service.

– En même temps, on est si bien près d'eux... Je comprends qu'on ait envie de les garder avec soi plutôt que de les laisser partir.

Les épaules d'Arya se soulevèrent, puis retombèrent :

– Les esprits ont autant de difficulté à prévoir notre conduite que nous la leur. Ils ont si peu en commun avec les autres races d'Alagaësia qu'il est malaisé de converser avec eux au niveau le plus élémentaire, et toute rencontre comporte son lot de dangers, car on ne sait jamais comment ils vont réagir.

– Ce qui ne m'explique pas pourquoi je n'interdirais pas à Trianna de pratiquer la sorcellerie.

– Tu l'as déjà vue invoquer les esprits et leur donner des ordres ?

– Non.

– C'est ce que je pensais. Trianna est parmi les Vardens depuis près de six ans. Six ans au cours desquels elle a exercé ses talents de sorcière exactement une fois, et parce qu'Ajihad a beaucoup insisté. Elle était consternée, et s'y est préparée longtemps. Elle n'a rien d'un charlatan et possède les compétences requises. Il n'en reste pas moins qu'invoquer les esprits est un exercice des plus périlleux auquel on ne se livre pas à la légère.

De son pouce gauche, Eragon frotta sa paume droite qui brillait. Le rayonnement changea de couleur avec l'afflux sanguin, sans perdre de sa luminosité. Il gratta de ses ongles la gedwëy ignasia. « J'espère que ça ne durera pas plus de quelques heures. À éclairer comme une lanterne, je vais me faire tuer. En plus, c'est ridicule. A-t-on jamais entendu parler d'un Dragonnier phosphorescent ? »

Il réfléchit à ce que Brom lui avait dit :

– Ce ne sont pas des esprits humains, n'est-ce pas ? Ni elfiques, ni nains, ni des esprits d'autres créatures. Ce ne sont pas des fantômes, j'entends. Pas ce que nous devenons après la mort.

– Non. Et, je t'en prie, ne me demande pas – comme tu t'apprêtes à le faire – si je sais ce qu'ils sont réellement. C'est à Oromis de te répondre, pas à moi. La sorcellerie est une discipline ardue dont l'étude bien menée exige du temps, des efforts, et doit être abordée avec précaution. Je ne te dirai rien qui puisse interférer avec les leçons qu'Oromis a prévues pour toi. Je ne veux pas que tu te blesses en essayant une chose que j'aurais mentionnée sans avoir la technique nécessaire.

– Quand suis-je censé retourner à Ellesméra ? Je ne peux plus me permettre d'abandonner les Vardens comme ça, pas tant que Thorn et Murtagh sont encore en vie. Le devoir m'impose de soutenir Nasuada avec Saphira, jusqu'à ce que nous ayons vaincu l'Empire, ou qu'il nous ait vaincus. Si Oromis et Glaedr tiennent à ce que nous terminions notre apprentissage, eh bien, qu'ils nous rejoignent, et mort à Galbatorix !

– Patience, Eragon. Cette guerre ne finira pas aussi vite que tu l'imagines. L'Empire est vaste, nous avons tout juste planté une épingle dans son cuir. Aussi longtemps que Galbatorix ignore l'existence d'Oromis et de Glaedr, nous disposons d'un avantage.

– Ils n'utilisent pas toutes leurs capacités, et tu appelles ça un avantage ? maugréa-t-il.

Elle ne daigna pas répondre. Il se sentit bien sot et regretta ses protestations infantiles. Abattre le roi félon était le plus cher désir d'Oromis et de Glaedr. Ils ne seraient pas restés à Ellesméra sans de solides raisons. Dont certaines lui étaient connues, à commencer par la principale : l'incapacité d'Oromis de jeter des sorts exigeant de grosses dépenses d'énergie.

La température fraîchissait. Il rentra les mains dans ses manches et croisa les bras pour les réchauffer :

– Qu'est-ce que tu as dit à cet esprit, Arya ?

– Il était curieux de savoir pourquoi nous avions employé la magie. C'est ce qui a attiré leur attention. Je lui ai tout expliqué, et je lui ai appris que tu avais libéré les esprits enfermés dans le corps de Durza. J'ai l'impression que ça lui a fait très plaisir.

Dans le silence qui suivit, elle s'approcha du lys et l'effleura.

– Oh ! s'exclama-t-elle. Ils étaient vraiment reconnaissants. Naina !

Sur son ordre, une douce lumière éclaira leur bivouac. Il vit alors que la feuille et la tige du lys étaient en or, les pétales, d'un métal blanc qu'il ne put identifier, et le cœur de la fleur qu'Arya lui montrait semblait taillé dans des rubis et des diamants. Émerveillé, Eragon suivit d'un doigt la courbe de la feuille, dont le fin duvet le chatouillait. En se penchant pour l'examiner de plus près, il discerna les creux, les bosses et les nervures dont il l'avait ornée en la créant. À ceci près qu'elle était à présent en or.

– Incroyable ! C'est une copie exacte de la mienne.

– Et elle est vivante.

– Pas possible !

244 Il se concentra, guettant des signes de chaleur, de mouvement. Les signes vitaux étaient bien là, aussi forts qu'ils pouvaient l'être la nuit pour une plante. Tâtant de nouveau la feuille, il déclara :

– Voilà qui dépasse mes connaissances en magie. En toute logique, ce lys devrait être mort. Je n'ai pas la moindre idée de comment il faudrait s'y prendre pour transformer une plante en métal vivant. Saphira y parviendrait peut-être, mais jamais elle ne serait en mesure d'enseigner l'enchantement à d'autres.

– Le plus intéressant serait de savoir si cette fleur produira des graines fertiles.

– Elles pourraient se répandre ?

– Je n'en serais pas surprise. Il existe de nombreux exemples de magie auto-entretenue à travers l'Alagaësia. Le cristal flottant de l'île d'Eoam, par exemple, ou le puits des rêves dans les grottes de Mani. Ce ne serait pas plus improbable que ces deux phénomènes.

– Le malheur, c'est que, si quelqu'un découvre ce lys ou ses rejetons éventuels, il va les arracher. Tous les chasseurs de fortunes viendront ici cueillir les lys d'or.

— Je doute qu'il soit si facile de les détruire et je pense qu'ils survivront. Seul l'avenir le dira.

Une idée saugrenue traversa la tête d'Eragon :

— J'avais déjà entendu l'expression « dorer la pilule ». De là à « dorer le lys », hein ? Ils sont forts, ces esprits, ils nous ont doré le lys !

Et il éclata d'un rire sonore qui se répandit sur la plaine.

Arya pinça les lèvres :

— Cela partait d'une noble intention. Nous aurions tort de nous moquer. Ce n'est pas leur faute s'ils ignorent les expressions des humains.

— Certes... mais c'est trop drôle... hi, hi, hi, hi !

Arya claqua des doigts et la lumière s'évanouit.

— Nous avons assez bavardé, il est temps de se reposer. L'aube approche, et nous levons le camp dès les premiers rayons.

Eragon s'étendit sur un coin de sol libre de cailloux. Il riait encore lorsqu'il glissa dans ses rêves éveillés.

14

DANS LA FOULE
ET L'AGITATION

Vers le milieu de l'après-midi, Eragon et Arya parvinrent enfin en vue du camp varden. Ils s'arrêtèrent en haut d'une petite colline pour examiner la vaste cité de tentes grises, grouillante de milliers d'hommes, de chevaux, de feux de cuisson qui fumaient. À l'ouest serpentait la rivière Jiet aux rives bordées d'arbres. Vers l'est, à un demi-mile du campement principal, il y en avait un autre plus petit, îlot proche du continent qu'occupaient les Urgals menés par Nar Garzhvog. Sur plusieurs miles autour de l'immense zone habitée, des groupes de cavaliers allaient et venaient : soldats patrouillant le périmètre, messagers portant bannière, troupes rentrant d'expédition ou partant en mission. Deux de ces contingents remarquèrent la présence des arrivants et sonnèrent du cor avant de se lancer au galop à leur rencontre.

Soulagé, Eragon éclata de rire :

– C'est gagné ! Nous avons échappé à Murtagh, Thorn, à des centaines de soldats, aux mages préférés de Galbatorix, aux Ra'zacs, à tous nos ennemis ! Au nez et à la barbe du roi ! Il fera une drôle de tête quand il l'apprendra.

– Il n'en sera que plus dangereux, observa Arya.

– Je sais.

Avec un large sourire, il ajouta :

– Dans sa colère, il oubliera peut-être de payer ses troupes, qui l'abandonneront, jetteront leurs uniformes pour rallier les Vardens.

– Tu es de bien bonne humeur, aujourd'hui.

– Pourquoi ne le serais-je pas ?

Sautillant sur la pointe des pieds, il ouvrit sa conscience et, rassemblant ses forces, envoya le cri de sa pensée voler comme une flèche à travers le paysage : « Saphira ! »

La réponse ne tarda pas : « Eragon ! »

Ils s'enlacèrent tous deux dans une étreinte mentale, s'enveloppèrent de tendresse, de chaleur et de joie, d'inquiétudes partagées. Ils échangèrent les souvenirs du temps qu'ils avaient passé loin l'un de l'autre ; Saphira réconforta Eragon, le consola du meurtre des soldats, le délesta de la douleur et de la colère accumulées depuis cet incident. Il souriait, béat. Avec Saphira à son côté, l'équilibre du monde semblait rétabli.

« Tu m'as manqué », dit-il.

« Tu m'as manqué aussi, petit homme. » Elle lui renvoya une image de la patrouille qu'il avait combattue avec Arya et ajouta : « C'est toujours la même chose. Dès que je te laisse seul, tu te fourres dans les ennuis. À chaque fois ! J'ose à peine me retourner de peur que tu te retrouves pris dans un duel mortel pendant que je regarde ailleurs. »

« Ne sois pas injuste. Quand tu es avec moi, j'ai des ennuis aussi. Ils n'attendent pas que je sois seul. À croire que nous sommes des aimants, que nous attirons les évènements inattendus. »

« Parle pour toi. Il ne m'arrive jamais rien d'extraordinaire quand tu n'es pas là. C'est toi qui attires les duels, les embuscades, les ennemis immortels, les créatures de l'ombre comme les Ra'zacs, les membres de la famille perdus de vue, et les enchantements nés de magies mystérieuses. Ils fondent sur toi comme autant de belettes affamées sur un lapin qui se serait fourvoyé dans leur trou. »

« Et les années pendant lesquelles Galbatorix te gardait sous sa coupe. C'était tout ce qu'il y a d'ordinaire, peut-être ? »

« Je n'étais pas sortie de l'œuf. Ça ne compte pas. La différence entre nous deux, c'est que tu subis les évènements, et moi, je les provoque. »

« Possible. Mais souviens-toi que je suis encore en phase d'apprentissage. Donne-moi quelques années, je serai aussi efficace que l'était Brom. Et ne dis pas que je n'ai pas pris l'initiative en ce qui concerne Sloan. »

« Hmm. Il faut que nous nous expliquions à ce sujet. Si tu me rejoues un tour de ce genre, je te plaque au sol, et je te lèche de la tête aux pieds. »

Eragon en frémit. Saphira dépeçait un cerf d'un seul coup de sa langue couverte de piquants crochus. « Pour ne rien te cacher, tant que je n'ai pas été en face de lui, j'ignorais moi-même si j'allais tuer Sloan ou le relâcher. Et puis, si je t'avais avoué mon intention de rester sur place, tu n'aurais eu de cesse que tu ne m'en aies empêché. »

Il sentit l'ébauche d'un grondement vibrer dans la poitrine de Saphira :

« Tu aurais dû faire confiance à mon jugement. J'aurais agi pour le mieux. Si nous ne sommes pas francs l'un envers l'autre, jamais nous n'opérerons comme un dragon et son Dragonnier. »

« Est-ce qu'agir pour le mieux consistait à m'éloigner de Helgrind contre ma volonté ? »

« Pas nécessairement », répliqua-t-elle, piquée.

Satisfait, il sourit : « Tu as raison, Saphira. J'ai eu tort de ne pas t'exposer mon plan. Je suis désolé. À l'avenir, je promets de te consulter pour t'éviter les surprises. D'accord ? »

« Uniquement si c'est en rapport avec les armes, la magie, les rois ou les membres de la famille. »

« Et les fleurs. »

« Et les fleurs. Inutile de me prévenir si tu décides d'aller manger un morceau de pain avec du fromage en pleine nuit. »

« Sauf si un type armé d'un long couteau est en embuscade près de ma tente. »

« Tu serais un bien piètre Dragonnier si tu ne pouvais vaincre un homme seul armé d'un long couteau. »

« Et mort de surcroît. »

« Hmm... »

« Pour en revenir à ton argument, si j'attire plus d'ennuis que la moyenne, le fait que j'arrive à me sortir de situations qui seraient fatales à n'importe qui ou presque devrait te rassurer. »

« C'est parfois la malchance qui abat les plus grands des guerriers. Rappelle-toi Kaga, le roi nain, tué par un combattant novice pour avoir buté contre une pierre. La prudence s'impose en toutes circonstances. Quels que soient tes talents, tu ne peux anticiper ou prévenir les embûches que le destin sème sur ton chemin. »

« Certes. Maintenant, si tu veux bien, cette conversation me pèse, j'aimerais changer de sujet. Ces derniers jours, j'ai réfléchi à ces idées de destin, de hasard et de justice jusqu'à épuisement. Autant que je puisse en juger, les questionnements philosophiques ont autant de chances de vous égarer dans leur labyrinthe et de vous déprimer que de vous remonter le moral. » Il tourna la tête dans tous les sens, scrutant la plaine et les cieux en quête du scintillement bleuté caractéristique des écailles de Saphira : « Où es-tu ? Je te sens proche, mais je ne te vois pas. »

« Juste au-dessus de toi. »

Trompetant de joie, Saphira sortit en piqué du ventre d'un nuage pour descendre en tournoyant les quelques milliers de pieds qui la séparaient du sol. Les ailes près du corps, la gueule grande ouverte, elle cracha un jet de flammes ; pendant quelques instants, sa tête et son cou s'ornèrent d'une crinière de feu. Eragon riait et lui ouvrait les bras. Apeurés par l'apparition bruyante de la dragonne, les chevaux qui arrivaient au galop s'emballèrent et s'enfuirent dans toutes les directions tandis que leurs cavaliers s'efforçaient de les maîtriser.

— Et moi qui espérais rentrer au camp sans trop attirer l'attention ! soupira Arya. J'aurais dû me douter qu'avec Saphira la discrétion était exclue. Difficile d'ignorer la présence d'un dragon !

« Je t'ai entendue ! » lança l'intéressée en déployant ses ailes pour se poser dans un bruit de tonnerre.

Sous le choc, une onde parcourut ses membres puissants. Une bourrasque fouetta le visage d'Eragon, la terre trembla sous ses pieds, et il plia les genoux pour ne pas perdre l'équilibre.

« Je peux être discrète et même furtive quand je veux », dit encore Saphira en repliant ses ailes. Elle pencha la tête de côté, cligna de l'œil en remuant le bout de la queue, puis ajouta : « Mais je ne veux pas ! Pas aujourd'hui ! Aujourd'hui, je suis un dragon, pas un timide pigeon qui tremble et se cache pour échapper aux rapaces. »

« Quand n'es-tu pas un dragon ? » demanda Eragon.

Il courut la rejoindre et, léger comme une plume, sauta sur sa patte avant gauche, puis sur son épaule avant de s'installer dans le creux familier à la base de son cou. Ses mains goûtaient le chaud contact des fines écailles, le va-et-vient des muscles sous la peau au rythme de son souffle. De nouveau, il souriait, comblé. « Me voilà à ma place, ici, avec toi. » Ses jambes vibrèrent quand Saphira se mit à ronronner de satisfaction après avoir émis une étrange mélodie si subtile qu'il n'en comprit pas le sens.

— Je te salue, Saphira, dit alors Arya.

En signe de respect, elle retourna la main sur sa poitrine à la manière des elfes.

Se tassant le plus possible, Saphira abaissa son long cou pour effleurer le front d'Arya de son museau, comme lorsqu'elle avait béni Elva à Farthen Dûr : « Salut à toi, älfa-kona. Sois la bienvenue, et que le vent gonfle tes ailes. » Elle lui parlait sur le ton affectueux qu'elle réservait jusque-là à Eragon, comme si Arya faisait désormais partie de leur petite famille, partageait leur intimité et méritait les mêmes attentions. Il s'en étonna, puis, la première réaction de jalousie passée, il lui donna raison. Pendant ce temps, Saphira poursuivait : « Je te remercie d'avoir aidé Eragon à rentrer sain et sauf. S'il avait été capturé, je ne sais pas ce que j'aurais fait. »

— Ta gratitude me touche, répondit Arya avec une inclinaison de tête. Quant à ce que tu aurais fait si Galbatorix avait pris Eragon, eh bien, tu l'aurais délivré, et je t'aurais accompagnée, jusqu'à Urû'baen s'il l'avait fallu.

« Oui, j'aime à croire que je t'aurais délivré, Eragon, reprit Saphira en se tournant vers lui. Hélas, je me serais sans doute rendue à l'Empire pour te sauver, sans me soucier des conséquences pour l'Alagaësia. » Elle secoua la tête, pétrit le sol de ses griffes. « Bah ! À quoi bon ces vaines ruminations ? Tu es de retour, tu n'as pas de mal, c'est ainsi qu'il en est et pas autrement. Perdre ses journées à méditer sur des catastrophes qui n'ont pas eu lieu ne sert qu'à gâcher le bonheur qui nous est offert pour de bon... »

Elle n'eut pas le loisir de continuer. Les cavaliers venaient d'arrêter leurs chevaux trop nerveux à une cinquantaine de coudées d'eux. L'homme de tête proposa de les escorter jusqu'à Nasuada. L'un des soldats donna sa monture à Arya, et ils se dirigèrent vers le sud-ouest et la mer de tentes. Saphira menait la marche avec une lenteur calculée afin qu'Eragon et elle profitent au maximum de leurs retrouvailles avant d'être assaillis par le bruit et la foule qui ne manqueraient pas de les accueillir au camp.

Eragon prit des nouvelles de Roran et Katrina, puis il demanda : « Tu as mangé assez d'herbe à feu ? Ton haleine me paraît plus forte qu'à l'ordinaire. »

« Bien sûr que j'en mange assez ! Nous ne nous sommes pas vus depuis longtemps, tu n'es plus habitué, c'est tout. J'ai l'odeur qu'un dragon doit avoir, et je te serais reconnaissante d'éviter les remarques désobligeantes si tu ne veux pas que je t'expédie dans le décor la tête la première. Et puis, les humains n'ont pas de quoi se vanter, ils empestent la sueur et toutes sortes de choses désagréables. Dans la nature, il n'y a que les boucs adultes et les ours en hibernation pour puer autant que vous. En comparaison, les dragons embaument à l'égal d'une prairie de montagne au printemps. »

« Tu exagères. Quoique... »

Il fronça le nez :

« Depuis l'Agaetí Sänghren, j'ai remarqué moi aussi que les humains ne sentaient pas la rose. Mais tu ne peux pas me mettre dans le même sac, je ne suis plus tout à fait humain. »

« Certes. Il n'empêche que tu as besoin d'un bain ! »

À mesure qu'ils avançaient à travers la plaine, des soldats de plus en plus nombreux s'assemblaient autour d'eux, formant une garde d'honneur aussi impressionnante qu'inutile. Après son séjour prolongé dans les régions sauvages d'Alagaësia, Eragon souffrait de ce soudain bain de foule, accablé par le tumulte des voix et des cris enthousiastes, par les bourrasques de pensées et d'émotions incontrôlées, par les mouvements désordonnés, les bras qui s'agitaient, les chevaux qui piaffaient.

Il se retira en lui, sur un îlot de calme où le concert discordant ne l'atteignait pas plus que le tonnerre des vagues sur une grève lointaine. À travers ses barrières mentales, il perçut cependant l'approche de douze elfes courant en formation depuis l'autre bout du camp, souples et vifs comme des lynx aux yeux jaunes. Désireux de faire bonne impression, il lissa ses cheveux et redressa les épaules. Il renforça aussi l'armure de son esprit afin que seule Saphira y ait accès. Les elfes étaient là pour le protéger, certes, mais leur allégeance allait à la reine Islanzadí. S'il se réjouissait de leur présence, s'il doutait qu'ils épient ses pensées étant donné leur courtoisie native, il ne voulait pas fournir à la reine des elfes une occasion d'apprendre les secrets des Vardens ou d'avoir prise sur lui. À supposer qu'elle puisse l'arracher à Nasuada, elle ne s'en priverait pas. Depuis la trahison de Galbatorix, les elfes se méfiaient des humains. Pour cette raison et quelques autres, Islanzadí aurait préféré les avoir, Saphira et lui, sous son autorité. Et, de tous les monarques qu'il avait rencontrés, c'est en elle qu'il avait le moins confiance ; il la trouvait trop péremptoire, trop imprévisible aussi.

Les douze elfes s'arrêtèrent devant Saphira. Ils s'inclinèrent et retournèrent leur main comme Arya avant eux puis, l'un après l'autre, ils se présentèrent à Eragon avec le premier vers de leur salut traditionnel, auquel il répondit selon la coutume.

L'elfe de tête, un grand et beau mâle au corps couvert d'une fourrure noire lustrée aux reflets bleus, annonça le but de leur mission à la cantonade et demanda officiellement à Eragon et Saphira si les douze pouvaient prendre leur service.

– Bien sûr, dit Eragon.

« Bien sûr », dit Saphira.

Se souvenant d'avoir observé un elfe au pelage semblable qui gambadait parmi les arbres pendant les festivités, le jeune Dragonnier reprit :

– Lupusänghren-vodhr, ne vous aurais-je pas aperçu lors de l'Agaetí Sänghren ?

Lupusänghren sourit, découvrant des crocs de loup :

– Je pense qu'il s'agissait de Liotha, ma cousine. Nous nous ressemblons beaucoup, mais son pelage est brun moucheté, et le mien, bleu de nuit.

– J'aurais juré que c'était vous.

– Occupé ailleurs à ce moment-là, je n'ai hélas pas assisté aux cérémonies. Peut-être aurai-je cette chance dans cent ans, à la prochaine célébration.

« Ne penses-tu pas, Eragon, que cet être dégage une agréable senteur ? » s'enquit Saphira.

Il huma l'air, perplexe :

« Je ne sens rien. Je le sentirais s'il y avait quelque chose à sentir. »

« Bizarre. » Elle lui transmit alors toute la gamme d'odeurs qu'elle détectait, et il comprit : l'elfe baignait dans un nuage de parfum musqué lourd et entêtant, avec une note fumée et un léger rappel de baies de genièvre écrasées qui faisait frémir les naseaux de Saphira. « Toutes les femmes vardens sont tombées amoureuses de lui. Elles le suivent partout, brûlent de lui parler, et deviennent muettes comme des carpes dès qu'il pose les yeux sur elles. »

« Peut-être que seules les femelles le sentent. » Il coula un regard anxieux à Arya, puis ajouta : « Elle ne semble pas affectée. »

« Elle est protégée contre les influences magiques. »

« Je l'espère bien... Tu crois que nous devrions neutraliser Lupusänghren ? Ce qu'il fait là est un moyen malhonnête et sournois de gagner le cœur des femmes. »

« Est-ce plus sournois que de revêtir ses plus beaux atours pour attirer l'œil de sa bien-aimée ? Lupusänghren n'a pas abusé de celles qu'il fascine, et je doute fort qu'il ait composé son parfum pour attirer les femmes humaines. Je pense plutôt que cette séduction est un effet pervers d'une chose qu'il a créée pour servir d'autres buts. À moins qu'il ne se conduise soudain de manière inconvenante, il vaut mieux ne pas intervenir. »

« Et Nasuada ? Elle est tombée sous le charme, elle aussi ? »

« C'est une femme avisée. Elle a demandé à Trianna de l'entourer d'un sort pour la protéger des envoûtements de Lupusänghren. »

« Parfait. »

Lorsqu'ils parvinrent aux tentes, la foule grossit encore ; la moitié des Vardens semblait s'être rassemblée autour de Saphira. Eragon saluait de la main en réponse aux cris de « Argetlam ! » et « Tueur d'Ombre ! ». Il entendit quelques « Où étais-tu, Tueur d'Ombre ? Raconte tes aventures ! », et beaucoup le qualifiaient de Terreur des Ra'zacs, ce qui lui plut tellement qu'il se le répéta quatre fois à mi-voix. On leur lançait des bénédictions, des vœux de bonne santé, des invitations à dîner, des offres d'or et de bijoux. Il y avait aussi les suppliques des malheureux qui lui demandaient de guérir un fils aveugle de naissance, un mari qui mourait d'une tumeur ou un cheval boiteux ; un homme voulait qu'il redresse son épée tordue et lui hurla : « C'était celle de mon grand-père ! » Par deux fois, une femme s'écria : « Tueur d'Ombre, veux-tu m'épouser ? » sans qu'il parvienne à la repérer dans la cohue.

Pendant ce temps, les douze elfes veillaient à ses côtés, guettant ce qu'il ne pouvait voir, épiant les sons qu'il ne pouvait entendre. Leur présence le rassurait, il se sentait plus à l'aise au milieu du peuple, plus détendu qu'il ne l'était jusque-là.

C'est alors qu'entre les rangées sinueuses de tentes en drap de laine, les anciens villageois de Carvahall apparurent, les uns après les autres. Eragon mit pied à terre pour se joindre aux amis et connaissances de son enfance, serrant les mains, donnant des bourrades, riant de plaisanteries incompréhensibles à ceux qui n'avaient pas grandi dans la vallée de Palancar. Horst était parmi eux ; le jeune Dragonnier pressa le bras puissant du forgeron.

– Bienvenue, Eragon, et félicitations ! Nous te sommes reconnaissants de nous avoir vengés des monstres qui nous ont chassés de chez nous. Ravi de te voir de retour, et entier !

– Il aurait fallu que les Ra'zacs soient un peu plus rapides pour m'amputer d'un membre !

Il salua ensuite Albriech et Baldor, les fils de Horst, puis Loring le cordonnier et ses trois fils ; Tara et Morn qui tenaient la taverne, Fisk, Felda, Calitha, Delwin et Lenna, et enfin Birgit au regard farouche, qui lui déclara :

– Je te remercie, Eragon Fils de Personne. Je te remercie d'avoir puni comme il se doit les créatures qui ont dévoré mon mari. Ma porte t'est ouverte, mon foyer est à jamais le tien.

Avant qu'il puisse répondre, la foule les sépara. Et lui de songer : « Fils de Personne, hein ? Hélas, j'ai un père, et tout le monde le hait. »

À sa grande joie, Roran se fraya un chemin jusqu'à lui en jouant des épaules. Katrina était à son côté. Les deux cousins tombèrent dans les bras l'un de l'autre, et Roran gronda :

– Ce n'était pas bien malin de rester là-bas. Tu mériterais une raclée pour nous avoir abandonnés comme ça. La prochaine fois, préviens au lieu de filer en douce. Ça devient une habitude, chez toi. Tu aurais vu Saphira pendant le vol de retour, elle en était malade !

Eragon posa la main sur la patte de la dragonne :

– Désolé de ne pas vous avoir avertis. Je n'avais pas prévu de rester. Je me suis rendu compte que c'était nécessaire à la dernière minute.

– Et qu'avais-tu de si important à faire dans ces grottes immondes ?

– Quelque chose à vérifier.

Cette réponse laconique ne parut pas satisfaire Roran, dont les traits se durcirent. Eragon commençait à craindre qu'il exige des explications quand son cousin se dérida :

– Bah ! Un simple mortel comme moi n'a aucune chance de comprendre les raisons d'un Dragonnier, même s'il a grandi avec lui. Tout ce qui compte, c'est que tu m'aies aidé à délivrer Katrina et que tu sois rentré sain et sauf.

Il se démancha le cou pour voir s'il y avait quelque chose sur le dos de Saphira, puis il regarda Arya qui se tenait en retrait derrière eux et constata :

– Tu as perdu mon bâton ! J'ai traversé toute l'Alagaësia avec ce bâton ! Il fallait vraiment que tu le perdes au bout de quelques jours ?

– Il est allé à un homme qui en avait plus besoin que moi.

– Roran, je t'en prie, cesse de le houspiller, intervint Katrina.

Après une légère hésitation, elle serra Eragon dans ses bras :

– Il est content de te revoir, tu sais. Il a juste un peu de mal à s'exprimer.

Avec un sourire penaud, Roran haussa les épaules :

– Comme toujours en ce qui me concerne, elle a raison.

Les fiancés échangèrent un regard plein de tendresse tandis qu'Eragon examinait Katrina. Sa chevelure cuivrée avait retrouvé son lustre, les marques de sa captivité s'étaient estompées ; elle était cependant plus maigre et plus pâle que par le passé. S'approchant de lui pour éviter que les Vardens agglutinés autour d'eux ne l'entendent, elle lui murmura :

– Je ne pensais pas qu'un jour je te devrais autant, Eragon. Que nous te devrions autant. Depuis que Saphira nous a ramenés ici, j'ai appris que tu avais risqué ta vie pour me sauver, et je t'en suis infiniment reconnaissante. Une semaine de plus à Helgrind m'aurait tuée. Ou rendue folle, ce qui ne vaut pas mieux. Pour m'avoir arrachée à ce triste destin, pour avoir guéri l'épaule de Roran, je te remercie du fond du cœur. Et je te remercie plus encore de nous avoir rendus l'un à l'autre. Sans toi, jamais nous n'aurions été réunis.

– Oh, je pense que Roran aurait trouvé moyen de te sortir de Helgrind sans moi. Il parle d'or quand il se déchaîne pour une cause. Il aurait convaincu un autre magicien de l'aider – peut-être Angela, l'herboriste –, et il aurait réussi.

– Angela l'herboriste ? se gaussa Roran. Cette petite bavarde n'aurait pas été de taille à lutter contre les Ra'zacs.

– Elle te surprendrait... Même si elle ne paie pas de mine et jacasse comme une pie.

Eragon risqua alors un geste que jamais il n'aurait osé à Carvahall, geste qui lui semblait approprié dans son rôle de Dragonnier : il déposa un baiser sur le front de Katrina, un autre sur celui de Roran, et déclara :

– Roran, tu es un frère pour moi, et toi, Katrina, une sœur. Si vous avez un jour des difficultés, envoyez-moi chercher. Que vous ayez besoin d'Eragon le fermier ou d'Eragon le Dragonnier, je me mets tout entier à votre disposition.

– Moi de même, répondit Roran. Si tu as des ennuis, faisnous prévenir, et nous volerons à ton secours.

D'un hochement de tête, Eragon accepta l'offre, sans toutefois mentionner que remédier au genre d'ennuis qui le guettait n'était pas à leur portée. Il les prit tous deux par l'épaule et dit encore :

– Puissiez-vous vivre longtemps, être toujours heureux ensemble et avoir de nombreux enfants.

Les lèvres souriantes de Katrina tremblèrent un peu, il se demanda pourquoi.

Sur les instances de Saphira, ils se remirent en marche et, escortés par une armée de Vardens enthousiastes, ils finirent par atteindre la tente de commandement rouge au centre du camp. Devant l'entrée, Nasuada les attendait, avec le roi Orrin à sa gauche, et un aréopage de nobles et de notables entre deux doubles rangées de gardes.

257

Aussi chatoyante que la gorge d'un colibri, sa robe de soie verte contrastait avec sa peau sombre. Les manches se terminaient au coude par un volant de dentelle, et des bandes de lin blanc couvraient ses avant-bras jusqu'à ses fins poignets. Plus distinguée que tous ceux de son entourage, elle brillait telle une émeraude posée sur un lit de feuilles mortes à l'automne. Seule Saphira rivalisait en éclat avec elle.

Eragon et Arya s'avancèrent pour la saluer, puis ils s'inclinèrent devant le roi Orrin. Nasuada les accueillit officiellement au nom des Vardens, loua leur courage et conclut en disant :

– Galbatorix a peut-être un Dragonnier et un dragon qui se battent pour lui comme Eragon et Saphira se battent pour nous, il a peut-être une armée si nombreuse qu'elle recouvre la Terre, il est peut-être maître des arts noirs et autres étranges magies pernicieuses, mais malgré sa puissance, ses pouvoirs maléfiques, il n'a pu empêcher Eragon et Saphira de pénétrer dans son royaume et de tuer quatre de ses serviteurs préférés. Il n'a pu empêcher Eragon de traverser l'Empire en toute impunité. Le bras de l'imposteur faiblit s'il n'est plus capable de défendre ses frontières ni de protéger ses vils agents au cœur de leur forteresse cachée.

Sous les acclamations et les cris des Vardens, Eragon sourit en lui-même : avec quelle habileté Nasuada avait joué avec leurs émotions ! Elle savait les faire vibrer, leur inspirer confiance et loyauté, maintenir leur moral au plus haut malgré une réalité moins reluisante que l'image qu'elle en donnait. Elle ne leur mentait pas ; d'ailleurs, à sa connaissance, elle ne mentait jamais, pas même lorsqu'elle traitait avec le Conseil des Anciens ou d'autres rivaux politiques. Elle se contentait d'énoncer les vérités les plus aptes à étayer ses arguments et soutenir sa cause. En cela, songea-t-il, elle ressemblait aux elfes.

Lorsque l'exaltation des Vardens se fut calmée, le roi Orrin souhaita la bienvenue à Eragon et à Arya, comme Nasuada l'avait fait. Son élocution était lente, pondérée. La foule l'écouta avec politesse, applaudit après son discours ; à l'évidence, le peuple le respectait, mais ne l'aimait pas comme il aimait Nasuada. Contrairement à elle, le roi au visage lisse ne savait pas enflammer les imaginations ; doté d'une intelligence supérieure, il avait quelque chose de trop éthéré, trop original, trop effacé pour galvaniser les humains et cristalliser les espoirs de ceux qui s'opposaient à Galbatorix.

« Si nous renversons Galbatorix, dit Saphira à Eragon, Orrin ne doit pas prendre sa place à Urû'baen. Il ne parviendra pas à unir le pays comme Nasuada a uni les Vardens. »

« Nous sommes d'accord. »

Enfin, le roi Orrin en eut terminé. Nasuada souffla alors à Eragon :

– À présent, c'est à toi de t'adresser à ceux qui se sont rassemblés pour entrevoir le célèbre Dragonnier.

Une lueur enjouée dansait dans son regard.

– À moi ?

– C'est ce qu'ils attendent.

Eragon se tourna face à la multitude, la bouche sèche comme un désert de sable, l'esprit vide. Il ne trouvait pas ses mots. Pris de panique, il craignit de se ridiculiser devant l'ensemble des Vardens. Un cheval hennit quelque part, troublant le terrible silence du camp. Saphira le tira de sa paralysie en poussant son coude du museau. « Dis-leur combien tu es honoré d'avoir leur soutien, et heureux d'être de retour parmi eux. » Grâce à cet encouragement, il réussit à aligner quelques modestes phrases, puis s'inclina et recula d'un pas dès que la bienséance le permit.

Un sourire plaqué sur ses lèvres tandis que les Vardens applaudissaient, lançaient des hourras et frappaient leurs écus de leurs épées, il s'exclama : « C'était horrible ! Je préférerais combattre un Ombre plutôt que de recommencer ça ! »

« Allons, Eragon ! Ce n'était pas si pénible ! »

« Si, ça l'était ! »

Amusée, Saphira ronfla, et un panache de fumée s'échappa de ses naseaux. « Un Dragonnier tétanisé à l'idée de parler en public, on aura tout vu ! Si Galbatorix le savait, il te réduirait à merci en te demandant de faire un discours à ses troupes. Ha ! »

« Ce n'est pas drôle », grommela-t-il, mais elle riait toujours.

15
RÉPONDRE À UN ROI

Lorsqu'Eragon se fut adressé aux Vardens, Nasuada fit signe à Jörmundur, qui se précipita à son côté.

— Ordonne à tous qu'ils reprennent leur poste. Si on nous attaquait maintenant, nous serions écrasés.

— Bien, Ma Dame.

Du geste, elle appela Eragon et Arya, posa la main gauche sur le bras du roi Orrin, et entra sous la tente avec lui.

« Et toi, alors ? » demanda Eragon à Saphira. Puis il leur emboîta le pas.

Sitôt à l'intérieur, il vit qu'on avait relevé et enroulé un panneau de toile pour l'attacher à l'armature de bois afin que la dragonne puisse participer à la conversation. Quelques instants plus tard, sa tête scintillante passait par l'ouverture qu'obstruait le reste de son corps massif. Les reflets de ses écailles bleues pailletaient les parois rouges de taches violettes dansantes.

Examinant les lieux, Eragon les trouva plus nus qu'à sa dernière visite, résultat des destructions causées par Saphira lorsqu'elle avait forcé le passage pour lui parler grâce au miroir de Nasuada. L'ameublement était réduit, le cadre spartiate, même pour un quartier général de campagne. Il y avait le siège à l'imposant dossier sur lequel Nasuada s'assit – le roi Orrin restant debout près d'elle –, le miroir de communication, monté à hauteur d'œil sur un piquet de laiton ouvragé, une chaise pliante et une table basse encombrée de cartes et autres documents. Une natte tressée aux motifs complexes, de fabrication naine, couvrait le sol. Autour de lui et d'Arya, des douzaines de personnes s'étaient déjà assemblées devant Nasuada, et toutes le regardaient. Parmi elles, il reconnut Narheim, actuel commandant des troupes naines, Trianna et d'autres magiciens appartenant au Du Vrangr Gata, Sabrae, Umérth et les membres du Conseil des Anciens, à l'exception de Jörmundur. La cour du roi Orrin était représentée par un assortiment de nobles et de fonctionnaires. Il y avait aussi des inconnus ; ils occupaient sans doute des positions élevées dans la hiérarchie des diverses factions qui composaient l'armée varden. Six des gardes de Nasuada étaient là, à leur poste : deux devant l'entrée, et quatre derrière elle. Eragon détectait également les ondes mentales tortueuses que dessinaient les sombres pensées d'Elva, l'enfant-sorcière, cachée au fond de la tente.

— Eragon, commença Nasuada, vous ne vous êtes pas encore rencontrés, et j'aimerais te présenter Sagabato-no Inapashunna Fadawar, chef de la tribu Inapashunna. C'est un brave.

Durant l'heure qui suivit, le jeune Dragonnier subit une succession interminable de présentations, de félicitations, et de questions auxquelles il ne pouvait répondre avec précision sans révéler des secrets qu'il valait mieux taire. Lorsque tous eurent échangé quelques mots avec lui, Nasuada leur demanda de se retirer et, tandis qu'ils quittaient la tente, elle frappa dans ses mains pour que les gardes fassent entrer un second groupe. Quand celui-ci eut joui du privilège discutable de la visite, il y en eut un troisième. Eragon demeura souriant d'un bout à l'autre ; il serra des mains, et encore des mains, échangea des banalités à n'en plus finir, s'efforça de retenir une pléthore de noms et de titres ; il se conduisit, en somme, avec une parfaite civilité et joua le rôle qu'on attendait de lui. Il n'était cependant pas dupe. Ces gens ne l'honoraient pas par amitié, mais parce qu'il incarnait une chance de victoire pour les peuples libres d'Alagaësia ; ils l'honoraient pour son pouvoir, pour ce qu'ils espéraient gagner à travers lui. En son for intérieur, il bouillait d'impatience, mourait d'envie de briser le joug des contraintes et des bonnes manières, d'enfourcher Saphira pour s'envoler et retrouver le calme.

Au cours de ce long pensum, il prit toutefois plaisir à observer les réactions des participants à la présence des deux Urgals qui dominaient le siège de Nasuada. Certains feignaient d'ignorer les guerriers cornus, alors que leurs gestes saccadés et leurs voix trop aiguës trahissaient leur nervosité ; d'autres les lorgnaient d'un œil noir et gardaient la main sur le pommeau de leur épée ou de leur poignard ; d'autres encore fanfaronnaient et dénigraient la force prodigieuse des guerriers cornus pour vanter la leur. Bien peu nombreux étaient ceux que leur présence ne troublait pas : parmi eux, Nasuada bien sûr, le roi Orrin, Trianna, et un comte qui leur dit avoir vu Morzan et son dragon anéantir une cité entière quand il était enfant.

Lorsqu'Eragon ne put en supporter davantage, Saphira bomba le torse et laissa échapper un long grondement sourd, si grave et si vibrant que le miroir en trembla dans son cadre. Un silence de mort s'abattit sur l'assistance. Elle ne menaçait pas ouvertement, et cependant elle retint l'attention de tous en signalant son impatience. Personne ne se serait risqué à tester les limites de sa tolérance. Les gens se hâtèrent de s'excuser, rassemblèrent leurs affaires et sortirent de la tente, accélérant le pas quand Saphira se mit à tapoter le sol de ses griffes.

La toile rabattue derrière le dernier visiteur, Nasuada soupira à son tour :

– Merci, Saphira. Je regrette de t'avoir infligé l'épreuve d'une présentation publique, Eragon. Hélas, comme tu t'en doutes, tu occupes à présent une position élevée parmi les Vardens ; je ne peux plus te garder pour moi seule. Désormais, tu appartiens au peuple. Il veut que tu le reconnaisses, que tu lui donnes ce qu'il considère être sa part légitime de ton temps. Comme Orrin et comme moi, tu dois accéder aux désirs des masses. Galbatorix lui-même, dans sa noire forteresse de pouvoir à Urû'baen, redoute les foules capricieuses, qu'il l'admette ou non.

Les invités partis, le roi Orrin renonça à tout semblant de décorum royal. Ses traits sévères se détendirent en une expression plus humaine de soulagement, d'irritation et de curiosité dévorante. Roulant des épaules sous ses lourdes robes, il regarda Nasuada et dit :

— Je pense que nous n'avons plus besoin de vos Faucons de la Nuit ici.

— Je vous l'accorde.

D'un claquement de mains, elle renvoya ses gardes.

Le roi Orrin tira la chaise pliante près de Nasuada et s'assit, véritable ballon de tissu d'où dépassaient ses bras et ses pieds croisés.

— Bien, dit-il encore, en reportant son attention sur Eragon et Arya. J'aimerais le compte rendu détaillé de vos agissements, Eragon le Tueur d'Ombre. Je n'ai entendu que de vagues explications sur vos raisons de rester à Helgrind, et j'en ai par-dessus la tête des gens qui se défilent et des réponses qui n'en sont pas. Je veux la vérité sans détour. Ne tentez donc pas de me cacher ce qui s'est passé sur le territoire de l'Empire. Tant que je n'aurai pas satisfaction, personne ne sortira de cette tente.

— Vous présumez beaucoup, Majesté, rétorqua Nasuada, glaciale. Vous n'avez autorité ni sur moi, ni sur Eragon, mon vassal, ni sur Saphira, ni sur Arya, qui ne dépend d'aucun prince mortel, mais d'un autre plus puissant que nous deux réunis. Pas plus que nous n'avons autorité sur vous. Nous sommes à peu près aussi égaux ici qu'on puisse l'être en Alagaësia. Vous seriez bien avisé de ne pas l'oublier.

La réplique du roi Orrin fut tout aussi cinglante :

— Ai-je outrepassé mes prérogatives royales ? Peut-être. Vous avez raison, je n'ai pas autorité sur vous. Toutefois, si nous sommes égaux, je n'en vois pas la preuve dans votre comportement envers moi. Eragon ne répond qu'à vous et à vous seule. Par l'Épreuve des Longs Couteaux, vous avez assis votre domination sur les tribus errantes, dont beaucoup comptent depuis longtemps parmi mes sujets. Et vous commandez à la fois les

Vardens et les hommes du Surda, qui servent ma famille avec un courage et une détermination peu communs.

— C'est vous-même qui m'avez demandé d'orchestrer cette campagne, observa Nasuada. Je ne vous ai pas destitué.

— Certes, c'est à ma requête que vous avez pris la tête de nos forces disparates. Je n'ai pas honte d'admettre que vous avez plus d'expérience de la guerre que moi. Notre situation est trop précaire pour que vous, moi ou n'importe qui ici se complaise dans un orgueil déplacé. Cela dit, depuis votre investiture, vous semblez avoir oublié que je suis toujours roi du Surda, et que nous autres, les Langfeld, descendons en droite ligne de Thanebrand le Donneur d'Anneau en personne, qui lui-même a succédé à ce vieux roi fou de Palancar, premier de notre race à occuper le trône dans la cité qui est aujourd'hui Urû'baen. Compte tenu de notre héritage et du soutien que la Maison des Langfeld vous a apporté dans cette cause, vous m'insultez en ignorant les droits qui découlent de ma fonction. Vous agissez comme si seul votre avis comptait, comme si les opinions des autres étaient négligeables, et vous les piétinez en poursuivant le but que vous vous êtes fixé, que vous jugez le plus approprié à servir la part d'humanité libre qui a la chance et le privilège de vous avoir pour chef. Vous négociez traités et alliances, avec les Urgals par exemple, sans consulter personne, et vous vous attendez tout naturellement à ce que moi et les autres nous pliions à vos décisions, comme si vous parliez au nom de tous. Vous organisez des rencontres préférentielles avec des repré-sentants d'autres États, comme Lupusänghren, et vous ne prenez pas la peine de m'avertir de son arrivée, ni d'attendre que je vous rejoigne afin que nous puissions accueillir sa délégation ensemble, en égaux. Et, quand j'ai la témérité de demander pourquoi Eragon — l'homme dont l'existence m'a poussé à jouer le sort de mon pays dans cette aventure — quand j'ai la témérité de demander *pourquoi* ce personnage crucial a choisi de s'attarder parmi nos ennemis et de mettre en danger la vie des Surdans et celle de tous les peuples en lutte contre Galbatorix, quelle est votre réaction ? Vous me traitez comme un subalterne sourcilleux et par trop curieux, dont les inquiétudes infantiles vous détournent d'affaires plus pressantes. Eh bien, sachez que je ne le tolérerai pas. Si vous ne pouvez condescendre à respecter mon rang et à accepter une juste répartition des responsabilités, comme il est de mise entre alliés, j'en conclurai que vous êtes inapte à commander une coalition telle que la nôtre, et je m'opposerai à vous par tous les moyens à ma disposition.

« Quel pédant verbeux », remarqua Saphira.

« Qu'est-ce que je dois faire, d'après toi ? » s'enquit Eragon, alarmé par le tour que prenait la conversation. « Je n'avais pas l'intention de parler de Sloan à d'autres que Nasuada. Moins de gens sauront qu'il est en vie, mieux ça vaudra. »

Un chatoiement d'un bleu marin passa comme une onde de la tête aux épaules de Saphira tandis que les écailles de son cou se redressaient. Ainsi hérissée, elle paraissait féroce. « Je n'ai pas de conseil à te donner, Eragon. Il faudra que tu te fies à ton propre jugement. Écoute bien ce que te dit ton cœur, et tu entreverras peut-être un moyen d'échapper à ces dangereux courants descendants. »

Le roi Orrin avait terminé sa tirade. Nasuada croisa les mains sur ses genoux ; d'un blanc immaculé, les bandages de ses bras tranchaient contre le vert émeraude de sa robe.

— Si je vous ai manqué de respect, Sire, commença-t-elle d'une voix posée, c'est une négligence née de ma trop grande fougue. Je ne voulais pas vous offenser et vous prie d'excuser ce manquement. Cela ne se reproduira pas, je vous le promets. Comme vous l'avez souligné, c'est récemment que j'ai accédé à ce poste et je n'en maîtrise pas encore toutes les subtilités.

Estimant ces arguments recevables, Orrin hocha la tête avec une froide indulgence.

— En ce qui concerne les activités d'Eragon sur le territoire de l'Empire, je n'étais pas en mesure de vous fournir des détails que j'ignorais moi-même. Je ne tenais pas non plus, et vous le comprendrez, à ébruiter l'affaire.

— Bien sûr.

— Il me semble, en conséquence, que, pour régler ce différend entre nous, le plus simple est de laisser Eragon s'exprimer et nous livrer le récit de son périple afin de nous permettre d'évaluer les faits et de juger sur pièces.

— En soi, cela ne résout rien, déclara le roi Orrin, mais c'est un début, et je l'écouterai très volontiers.

— En ce cas, inutile de tarder davantage. Voyons déjà ce début, et finissons-en avec le suspens. Eragon, la parole est à toi.

Tous les regards convergeaient sur lui, brûlants de curiosité. Il n'avait plus le choix, il se décida, releva le menton et déclara :

— Ce que j'ai à vous dire, je vous le dis en confidence. Roi Orrin, Dame Nasuada, je ne puis exiger que vous prêtiez serment de garder le secret scellé dans vos cœurs jusqu'à votre dernier souffle, mais je vous conjure d'agir comme si vous l'aviez fait. Si mes révélations parvenaient aux oreilles de certains, nous en regretterions les conséquences fâcheuses.

— Un roi qui ignore la valeur du secret ne reste pas roi longtemps, commenta Orrin.

Sans plus attendre, Eragon raconta ce qu'il avait vécu à Helgrind et les jours suivants. Arya expliqua ensuite comment elle l'avait retrouvé et confirma son récit de leur voyage ensemble, y ajoutant quelques touches personnelles. Lorsqu'ils eurent parlé à satiété, la tente de commandement fut plongée dans le silence. Orrin et Nasuada demeuraient immobiles sur leurs sièges. Eragon se sentait tout petit, comme lorsqu'il attendait le verdict de Garrow et sa punition pour avoir commis une sottise à la ferme.

Plongés dans leurs réflexions, Orrin et Nasuada se taisaient toujours. Enfin, celle-ci lissa le devant de sa robe et dit :

— Le roi Orrin sera peut-être d'une autre opinion que la mienne, j'ai hâte de la connaître ainsi que ses arguments. Pour ma part, j'estime que tu as fait le bon choix, Eragon.

— Et moi de même, renchérit Orrin à la surprise générale.

— Vrai ? s'exclama le jeune Dragonnier.

Il hésita, puis ajouta :

— Je suis heureux que vous m'approuviez, et cependant, sauf votre respect, je m'étonne que vous voyiez ma décision d'épargner Sloan d'un si bon œil. Si vous m'y autorisez, j'aimerais savoir pourquoi...

— Pourquoi nous approuvons ? l'interrompit Orrin. Parce qu'il faut observer la loi, agir selon le droit. Si vous vous étiez promu juge et bourreau de Sloan, vous auriez pris sur vous des pouvoirs qui n'appartiennent qu'à Nasuada et à moi. Quiconque ose décider de qui doit vivre ou mourir ne sert plus la loi mais la dicte. Aussi bienveillant que vous soyez, Eragon, il serait dommageable pour l'espèce entière que vous vous arrogiez ce privilège. Nasuada et moi répondons de nos actes devant l'unique seigneur qui soumet les rois. Nous en répondons devant Angvard, en son royaume du crépuscule éternel. Nous en répondons devant l'Homme en Gris sur son coursier gris. La Mort. Serions-nous les pires tyrans de l'histoire qu'avec le temps Angvard nous mettrait au pas... Pas vous, Eragon. Les hommes ont la vie brève et ne devraient pas être gouvernés par un Immortel. Nous n'avons pas besoin d'un autre Galbatorix.

Ses lèvres se retroussèrent en un curieux rictus et laissèrent échapper un petit rire sans joie :

— Vous comprenez, Eragon ? Vous êtes si dangereux que nous sommes obligés de vous l'avouer en face, dans l'espoir que vous êtes parmi les rares capables de résister à l'attrait du pouvoir.

Croisant les doigts sous son menton, le roi Orrin fixa son attention sur un pli de ses amples robes :

— J'en ai déjà trop dit... Donc, pour toutes ces raisons, et pour d'autres encore, je partage l'opinion de Nasuada. Vous avez bien fait de retenir votre bras quand vous avez découvert ce Sloan à Helgrind. Pour malencontreux qu'ait été cet épisode, les conséquences auraient été bien pires, et pour vous aussi, si vous l'aviez tué dans un but personnel et non pour vous défendre ou servir autrui.

— Excellemment parlé, approuva Nasuada.

Impassible, Arya suivait la discussion sans rien révéler de ses pensées.

Orrin et Nasuada questionnèrent Eragon sur les serments qu'il avait imposés à Sloan et sur le reste de son voyage. L'interrogatoire se poursuivit si longtemps que Nasuada leur fit apporter du cidre frais, un plateau de fruits et de tourtes à la viande, ainsi qu'une cuisse de bœuf pour Saphira. Orrin et elle eurent tout le temps de manger tandis qu'Eragon leur répondait. Trop occupé à satisfaire leur curiosité, c'est tout juste s'il put avaler deux tranches de pomme et boire quelques gorgées de cidre pour s'humecter le gosier.

Enfin, le roi Orrin prit congé et se retira pour passer en revue sa cavalerie. Arya les quitta quelques instants plus tard en expliquant qu'elle devait faire son rapport à la reine Islanzadí et, selon sa propre formulation, « faire chauffer de l'eau, me laver de tout ce sable, et retrouver mon visage habituel. Je ne me sens plus moi-même sans la pointe de mes oreilles, avec ces yeux ronds à l'horizontale et les os de la face au mauvais endroit. »

Lorsqu'elle fut seule avec Eragon et Saphira, Nasuada s'affala contre le dossier de sa chaise et soupira. Eragon s'inquiéta de la voir soudain si lasse. Disparus sa vitalité, son charisme. La flamme de son regard s'était éteinte. Il prit alors conscience qu'elle feignait d'être plus forte qu'elle ne l'était pour ne pas prêter le flanc à ses ennemis ou démoraliser les Vardens en faisant montre de faiblesse.

— Tu es souffrante ? s'enquit-il.

D'un geste du menton, elle désigna ses bras :

— Pas exactement. Je mets plus de temps à récupérer que je ne croyais... Il y a de bons jours, et de moins bons.

— Si tu veux, je peux...

— Non. Je te remercie, non, ne me tente pas. L'une des règles de l'Épreuve des Longs Couteaux exige que les plaies cicatrisent à leur propre rythme, sans l'aide de la magie. Faute de quoi les participants ne subiraient pas la pleine mesure de la douleur provoquée par leurs entailles.

– C'est barbare !

Un sourire naquit sur les lèvres de la jeune femme :

– Peut-être, mais c'est comme ça. Et je ne vais pas échouer dans cette épreuve à ce stade sous prétexte que je ne supporte pas d'avoir un peu mal.

– Et si tes blessures s'enveniment ?

– Eh bien, elles s'envenimeront, et je paierai le prix de mon erreur. Je doute cependant que l'infection s'installe tant qu'Angela s'occupe de moi. C'est une somme de connaissances sur les plantes médicinales que cette femme ! Je suis prête à croire qu'elle découvrirait le vrai nom de toutes les herbes des plaines à l'est d'ici rien qu'à effleurer leurs feuilles.

Saphira, qui remuait si peu qu'elle semblait dormir, bâilla alors à s'en décrocher la mâchoire – son nez touchait le haut de la tente, et son menton le sol –, puis elle s'ébroua, et les reflets lumineux projetés par ses écailles dansèrent à une allure vertigineuse sur les parois de tissu.

Se redressant sur son siège, Nasuada déclara :

– Je suis désolée. Tout cela était bien long, bien ennuyeux. Vous vous êtes montrés très patients, tous les deux. Je vous en remercie.

Eragon posa un genou à terre et recouvrit sa main de la sienne :

– Ne te soucie pas de moi, Nasuada, je connais mes devoirs. Je n'ai jamais aspiré à diriger, là n'est pas mon destin. Si par hasard on m'offrait un trône, je le refuserais et veillerais à ce qu'il aille à une personne plus apte à gouverner les nôtres.

– Tu es bon, Eragon, murmura-t-elle en étreignant sa main. Elle rit, puis ajouta :

– Entre toi, Roran et Murtagh, je passe mon temps à me faire du souci pour les membres de ta famille.

– Murtagh n'est pas de ma famille, se récria-t-il.

– Non. Bien sûr. Pardonne-moi. Il n'empêche qu'à vous trois vous avez semé un désordre surprenant et causé bien des tracas à l'Empire comme chez les Vardens.

– C'est un don que nous avons, plaisanta Eragon.

« Ils ont ça dans le sang, intervint Saphira. Où qu'ils aillent, ils s'emberlificotent dans les pires dangers. » Elle gratifia Eragon d'un petit coup de nez. « Surtout lui. Il fallait s'y attendre, non ? Les habitants de la vallée de Palancar sont les descendants d'un roi fou ! »

– Mais eux ne le sont pas. Enfin, je ne pense pas. Encore que, par moments, on puisse se le demander.

Elle rit de nouveau :

– Si toi, Roran et Murtagh étaient enfermés dans la même cellule, je ne sais pas trop lequel des trois survivrait.

Eragon éclata de rire à son tour :

– Roran. Il ne laisserait jamais une petite chose comme la mort s'interposer entre Katrina et lui.

Le sourire se figea sur les lèvres de Nasuada :

– Oui. J'imagine.

Il y eut un silence. Puis :

– Mais que je suis égoïste ! La journée se termine, et je te retiens ici pour m'offrir le plaisir d'une ou deux minutes de bavardage anodin.

– Tout le plaisir est pour moi.

– Certes. Il y a toutefois des lieux plus propices aux conversations entre amis. Après ce que tu as enduré, je présume que tu as envie d'un bain, de vêtements propres et d'un bon repas, non ? Tu dois être affamé !

Eragon regarda le morceau de pomme qu'il tenait entre ses doigts et conclut à regret qu'il serait inconvenant de continuer à manger alors que l'entretien touchait à sa fin. Nasuada le remarqua et dit :

– Tes yeux parlent pour toi, Tueur d'Ombre. Tu as l'air d'un loup au sortir de l'hiver. Je ne te torturerai pas davantage. Va te rafraîchir et mets ta plus jolie tunique. Quand tu seras présentable, je serais heureuse si tu acceptais de dîner avec moi. Bien sûr, tu ne seras pas mon seul invité, car les affaires des Vardens réclament mon attention constante. Mais ta présence éclairerait ma soirée si tu daignais te joindre à nous.

Eragon réprima une grimace à l'idée de passer encore plusieurs heures à des joutes verbales, à esquiver et à feinter avec ceux qui cherchaient à se servir de lui, ou à satisfaire l'insatiable curiosité des uns et des autres sur les Dragonniers et les dragons. Puis, les désirs de Nasuada étant des ordres, il s'inclina et accéda à sa requête.

16
UN FESTIN ENTRE AMIS

Eragon et Saphira quittèrent le quartier général de Nasuada et, encadrés par la troupe des elfes, regagnèrent à pied la modeste tente qu'on avait attribuée au jeune homme lorsqu'il avait rejoint les Vardens dans les Plaines Brûlantes. Là, une barrique d'eau fumante l'attendait, couronnée de volutes aux reflets opalescents sous les rayons obliques d'un gros soleil couchant. Remettant le bain à plus tard, il souleva le rabat et entra.

Après avoir vérifié si ses maigres possessions n'avaient pas été dérangées en son absence, Eragon se défit de sa hotte, en sortit son armure, qu'il rangea sous le lit. Il la nettoierait et l'enduirait d'huile plus tard. Tendant le bras, il fouilla les profondeurs sombres à tâtons, tira à lui le lourd paquet qu'il cherchait, enveloppé de tissu grossier, et le posa sur ses genoux. Lorsqu'il en eut dénoué les liens, il déballa l'objet.

Pouce après pouce, la poignée de cuir apparut : celle de l'épée bâtarde de Murtagh. Ayant découvert la garde et une longueur de lame luisante, il s'arrêta. Le tranchant en dents de scie portait l'empreinte des coups assenés par Zar'roc que Murtagh avait parés au cours de leur duel.

Eragon fixait l'arme, indécis. Sans trop savoir pourquoi, au lendemain de la bataille, il était retourné sur le plateau pour récupérer l'épée abandonnée par Murtagh dans la terre piétinée. Après une seule nuit à l'air libre, l'acier terni donnait déjà des signes de corrosion. D'un mot, il lui avait rendu son éclat. Pourquoi avait-il éprouvé le besoin de se l'approprier ? L'épée de Murtagh ne valait certes pas Zar'roc, que celui-ci lui avait volée, mais peut-être voyait-il dans cet échange une forme de compensation, même s'il y perdait. Peut-être désirait-il aussi la conserver en souvenir de cet affrontement sanglant ? Ne l'avait-il pas plutôt prise parce qu'il gardait un reste d'affection pour son ancien compagnon malgré les tristes circonstances qui avaient fait d'eux des ennemis ? Si Murtagh était devenu une abomination qu'il exécrait — et qui lui faisait pitié —, Eragon ne pouvait nier le lien qui existait entre eux. Un même destin les unissait. Par le même hasard qui avait présidé à leurs naissances, il aurait pu grandir à Urû'baen, et Murtagh, dans la vallée de Palancar, de sorte que leurs situations seraient aujourd'hui inversées. Leurs vies étaient inextricablement mêlées.

Les yeux rivés sur le métal argenté, Eragon composa un sort dans l'intention de lisser la lame, d'en aiguiser le tranchant, de lui rendre sa résistance. Était-ce une bonne idée ? Jusqu'à ce que les dragons l'effacent pendant l'Agaetí Sänghren, la cicatrice que lui avait laissée son duel contre Durza lui était restée, trace de leur rencontre gravée dans sa chair. Devait-il aussi garder l'épée comme une cicatrice ? N'était-il pas malsain de porter à la hanche un souvenir aussi douloureux ? Et que penseraient les Vardens s'il adoptait la lame d'un traître ? Zar'roc était un cadeau de Brom, cadeau qu'il ne pouvait qu'accepter, et il ne l'avait pas regretté. En revanche, rien ne l'obligeait à revendiquer l'épée sans nom qui reposait sur ses genoux.

« Il me faut une épée. Mais pas celle-ci. »

Il l'enveloppa de nouveau dans son linceul de toile et la glissa sous le lit. Puis, muni d'une chemise propre et d'une tunique, il ressortit prendre son bain.

Lavé et vêtu de lámarae, il s'en fut rejoindre Nasuada près du quartier des guérisseurs, comme elle le lui avait demandé. Saphira préféra voler : « Je manque de place au sol, je n'arrête pas de renverser les tentes. De plus, si je t'accompagne, nous amasserons un tel troupeau de gens en route que nous n'avancerons plus. »

Nasuada l'attendait près d'une rangée de mâts en haut desquels, dans l'air immobile et frais du soir, pendaient une demi-douzaine de bannières aux couleurs criardes. Elle s'était changée, elle aussi, et arborait une robe légère couleur de paille blonde. Son épaisse chevelure moussue était relevée en une masse de tresses imbriquées, retenue par un unique ruban blanc. Elle sourit à Eragon, qui lui rendit son sourire et pressa le pas. Bientôt, leurs deux gardes personnelles se mêlèrent : elfes hautains, indifférents, et Faucons de la Nuit plus soupçonneux que jamais.

Là-haut, Saphira tournoyait au-dessus du camp, préférant attendre qu'ils atteignent leur destination pour se poser. Nasuada prit le bras d'Eragon et le guida à travers l'océan de tentes tout en bavardant avec lui de choses sans grande importance. Charmé par sa gaieté, son esprit, par la pertinence de ses remarques, il l'écoutait avec plaisir et les mots lui venaient aisément. Dans ce climat détendu, il prit soudain conscience qu'elle lui était chère, que l'emprise qu'elle avait sur lui dépassait le cadre des relations entre un seigneur et son vassal. Cette découverte le troubla. En dehors de sa tante Marian, dont il ne conservait qu'un souvenir lointain, il avait grandi dans un monde masculin, n'avait jamais eu l'occasion de se lier d'amitié avec une femme. Son manque d'expérience le rendit timide, sa timidité, maladroit. Nasuada ne parut pas s'en apercevoir.

Elle le fit arrêter devant une tente éclairée de l'intérieur par une multitude de chandelles et bruissant de conversations tout aussi nombreuses.

– Nous allons replonger dans le marais de la politique, Eragon. Prépare-toi.

Elle souleva le rabat, et il eut un mouvement de recul quand une foule de gens s'écrièrent en chœur :

– Surprise !

Une immense table montée sur des tréteaux et chargée de nourriture occupait le centre de la tente. Y étaient assis Roran et Katrina, une vingtaine de villageois de Carvahall – dont

Horst et sa famille –, Angela l'herboriste, Jeod et son épouse, Helen, ainsi qu'une poignée d'inconnus qui avaient l'air de marins. La demi-douzaine d'enfants qui jouaient par terre s'interrompirent, bouche bée, pour dévisager les nouveaux arrivants. Leur attention allait d'Eragon à Nasuada, de Nasuada à Eragon, comme s'ils ne pouvaient décider lequel de ces deux personnages extraordinaires était le plus digne d'intérêt.

Incrédule et ravi, Eragon souriait. Il n'eut pas le temps d'ouvrir la bouche qu'Angela levait un pichet en s'exclamant :

– Eh bien, ne reste pas là à bayer aux corneilles ! Viens t'asseoir, j'ai faim !

Tandis que tous riaient, Nasuada l'entraîna près de Roran, où leurs places les attendaient. Eragon lui tira une chaise, et lui souffla pendant qu'elle s'installait :

– C'est *toi* qui as organisé ça ?

– Roran m'a suggéré quelques personnes que tu aurais plaisir à voir, j'y ai ajouté une touche personnelle. Pour le reste, l'idée venait de moi.

– Merci, murmura Eragon, confus. C'est très gentil à toi.

Il remarqua Elva, assise en tailleur dans le coin gauche de la tente, un plateau de nourriture sur les genoux. Les enfants l'évitaient ; comment en aurait-il été autrement étant donné le peu qu'ils avaient en commun ? À l'exception d'Angela, les adultes eux-mêmes semblaient gênés en sa présence. La fillette menue aux épaules étroites leva sur lui son terrible regard violet et, tout en l'observant de dessous sa frange brune, elle remua les lèvres, articulant sans bruit ce qu'Eragon crut être : « Salut à toi, Tueur d'Ombre. »

Il répondit de même par un silencieux : « Salut à toi, Celle-Qui-Voit-au-Loin. » Sa petite bouche rose s'étira en un sourire qui aurait été adorable sans les sinistres yeux violets.

Soudain, la table se mit à trembler, les assiettes à sauter, les parois de la tente s'agitèrent comme par grand vent. Eragon s'accrocha aux bras de son fauteuil tandis que deux pans de toile s'écartaient sous la poussée de Saphira, dont la tête apparut bientôt.

« De la viande ! Ça sent la viande ! »

Durant les quelques heures qui suivirent, Eragon s'abandonna au plaisir de boire et de manger en compagnie d'amis. Il avait l'impression d'être de retour au pays. Le vin coulait à flots ; après avoir vidé leur verre deux ou trois fois, les villageois oublièrent toute formalité et le traitèrent comme un des leurs, ce qui était pour lui le plus beau des cadeaux. Ils se montrèrent aussi chaleureux et ouverts avec Nasuada, sans toutefois se moquer d'elle comme ils se moquaient parfois de lui. Les bougies se consumaient, répandant une légère brume de fumée. Le rire sonore de Roran fusait encore et encore ; de l'autre côté de la table, celui de Horst, plus grave et tout aussi sonore, lui répondait. Marmonnant une incantation, Angela fit danser un petit bonhomme qu'elle avait façonné dans de la mie de pain, ce qui amusa l'ensemble des convives. Peu à peu, les enfants surmontèrent leur crainte de Saphira et s'approchèrent pour lui caresser le museau. Bientôt, ils grimpaient sur son cou, se suspendaient à ses piques ou tiraient sur les crêtes au-dessus de ses yeux. Eragon les observait en riant. Jeod chanta une vieille chanson qu'il avait trouvée autrefois dans un livre. Tara dansa une gigue. Le sourire joyeux de Nasuada étincelait ; elle pouffait, renversant la tête en arrière. À la demande générale, Eragon raconta plusieurs de ses aventures, dont son départ précipité de Carvahall en compagnie de Brom, épisode qui intéressa particulièrement l'assistance.

— Incroyable ! s'exclama Gertrude, la guérisseuse au visage rond, en tirant sur son châle. Quand je pense qu'on avait un Dragonnier parmi nous et que personne ne s'en doutait !

Elle sortit une paire d'aiguilles à tricoter de sa manche et les pointa sur Eragon :

— Quand je pense que je t'ai soigné alors que tes jambes étaient à vif d'avoir monté Saphira, et que la cause de tes blessures ne m'a même pas effleurée !

Elle secoua la tête, claqua la langue, puis elle prit une pelote de laine brune, jeta une rangée de mailles sur une aiguille et se mit à tricoter à une vitesse acquise au fil de dizaines d'années d'expérience.

Elain fut la première à quitter la fête, épuisée du fait de sa grossesse avancée ; l'un de ses fils, Baldor, sortit avec elle. Une demi-heure plus tard, Nasuada s'excusa, elle aussi, en expliquant que les exigences de son rôle l'empêchaient de rester aussi longtemps qu'elle l'aurait voulu ; elle adressa aux convives ses vœux de bonheur et de santé, leur fit part de son espoir qu'ils continueraient à soutenir les Vardens contre l'Empire, puis, avant de se retirer, elle fit signe à Eragon, qui la rejoignit près de l'entrée.

— Je sais que tu as besoin de temps pour te remettre de ton voyage et que des affaires personnelles réclament ton attention, commença-t-elle. Tu disposeras donc à ta guise des deux jours qui viennent. Mais, au matin du troisième jour, tu te présenteras à ma tente de commandement, et nous parlerons de ton avenir. J'ai une mission capitale à te confier.

— Ma Dame.

Il s'inclina légèrement, puis ajouta :

— Où que tu ailles, Elva est toujours près de toi, n'est-ce pas ?

— Oui. C'est une protection contre d'éventuels dangers qui échapperaient aux Faucons de la Nuit. De plus, son aptitude à pressentir les souffrances des uns et des autres s'est avérée d'une grande utilité. Il est beaucoup plus facile d'obtenir la collaboration de quelqu'un quand on connaît déjà ses blessures secrètes.

— Tu serais prête à y renoncer ?

Elle le scruta de son regard perçant :

— Tu comptes lever la malédiction d'Elva ?

— Je compte essayer. Je le lui ai promis, rappelle-toi.

— Je sais. J'étais présente.

Distraite par la chute d'une chaise, elle s'interrompit un instant avant de reprendre :

— Tes promesses seront notre perte... Elva est irremplaçable. Personne d'autre n'a ses talents. Comme je viens d'en témoigner, les services qu'elle me rend valent une montagne d'or. Je me suis même dit que, de nous tous, elle est peut-être la seule capable de vaincre Galbatorix. Elle serait en mesure d'anticiper toutes ses attaques et, grâce au sort que tu lui as jeté, elle parviendrait à les contrer. Aussi longtemps que les contre-attaques n'exigeraient pas qu'elle se sacrifie, elle aurait la main haute... Pour le bien des Vardens, Eragon, pour le bien de toute l'Alagaësia, ne pourrais-tu seulement feindre de lever ce sort ?

– Non, répliqua-t-il, mordant. Je ne le ferai pas. Si nous obligeons Elva à rester telle qu'elle est, elle se retournera contre nous, et je ne tiens pas à l'avoir pour ennemie.

Il marqua une pause puis, voyant l'expression de Nasuada, il ajouta :

– De toute façon, il y a de grandes chances que je ne réussisse pas. Lever un sort aussi mal formulé n'est pas une mince affaire... Puis-je me permettre une suggestion ?

– Laquelle ?

– Sois franche avec Elva. Explique-lui le rôle capital qu'elle joue pour les Vardens et demande-lui si elle accepterait de continuer à porter son fardeau pour le bien de tous les peuples libres. Il se peut qu'elle refuse, c'est son droit. En ce cas, sa personnalité est telle que nous aurions tort de nous fier à elle. Et, si elle accepte, elle servira de son plein gré, non plus contrainte et forcée.

Avec un léger froncement de sourcils, Nasuada hocha la tête :

– Je lui en parlerai demain. Ta présence sera nécessaire pour m'aider à la convaincre, et pour lever le sort si nous échouons. Sois à ma tente de commandement trois heures après l'aube.

Sur ces mots, elle sortit dans la nuit éclairée par les torches.

Beaucoup plus tard, quand les chandelles épuisées gouttèrent dans leur bougeoir et que les villageois se dispersèrent par groupes de deux ou trois, Roran entraîna Eragon au fond de la tente, près de Saphira, hors de portée des oreilles curieuses :

– Ce que tu as raconté sur Helgrind, c'était toute l'histoire ?

Le regard dur, inquisiteur, avec une nuance inhabituelle de vulnérabilité inquiète, il serrait le bras de son cousin comme dans un étau.

279

– Si tu me fais confiance, Roran, répondit Eragon sans détourner les yeux, ne me pose plus jamais cette question. Mieux vaut que tu ne saches pas tout.

Il se sentait gêné de devoir cacher l'existence de Sloan à Roran et à Katrina. Ce mensonge nécessaire lui répugnait au point qu'il songea un moment à avouer la vérité. Puis il réfléchit aux raisons qui l'avaient poussé à garder le secret et se ravisa.

Roran semblait troublé, indécis. Enfin, il relâcha sa prise :

– Je te fais confiance. La famille est là pour ça, non ? Pour se faire confiance.

– Oui, et pour s'entretuer.

Roran rit, se frotta le nez de son pouce :

– C'est vrai.

Il roula des épaules, massa, par habitude, celle que le Ra'zac avait mordue :

– J'ai une autre question.

– Quoi ?

– Il s'agit d'une surprise... d'une faveur que j'aimerais te demander.

Un petit sourire de dérision retroussa les coins de ses lèvres :

– Je ne pensais pas aborder un jour ce sujet avec toi. Tu es plus jeune que moi, tu as à peine atteint l'âge d'homme, et tu es mon cousin par-dessus le marché.

– Me parler de quoi ? Cesse de tourner autour du pot.

– De mariage, dit Roran, en relevant le menton. Accepterais-tu de nous marier, Katrina et moi ? Tu me ferais très plaisir. Je n'en ai pas soufflé mot à Katrina avant d'avoir ta réponse, mais je sais qu'elle serait honorée et enchantée que tu consentes à nous unir.

Eragon en resta muet de stupéfaction.

– *Moi* ? bredouilla-t-il finalement. Oui, bien sûr, je serais ravi de vous marier... *Moi*, tu es sûr ? Tu pourrais avoir Nasuada, elle ne demanderait pas mieux... Ou le roi Orrin, un vrai roi ! Il sauterait sur l'occasion de présider la cérémonie pour gagner mes bonnes grâces.

— C'est toi que je veux, Eragon, insista Roran en le gratifiant d'une bourrade. Tu es Dragonnier, et le seul à partager mon sang ; Murtagh ne compte pas. Je ne vois personne de plus approprié que toi pour nouer le ruban autour de nos deux poignets.

— Eh bien, en ce cas, d'accord.

Son cousin l'enveloppa de ses bras et le serra à lui couper le souffle. Lorsqu'il relâcha son étreinte, Eragon prit deux bonnes inspirations avant de répondre :

— Reste à décider de la date. Nasuada a une mission pour moi. Sans avoir plus de détails, je suppose que cela risque de m'occuper un moment... Au début du mois prochain si les évènements le permettent, ça t'irait ?

Les larges épaules de Roran se crispèrent. Il secoua la tête comme un taureau pris dans un roncier :

— Pourquoi pas après-demain ?

— Si vite ? N'est-ce pas un peu précipité ? Ça ne laisse guère de temps pour les préparatifs. Et puis, ça peut paraître inconvenant à certains.

Roran crispait et desserrait les poings, les veines de ses mains et de son cou saillaient.

— Il y a urgence. Si nous ne sommes pas mariés dans les plus brefs délais, les vieilles pies auront de quoi jaser, et ce n'est pas mon impatience qui les choquera le plus. Tu me suis ?

Eragon mit quelques instants à comprendre, puis un grand sourire éclaira son visage. « Roran va être papa ! »

— D'accord pour après-demain, alors.

Une fois de plus, son cousin le serra si fort qu'il eut quelque peine à se dégager.

— Je te dois une fière chandelle, Eragon, merci. Je file porter la nouvelle à Katrina, et nous ferons de notre mieux pour préparer la fête. Je te donnerai l'heure exacte quand nous en aurons décidé.

— Parfait.

Radieux, Roran se dirigea vers la sortie, puis se retourna soudain, les bras ouverts, comme pour embrasser le monde entier :

– Je vais me marier, Eragon !

– Dépêche-toi donc, triple buse ! Elle t'attend !

L'abattant ne s'était pas refermé derrière son cousin qu'Eragon enfourchait Saphira.

– Lupusänghren ? appela-t-il.

Furtif, l'elfe approcha sans bruit. À la lueur des torches, ses yeux jaunes brillaient telles des braises contre son pelage de nuit.

– Je vais voler un peu avec Saphira. Nous nous retrouverons à ma tente.

– Bien, Tueur d'Ombre, dit Lupusänghren en s'inclinant.

Ses immenses ailes déployées, Saphira s'élança au-dessus du campement, et les toiles claquaient dans le vent de son sillage. Secoué par le décollage, Eragon se cramponna à ses piquants. Tandis que la dragonne s'élevait dans les airs, le camp rétrécit jusqu'à n'être plus qu'une petite tache de lumière dans l'immensité noire. Bientôt, elle planait entre ciel et terre dans le silence sidéral. Posant la tête sur son cou, il contempla le firmament semé d'étoiles.

« Repose-toi, petit homme, dit-elle. Je veillerai à ce que tu ne tombes pas. »

Et il s'abandonna au repos. Tandis qu'ils voguaient lentement vers le jour, il rêva d'une cité de pierre circulaire qui se dressait au centre d'une plaine sans fin, d'une fillette qui errait à travers ses ruelles étroites en chantant une mélodie lancinante.

17
RENCONTRES

Peu après l'aube, une heure avant le rendez-vous convenu avec Nasuada, Eragon huilait sa cotte de mailles quand un archer varden vint le supplier de guérir son épouse qui souffrait d'une tumeur maligne. Abandonnant sa tâche, il accompagna le malheureux jusqu'à sa tente. Il trouva la femme très affaiblie par la maladie et employa toute sa science à extraire le mal insidieux de sa chair. Épuisé par l'effort, il était cependant heureux de lui épargner une mort lente et douloureuse.

Ayant rejoint Saphira dehors, il resta un moment à lui gratter le cou. Elle remua la queue en ronronnant, tourna la tête et les épaules pour lui présenter sa gorge.

« Pendant que tu étais occupé à l'intérieur, d'autres sont venus réclamer ton aide, mais Lupusänghren et les siens les ont renvoyés ; leurs requêtes n'étaient pas urgentes. »

« Ah oui ? »

Il glissa l'index sous une écaille et gratta plus fort :

« Je vais peut-être suivre l'exemple de Nasuada. »

« C'est-à-dire ? »

« Le sixième jour de chaque semaine, du lever du soleil à midi, elle reçoit tous ceux qui souhaitent la consulter pour briguer une faveur ou régler une dispute. Rien ne m'empêche d'avoir mon jour, moi aussi. »

« Cette idée me plaît bien. Seulement, il faudra que tu veilles à ne pas dépenser trop d'énergie. L'Empire peut attaquer d'un moment à l'autre, et nous devons être prêts à combattre. »

Ronronnant plus encore, elle se frotta contre sa main.

« J'ai besoin d'une épée. »

« Trouves-en une. »

« Hm... »

Pensif, il continua à la gratter jusqu'à ce qu'elle s'écarte de lui.

« Dépêche-toi un peu, tu vas être en retard ! »

Ensemble, ils se dirigèrent vers la tente rouge de Nasuada, au centre du campement. La distance n'était pas bien grande, Saphira resta à son côté plutôt que de voler parmi les nuages.

À une centaine de pas du but, ils tombèrent sur Angela, l'herboriste. Agenouillée entre deux tentes, elle désignait un carré de cuir posé sur une pierre plate. Dessus, des os de la taille d'un doigt avec un symbole différent sur chaque face s'étalaient pêle-mêle : les osselets de dragon avec lesquels elle avait lu l'avenir d'Eragon à Teirm.

En face d'Angela était assise une femme aux épaules larges et à la peau tannée par les intempéries ; ses longs cheveux noirs tressés en une natte épaisse tombaient jusqu'à ses reins. Malgré les dures rides creusées par les ans, elle était encore belle. Elle portait une robe d'un brun roux dont les manches trop courtes découvraient en partie ses avant-bras. Des bandes de tissu sombre recouvraient ses poignets, mais celle de gauche avait glissé, laissant voir des croûtes et des cicatrices, le genre de blessure, songea Eragon, qui résulte du frottement constant des fers. Il comprit qu'elle avait été tenue en captivité et que, à force de se débattre, elle s'était entamé les poignets jusqu'à l'os. Qu'elle ait été esclave ou criminelle, il n'en était pas moins révolté à l'idée que des geôliers puissent être assez cruels pour pousser leurs prisonniers à de telles extrémités.

Près de la femme se tenait une jeune beauté au visage grave, dans la fleur de l'âge. Les muscles de ses avant-bras étaient très développés, comme si elle avait été apprentie dans une forge ou s'était entraînée au maniement des armes, hypothèses fort peu probables pour une fille, quelle que soit sa force.

Quand Eragon et Saphira s'arrêtèrent derrière elle, Angela achevait de parler aux deux inconnues. D'un geste vif, elle rassembla ses osselets de dragon dans le carré de cuir et rangea le tout sous sa large ceinture jaune. Elle se leva, se tourna vers eux et leur sourit :

– Eh bien, eh bien ! Vous avez un sens inné de l'à-propos, tous les deux ! Vous arrivez toujours au moment où le fuseau du destin se met à tourner.

– Le fuseau du destin ? répéta Eragon.

La sorcière à la crinière bouclée haussa les épaules :

– Et alors ? On ne peut pas être brillant tous les jours, pas même moi.

Elle fit un geste en direction des deux étrangères, qui s'étaient levées aussi :

– Eragon, accepterais-tu de les bénir ? Elles ont subi bien des épreuves et doivent affronter une longue route semée d'embûches. Je suis certaine qu'elles apprécieraient la protection que leur offrirait la bénédiction d'un Dragonnier.

Il hésita. Angela ne tirait pas ses osselets de dragon pour le premier venu – seulement pour ceux auxquels Solembum daignait adresser la parole –, car ce n'était pas là un acte de magie anodine, mais une prédiction véridique qui révélait les mystères de l'avenir. Qu'elle ait choisi de le faire pour la belle femme aux poignets abîmés et la jeune fille aux avant-bras de guerrier les désignait comme des personnes d'exception, des personnes qui avaient contribué et contribueraient encore à forger l'Alagaësia nouvelle. Cette supposition se trouva confirmée quand il aperçut Solembum, sous sa forme de chat aux grandes oreilles surmontées de pompons, tapi au coin d'une tente à observer la scène de ses énigmatiques yeux jaunes. Malgré cela, Eragon ne se décidait pas, hanté par le souvenir de sa première et seule bénédiction, qui, en raison de sa maîtrise imparfaite de l'ancien langage, avait ruiné la vie d'une enfant innocente.

« Saphira ? »

Elle fouetta l'air de sa queue :

« Cesse de tergiverser. Tu as tiré les leçons de ton erreur, tu ne recommenceras plus. Alors, pourquoi priver de ta bénédiction ceux qui en ont besoin ? Tu voulais mon avis ? Eh bien, tu les bénis, et cette fois tu le fais sans te tromper. »

– Comment vous appelez-vous ? demanda-t-il.

– Sauf votre respect, Tueur d'Ombre, dit la femme aux cheveux noirs avec un léger accent qu'il ne put identifier, les noms ont un pouvoir, et nous préférerions que les nôtres restent tus.

Tout en gardant les yeux baissés, elle parlait d'une voix ferme, autoritaire. Choquée par son audace, l'adolescente se couvrit la bouche.

Pas plus surpris que vexé, Eragon opina du chef. Leurs deux noms ne lui étaient pas nécessaires pour ce qu'il s'apprêtait à faire, mais la réticence de l'étrangère avait piqué sa curiosité, il aurait aimé les connaître. Il ôta le gant de sa main droite, posa la paume sur son front tiède. Elle se crispa aussitôt, sans pour autant reculer. Ses narines s'écartèrent, ses lèvres se pincèrent et un pli se creusa entre ses sourcils. Elle tremblait, comme si ce contact lui était douloureux, comme si elle réprimait une impérieuse envie de se dégager. Il prit vaguement conscience que Lupusänghren se rapprochait, prêt à intervenir si l'inconnue se révélait hostile.

Déconcerté par la réaction de cette dernière, Eragon s'ouvrit au flux de la magie et, usant de la puissance de l'ancien langage, il prononça la formule : « Atra guliä un ilian tauthr ono un atra ono waíse sköliro fra rauthr. » Comme lorsqu'il lançait un sort, il chargea la phrase d'énergie afin qu'elle infléchisse le cours des évènements et améliore la vie de cette femme. Il veilla toutefois à ne pas mettre trop de sa force dans cette bénédiction, car ce genre d'enchantement pouvait se nourrir de lui jusqu'à absorber toute sa vitalité s'il n'en limitait pas la portée. Malgré cette précaution, il se sentit faiblir ; sa vision se brouilla et ses jambes flageolantes menaçaient de céder.

Quelques secondes encore, et le vertige passa.

C'est avec soulagement qu'il ôta sa main du front de l'étrangère, sentiment qu'elle parut partager. Elle fit aussitôt un pas en arrière et se frotta les bras, à croire qu'elle cherchait à se nettoyer d'une souillure.

Eragon répéta l'opération avec l'adolescente. Lorsqu'il libéra l'enchantement, elle écarquilla les yeux, comme surprise par la sensation. Puis elle fit une révérence :

– Merci, Tueur d'Ombre. Nous vous sommes redevables. Je vous souhaite de réussir à vaincre Galbatorix et l'Empire.

Elle se retournait pour partir quand Saphira ronfla et, courbant son long cou par-dessus Eragon et Angela, se pencha au-dessus des deux étrangères. Elle abaissa encore la tête, souffla sur le visage de la plus âgée, puis sur celui de la jeune fille, et, projetant sa pensée avec suffisamment de force pour renverser de solides barrières mentales – comme Eragon, elle avait remarqué que la femme aux cheveux noirs barricadait son esprit –, elle dit : « Bonne chasse à vous, Femmes Sauvages. Que le vent gonfle vos ailes ; que le soleil soit toujours derrière vous, et puissiez-vous surprendre votre proie endormie. Quant à toi, Œil de Loup, j'espère que, quand tu retrouveras celui qui t'a pris les pattes dans son piège, tu ne le tueras pas trop vite. »

Entendant parler Saphira, les deux femmes s'étaient raidies. Dès que la dragonne eut terminé, la plus vieille se frappa la poitrine du poing et déclara :

– Compte sur moi, ô Belle Chasseresse.

Elle s'inclina ensuite devant Angela :

– Parfais ton art et frappe la première, Voyante.

– Oui, Chante Lame.

Dans un froufrou de jupes, les inconnues s'éloignèrent et disparurent bientôt parmi le dédale de tentes grises identiques.

« Pas de marque sur leur front ? Pourquoi ? » demanda Eragon à Saphira.

« Elva était unique. Je ne marquerai personne d'autre. Ce qui s'est produit à Farthen Dûr... s'est produit de manière spontanée. L'instinct m'y a poussée. Je ne me l'explique pas. »

Tandis qu'ils repartaient vers la tente de Nasuada, Eragon coula un regard de biais à Angela :

– Qui était-ce ?

– Des voyageuses qui poursuivent leur quête.

– Ce n'est pas une réponse, maugréa-t-il.

– Je n'ai pas pour habitude de distribuer les secrets comme des nougats la nuit du solstice d'hiver. Surtout quand ils appartiennent à d'autres.

Il fit quelques pas en silence, puis :

– Quand on refuse de me livrer certains renseignements, je n'en suis que plus déterminé à découvrir la vérité. Je déteste rester dans l'ignorance. Pour moi, une question sans réponse est une épine dans le pied qui me torture au moindre mouvement tant que je ne l'ai pas enlevée.

– Je compatis.

– Pourquoi ?

– Parce que tu dois souffrir mille morts en permanence. La vie est un océan de questions sans réponse.

Ils étaient à une soixantaine de pieds du pavillon rouge de Nasuada quand un régiment de lanciers passa devant eux, leur barrant le chemin. Tout en les regardant défiler, Eragon frissonna et souffla sur ses doigts :

– Si seulement j'avais le temps de prendre une collation...

– C'est la magie, n'est-ce pas ? Tu es fatigué ?

Il acquiesça de la tête tandis qu'Angela fouillait dans l'une des bourses accrochées à sa ceinture. Elle en sortit une bouchée brune et compacte, couverte de graines de lin luisantes :

– Prends. Ça te soutiendra jusqu'au déjeuner.

– Qu'est-ce que c'est ?

– Mange. C'est bon. Tu peux avoir confiance en moi.

Alors qu'il prenait la bouchée informe et grasse, elle lui saisit le poignet de sa main libre pour inspecter les gros tampons de cal à la naissance de ses doigts.

– Très astucieux, commenta-t-elle. C'est laid comme des verrues de crapaud, mais quelle importance tant que ta peau reste intacte, hein ? Ça me plaît bien. J'aime beaucoup ton invention. Ce sont les Ascûdgamln des nains qui t'ont inspiré ?

– Rien ne t'échappe donc jamais ?

– Échappe ce que voudra, je ne m'intéresse qu'à ce qui existe.

Dérouté, comme souvent, par la manière dont Angela jouait avec les mots, Eragon cligna des yeux. Du bout de l'ongle, elle tapota un monticule calleux :

– Je m'en fabriquerais bien aussi, sauf que la laine accrocherait dedans quand je file ou que je tricote.

– Tu files ta laine pour tricoter ? s'étonna-t-il, incapable de l'imaginer occupée à des activités aussi communes.

– Bien sûr ! C'est fou ce que ça détend. Et puis, sans cela, où trouverais-je un pull avec le sort de protection de Dvalar contre les lapins enragés tissé en Liduen Kvaedhí derrière l'empiècement ? Ou encore un filet à cheveux tressé de fil vert, jaune et rose vif ?

– Des lapins enragés...

Elle rejeta sa crinière de boucles en arrière :

– Tu serais surpris de savoir combien de magiciens sont morts des suites d'une morsure de lapin enragé. C'est plus fréquent qu'on ne l'imagine.

Eragon la dévisageait, incrédule.

« Tu crois qu'elle plaisante, Saphira ? »

« Pose-lui la question pour en avoir le cœur net. »

« Elle me répondrait encore par une énigme. »

Le régiment passé, ils reprirent leur marche vers la tente de commandement, accompagnés par Solembum, qui les avait rejoints à l'insu d'Eragon. Zigzaguant entre les tas de crottin laissés par la cavalerie du roi Orrin, Angela demanda :

– Alors, en dehors du combat contre les Ra'zacs, qu'est-ce qui t'est arrivé de passionnant pendant ton voyage ? J'adore qu'on me raconte des choses passionnantes.

Eragon sourit en repensant à la visite des esprits quand il campait avec Arya. Mais il ne tenait pas à en discuter.

– Eh bien, pour satisfaire ta curiosité, j'ai fait quelques rencontres fascinantes. J'ai par exemple croisé un ermite nommé Tenga qui habite les ruines d'une tour elfique. Il possédait une bibliothèque extraordinaire qui comptait entre autres sept...

Angela s'arrêta si brusquement qu'Eragon ne s'en rendit pas compte et continua de marcher, ce qui l'obligea à revenir sur ses pas. La sorcière semblait abasourdie, aussi sonnée que si elle avait reçu un grand coup sur la tête. Solembum s'approcha d'elle et se frotta contre ses jambes. Angela s'humecta les lèvres :

– Tu en... – elle toussota. Tu es sûr qu'il s'appelait Tenga ?

– Tu le connais ? Tu l'as rencontré ?

Solembum se hérissa en soufflant. Dans la crainte d'un coup de griffe, Eragon s'éloigna du chat-garou.

– Si je le connais ? Si je l'ai rencontré ? Ha ! J'ai fait mieux que ça. J'ai été son apprentie pendant... pendant bien trop longtemps, pour mon malheur.

Il ne s'attendait pas à ce qu'elle lui révèle des détails de son passé. Intrigué, il l'encouragea à poursuivre :

– Comment l'as-tu connu ? Où était-ce ?

– Loin, très loin d'ici, il y a bien, bien longtemps. Quoi qu'il en soit, nous nous sommes séparés en mauvais termes, et il y a des lustres que je ne l'ai pas revu.

Elle fronça les sourcils, puis ajouta :

– D'ailleurs, je le croyais mort.

Saphira prit alors la parole : « Puisque tu as été l'apprentie de Tenga, connais-tu la question dont il cherche la réponse ? »

– Je n'en ai pas la moindre idée. Tenga cherchait toujours la réponse à une question quelconque. Quand il l'avait trouvée, il choisissait une autre question, et il recommençait. Depuis mon départ, il a peut-être répondu à une centaine de questions. Ou il est encore à se casser la tête sur le problème avec lequel je l'ai laissé.

« C'est-à-dire ? »

– Est-ce que les phases de la lune influencent le nombre et la qualité des opales qui se développent à la base des montagnes des Beors, comme le pensent les nains ?

– Comment pourrait-on le prouver ?

Angela haussa les épaules :

– Si quelqu'un en est capable, c'est bien Tenga. Tout dérangé qu'il soit, il n'en est pas moins brillant.

« C'est un sale type qui donne des coups de pied aux chats », déclara Solembum, comme si le personnage se résumait à cela.

– Assez ! dit alors Angela en frappant dans ses mains. Mange ta friandise, Eragon, et allons voir Nasuada.

18
RÉPARER SES TORTS

—Vous êtes en retard, dit Nasuada tandis qu'Eragon et Angela s'asseyaient sur deux des chaises disposées en arc de cercle devant son trône de bois sculpté.

Il y avait là Elva et Greta, la vieille nourrice chargée de veiller sur elle, celle qui, à Farthen Dûr, avait supplié Eragon de bénir l'enfant. Comme précédemment, Saphira, installée dehors, passait le nez par une ouverture afin de participer. Solembum s'était roulé en boule près de sa tête et paraissait dormir du sommeil du juste ; seule, sa queue remuait de temps à autre.

Après s'être excusés de leur retard, Angela et Eragon écoutèrent Nasuada expliquer à Elva l'importance capitale de ses dons pour les Vardens. « Comme si la petite ne le savait pas déjà », commenta Eragon pour Saphira. Elle lui rappela la promesse du jeune Dragonnier, et enjoignit à l'enfant de l'en libérer, lui expliqua qu'elle était consciente des effets douloureux de la bénédiction, consciente aussi qu'elle lui demandait beaucoup, mais que le sort du pays entier était en jeu. N'était-il pas noble et louable de sacrifier son confort pour arracher l'Alagaësia aux griffes de Galbatorix ? Ce fut un beau discours, éloquent, enflammé et bien argumenté, un discours propre à toucher le cœur de la fillette.

Elva, qui était restée sans bouger, son petit menton pointu posé sur ses deux poings, releva la tête et répondit d'un « Non » catégorique. Sous le choc, tous se turent. Dans le silence, la fillette les regarda l'un après l'autre sans ciller, puis elle leur exposa ses raisons :

– Eragon, Angela, vous qui avez partagé les pensées et les émotions de mourants, vous savez à quel point c'est horrible, déchirant, cette sensation qu'une partie de soi-même disparaît à jamais. Et ce, pour un seul être. Quand vous choisissez de l'accompagner, car rien ne vous y oblige, alors que moi... Moi, je n'ai pas le choix. Je subis toutes les morts, les unes après les autres. En ce moment même, je sens la vie qui se retire de Sefton, l'un de tes soldats blessés à la bataille des Plaines Brûlantes, Nasuada ; je sais quelles paroles prononcer pour alléger sa peur de sombrer dans l'oubli. Si grande est sa terreur que j'en tremble !

Dans un cri inarticulé, elle leva les bras devant son visage comme pour se protéger d'un coup. Puis :

– Ah, c'est fini, il est parti. Mais il y en a d'autres. Il y en a toujours d'autres. C'est une procession sans fin.

Sa voix d'enfant moqueuse et lourde d'amertume troublait comme une parodie grinçante.

– Me comprends-tu vraiment, Nasuada, Dame Qui-Marche-La-Nuit... Celle-Qui-Voudrait-Être-Reine-du-Monde ? Comprends-tu ? Physiques ou mentales, toutes les souffrances qui m'entourent m'affectent. Je les ressens comme si elles étaient miennes, et le sort d'Eragon me pousse à atténuer les douleurs de ces malheureux quoi qu'il m'en coûte. Si je résiste à ce besoin, comme je le fais en ce moment, mon corps se rebelle, l'acidité me brûle l'estomac, j'ai plus mal à la tête que si un nain me cognait sur le crâne, je n'arrive plus à bouger, moins encore à penser. Est-ce là ce que tu me souhaites, Nasuada ? Nuit et jour, les peines du monde m'assaillent sans répit. Depuis qu'Eragon m'a *bénie*, je n'ai connu que la souffrance et la peur, jamais la joie ou le plaisir. La face avenante de la vie, les petits riens qui rendent cette existence supportable me sont refusés. Jamais je n'y ai droit. Jamais je ne prends part aux évènements heureux. Je ne vois que ténèbres. Que la somme de malheur des hommes, des femmes et des enfants sur un mile à la ronde qui m'accable de son poids et me tourmente. Cette *bénédiction* m'a privée de mon enfance. Elle a forcé mon corps à grandir trop vite, mon esprit à mûrir plus vite encore. Eragon parviendra peut-être à me libérer de mon sinistre don et des besoins qui l'accompagnent, mais il ne me rendra pas l'innocence qui était mienne, qui devrait l'être encore – pas sans détruire ce que je suis devenue. Ni enfant ni adulte, je suis un monstre. Jamais je n'aurai ma place où que ce soit. Je ne suis pas aveugle, vous savez. Je vois vos réactions gênées dès que je m'exprime.

Elle secoua la tête avec véhémence :

– Non. C'est trop me demander. Je ne veux pas continuer comme ça, ni pour toi, Nasuada, ni pour les Vardens, ni pour toute l'Alagaësia, ni même pour l'amour de ma mère si elle était encore parmi nous. Cela n'en vaut pas la peine, pas pour tout l'or du monde. Je pourrais me retirer en un lieu isolé pour ne plus avoir à souffrir des douleurs des autres, mais je ne veux pas vivre ainsi. Non, la seule solution, c'est qu'Eragon tente de rectifier son erreur.

Ses lèvres se retroussèrent en un sourire matois :

– Si vous avez des objections, si vous me jugez sotte, égoïste, vous serez bien avisés de vous souvenir que je suis à peine sortie des langes, que je n'ai pas encore fêté mes deux ans. Seuls des fous exigeraient le martyre d'un bébé au nom du bien commun. Quoi qu'il en soit, bébé ou pas, ma décision est prise, elle est irrévocable. Rien ne me fera changer d'avis.

Nasuada s'employa de nouveau à tenter de la convaincre, sans résultat. Enfin, à court d'arguments, elle demanda à Angela, à Eragon et Saphira d'intervenir. Angela s'y refusa sous prétexte qu'elle n'avait rien à ajouter, qu'Elva était libre de ses choix et qu'il n'y avait pas lieu de la harceler comme une bande de geais criards qui s'en prennent à un aigle. S'il partageait ce point de vue, Eragon accepta cependant de faire un geste :

— Elva, je ne te dicterai pas ta conduite, toi seule peux en décider. Cela étant, ne rejette pas d'emblée la requête de Nasuada. Elle s'efforce de nous sauver tous de Galbatorix et elle a besoin de notre soutien si nous voulons avoir une chance de triompher. Je ne vois pas l'avenir, mais je pense que tes dons seraient une arme idéale contre le roi félon. Tu pourrais prévoir ses attaques, nous dire comment contrecarrer ses sorts. Et, surtout, tu serais en mesure de sentir ses faiblesses, de nous indiquer les défauts de sa cuirasse, ce qui nous permettrait de l'atteindre.

— Il faudra trouver mieux que ça si tu tiens à ce que je change d'avis, Dragonnier.

— Je ne tiens pas à ce que tu changes d'avis, seulement à m'assurer que tu as pesé les conséquences de ta décision, que tu n'es pas allée un peu vite en besogne.

La fillette remua sur sa chaise sans rien dire.

« Qu'en pense ton cœur, ô Front Brillant ? » s'enquit alors Saphira.

Elva répondit d'une voix douce, sans la moindre trace de malice :

— J'ai parlé avec mon cœur, Saphira. Tout autre discours serait superflu.

Si Nasuada était frustrée par l'entêtement de la fillette, elle n'en laissait rien paraître. Impassible derrière un masque de gravité en accord avec la discussion, elle reprit :

— Je conteste ton choix, Elva. Toutefois, nous nous y conformerons puisqu'à l'évidence tu ne reviendras pas dessus. N'ayant pas l'expérience des souffrances que tu endures jour après jour, je ne saurais te le reprocher, et rien ne prouve qu'à ta place j'aurais décidé autrement. Eragon, s'il te plaît...

Le garçon s'agenouilla devant Elva, dont les grands yeux violets le fixaient tandis qu'il prenait ses petites mains brûlantes entre ses larges paumes.

— Ce sera douloureux, Tueur d'Ombre ? demanda Greta d'une voix chevrotante.

– En principe non. Je préfère ne rien affirmer. Lever des sorts est un art délicat, plus aléatoire que d'en jeter. Les magiciens s'y livrent rarement en raison des problèmes qu'il pose.

Les traits déformés par des rides d'inquiétude, Greta tapota le crâne d'Elva :

– Courage, petit chou, courage !

Elle ne parut pas remarquer le regard exaspéré que l'enfant darda sur elle.

Ignorant cette interruption, Eragon commença :

– Elva, écoute-moi. Il existe deux méthodes pour briser un enchantement. La première exige que le magicien à l'origine du sort s'ouvre à l'énergie qui alimente notre magie et...

– J'ai toujours eu des difficultés avec ça, intervint Angela. Voilà pourquoi j'utilise des potions, des plantes ou des objets naturellement chargés de magie plutôt que des incantations.

– Si cela ne t'ennuie pas, Angela...

Des fossettes creusèrent les joues de la sorcière :

– Désolée. Continue.

– Bien, grommela Eragon. La première exige que le magicien d'origine...

– Ou la magicienne, intervint Angela.

– Tu vas me laisser finir ?

– Pardon.

Eragon nota que Nasuada réprimait à grand-peine un sourire.

– Donc, le magicien s'ouvre au flux d'énergie qu'il porte en lui et, en ancien langage, il se rétracte : il retire les mots qui constituaient son sort ainsi que les intentions qui le motivaient. Comme tu t'en doutes, ce n'est pas facile. Si le magicien se trompe sur l'intention, il modifie l'enchantement au lieu de le lever. Et il lui faut ensuite défaire *deux* sorts imbriqués l'un dans l'autre. La seconde méthode consiste à jeter un nouveau sort afin d'annuler les effets du premier. Ainsi, on le neutralise sans l'éliminer. Avec ta permission, c'est celle que je compte employer.

– Une solution très élégante, déclara Angela. Peut-on savoir qui fournira le flux continu d'énergie nécessaire à maintenir ce contre-sort ? Et, pendant que nous y sommes, quels sont les inconvénients de cette seconde méthode ?

– L'énergie devra venir de toi, dit-il en pressant les mains de la fillette, qu'il n'avait pas quittée des yeux. Ton endurance s'en trouvera quelque peu réduite, pas de beaucoup. Tu ne courras pas aussi vite ni aussi loin, tu ne soulèveras pas autant de bûches pour le feu que ceux qu'aucun enchantement de ce genre n'affecte.

– Pourquoi tu ne me la fournis pas, cette énergie ? Après tout, c'est ta faute si je suis dans cet état.

– Je le ferais de bon cœur, Elva, seulement, plus je m'éloignerais et plus il me serait difficile de te la transmettre. Si j'allais à un mile d'ici... un bon mile, eh bien, l'effort me tuerait. Quant aux inconvénients, le seul risque est que le contre-sort ne bloque pas les effets de ma bénédiction s'il est mal formulé. Auquel cas, je lancerai un autre contre-sort.

– Et s'il échoue aussi ?

– Eh bien, je me rabattrai sur la première méthode. Ce que j'aimerais éviter car, si c'est le seul moyen de lever intégralement un sort, en cas d'échec ta situation pourrait être pire qu'elle ne l'est maintenant.

– Je comprends, dit Elva avec un hochement de tête.

– Tu me donnes ta permission, alors ?

Elle fit signe que oui, et il se prépara. Après une grande inspiration, il se concentra, les yeux mi-clos, et se mit à parler en ancien langage. L'un après l'autre, les mots tombaient de ses lèvres, lourds de conséquences ; afin qu'il n'y ait pas d'incident malheureux, il veillait à articuler chaque syllabe, chaque son étranger à sa langue natale avec le plus grand soin. Le contre-sort était gravé en lettres de feu dans sa mémoire. Au retour de Helgrind, il avait passé de nombreuses heures à le créer, le peaufiner, l'améliorer encore en prévision du jour où il tenterait de réparer les torts qu'il avait causés à Elva. Tout en parlant, il était conscient du soutien de Saphira qui lui transmettait sa force et qui le surveillait, prête à intervenir si elle pressentait un lapsus. L'incantation était d'autant plus longue et complexe qu'il avait cherché à couvrir toutes les interprétations possibles de sa bénédiction initiale. Cinq longues minutes s'étaient écoulées lorsque, enfin, il en prononça la dernière phrase, le dernier mot, la dernière syllabe.

Dans le silence qui suivit, la déception se peignit sur le visage d'Elva.

– Je les sens toujours, dit-elle.

– Qui ? demanda Nasuada en se penchant vers l'enfant.

– Toi, lui, elle, tous ceux qui souffrent. Ils ne m'ont pas quittée ! Le besoin de les soulager a disparu, mais leur douleur reste en moi.

– Eragon ? Qu'as-tu à répondre ?

Il plissa le front :

– Un détail m'aura échappé. Donne-moi le temps d'y réfléchir et j'élaborerai une formule pour corriger ça. J'avais bien envisagé d'autres...

Perplexe, il s'interrompit. Le contre-sort n'avait pas produit l'effet attendu, et mettre en œuvre un enchantement qui épargnerait ces souffrances à Elva serait beaucoup plus difficile que lever la bénédiction. Un mot de travers, une phrase mal construite, et il risquait de détruire sa sensibilité, aux autres, à elle-même, à sa propre douleur physique ; si elle était blessée, elle ne s'en rendrait pas compte immédiatement...

Il en débattait avec Saphira quand la fillette s'exclama :

– Non !

Surpris, il reporta son attention sur elle.

Elva rayonnait, triomphante, elle souriait de toutes ses petites dents scintillantes, et ses yeux pétillaient :

– Non, n'essaie plus rien.

– Mais enfin... Pourquoi ?

– Parce que je ne veux pas que d'autres sorts se nourrissent de moi. Et parce que *je peux les ignorer !* Je viens juste de m'en apercevoir.

Tremblant d'excitation, elle agrippa les bras de sa chaise :

– Sans ce besoin de venir en aide à tous ceux qui souffrent, je peux ignorer leurs maux, leurs chagrins, ça ne me rend plus malade ! Je peux ignorer cet homme dont on a amputé la jambe, cette femme qui s'est ébouillanté la main ; je peux les ignorer, je ne me sens pas plus mal ! Je ne parviens pas à tout bloquer, pas encore, mais quel soulagement ! Quel silence béni ! Plus de coupures, de plaies, de bosses ni de bobos, plus de fractures. Fini les petits soucis mesquins de jeunes évaporées. Fini les angoisses des femmes abandonnées et des maris trompés. Fini les milliers de blessures insupportables d'une guerre entière. Fini l'épouvantable terreur qui précède les ténèbres de la mort.

Des larmes roulaient sur ses joues, elle riait dans un étrange gazouillement rauque qui hérissait la nuque d'Eragon.

« Qu'est-ce qui te prend ? demanda Saphira. Tu es folle ? Même si tu es capable de t'en protéger, pourquoi rester enchaînée aux souffrances des autres quand Eragon peut encore t'en débarrasser ? »

Le regard d'Elva s'emplit d'une joie malsaine :

— Je ne serai jamais comme les gens ordinaires. Si je dois me distinguer, laissez-moi ce qui me différencie d'eux. Tant que je contrôle ce pouvoir, et il semblerait que ce soit le cas, je n'ai plus d'objections puisque j'accepte ce fardeau de mon plein gré, qu'il ne m'est plus imposé par la magie d'Eragon. Ha ! À partir d'aujourd'hui, je ne réponds plus à rien ni à personne. Si j'aide quelqu'un, c'est parce que je le veux bien. Si je sers les Vardens, c'est parce que ma conscience m'y invite, pas parce que tu me le demandes, Nasuada, ni parce que je vais encore vomir si je ne le fais pas. J'agirai selon mon bon plaisir, et malheur à ceux qui s'opposeront à moi, car je connais leurs peurs et je n'hésiterai pas à en jouer pour satisfaire mes désirs.

— Elva ! s'exclama Greta. Cesse de raconter des horreurs ! Tu ne penses pas ce que tu dis !

La fillette se retourna si vite que ses cheveux se déployèrent en éventail derrière elle :

— Ah, c'est vrai ! Je t'avais oubliée, toi, ma chère nourrice. Toujours présente, toujours aux petits soins. Je te suis reconnaissante de m'avoir adoptée quand ma mère est morte, d'avoir veillé sur moi depuis Farthen Dûr. Cela dit, je n'ai plus besoin de tes services. Je vivrai seule, je serai mon propre maître, je ne rendrai de comptes à personne.

Ébranlée, la vieille femme se couvrit le visage de sa manche en reculant.

Eragon n'en croyait pas ses oreilles. Si Elva devait abuser de ses dons, mieux valait les lui enlever. En consultation avec Saphira, qui partageait son opinion, il choisit le plus prometteur des nouveaux contre-sorts imaginés un peu plus tôt.

Il n'avait pas ouvert la bouche pour prononcer la formule que, vive comme un serpent, Elva pressa la main contre ses lèvres. Saphira rugit, assourdissant son Dragonnier à l'ouïe trop sensible. Tous restèrent sous le choc, sauf Elva, qui n'avait pas bougé et bâillonnait toujours Eragon.

« Lâche-le, bébé ! »

Alertés par le grondement de Saphira, les six gardes de Nasuada firent irruption sous la tente, l'arme au poing, tandis que Lupusänghren et les elfes se précipitaient vers Saphira, se rangeaient de chaque côté d'elle et soulevaient la toile pour voir ce qui se passait. Sur un signe de Nasuada, les Faucons de la Nuit rengainèrent leurs armes, mais les elfes demeurèrent sur le qui-vive, prêts à l'action. Leurs lames brillaient d'un éclat glacial.

Imperturbable malgré le branle-bas qu'elle avait déclenché et les épées pointées sur elle, Elva observait Eragon comme elle aurait examiné un bizarre scarabée trouvé sur le bord de sa chaise. Puis elle sourit avec tant de douceur et d'innocence qu'il s'étonna d'avoir douté d'elle.

— Eragon, ne fais pas cela, dit-elle d'une voix de miel liquide. Si tu jettes ce sort, tu me nuiras autant que la dernière fois et tu le regretteras. Chaque soir, en te couchant, tu penseras à moi, et le souvenir de ton crime te tourmentera sans relâche. Tu allais commettre une mauvaise action, Eragon. Es-tu le juge de ce monde ? Me condamneras-tu pour rien, sur des intentions que tu me prêtes sous prétexte que ma conduite te déplaît ? Cette voie mène au plaisir dépravé de manipuler les autres pour sa propre satisfaction. Galbatorix approuverait.

Alors seulement, elle le relâcha. En proie à un trouble profond, il resta comme tétanisé. Elle l'avait touché au cœur, il n'avait pas d'arguments à lui opposer ; ses questions, ses remarques étaient celles-là mêmes qu'il rabâchait. La connaissance qu'elle avait de lui le glaçait jusqu'aux os.

– Je te sais gré d'être venu aujourd'hui rectifier ton erreur, Eragon. Peu de gens sont enclins à réparer les torts qu'ils ont causés. N'imagine cependant pas t'être gagné mes faveurs. Tu as rétabli l'équilibre de ton mieux, c'était la moindre des choses. Tu ne m'as en rien dédommagée pour ce que j'ai enduré, ce n'est pas en ton pouvoir. Alors, une prochaine fois, quand nos chemins se croiseront, Eragon le Tueur d'Ombre, ne me compte ni pour amie ni pour ennemie. Je suis partagée en ce qui te concerne, Dragonnier. La suite dépend de toi... Saphira, tu m'as offert l'étoile de mon front, tu as toujours été bonne envers moi. Je suis et demeure à jamais ta fidèle servante.

Relevant le menton pour se grandir, Elva regarda ceux qui l'entouraient du haut de ses trois pieds et demi avant de conclure :

– Eragon, Saphira, Nasuada... Angela, bonne journée à vous.

Sur ces mots, elle pivota sur ses talons et gagna la sortie. Les Faucons de la Nuit s'écartèrent pour la laisser sortir.

– Quel monstre ai-je créé là ? murmura Eragon, abasourdi.

Les deux gardes Urgals touchèrent le bout de leurs cornes, geste rituel dans leur tradition pour se protéger du mauvais sort.

– Nasuada, je suis désolé. Je crains que mon intervention n'ait servi qu'à aggraver les choses.

Plus calme qu'un lac de montagne, elle ajusta les plis de sa robe avant de lui répondre :

– Aucune importance. La partie se complique. En approchant d'Urû'baen et de Galbatorix, il fallait s'y attendre.

Quelques instants plus tard, Eragon perçut le mouvement d'un objet qui volait dans sa direction. Malgré ses réflexes, il n'esquiva pas assez vite pour échapper à la gifle magistrale qui claqua sur sa joue et le déséquilibra. Il buta contre une chaise, fit une roulade et se redressa d'un bond, le coude gauche levé pour se protéger le visage, prêt à frapper de la main droite avec son couteau de chasse, qu'il avait dégainé pendant sa culbute. À son grand étonnement, il s'aperçut que son agresseur n'était autre qu'Angela. Les elfes s'étaient regroupés derrière la voyante pour la soumettre en cas de récidive ou l'escorter dehors si Eragon en donnait l'ordre. À ses pieds, poil hérissé et toutes griffes dehors, Solembum montrait les crocs.

Ignorant les elfes, dont il n'avait que faire en cet instant, Eragon demanda :

– Quelle mouche t'a piquée, Angela ? Pourquoi m'avoir frappé ?

La bouche pleine d'un liquide tiède au goût métallique, il grimaça : sa lèvre fendue saignait.

La sorcière rejeta ses boucles en arrière avec humeur :

– Maintenant, je vais devoir passer les dix prochaines années à éduquer Elva pour lui apprendre à bien se tenir ! Ce n'est pas *du tout* ce que j'avais prévu !

– À l'éduquer ? s'exclama Eragon. Tu n'y arriveras pas. Elle t'en empêchera aussi facilement qu'elle m'a fait taire.

– Ça, j'en doute. Elle ne sait pas ce qui me chagrine ni ce qui pourrait me blesser. J'y ai veillé dès notre première rencontre.

– Vous nous donneriez le secret de votre sortilège ? s'enquit Nasuada. Vu la tournure des évènements, il serait prudent que nous ayons un moyen de défense contre Elva.

– Non, je le garde pour moi, déclara l'herboriste avant de sortir à son tour, suivie de Solembum, dont la queue ondulait avec grâce.

Les elfes rengainèrent leurs lames et se retirèrent à quelque distance de la tente.

Nasuada se massa les tempes en soupirant :

– Ah, la magie !

– Oui, la magie, acquiesça Eragon.

Tous deux reportèrent leur attention sur Greta, qui s'était jetée à terre, qui pleurait, gémissait en s'arrachant les cheveux, se martelait le visage de ses poings, tirait sur son corsage à l'arracher :

– Oh, ma pauvre chérie ! Mon doux agneau perdu ! Que va-t-elle devenir, toute seule ? Oh, quelle tristesse ! Mon petit bouton de rose m'a rejetée ! Et moi qui me suis cassé le dos ! Quelle piètre récompense pour mes peines ! Oh, monde ingrat et cruel qui nous vole notre bonheur ! Mon adorable chou, ma fleur des prés, ma charmante anémone ! Partie ! Elle est partie ! Sans personne pour veiller sur elle... Tueur d'Ombre ! Je t'en prie, ne l'abandonne pas !

Eragon prit la vieille nourrice par le bras, l'aida à se relever, la consola en promettant que Saphira et lui surveilleraient Elva de près, « entre autres raisons parce qu'elle pourrait tenter de nous planter un couteau entre les côtes », commenta pour lui la dragonne.

19
BOULES D'OR

À environ cent coudées de la tente rouge de commandement, Eragon se tenait près de Saphira, ravi d'en avoir
terminé avec les complications liées à Elva. Roulant des
épaules pour chasser la fatigue qui l'accablait déjà, il contempla
le clair azur du ciel. Saphira comptait voler jusqu'à la rivière
Jiet pour se baigner dans ses calmes eaux profondes ; ses intentions à lui étaient plus floues. Il lui fallait finir d'huiler son
armure, se préparer aux noces de Roran et Katrina, rendre
visite à Jeod, dénicher une épée convenable, et aussi... Il se
gratta le menton :

« Combien de temps seras-tu partie ? »

Saphira déploya ses ailes, prête à l'envol :

« Quelques heures. J'ai faim. Dès que je serai propre, j'irai
attraper deux ou trois cerfs. J'en ai repéré de bien gras qui
paissaient le long de la rive ouest. Remarque, les Vardens en
ont abattu tellement que je serai peut-être obligée de faire une
douzaine de lieues en direction de la Crête pour trouver du
gibier digne de ce nom. »

« Ne t'aventure pas trop loin, tu risquerais de rencontrer
l'Empire. »

« N'aie crainte. Et si je tombe par hasard sur un groupe
de soldats isolé... » Elle se lécha les babines :

« Une petite bagarre ne serait pas pour me déplaire. Et puis,
les humains sont aussi goûteux que les cervidés. »

« Saphira ! Tu n'oserais pas ! »

Les yeux bleus de la dragonne pétillèrent :

« Peut-être que oui, peut-être que non. Tout dépend s'ils portent l'armure. Je n'aime pas mordre dans le métal, et j'ai horreur de manger dans une coquille. »

« Je vois. »

Il jeta un coup d'œil sur l'elfe le plus proche, une grande femme aux cheveux d'argent.

« Les elfes ne te laisseront pas partir seule. Tu accepterais que deux d'entre eux te chevauchent ? Sinon, ils ne parviendront pas à suivre. »

« Non. Aujourd'hui, je chasse en solitaire ! »

En quelques battements d'ailes, elle s'éleva bien haut dans les airs. Tandis qu'elle obliquait en direction de la rivière, sa voix, atténuée par la distance, résonna dans l'esprit d'Eragon : « À mon retour, nous irons voler ensemble, n'est-ce pas, petit homme ? »

« Oui, à ton retour, nous irons voler, rien que nous deux ! »

Elle en fut si joyeuse qu'il ne put s'empêcher de sourire en la regardant filer vers l'ouest telle une flèche.

Lupusänghren approchait à longues foulées souples et félines. Il voulait savoir où allait Saphira. La réponse n'eut pas l'air de lui plaire, mais, s'il avait des objections, il les garda pour lui et s'en fut retrouver ses compagnons.

– Bien, s'encouragea alors Eragon. Commençons par le commencement.

D'un pas décidé, il longea les rangées de tentes jusqu'à un vaste espace dégagé où une trentaine de Vardens s'entraînaient à diverses armes. Fort heureusement, ils étaient trop occupés pour remarquer sa présence. Il s'accroupit, posa la main droite sur le sol, paume vers le haut, puis, ayant choisi les mots appropriés en ancien langage, il murmura :

– Kuldr, rïsa lam iet un malthinae unin böllr.

Rien ne bougeait en apparence, alors que – il le sentait – le sort se diffusait sous terre sur des centaines de pieds dans toutes les directions. Cinq secondes plus tard, la surface cloquait et bouillonnait comme de l'eau laissée trop longtemps à feu vif dans une marmite ; elle se teinta de jaune, se mit à scintiller. Eragon avait appris d'Oromis qu'en n'importe quel lieu le sol contenait de minuscules particules de tous les éléments ou presque, en quantités trop faibles pour qu'on puisse les exploiter par les méthodes traditionnelles ; cependant, au prix d'un effort important, un habile magicien était capable de les extraire.

Une fontaine de poussière étincelante jaillit au centre de la tache dorée, formant un arc qui retomba dans la main d'Eragon. Là, les paillettes s'agglutinèrent les unes aux autres et donnèrent naissance à trois perles d'or pur de la taille d'une grosse noisette.

— Letta, dit-il pour interrompre le flux de la magie.

En proie à un soudain accès de fatigue, il s'assit sur les talons et baissa la tête pour combattre le vertige qui lui brouillait la vue. En attendant que les forces lui reviennent, il respirait profondément et admirait les boules lisses comme des miroirs sur sa paume. « Qu'elles sont jolies ! Si j'avais été capable de faire ça quand je vivais dans la vallée de Palancar... Bah, autant travailler dans une mine, ce n'est pas plus épuisant. Aucun sort ne m'a coûté autant depuis que je suis redescendu de Helgrind avec Sloan sur le dos. »

Empochant les boules d'or, il repartit à travers le camp en quête d'une cuisine pour se restaurer, et il en avait besoin après avoir usé d'enchantements complexes. Lorsqu'il eut englouti un déjeuner copieux, il dirigea ses pas vers la zone qu'occupaient les villageois de Carvahall. Alors qu'il approchait, des tintements métalliques attirèrent son attention. Intrigué, il s'orienta vers le bruit.

Derrière une file de trois chariots garés en travers d'une allée, il aperçut Horst qui, dans le large espace entre deux tentes, tenait le bout d'une barre d'acier longue de cinq pieds. D'un rouge cerise, l'autre extrémité reposait sur une enclume de deux cents livres fixée sur une souche basse. De chaque côté de l'enclume, Albriech et Baldor, les deux costauds de fils du forgeron, frappaient à tour de rôle l'acier chauffé de leurs masses avec des gestes circulaires et réguliers. À proximité de l'enclume rougeoyait une forge improvisée.

Le vacarme était tel qu'Eragon resta à bonne distance jusqu'à ce qu'Albriech et Baldor aient achevé d'aplatir l'acier. Horst remit la barre dans le feu et salua de sa main libre :

– Ohé, Eragon !

Puis il lui fit signe d'attendre en levant l'index, ôta de son oreille gauche un tampon de feutre et déclara :

– Là. À présent, je t'entends. Qu'est-ce qui t'amène ici ?

Pendant ce temps ses deux fils ajoutaient du charbon de bois dans le fourneau et rangeaient les outils épars : pinces, marteaux, emporte-pièces et autres. Les trois hommes ruisselaient de sueur

– Je me demandais ce qui causait ce tintamarre. J'aurais dû me douter que c'était toi. Personne ne produit autant de raffut qu'un villageois de Carvahall.

Horst rit à gorge déployée, son épaisse barbe en forme de pelle pointant vers le ciel :

– Ah ! Voilà qui flatte mon orgueil ! N'en es-tu pas la preuve vivante, toi aussi ?

– Nous le sommes tous, répondit Eragon. Toi, moi, Roran, tous ceux de Carvahall. L'Alagaësia ne sera plus la même quand nous en aurons terminé.

Il désigna la forge du menton, puis ajouta :

– Qu'est-ce que tu fabriques ici ? Je croyais que les forgerons étaient regroupés...

– Ils le sont. Seulement, j'ai obtenu du capitaine responsable de notre secteur qu'il nous autorise à travailler plus près de notre tente.

Horst tira sur sa barbe :

– C'est à cause d'Elain, tu sais. La grossesse se passe mal. Vu ce que nous avons enduré pour venir jusqu'ici, ça ne m'étonne qu'à moitié. Elle a toujours été fragile, et maintenant j'ai peur que... enfin, bref.

Il s'ébroua comme un ours qu'importunent les mouches :

— Si tu pouvais passer la voir quand tu auras un moment, et tenter d'apaiser ses souffrances.

— Je n'y manquerai pas, promit Eragon.

Avec un grognement satisfait, Horst tira la barre hors des braises pour examiner la couleur de l'acier, puis la replongea au cœur du feu :

— Ho, Albriech, donne-lui un peu d'air, elle est presque à point.

Tandis que le jeune homme actionnait le gros soufflet de cuir, Horst sourit à Eragon :

— Quand j'ai dit aux Vardens que j'étais forgeron, ils étaient presque aussi heureux que si j'avais été un nouveau Dragonnier. Ils manquent de ferronniers. Ils m'ont donné les outils que je n'avais plus, comme cette enclume. En quittant Carvahall, je pleurais à l'idée de ne plus jamais exercer ma profession. Oh, je ne suis pas armurier, mais, sans faire de lames, il y a assez de travail ici pour nous occuper, Albriech, Baldor et moi, pendant les cinquante ans qui viennent. Et si ce n'est pas très bien payé, au moins, nous ne sommes pas à la torture dans les cachots de Galbatorix.

— Et les Ra'zacs ne rongent pas nos os, intervint Baldor.

— C'est vrai aussi.

Horst fit signe à ses fils de reprendre leurs masses, puis il porta le tampon de feutre à son oreille gauche :

— Tu voulais quelque chose, Eragon ? L'acier est prêt, si je le laisse au feu, il va s'affaiblir.

— Tu sais où est Gedric ?

Deux plis se creusèrent entre les sourcils de Horst :

— Gedric ? Il doit s'entraîner à l'épée et à la lance avec les autres. Par là-bas, à environ un quart de mile.

Eragon le remercia et s'en fut dans la direction indiquée. Le bruit régulier des coups sur le métal reprit, clair carillon dont les notes aiguës lui vrillaient les tympans. Il se couvrit les oreilles en souriant, heureux de constater que Horst n'avait pas changé et conservait sa détermination d'antan malgré la perte de sa maison et de ses biens. L'endurance et la constance du forgeron le réconfortaient et lui rendaient la foi ; s'ils parvenaient à renverser Galbatorix, peut-être que tout s'arrangerait, que lui et les gens de Carvahall retrouveraient une vie à peu près normale.

Il arriva au champ où les villageois s'entraînaient avec leurs armes neuves. Comme le supposait Horst, Gedric était bien là, engagé dans une joute avec Fisk, Darmmen et Morn. Deux mots au vétéran manchot qui dirigeait l'exercice suffirent à obtenir qu'il le libère quelques instants.

Le tanneur courut rejoindre Eragon et se tint devant lui, les yeux baissés. C'était un petit homme au teint mat, à la mâchoire de dogue et aux sourcils broussailleux ; ses bras épais aux muscles noueux ne craignaient pas l'effort après avoir remué pendant des lustres les cuves malodorantes dans lesquelles il traitait les peaux. En dépit de son apparence peu engageante, il était bon et droit.

– Que puis-je faire pour toi, Tueur d'Ombre ? marmonna Gedric.

– C'est déjà fait. Je suis venu t'en remercier et te payer de tes peines.

– Moi ? En quoi t'ai-je aidé, Tueur d'Ombre ?

Il parlait sans hâte, semblait se méfier, anticiper un piège.

– Peu après mon départ de Carvahall, tu as découvert qu'on t'avait volé trois peaux de bœuf dans la hutte de séchage, derrière tes cuves. Je me trompe ?

Gedric se rembrunit, passa d'un pied sur l'autre, manifestement mal à l'aise :

– Ah, quant à ça, je n'avais pas fermé la hutte. Alors, n'importe qui a pu y entrer et rafler ces peaux. Avec ce qui nous est arrivé ensuite, ce n'est pas si grave. Avant de partir pour la Crête, j'ai détruit tous mes stocks pour empêcher que l'Empire et ces immondes Ra'zacs mettent leurs sales pattes sur quelque chose d'utile. Celui qui a emporté ces peaux leur a épargné la destruction. N'y revenons plus, c'est terminé.

– Peut-être. L'honneur m'oblige cependant à t'avouer que c'est moi qui te les ai volées.

Cette fois, Gedric le regarda droit dans les yeux, sans crainte ni respect particulier, comme un égal dont il réévaluait la conduite.

– Je te les ai volées et je n'en suis pas fier. J'avais besoin de ces peaux. Sans elles je n'aurais pas survécu assez longtemps pour atteindre le Du Weldenvarden des elfes. J'ai toujours considéré cela comme un emprunt, même si je n'ai pas l'intention de te les rendre. Je te présente donc mes excuses pour ce larcin et, puisque je garde ce qu'il en reste, il me paraît juste de te payer.

De sa ceinture, Eragon tira l'une des boules d'or pur, tiède d'avoir été pressée contre son corps, et il la tendit à Gedric.

Lèvres pincées, mâchoire de dogue crispée, le tanneur fixait la perle de métal brillant d'un œil sévère. Il ne la soupesa pas, ne mordit pas dedans, ne fit pas d'autre insulte que de la refuser :

– Ta générosité t'honore, Eragon, mais je ne peux pas accepter ça. Si j'ai été un bon tanneur, mon cuir ne valait pas aussi cher. Je serais gêné de garder cet or, j'aurais le sentiment de ne pas l'avoir mérité.

Cette réponse n'avait rien de très surprenant.

– Tu n'as rien contre le marchandage, je suppose ?

– Bien sûr que non.

– Alors, je marchande. En général, on discute le prix à la baisse, moi, j'ai choisi de discuter à la hausse, et je serai aussi tenace que si je cherchais à économiser quelques pièces. À mes yeux, tes peaux valaient chaque once de cet or, je n'en donnerais pas un sou de moins, pas même le couteau sous la gorge.

Les gros doigts de Gedric se refermèrent sur la boule d'or :

– Puisque tu insistes, je ne m'entêterai pas. Il ne sera pas dit que la chance a filé entre les doigts de Gedric Ostvensson parce qu'il était trop occupé à se dévaloriser. Je te remercie, Tueur d'Ombre.

Il enveloppa la perle d'un bout de chiffon pour la protéger des rayures et la rangea dans une bourse à sa ceinture :

– Garrow t'a bien élevé, Eragon. Il vous a bien élevés, Roran et toi. Il était pisse-vinaigre, il avait la dent dure, n'empêche qu'il vous a bien éduqués. Je crois qu'il serait fier de vous.

Une émotion inattendue noua la gorge d'Eragon.

– Si ce n'est pas indiscret, reprit le tanneur après une pause, pourquoi ces peaux avaient-elles tant de valeur à tes yeux ? Qu'est-ce que tu en as fait ?

– Ce que j'en ai fait ? s'exclama Eragon en riant. Une selle pour Saphira, avec l'aide de Brom. Nous l'utilisons moins à présent que les elfes nous ont offert une vraie selle de dragon, mais elle nous a servi sans défaillance au cours de nombreuses échauffourées, et même pendant la bataille de Farthen Dûr.

Sidéré, Gedric haussa les sourcils, découvrant ses paupières pâles, puis un large sourire éclaira son visage :

311

– Une selle ! Imaginez-vous ça ! J'ai tanné le cuir pour une selle de Dragonnier ! À mon insu, qui plus est ! Et pas pour n'importe quel Dragonnier, pour *le* Dragonnier, celui qui renversera le tyran maléfique ! Si seulement mon père me voyait !

De joie, Gedric dansa une petite gigue puis, sans cesser de sourire, il s'inclina devant Eragon et s'en fut rejoindre les villageois pour leur raconter son histoire.

Avant que tous ne lui tombent dessus, Eragon s'esquiva entre les tentes avec la satisfaction du devoir accompli. « Je paie toujours mes dettes, même si j'y met parfois le temps. »

Il arriva bientôt devant une autre tente, près de la frontière est du campement, et frappa au poteau entre les abattants de l'entrée.

L'un d'eux se souleva sur Helen, l'épouse de Jeod. Glaciale, elle toisa Eragon :

– C'est *lui* que tu viens voir, je suppose ?

– S'il est là, dit Eragon, qui sentait l'esprit de Jeod aussi présent que celui de sa femme.

Il crut d'abord qu'elle allait le renvoyer, mais, après une brève pause, elle haussa les épaules et s'écarta :

– Entre, alors.

Assis sur un tabouret, Jeod étudiait des documents divers : rouleaux, livres, parchemins et piles de feuilles volantes étalés sur un lit dépourvu de couvertures. Une mèche de cheveux tombait sur son front, suivant la courbe de la cicatrice qui s'étendait de son crâne à sa tempe gauche.

– Eragon ! s'écria-t-il en le voyant. Bienvenue à toi !

Ses rides de concentration disparurent, il se leva pour serrer la main du garçon et lui offrit son siège :

– Assieds-toi. Je me mettrai sur le coin du lit. Si, si, j'insiste. Tu es notre hôte. Veux-tu quelque chose à manger ? Nasuada nous accorde une ration supplémentaire, alors, n'hésite pas, tu ne nous prives de rien. Ce n'est pas grand-chose en comparaison de ce que nous t'avons servi à Teirm, hélas. À la guerre, il ne faut pas s'attendre à festoyer, même quand on est roi.

– Je veux bien une infusion.

– Une tisane et des biscuits ! lança Jeod à son épouse.

Helen se pencha pour prendre la bouilloire sur le sol, la cala contre sa hanche, puis elle inséra le goulot d'une outre dans le bec verseur et pressa. L'eau coulait dans le récipient vide avec un bruit de cataracte. Elle en réduisit le flux et, avec l'air résigné de qui accomplit une tâche déplaisante, elle attendit que le liquide finisse de tambouriner contre les parois de métal.

Avec un bref sourire d'excuse, Jeod concentra son attention sur un papier près de son genou. Eragon s'intéressa à un pli dans la paroi de la tente.

Les glouglous emphatiques se prolongèrent pendant trois bonnes minutes.

Quand la bouilloire fut enfin pleine, Helen ôta l'outre dégonflée du bec verseur, la suspendit à un crochet du poteau central et sortit comme une furie.

Eragon haussa un sourcil interrogateur. Jeod écarta les mains ouvertes en signe d'impuissance :

— Je ne jouis pas chez les Vardens d'une position aussi importante qu'elle l'espérait, et elle m'en veut. Je pense qu'elle a accepté de s'enfuir de Teirm avec moi dans l'idée que Nasuada me propulserait dans le cercle de ses conseillers les plus proches, m'offrirait des terres et des richesses dignes d'un grand seigneur ou quelque autre récompense mirifique pour le rôle que j'ai joué autrefois dans le vol de l'œuf de Saphira. Helen n'avait pas prévu de mener la dure vie des soldats en campagne, de dormir sous la tente, de préparer elle-même les repas, de laver son linge et tout ça. Le statut social et la fortune ne sont pas ses seules préoccupations, mais il faut la comprendre, elle est née dans l'une des plus riches familles marchandes de Teirm et, depuis notre mariage jusqu'à récemment, mon propre commerce maritime a connu un certain succès. Elle n'est pas habituée à de telles privations et ne s'y est pas encore faite.

Ses épaules se soulevèrent un peu, puis retombèrent :

— De mon côté, j'espérais que cette aventure – si on peut employer ce terme romanesque – comblerait le fossé que les dernières années ont creusé entre nous. Comme toujours, les choses ne sont pas aussi simples.

— Tu as le sentiment que les Vardens devraient te témoigner plus de considération ? s'enquit Eragon.

— Personnellement, non. Pour Helen... – il hésita – j'aimerais qu'elle soit heureuse. J'ai été bien récompensé, d'abord parce que je suis sorti de Gil'ead vivant après que Morzan, son dragon et ses hommes nous ont attaqués, Brom et moi. La satisfaction de savoir que j'avais contribué à porter un coup sérieux à Galbatorix, de retrouver ma vie normale tout en continuant à défendre la cause des Vardens, et d'avoir pu épouser Helen me suffit. Je n'en demande pas davantage. Mes doutes se sont évanouis quand j'ai vu Saphira émerger de la fumée dans les Plaines Brûlantes. C'est Helen qui me tracasse. Je ne vois pas quoi faire pour elle. Enfin, bref. Je n'ai pas à m'épancher ni à te charger de soucis qui ne sont pas les tiens.

Eragon effleura un rouleau de l'index :

– Dis-moi plutôt : pourquoi tous ces papiers ? Tu es devenu copiste ?

– Non, répondit Jeod avec un sourire amusé. Remarque, mon travail est parfois tout aussi ennuyeux. Comme j'avais découvert un passage caché pour pénétrer dans la forteresse de Galbatorix à Urû'baen et que j'ai pu emporter quelques livres rares de ma bibliothèque de Teirm, Nasuada m'a chargé de repérer des failles semblables dans les autres cités de l'Empire. Si je découvrais, par exemple, l'existence d'un tunnel sous les remparts de Dras-Leona, cela épargnerait bien des vies.

– Où cherches-tu ?

– Un peu partout.

Jeod remonta une mèche de cheveux rebelle :

– Dans les chroniques historiques, les mythes, les légendes, les poèmes, les chants, dans les textes religieux, les écrits des Dragonniers, des magiciens, des vagabonds, des fous, d'obscurs potentats, de divers généraux, de tous les personnages susceptibles de connaître des portes dérobées, des mécanismes ou des accès secrets dont nous pourrions tirer avantage. Il me faut passer au crible des quantités énormes de documentation ; la plupart des villes existent depuis des siècles, certaines datent d'avant l'arrivée des humains en Alagaësia.

– Tu as une chance de trouver quelque chose ?

– C'est assez peu probable. On n'est jamais certain de réussir lorsqu'on s'attache à décrypter les mystères du passé. J'y parviendrai peut-être, si j'en ai le temps. Que des accès cachés existent pour chaque cité, je n'en doute pas une seconde. Elles sont trop anciennes pour *ne pas* receler un passage oublié qui permette d'en franchir les murailles sans coup férir. Reste à savoir s'il en existe des traces écrites, et si les documents sont en notre possession. Toute la question est là. Ceux qui connaissent l'existence de trappes ou de souterrains préfèrent en général garder ces renseignements pour eux.

Jeod agrippa une poignée de papiers sur le lit, les amena sous son nez, renifla et les rejeta en vrac :

– J'essaie de résoudre des énigmes conçues pour ne pas être résolues.

Ils bavardèrent ensuite de sujets plus légers jusqu'à ce que Helen revienne, portant trois chopes fumantes de tisane au trèfle des prés. En prenant celle qu'elle lui tendait, Eragon nota que sa colère s'était dissipée. Et de s'interroger : avait-elle entendu les paroles de Jeod à son propos ? Lorsqu'elle eut servi son époux, elle posa devant eux un plateau avec des biscuits et un petit pot de miel en grès. Puis elle se mit en retrait, s'adossa au poteau central et souffla sur sa propre chope pour refroidir le liquide.

Par courtoisie, Jeod attendit qu'Eragon prenne un biscuit et y goûte avant de renouer la conversation interrompue :

– Si je ne m'abuse, tu n'es pas venu pour le seul plaisir de me voir. À quoi dois-je l'honneur de ta compagnie ?

Eragon but une gorgée de tisane.

– Après la bataille des Plaines Brûlantes, j'avais promis de te raconter comment Brom était mort. C'est la raison de ma visite.

– Oh, fit Jeod, soudain livide.

– Je m'abstiendrai si tu le désires, s'empressa d'ajouter Eragon.

– Non, se reprit Jeod. Je veux savoir. Je ne m'attendais pas à ça, c'est tout.

Eragon hésitait à lui faire son récit en présence de Helen, mais au fond, si le principal intéressé n'y voyait pas d'inconvénient, peu lui importait qu'elle ou d'autres l'écoutent. D'une voix posée, il entreprit de narrer les événements survenus depuis que Brom et lui avaient quitté la maison de Jeod à Teirm. Il décrivit leur rencontre avec une bande d'Urgals, leur quête des Ra'zacs à Dras-Leona, l'embuscade que ces derniers leur avaient tendue hors de la ville, et comment l'un d'eux avait blessé Brom alors même que les monstres fuyaient une attaque de Murtagh.

La gorge nouée par l'émotion, il parla de la lente agonie de Brom dans la froide grotte où il gisait, de son propre sentiment d'impuissance tandis que la vie quittait son compagnon et mentor, de l'odeur de mort qui flottait dans l'air desséché, des dernières paroles de Brom, de la tombe de grès qu'il lui avait faite grâce à la magie et que Saphira avait transformée en un mausolée de diamant.

— Si j'avais su alors ce que je sais aujourd'hui, j'aurais pu le sauver. Au lieu de ça...

Sa voix se brisa. Incapable de poursuivre, il s'essuya les yeux et avala son infusion, regrettant que ce ne soit pas une boisson plus forte.

Un soupir s'échappa des lèvres de Jeod :

— Ainsi s'est éteint Brom. Une perte inestimable pour nous tous, hélas. Et pourtant, s'il avait eu le choix, je pense qu'il aurait choisi de mourir ainsi, au service des Vardens, en défendant le dernier Dragonnier libre.

— Tu savais qu'il avait été Dragonnier ?

— Oui. Les Vardens m'en avaient informé avant notre rencontre.

— J'ai l'impression qu'il se confiait très peu, remarqua Helen.

— Certes, répondit Jeod en riant. Le choc que vous m'avez causé, tous les deux, quand je vous ai vus sur le pas de ma porte ! Je n'en suis toujours pas remis. S'il gardait ses secrets pour lui, Brom est devenu un ami proche au cours de nos voyages. Je ne comprends pas qu'il m'ait laissé croire à sa mort pendant... quoi ? Seize, dix-sept ans ? Trop longtemps. Et, comme c'est lui qui a porté l'œuf de Saphira aux Vardens après avoir tué Morzan à Gil'ead, les Vardens ne pouvaient pas me dire qu'ils avaient récupéré l'œuf sans révéler que Brom était encore en vie. Si bien que j'ai passé pas loin de vingt ans avec l'idée que l'une des grandes aventures de ma vie s'était soldée par un échec, et que nous avions perdu notre seul espoir qu'un Dragonnier nous aide un jour à renverser Galbatorix. Ce fardeau m'a pesé comme tu n'imagines pas...

Jeod se massa le front :

– Quand je vous ai ouvert, que j'ai compris qui j'avais en face de moi, j'ai cru que les fantômes du passé revenaient me hanter. Brom prétendait être resté caché pour s'assurer qu'il serait encore en vie afin de former le nouveau Dragonnier quand il ou elle apparaîtrait. Cette explication ne m'a jamais vraiment satisfait. Pourquoi a-t-il jugé nécessaire de se couper de tous ses amis et connaissances ? Que craignait-il au juste ? Que cherchait-il à protéger ? Je ne suis pas en mesure de le prouver, bien sûr, mais on ne m'ôtera pas de l'esprit qu'à Gil'ead, pendant son combat contre Morzan et son dragon, il a découvert une chose d'une telle importance qu'il a tiré un trait sur tout ce qui avait été sa vie jusque-là. Ce n'est qu'une hypothèse, j'en suis conscient. En même temps, c'est la seule qui, à mes yeux, justifie sa conduite. Il s'est trouvé en possession d'un renseignement crucial dont il ne s'est ouvert à personne.

De nouveau, Jeod soupira :

– Après ces longues années de séparation, j'espérais repartir à cheval au côté de Brom. Le destin en a décidé autrement. Et m'a joué un sale tour en me rendant Brom vivant pour me l'enlever quelques semaines plus tard.

Passant devant Eragon, Helen rejoignit son époux et posa la main sur son épaule. Avec l'ébauche d'un sourire, il lui enlaça la taille :

– Je suis heureux que Saphira et toi ayez donné à Brom une sépulture qu'un roi nain lui envierait. Pour les services qu'il a rendus à l'Alagaësia, il méritait cela et bien davantage. Le problème, c'est que les gens la trouveront tôt ou tard et que les rapaces n'hésiteront pas à la mettre en pièces pour s'emparer du diamant.

– S'ils essaient, ils le regretteront, marmonna Eragon, résolu à retourner sur place dès que possible afin de protéger le mausolée de Brom des pilleurs de tombes par des sorts. Et puis, tes rapaces seront trop occupés à chasser les lys d'or pour aller troubler le repos de Brom.

– Pardon ?

– Rien. C'est sans importance.

Tous trois burent en silence. Helen grignota un biscuit. Puis Eragon demanda :

– Tu as rencontré Morzan, non ?

– Pas dans des circonstances très agréables, en vérité.

– Comment était-il ?

– En tant que personne ? Je n'en sais trop rien, même si j'ai beaucoup entendu parler de ses atrocités. À chaque fois que Brom et moi avons croisé son chemin, il essayait de nous tuer. Ou plutôt de nous capturer pour nous torturer *avant* de nous tuer. Ce qui n'est guère propice à tisser des liens d'amitié.

Eragon était trop tendu pour réagir à ce trait d'humour. Jeod s'assit plus confortablement :

– En tant que guerrier, Morzan était redoutable. J'ai souvenir que nous avons passé pas mal de temps à tenter de lui échapper, à lui et à son dragon. Il y a peu de choses aussi terrifiantes que d'être pourchassé par un dragon furieux.

– À quoi ressemblait-il ?

– Tu t'intéresses beaucoup à lui, dis-moi.

Eragon cligna des paupières :

– Je suis curieux. Il a été le dernier des Parjures à mourir. C'est Brom qui l'a abattu, et maintenant le fils de Morzan est mon ennemi mortel.

– Voyons voir... Il était grand, large d'épaules, avec des cheveux aile de corbeau et des yeux de couleurs différentes. L'un bleu, et l'autre noir. Il ne portait pas de barbe, il lui manquait un bout de doigt, j'ai oublié lequel. Beau. Il était beau dans le genre hautain et cruel. Charismatique lorsqu'il s'exprimait. Son armure, cotte de mailles ou corselet, brillait, toujours astiquée avec soin, à croire qu'il ne craignait pas d'être repéré par ses ennemis ; sans doute était-ce le cas. Son rire donnait l'impression qu'il souffrait.

– Et sa compagne, Selena ? Tu l'as rencontrée, elle aussi ?

– Si je l'avais rencontrée, je ne serais pas ici avec toi. Morzan était un bretteur hors pair, un magicien exceptionnel et un traître meurtrier, mais c'est elle qui inspirait le plus de terreur. Morzan ne se servait d'elle que pour des missions si odieuses, si dangereuses ou si secrètes que personne d'autre ne s'y serait risqué. Elle était sa Main Noire. Sa présence préludait à des morts imminentes, des tortures, des trahisons et autres abjections.

Sa propre mère ! Eragon en avait la nausée.

– Elle était sans pitié aucune, sans une once de compassion. On raconte que, quand elle a demandé à entrer au service de Morzan, il l'a testée en lui enseignant le mot pour « guérir » en ancien langage – elle était à la fois magicienne et guerrière – et il l'a mise aux prises avec douze de ses meilleurs combattants.

– Comment les a-t-elle vaincus ?

– Elle les a guéris de leur peur, de leur haine, de tout ce qui pousse un homme à tuer. Et, tandis, qu'ils étaient là, béats, à sourire comme des nigauds, elle s'est avancée et les a égorgés... Ça ne va pas, Eragon ? Tu es blanc comme un linge.

– Si, si, ça va. Continue.

Jeod pianota contre sa chope :

– Je n'ai pas grand-chose à ajouter concernant Selena. Cette femme était une énigme. Jusqu'à quelques mois de la mort de Morzan, personne ne savait son nom en dehors de lui. Pour le peuple, elle a toujours été la Main Noire. La collection d'espions, de magiciens et d'assassins qu'on appelle aujourd'hui la Main Noire et qui exécute les basses œuvres de Galbatorix n'est qu'une pâle imitation imaginée par le tyran pour obtenir les services que Selena rendait à Morzan. Même parmi les Vardens, seule une poignée de personnes connaissaient sa véritable identité, et la plupart d'entre elles moisissent dans la tombe. Si ma mémoire est bonne, c'est Brom qui l'a découverte. Avant que je n'apporte aux Vardens les renseignements concernant le passage dérobé pour pénétrer dans le château d'Ilirea – que les elfes ont construit il y a des millénaires et que Galbatorix a étendu pour en faire la citadelle noire qui domine Urû'baen –, Brom avait passé un bon bout de temps à épier Morzan sur ses terres dans l'espoir de lui trouver un point faible insoupçonné... Je crois que Brom avait réussi à s'infiltrer parmi ses serviteurs en se déguisant. C'est à ce moment-là qu'il a appris qui était vraiment Selena. Nous n'avons cependant jamais su pourquoi elle était aussi attachée à Morzan. Peut-être l'aimait-elle. Quoi qu'il en soit, elle lui était d'une loyauté indéfectible, fidèle jusqu'à la mort. Peu après que Brom eut tué Morzan, les Vardens ont appris qu'elle avait été emportée par la maladie. Comme si le faucon domestiqué était lié à son maître au point de ne pouvoir vivre sans lui.

« Elle n'était pas d'une loyauté indéfectible, songea Eragon. Pour moi, elle a défié Morzan, ce qui lui a coûté la vie. Si seulement elle avait pu sauver Murtagh aussi ! » Quant à ses méfaits, que Jeod achevait de lui conter, il préférait croire qu'elle était bonne de nature et que Morzan l'avait pervertie. Sans cela, l'idée que ses parents aient été tous deux l'incarnation du mal finirait par le rendre fou.

— Elle l'aimait, murmura-t-il en fixant le fond de sa chope. Au début, en tout cas ; peut-être moins par la suite. Murtagh est son fils.

Jeod haussa un sourcil :

— Vrai ? Tu le tiens de Murtagh lui-même, je présume ?

Eragon fit oui de la tête.

— Eh bien, voilà qui répond à mes éternelles interrogations. La mère de Murtagh, hein ? Je m'étonne que Brom n'ait pas découvert ce secret.

— Morzan s'est employé à cacher l'existence de Murtagh, y compris aux autres Parjures.

— Connaissant ces traîtres, ces scélérats assoiffés de pouvoir, il lui a sans doute sauvé la vie. Dommage.

Le silence retomba entre eux, un silence timide, prêt à s'enfuir comme un animal apeuré au moindre mouvement. Eragon fixait toujours sa tasse. Les questions se pressaient dans sa tête, et Jeod ne serait pas en mesure de l'éclairer. Ni Jeod, ni un autre d'ailleurs. Pourquoi Brom s'était-il caché à Carvahall ? Pour garder un œil sur lui, le fils de son pire ennemi ? Pourquoi lui avait-il donné Zar'roc, l'épée de son Parjure de père ? Était-ce une plaisanterie cruelle ? Et pourquoi Brom ne lui avait-il pas révélé la vérité sur ses parents ? Sans s'en apercevoir, il serra sa chope si fort qu'elle se brisa.

Tous trois sursautèrent à ce bruit inattendu.

— Ne bouge pas, dit Helen en se précipitant pour éponger avec un chiffon le liquide tombé sur sa tunique.

Gêné, Eragon se confondit en excuses tandis que Jeod et Helen s'empressaient de le rassurer : ce n'était rien, un petit accident sans importance, pas de quoi culpabiliser.

Pendant qu'elle ramassait les tessons de poterie, Jeod fouillait parmi les piles de livres, de rouleaux et de papiers qui s'entassaient sur le lit :

— J'ai failli oublier. J'ai quelque chose pour toi qui pourrait t'être utile, Eragon..., si j'arrive à le retrouver dans ce fatras... Ah, le voilà !

Il se redressa tout joyeux, en brandissant un livre qu'il lui tendit.

C'était le *Domia abr Wyrda*, la *Domination du Destin*, une histoire complète de l'Alagaësia écrite par Heslant le Moine. Eragon l'avait vu pour la première fois dans la bibliothèque de Jeod à Teirm et ne s'attendait pas à avoir un jour la chance de l'étudier à loisir. Goûtant la sensation, il effleura du doigt le cuir de la couverture, travaillé et lustré par l'âge. Puis il ouvrit le volume, contempla les rangées ordonnées de runes tracées à l'encre rouge. Intimidé par le trésor de savoir qui reposait entre ses mains, il demanda :

— Tu tiens vraiment à me le donner ?

— J'y tiens, confirma Jeod.

Il s'écarta pour permettre à Helen de ramasser des tessons de la chope sous le lit.

— Je pense que tu en tireras profit. Tu es pris dans le flux d'événements historiques, Eragon, et les difficultés que tu affrontes ont leurs racines dans des faits survenus il y a des décennies, des siècles, des millénaires ! Si j'étais à ta place, je saisirais toutes les occasions d'apprendre les leçons que l'histoire nous enseigne. Elles pourraient t'aider à résoudre les problèmes qui se posent à toi aujourd'hui. J'ai moi-même bien souvent puisé dans la lecture des annales du passé le courage et la pénétration nécessaires pour choisir la bonne voie.

Brûlant d'accepter ce cadeau, Eragon hésitait encore :

– Brom affirmait que le *Domia abr Wyrda* était l'objet le plus précieux que tu possédais. Un objet rare, de surcroît... Et ton travail, alors ? Tu n'en as pas besoin pour tes recherches ?

– Le *Domia abr Wyrda* est aussi précieux qu'il est rare, dans l'Empire, et là seulement, parce que Galbatorix en brûle toutes les copies qu'il déniche et pend leurs malheureux propriétaires. Ici, dans le camp, des membres de la cour du roi Orrin m'en ont déjà donné six exemplaires. Et ce n'est pas ce que j'appellerais un grand centre d'érudition. Cela étant, je ne m'en sépare pas à la légère. Je te le donne parce que tu en feras meilleur usage que moi. Les livres doivent aller à ceux qui les apprécieront et non pas rester sur des étagères à prendre la poussière dans l'oubli le plus complet. Tu es d'accord ?

– Tout à fait.

Eragon referma le *Domia abr Wyrda* et suivit de l'index les arabesques gravées dans le cuir, fasciné par leurs motifs complexes :

– Je te remercie. J'y veillerai comme à la prunelle de mes yeux tant qu'il sera en ma possession.

Jeod hocha la tête et se recala sur le lit, l'air satisfait. Retournant le livre entre ses mains, Eragon examina les inscriptions au dos de la reliure :

– Heslant était moine de quel ordre ?

– D'une obscure petite secte appelée Arcaena, née dans la région de Kuasta. L'ordre, qui a tenu plus de cinq cents ans, attribuait au savoir un caractère sacré.

Un sourire mystérieux passa sur les traits de Jeod tandis qu'il poursuivait :

– Les moines ont voué leur vie à rassembler tous les renseignements possibles à travers le monde, pour les conserver en prévision d'une catastrophe indéterminée dont ils pensaient qu'un jour elle anéantirait les civilisations d'Alagaësia.

– Étrange religion, commenta Eragon.

– Ne le sont-elles pas toutes pour les observateurs extérieurs ? le contra Jeod.

– J'ai un cadeau pour toi, moi aussi. Pour toi et pour Helen, en réalité.

Elle inclina la tête, à la fois intriguée et dubitative. Il se tourna vers elle :

– Tu descends d'une famille de marchands, si je ne m'abuse ?

Elle fit signe que oui.

– Savais-tu aussi gérer un commerce ?

Une flamme s'alluma dans les yeux de Helen :

– Si je n'avais pas épousé Jeod, j'aurais repris l'affaire familiale à la mort de mon père. J'étais fille unique, et il m'a transmis toutes ses connaissances en matière de négoce.

C'était la réponse qu'Eragon espérait entendre.

– Toi, Jeod, tu te dis heureux de ton sort ici, chez les Vardens.

– En gros, oui.

– Je comprends. Il n'en reste pas moins que tu as pris de grands risques pour nous aider, Brom et moi, et des risques plus grands encore pour Roran et les villageois de Carvahall.

– Les Pirates de Palancar !

Eragon rit, puis enchaîna :

– Sans toi, l'Empire les aurait capturés. Et ton acte de rébellion n'a pas été sans conséquence. Vous y avez perdu tous deux ce qui vous était cher à Teirm.

– Nous l'aurions perdu de toute façon. J'étais en faillite, les Jumeaux m'avaient dénoncé à l'Empire, le seigneur Risthart allait m'arrêter, ce n'était qu'une question de jours.

– Peut-être, mais cela ne t'a pas empêché de soutenir Roran. Personne ne t'en voudra d'avoir sauvé ta peau du même coup. Pour cela, pour voler l'*Aile du Dragon* avec Roran et les villageois, tu as laissé ta vie à Teirm derrière toi. Je te suis à jamais reconnaissant de ton sacrifice. En guise de remerciement...

Il glissa deux doigts sous sa ceinture, en sortit la deuxième boule d'or, qu'il offrit à Helen. Elle la plaça au creux de sa paume avec délicatesse, comme s'il s'agissait d'un oisillon. Tandis qu'elle la contemplait, émerveillée, et que Jeod se démanchait le cou pour voir par-dessus le rempart de sa main, Eragon reprit :

– Ce n'est pas une fortune, mais tu la feras fructifier avec un peu d'astuce. Ce qu'a réussi Nasuada avec la dentelle m'a appris qu'en temps de guerre les occasions de prospérer ne manquent pas.

– Oh, ça, oui ! murmura Helen. La guerre est une aubaine pour les marchands.

– Pour commencer, Nasuada m'a soufflé hier soir au dîner que les nains étaient presque à court d'hydromel. Comme tu t'en doutes, ils ont les moyens d'acheter autant de barriques que nécessaire, même à un prix mille fois supérieur à ce qu'il était avant le déclenchement des hostilités. Simple suggestion. En cherchant un peu, tu trouveras d'autres clients en mal de marchandises.

Radieuse, elle se jeta au cou d'Eragon, qui faillit perdre l'équilibre. Ses cheveux lui chatouillaient le menton. Soudain embarrassée, elle relâcha son étreinte, recula d'un pas, et l'enthousiasme l'emporta de nouveau. Levant la sphère scintillante à hauteur de son nez, elle s'exclama :

– Merci, Eragon ! Oh, je te remercie ! Ça va m'être utile, crois-moi ! Avec cette perle, je bâtirai un empire plus vaste que celui de mon père.

La boule d'or disparut dans son poing.

– Tu penses que mes ambitions dépassent mes capacités ? Détrompe-toi. J'y arriverai, pas question que j'échoue !

Eragon s'inclina devant elle :

– Je te le souhaite. Que tes succès nous soient profitables à tous.

Elle le gratifia d'une révérence. Il remarqua alors les tendons saillants de son cou.

– Tu es très généreux, Tueur d'Ombre. Merci encore.

– Oui, merci, renchérit Jeod en se levant du lit. Je doute que nous méritions autant.

La remarque lui valut un regard noir de Helen. Il l'ignora et conclut :

– Quoi qu'il en soit, je t'en sais gré.

Dans un élan d'inspiration, Eragon improvisa :

– Quant à toi, Jeod, ce n'est pas de moi que tu recevras ton cadeau, mais de Saphira. Elle a accepté de t'emmener voler avec elle quand vous aurez une heure ou deux.

Il lui en coûtait de partager Saphira ; de plus, il encourrait sa mauvaise humeur pour avoir proposé ses services sans son consentement. Toutefois, après avoir donné la perle d'or à Helen, il se serait senti coupable de ne pas offrir à Jeod un don de même valeur.

Les yeux embués, le marchand serra longuement la main d'Eragon en disant :

– Je ne puis imaginer plus grand honneur. Merci. Tu n'as pas idée de ce que tu as fait pour nous.

Eragon eu quelque peine à s'extirper de la poigne de Jeod. Il battit en retraite vers la sortie, s'excusant de son mieux avant de prendre congé. De nouveau, ils l'accablèrent de remerciements, et, après un dernier « Je vous en prie, il n'y a pas de quoi », le jeune Dragonnier parvint à s'échapper. Sitôt dehors, il soupesa le *Domia abr Wyrda*, puis il mesura du regard la hauteur du soleil. Saphira ne tarderait pas à rentrer, il avait juste le temps de s'acquitter d'une troisième tâche. Mais il lui faudrait auparavant déposer le précieux volume dans sa tente pour ne pas risquer d'abîmer en le traînant d'un bout à l'autre du campement.

Et de songer avec bonheur : « Je possède un livre ! »

Serrant l'ouvrage sur sa poitrine, il repartit au petit trot, suivi par Lupusänghren et le groupe des elfes.

20
IL ME FAUT UNE ÉPÉE

Dès que le *Domia abr Wyrda* fut à l'abri, soigneusement rangé sous sa tente, Eragon se rendit à l'armurerie des Vardens, un vaste pavillon ouvert, avec des râteliers remplis d'épées, de lances, de piques, d'arcs et d'arbalètes. Des montagnes de boucliers et de broignes s'entassaient dans des caisses. Les articles plus coûteux – hauberts, cottes de mailles, coiffes et grèves – étaient accrochés sur des présentoirs de bois. Des centaines de casques coniques brillaient comme de l'argent poli. Des bottes de flèches s'alignaient le long des parois, et une vingtaine d'artisans s'affairaient à restaurer celles dont l'empennage avait été endommagé pendant la bataille des Plaines Brûlantes. Des hommes entraient et sortaient en un flot ininterrompu, certains apportant armes et armures à réparer, de nouvelles recrues venant chercher leur équipement, d'autres encore emportant du matériel à distribuer en divers endroits du campement. Et tous braillaient à pleins poumons. Celui qu'Eragon espérait trouver se tenait, impassible, au cœur du désordre : Fredric, le maître armurier des Vardens.

Lupusänghren accompagna Eragon à l'intérieur. Sitôt qu'ils furent sous le toit de toile, le silence se fit, tous les yeux se braquèrent sur eux. Quand les activités reprirent, à un rythme accéléré, les voix avaient baissé d'un ton.

Fredric les salua d'un grand geste du bras et se précipita à leur rencontre. Il portait son éternelle cuirasse en peau de bœuf

– poil compris –, qui empestait au moins autant que l'animal d'origine, et un espadon en travers du dos, dont la garde dépassait par-dessus son épaule.

– Tueur d'Ombre ! tonna-t-il. En quoi puis-je t'être utile par cette belle journée ?

– Il me faut une épée.

Un sourire émergea de la barbe de l'armurier :

– Ah ! Je me demandais si tu passerais me voir à ce sujet. Quand je t'ai vu partir pour Helgrind sans une lame, j'ai pensé que, peut-être, tu avais dépassé ce cap, que tu ne combattais plus que par magie.

– Pas encore, non.

– Eh bien, je ne le regrette pas. Magicien chevronné ou pas, tout le monde a besoin d'une bonne épée. Au bout du compte, c'est fer contre fer que ça se termine. Tu verras que cette guerre contre l'Empire se résoudra à la pointe d'une lame : celle qui s'enfoncera dans le cœur de Galbatorix. Hé ! Je te parie une année de salaire que ce maudit tyran a une épée, *et qu'il s'en sert*, même s'il est capable de vous étriper d'une pichenette. Du bon acier trempé qu'on tient bien en main, il n'y a rien de tel.

Tout en parlant, Fredric les conduisit devant un râtelier à l'écart des autres :

– Quel genre d'épée tu cherches ? Cette Zar'roc que tu avais, c'était une épée à une main, si ma mémoire ne me trompe pas. Avec une lame large de deux pouces – deux des miens en tout cas – conçue pour la taille et l'estoc, non ?

Eragon confirma d'un signe de tête. Grommelant dans sa barbe, le maître armurier se mit à tirer les épées du râtelier les unes après les autres, à en fendre l'air avant de les remettre en place avec une grimace contrariée.

– Les lames elfiques sont en général plus fines et plus légères que les nôtres et que celles des nains grâce aux enchantements qu'ils tissent en forgeant l'acier. Si nous fabriquions des lames aussi délicates que les leurs, elles ne dureraient pas trois minutes en combat, elles se tordraient, se briseraient ou s'émousseraient au point qu'on ne couperait pas du fromage blanc avec.

Son regard se porta sur Lupusänghren :

— Vous êtes d'accord, l'elfe ?

— Absolument, l'humain, répondit Lupusänghren de sa voix mélodieuse.

Fredric opina du chef, examina le fil d'une autre épée, renifla avec dédain et la rangea.

— En conséquence, l'épée que tu choisiras sera sans doute plus lourde que celle à laquelle tu étais habitué. Cela ne devrait pas te poser de problème, Tueur d'Ombre, mais le supplément de poids va modifier la vitesse de tes actions.

— J'apprécie cette mise en garde.

— De rien. Je suis là pour ça : pour veiller à ce que le plus de Vardens possible restent en vie, et pour faire en sorte qu'ils tuent le plus possible de ces satanés soldats de l'Empire. Un beau métier.

Il se propulsa vers un autre râtelier caché derrière une pile de boucliers rectangulaires.

— Trouver l'épée qui convient le mieux à un guerrier est un art. Elle doit être une extension du bras, donner l'impression qu'elle est née de la chair même. Tu ne dois pas avoir à réfléchir pour la manier, le geste doit être naturel, aussi instinctif que celui de l'aigrette avec son bec ou du dragon avec ses griffes. L'épée idéale prolonge ton intention : tu veux, elle fait.

— Tu t'exprimes en poète.

Fredric haussa les épaules avec modestie :

— Je choisis des armes pour ceux qui se préparent à marcher au combat depuis vingt-six ans. On s'imprègne, à la longue, ça laisse des traces, on s'interroge sur le hasard et le destin ; il m'arrive de me demander si tel jeune homme équipé d'une hallebarde serait encore en vie si je lui avais fourni une masse d'armes à la place.

La main au-dessus d'une épée située au milieu du râtelier, Fredric se retourna vers Eragon :

— Tu préfères te battre avec ou sans écu ?

— Avec. Le problème, c'est que je ne peux pas l'avoir sur moi en permanence, et il est rare que j'en trouve un à portée de main quand on m'attaque.

Fredric tapota la garde de l'épée en mordillant sa barbe :

— Hmpf. Il te faut donc une lame que tu puisses utiliser seule, et qui ne soit pas trop longue pour te permettre de combattre avec n'importe quel bouclier, de la targe au pavois[1]. Donc, une épée de taille moyenne, qui soit maniable d'une main, que tu puisses porter en toute circonstance, assez élégante pour un couronnement, et assez solide pour affronter une bande de Kulls.

Il grimaça :

— L'alliance que Nasuada a conclue avec ces monstres, c'est contre nature. Ça ne durera pas. Nous ne sommes pas faits pour les fréquenter... Enfin ! Dommage que tu ne veuilles qu'une seule épée. Je me trompe ?

— Non. Saphira et moi voyageons beaucoup trop pour nous encombrer d'une demi-douzaine de lames.

— Tu as sans doute raison. Et puis, un guerrier tel que toi est censé n'avoir qu'une seule arme. C'est ce que j'appelle la malédiction de la lame personnalisée.

— Pardon ?

— Tous les grands guerriers ont une épée unique, une épée qui porte un nom. Le guerrier la nomme lui-même, ou alors les bardes s'en chargent pour lui après un exploit extraordinaire. Dès lors, il lui faut l'utiliser. C'est ce qu'on attend de lui. S'il se présente sans elle à la bataille, ses compagnons d'armes voudront savoir où elle est ; ils se demanderont s'il a honte de ses succès, s'il les insulte en refusant les hommages de ses pairs, et ses ennemis eux-mêmes exigeront peut-être qu'il aille chercher sa célèbre épée avant de se battre. Crois-en mon

---

1. Boucliers médiévaux : la targe est un petit bouclier, souvent utilisé en combat rapproché ; le pavois est un grand bouclier de forme ovale ou rectangulaire, porté par les fantassins et les arbalétriers.

expérience, dès que tu affronteras Murtagh ou que tu accompliras un haut fait mémorable avec ta nouvelle lame, les Vardens insisteront pour lui conférer un nom. Et ils voudront la voir à ta hanche.

Tout en se dirigeant vers un troisième râtelier, il poursuivit :

— Je n'imaginais pas que j'aurais un jour l'occasion d'aider un Dragonnier à choisir son arme. Quelle chance inespérée ! C'est le point culminant de ma carrière chez les Vardens.

Fredric tira une épée et la lui tendit. Eragon se mit en garde, leva la pointe, l'abaissa, puis secoua la tête. La poignée n'était pas adaptée à sa main. L'armurier n'en fut pas déçu, au contraire. Le défi parut le stimuler. Il présenta une autre épée à Eragon et essuya un nouveau refus : le point d'équilibre était trop en avant au goût du garçon.

— Ce qui m'inquiète, dit Fredric en rangeant l'arme, c'est qu'avec toi mes épées devront subir des chocs propres à détruire n'importe quelle lame humaine. Il t'en faut une fabriquée par les nains. Leurs forgerons sont les meilleurs après ceux des elfes et les surpassent parfois.

Il s'interrompit soudain, dévisagea Eragon :

— Attends ! Je ne posais pas les bonnes questions ! Comment t'a-t-on appris à bloquer et parer les coups ? Tranchant contre tranchant ? Il me semble t'avoir vu faire quelque chose comme ça pendant ton duel avec Arya à Farthen Dûr.

Eragon fronça les sourcils :

— Et alors ?

— Et alors ? répéta Fredric en éclatant de rire. Sans vouloir te manquer de respect, Tueur d'Ombre, si tu frappes du tranchant de ton arme contre celui d'une autre, tu infliges de sérieux dégâts aux deux. Avec une lame enchantée comme Zar'roc, cela ne craignait rien. Avec les miennes, il vaut mieux éviter, sauf si tu souhaites changer d'épée après chaque bataille.

Eragon revit en esprit l'épée endommagée de Murtagh et s'en voulut de ne pas en avoir tiré les conclusions qui s'imposaient. Il s'était habitué à Zar'roc qui ne s'émoussait pas, ne donnait pas signe d'usure, et, autant qu'il le sache, résistait à la plupart des enchantements. Peut-être même était-il impossible de détruire une épée de Dragonnier.

— Ne te bile pas, je la protégerai par la magie. Tu comptes m'en fournir une, ou pas ?

— Une question encore, Tueur d'Ombre. Ta magie est-elle éternelle ?

Le front d'Eragon se plissa :

— Eh bien, pour tout te dire, non. Seule une elfe détient la connaissance qui permet de forger des épées de Dragonnier, et elle ne m'a pas révélé ses secrets. Je me contente donc de transférer une certaine quantité d'énergie dans l'arme. Cette énergie la protège des dégâts, jusqu'à ce qu'elle soit épuisée par les chocs reçus sans dommage. À ce moment-là, l'épée revient à son état d'origine et risque de se briser dans ma main dès que je porte un coup à l'adversaire.

Fredric se gratta la barbe :

— Je te crois sur parole, Tueur d'Ombre. En somme, si tu frappes les ennemis pendant assez longtemps, les sorts protecteurs s'usent, et plus fort tu cognes, plus vite ils se dissipent.

— Exact.

— En ce cas, il ne faut pas que tu frappes tranchant contre tranchant si tu tiens à ce que tes sorts durent.

— Je n'ai pas le temps de jouer à ça, rétorqua Eragon avec irritation. Je n'ai pas le temps d'apprendre une autre technique. L'Empire peut attaquer du jour au lendemain. Il faut que je m'entraîne pour parfaire les gestes que je maîtrise. Le moment est mal choisi pour en assimiler de nouveaux.

— J'y suis ! s'exclama l'armurier en frappant dans ses mains.

Il alla jusqu'à une caisse remplie d'armes, fouilla dedans tout en marmonnant pour lui-même :

— D'abord ça, ensuite ça, et nous saurons où nous en sommes...

Du fond de la caisse, il sortit une grosse masse d'armes noire à ailettes, en tapota la tête de l'index :

– Avec ça, tu brises des épées, tu entames les armures, tu défonces les casques, tu peux cogner sur n'importe quoi, ton arme ne craint rien.

– C'est un gourdin ! protesta Eragon. Un gourdin en métal.

– Et alors ? Avec ta force, tu le manierais sans plus d'efforts qu'un roseau. Tu sèmerais la terreur sur le champ de bataille, aucun doute là-dessus.

– Non. Ce n'est pas ma méthode de combat préférée. Et puis, si j'avais été armé d'une masse et pas d'une épée, jamais je n'aurais tué Durza en lui perçant le cœur.

– Sauf si tu insistes pour avoir une lame conventionnelle, il me reste une dernière suggestion.

D'un autre secteur du pavillon, il rapporta à Eragon une arme qu'il qualifia de fauchon. C'était une sorte de sabre. Le jeune Dragonnier en avait vu de semblables parmi les Vardens, mais n'en avait jamais manié. En forme de disque poli, le pommeau brillait comme une pièce d'argent ; l'arme avait une courte poignée de bois recouverte de cuir noir et une garde courbe sur laquelle était gravée une rangée de runes naines. De la longueur de son bras, la lame à un seul tranchant s'ornait d'une mince rainure sur chaque face, à proximité du dos plus épais ; droite jusqu'à six pouces de son extrémité, elle s'évasait alors et s'incurvait, pour se terminer par une pointe acérée. Grâce à cet évasement qui lui donnait l'aspect d'un croc, la pointe risquait moins de casser ou de se tordre quand on en frappait une armure. Contrairement aux épées à double tranchant, on tenait le fauchon verticalement, lame perpendiculaire au sol. Détail curieux, la pointe et le bord tranchant de la lame étaient d'un gris perlé plus sombre que l'acier poli comme un miroir qui en constituait l'autre partie. La frontière entre les deux matières ondulait comme une vague, comme une écharpe de soie au vent.

– Je n'ai jamais rien vu de tel, remarqua Eragon en montrant la bande grise. Qu'est-ce que c'est ?

– Le thriknzdaln, répondit Fredric. Une invention des nains. Ils traitent les deux parties de la lame séparément. Ils durcissent le tranchant plus que nous n'oserions le faire sur une lame entière, et ils détrempent le reste de l'acier de manière que le dos du fauchon soit plus tendre que le tranchant : assez pour supporter les chocs des batailles sans se fêler ou se fendre comme une lime gelée.

– Les nains traitent-ils toutes leurs lames de la sorte ?

– Non. Seulement celles à simple tranchant, et les meilleures de leurs épées à double tranchant.

Il s'interrompit, une lueur de doute dans le regard, reprit après une hésitation :

– Tu comprends pourquoi j'ai choisi cette arme pour toi, Tueur d'Ombre ?

Eragon comprenait. Avec la lame en position verticale, à moins qu'il ne décide de tendre le poignet, les coups en frapperaient le plat, épargnant le tranchant pour ses propres attaques. De plus, le fauchon s'accordait assez bien à sa technique de combat, qu'il n'aurait pas à ajuster de beaucoup.

Il sortit de la tente, se mit en garde, leva haut le fauchon et l'abattit sur le crâne d'un ennemi imaginaire, fit mine d'esquiver, se fendit, écarta d'un grand coup une lance invisible, bondit de six pas sur sa gauche et, dans un mouvement spectaculaire mais peu commode, envoya l'arme derrière son dos avec un moulinet pour la passer d'une main dans l'autre. Puis, aussi calme qu'à l'ordinaire, sans le moindre essoufflement, il retourna auprès de Fredric et de Lupusänghren qui l'attendaient, impressionné par la vitesse et l'équilibre du fauchon. Certes, il n'égalait pas Zar'roc, mais c'était une épée superbe.

– Tu as bien choisi, déclara-t-il à l'armurier.

Décelant une légère réticence dans son maintien, Fredric répondit :

– Et cependant tu n'es pas entièrement satisfait, Tueur d'Ombre.

Eragon fit tournoyer l'arme en grimaçant :

– Je regrette seulement qu'il ressemble à un couteau à dépecer géant. Je me sens un peu ridicule avec ça.

– Bah, laisse donc rire tes ennemis. Ils riront moins quand tu leur auras tranché la tête.

Eragon sourit, amusé :

– C'est bon, je le prends.

– Donne-moi une petite seconde.

Sur ces mots, Fredric disparut dans les profondeurs de la tente et revint avec un fourreau de cuir noir orné de volutes d'argent, qu'il remit à Eragon :

– Tu as appris à aiguiser une épée, Tueur d'Ombre ? Avec Zar'roc, je suppose que c'était inutile.

– En effet, mais je ne me débrouille pas mal avec un affiloir. Je suis capable d'affûter un couteau pour qu'il coupe comme un rasoir. Et puis, je peux toujours affiner à l'aide de la magie si nécessaire.

Fredric gémit en se frappant les cuisses, soulevant un nuage de poils de bœuf :

– Non, non, non ! C'est ce qu'il ne faut *jamais* faire avec une épée. Pour ne pas s'ébrécher, le tranchant doit être solide, donc pas trop mince. Un guerrier digne de ce nom est censé savoir entretenir son équipement, dont l'épée est la pièce maîtresse !

L'armurier insista pour lui fournir un affiloir neuf, et le fit asseoir par terre devant le pavillon pour lui montrer comment préparer la lame du fauchon. S'étant assuré que le jeune Dragonnier était capable de redonner un tranchant idéal à son arme, il déclara :

– Tu peux combattre avec une armure rouillée, te lancer dans la bataille avec un casque cabossé. Toutefois, si tu veux revoir la lumière du jour, ne te bats jamais avec une lame émoussée. Quand tu as survécu à une bataille, que tu es aussi épuisé que si tu avais gravi les sommets des Beors, et que ton épée n'est plus aussi bien aiguisée qu'elle l'est maintenant, tu oublies ta fatigue, tu te poses dans un coin à la première occasion, tu sors ton cuir, ton affiloir, et tu te mets au travail. Comme on s'occupe d'un cheval, comme tu t'occupes de Saphira avant de satisfaire tes propres besoins, tu dois prendre

334

soin de ton épée *d'abord*. Sans elle, tu n'es qu'une proie sans défense pour tes ennemis.

L'après-midi touchait presque à sa fin, ils étaient installés au soleil depuis plus d'une heure quand le maître armurier en termina enfin avec ses instructions. Une ombre fraîche passa alors sur eux et Saphira se posa à proximité.

« Tu as attendu ! s'exclama Eragon. Tu as attendu exprès au lieu de me tirer de là ! Tu m'as laissé moisir à écouter Fredric disserter sur les pierres à eau et les pierres à huile, sur les mérites de l'huile de lin et de la graisse fondue pour protéger le métal contre la corrosion. »

« Laquelle des deux est la plus efficace ? »

« Elles se valent. L'huile de lin sent moins mauvais, c'est tout. Ce que je voudrais savoir, c'est pourquoi tu m'as infligé ce supplice. »

Une épaisse paupière bleue cligna paresseusement :

« N'exagère rien. De vrais supplices nous attendent, et de bien pires, si nous ne sommes pas adéquatement préparés. Ce que l'homme aux vêtements qui empestent avait à dire m'a paru important pour ton éducation. »

« Tu n'as peut-être pas tort », concéda-t-il.

Arquant le cou, elle lécha une griffe de sa patte avant droite.

Après avoir remercié Fredric et être convenu d'un lieu de rendez-vous avec Lupusänghren, Eragon attacha le fauchon à la ceinture de Beloth le Sage et grimpa sur le dos de Saphira. Il lança un cri de joie tandis qu'elle s'élevait dans le ciel en rugissant.

Étourdi par le décollage, Eragon s'accrocha à une pique de la dragonne en observant en bas les hommes et les tentes qui diminuaient jusqu'à devenir des miniatures sans traits distinctifs. Vues des airs, les rangées de petites pyramides grises dont le côté est était plongé dans l'ombre donnaient au campement l'apparence d'un damier. Autour se dressaient les fortifications hérissées de pointes orangées sous la lumière oblique. La cavalerie du roi Orrin n'était plus qu'une masse de taches mouvantes dans le quart nord-ouest du campement. À l'est, le camp des Urgals s'étirait, bas et sombre sur la plaine ondoyante.

Ils montèrent encore.

L'air pur et froid brûlait les joues et les poumons d'Eragon. Il respirait à petites goulées. Près d'eux flottait une épaisse colonne de nuages qui paraissait aussi solide que de la crème fouettée. Saphira en fit le tour, projetant son ombre déchiquetée sur la surface blanche et plumeuse. Un filet d'humidité solitaire fouetta le visage d'Eragon, l'aveuglant pendant quelques secondes, lui emplissant le nez et la bouche de gouttelettes glacées. Il retint son souffle, s'essuya les yeux.

Ils s'élevèrent au-dessus des nuages.

Un aigle royal glatit à leur passage.

Eragon fut pris d'un léger vertige et Saphira commençait à peiner. Elle étendit ses ailes et plana d'un courant ascendant à l'autre afin de maintenir son altitude, sans chercher à monter davantage.

Ils étaient si haut dans le ciel que cela n'avait plus d'importance, que les objets au sol perdaient toute réalité. Avec ses minuscules carreaux noirs et gris, le campement des Vardens n'était plus qu'un échiquier de forme irrégulière, la rivière Jiet, qu'une corde d'argent bordée de pompons verts. Au sud, les nuées sulfureuses qui émanaient des Plaines Brûlantes formaient une chaîne montagneuse d'un rouge orangé et enfantaient des monstres évanescents. Eragon s'en détourna.

Pendant une demi-heure, Saphira et lui flottèrent au gré du vent, dans un silence détendu et réconfortant. Eragon se protégea du froid par un sort inaudible. Enfin, ils étaient seuls ensemble, seuls comme ils l'avaient été dans la vallée de Palancar avant que l'Empire vienne troubler leur vie.

Saphira fut la première à parler : « Nous sommes les maîtres des airs. »

« Ici, nous sommes sur le toit du monde. » Eragon tendit les bras comme pour toucher les étoiles.

Virant sur la gauche, Saphira prit un courant d'air tiède et redressa. « Demain, tu vas marier Roran et Katrina. »

« Comme c'est étrange. Étrange que Roran se marie, étrange que j'officie pour la cérémonie... Roran marié. Je me sens vieillir rien que d'y penser. Nous qui étions de jeunes garçons il n'y a pas si longtemps sommes soumis aussi à l'inexorable loi du temps. Ainsi, les générations se succèdent et, bientôt, nous enverrons nos enfants de par le monde pour qu'ils accomplissent les tâches nécessaires. »

« À condition de survivre aux quelques mois à venir. »

« C'est vrai. »

Ils furent ballottés quelques instants dans des turbulences, puis Saphira le regarda et demanda : « Tu es prêt ? »

« On y va ! »

Ramenant les ailes contre son corps, elle piqua vers le sol à la vitesse d'une flèche. Eragon riait, ravi par cette sensation d'apesanteur. Afin de ne pas glisser, il serra les jambes et, dans un accès de témérité, il lâcha le piquant auquel il se tenait, posa les mains sur sa tête. Le disque de la Terre tournait au-dessous d'eux comme une roue en folie tandis que Saphira plongeait en spirale à une allure vertigineuse. Elle ralentit, cessa ses rotations, puis elle se retourna et repartit en chute libre sur le dos.

« Saphira ! » hurla Eragon en lui martelant l'épaule.

Un panache de fumée s'échappa des naseaux de la dragonne. Elle se remit dans le bon sens et piqua de nouveau, fonçant vers le sol toujours plus proche. Les oreilles d'Eragon se bouchèrent avec la pression accrue, ce qui l'obligea à jouer des mâchoires. À moins de mille pieds du campement des Vardens et à quelques secondes de s'écraser avec son cavalier et de creuser parmi les tentes un cratère sanglant, Saphira déploya ses ailes pour prendre le vent. Le brusque freinage projeta Eragon en avant si violemment qu'il manqua de s'éborgner avec le piquant auquel il s'accrochait.

En trois puissants battements d'ailes, Saphira s'immobilisa dans les airs avant de poursuivre sa descente en lents cercles paresseux.

« Ça, c'était amusant ! » s'exclama Eragon.

« Aucun sport n'est plus excitant que le vol. Une fausse manœuvre, tu es mort. »

« Ah, mais j'ai une confiance totale en tes capacités. Tu redresseras toujours à temps. »

Il la sentit vibrer de plaisir à ce compliment.

Elle s'orienta vers la tente d'Eragon et secoua la tête, le secouant du même coup. « Je devrais pourtant y être habituée depuis le temps ! À chaque fois que je sors comme ça d'un piqué, mon torse et les muscles qui soutiennent mes ailes sont si douloureux que je peux à peine remuer. »

« Tu n'auras pas à voler demain, dit-il en lui flattant le cou. Le mariage de Roran est notre seule obligation, il te suffira de marcher. »

Avec un grognement, elle atterrit, ce qui souleva un énorme nuage de poussière, et renversa une tente vide de sa queue. Eragon sauta à terre et la laissa à sa toilette en compagnie de six des elfes pour repartir en petites foulées à travers le camp avec les six autres, jusqu'à la tente de Gertrude, la guérisseuse. Auprès d'elle, il apprit les rituels pour la cérémonie du lendemain et les répéta pour les mémoriser afin d'éviter une bourde gênante le moment venu.

Ensuite, il regagna sa tente, se lava le visage et se changea avant d'aller dîner avec Saphira en compagnie du roi Orrin et de sa suite, comme il l'avait promis.

Tard cette nuit-là, quand le festin fut enfin terminé, ils rentrèrent tous deux en regardant les étoiles, en bavardant des événements passés et de ceux à venir. Ils étaient heureux. Parvenu à destination, Eragon leva les yeux vers Saphira, le cœur si plein d'amour qu'il le crut prêt à éclater :

« Bonne nuit, Saphira. »

« Bonne nuit, petit homme. »

21
DES INVITÉS INATTENDUS

Le lendemain matin, derrière sa tente, Eragon se mit en sous-vêtements, et il enchaîna les postures de niveau deux du Rimgar, une série d'exercices conçue par les elfes. Bientôt, il ne sentit plus le froid ; le souffle court, il transpirait sous l'effort, au point que ses mains et ses pieds glissaient lorsqu'il devait s'agripper au cours de contorsions particulièrement douloureuses.

Après une heure de Rimgar, il s'essuya les paumes sur un coin de la tente, sortit son fauchon et s'entraîna à l'escrime pendant une autre demi-heure. Il aurait préféré passer le reste de la journée à se familiariser avec cette arme nouvelle dont sa vie dépendait, mais les villageois avaient besoin d'aide afin que tout soit prêt à temps pour le mariage imminent de Roran et de Katrina.

Tonifié, Eragon se baigna dans l'eau froide, se vêtit, puis, accompagné de Saphira, il se rendit à l'endroit où Elain supervisait les préparatifs du repas de noces. Lupusänghren et ses compagnons les suivaient discrètement, à une vingtaine de pas derrière eux.

— Ravie de te voir, Eragon, dit Elain. Je comptais un peu sur toi.

Sa grossesse lui pesait, elle se tenait les reins pour soulager son dos. Devant elle s'étendait une rangée de broches et de chaudrons accrochés au-dessus d'un lit de braises. Plus loin, un groupe d'hommes débitaient un cochon. Il y avait derrière eux trois fours de pierre et d'argile construits pour l'occasion, et, plus loin encore, près d'une pile de tonneaux, des planches sur des tréteaux autour desquelles six femmes s'affairaient. Elle pointa le menton dans cette direction et ajouta :

— Il faut pétrir la pâte pour vingt miches de pain. Tu veux bien t'en charger ?

Remarquant les tampons de cal à la naissance de ses doigts, elle fronça les sourcils :

— Et, s'il te plaît, évite de mettre *ça* dans la pâte.

Les six femmes qui travaillaient à la table, dont Felda et Birgit, se turent quand Eragon prit place parmi elles. Ses diverses tentatives pour relancer la conversation et les mettre à l'aise ayant échoué, il y renonça et se concentra sur sa tâche. Elles reprirent alors leur bavardage, parlant de Roran et Katrina, de la chance qu'ils avaient, de la vie des villageois au camp, de leur long voyage pour y arriver. Soudain, sans plus de préambule, Felda se tourna vers Eragon et déclara :

— Ta pâte m'a l'air bien collante. Tu devrais ajouter de la farine.

Il en testa la consistance :

— Tu as raison, merci du conseil.

Felda sourit. La glace était rompue et les femmes intégrèrent le jeune Dragonnier à leurs discussions.

Pendant ce temps, Saphira se prélassait dans l'herbe à proximité. Les enfants de Carvahall jouaient autour d'elle et sur son dos ; leurs rires aigus ponctuaient le bourdonnement plus grave des voix d'adultes. Lorsque deux chiens galeux s'approchèrent de la dragonne en aboyant, elle leva la tête et gronda. Queue basse, les deux marauds s'enfuirent avec des geignements d'effroi.

L'endroit était peuplé de tous ceux parmi lesquels Eragon avait grandi. De l'autre côté des broches, Horst et Fisk construisaient des tables pour le banquet. Kiselt essuyait ses bras maculés de sang de porc. Albriech, Baldor, Mandel et d'autres jeunes gens transportaient des poteaux décorés de rubans sur la colline que Roran et Katrina avaient choisie pour la cérémonie. Morn l'aubergiste préparait les boissons pour la fête, aidé de Tara, son épouse, qui lui tendait carafes et tonnelets. À quelques centaines de pas de là, Roran hurlait pour empêcher un muletier et ses bêtes de traverser la zone réservée aux préparatifs. Loring, Delvin et le petit Nolfavrell observaient la scène. Avec un juron retentissant, Roran empoigna le harnais de la mule de tête pour retourner tout le train en sens inverse, ce qui n'alla pas sans mal. Eragon sourit, amusé ; jamais il n'avait vu Roran s'énerver de la sorte.

— Notre fier guerrier perd son sang-froid avant l'épreuve, remarqua Isold, l'une des préposées au pain.

Autour d'Eragon, les femmes pouffèrent.

— Il craint peut-être que son épée plie en plein combat, renchérit Birgit en mêlant de l'eau à la farine.

Ce qui déchaîna une tempête de rire parmi ces dames. Eragon s'empourpra. Les yeux rivés sur la pâte, il la malaxait à une allure précipitée. Lors des mariages, les plaisanteries gaillardes étaient de tradition, il en avait ri lui aussi, sans en être gêné, mais, à l'époque, elles ne visaient pas son cousin.

À la veille de la fête, les absents hantaient ses pensées : Byrd, Quimby, Parr, Hilda, le jeune Elmund, Kelby et les autres, morts à cause de l'Empire. Il pensait surtout à Garrow et regrettait que son oncle ne soit plus de ce monde pour voir son fils unique acclamé en héros par les villageois comme par les Vardens, pour le voir s'unir à Katrina et devenir un homme dans tous les sens du terme.

Les yeux fermés, il tendit le visage vers le soleil de midi, souriant, en paix avec lui-même. Le temps était clément. Des odeurs alléchantes de levure, de farine, de viande rôtie, de vin fraîchement tiré, de soupes, de pâtisserie et de sucre fondu embaumaient l'air. Sa famille, ses amis étaient réunis pour célébrer une noce, non pour pleurer leur deuil. En cet instant, rien ne le menaçait, il était en sûreté et Saphira aussi. « C'est la vie telle qu'elle devrait être. »

L'appel d'une trompe retentit à travers la plaine, strident, incongru.

La trompe sonna de nouveau.

Et sonna une troisième fois.

Tous s'immobilisèrent, perplexes. Que signifiaient ces trois coups de corne ?

Pendant un bref instant, le silence régna sur le camp, troublé par quelques rares cris d'animaux. Puis les tambours de guerre des Vardens se mirent à battre, et ce fut le chaos. Dans la confusion générale, les mères rassemblaient leurs enfants, les cuisiniers éteignaient les feux de cuisson, hommes et femmes se précipitaient sur leurs armes.

Eragon courut vers Saphira au moment où elle se levait. Projetant son esprit hors de lui, il chercha Lupusänghren, le trouva et, lorsque l'elfe eut entrouvert ses défenses mentales, il lui dit : « Rendez-vous à l'entrée nord. »

« Entendu, Tueur d'Ombre. Nous y serons. »

Sitôt qu'il se fut hissé sur son dos, Saphira s'élança et sauta par-dessus quatre rangées de tentes, se posa et sauta encore au lieu de s'envoler ; les ailes en partie repliées, elle traversa le campement par bonds comme un puma franchit un torrent de montagne. Chaque atterrissage ébranlait les os d'Eragon et manquait de le jeter à terre. Tandis qu'ils avançaient, montant et descendant, que des guerriers affolés s'écartaient de leur chemin, Eragon contacta Trianna et les membres du Du Vrangr Gata, afin de connaître la position de chaque magicien et de leur donner des consignes pour la bataille.

Un esprit étranger effleura le sien ; ce n'était pas un membre du Du Vrangr Gata. Eragon se protégea par réflexe, puis il s'aperçut que c'était Angela l'herboriste et autorisa le contact. « Je suis avec Nasuada, déclara-t-elle. Elle veut que tu la rejoignes avec Saphira à l'entrée nord... »

« Dès que nous pourrons. Oui, oui, nous sommes en route. Et Elva ? Elle sent quelque chose ? »

« Des souffrances. Beaucoup de souffrances. Les tiennes, celles des Vardens, et bien d'autres. Désolée. Elle n'est pas très cohérente en ce moment. C'est trop lourd, elle n'en peut plus. Je vais l'endormir pour la durée des combats. » Et Angela rompit le lien télépathique.

Tel un charpentier étalant et examinant ses outils avant de se lancer dans un nouveau projet, Eragon vérifia les sorts qui le protégeaient et ceux dont il avait entouré Saphira, Nasuada, Arya et Roran. Tout semblait en bon ordre.

Saphira s'arrêta devant sa tente dans une glissade, labourant le sol de ses griffes. Il sauta de son dos, se reçut dans une roulade et se releva aussitôt pour se précipiter à l'intérieur tout en ôtant sa ceinture, qu'il laissa tomber avec le fauchon dans son fourreau. Il plongea sous son lit, sortit son armure. Il enfila son haubert, dont les froides mailles tombèrent le long de son corps avec un bruit de cascade métallique. Il mit son bonnet matelassé, son camail par-dessus, puis son heaume. Il récupéra sa ceinture et s'en ceignit. Tenant ses grèves et ses brassards de la main gauche, il passa le petit doigt dans l'attache de son bouclier et empoigna l'imposante selle de Saphira de sa main droite avant de ressortir en coup de vent. Lâchant les pièces d'armure qui tintèrent en tombant, il jeta la selle sur les épaules de la dragonne, et se hissa sur son dos presque dans le même mouvement. Trop pressé, en proie à un mélange d'excitation et d'appréhension, il eut quelque peine à assurer les sangles.

Impatiente, Saphira changea de position. « Vite ! C'est trop long ! »

« Je sais ! Je fais de mon mieux ! Si tu étais moins énorme, ce serait plus simple ! »

Elle répondit d'un grognement.

Le campement était le théâtre d'une activité frénétique, des flots d'hommes et de nains se hâtaient vers le nord dans un fracas terrible pour répondre à l'appel des tambours de guerre.

Sautant à terre, Eragon ramassa en hâte les pièces d'armure abandonnées et se mit en selle. Avec un puissant battement d'ailes accompagné d'une bourrasque, Saphira prit son envol. Sous l'effet de l'accélération, les brassards d'Eragon heurtèrent son bouclier. Tandis qu'ils filaient vers l'extrémité nord du camp, il accrocha son écu à un piquant de la dragonne, coinça ses brassards entre son ventre et la selle pour pouvoir lacer ses grèves en se maintenant par la seule force de ses cuisses. Il passa ensuite les jambes dans les anneaux de la selle et en resserra les nœuds coulants.

Lorsqu'il se redressa, sa main effleura la ceinture de Beloth le Sage. Il se souvint alors qu'il en avait épuisé les réserves d'énergie pour guérir Saphira à Helgrind et gémit de frustration. « Zut ! J'aurais dû la recharger. »

« Ça va aller, ne t'inquiète pas », le rassura Saphira.

Il enfilait ses brassards quand, enveloppant l'air de ses membranes transparentes, elle arqua les ailes, se cabra, et s'arrêta pour se poser au sommet d'un des talus qui entouraient le campement. Nasuada était déjà là, montée sur Foudre de Guerre, son puissant destrier. Près d'elle se tenaient Jörmundur, à cheval lui aussi, Arya à pied, et six Faucons de la Nuit sous la conduite de Khagra, l'un des Urgals qu'Eragon avait rencontrés à la bataille des Plaines Brûlantes. Lupusänghren et ses elfes émergèrent bientôt de la forêt de tentes pour venir se poster près d'Eragon et de Saphira. Le roi Orrin et sa suite arrivaient au galop d'un autre secteur du camp. En approchant de Nasuada, ils mirent leurs fringants coursiers au pas. Derrière eux venaient Narheim, le chef des nains, et trois de ses guerriers, chevauchant des poneys caparaçonnés de cuir et de mailles. Nar Garzhvog apparut à l'est ; il courait à travers champs, précédé par le tonnerre de ses pieds qui martelaient le sol. Nasuada hurla un ordre, et les gardes ouvrirent la porte nord pour lui permettre d'entrer, porte que le Kull aurait pu défoncer s'il l'avait voulu.

– Qui nous défie ? rugit Garzhvog.

Il gravit le talus en quatre pas de géant. Les chevaux nerveux s'écartèrent en hennissant.

– Eux, déclara Nasuada, le doigt pointé vers les ennemis.

Eragon les étudiait déjà. À environ deux miles de là, cinq longs bateaux noirs comme poix avaient accosté sur la berge de la rivière Jiet. Des troupes en uniforme de l'Empire en débarquaient, mer de piques et d'épées, de casques, d'armures et de boucliers qui brillaient au soleil.

Une main en visière, Arya scruta les rangs des soldats ennemis :

– J'évalue leur nombre entre deux cent soixante-dix et trois cents.

– Si peu ? s'étonna Jörmundur. Je me demande pourquoi.

Le roi Orrin fronça les sourcils :

– Galbatorix n'est pas assez fou pour croire qu'il nous vaincra avec des effectifs aussi réduits.

Il ôta son casque en forme de couronne et se tamponna le front du coin de sa tunique :

– Nous pourrions les anéantir sans perdre un seul homme.

– Peut-être, dit Nasuada. Et peut-être pas.

Mangeant la moitié des mots, Garzhvog ajouta :

– Le Roi Dragon est un traître à la langue fourchue, un bélier scélérat, mais pas un imbécile. Il est fourbe et rusé comme une fouine assoiffée de carnage.

Les soldats ennemis se rangèrent en ordre militaire avant de se mettre en marche vers le campement varden.

Un jeune messager courut jusqu'à Nasuada. Elle se pencha pour l'écouter, puis le congédia d'un geste.

– Nar Garzhvog, les tiens sont à l'abri de nos remparts. Ils se sont rassemblés près de la porte est et attendent que tu les mènes au combat.

Garzhvog émit un grognement et ne bougea pas d'un pouce.

Reportant son attention sur l'adversaire, Nasuada déclara avec satisfaction :

– Je ne vois aucune raison de les affronter à découvert. Nos archers les cueilleront quand ils seront à portée de flèche. Et, lorsqu'ils atteindront les fortifications, ils se casseront les dents sur les fossés doublés de pieux. Aucun d'eux n'en réchappera.

– Quand ils s'y seront engagés, dit le roi Orrin, ma cavalerie pourra sortir pour les prendre à revers. La surprise leur ôtera toute chance de se défendre.

– Le cours de la bataille...

Nasuada n'eut pas le temps de terminer que la corne qui avait annoncé l'arrivée des soldats résonnait de nouveau, si fort qu'Arya, le groupe des elfes et Eragon se couvrirent les oreilles.

« D'où ça vient, Saphira ? » demanda ce dernier en grimaçant de douleur.

« À mon avis, il serait plus intéressant de savoir pourquoi ces soldats tiennent à nous avertir de leur attaque si ce sont bien eux qui causent ce raffut. »

« C'est peut-être une manœuvre de diversion, ou alors... »

Percevant un mouvement sur l'autre rive de la rivière Jiet, derrière un rideau de saules pleureurs, il en oublia ce qu'il allait dire. Rouge comme un rubis trempé dans le sang, rouge comme le fer prêt à être forgé, rouge comme les braises de la colère et de la haine, Thorn s'éleva au-dessus des arbres en deuil. Et, sur le dos du dragon de flamme, dans son armure étincelante, Murtagh brandissait Zar'roc au-dessus de sa tête.

« Ils viennent nous chercher », dit Saphira.

Le ventre d'Eragon se noua et, tel un flot amer, la peur de Saphira déferla sur son esprit.

22

DES FLAMMES
DANS LE CIEL

Tandis qu'Eragon regardait Thorn et Murtagh s'élever dans les airs, il entendit Narheim murmurer « Barzûl » et maudire le Dragonnier renégat, assassin de Hrothgar, le roi des nains.

Tournant le dos à ce spectacle, Arya s'adressa aux souverains :

— Nasuada, Votre Majesté, vous devez intercepter ces soldats avant qu'ils atteignent le camp. Vous ne pouvez permettre qu'ils attaquent nos défenses. S'ils arrivent jusqu'ici, ils balaieront nos fortifications comme un raz de marée et feront un carnage parmi les nôtres, que les tentes empêcheront de manœuvrer efficacement.

— Un carnage ? ironisa le roi Orrin. Avez-vous donc si peu confiance en nos talents, madame l'ambassadrice ? Les hommes et les nains sont moins doués que les elfes, je vous le concède. Soyez cependant assurée que nous n'aurons aucune difficulté à neutraliser ces misérables gueux.

Le visage d'Arya se durcit :

— Vos talents sont incomparables, Majesté. Je n'en doute pas un instant. Il n'en reste pas moins qu'on nous tend un piège. *Eux, là-haut* – elle tendit le bras vers Thorn et Murtagh –, ils sont venus capturer Eragon et Saphira pour les ramener à Urû'baen. Galbatorix n'aurait pas envoyé des troupes aussi réduites sans la certitude qu'elles suffiraient à occuper les Vardens assez longtemps pour que Murtagh soumette Eragon. Il a ensorcelé ses hommes pour les aider dans leur mission.

J'ignore par quels enchantements, mais je suis sûre d'une chose : ce ne sont pas là de simples soldats, et ils ne doivent en aucun cas pénétrer dans notre camp.

Remis de sa surprise, Eragon s'exclama :

– Il ne faut pas que Thorn survole le campement ! Il en brûlerait la moitié au premier passage !

Mains croisées sur le pommeau de sa selle, Nasuada ne semblait pas prêter plus d'attention à Murtagh et à Thorn qu'aux soldats, qui étaient maintenant à moins d'un mile.

– Pourquoi ne nous ont-ils pas attaqués à l'improviste ? demanda-t-elle. Pourquoi nous ont-ils prévenus de leur arrivée ?

Ce fut Narheim qui lui répondit :

– Parce qu'ils ne souhaitaient pas qu'Eragon et Saphira s'engagent dans les combats au sol. Sauf si je me trompe, le plan vise à susciter un duel aérien entre dragons et Dragonniers pendant que ces soldats assaillent nos positions.

Nasuada haussa un sourcil interrogateur :

– En ce cas, est-il bien raisonnable d'envoyer sciemment Eragon et Saphira dans la gueule du loup ?

– Oui, affirma Arya. Car nous disposons d'un atout dont ils ne soupçonnent pas l'existence. Cette fois, Eragon n'affrontera pas Murtagh seul – elle désigna Lupusänghren –, puisque treize elfes uniront leurs forces pour le soutenir. Murtagh ne s'attend pas à cela. Intercepter les troupes avant qu'elles nous atteignent revient à déjouer en partie le stratagème de Galbatorix. Envoyer Eragon et Saphira dans les airs avec l'aide des plus puissants magiciens de mon peuple met le reste du projet en échec.

– Tu m'as convaincue, déclara Nasuada. Ces soldats sont toutefois trop près pour que l'infanterie les intercepte à distance suffisante du camp. Orrin...

Elle n'eut pas le temps d'exprimer sa pensée que le roi tournait bride et partait au trot en direction de la porte nord. Un homme de sa suite emboucha sa trompette et donna le signal afin que la cavalerie s'assemble pour la charge.

— Le roi Orrin va avoir besoin de renforts. Tes béliers ne seront pas de trop, dit encore Nasuada.

— Dame Qui-Marche-La-Nuit.

Rejetant sa grosse tête cornue en arrière, Garzhvog lança un hurlement sauvage. Eragon en eut la chair de poule. Le cri de l'Urgal cessa dans un brusque claquement de mâchoires, puis il gronda :

— Ils viendront.

Et il s'en fut rejoindre les cavaliers, courant à faire trembler la terre.

Quatre Vardens ouvrirent les portes. Brandissant son épée avec un cri de guerre, le roi Orrin quitta le camp au galop et entraîna ses hommes vers les soldats aux tuniques brodées d'or. Les sabots des chevaux soulevaient tant de poussière qu'on ne distinguait plus la formation en tête de flèche derrière le nuage couleur crème.

— Jörmundur ? reprit Nasuada.

— Ma Dame ?

— Envoie deux cents hommes d'épée et cent lanciers à leur suite. Et poste cinquante archers à cent trente ou cent cinquante coudées du combat. Je veux que ces soldats soient écrasés, Jörmundur, anéantis jusqu'au dernier, renvoyés dans l'oubli. Pas de pitié, pas de quartier, que ce soit bien clair.

Jörmundur s'inclina.

— Et dis à tes guerriers que, si je ne participe pas à la bataille à cause de mes bras, mon esprit est à leurs côtés.

— Ma Dame.

Tandis que Jörmundur se retirait en hâte pour exécuter les ordres, Narheim dirigea son poney jusqu'à Nasuada :

— Et les miens, qu'en fais-tu ? Quel rôle jouerons-nous dans la bataille ?

Les yeux fixés sur l'épais nuage de poussière qui roulait sur la plaine, Nasuada fronça les sourcils :

— Vous nous aiderez à garder le périmètre. Si des soldats ennemis...

Elle dut s'interrompre : quatre cents Urgals – dont de nouvelles recrues venues grossir leurs rangs depuis la bataille des Plaines Brûlantes – émergeaient d'entre les tentes, franchissaient la porte et s'élançaient dans la plaine, martelant le sol de leurs pieds, rugissant des cris de guerre incompréhensibles. Lorsqu'ils eurent disparu à leur tour, elle reprit :

– Si des soldats ennemis passaient malgré tout, vos haches seraient les bienvenues.

Un souffle de vent leur apporta les hurlements des blessés, des mourants, les hennissements des chevaux, les tintements des épées frappant les casques, les frottements horripilants du métal contre le métal, les chocs sourd des lances contre les boucliers et, comme en bruit de fond, un rire sans joie, odieux et ininterrompu, sorti d'une multitude de gorges. Un rire de fou, songea Eragon.

– Par Morgothal ! s'exclama Narheim en cognant du poing contre sa hanche. Nous ne sommes pas de ceux qui restent à se battre les flancs quand la bataille fait rage ! Laisse-nous sortir, Nasuada, et nous couperons des têtes pour toi !

– Non ! répliqua-t-elle. Non, non et non ! J'ai donné mes ordres et vous vous y tiendrez. C'est un combat de cavaliers et d'Urgals, peut-être même de dragons. Les nains n'y ont pas leur place. Vous seriez piétinés comme des enfants.

Ulcéré, Narheim cracha un juron. Elle leva la main et poursuivit :

– Je sais que vous êtes de redoutables guerriers. Personne ne le sait mieux que moi qui me suis battue à vos côtés à Farthen Dûr. Cependant, pour parler sans détour, vous êtes beaucoup plus petits que nous autres, et je ne risquerai pas la vie des tiens dans un affrontement où votre taille serait un handicap fatal. Je préfère que vous laissiez l'ennemi venir à vous, que vous montiez la garde ici, sur la hauteur d'où vous dominerez quiconque tentera d'escalader cette berme [1]. Si certains

1. En termes de fortifications, la berme est un passage étroit entre le pied d'un rempart et une tranchée.

parviennent jusqu'à nous, ce seront des soldats aux capacités redoutables que toi et les tiens repousserez. Je compte sur vous, car il est plus facile de déplacer une montagne que de vaincre un nain au combat.

Toujours mécontent, Narheim grommela une réponse qui se perdit dans le tumulte : les Vardens de Nasuada défilaient par l'ouverture dans le talus, auparavant fermée par une porte. Le bruit de leurs pas et le cliquetis de leurs armures s'estompèrent à mesure qu'ils s'éloignaient du camp. Le vent forcit, transportant avec lui depuis la zone de combat le rire sinistre qui n'en finissait pas.

Quelques instants plus tard, un cri mental d'une puissance incroyable traversa les défenses d'Eragon et envahit sa conscience, l'accablant de douleur : « Ah, non, à l'aide ! Ils refusent de mourir ! Prends-les, Angvard ! Ils ne veulent pas mourir ! » Le lien télépathique se rompit ; Eragon déglutit péniblement : l'inconnu avait été tué.

Nasuada remua sur sa selle, les traits tendus :

– Qui était-ce ?

– Tu l'as entendu, toi aussi ?

– Je crois que nous l'avons tous entendu, dit Arya.

– Je pense que c'était Barden, l'un des magiciens qui accompagnent le roi Orrin, mais...

– *Eragon !*

Pendant que le roi Orrin et ses hommes affrontaient les soldats ennemis, Thorn décrivait des cercles de plus en plus haut. À présent, il s'était immobilisé dans les airs, à mi-chemin entre la zone de combat et le campement. Amplifiée par la magie, la voix de Murtagh résonnait à travers la plaine :

– Eragon ! Je te vois, tu te caches derrière les jupes de Nasuada. Viens te battre avec moi, Eragon ! C'est ton destin. Serais-tu donc un lâche, *Tueur d'Ombre* ?

Saphira répondit à sa place ; levant la tête, elle couvrit la voix tonitruante de Murtagh de son rugissement et lança un jet de flammes bleues long de vingt pieds. Les chevaux qui se trouvaient à proximité, dont le destrier de Nasuada, s'enfuirent, laissant dragonne et Dragonnier seuls sur le terre-plein avec les elfes.

Arya s'avança jusqu'à Saphira, posa une main sur la jambe gauche d'Eragon et leva vers lui ses yeux verts en amande.

– Accepte que je t'offre un don, Shur'tugal, dit-elle.

Il sentit le flux d'énergie se répandre à travers son corps.

– Eka elrun ono, murmura-t-il.

Elle lui répondit aussi en ancien langage :

– Sois prudent, Eragon. Je ne voudrais pas voir Murtagh te briser. Je...

Sur le point d'ajouter quelque chose, elle hésita, puis ôta la main de sa jambe et retourna auprès de Lupusänghren.

– Vole bien, Bjartskular ! chantèrent les elfes tandis que Saphira prenait son essor.

Pendant qu'elle s'élevait en direction de Thorn, Eragon joignit son esprit au sien, puis à celui d'Arya et, à travers elle, à ceux de Lupusänghren et des onze autres elfes. En se servant d'Arya comme relais, il pourrait se concentrer sur ses pensées et celles de Saphira ; il les connaissait si bien toutes les deux qu'il ne craignait pas d'être distrait en plein duel par leurs réactions.

Son bouclier dans la main gauche, il sortit le fauchon de son fourreau et le tint à la verticale pour ne pas risquer de blesser Saphira, dont les ailes, les épaules et le cou étaient en mouvement constant. « Je me félicite d'avoir pris le temps de renforcer ma lame par la magie hier soir », dit-il à Saphira et à Arya.

« Espérons que tes sorts tiendront », répondit la dragonne.

« Et n'oublie pas de rester aussi près de nous que tu le peux, lui rappela Arya. Plus tu t'éloignes et plus il nous est difficile de maintenir le lien qui nous unit à toi. »

Thorn ne piqua pas sur Saphira qui s'élevait vers lui, ne fit pas mine d'attaquer. Les ailes tendues, rigides, il se laissait déri-ver, lui donnait le temps d'arriver à sa hauteur. Portés par des courants ascendants, les deux dragons se firent face à distance d'une centaine de coudées. Le bout de leur queue hérissé de piques remuait ; nez froncé et babines retroussées sur leurs crocs, ils grondaient, féroces.

« Il a encore grandi, observa Saphira. Il n'y a pas quinze jours que nous nous sommes affrontés, et il a pris au moins quatre pieds. »

Elle disait vrai. Thorn était plus long de la tête à la queue, il avait la poitrine plus large que lors de leur duel dans les Plaines Brûlantes. Ce n'était qu'un dragonneau tout juste sorti de l'œuf, et il avait déjà presque la taille de Saphira.

Malgré ses réticences, Eragon reporta son attention sur l'autre Dragonnier. Murtagh était tête nue, et ses longs cheveux noirs flottaient derrière lui comme une crinière lustrée. À en juger par son visage plus dur que jamais, il n'y avait pas de pitié à attendre de lui. D'une voix moins sonore que précédemment, mais plus forte qu'à l'ordinaire, il déclara :

— Vous nous avez causé bien des peines, Saphira et toi, Eragon. En apprenant que nous vous avions relâchés, Galbatorix était furieux. Et plus furieux encore quand vous avez abattu les Ra'zacs ; dans sa rage, il a tué cinq de ses serviteurs et passé sa colère sur Thorn et sur moi. Nous avons souffert le martyre par votre faute. Cela ne se reproduira pas.

Son bras partit vers l'arrière, comme s'il s'apprêtait à frapper, comme si Thorn allait s'élancer...

— Pas si vite ! s'écria Eragon. Je sais comment vous libérer tous deux de vos serments à Galbatorix.

Une lueur d'espoir éperdu métamorphosa les traits de Murtagh. Il abaissa Zar'roc de quelques pouces. Puis il fronça les sourcils et cracha vers le sol avant de hurler :

— Je ne te crois pas ! C'est impossible !

— Si, c'est possible ! Donne-moi une chance de m'expliquer.

Murtagh hésita, indécis, manifestement en proie à un dilemme. Eragon crut qu'il refuserait. Puis Thorn tourna la tête vers son Dragonnier, il y eut un échange entre eux, et Murtagh posa Zar'roc en travers de sa selle :

– Honte à toi, Eragon ! Honte à toi qui viens nous tenter ! Nous avions accepté notre sort et il faut que tu nous appâtes en agitant devant nous le spectre d'un espoir auquel nous avions renoncé. S'il s'avère que tu m'as trompé, *mon frère*, je jure de te couper la main droite avant de t'offrir à Galbatorix... Tu n'en auras pas besoin à Urû'baen.

Réprimant son envie de répliquer par une menace de son cru, Eragon abaissa son fauchon et répondit :

– Galbatorix ne t'en aura pas informé, mais, quand j'étais parmi les elfes...

« Eragon ! s'exclama Arya. Ne révèle rien de plus sur nous ! »

– ... j'ai appris que, si ta personnalité change, ton vrai nom en ancien langage change aussi. Ton caractère n'est pas coulé dans le bronze, Murtagh ! Si vous évoluez, Thorn et toi, vos serments ne vous tiendront plus, et Galbatorix perdra tout pouvoir sur vous.

Thorn se rapprochait de Saphira.

– Pourquoi ne pas m'en avoir parlé plus tôt ? voulut savoir Murtagh.

– Parce que je n'avais pas les idées très claires.

Thorn et Saphira n'étaient plus qu'à une cinquantaine de pieds l'un de l'autre. La hargne du dragon rouge s'était calmée, il ne grondait plus, se contentait de retrousser mollement sa lèvre supérieure en signe d'avertissement, et, dans ses yeux de rubis, on lisait une immense tristesse teintée d'incompréhension. Il fixait Eragon et Saphira comme si l'un d'eux pouvait lui expliquer pourquoi il était sorti de l'œuf aux seules fins de devenir l'esclave de Galbatorix qui le torturait, abusait de lui et l'obligeait à détruire des vies. Le bout de son nez remua : il reniflait Saphira. Elle le renifla aussi, goûta son odeur de sa langue. Une vague de compassion s'enfla en elle, se communiqua à Eragon. Ils éprouvaient de la pitié pour Thorn, auraient aimé s'adresser directement à lui. Hélas, ils n'osaient pas lui ouvrir leurs esprits.

Ils étaient si proches qu'Eragon distinguait les tendons

saillants et crispés du cou de Murtagh, la veine fourchue qui palpitait au milieu de son front.

— Je ne suis pas mauvais ! protesta ce dernier. J'ai fait de mon mieux en fonction des circonstances. T'en serais-tu tiré aussi bien si notre mère avait jugé bon de t'abandonner à Urû'baen et de me cacher, moi, à Carvahall ?

— Peut-être pas.

Murtagh frappa sa cuirasse du poing :

— Alors ? Comment suis-je censé suivre ton conseil ? Puisque je suis déjà bon, puisque j'ai agi au mieux, en quoi puis-je changer ? Dois-je devenir pire que je ne suis ? Embrasser les plus noirs projets de Galbatorix pour m'en libérer ? Cela ne paraît pas très raisonnable. Si je réussissais à modifier ma personnalité dans ce sens, tu me rejetterais, tu me maudirais autant que tu maudis Galbatorix.

Frustré, Eragon soupira :

— Certes. Mais on ne te demande pas de devenir meilleur ou pire, juste de devenir autre que tu n'es. Il existe toutes sortes de gens de par le monde, et une grande variété de conduites honorables. Observe une personne que tu admires, qui a choisi une autre voie que la tienne, et prends-la pour modèle. Le changement ne sera pas instantané, patience. Si tu parviens à modifier ta personnalité de manière sensible, tu seras en mesure de quitter Galbatorix, de quitter l'Empire. Thorn et toi pourrez vous joindre aux Vardens et vivre en toute liberté.

« Et ta promesse de venger la mort de Hrothgar ? » s'enquit Saphira.

Eragon ne releva pas.

— En somme, il faudrait que je devienne ce que je ne suis pas, ironisa Murtagh. Pour échapper à notre sort, il faudrait que Thorn et moi détruisions notre identité. Ton remède me semble pire que le mal qui nous afflige.

— Je te demande de t'ouvrir pour évoluer dans un sens différent. C'est difficile, je sais. Il n'empêche que les gens se reconstruisent en permanence. Renonce déjà à ta colère, et tu pourras tourner le dos à Galbatorix une fois pour toutes.

Murtagh éclata de rire :

– Que je renonce à ma colère ? J'y renoncerai quand tu oublieras celle que tu nourris contre l'Empire à cause du meurtre de ton oncle, de la destruction de votre ferme. La colère nous définit, Eragon. Sans elle, nous serions toi et moi un festin pour les vers. Quoi qu'il en soit...

Les yeux mi-clos, Murtagh tapota la garde de Zar'roc. Si la veine qui lui barrait le front était toujours aussi gonflée, les tendons de son cou saillaient moins.

– J'avoue que le concept m'intrigue. Peut-être aurons-nous le loisir d'y travailler ensemble quand nous serons à Urû'baen. En supposant que le roi nous autorise des visites seul à seul. Il peut également décider de nous tenir à l'écart l'un de l'autre. À sa place, c'est ce que je ferais.

Eragon crispa les doigts sur la poignée de son fauchon :

– Tu as l'air bien convaincu que nous t'accompagnerons dans la capitale.

– Oh, vous nous accompagnerez, mon frère.

Un sourire retors étira les lèvres de Murtagh :

– Même si nous le voulions, Thorn et moi ne changerions pas dans la seconde. Jusqu'à ce que l'occasion s'en présente, nous resterons soumis à Galbatorix, qui nous a ordonné de vous ramener, Saphira et toi. Nous ne sommes pas prêts à encourir sa rage une seconde fois. Nous vous avons déjà vaincus. Nous vous vaincrons encore, ce ne sera pas difficile.

Un plumet de flammes s'échappa de la gueule de Saphira. Eragon réprima une réaction de même ordre et ravala les mots qui lui venaient aux lèvres. S'il perdait son sang-froid, le combat serait inévitable.

– Murtagh, Thorn, je vous en prie. Pourquoi ne pas faire l'effort d'essayer ce que je suggérais ? N'avez-vous donc aucun désir de résister à Galbatorix ? Vous ne vous déferez pas de vos chaînes si vous n'êtes pas prêts à le défier.

— Tu le sous-estimes, Eragon. Galbatorix crée des esclaves par le nom depuis plus d'un siècle, depuis qu'il a recruté notre père. Si le vrai nom d'une personne peut changer au cours de sa vie, tu t'imagines qu'il ne le sait pas ? Il aura pris ses précautions, à coup sûr. Si mon vrai nom changeait en cet instant, le mien ou celui de Thorn, je suis certain qu'un sort l'en avertirait et nous obligerait à regagner Urû'baen pour qu'il nous asservisse de nouveau.

— À condition qu'il devine ce que sont devenus vos noms.

— Il a un don pour ça, et de l'expérience.

Murtagh reprit Zar'roc en main :

— Nous essaierons peut-être ta suggestion plus tard, après étude du sujet et mûre préparation. Il ne faudrait pas que nous retrouvions notre liberté pour que Galbatorix nous la confisque aussitôt.

Il brandit Zar'roc, dont la lame rougeoyait :

— Nous devons donc vous ramener à Urû'baen, il n'y a pas d'alternative. Viendrez-vous de votre plein gré ?

Incapable de se contenir davantage, Eragon s'écria :

— Je préférerais m'arracher le cœur !

— Mieux vaudrait arracher *les miens*, répondit Murtagh.

Puis, donnant un coup d'épée au ciel, il lança un cri de guerre sauvage.

Rugissant de concert avec lui, Thorn s'éleva au-dessus de Saphira en deux rapides coups d'ailes et décrivit un demi-cercle pour se mettre dans le même sens que la dragonne afin de l'immobiliser d'une seule morsure à la base du crâne.

Saphira ne l'attendit pas. D'un mouvement d'épaules, elle bascula la tête en bas tout en maintenant ses ailes horizontales, de sorte qu'elles soutenaient l'intégralité de sa masse en équilibre instable. Repliant l'aile droite, elle tourna la tête à gauche, la queue à droite, amorça une rotation et, de sa queue musclée, elle frappa le flanc de Thorn au moment où il arrivait, lui infligeant cinq fractures à l'aile gauche. Les os brisés perçaient la peau et dépassaient entre ses écailles. Du sang de dragon fumant pleuvait sur Eragon et Saphira. Une goutte éclaboussa le camail d'Eragon et s'infiltra entre les mailles jusqu'à sa peau nue. Cela brûlait comme de l'huile bouillante. Il se gratta la nuque avec frénésie pour s'en débarrasser.

Le grondement de Thorn se mua en un cri de douleur tandis qu'il chutait, incapable de se maintenir en l'air.

– Bien joué ! lança Eragon à Saphira, qui se redressait.

De dessus, il vit Murtagh tirer un petit objet rond de sa ceinture et le presser contre l'épaule de son dragon. Aucune magie n'émanait du jeune homme, mais l'objet qu'il tenait déchargea de l'énergie, et les os brisés reprirent leur place, les muscles et les tendons frémirent, régénérés, les plaies de la peau se refermèrent et disparurent.

« Comment il a fait ça ? » s'exclama Eragon, ébahi.

Ce fut Arya qui lui répondit : « Il aura imprégné l'objet d'un enchantement guérisseur avant de venir. »

« Nous aurions dû y penser, nous aussi. »

Sitôt guéri, Thorn arrêta sa chute pour remonter vers Saphira à une vitesse prodigieuse. Une flèche de flamme d'un rouge sinistre fendait l'air devant lui. Saphira contourna la colonne de feu et lui piqua droit dessus. Claquant des mâchoires près de son cou, elle l'obligea à reculer, lui lacéra les épaules et les flancs de ses griffes tout en le fouettant de ses ailes. Le bord de son aile droite heurta Murtagh et le jeta sur le côté de sa selle. Il se rétablit aussitôt, frappa la dragonne de son épée, déchirant la membrane sur une longueur de trois pieds.

Avec un sifflement de rage, Saphira repoussa Thorn de ses pattes arrière et cracha un jet de feu qui se divisa pour passer de chaque côté du dragon rouge sans causer de dégâts.

Par le lien qui les unissait, Eragon sentait la douleur de Saphira. Il fixait l'entaille sanglante tout en réfléchissant. S'ils s'étaient battus contre un magicien autre que Murtagh, il n'aurait pas osé lancer un sort en plein duel. L'ennemi en aurait déduit que l'un ou l'autre était en danger de mort, et aurait répliqué par un déchaînement de magie.

Avec Murtagh, c'était différent. Galbatorix lui avait ordonné de les capturer et de les ramener vivants, Saphira et lui. « Quoi que je fasse, il ne tentera pas de m'abattre. » Il pouvait donc soigner Saphira sans risque. Et, avec un temps de retard, il comprit qu'il pouvait aussi user de n'importe quel sort contre Murtagh, puisque celui-ci n'était pas en mesure de répondre par une attaque mortelle. Mais pourquoi s'était-il servi d'un objet enchanté pour guérir Thorn plutôt que de formuler son propre sortilège ?

« Peut-être pour préserver son énergie, dit Saphira. Ou alors il voulait éviter de te faire peur. Galbatorix serait très mécontent si, en usant de magie, Murtagh te poussait à paniquer et que ta réaction entraîne ta mort, la sienne ou celle de Thorn. Souviens-toi que la grande ambition du roi est de nous avoir tous les quatre sous ses ordres. Morts, nous lui échappons, il n'a plus prise sur nous. »

« Ça doit être ça », approuva Eragon.

Il s'apprêtait à soigner l'aile de Saphira quand Arya intervint :

« Non. Attends. »

« Comment ça, non ? Pourquoi ? Tu ne sens pas la douleur de Saphira ? »

« Laisse-nous faire. Mes frères et moi la guérirons. Cela sèmera le doute dans l'esprit de Murtagh, et l'effort ne t'affaiblira pas. »

« Vous n'êtes pas trop loin pour que votre magie opère ? »

« Pas si nous unissons nos forces. Autre chose, Eragon. Nous te recommandons de ne pas frapper Murtagh par la magie tant qu'il ne lance pas lui-même une attaque magique ou mentale. Rien ne prouve qu'il n'est pas plus fort que toi, même avec le soutien de treize elfes. Dans le doute, mieux vaut éviter de te mesurer à lui tant que tu n'y es pas contraint. »

« Et si j'échoue ? »

« Toute l'Alagaësia tombe aux mains de Galbatorix. »

Eragon sentit qu'Arya se concentrait, puis l'entaille de Saphira cessa de pleurer des larmes de sang, les lèvres à vif de la délicate membrane bleu azur se ressoudèrent sans laisser de trace. Le soulagement de la dragonne était palpable, la fatigue d'Arya aussi lorsqu'elle lui dit : « Protège-toi mieux que ça si tu peux. Tu nous as donné du fil à retordre. »

Suite au coup de patte de Saphira, Thorn avait perdu de l'altitude. Pensant qu'elle comptait le harceler pour le faire descendre encore et réduire sa marge de manœuvre, il s'enfuit vers l'ouest sur un bon quart de mile avant de s'apercevoir qu'elle ne le poursuivait pas. Il revint alors tout en s'élevant pour se positionner à plus de mille pieds au-dessus d'elle. Puis il replia ses ailes et lui fondit dessus, toutes griffes dehors, crachant le feu, tandis que, sur son dos, Murtagh brandissait Zar'roc.

Eragon manqua de lâcher son fauchon quand Saphira effectua un retournement vertigineux et se stabilisa sur le dos. Le monde s'était inversé, le dessus était dessous ; quand il renversait la tête en arrière, Eragon voyait le sol. Serrant les dents, il s'appliqua à rester en selle.

Et ce fut le choc, la rencontre brutale des deux dragons. Sous l'impact, Eragon crut que Saphira s'était emboutie dans le flanc d'une montagne ; son crâne casqué cogna contre une pique de sa monture, si fort que l'acier en garda la marque. À demi étourdi, il ne tenait plus que par ses lanières, regardait ciel et terre tourner sans rime ni raison. Le ventre exposé de Saphira encaissa le coup. Elle frissonna de la tête à la queue, et Eragon regretta de ne pas avoir eu le temps de la revêtir de l'armure offerte par les nains.

Une patte couleur de rubis apparut sur l'épaule de Saphira et en lacéra la chair de ses griffes sanglantes. Sans réfléchir, Eragon frappa ; maniant le fauchon comme une hache, il brisa une rangée d'écailles et sectionna plusieurs tendons. Trois doigts de la patte pendaient, inertes. Il frappa de plus belle.

Avec un rugissement, Thorn se détacha de Saphira, arqua le cou et prit une grande bouffée d'air. Baissant la tête, Eragon se protégea le visage de son coude. Un déluge de feu enveloppa

Saphira. Protégés par des sorts, ils n'avaient rien à craindre de la chaleur des flammes, mais leur flot incandescent les aveuglait. Le temps que Saphira vire sur la gauche pour sortir du brasier, Murtagh avait déjà guéri les blessures de Thorn. De nouveau, le dragon rouge attaqua. Dans un corps à corps de titans, Saphira et lui piquaient en tournoyant vers les tentes grises des Vardens. Enfin, elle parvint à mordre dans la crête épineuse à l'arrière du crâne de Thorn malgré les pointes osseuses qui lui perçaient la langue. Hurlant de rage, Thorn se débattit tel un poisson à l'hameçon, sans résultat : il n'était pas de taille à lutter contre les mâchoires impitoyables de Saphira. Ils flottaient à présent, descendaient côte à côte comme deux feuilles liées ensemble.

Profitant de la situation, Eragon se pencha pour porter un coup à l'épaule de Murtagh. Il ne voulait pas le tuer, seulement lui infliger une blessure assez grave afin de mettre un terme au combat. S'il n'était pas au mieux de sa forme lors de leur précédent duel dans les Plaines Brûlantes, aujourd'hui il était reposé. Aussi vif que les elfes, il ne doutait pas d'atteindre son but.

Contre toute attente, Murtagh leva son bouclier et bloqua le fauchon.

Surpris, Eragon hésita. Il n'eut que le temps de reculer pour parer la contre-attaque : Zar'roc fendait l'air et se dirigeait vers lui à une vitesse incroyable, le choc des lames se propagea jusqu'à son épaule. Prenant l'avantage, Murtagh le frappa au poignet. D'un battement de son fauchon, Eragon écarta l'arme de son adversaire, qui se déroba. Et Zar'roc se glissa sous l'écu d'Eragon, perça son haubert, sa tunique et la ceinture de son pantalon pour se planter dans sa hanche gauche.

La douleur eut sur Eragon l'effet d'une douche glacée. L'esprit d'une clarté limpide, il sentit ses muscles frémir d'une vigueur renouvelée. Avec un cri terrible, il se jeta sur Murtagh au moment où celui-ci tirait Zar'roc à lui. Parant vers le bas, Murtagh coinça le fauchon sous sa lame et retroussa les lèvres en un rictus sinistre. Sans perdre une seconde, Eragon dégagea, feinta au genou et frappa dans la diagonale opposée, zébrant la joue de Murtagh d'une balafre.

– Ça t'apprendra à ne pas mettre de heaume, dit-il.

Ils n'étaient plus qu'à quelques centaines de pieds du sol, si près que Saphira dut relâcher Thorn. Les deux dragons se séparèrent, coupant court à l'assaut de leurs Dragonniers.

Tandis que Saphira et Thorn filaient vers les nuages nacrés qui s'amoncelaient au-dessus des tentes, Eragon souleva sa visière et remonta sa tunique pour examiner sa hanche. À l'endroit où Zar'roc avait pressé les mailles contre la chair, il y avait une zone décolorée de la largeur d'une paume avec, au milieu, un mince trait rouge long de deux pouces. Le sang coulait de l'entaille et mouillait le haut de son pantalon.

Blessé par Zar'roc, une épée qui jamais ne l'avait trahi au combat, qu'il considérait encore comme la sienne ! Il n'en revenait pas. Qu'on ose retourner sa propre arme contre lui, c'était le monde à l'envers, un crime intolérable contre lequel chaque fibre de son être se rebellait.

Saphira oscilla en traversant des turbulences. Cherchant son équilibre, il grimaça de douleur. Une chance, songea-t-il, qu'ils ne se soient pas battus au sol, où sa hanche n'aurait pas soutenu son poids.

« Arya ? appela-t-il. Vous voulez me guérir, ou je m'en charge et Murtagh m'en empêche s'il le peut ? »

« Nous allons te soigner. Tu as une chance de le prendre au dépourvu s'il te croit blessé. »

« Attendez une seconde ! »

« Pourquoi ? »

« Il faut que je vous donne ma permission. Sinon, mes sorts protecteurs bloqueront vos enchantements. »

Il devait d'abord se souvenir de la formule qu'il avait employée pour construire ses défenses. Peu à peu, les mots lui revinrent, et il murmura en ancien langage : « J'accepte qu'Arya, fille d'Islanzadí, jette un sort sur moi. »

« Nous discuterons de tes protections quand tu seras moins

occupé. Suppose que tu perdes connaissance : nous ne serions pas en mesure d'intervenir. »

« Après la bataille des Plaines Brûlantes, cela semblait être une bonne idée. Murtagh nous a immobilisés par la magie, Saphira et moi. Je ne voulais pas que lui ou un autre use sur nous de sortilèges sans notre consentement. »

« Je n'ai pas d'objection sur le principe. Il existe toutefois des solutions plus élégantes que la tienne. »

Eragon se tortillait sur sa selle ; sous l'effet du sort guérisseur des elfes, sa hanche le démangeait comme si des centaines de moustiques l'avaient piquée. Lorsque les démangeaisons cessèrent, il passa la main sous sa tunique et se réjouit de constater que sa peau était aussi lisse que du satin.

« Parfait, déclara-t-il en roulant des épaules. Et maintenant nous allons faire en sorte qu'ils tremblent à nos seuls noms. »

Les nuages nacrés approchaient. Saphira vira sur la gauche et, tandis que Thorn s'efforçait de tourner, elle plongea au cœur des nuées. Tout y était froid, humide et blanc. Saphira jaillit à l'autre bout de la masse cotonneuse, à quelques pieds au-dessus de Thorn.

Avec un grondement de triomphe, elle se laissa tomber sur le dragon rouge, planta les griffes dans son dos et ses cuisses. Puis, étirant le cou, elle referma la mâchoire sur son aile gauche et croqua dans la chair.

Thorn se tordit avec un cri horrible. Eragon n'aurait pas cru un dragon capable de produire un tel son.

« Je le tiens, dit Saphira. Je peux lui arracher l'aile, mais je préfère m'abstenir. Fais ce que tu as à faire avant que nous soyons tombés trop bas. »

Le visage blême, maculé de sang, Murtagh pointa Zar'roc sur Eragon. L'épée tremblait, et un rayon mental d'une puissance sidérante pénétra la conscience d'Eragon. Cette présence étrangère cherchait ses pensées pour les assujettir et les soumettre à l'examen de Murtagh. Comme pendant leur duel dans les Plaines Brûlantes, Eragon remarqua que l'esprit de son adversaire grouillait d'une foule de voix, rumeur confuse qui servait de fond sonore au désordre de ses pensées.

Surpris, il se demanda si Murtagh était lui aussi soutenu par un groupe de magiciens.

Malgré la difficulté de la tâche, il se vida la tête pour ne retenir que l'image de Zar'roc, sur laquelle il se concentra, jusqu'à induire un état de calme méditation qui ne laissait aucune prise, aucune aspérité à laquelle s'accrocher. Et, lorsque Thorn chuta soudain, que l'attention de Murtagh vacilla, Eragon lança une contre-attaque sans merci, envahit l'esprit de son adversaire pour ne plus le lâcher.

Tout en perdant de l'altitude, ils luttaient de conscience à conscience dans un silence de mort. Dès que l'un semblait dominer, l'autre reprenait le dessus, mais aucun des deux n'emportait la victoire. Voyant le sol monter vers eux à une vitesse alarmante, Eragon comprit qu'il faudrait en finir par d'autres moyens.

Il abaissa son fauchon, visa Murtagh et s'écria :
– Letta !

Le sort même dont son ex-compagnon avait usé contre lui au cours de leur précédent affrontement, un sort tout simple, qui immobiliserait le torse et les bras de Murtagh, sans plus. Ainsi, ils se mesureraient pour savoir lequel des deux avait le plus d'énergie à sa disposition.

Murtagh prononça un contre-sort. Ses paroles se perdirent dans le grondement de Thorn et le mugissement du vent.

Le pouls d'Eragon s'accélérait à mesure que ses membres faiblissaient. Ayant presque épuisé ses réserves, il commençait à défaillir quand Saphira et les elfes déversèrent en lui leur propre force vitale pour maintenir l'enchantement. Murtagh, jusque-là si sûr de lui, presque condescendant, perdit de sa superbe en constatant qu'il ne pouvait se libérer. Les sourcils froncés, le regard noir, il retroussa les lèvres et montra les dents. Le duel des consciences se poursuivait.

Eragon sentit le flot d'énergie que lui transmettait Arya décroître une première fois, puis une deuxième. Il en conclut que deux des magiciens de Lupusänghren s'étaient évanouis. « Murtagh ne tiendra pas beaucoup plus longtemps », songea-t-il. Ce moment d'inattention lui fit perdre l'avantage, et il dut redoubler d'efforts pour chasser l'adversaire de son esprit.

Les forces conjuguées d'Arya et des elfes diminuèrent de moitié. Saphira elle-même tremblait d'épuisement. Eragon se croyait déjà perdu quand, dans un cri d'angoisse à fendre l'âme, Murtagh renonça et cessa de lutter. Soulagé d'un grand poids, Eragon lut la surprise et l'incrédulité sur les traits de son ennemi défait.

« Qu'est-ce qu'on fait, maintenant ? demanda-t-il à Arya et Saphira. On les prend en otages ? C'est possible ? »

« Maintenant, il faut que je vole », répondit Saphira.

Relâchant Thorn, elle s'écarta de lui avec de lents battements d'ailes poussifs pour éviter qu'ils ne s'écrasent au sol. En regardant par-dessus son épaule, Eragon eut l'impression que les chevaux et la prairie inondée de soleil fonçaient vers eux. Il y eut un choc violent, comme si un poing géant les frappait par en dessous, et ce fut le noir.

Lorsqu'Eragon reprit connaissance, il ne vit que le bleu de glace scintillant des écailles de Saphira ; il avait le nez à deux doigts de son cou. Il sentit qu'un esprit lointain s'efforçait de contacter le sien, et qu'il en émanait un sentiment d'urgence. La lucidité lui revenant, il comprit que c'était Arya. « Arrête l'enchantement, Eragon ! s'exclamait-elle. Nous allons tous mourir si tu continues. Arrête ! Murtagh est trop loin ! Réveille-toi, Eragon, ou tu vas sombrer dans le néant ! »

Il se redressa en sursaut sur sa selle, remarqua à peine que Saphira était accroupie au milieu d'un groupe de cavaliers du roi Orrin. Arya demeurait introuvable. À présent, il était conscient que le sort lancé contre Murtagh le drainait de ses forces à une vitesse croissante. Sans l'aide de Saphira, d'Arya et des autres elfes, il serait déjà mort.

Ayant interrompu le flux de la magie, il chercha Thorn et Murtagh au sol.

« Là-bas », dit Saphira en pointant le museau dans leur direction.

Volant bas dans le quart nord-ouest du ciel, la silhouette rougeoyante du dragon remontait la rivière Jiet, filait à tire-d'aile rejoindre l'armée de Galbatorix à quelques miles de là.

« Comment est-ce possible ? »

« Murtagh a de nouveau guéri Thorn. Il a eu la chance d'atterrir sur la pente d'une colline. Il a pris son élan et il s'est envolé pendant que tu étais évanoui. »

À travers la plaine ondoyante, la voix amplifiée de Murtagh retentit :

– Eragon, Saphira, ne vous croyez pas vainqueurs ! Nous nous retrouverons, je vous le promets, et cette fois Thorn et moi nous triompherons, car nous serons encore plus puissants que nous ne le sommes déjà !

Eragon serra son bouclier et son fauchon si fort que le sang perla sous ses ongles. « Tu penses pouvoir les rattraper ? »

« J'en suis sûre, mais les elfes ne seront pas en mesure de nous soutenir à cette distance, et je doute que nous parvenions à les vaincre sans aide. »

« Nous réussirions peut-être... – Eragon s'interrompit et se frappa la cuisse de dépit – ... Et zut ! Quel imbécile je fais ! J'avais complètement oublié Aren. En utilisant l'énergie stockée dans la bague de Brom, nous aurions eu raison d'eux. »

« Tu avais d'autres soucis en tête. N'importe qui aurait commis la même erreur. »

« N'empêche. Je regrette de ne pas y avoir songé plus tôt. Et si on se servait d'Aren pour capturer Thorn et Murtagh ? »

« Et après ? demanda Saphira. Comment les garderions-nous prisonniers ? Tu voudrais les droguer comme Durza t'a drogué à Gil'ead ? Tu veux les tuer ? »

« Je ne sais pas, moi ! On pourrait les aider à changer leurs vrais noms, à briser les serments qui les lient à Galbatorix. C'est trop dangereux de les laisser courir en liberté. »

« En théorie, tu as raison, Eragon, intervint Arya. Sauf que tu es épuisé, Saphira aussi, et je préfère qu'ils s'échappent que de vous perdre tous les deux sous prétexte que vous n'étiez pas au mieux de votre forme. »

« Mais enfin... »

« Nous ne disposons pas d'équipement sûr pour la détention prolongée d'un dragon et de son Dragonnier. De plus, je crains fort que Thorn et Murtagh soient plus difficiles à abattre que tu ne l'imagines. Réjouis-toi et ne te tourmente plus. Nous les avons mis en fuite, et nous joindrons nos forces pour recommencer la prochaine fois qu'ils oseront nous défier. »

Sur ces mots, elle se retira de son esprit.

Eragon suivit Thorn et Murtagh du regard jusqu'à ce qu'ils disparaissent, puis il soupira et gratta le cou de Saphira. « Je pourrais dormir quinze jours entiers. »

« Moi aussi. »

« Tu as de quoi être fière. Tu as surpassé Thorn en manœuvres aériennes du début à la fin. »

« N'est-ce pas. » Elle se rengorgea. « Avouons que la lutte était inégale. Il n'a pas mon expérience. »

« Ni ton talent », renchérit Eragon.

Elle tourna la tête pour lui lécher le haut du bras, faisant cliqueter les mailles de son haubert, puis elle le fixa de ses yeux bleus pétillants.

Il esquissa un pâle sourire. « J'aurais dû m'y attendre, mais j'ai été surpris que Murtagh soit aussi rapide que moi. C'est encore la magie de Galbatorix, je suppose. »

« Ce qui m'étonne, c'est que tes sorts protecteurs n'aient pas dévié les coups de Zar'roc. Ils t'ont sauvé de bien pire quand nous nous sommes battus contre le Ra'zac. »

« Je ne comprends pas plus que toi. Il se peut que Murtagh ou Galbatorix aient inventé un enchantement contre lequel je n'ai pas pensé à me prémunir. Ou alors c'est parce que Zar'roc est une épée de Dragonnier et que, comme nous l'enseignait Glaedr... »

« ... les épées forgées par Rhunan excellent à... »

« ... franchir la barrière des sortilèges quels qu'ils soient, et... »

« ... il est très rare que... »

« ... la magie les affecte. Exactement. » Eragon examina d'un air las la lame de son fauchon maculée de sang de dragon. « Quand serons-nous capables de vaincre nos ennemis nous-mêmes ? Je n'aurais pas tué Durza si Arya n'avait pas brisé l'Étoile de Saphir. Jamais nous n'aurions mis Murtagh et Thorn en déroute, sans l'aide d'Arya et de douze autres elfes. »

« Il faut que nous devenions plus puissants. »

« Reste à savoir comment. Je me demande par quel moyen Galbatorix a amassé une telle force. A-t-il découvert une méthode pour aspirer la vitalité de ses esclaves à des centaines de miles de distance ? Bah ! Ça me dépasse. »

Un filet de sueur dégoulina de son front au coin de son œil. Il l'essuya de la paume, cligna des paupières, et remarqua les cavaliers en cercle autour d'eux. « Qu'est-ce qu'ils fabriquent ici ? »

Examinant les alentours, il s'aperçut que Saphira s'était posée près de l'endroit où le roi Orrin avait intercepté les soldats de l'Empire débarqués des bateaux. Sur leur gauche, des centaines d'hommes, d'Urgals et de chevaux piétinaient et s'agitaient dans la confusion la plus totale. Par-dessus le tumulte, on entendait parfois le choc des épées ou le cri d'un blessé, et toujours le même rire dément.

« Je crois qu'ils sont venus nous défendre », dit Saphira.

« Nous ? Contre qui ? Pourquoi n'ont-ils pas encore tué ces soldats ? Où... »

Eragon s'interrompit en voyant Arya, Lupusänghren et quatre elfes hagards courir jusqu'à eux. Levant la main pour les saluer, il s'exclama :

– Arya ! Qu'est-ce qui se passe ? C'est la panique ici ! J'ai l'impression que personne ne contrôle plus rien.

Hors d'haleine, elle mit quelques instants avant de lui répondre, ce dont il s'inquiéta. Enfin, elle déclara :

– Les soldats se sont révélés plus dangereux que nous ne l'imaginions. Nous ignorons pourquoi. Les mages d'Orrin ne transmettent qu'un charabia incompréhensible aux membres du Du Vrangr Gata.

Tout en reprenant son souffle, Arya entreprit d'examiner les plaies de Saphira.

Eragon s'apprêtait à lui poser de nouvelles questions quand des cris frénétiques jaillirent du cœur de la mêlée, couvrant tout autre son. Puis il entendit le roi Orrin tonner :

– Arrière, vous tous ! Archers, restez en ligne ! Que personne ne bouge, nous le tenons !

Saphira eut la même idée qu'Eragon. Elle se ramassa sur elle-même, bondit par-dessus le cercle des cavaliers, effrayant les chevaux, qui s'enfuirent en ruant, et traversa le champ de bataille jonché de cadavres en direction du roi Orrin, écartant sur son chemin hommes et Urgals comme des fétus de paille. Le groupe des elfes s'efforçait de la suivre, prêt au combat.

Sur son destrier, à la tête des guerriers rassemblés en une masse compacte, Orrin fixait un unique soldat qui se tenait à une quarantaine de pieds de lui. Le feu aux joues, le regard farouche, son armure souillée au cours de la bataille, le roi était blessé sous un bras, et la pointe d'un javelot était restée fichée dans sa cuisse gauche. Lorsqu'il aperçut Saphira, il en parut fort soulagé.

– Bien, bien, vous voilà, marmonna-t-il tandis que la dragonne prenait place près de son destrier. Nous avons besoin de vous, Saphira et Tueur d'Ombre.

L'un des archers s'avança d'un pas à peine. Brandissant son épée, le roi Orrin hurla :

– Arrière ! Par la couronne d'Angvard, je trancherai la tête de quiconque sortira du rang !

Et il reporta son attention sur le soldat solitaire.

C'était un homme de taille moyenne, avec une tache de vin au cou, des cheveux châtains aplatis par le port d'un casque qu'il avait perdu. Son bouclier n'était plus qu'une ruine. Son épée ébréchée et tordue n'avait plus de pointe ; il en manquait cinq ou six pouces. Sa cotte de mailles était crottée de boue.

Son sang coulait d'une entaille au flanc. Une flèche empennée de plumes de cygne blanches lui avait transpercé le pied pour s'enfoncer dans le sol, le clouant sur place. De sa gorge émanait un rire abominable qui hoquetait, montait et descendait, sautait d'une note à l'autre, un rire à donner le mal de mer, qui menaçait de se muer en un cri d'épouvante.

– Tu es quoi, exactement ? aboya le roi Orrin.

Comme le soldat ne répondait pas, le roi jura et reprit :

– Alors ? Avoue ou je lâche mes mages contre toi. Es-tu homme, bête ou démon ? De quelle fosse nauséabonde Galbatorix vous a-t-il sortis, toi et tes frères ? Êtes-vous **parents** des Ra'zacs ?

Cette dernière question piqua Eragon au vif. Il se redressa sur sa selle, tous les sens en alerte.

Le rire s'interrompit quelques instants :

– Homme. Je suis un homme.

– Je n'en ai jamais vu de tels que toi.

– Je voulais assurer l'avenir de ma famille. T'est-ce donc si étranger, Surdan ?

– Dispense-moi de tes énigmes, gueux à la langue fourchue ! Dis-moi comment tu es devenu ce que tu es, et parle sans détour, ou je te verse du plomb fondu dans le gosier pour voir si *ça* te fait souffrir.

Les ricanements de fou s'intensifièrent, puis le soldat déclara :

– Tu ne peux pas me faire souffrir, Surdan. Personne ne le peut. Le roi en personne nous a immunisés contre la douleur. En échange, nos familles vivront à l'aise le reste de leurs jours. Fuyez-nous, cachez-vous, et nous vous poursuivrons encore quand des hommes ordinaires s'effondreraient, à bout de forces. Battez-vous, et nous continuerons à vous tuer tant qu'il nous restera un bras pour frapper. Inutile de vous rendre, nous ne faisons pas de prisonniers. Votre mort inévitable rendra cette terre à la paix.

Avec une grimace, le soldat saisit la flèche de sa main abîmée et l'arracha de son pied. Des lambeaux de chair sanguinolente s'accrochaient à la pointe. Il agita la flèche en direction des archers, la lança contre l'un d'eux, qu'elle blessa au poignet. Riant plus fort que jamais, le soldat s'élança ensuite en boitant, l'épée levée comme pour une attaque.

— Tirez ! ordonna le roi Orrin.

Les cordes des arcs vibrèrent tels des luths désaccordés, les flèches filèrent vers le soldat. Deux d'entre elles ricochèrent sur son gambison ; les autres se plantèrent dans son torse. Son rire se mua en gargouillis et sifflements asthmatiques, mais le soldat avançait toujours, inondant l'herbe de sang écarlate. Les archers tirèrent de nouveau. Les bras et les épaules criblés de flèches, il ne s'arrêta pas. Une troisième volée suivit. Le soldat chancela et tomba, le genou fracassé par un projectile, des flèches fichées dans les jambes et les cuisses. Un trait lui traversa le cou à l'endroit de sa tache de vin et poursuivit sa trajectoire, accompagné d'un jet de sang. Et le soldat refusait encore de mourir. Il se traînait à plat ventre, un sourire figé sur les lèvres, ricanant comme si le monde entier n'était qu'une plaisanterie obscène dont lui seul appréciait l'humour.

Eragon en eut froid dans le dos.

Avec un juron, le roi Orrin sauta à terre, jeta son épée et son bouclier, puis se tourna vers l'Urgal le plus proche :

— Toi. Donne-moi ta hache.

Surpris, le bélier à peau grise hésita, puis obéit.

Le roi Orrin claudiqua jusqu'au soldat, souleva l'arme pesante à deux mains et le décapita d'un coup d'un seul.

Enfin, le rire cessa.

Les yeux du soldat roulèrent dans leurs orbites, sa bouche remua encore pendant quelques secondes, et c'en fut fini.

Agrippant sa tête par les cheveux, Orrin la leva bien haut pour que tous la voient :

— Ils sont mortels ! Qu'on se le dise ! Le moyen le plus sûr de tuer ces abominations est de leur trancher le cou. Ou de leur défoncer le crâne à la masse. Ou de leur tirer des flèches dans les yeux à bonne distance... Grise Dent, où es-tu ?

Un cavalier corpulent d'un certain âge sortit du rang. Orrin lui lança la tête, qu'il rattrapa au vol.

– Mets-la sur une pique près de la porte nord. Mets *toutes* leurs têtes sur des piques. Que cela serve de leçon à Galbatorix. Qu'il comprenne que ses ruses perverses ne nous effraient pas et que nous vaincrons quoi qu'il invente.

Sur ce, le roi rejoignit son destrier d'un pas décidé, rendit la hache à l'Urgal et ramassa ses propres armes.

À quelques coudées de là, Eragon aperçut Garzhvog parmi un groupe de Kulls. Il échangea quelques mots avec Saphira, qui s'approcha des Urgals. Après avoir salué leur chef, Eragon désigna le cadavre hérissé de flèches :

– Les soldats ennemis étaient tous comme lui ?

– Tous des hommes qui ne souffrent pas. Tu les frappes, tu les crois morts, tu leur tournes le dos et ils te coupent les jarrets.

Garzhvog fronça les sourcils :

– J'ai perdu de nombreux béliers aujourd'hui. Nous avons combattu des troupeaux entiers d'humains, Épée de Feu, jamais des goules ricanantes comme celles-ci. Ce n'est pas naturel. Nous pensons qu'elles sont possédées par les esprits sans cornes et que les dieux eux-mêmes se liguent contre nous.

– N'exagérons rien. Ce n'est qu'un sort imaginé par Galbatorix, et nous saurons bientôt comment nous en défendre.

Sous son masque d'assurance, Eragon était aussi perturbé que les Urgals à l'idée de combattre des ennemis immunisés contre la douleur. De plus, le discours de Garzhvog laissait supposer que Nasuada aurait du mal à maintenir le moral de ses troupes dès que la nouvelle se répandrait dans le camp.

Pendant que Vardens et Urgals rassemblaient leurs compagnons tombés au combat, récupéraient armes et armures sur les cadavres, tranchaient la tête des soldats de l'Empire et empilaient leurs corps décapités pour les brûler, Eragon, Saphira et le roi Orrin regagnèrent le campement, accompagnés par Arya et le groupe des elfes.

En chemin, Eragon proposa de guérir la jambe du roi, qui déclina l'offre :

– J'ai mes propres médecins, Tueur d'Ombre.

Près de la porte nord, Jörmundur et Nasuada les attendaient. Accostant Orrin, cette dernière demanda :

– Qu'est-ce qui vous a mis en difficulté ?

Eragon ferma les yeux tandis que le roi s'expliquait : la première attaque s'était déroulée pour le mieux ; les cavaliers avaient traversé les rangs ennemis, fauchant les soldats de l'Empire et distribuant des coups fatals. Cette charge initiale n'avait fait qu'une victime dans leurs rangs. Hélas, alors qu'ils affrontaient les survivants, beaucoup des ennemis à terre s'étaient relevés pour se joindre au combat.

– Nous avons perdu notre sang-froid, déclara Orrin avec un frisson. N'importe qui en aurait été troublé. Nous les avons crus invincibles, nous doutions même d'avoir affaire à des humains. Quel guerrier ne faiblirait pas en voyant venir à lui un ennemi dont le tibia a transpercé le mollet, qui a un javelot planté dans le ventre, la moitié du visage en moins, et qui lui rit au nez ? Pris de panique, mes hommes ont rompu les rangs. C'était le chaos, un vrai massacre. Quand les Urgals et vos guerriers nous ont rejoints, ils se sont trouvés pris dans ce tourbillon de folie. Je n'ai jamais rien vu de tel, pas même à la bataille des Plaines Brûlantes, conclut-il en agitant la tête.

Sous sa peau sombre, Nasuada avait pâli. Elle regarda Eragon, puis Arya :

– Comment Galbatorix a-t-il obtenu ça ?

Ce fut Arya qui répondit :

– En bloquant presque toute sensibilité à la douleur. En laissant filtrer juste assez de sensations pour que ses sbires soient conscients de ce qui les entoure et de ce qu'ils font sans que la souffrance les handicape. Un tel sort n'exige qu'une quantité minime d'énergie.

Nasuada s'humecta les lèvres avant de reporter son attention sur Orrin :

— Vous avez une idée de nos pertes ?

Secoué par un spasme violent, Orrin se plia en deux, pressa la main sur sa jambe blessée et grommela entre ses dents serrées :

— Trois cents soldats contre... Quels effectifs aviez-vous lancés dans la bataille ?

— Deux cents hommes d'épée. Cent cinquante lanciers. Cinquante archers.

— Avec les Urgals et ma cavalerie... Disons un millier. Contre trois cents fantassins en terrain découvert. Nous les avons abattus jusqu'au dernier. Mais à quel prix... Nous n'aurons le nombre exact qu'après avoir compté nos morts. D'après mon estimation, vous avez perdu les trois quarts de vos hommes d'épée. Plus de lanciers encore. Quelques archers. Quant à mes cavaliers, il m'en reste bien peu. Cinquante à soixante-dix. Beaucoup d'entre eux étaient mes amis. Parmi les Urgals... cent à cent cinquante morts, peut-être. En tout ? Cinq ou six cents personnes à enterrer, et la plupart des survivants sont blessés. Je ne sais pas... Je ne sais plus. Je ne...

Ses traits s'affaissèrent, et il s'effondra sur sa selle. Il en serait tombé si Arya ne s'était précipitée pour le soutenir.

D'un claquement de doigts, Nasuada appela deux Vardens et leur ordonna de conduire le roi Orrin jusqu'à sa tente puis d'aller chercher ses guérisseurs.

— Nous avons essuyé une lourde défaite, murmura-t-elle. Même si nous avons exterminé les soldats ennemis.

Elle pinça les lèvres. Son visage exprimait son chagrin et son désespoir. Ses yeux brillaient de larmes contenues. Raidissant le dos, elle fixa Eragon et Saphira sans douceur :

— Et vous deux ? Comment vous en êtes-vous tirés ?

Tandis qu'Eragon lui décrivait leur rencontre avec Thorn et Murtagh, elle ne bougea pas d'un cil. Le récit terminé, elle hocha la tête :

— Vous avez échappé à leurs griffes, c'est tout ce que nous osions espérer. Vous avez cependant accompli davantage, prouvé que Galbatorix n'a pas rendu Murtagh si puissant qu'il ne puisse être vaincu. Avec quelques magiciens de plus pour vous prêter main-forte, Murtagh était à votre merci. Pour cette raison, je pense qu'il ne se risquera pas à affronter seul l'armée de la reine Islanzadí. Si nous parvenons à rassembler assez de magiciens autour de toi, Eragon, je suis convaincue que nous serons enfin en mesure de tuer Murtagh et Thorn la prochaine fois qu'ils viendront pour vous capturer.

– Tu ne souhaites pas les faire prisonniers ?

– Je souhaite beaucoup de choses. Je doute cependant que mes vœux soient exaucés. Murtagh et Thorn ne veulent certes pas ta mort. Il n'empêche que, si l'occasion se présente, nous devons les abattre sans hésiter. Tu as un autre point de vue sur le sujet ?

– ... Non.

Elle s'adressa ensuite à Arya :

– Tu as perdu des magiciens pendant le duel ?

– Certains se sont évanouis. Ils s'en sont remis, je te remercie.

Nasuada inspira profondément, se tourna vers le nord, les yeux rivés sur l'horizon :

– Eragon, je veux que le Du Vrangr Gata trouve un moyen de recréer le sort de Galbatorix. J'aimerais que tu en informes Trianna. Aussi abject que cela paraisse, il nous faut imiter le tyran, nous n'avons pas le choix. Il n'est pas envisageable que nous soyons tous immunisés contre la douleur : nous nous blesserions beaucoup trop facilement. En revanche, il serait utile que quelques centaines de volontaires le soient.

– Ma Dame.

– Tant de morts, soupira Nasuada. Nous sommes restés ici trop longtemps. Le moment est venu d'obliger l'Empire à se mettre sur la défensive.

Sur ces mots, elle éperonna Foudre de Guerre et le fit volter, prête à s'éloigner du carnage. Nerveux, l'étalon secouait la tête et mâchait son mors.

– Oh, Eragon ! Ton cousin m'a suppliée de l'autoriser à prendre part à la bataille. J'ai refusé en raison de son mariage imminent, ce qui lui a déplu. Je pense que sa fiancée m'en saurait plutôt gré. Aurais-tu la bonté de me prévenir s'ils comptent maintenir la cérémonie prévue pour aujourd'hui ? Après cette effusion de sang, assister à une noce redonnerait courage aux Vardens.

— Je t'avertirai dès que je le saurai.

— Merci. Tu peux disposer à présent.

Dès qu'ils eurent quitté Nasuada, Eragon et Saphira se rendirent auprès des elfes qui s'étaient évanouis pendant leur duel contre Thorn et Murtagh. Ils désiraient les remercier, eux et leurs compagnons, de leur soutien. Avec Arya et Lupusänghren, Eragon s'occupa ensuite des blessures de Saphira. Lorsqu'ils eurent guéri ses plaies et quelques ecchymoses, Eragon contacta Trianna par télépathie et lui transmit le message de Nasuada.

Alors seulement, Saphira et lui partirent en quête de Roran. Lupusänghren et ses elfes les accompagnaient. Arya s'était séparée d'eux pour vaquer à ses affaires.

Quand Eragon les aperçut au coin de la tente de Horst, Roran et Katrina se disputaient à voix basse. À l'approche du groupe, ils se turent. Croisant les bras sur sa poitrine, Katrina se détourna de son fiancé. Roran agrippa la tête de son marteau qui dépassait de sa ceinture et frappa un caillou du talon de sa botte.

Dans l'espoir qu'ils lui expliqueraient le motif de leur querelle, Eragon resta devant eux sans rien dire. Au bout d'un moment, les yeux de Katrina allèrent de Saphira à lui, et elle demanda :

— Vous n'êtes pas blessés, tous les deux ?

— Nous l'étions, nous ne le sommes plus.

— Comme c'est... étrange. À Carvahall, on racontait des histoires de magie. Je n'y croyais pas, tant cela semblait impossible. Et voilà qu'ici il y a des magiciens partout... Vous avez estropié Murtagh et Thorn ? C'est pour ça qu'ils se sont enfuis ?

— Nous les avons dominés. Hélas, nous ne leur avons pas causé de dommages permanents.

Eragon s'interrompit, puis, comme Roran et Katrina demeuraient silencieux, il posa sa question :

– Vous voulez toujours vous marier aujourd'hui ? Nasuada
vous y encourage, mais peut-être vaudrait-il mieux attendre.
Il y a des morts à enterrer et beaucoup à faire. Demain serait
plus commode... plus convenable aussi.

– Non, dit Roran en enfonçant le caillou dans le sol du bout
du pied. Une nouvelle attaque de l'Empire est à craindre d'un
instant à l'autre. Demain, il sera peut-être trop tard. Si... si
par malheur je mourais avant notre mariage, qu'adviendrait-il
de Katrina et de notre...

Hésitant à poursuivre, il s'empourpra.

Katrina se radoucit, elle se tourna vers lui et lui pressa la
main, puis elle ajouta :

– La nourriture est prête pour le banquet, les décorations
sont en place et nos amis se sont rassemblés pour assister à
notre mariage. Ce serait dommage de gâcher tout ça.

Elle caressa la barbe de Roran, qui sourit et lui enlaça la
taille.

« Je ne comprends pas le quart de ce qui se passe entre eux »,
se plaignit Eragon à Saphira.

– Alors, quand la cérémonie aura-t-elle lieu, cousin ?

– Dans une heure, déclara Roran.

23
MARI ET FEMME

Quatre heures plus tard, Eragon se tenait au sommet d'une petite élévation parsemée de fleurs jaunes. Autour s'étendait une prairie luxuriante, bordée par les eaux de la rivière Jiet. Le ciel était limpide, le soleil nimbait le paysage d'une douce clarté. L'air frais sentait le propre, comme après la pluie.

Les villageois de Carvahall, dont aucun n'avait été blessé pendant la bataille, s'étaient regroupés face au tertre, avec ce qui semblait être la moitié des Vardens. De nombreux guerriers portaient de longues lances que décoraient des fanions brodés de toutes les couleurs. Quelques chevaux, dont Feu de Neige, étaient à l'attache au bout de la pâture. Malgré les efforts de Nasuada, il avait fallu plus longtemps que prévu pour organiser le rassemblement.

Les cheveux ébouriffés par le vent, encore humides du bain, Eragon regarda Saphira survoler l'assistance pour se poser près de lui. Il sourit, lui caressa l'épaule.

« Petit homme. »

En d'autres circonstances, l'idée de parler en public, d'officier lors d'une cérémonie aussi solennelle, aussi importante, l'aurait intimidé. Mais, après les combats de la matinée, tout se teintait d'irréalité, il avait l'impression d'évoluer dans un rêve.

À la base du tertre se tenaient Nasuada, Arya, Narheim, Jörmundur, Angela, Elva et d'autres personnalités notoires. Le roi Orrin était absent ; ses blessures s'étaient révélées plus graves qu'on ne l'avait cru, et ses guérisseurs s'affairaient encore à son chevet. Irwin, son Premier ministre, le remplaçait.

Il n'y avait là que deux Urgals, membres de la garde personnelle de Nasuada. Présent à l'entretien quand elle avait invité Garzhvog, Eragon se réjouissait encore de ce que le Kull ait eu le bon sens de décliner l'offre. Les villageois n'auraient pas toléré qu'un contingent de béliers assiste au mariage. Nasuada avait eu assez de mal à les convaincre d'accepter ses deux Faucons de la Nuit.

Dans un froissement d'étoffes, la foule s'écarta pour former une haie jusqu'au tertre. Les villageois entonnèrent en chœur le chant de mariage ancestral de la vallée de Palancar. Les paroles familières évoquaient le cycle des saisons, la terre tiède qui, chaque année, enfantait de nouvelles moissons, la naissance des veaux au printemps, les oisillons au nid, les poissons féconds des rivières, les jeunes prédestinés à prendre le relais des anciens. L'une des magiciennes de Lupusänghren, une elfe aux longs cheveux d'argent, sortit une petite harpe d'or d'un étui de velours pour accompagner les voix des villageois. Elle improvisa des harmonies sur la mélodie simple, donnant à l'ensemble quelque chose d'élégiaque.

Roran et Katrina apparurent au bout de la haie et, côte à côte, sans se toucher, ils s'avancèrent à pas lents vers Eragon. Roran arborait une tunique neuve empruntée à l'un des Vardens. Il s'était coiffé, avait taillé sa barbe, ciré ses bottes ; son visage rayonnait. Eragon le trouva séduisant et distingué. Ce fut cependant Katrina qui retint toute son attention. Selon la tradition pour un premier mariage, elle était vêtue d'une robe bleu clair de coupe sobre, avec une traîne en dentelle longue de vingt pieds que portaient deux fillettes. Mise en valeur par le pâle tissu pastel, son opulente chevelure de cuivre lustré tombait en une cascade de boucles sur ses épaules. Elle tenait à la main un petit bouquet rond de fleurs des champs. Elle était fière, sereine et belle.

Entendant les exclamations étouffées des femmes sur son passage, Eragon se promit de remercier Nasuada d'avoir fait créer la robe par le Du Vrangr Gata ; ce cadeau ne pouvait venir que d'elle.

Derrière Roran, trois pas en retrait, venait Horst. Birgit suivait Katrina à même distance, en veillant à ne pas marcher sur sa traîne.

Lorsque le couple fut à mi-chemin du tertre, deux colombes blanches s'envolèrent des saules qui bordaient la rivière Jiet, portant entre leurs pattes une couronne de jonquilles. Tandis qu'elles approchaient, Katrina ralentit, puis s'arrêta. Les oiseaux décrivirent trois cercles au-dessus d'elle, puis ils descendirent déposer la couronne sur sa tête et repartirent vers la rivière.

— C'est une idée à toi ? murmura Eragon à Arya.

Elle sourit en réponse.

Parvenus en haut du monticule, Roran et Katrina s'immobilisèrent devant Eragon pour attendre que le chant se termine. Quand les dernières notes se furent évanouies, Eragon leva les bras et dit :

— Bienvenue à vous tous. Nous sommes assemblés aujourd'hui pour célébrer l'union de deux familles : celle de Roran, fils de Garrow, et celle de Katrina, fille d'Ismira, deux jeunes gens de bonne réputation qui, à ma connaissance, ne sont promis à personne d'autre. Si tel n'est pas le cas, s'il existe une raison de ne pas procéder à ce mariage, que les objections soient énoncées devant les témoins ici présents afin qu'ils les examinent et décident.

Après une pause suffisante, il reprit :

— Qui parle au nom de Roran, fils de Garrow ?

Horst s'avança alors :

— Roran n'a ni père, ni oncle. Moi, Horst, fils d'Ostrec, parle pour lui en lieu et place de parent.

— Qui parle au nom de Katrina, fille d'Ismira ?

Birgit s'avança à son tour :

— Katrina n'a ni mère, ni tante. Moi, Birgit, fille de Madra, parle pour elle en lieu et place de parente.

Malgré sa querelle avec Roran, la tradition voulait qu'elle représente Katrina en tant qu'amie proche de sa mère.

— Tout est conforme à l'usage. Et qu'apporte Roran, fils de Garrow, à ce mariage, afin que lui et son épouse prospèrent ?

— Il apporte son nom, dit Horst. Il apporte son marteau. Il apporte la force de ses bras. Et il apporte la promesse d'une ferme à Carvahall où ils pourront vivre en paix.

L'étonnement se répandit comme une onde sur l'assistance : Roran s'engageait tout entier en déclarant publiquement que l'Empire ne l'empêcherait pas de rentrer au pays avec Katrina ; il promettait de lui offrir la vie qu'elle aurait eue sans l'ingérence meurtrière de Galbatorix. Il jouait son honneur d'homme et d'époux sur la chute de l'Empire.

— Acceptes-tu ce don, Birgit, fille de Madra ? demanda Eragon.

— Oui, je l'accepte.

— Et qu'apporte Katrina, fille d'Ismira, à ce mariage, afin qu'elle et son époux prospèrent ?

— Elle apporte son amour et son dévouement qu'elle met au service de Roran, fils de Garrow. Elle apporte ses talents à tenir un ménage. Et elle apporte une dot.

À la surprise d'Eragon, Birgit fit signe à deux hommes qui se tenaient près de Nasuada. Ils s'avancèrent, portant un coffre de métal. Elle ouvrit le loquet et souleva le couvercle pour en montrer le contenu. Cette montagne de bijoux laissa Eragon pantois.

— Elle apporte un collier d'or incrusté de diamants. Elle apporte une broche de corail rouge venu de la Mer du Sud et un filet de perles pour ses cheveux. Elle apporte quatre bagues d'or et d'electrum. La première...

Tout en décrivant les bijoux, Birgit les sortait du coffre pour que tous les voient et sachent qu'elle disait vrai.

Stupéfait, Eragon jeta un coup d'œil sur Nasuada qui souriait, heureuse. Et, lorsque Birgit eut terminé sa litanie et refermé le coffre, il demanda :

— Acceptes-tu ce don, Horst, fils d'Ostrec ?

— Oui, je l'accepte.

— En vertu de nos lois, vos deux familles sont unies.

Pour la première fois, Eragon s'adressa alors directement à Roran et Katrina :

– Ceux qui parlent en vos noms ont accepté les termes du mariage. Roran, es-tu satisfait de ce que Horst, fils d'Ostrec, a négocié pour toi ?

– Je le suis.

– Et toi, Katrina, es-tu satisfaite de ce que Birgit, fille de Madra, a négocié pour toi ?

– Je le suis.

– Roran Puissant Marteau, fils de Garrow, promets-tu sur ton nom et celui de tes ancêtres de protéger Katrina, fille d'Ismira, et de pourvoir à ses besoins aussi longtemps que vous vivrez ?

– Moi, Roran Puissant Marteau, fils de Garrow, je promets sur mon nom et celui de mes ancêtres de protéger Katrina, fille d'Ismira, et de pourvoir à ses besoins aussi longtemps que nous vivrons.

– Promets-tu de défendre son honneur, de lui rester loyal et fidèle, de la traiter avec le respect, la dignité et la tendresse qu'elle mérite ?

– Je promets de défendre son honneur, de lui rester loyal et fidèle, de la traiter avec le respect, la dignité et la tendresse qu'elle mérite.

– Promets-tu de lui donner, d'ici demain au coucher du soleil, les clés de ta demeure, quelle qu'elle soit, et celles du coffre dans lequel tu ranges ton argent, afin qu'elle puisse gérer tes affaires en bonne épouse ?

Roran le promit.

– Katrina, fille d'Ismira, promets-tu sur ton nom et celui de tes ancêtres de servir Roran, fils de Garrow, et de pourvoir à ses besoins aussi longtemps que vous vivrez ?

– Moi, Katrina, fille d'Ismira, je promets sur mon nom et celui de mes ancêtres de servir Roran, fils de Garrow, et de pourvoir à ses besoins aussi longtemps que nous vivrons.

– Promets-tu de défendre son honneur, de lui rester loyale et fidèle, de porter ses enfants et d'être pour eux une mère attentionnée ? Promets-tu d'assumer la charge de ses biens et de les gérer au mieux de ses intérêts afin qu'il puisse se concentrer sur les devoirs qui sont les siens ?

Katrina le promit.

Eragon sourit et tira un ruban rouge de sa manche en disant :

– À présent, croisez vos poignets.

Roran et Katrina tendirent respectivement le bras droit et le gauche. Eragon entoura par trois fois leurs poignets croisés avec le ruban puis le noua.

– Par les pouvoirs qui me sont conférés en tant que Dragonnier, je vous déclare mari et femme !

Sous les acclamations de l'assistance, Roran et Katrina s'embrassèrent. Puis Saphira se pencha sur les jeunes mariés radieux pour leur effleurer le front du bout de son museau : « Vivez longtemps, et que votre amour s'accroisse avec le temps », dit-elle.

Roran et Katrina se tournèrent vers l'assistance et levèrent leurs bras liés par le ruban.

– Que le festin commence ! s'exclama Roran.

Suivi d'Eragon, le couple descendit la pente et traversa la foule en liesse pour gagner les deux chaises installées à la tête d'une longue rangée de tables. Là, Roran et Katrina s'assirent en roi et reine de la fête.

Les invités s'alignèrent pour venir les féliciter et leur offrir des cadeaux. Eragon fut le premier. Comme eux, il souriait d'une oreille à l'autre. Il serra la main libre de Roran et s'inclina devant Katrina.

– Merci, Eragon, dit celle-ci.

– Oui, merci, ajouta Roran.

– L'honneur était pour moi.

Il les regarda tour à tour, puis éclata de rire.

– Quoi ? Qu'est-ce qu'il y a de si drôle ? voulut savoir Roran.

– Vous, pardi ! Vous avez l'air de deux grands nigauds béats !

Les yeux brillants de joie, Katrina rit à son tour puis étreignit Roran :

– Deux grands nigauds béats, c'est exactement ça !

Retrouvant son sérieux, Eragon reprit :

– Vous avez de la chance d'être ensemble aujourd'hui, vous savez. Toi, Roran, si tu n'avais pas pu rallier les villageois pour rejoindre les Vardens dans les Plaines Brûlantes, et toi, Katrina, si les Ra'zacs t'avaient emmenée à Urû'baen, vous ne seriez là ni...

– Certes, mais j'ai réussi, et ils ont échoué, l'interrompit Roran. Ne gâchons pas notre plaisir en pensant aux malheurs qui n'ont pas eu lieu.

– Ce n'était pas mon intention.

Jetant un coup d'œil par-dessus son épaule, Eragon s'assura que ceux qui attendaient derrière lui n'étaient pas assez proches pour épier leur discussion, et il poursuivit à voix basse :

– Nous sommes tous les trois des ennemis de l'Empire. Les événements de la journée l'ont prouvé, nous ne sommes pas en sécurité, pas même ici, chez les Vardens. Si Galbatorix le peut, il s'en prendra à l'un de nous pour atteindre les autres, et cela vaut pour toi, Katrina. Je vous ai donc préparé ceci.

De la bourse à sa ceinture, il tira deux simples anneaux d'or qu'il avait créés la veille avec la dernière boule de métal précieux extrait du sol par magie. Il tendit le plus large à Roran, le plus étroit à Katrina.

Roran retourna le sien entre ses doigts, l'examina, le leva vers le ciel en plissant les yeux, intrigué par les glyphes en ancien langage gravés à l'intérieur.

– C'est joli, mais je ne vois pas en quoi cela nous protégerait !

– Je les ai enchantés. Si vous avez besoin de mon aide, de l'aide de Saphira, tournez la bague et dites : « Au secours, Tueur d'Ombre ; au secours, Brillantes Écailles. » Nous vous entendrons et nous viendrons au plus vite. Si l'un de vous était mourant, l'autre en serait averti par la bague, et nous aussi. Enfin, tant que ces bagues seront au contact de votre peau, vous vous retrouverez, quelle que soit la distance qui vous sépare.

Il hésita, puis conclut :

– J'espère que vous accepterez de les porter.

– Naturellement ! s'exclama Katrina.

– Merci, dit Roran d'une voix enrouée par l'émotion. Merci de tout cœur. Je regrette que nous ne les ayons pas eues quand Katrina a été enlevée à Carvahall.

Comme chacun n'avait qu'une main libre, Katrina passa l'anneau au doigt de Roran, et il fit de même pour elle.

– Ce n'est pas tout. J'ai un autre cadeau pour vous.

Eragon se retourna et siffla en agitant le bras. Un écuyer fendit la foule et s'avança vers eux, tenant Feu de Neige par la bride. Il remit les rênes à Eragon, s'inclina et se retira.

– Roran, dit alors Eragon, tu auras besoin d'un bon coursier. Voici Feu de Neige. Avant de m'appartenir, c'était l'étalon de Brom. Aujourd'hui, je te l'offre.

Son cousin évalua le cheval du regard :

– C'est une bête magnifique.

– Et parmi les meilleures. L'accepteras-tu ?

– Avec joie.

Eragon rappela l'écuyer, lui confia Feu de Neige et lui apprit que Roran en était le nouveau propriétaire. Lorsque l'homme fut reparti avec le cheval, il regarda les gens qui faisaient la queue, les bras chargés de cadeaux, et déclara en riant :

– Pauvres ce matin, ce soir, vous serez riches. Si Saphira et moi avons un jour la chance de nous établir quelque part, nous viendrons vivre dans l'immense demeure que vous construirez pour vos nombreux enfants.

– Quoi que nous construisions, je doute que ce soit assez grand pour Saphira, observa Roran.

– Mais vous serez toujours les bienvenus chez nous, ajouta Katrina.

Après les avoir félicités une fois de plus, Eragon prit place en bout de table et, pour se distraire, joua à jeter à Saphira des morceaux de poulet rôti qu'elle rattrapait au vol. Il resta là jusqu'à ce que Nasuada ait parlé aux époux et leur ait offert un objet de petite taille qu'il ne put voir. Puis il se leva pour intercepter la jeune femme au moment où elle quittait la fête.

— Qu'y a-t-il, Eragon ? Je suis pressée.

— C'est toi qui as donné sa robe de mariée et sa dot à Katrina ?

— Oui, pourquoi ? Tu désapprouves ?

— Ta générosité envers les miens me touche, mais...

— Mais ?

— Je croyais que les Vardens avaient cruellement besoin d'or.

— Nous en avons besoin. La situation n'est cependant pas aussi désespérée qu'elle l'était. Depuis que j'ai découvert l'astuce de la dentelle pour en faire commerce, et depuis ma victoire à l'épreuve des Longs Couteaux, qui m'a acquis le soutien des tribus errantes et l'accès à leurs richesses, nous risquons moins de mourir de faim par manque de nourriture que de périr au combat faute d'une épée ou d'un bouclier.

Ses lèvres se retroussèrent en un sourire :

— Comparé aux sommes énormes qu'exige le maintien d'une armée, ce que j'ai donné à Katrina est insignifiant. Je n'ai pas gaspillé mes trésors, au contraire. Je pense avoir bien investi. J'ai acheté prestige et dignité pour Katrina et, par extension, j'ai acheté aussi la bonne volonté de Roran. Je suis peut-être optimiste, mais il me semble que sa loyauté se révélera plus précieuse que cent boucliers ou cent piques de plus.

— Tu vises toujours à accroître l'ascendant des Vardens, hein ?

— Toujours. Et ce devrait être ton but aussi.

Nasuada s'éloigna, puis elle revint sur ses pas :

— Après le coucher du soleil, viens à ma tente. Ensemble, nous rendrons visite aux guerriers blessés ce jour. Beaucoup ne peuvent être guéris, tu sais. Cela leur fera du bien de voir que nous nous soucions d'eux et que nous apprécions leur sacrifice.

Eragon acquiesça de la tête :

— Bien. Je viendrai.

— Parfait.

Le temps passa tandis qu'Eragon mangeait et buvait, échangeait des anecdotes avec de vieux amis. L'hydromel coulait à flots, la noce s'animait, devenait plus bruyante. Dégageant un espace entre les tables, les hommes testèrent leurs forces à la lutte, au tir à l'arc et au bâton. Deux des elfes, un homme et une femme, se livrèrent à une démonstration d'épée, stupéfiant les spectateurs par la rapidité et la grâce de leurs gestes. On aurait dit que leurs lames dansaient. Arya elle-même chanta une ballade ; Eragon en eut le frisson.

Perdus dans les yeux l'un de l'autre et tout à leur bonheur, Roran et Katrina parlaient peu, indifférents à ce qui les entourait.

Quand le disque orange du soleil effleura l'horizon, Eragon s'excusa à regret. Accompagné de Saphira, il laissa derrière lui le tapage de la noce pour se rendre au pavillon rouge de Nasuada, inspirant l'air frais du soir à pleins poumons pour s'éclaircir les idées. Elle l'attendait devant l'entrée, entourée par ses Faucons de la Nuit. Sans un mot, ils se dirigèrent vers le quartier des guérisseurs, où les blessés étaient soignés.

Pendant plus d'une heure, Nasuada et Eragon s'employèrent à réconforter les guerriers qui avaient perdu un membre, la vue, ou contracté une infection incurable au cours de leur combat contre l'Empire. Certains avaient été blessés le matin même ; d'autres ne s'étaient pas encore remis depuis la bataille des Plaines Brûlantes malgré les sorts et les remèdes, ce qu'Eragon ignorait . Avant qu'ils ne pénètrent dans l'infirmerie, Nasuada lui avait enjoint de ne pas se fatiguer davantage en tentant de les guérir tous. Il ne put cependant s'empêcher de murmurer quelques formules pour soulager une douleur, vider un abcès, ressouder une fracture ou gommer une cicatrice hideuse.

Il y avait là un homme amputé de la jambe gauche à la hauteur du genou, avec deux doigts en moins à la main droite. Il avait une courte barbe grise, les yeux couverts d'un bandeau noir. Lorsqu'Eragon le salua et demanda comment il se sentait, l'homme le saisit par le coude et dit d'une voix rauque :

– Ah, Tueur d'Ombre. Je savais que tu viendrais. Je t'attendais depuis la lumière.

– Quelle lumière ? Je ne comprends pas.

– La lumière qui a illuminé la chair du monde. En une seconde, j'ai vu toutes les créatures vivantes, des plus grosses aux plus infirmes. J'ai vu mes os briller à travers mes bras. J'ai vu les vers sous la terre et les corbeaux charognards dans le ciel, les insectes parasites sur les ailes des corbeaux. Les dieux m'ont touché, Tueur d'Ombre. Ils ne m'ont pas accordé cette vision pour rien. Je vous ai vus sur le champ de bataille, toi et ton dragon, et vous brûliez comme un soleil parmi une forêt de pâles chandelles. J'ai vu aussi ton frère, ton frère et son dragon. Eux aussi, ils étaient comme un soleil.

En l'écoutant, Eragon sentit le duvet de sa nuque se hérisser.

– Je n'ai pas de frère, déclara-t-il.

Le soldat mutilé émit un rire grinçant :

– Tu ne me tromperas pas, Tueur d'Ombre. Je sais. Le monde brûle autour de moi et, dans le feu, j'entends les murmures des consciences. Ces murmures m'apprennent beaucoup de choses. Tu te dérobes, mais je te vois : un homme de flammes jaunes avec douze étoiles autour de ta taille, et une autre étoile, plus brillante encore, à ta main droite.

Eragon tâta la ceinture de Beloth le Sage pour s'assurer que les douze diamants cousus à l'intérieur étaient bien cachés. Ils l'étaient.

L'homme attira Eragon tout près de son visage creusé de rides et lui souffla :

– J'ai vu ton frère, et il brûlait. Mais il ne brûlait pas comme toi. Oh non ! La lumière de son âme brillait à *travers* lui, comme si elle venait d'ailleurs. *Lui*, il était vide ; une coquille vide en forme d'homme. Et la lumière traversait cette coquille. Tu comprends ? *D'autres* l'illuminaient.

– Où étaient ces autres ? Tu les as vus aussi ?

Le guerrier hésita :

– Je les sentais à proximité, pleins de haine et de colère contre le monde et ses créatures, mais leurs corps demeuraient invisibles à mes yeux. Ils étaient à la fois présents et absents. Je ne peux pas t'expliquer mieux que ça, Tueur d'Ombre... Je n'aimerais pas m'approcher d'eux. Ils ne sont pas humains : de cela, je suis certain ; et leur haine... c'est la pire des tempêtes enfermée dans un minuscule flacon.

– Et quand le flacon se brisera..., marmonna Eragon.

– Exactement, Tueur d'Ombre. Je me demande parfois si Galbatorix n'aurait pas réussi à capturer les dieux eux-mêmes pour en faire ses esclaves, puis je réfléchis et ris de ma propre sottise.

– Quels dieux ? Ceux des nains ? Ceux des tribus errantes ?

– Est-ce si important, Tueur d'Ombre ? Les dieux sont des dieux, d'où qu'ils viennent.

– Tu as peut-être raison, grommela Eragon.

Tandis qu'il s'éloignait, une guérisseuse l'attira à l'écart :

– Pardonnez-lui, noble seigneur. Le choc causé par ses blessures l'a rendu fou. Il parle sans arrêt de soleils, d'étoiles et de lumières qu'il prétend voir briller. Par moments, il semble être au courant de choses qu'il ne devrait pas savoir, mais ne vous laissez pas abuser : il les tient des autres blessés, qui bavardent du matin au soir. C'est qu'ils n'ont pas grand-chose pour s'occuper, les malheureux.

– Je ne suis pas un seigneur, et, faute de savoir ce qu'il est, je ne le qualifierais pas de fou. Il a des capacités peu ordinaires. Si son état s'améliorait ou s'aggravait, je vous prie d'en informer un membre du Du Vrangr Gata.

La jeune femme fit une révérence :

– Je n'y manquerai pas, Tueur d'Ombre. Désolée de mon erreur, Tueur d'Ombre.

– Comment a-t-il été blessé ?

– Il a perdu les doigts en essayant de bloquer une épée à main nue. Plus tard, un projectile lancé par les catapultes de l'Empire lui a écrasé la jambe. Il a fallu amputer. Ceux qui étaient près de lui racontent qu'au moment de l'impact il s'est mis à crier qu'il voyait de la lumière. Ils ont remarqué que ses yeux étaient devenus tout blancs, que même la pupille en avait disparu.

– Je vous remercie de ces précieux renseignements.

La nuit était tombée quand Eragon quitta le quartier des guérisseurs avec Nasuada.

– J'aurais bien besoin d'une chope d'hydromel pour me remonter, soupira-t-elle.

Le jeune Dragonnier approuva de la tête tout en fixant ses pieds. Ils marchèrent un moment en silence, puis elle demanda :

– À quoi penses-tu, Eragon ?

– Je pense que nous vivons dans un monde bien étrange. Que j'aurai de la chance si je parviens à lever un petit coin de voile sur ses mystères.

Et il lui rapporta sa conversation avec l'amputé. Vivement intéressée par son récit, elle commenta :

– Tu devrais en discuter avec Arya. Elle aurait peut-être une idée sur la nature de ces « autres ».

Ils se séparèrent devant le pavillon de commandement. Nasuada y rentra pour achever de lire un rapport tandis qu'Eragon regagnait sa tente, accompagné de Saphira. La dragonne se roula en boule pour dormir. Assis près d'elle, le regard perdu dans les étoiles, Eragon voyait défiler des cohortes de blessés.

Et l'écho de leurs paroles hantait ses pensées : « Nous nous sommes battus pour toi, Tueur d'Ombre. »

24
MURMURES DANS LA NUIT

Roran ouvrit les yeux et fixa le toit incurvé de la tente.

Une pâle lumière grise filtrait à l'intérieur, privant les objets de couleur, les transformant en ombre de ce qu'ils étaient de jour. Il frissonna. Pendant son sommeil, les couvertures avaient glissé et son torse nu était exposé à l'air froid de la nuit. Il les remonta, s'aperçut que Katrina n'était plus auprès de lui.

Assise près de l'entrée, enveloppée dans une cape, elle fixait le ciel. Ses longs cheveux en désordre tombaient au creux de ses reins.

À sa vue, l'émotion noua la gorge de Roran. Traînant les couvertures avec lui, il alla s'asseoir à côté d'elle, lui entoura les épaules de son bras, et elle se blottit contre lui, sa joue tiède contre sa poitrine. Il effleura son front d'un baiser. Pendant un long moment, il contempla les étoiles avec elle, écouta sa respiration régulière. Dans le monde endormi, le contrepoint de leurs deux souffles était le seul bruit perceptible.

Enfin, elle murmura :

— Les constellations sont différentes ici. Tu as remarqué ?

— Oui.

Ôtant le bras de ses épaules, il lui enlaça la taille, posa la main sur son ventre qui s'arrondissait :

— Qu'est-ce qui t'a réveillée ?

Elle frissonna :

— Je réfléchissais.

– Ah.

Elle se tourna pour le regarder. Ses prunelles reflétaient la lumière des étoiles.

– Je pensais à toi, à nous... à notre avenir ensemble.

– De bien lourdes pensées à cette heure tardive.

– Maintenant que nous sommes mariés, comment comptes-tu pourvoir à mes besoins et à ceux de notre enfant ?

Il sourit :

– C'est donc là ce qui t'inquiète ? Nous avons assez d'or pour que vous ne mouriez pas de faim. Et puis, les Vardens assureront toujours le gîte et le couvert aux cousins d'Eragon. Même s'il devait m'arriver malheur, ils continueraient de veiller sur toi et sur l'enfant.

– Certes. Mais *toi*, qu'est-ce que tu comptes *faire* ?

Perplexe, il scruta ses traits pour tenter de comprendre ce qui la troublait :

– Je vais aider Eragon à gagner cette guerre pour que nous puissions retourner dans la vallée de Palancar et nous y installer sans crainte que les soldats nous emmènent captifs à Urû'baen. Que veux-tu que je fasse d'autre ?

– Donc, tu vas te battre pour les Vardens.

– Naturellement.

– De même que tu te serais battu aujourd'hui si Nasuada te l'avait permis ?

– Oui.

– Et notre bébé, alors ? Une armée en campagne n'est pas le cadre idéal pour élever un enfant.

– Nous ne pouvons pas fuir et nous cacher, Katrina. À moins que les Vardens réussissent à le vaincre, Galbatorix nous retrouvera et nous tuera, ou il retrouvera nos enfants pour les tuer, ou les enfants de nos enfants. Et je doute que les Vardens remportent la victoire si chacun ne fait pas le maximum pour les aider.

Posant l'index sur les lèvres de Roran, elle déclara :

– Tu es mon unique amour. Aucun autre homme ne prendra mon cœur. Je m'efforcerai de t'alléger la tâche. Je cuisinerai tes

repas, je raccommoderai tes vêtements, je nettoierai ton armure...
Mais dès que le bébé viendra au monde, je quitterai cette armée.

Il se raidit :

— Tu partirais ? C'est de la folie ! Où irais-tu ?

— À Dauth, peut-être. Dame Alarice nous a offert l'asile,
souviens-toi. Certains des nôtres y sont restés, je n'y serais pas
seule.

— Si tu crois que je vais te laisser traverser l'Alagaësia avec
notre bébé, tu te...

— Chut. Ne crie pas.

— Je ne crie pas !

— Si. Tu cries.

Prenant les mains de son époux entre les siennes, elle les
pressa contre son cœur :

— Nous ne sommes pas en sûreté ici. S'il n'y avait que nous
deux, j'accepterais les risques. Pas avec un tout petit. Je ne
veux pas voir mourir notre enfant. Je t'aime, Roran, je t'aime
plus que tout au monde, mais l'enfant passe avant nos désirs
personnels, ou nous ne méritons pas le titre de parents.

Les larmes brillaient dans ses yeux :

— N'est-ce pas toi qui m'as convaincue de quitter Carvahall
pour me cacher dans la Crête quand les soldats ont attaqué ?
Eh bien, c'est pareil aujourd'hui.

La vision de Roran se brouilla au point qu'il voyait danser
les étoiles :

— Je préférerais perdre un bras plutôt que d'être à nouveau
séparé de toi.

Katrina se mit alors à pleurer pour de bon.

— Je ne veux pas te quitter non plus, hoqueta-t-elle entre
deux sanglots.

Il resserra son étreinte, la berça contre lui et, lorsqu'elle se
fut calmée, il lui murmura à l'oreille :

— Je donnerais un bras pour que nous ne soyons plus séparés,
mais je mourrais plutôt que de laisser qui que ce soit te faire
du mal... à toi ou à notre enfant. Si tu dois partir, n'attends pas.
Pars pendant que tu es encore en état de voyager.

Elle secoua la tête :

– Non. Je veux Gertrude pour sage-femme. Je n'ai confiance qu'en elle. Et puis, en cas de difficultés, j'aime autant être ici où il y a des magiciens qui savent guérir.

– Tout se passera bien, ne t'inquiète pas. Dès que le bébé sera né, tu iras à Aberon, pas à Dauth. Les risques d'attaques y sont moins grands. Et, si Aberon devient trop dangereuse, tu iras dans les Beors vivre chez les nains. Et, si Galbatorix s'en prend aux nains, tu rejoindras les elfes dans le Du Weldenvarden.

– Et, si Galbatorix s'en prend aux elfes, je volerai jusqu'à la Lune pour élever notre enfant parmi les esprits qui habitent le ciel.

– Et ils s'inclineront devant toi, ils feront de toi leur reine, car tu le mérites.

Elle se blottit contre lui.

Ensemble, ils regardèrent les étoiles disparaître une à une, chassées par les premières lueurs de l'aube. Lorsqu'il ne resta plus que l'étoile du matin, Roran rompit le silence :

– Tu sais ce que ça veut dire, n'est-ce pas ?

– Quoi ?

– Il faut maintenant que je veille à ce que nous tuions tous les soldats de Galbatorix jusqu'au dernier, que nous prenions toutes les villes de l'Empire, que nous vainquions Murtagh et son dragon perverti et que nous décapitions le tyran avant la naissance du bébé. Ainsi, tu n'auras plus besoin de t'en aller.

Après quelques instants, elle répondit :

– Si tu y arrivais, j'en serais très heureuse.

Ils s'apprêtaient à regagner leur lit quand un bateau miniature, tressé de brins d'herbe sèche, apparut dans le ciel rougeoyant. Il passa devant leur tente, tanguant sur des vagues invisibles. Avec sa proue en forme de tête de dragon, il parut les regarder.

Roran et Katrina s'immobilisèrent.

Tel un être vivant, le bateau fila de l'autre côté du sentier qui longeait leur tente, s'éleva, puis tourna brusquement, suivant une phalène solitaire. Quand le papillon de nuit s'échappa, le bateau revint vers eux pour s'arrêter devant Katrina, à quelques pouces de son visage.

Roran songeait à l'attraper, il hésitait. Avant qu'il se décide, la frêle embarcation s'envola en direction de l'étoile du matin pour s'évanouir dans l'océan du ciel, les laissant tous deux émerveillés.

25
ORDRES

Tard cette nuit-là, des visions de violence et de mort rôdaient à la frontière des rêves d'Eragon, menaçaient de l'envahir, de réveiller toutes ses angoisses. Troublé, il s'agitait, tentait de chasser les cauchemars sans y parvenir. Des images incohérentes d'épées perçant la chair, d'hommes hurlant de douleur, du visage haineux de Murtagh défilaient devant lui.

Puis il sentit l'esprit de Saphira entrer en lui. Tel un grand vent, elle balaya ces fantasmes morbides et, le calme revenu, elle murmura : « Tout va bien, petit homme. Ne crains rien et repose-toi. Tu es en sécurité, je suis là... Repose-toi sans crainte. »

Empli d'un profond sentiment de paix, Eragon se retourna pour s'abandonner à des souvenirs plus heureux, réconforté par le lien mental avec Saphira, toute proche.

Une heure avant le lever du soleil, il rouvrit les yeux et s'aperçut qu'il était lové sous une aile de la dragonne, la tête contre son flanc tiède. Elle avait enroulé sa queue autour de lui. Il sourit et quitta son abri tandis qu'elle levait la tête pour bâiller.

« Bonjour », dit-elle.

Elle bâilla de nouveau, s'étira comme un chat.

Eragon prit un bain, se rasa par la magie, nettoya le fourreau de son fauchon des restes de sang séché, puis il enfila l'une de ses tuniques elfiques.

Lorsqu'il fut satisfait de son apparence, que Saphira eut terminé sa toilette, ils se rendirent au pavillon de Nasuada. Six Faucons de la Nuit en gardaient l'accès, le visage dur, fermé. Eragon attendit qu'un nain trapu annonce leur arrivée, puis il entra, et Saphira rampa jusqu'au panneau ouvert pour y passer la tête et participer à la discussion.

Eragon s'inclina devant Nasuada, assise sur son imposant siège à haut dossier, orné de fleurs de chardon sculptées.

– Ma Dame. Tu as demandé à me voir pour parler de mon avenir, d'une mission importante que tu aurais à me confier.

– C'est exact. Assieds-toi, je te prie.

Elle lui désigna une chaise pliante, sur laquelle il s'installa, rajustant son arme à sa ceinture pour éviter de l'accrocher.

– Comme tu le sais, Galbatorix a envoyé des bataillons vers les cités d'Aroughs, de Feinster et de Belatona afin de nous empêcher de les assiéger et de les prendre, ou encore dans le but de ralentir notre avance et de nous obliger à diviser nos troupes, ce qui – si nous l'avions fait – nous aurait rendus plus vulnérables aux incursions des soldats qui campaient au nord du camp. Suite à la bataille d'hier, nos éclaireurs affirment que les derniers hommes de Galbatorix se sont retirés on ne sait où. Je voulais les attaquer depuis un moment et m'en suis abstenue en ton absence. Sans toi, Murtagh et Thorn auraient massacré nos guerriers en toute impunité, et nous n'avions aucun moyen de savoir s'ils campaient eux aussi avec ces soldats. Depuis ton retour, notre situation s'est améliorée, moins que je le souhaitais, hélas, puisqu'il nous faut compter avec la dernière ruse de Galbatorix : ces hommes immunisés contre la douleur. Au positif, vous avez prouvé tous les deux qu'avec le soutien des magiciens d'Islanzadí, vous étiez capables de mettre Murtagh et Thorn en fuite. Tous nos espoirs de victoire reposent sur ce seul fait.

« L'avorton de dragon rouge n'est pas à la hauteur, déclara Saphira. S'il n'avait pas Murtagh pour le protéger, je le coincerais au sol, je le prendrais par la peau du cou, et je le secouerais jusqu'à ce qu'il se soumette et me reconnaisse comme chef de meute. »

Nasuada sourit :

— Je n'en doute pas une seconde.

— As-tu un plan ? s'enquit Eragon.

— J'ai décidé d'entreprendre plusieurs actions que nous devrons mener de front pour atteindre le but visé. Tout d'abord, nous ne pouvons pas pénétrer plus avant dans l'Empire en laissant derrière nous des villes qui sont encore aux mains de Galbatorix. Ce serait nous exposer à des attaques par l'arrière en plus des attaques frontales, et inviter Galbatorix à envahir le Surda pour l'annexer. J'ai donc ordonné aux Vardens de marcher vers le nord jusqu'au premier endroit où nous serons en mesure de traverser la rivière Jiet. Lorsque nous serons sur l'autre rive, j'enverrai des guerriers au sud pour prendre Aroughs tandis que le roi Orrin et moi continuerons jusqu'à Feinster avec le reste de nos troupes ; la ville devrait tomber sans trop de difficulté, puisque vous nous aiderez, Saphira et toi. Et, pendant que nous effectuerons cet ennuyeux voyage, j'ai des responsabilités à te confier, Eragon.

Elle se pencha vers lui :

— Il nous faut le soutien des nains au grand complet. Les elfes se battent pour nous dans le nord de l'Alagaësia, les Surdans se sont joints à nous comme un seul homme, et les Urgals eux-mêmes ont rallié notre cause. Mais il nous faut les nains. Nous ne réussirons pas sans eux. Maintenant plus que jamais, avec ces ennemis qui ne sentent pas la douleur.

— Les nains ont-ils choisi leur roi ou leur reine ?

Nasuada grimaça :

— Narheim m'assure que la procédure est en cours et va bon train, seulement, comme les elfes, les nains n'ont pas la même perception du temps que nous. « Bon train » chez eux peut signifier des mois de délibérations.

— Ils ne se rendent donc pas compte qu'il y a urgence ?

— Certains, oui. D'autres refusent de nous apporter leur appui dans cette guerre, cherchent à retarder l'échéance le plus longtemps possible, et à installer l'un des leurs sur le trône de marbre de Tronjheim. Les nains vivent cachés depuis une éternité, ils sont devenus beaucoup trop méfiants envers les étrangers. Si le trône échoit à un clan hostile à notre cause, nous perdrons leur soutien. C'est un risque que nous ne pouvons pas prendre. Nous ne pouvons pas davantage attendre qu'ils résolvent leurs différends avec leur lenteur habituelle.

Elle leva l'index :

— D'où mon idée. À cette distance, je ne suis pas à même d'influer sur leur politique. En supposant que je sois à Tronjheim, rien ne garantit que je parviendrais à infléchir la balance en notre faveur. Les nains n'aiment pas que des étrangers à leurs clans se mêlent de leur gouvernement. Tu iras donc à Tronjheim pour moi, Eragon, et tu feras en sorte qu'ils choisissent leur nouveau monarque dans les plus brefs délais, un monarque sympathisant de notre cause.

— Moi ! Mais...

— Le roi Hrothgar t'a adopté au sein du Dûrgrimst Ingeitum. Selon leur loi et leurs coutumes, tu *es* un nain. Tu as le droit de siéger au conseil de l'Ingeitum, et, comme Orik est en passe de devenir chef du clan, qu'il est ton frère adoptif et l'ami des Vardens, je suis sûre qu'il te permettra de l'accompagner aux conseils secrets des treize clans chargés d'élire leurs dirigeants.

Jugeant cette proposition d'une rare absurdité, Eragon s'exclama :

— Et Murtagh ? Et Thorn ? Saphira et moi sommes les seuls à pouvoir leur tenir tête ; et encore, il nous faut un peu d'aide. Si nous ne sommes pas là quand ils reviendront – et ils reviendront – qui les empêchera de vous tuer, toi ou Arya, ou le roi Orrin, ou le reste des Vardens ?

Les yeux de Nasuada s'étrécirent :

— Tu as infligé une défaite cuisante à Murtagh hier matin. Je suis prête à parier qu'en ce moment même, Thorn et lui volent vers Urû'baen pour y être interrogés et punis de leur échec par Galbatorix. Il ne les renverra pas à l'attaque avant d'être certain qu'ils vous vaincront. Et Murtagh doit se poser de sérieuses questions sur l'étendue réelle de tes pouvoirs. Il ne reviendra donc pas de sitôt. D'ici là, tu auras largement le temps de faire l'aller-retour à Farthen Dûr.

— Et si tu te trompais ? objecta Eragon. Et si Galbatorix avait vent de notre absence et en profitait pour vous attaquer ? Je doute que nous ayons identifié tous ses espions infiltrés parmi nous.

Nasuada pianota sur les bras de son fauteuil :

— J'ai dit que tu irais à Farthen Dûr, Eragon. Pas que Saphira t'accompagnerait.

Tournant la tête, la dragonne souffla un petit nuage de fumée qui monta vers le sommet de la tente.

— Je refuse de...

— Laisse-moi terminer, Eragon.

Mâchoires serrées, doigts crispés sur la poignée de son fauchon, il la fixa d'un œil noir.

— Tu n'as pas d'obligations envers moi, Saphira. J'espère toutefois que tu accepteras de rester pendant qu'il se rend chez les nains, ce qui nous permettra de tromper l'Empire comme les Vardens. Si nous nous arrangeons pour cacher ton départ, Eragon, personne ici n'imaginera que tu es parti. Il nous suffira d'inventer un prétexte plausible pour ton soudain désir de passer tes journées sous ta tente : en expliquant, par exemple, que vous effectuez des sorties nocturnes en territoire ennemi et que tu te reposes quand le soleil brille. Pour que la ruse ait l'effet voulu, les elfes devront rester aussi, afin de ne pas éveiller les soupçons et pour des raisons de défense. Si par hasard Murtagh et Thorn reparaissaient avant ton retour, Arya chevaucherait Saphira à ta place. Avec le soutien des magiciens de Lupusänghren et du Du Vrangr Gata, nous aurions une bonne chance de les mettre en fuite.

— Si je ne vole pas jusqu'à Farthen Dûr avec Saphira, comment suis-je censé m'y rendre rapidement ? répliqua-t-il sans aménité.

— En courant. Tu m'as déclaré toi-même que tu avais couru depuis Helgrind sur la majeure partie du trajet. Puisque tu ne traverseras pas l'Empire cette fois, que tu n'auras pas à éviter les soldats et les paysans, tu iras beaucoup plus vite.

De nouveau, Nasuada pianota sur les bras de son siège :

— Il serait bien sûr imprudent de te laisser y aller seul. Le magicien le plus puissant peut mourir par accident dans les contrées reculées et sauvages s'il n'a personne pour le secourir. Ce serait gâcher les talents d'Arya que de l'envoyer avec toi, et, si l'un des elfes de Lupusänghren disparaissait sans explication, les gens s'en apercevraient. En conséquence, j'ai décidé qu'un Kull t'escorterait ; ce sont les seuls capables de couvrir de telles distances au même rythme que toi.

— Un Kull ! se récria Eragon, qui ne se contenait plus. Tu m'enverrais chez les nains accompagné d'un Kull ? Alors qu'ils ont les Urgals en horreur, qu'ils se font des arcs de leurs cornes ! Si j'arrivais à Farthen Dûr avec l'un d'eux, personne ne prêterait la moindre attention à mes paroles.

— Je sais. Tu n'iras donc pas directement à Farthen Dûr. Tu feras d'abord halte à Bregan, au mont Thardûr, demeure ancestrale de l'Ingeitum. Le Kull t'abandonnera là, tu y retrouveras Orik, et tu poursuivras le voyage avec lui.

— Et si je n'étais pas d'accord avec ton plan ? Si je pensais qu'il existe des moyens moins dangereux d'obtenir ce que tu désires ?

— Quels seraient-ils, dis-moi ?

— Il faudrait que j'y réfléchisse, mais je suis sûr qu'il y en a.

— J'y ai réfléchi, Eragon. Longtemps. T'envoyer là-bas en tant qu'émissaire est notre seul espoir d'influencer le choix des nains quant à leur nouveau souverain. J'ai grandi parmi eux, ne l'oublie pas. Peu d'humains les comprennent aussi bien que moi.

— Je pense tout de même que c'est une erreur, grommela-t-il. Envoie plutôt Jörmundur ou l'un de tes commandants. Je refuse d'y aller alors que...

— Tu *refuses* ? dit Nasuada en haussant le ton. Un vassal qui désobéit à son seigneur ne vaut pas mieux qu'un soldat qui ignore les ordres de son capitaine sur le champ de bataille et s'expose à être puni. En tant que ton seigneur et maître, Eragon, je *t'ordonne* de courir jusqu'à Farthen Dûr, que cela te plaise ou non, et de superviser les délibérations concernant la succession au trône.

Furieux, Eragon inspira à grand bruit, crispant et décrispant les doigts sur la poignée de son fauchon.

Nasuada se radoucit un peu :

– Que comptes-tu faire, Eragon ? Obéir, ou me déposséder pour prendre la tête des Vardens ? Ce sont tes seules options.

– Non, répondit-il, choqué. Je peux argumenter, te prouver qu'il y a une autre solution.

– Tu ne me convaincras pas. Tu n'as rien à me proposer qui ait de meilleures chances de succès.

Il soutint son regard :

– Je peux refuser d'obéir et me soumettre au châtiment dont tu décideras.

D'abord surprise, elle se ressaisit et dit :

– Te voir fouetter publiquement causerait des dommages irréparables. Je perdrais toute autorité aux yeux des Vardens dès qu'ils s'apercevraient que tu peux me défier à ta guise, sans en subir les conséquences – qu'importe une poignée de marques que tu guérirais dans la minute ? Et il est impensable que nous t'exécutions comme nous le ferions pour un soldat rebelle. Je préférerais abdiquer et te laisser le commandement des Vardens plutôt que d'en arriver là. Si tu t'estimes plus apte que moi à tenir ce rôle, prends ma place, prends mon siège, et proclame-toi chef de cette armée ! Mais, tant que je parlerai au nom des Vardens, je suis libre de mes décisions, c'est mon droit. Si elles sont erronées, j'en porte aussi la responsabilité.

– Resteras-tu sourde aux conseils ? s'enquit Eragon, troublé. Dicteras-tu leur conduite aux Vardens sans te soucier de l'opinion de ceux qui t'entourent ?

Le majeur de Nasuada se remit à tapoter le bois poli de son fauteuil :

– J'écoute les avis des uns et des autres. J'écoute un flot constant d'opinions du matin au soir. Il se trouve cependant que mes conclusions ne sont pas celles de mes subalternes. À présent, tu dois décider toi aussi : obéiras-tu à mon ordre, même s'il ne t'agrée pas, ou préfères-tu t'ériger en double de Galbatorix ?

– Je ne demande qu'à servir les intérêts des Vardens.

– Moi aussi.

– Tu ne m'offres d'autre choix que de me plier contre ma volonté.

– Il est parfois plus difficile de suivre les ordres que de diriger.

– M'accorderas-tu un moment de réflexion ?

– Bien sûr.

« Saphira ? »

Des taches de lumière violette dansèrent sur les parois de la tente tandis que la dragonne se tournait vers lui :

« Petit homme ? »

« Dois-je y aller ? »

« Je crains que oui. »

Il se raidit, pinça les lèvres :

« Et toi, alors ? »

« Tu sais que j'ai horreur d'être séparée de toi, mais les arguments de Nasuada se tiennent. Si, en restant parmi les Vardens, je peux contribuer à éloigner Murtagh et Thorn, alors, il vaut mieux que je reste. »

Leurs émotions se mêlèrent en un lac agité par des vagues de colère, d'impatience, de réticence et de tendresse. La colère et la réticence venaient de lui ; d'elle, les sentiments plus doux, aussi riches de nuances que les siens, propres à modérer son emportement, à lui ouvrir des perspectives qu'il n'aurait pas eues autrement. Têtu, il persista cependant à s'opposer au projet de Nasuada :

« Si tu m'amenais à Farthen Dûr, mon absence en serait raccourcie, ce qui donnerait moins de temps à Galbatorix pour monter une attaque. »

« Allons, dès que nous serions partis, ses espions l'averti-raient que les Vardens sont sans défense. »

« Je ne veux pas me séparer de toi alors que je rentre tout juste de Helgrind. »

« Nos désirs passent après les besoins des Vardens. Je n'ai pas envie d'être séparée de toi non plus. N'oublie pas ce qu'Oromis nous a dit : les compétences d'un dragon et de son Dragonnier se mesurent non seulement à leur entente lors-qu'ils agissent ensemble, mais aussi à leur capacité d'agir sépa-rément. Nous sommes suffisamment mûrs tous les deux pour opérer chacun de notre côté, Eragon, même si cela ne nous enchante pas. Tu l'as prouvé toi-même en rentrant de Helgrind. »

« Cela t'ennuierait qu'Arya te chevauche pour combattre, comme le suggérait Nasuada ? »

« Combattre avec elle ne me gênerait pas. Nous nous sommes déjà battues ensemble, et c'est elle qui m'a transportée à travers l'Alagaësia pendant près de vingt ans quand j'étais dans mon œuf. Tu le sais, petit homme. Pourquoi me poser la question ? Tu es jaloux ? »

« Et si je l'étais ? »

Une lueur amusée passa dans les yeux de saphir de la dra-gonne. Elle lui tira la langue. « J'en serais flattée, c'est très mignon... Tu veux que je reste ou que je t'accompagne ? »

« Je n'ai pas à en décider pour toi. »

« Mais ce choix nous affecte tous les deux. »

Eragon frappa le sol de la pointe de sa botte :

« S'il faut vraiment participer à cette folle entreprise, nous devons faire tout ce qui est en notre pouvoir pour qu'elle réus-sisse. Reste, et tâche d'éviter que Nasuada perde la tête avec son fichu plan bancal. »

« Pars le cœur léger, petit homme. Cours vite, et nous serons bientôt réunis. »

Eragon reporta son attention sur Nasuada :

– C'est bon, j'irai.

— Et toi, Saphira ? demanda-t-elle d'un ton plus détendu. Tu restes, ou tu pars avec lui ?

Projetant ses pensées pour inclure Nasuada, la dragonne répondit : « Je reste, Dame Qui-Marche-La-Nuit. »

Nasuada inclina la tête :

— Je te suis reconnaissante de ton soutien.

— Tu as parlé de ce projet à Lupusänghren ? s'enquit Eragon. Il est d'accord ?

— Non. Je pensais que tu l'en informerais.

Et Eragon de songer que les elfes n'apprécieraient sans doute pas qu'il se rende à Farthen Dûr avec un Urgal pour toute compagnie.

— Si je puis me permettre, Nasuada, j'aurais une petite suggestion.

— Tes suggestions sont toujours les bienvenues.

Il en demeura coi pendant quelques secondes, puis :

— Une suggestion et une requête...

Elle lui fit signe de poursuivre.

— ... Quand les nains auront choisi leur roi ou leur reine, il serait bon que Saphira me rejoigne à Farthen Dûr, pour honorer le nouveau souverain et pour tenir sa promesse.

Les traits de Nasuada se durcirent. Elle avait l'air d'un chat sauvage guettant une proie :

— Quelle promesse ? Tu ne m'en avais encore rien dit.

— Après la bataille de Tronjheim, elle a promis au roi Hrothgar de réparer les dégâts causés par Arya à l'Étoile de Saphir, Isidar Mithrim.

Écarquillant de grands yeux étonnés, Nasuada se tourna vers Saphira :

— Tu es capable d'un tel exploit ?

« Oui, mais j'ignore si je serai en mesure de convoquer la magie nécessaire quand je serai devant Isidar Mithrim. Ma capacité de lancer des sorts n'est pas soumise à mes désirs. Par moments, c'est comme s'il me venait un sens supplémentaire. Je sens alors le flux d'énergie vibrer dans ma chair et, en le dirigeant grâce à ma volonté, je peux transformer le monde à ma guise. Le reste du temps, je ne suis pas plus capable de jeter un sort qu'un poisson de voler. Si je parvenais à restaurer Isidar Mithrim, nous y gagnerions l'appui de tous les nains, et pas seulement des quelques éclairés qui ont l'esprit assez large pour comprendre à quel point leur coopération nous est nécessaire. »

– En réussissant ce prodige, tu accomplirais bien plus que cela ! L'Étoile de Saphir occupe une place particulière dans le cœur des nains. Ils aiment les pierres précieuses, mais ils adorent Isidar Mithrim plus que toute autre, ils la vénèrent pour sa beauté, et surtout pour sa taille impressionnante. Rends-la-leur dans toute sa gloire, et tu leur rendras leur fierté.

– Même si Saphira ne peut pas réparer Isidar Mithrim, elle doit être présente au couronnement du nouveau roi des nains. Tu trouveras un prétexte pour justifier son absence pendant quelques jours, en laissant par exemple courir la rumeur que nous sommes partis pour une brève expédition à Aberon. Le temps que les espions de Galbatorix découvrent la supercherie, il sera trop tard pour que l'Empire organise une attaque avant notre retour.

Nasuada hocha la tête :

– Excellente idée. Contacte-moi dès que les nains auront choisi la date du couronnement.

– Je n'y manquerai pas.

– Et maintenant, ta requête. Que désires-tu de moi ?

– Puisque tu exiges que je fasse ce voyage, avec ton autorisation, je souhaiterais me rendre de Tronjheim à Ellesméra avec Saphira après le couronnement.

– Dans quel but ?

– Pour consulter ceux qui nous ont formés pendant notre séjour dans le Du Weldenvarden. Nous nous sommes engagés à revenir dès que les événements le permettraient pour terminer notre formation.

Le pli qui barrait le front de Nasuada se creusa :

– Le temps nous manque. Vous ne pouvez pas passer des semaines ou des mois à parfaire votre éducation auprès des elfes.

– Certes. Mais une brève visite serait possible.

Nasuada cala la tête contre le dossier sculpté de son siège, observant Eragon entre ses lourdes paupières mi-closes :

– Qui sont vos maîtres, exactement ? J'ai remarqué que tu éludais mes questions à leur sujet. Qui vous a formés tous les deux à Ellesméra, Eragon ?

Triturant le saphir d'Aren à son doigt, il répondit :

– Nous avons prêté serment à la reine Islanzadí et juré de ne pas révéler leur identité sans sa permission, celle d'Arya ou de quiconque lui succédera sur le trône.

– Par tous les démons du ciel et de la terre, combien de serments avez-vous prêtés, Saphira et toi ? J'ai l'impression que tu t'enchaînes à chaque personne que tu rencontres.

Penaud, il haussa les épaules. Il n'avait pas ouvert la bouche que Saphira prit la parole : « Nous n'y sommes pour rien, ce sont les demandes de promesses qui viennent à nous. Comment refuser quand nous ne sommes pas en mesure de renverser Galbatorix et son Empire sans le soutien de toutes les races d'Alagaësia ? Les serments sont le prix à payer pour obtenir l'appui des puissants. »

– Hmm, fit Nasuada. Il faut donc que je pose la question à Arya pour connaître la vérité.

– Oui, mais je doute que tu obtiennes satisfaction. Les elfes considèrent l'identité de nos maîtres comme leur secret le plus précieux. Sauf nécessité absolue, ils ne le divulgueront pas, afin d'éviter que Galbatorix l'apprenne.

Fixant la pierre bleue de sa bague, il s'interrogeait : son serment, son honneur lui permettaient-ils d'en dévoiler davantage ?

– Sache toutefois que nous ne sommes pas aussi seuls que nous le supposions, ajouta-t-il.

Nasuada se raidit :

– Je vois. C'est toujours rassurant... Je regrette que les elfes ne se montrent pas plus ouverts avec moi.

Elle fronça les lèvres, reprit après une pause :

– Es-tu obligé de te rendre à Ellesméra ? N'y a-t-il aucun moyen de communiquer avec vos maîtres ?

Eragon eut un geste d'impuissance :

– Hélas, non. Il n'existe pas de sort capable de franchir les barrières protectrices qui entourent le Du Weldenvarden.

– Les elfes n'ont pas même laissé une ouverture qu'ils puissent exploiter ?

– Si c'était le cas, Arya aurait contacté la reine Islanzadí depuis Farthen Dûr dès qu'elle a été remise, au lieu de se rendre sur place.

– Certes. Il n'empêche que tu as réussi à contacter Islanzadí pour régler le sort de Sloan. Comment ? Tu m'as laissé entendre qu'à ce moment-là l'armée des elfes n'avait pas quitté leur forêt.

– C'est exact. Ils étaient en lisière du Du Weldenvarden. Au-delà des protections magiques.

Le silence pesait entre eux tandis que Nasuada réfléchissait à sa requête. Dehors, les Faucons de la Nuit discutaient des mérites comparés du vouge et de la hallebarde lorsqu'on combat à pied un grand nombre d'adversaires. Plus loin, un char à bœufs passait en grinçant, des cavaliers trottaient en sens inverse dans un cliquetis d'armures avec, en fond sonore, les bruits indistincts du campement.

Enfin, Nasuada se décida :

– Qu'espères-tu de cette visite ?

– Je n'en sais rien ! grommela Eragon en frappant du poing le pommeau de son fauchon. Tout le problème est là, nous ignorons encore beaucoup de choses, nos lacunes sont immenses. Ce voyage peut se révéler inutile, tout comme il peut nous apporter les enseignements nécessaires pour vaincre Murtagh et Galbatorix une fois pour toutes. Hier, nous nous en sommes tirés de justesse, Nasuada. Il s'en est fallu d'un cheveu ! Et je crains qu'à notre prochaine rencontre Murtagh soit encore plus fort. Mon sang se glace quand je pense que la puissance de Galbatorix excède de beaucoup celle de Murtagh malgré l'étendue des pouvoirs qu'il a conférés à *mon frère*. L'elfe qui m'a instruit...

Il hésita – ne risquait-il pas d'en dire trop ? – puis alla de l'avant :

– Mon maître sait pourquoi la puissance de Galbatorix croît d'année en année ; il a fait quelques allusions en ce sens et refusé de nous éclairer, jugeant que nous n'avions pas encore les connaissances requises. Après nos deux duels contre Murtagh et Thorn, je pense qu'il acceptera de partager sa science avec nous. De plus, il y a des pans entiers de magie que nous n'avons pas abordés, dont chacun pourrait contenir la clé de la victoire sur Galbatorix. Quitte à prendre le pari de cette mission chez les nains, ne jouons pas uniquement pour maintenir le statu quo ; profitons-en plutôt pour améliorer notre position, mettons tous les atouts de notre côté pour remporter la partie.

Nasuada demeura immobile pendant plus d'une minute.

– Eragon, déclara-t-elle, je ne peux en décider qu'après le couronnement. Votre voyage au Du Weldenvarden dépendra des mouvements de l'Empire à ce moment-là et des rapports de nos espions sur les activités de Murtagh et de Thorn.

Pendant les deux heures qui suivirent, elle l'informa sur les treize clans nains, leur histoire et leur politique, sur les principaux produits dont les uns et les autres faisaient commerce, sur les noms, les familles, la personnalité des chefs de clans ; elle dressa la liste des tunnels que chaque clan avait creusés et contrôlait, et elle le conseilla sur la manière d'obtenir que les nains se choisissent un roi ou une reine favorable à la cause des Vardens :

– L'idéal serait que le trône échoie à Orik. Le roi Hrothgar était tenu en haute estime par la plupart de ses sujets, et le Dûrgrimst Ingeitum reste l'un des clans les plus riches et les plus influents, deux avantages de poids pour lui. Orik nous est très dévoué, il a servi parmi les Vardens, c'est un ami, pour toi comme pour moi, et ton frère adoptif de surcroît. Je pense qu'il a les qualités requises pour devenir un excellent souverain.

Une lueur amusée dansa dans ses prunelles :

– Mais passons. Il est cependant bien jeune selon les critères des nains, et ses liens avec nous pourraient se révéler être un obstacle insurmontable pour certains. Autre obstacle, après plus de cent ans sous la domination de l'Ingeitum, des clans importants – le Dûrgrimst Feldûnost et le Dûrgrimst Knurlcarathn, pour n'en citer que deux – ont hâte de voir la couronne changer de tête. Si cela peut l'aider à accéder au trône, n'hésite pas à soutenir Orik. Toutefois, s'il s'avère que son entreprise est vouée à l'échec et que ton soutien peut assurer le succès d'un autre chef de clan favorable à notre cause, prends parti pour lui, même si Orik doit s'en offusquer. En politique, l'amitié n'entre pas en ligne de compte. Surtout maintenant.

Quand Nasuada eut terminé sa leçon sur les clans nains, ils s'employèrent, avec l'aide de Saphira, à trouver un moyen pour qu'Eragon quitte le campement à l'insu de tous. Lorsqu'enfin les derniers détails du projet furent au point, Saphira et lui regagnèrent leurs quartiers pour informer Lupusänghren des décisions prises.

Contre toute attente, l'elfe au corps couvert de fourrure ne fit pas d'objections.

– Vous approuvez ? s'enquit Eragon, curieux.

– Je n'ai pas à porter de jugement, répondit Lupusänghren dans un ronronnement. Puisque le stratagème imaginé par Nasuada n'implique pas de dangers sérieux pour vous deux, qu'il vous permettra peut-être de parfaire vos connaissances à Ellesméra, mes frères et moi ne nous y opposerons pas.

Il s'inclina :

– Si vous voulez bien m'excuser, Bjartskular, Argetlam.

Et, contournant Saphira, il sortit de la tente. Une trouée de lumière vive perça la pénombre intérieure lorsqu'il souleva l'abattant.

Eragon et Saphira gardèrent le silence pendant quelques minutes, puis le jeune homme posa la main sur la tête de la dragonne : « Quoi que tu en dises, tu vas me manquer. »

« Tu me manqueras aussi, petit homme. »

« Sois prudente. S'il t'arrivait quelque chose, je... »

« Cela vaut pour toi aussi. »

Il soupira. « Nous nous sommes retrouvés depuis quelques jours seulement, et il faut déjà que nous nous séparions. J'en veux à Nasuada. »

« Ne la condamne pas, elle ne fait que son devoir. »

« Je sais. Mais c'est dur à digérer. »

« Alors, va vite pour que je te rejoigne bientôt à Farthen Dûr. »

« Peu m'importerait d'être loin de toi si je pouvais encore toucher ton esprit. Le plus pénible, c'est ça, ce vide horrible. Et pas question cette fois de nous parler grâce au miroir de Nasuada, les gens se demanderaient pourquoi tu te rends continuellement à sa tente sans moi. »

Saphira cligna de l'œil et lui tira la langue.

« Quoi ? Qu'est-ce qu'il y a ? » demanda-t-il en percevant un curieux changement dans l'humeur de la dragonne.

« Je... » Ses paupières clignèrent de nouveau. « Je suis d'accord avec toi. Je regrette que nous ne puissions rester en contact mental sur de grandes distances. Nos soucis et nos peines en seraient allégés, et cela nous permettrait de tromper l'Empire plus facilement. »

Elle roucoula de satisfaction tandis qu'il s'asseyait près d'elle et grattait les petites écailles au coin de sa mâchoire.

26

LES EMPREINTES FANTÔMES

En quelques bonds vertigineux, Saphira transporta Eragon à travers le camp jusqu'à la tente conjugale de son cousin. Dehors, occupée à la lessive, Katrina frottait une chemise sur une planche à laver au-dessus d'un baquet d'eau savonneuse. Elle se protégea les yeux de son avant-bras lorsque Saphira atterrit dans un nuage de poussière.

Roran sortit de la tente en attachant son ceinturon. Il se mit à tousser et plissa les paupières.

— Qu'est-ce qui vous amène ? s'enquit-il.

Sitôt descendu de sa monture, Eragon évoqua son départ imminent, et insista sur la nécessité de garder le secret absolu sur son absence :

— Tant pis si les villageois se vexent parce que je refuse de les voir ; vous ne devez sous aucun prétexte leur révéler la vérité, pas même à Horst ou à Elain. Mieux vaut qu'ils me croient devenu un grossier personnage et un ingrat plutôt que de dévoiler le projet de Nasuada. Je vous demande cette faveur au nom de tous ceux qui ont uni leurs forces contre l'Empire. Puis-je compter sur vous ?

— Ne crains rien, Eragon, jamais nous ne te trahirions, déclara Katrina.

Roran l'informa alors qu'il partait, lui aussi.

— Où vas-tu ? s'étonna son cousin.

— J'ai reçu mon ordre de mission il y a quelques minutes.

Nous effectuons un raid sur les convois de ravitaillement de l'Empire au nord d'ici, derrière les lignes ennemies.

Eragon les examina tour à tour : Roran, l'air grave, décidé, déjà tendu dans l'attente des combats ; Katrina, s'efforçant de cacher son anxiété, et enfin Saphira, dont les naseaux laissaient échapper de petites flammes qui crépitaient au rythme de son souffle.

– Ainsi, chacun de nous va son chemin, dit-il.

S'il omit de mentionner qu'ils ne se reverraient peut-être pas vivants, cette pensée rôdait autour d'eux comme un spectre.

Agrippant le bras d'Eragon, Roran l'attira à lui, le serra contre son torse, puis, relâchant son étreinte, il plongea le regard dans le sien :

– Surveille tes arrières, mon frère. Galbatorix n'est pas le seul à rêver de te planter un couteau dans le dos.

– Toi aussi. Et, si tu te retrouves face à un magicien, prends tes jambes à ton cou. Les protections dont je t'ai entouré ne dureront pas éternellement.

Katrina étreignit Eragon à son tour et lui murmura :

– Reviens vite.

– J'y veillerai.

Ensemble, Roran et Katrina allèrent poser le front contre le long museau osseux de Saphira. La dragonne émit un son grave qui vibra tout le long de son cou jusqu'à sa poitrine. « Il ne faut pas commettre l'erreur de laisser la vie à tes ennemis, Roran ; ne l'oublie pas. Et toi, Katrina, ne ressasse pas ce que tu ne peux changer, cela ne servirait qu'à accroître ta peine. » Dans un froissement d'écailles, elle déploya ses ailes pour les en envelopper tous les trois, les isolant du monde dans un cocon bleuté et chaud.

Lorsqu'elle les libéra, Roran et Katrina s'écartèrent tandis qu'Eragon grimpait sur son dos. La gorge nouée, il fit au revoir de la main aux jeunes mariés et continua d'agiter le bras alors que Saphira s'envolait. Puis il cligna des yeux pour refouler ses larmes, s'accrocha à un piquant, et, renversant la tête en arrière, il contempla le ciel, l'horizon qui tanguait.

« Aux cuisines à présent ? » demanda Saphira.

« Oui. »

Elle s'éleva de quelques centaines de pieds avant de mettre le cap vers le secteur sud-est du campement. Là, des colonnes de fumée montaient des rangées de fours et des fosses où brûlaient les feux de cuisson. Un souffle de brise les effleura tandis que Saphira descendait se poser dans un espace dégagé entre deux grandes tentes ouvertes sur un côté. L'heure du petit déjeuner était passée, elles étaient vides. Saphira atterrit avec un bruit retentissant.

Eragon sauta de son dos et se précipita vers les fosses de cuisson, de l'autre côté des rangées de tables, accompagné de sa dragonne. Les centaines d'hommes qui entretenaient les feux, coupaient la viande, cassaient des œufs, pétrissaient la pâte, remuaient de mystérieux liquides dans de grands chaudrons, nettoyaient des montagnes de casseroles et de poêles, tous ceux qui, de manière générale, vaquaient à la tâche colossale et toujours recommencée de nourrir les Vardens, ne s'interrompirent pas pour les regarder. L'apparition soudaine d'un dragon et de son Dragonnier n'était qu'une distraction futile en regard de l'appétit démesuré de la bête aux milliers de ventres affamés qu'ils avaient mission de satisfaire.

Un gros homme à la courte barbe poivre et sel, presque assez petit pour être un nain, trotta jusqu'à eux et s'inclina.

– Je suis Quoth, fils de Merrin. En quoi puis-je t'être utile ? Si tu veux, Tueur d'Ombre, j'ai du pain tout chaud. Il sort du four, dit-il en désignant une double rangée de miches au levain posées sur un plateau.

– Je prendrais volontiers une demi-miche. Ce n'est cependant pas la faim qui m'amène. Saphira aimerait quelque chose à manger, et nous manquons de temps pour qu'elle parte chasser selon son habitude.

Quoth examina la taille de la dragonne et pâlit :

– Quelle quantité mange-t-elle en temps normal... Pardon. Que manges-tu, Saphira ? Je peux te faire porter six pièces de bœuf rôti, et j'en aurai six autres dans une quinzaine de minutes. Cela te suffira, ou bien...

Sa pomme d'Adam tressauta tandis qu'il déglutissait.

Saphira émit un doux grognement. Avec un petit cri, Quoth recula d'un bond.

– Elle préférerait un animal vivant, si cela ne te dérange pas, expliqua Eragon.

– Oh, cela ne me dérange pas, mais alors pas du tout, répondit Quoth d'une voix qui avait monté de deux tons.

Il hocha la tête, tordit son tablier entre ses mains maculées de graisse :

– Bien au contraire, Tueur d'Ombre, dragonne Saphira. Ainsi, la table du roi Orrin ne sera pas dégarnie à midi.

« Et une barrique d'hydromel », souffla Saphira.

Quoth écarquilla les yeux quand Eragon lui transmit cette requête.

– J-j'ai bien peur que les nains n-nous aient acheté presque t-tout le stock d-d'hydromel, bredouilla-t-il. Il ne nous reste que quelques barriques, et elles sont réservées au roi.

Une flamme de quatre pieds de long jaillit des naseaux de Saphira. Le brave Quoth sursauta tandis que de minces volutes de fumée montaient de l'herbe calcinée à ses pieds :

– T-t-très bien. Je te f-fais apporter une barrique sur-le-champ. Et, si tu le permets, je vais te conduire aux enclos, où tu prendras la bête de ton choix.

Contournant les feux, les tables et les groupes d'hommes harassés, le cuisinier les mena devant un ensemble de parcs en bois hébergeant des porcs, des bovins, des oies, des chèvres, des moutons, des lapins, et même des cerfs capturés par les Vardens dans la nature environnante. Près des parcs, des poulaillers regorgeaient de volatiles divers, poules, canards, pigeons, cailles, gélinottes et autres. Le concert de gloussements, roucoulements, gazouillements et piaillements produisait un tel tapage qu'Eragon en grinçait des dents. Pour ne pas être assailli par les pensées et sensations des animaux comme des hommes, il avait fermé son esprit à tous sauf à Saphira.

Afin que la présence de celle-ci n'affole pas les bêtes captives, ils s'arrêtèrent tous trois à une centaine de pieds des enclos.

— Il y a quelque chose ici qui te tente ? demanda Quoth en se frottant nerveusement les mains.

Saphira examina les enclos, renifla et dit à Eragon : « Quelles tristes proies... Je n'ai pas vraiment faim, tu sais. Je suis sortie chasser avant-hier, je n'ai pas fini de digérer les os du cerf que j'ai mangé. »

« Tu es encore en pleine croissance. Un supplément de nourriture ne te fera pas de mal. »

« Sauf s'il me reste sur l'estomac. »

« Choisis une bête pas trop grosse, un cochon par exemple. »

« Ça ne te sera pas d'une grande utilité. Non... Je vais prendre celle-là. »

Eragon reçut d'elle l'image mentale d'une vache de taille moyenne avec des taches blanches sur le flanc gauche, et il montra l'animal à Quoth. Ce dernier héla un groupe d'hommes. Deux d'entre eux séparèrent la vache du troupeau, lui passèrent une corde au cou et la sortirent de l'enclos pour la tirer vers la dragonne. La vache regimba, mugit de terreur, secoua la tête pour se libérer. Avant qu'elle puisse s'échapper, Saphira franchit d'un bond la distance qui les séparait. En la voyant foncer sur eux, gueule grande ouverte, les deux hommes qui tenaient la corde se jetèrent sur le sol.

Saphira frappa la vache de côté alors qu'elle se tournait pour s'enfuir, la renversa et la maintint à terre de ses pattes. L'animal émit une sorte de bêlement affolé tandis que les mâchoires de Saphira se refermaient sur son cou et lui brisaient la nuque. Accroupie au-dessus de sa proie, la dragonne s'immobilisa et regarda Eragon.

Fermant les yeux, il projeta son esprit vers la vache, dont la conscience s'était déjà dissoute dans les ténèbres. Mais son corps palpitait d'énergie motrice avivée par la peur. Ignorant sa répugnance, Eragon posa une main sur la ceinture de Beloth le Sage et transféra autant d'énergie qu'il le put dans les douze diamants. L'opération ne prit que quelques secondes.

« J'ai fini », dit-il à Saphira avec un petit signe de tête.

Les autres se retirèrent dès qu'il les eut remerciés, le laissant seul avec sa dragonne.

Pendant qu'elle mangeait, il s'assit contre la barrique d'hydromel pour observer les cuisiniers à l'œuvre. Dès que l'un des assistants tranchait la tête d'un poulet, égorgeait un porc, une chèvre ou un mouton, il transférait l'énergie de l'animal mourant dans la ceinture de Beloth le Sage. Tâche sordide s'il en était. Lorsqu'il se projetait en elles, la panique, la confusion et la souffrance des bêtes encore conscientes l'assaillaient. Son cœur battait à se rompre, la sueur perlait à son front, il brûlait de guérir ces misérables créatures. Elles étaient, hélas, condamnées à mourir pour nourrir les Vardens, il le savait. De plus, au cours des dernières batailles, il avait épuisé ses réserves et tenait à les reconstituer avant de se mettre en route pour un long voyage hasardeux. Si Nasuada lui avait accordé une semaine de plus au camp, il aurait pu stocker l'énergie de son propre corps dans les diamants et récupérer avant de courir jusqu'à Farthen Dûr. Les quelques heures dont il disposait ne lui en donnaient pas le temps. En supposant même qu'il reste étendu sur son lit à transférer le feu vital de ses membres dans les joyaux, il n'y aurait pas emmagasiné autant de force qu'il le faisait maintenant grâce à cette multitude d'animaux.

Les diamants de la ceinture de Beloth le Sage semblaient capables d'absorber une quantité d'énergie illimitée. Il s'arrêta donc lorsque l'idée de subir l'agonie d'un être de plus lui devint insoutenable. Tremblant et trempé de sueur, il se pencha en avant, se mit à quatre pattes, fixa le sol et lutta contre la nausée. Des souvenirs venus d'ailleurs s'immiscèrent dans ses pensées – souvenirs de Saphira s'élevant au-dessus du lac Leona avec lui sur son dos, de leur plongeon dans l'eau claire et fraîche, d'une nuée de bulles filant sous leur nez, de leur joie à voler, nager et jouer ensemble.

Sa respiration s'apaisa, il releva les yeux, la vit près des vestiges de sa proie, mâchant le crâne de la vache. Il lui sourit, lui transmit sa gratitude et dit : « Je suis prêt, en route. »

« Prélève des forces sur moi, tu en auras peut-être besoin », répondit-elle en avalant.

« Non. »

« Inutile de refuser, j'insiste. »

« Moi aussi, j'insiste. C'est non. Je ne t'abandonnerai pas ici en état de faiblesse et inapte au combat. Et si Thorn et Murtagh attaquaient aujourd'hui ? Nous devons être prêts à nous battre à tout moment. Tu seras plus en danger que moi, puisque Galbatorix et tout l'Empire croiront que nous sommes toujours ensemble. »

« Il n'empêche que tu seras seul dans la nature avec un Kull. »

« Comme toi, j'ai l'habitude de la nature. Être loin de toute civilisation ne m'effraie pas. Quant au Kull, je ne sais pas si je suis capable de l'emporter sur lui à la lutte, mais je suis protégé par des sorts contre toute traîtrise... J'ai assez d'énergie, Saphira. Inutile que tu m'en donnes davantage. »

Elle l'observa un moment, réfléchit à ses paroles, puis elle souleva une patte et entreprit d'en nettoyer le sang de sa langue :

« Très bien. Je me garderai alors... pour moi-même. »

Les coins de ses lèvres se retroussèrent en une expression amusée. Abaissant sa patte, elle dit encore :

« Aurais-tu la bonté d'approcher cette barrique ? »

Il se releva et obéit. D'une griffe, elle perça deux trous dans le couvercle ; une douce odeur de pomme et de miel se répandit dans l'air. Arquant le cou, elle saisit le tonneau entre ses puissantes mâchoires, le souleva et, rejetant la tête en arrière, en avala le contenu avant de laisser tomber la barrique vide, qui se brisa. L'un des cercles de métal roula sur une dizaine de pieds. La lèvre supérieure de Saphira se retroussa ; elle s'ébroua et éternua soudain, si violemment que son nez heurta le sol dans une gerbe de flammèches.

Avec un cri de surprise, Eragon s'écarta en tapotant l'ourlet fumant de sa tunique. Sa joue gauche le brûlait.

« Fais un peu attention, Saphira ! » s'exclama-t-il.

« Oups. » Elle frotta son museau couvert de poussière contre sa patte. « C'est à cause de l'hydromel. Ça me chatouille. »

« Tu devrais pourtant le savoir », maugréa-t-il en grimpant sur son dos.

Après s'être de nouveau gratté le nez sur sa patte, Saphira prit son essor et ramena Eragon à sa tente en survolant le campement. Dès qu'il eut mis pied à terre, ils se regardèrent un moment en silence, laissant leurs émotions parler pour eux.

Saphira cligna des paupières. Ses yeux brillaient plus que de coutume.

« C'est une épreuve, déclara-t-elle enfin. Si nous en triomphons, nous en sortirons grandis en tant que dragon et Dragonnier. »

« Nous devons être capables d'agir seuls si nécessaire, faute de quoi nous serons désavantagés par rapport aux autres. »

419

« Certes – elle laboura le sol de ses griffes –, mais de le savoir n'allège en rien mon chagrin. »

Un frisson la parcourut de la tête à la queue :

« Que le vent gonfle tes ailes. Que le soleil soit toujours derrière toi. Fais bon voyage et reviens vite, petit homme. »

« Au revoir, Saphira. »

S'il restait plus longtemps avec elle, jamais il ne partirait. Il lui tourna le dos et rentra dans sa tente. Là, dans la pénombre, il rompit le lien qui les unissait, qui était devenu partie intégrante de son être. Bientôt, ils seraient trop loin l'un de l'autre pour que leurs esprits communiquent, et il n'avait aucun désir de prolonger ces pénibles adieux. Serrant la poignée de son fauchon, il chancela, comme pris de vertige. Déjà, une douleur sourde lui étreignait le cœur, il se sentait abandonné et minuscule sans la présence réconfortante des pensées de Saphira. « Je l'ai fait une fois, je peux le refaire », s'encouragea-t-il en redressant les épaules.

Il plongea sous son lit et récupéra la hotte qu'il avait fabriquée pendant son voyage à Helgrind. Dedans, il rangea le tube de bois sculpté enveloppé de tissu qui contenait le rouleau avec le poème qu'il avait composé pour l'Agaetí Sänghren et dont Oromis avait calligraphié une copie pour lui. Il y rangea le flacon de faelnirv enchanté et le petit coffret de nalgask en saponite, cadeaux d'Oromis eux aussi ; il y ajouta l'épais volume du *Domia abr Wyrda* que Jeod lui avait offert, sa pierre à aiguiser et son cuir ; puis, après maintes hésitations, il y ajouta les pièces de son armure. « Il m'en coûtera moins de la porter jusqu'à Farthen Dûr que de ne pas l'avoir au cas où j'en aurais besoin. » S'il emportait le rouleau et le livre encombrants, c'est qu'à tant voyager il avait appris que le meilleur moyen de ne pas perdre les objets auxquels il tenait était de ne pas s'en séparer.

Pour tout vêtement, il prit ses gants, qu'il tassa dans son casque, et sa lourde cape de laine pour le protéger du froid lorsqu'ils s'arrêteraient la nuit. Il fourra les autres dans les sacoches de selle de Saphira. « Si je suis vraiment membre du Dûrgrimst Ingeitum, ils me vêtiront dès mon arrivée à Bregan Hold. »

Il tira les cordons du sac, posa son arc et son carquois dessus et les attacha au cadre de la hotte. Il allait procéder de même pour le fauchon, et se ravisa : s'il se penchait de côté, l'épée risquait de glisser hors du fourreau. Il la ficela donc à l'arrière de son bagage, de manière que la poignée de l'arme repose contre son épaule droite, ce qui lui permettait de dégainer si les circonstances l'exigeaient.

Après avoir chargé la hotte sur son dos, il ouvrit son esprit, sentit l'énergie qui émanait de son corps et des douze diamants cachés dans la ceinture de Beloth le Sage. Puisant à cette source, il murmura un sort qu'il n'avait lancé qu'une seule fois : celui qui détournait les rayons de la lumière pour le rendre invisible. Une légère sensation de fatigue se répandit dans ses membres.

Lorsqu'il baissa les yeux, il voyait à travers son torse et ses jambes, qui s'étaient évanouis, il distinguait l'empreinte de ses bottes sur le sol ; l'expérience le déconcerta quelque peu. « Bon. Et maintenant passons à l'étape délicate. »

Il alla au fond de la tente, entailla la toile tendue avec son couteau de chasse et se glissa par la fente. Le poil lustré comme un chat bien nourri, Lupusänghren l'attendait dehors. Il inclina la tête dans sa direction et murmura :

– Tueur d'Ombre.

Puis il répara le tissu à l'aide d'une douzaine de mots en ancien langage.

Eragon se faufila dans l'allée entre les rangées de tentes. Rompu à la traque du gibier dans les bois, il avançait presque sans bruit. Dès que quelqu'un approchait, il s'écartait et s'immobilisait en espérant que personne ne remarquerait les traces de pas fantômes. Maudite sécheresse ! Ses bottes soulevaient de petits nuages de poussière malgré tous ses efforts pour poser les pieds le plus doucement possible. Il constata aussi, non sans surprise, que le fait d'être invisible nuisait à son sens de l'équilibre ; incapable de voir ses mains ou ses pieds, il évaluait mal les distances et se cognait contre les obstacles comme s'il avait bu trop de bière.

En dépit des difficultés, il atteignit la frontière du camp sans éveiller les soupçons. À l'abri d'un tonneau d'eau de pluie dont l'ombre cachait ses empreintes, il examina les fortifications, les remblais de terre et les fossés parsemés de pieux aux pointes acérées qui protégeaient le flanc est. Même invisible, il aurait eu beaucoup de mal à pénétrer dans le campement sans être repéré par l'une des nombreuses sentinelles qui en patrouillaient le périmètre. Mais ces défenses étaient conçues pour repousser les attaquants, non pour emprisonner les Vardens, de sorte qu'il lui serait plus facile de sortir.

Eragon attendit que les deux gardes les plus proches lui tournent le dos, puis il fonça. En quelques secondes, il avait franchi les cent pieds qui séparaient le tonneau des remparts et escaladait le remblai si vite qu'il lui sembla ricocher telle une pierre à la surface de l'eau. Parvenu en haut, il prit son élan et, bras tendus, bondit par-dessus les lignes de défense. Le temps de trois battements de cœur, il vola, furtif, et atterrit sur ses deux pieds. Le choc brutal se répercuta dans ses os. Il n'avait pas plus tôt retrouvé son aplomb qu'il se plaquait contre le sol et retenait sa respiration : l'une des sentinelles s'était arrêtée dans sa ronde. Ne remarquant rien d'anormal, elle reprit sa marche au bout d'un moment. Eragon laissa échapper son souffle en murmurant :

– Du deloi lunaea.

Et le sort effaça les traces de ses bottes sur le remblai.

Toujours invisible, il se releva et partit au petit trot, en s'efforçant de passer d'une touffe d'herbe à l'autre pour ne pas soulever de poussière. À mesure qu'il s'éloignait, il accéléra l'allure jusqu'à courir à la vitesse d'un cheval au galop.

Près d'une heure plus tard, il dévala la pente d'un étroit ravin creusé dans la prairie par les intempéries, au fond duquel coulait un filet d'eau bordé de joncs et de roseaux. Il poursuivit sa course dans le sens du courant, restant à proximité de l'eau pour ne pas laisser de traces de son passage, jusqu'à ce que le ruisseau se transforme en une mare. Là, sur la berge, un imposant Kull au torse nu était assis sur un rocher.

Lorsqu'Eragon sortit des joncs, le froissement des tiges et des feuilles alerta le Kull. Il tourna sa large tête cornue vers Eragon et renifla l'air. C'était Nar Garzhvog, le chef des Urgals qui s'étaient alliés aux Vardens.

– Toi ! s'exclama Eragon en redevenant visible.

– Je te salue, Épée de Feu, tonna Garzhvog.

Redressant son torse massif, le colosse se mit debout. Il dominait Eragon du haut de ses huit pieds et demi. Ses muscles saillants dansaient sous sa peau grise au soleil de midi.

– Salut à toi, Nar Garzhvog. Et tes béliers ? Qui les commandera si tu m'accompagnes ? s'enquit Eragon, perplexe.

– Mon frère de sang, Skgahgrezh. Ce n'est pas un Kull, mais il a de longues cornes et le cou puissant. C'est un bon chef de guerre.

– Je vois... Cela ne me dit pas pourquoi tu tenais à m'accompagner en personne.

Levant son menton carré, l'Urgal découvrit sa gorge :

– Parce que tu es Épée de Feu. Tu ne dois pas mourir. Sans toi, les Urgralgra – ceux que vous appelez Urgals – ne pourront se venger de Galbatorix, et notre race disparaîtra de cette terre. Je courrai donc à ton côté. Je suis le meilleur de nos guerriers. J'ai vaincu quarante-deux béliers en combat singulier.

Plutôt satisfait par la tournure des événements, Eragon opina du chef. Parmi tous les Urgals, c'est en Garzhvog qu'il avait le plus confiance. Il avait sondé la conscience du Kull avant la bataille des Plaines Brûlantes et découvert que, selon les critères de sa race, Garzhvog était droit et dévoué. « Tant qu'il ne lui prend pas fantaisie de me défier en combat singulier pour accroître sa gloire, il ne devrait pas y avoir de conflit entre nous. »

– Parfait, Nar Garzhvog, déclara-t-il en ajustant la lanière de sa hotte autour de sa taille. Courons ensemble, toi et moi. Jamais rien de tel ne s'est produit de toute notre histoire.

Garzhvog émit un rire sonore :

– Courons, Épée de Feu.

Ensemble, ils se tournèrent vers l'est, et, ensemble, ils s'élancèrent en direction des montagnes des Beors ; vif et léger, Eragon filait au côté de Garzhvog dont la course pesante faisait trembler la terre. Dans le ciel, de gros nuages d'orage s'amoncelaient sur l'horizon, prélude à des pluies torrentielles, et les faucons tournoyaient à la recherche de proies en lançant leurs appels mélancoliques.

27

PAR MONTS ET PAR VAUX

Eragon et Nar Garzhvog coururent le reste de la journée, toute la nuit et toute la journée du lendemain, ne s'arrêtant que pour boire ou pour se soulager.

Le soleil déclinait quand Garzhvog déclara :

– Épée de Feu, il faut que je mange, et il faut que je dorme.

Le souffle court, Eragon s'adossa contre une souche et approuva de la tête. S'il s'était refusé à parler le premier, il était aussi affamé et épuisé que le Kull. Plus rapide que son compagnon de voyage sur les cinq premiers miles, il s'était bien vite aperçu que l'endurance de Garzhvog était au moins égale et peut-être supérieure à la sienne.

– Je vais t'aider à chasser, proposa-t-il.

– C'est inutile. Prépare-nous un grand feu, je rapporterai de quoi nous nourrir.

– Très bien.

Tandis que l'Urgal repartait en direction d'un bois de hêtres, Eragon défit les lanières de sa hotte et la laissa tomber près de la souche avec un soupir de soulagement.

– Peste soit de cette armure ! grommela-t-il.

Même pendant sa traversée de l'Empire, jamais il n'avait couru aussi longtemps chargé d'un tel fardeau. Il avait sous-évalué l'effort. Ses pieds, ses jambes, son dos lui faisaient mal ; lorsqu'il tenta de s'accroupir, ses genoux raides plièrent de mauvaise grâce.

Ignorant ses douleurs, il rassembla de l'herbe sèche et du bois mort, qu'il entassa sur un coin de sol rocheux.

Garzhvog et lui se trouvaient un peu à l'est de la pointe sud du lac Tüdosten, dans un paysage de prairies luxuriantes où des troupeaux de gazelles et de buffles à peau noire, aux longues cornes recourbées vers l'arrière, erraient en liberté dans l'herbe haute. La richesse de la région tenait, il le savait, à la proximité des Beors ; les montagnes contribuaient à la formation d'énormes masses de nuages qui voguaient ensuite vers les plaines, se dispersaient sur des lieues et des lieues, apportant la pluie dans des endroits qui, sans cela, auraient été aussi arides que le désert du Hadarac.

Malgré l'important chemin parcouru, Eragon n'était pas satisfait de leur avance. Entre la rivière Jiet et le lac Tüdosten, ils avaient perdu plusieurs heures à se cacher et à faire des détours pour ne pas être repérés. À présent que le lac était derrière eux, il espérait aller plus vite. « Nasuada n'avait pas prévu ce retard, oh, ça, non ! Elle s'imaginait que je courrais d'une traite et à pleine vitesse depuis le camp jusqu'à Farthen Dûr. Et quoi encore ? » Il donna un coup de pied dans une branche qui le gênait, et continua à rassembler du bois sans cesser de maugréer.

Quand Garzhvog revint, Eragon avait fait un feu de trois pieds de long sur deux de large et contemplait les flammes en luttant contre le désir de glisser dans les rêves éveillés qui lui tenaient lieu de sommeil. Sa nuque craqua lorsqu'il leva les yeux.

Garzhvog s'approcha ; il portait sous son bras le cadavre d'une biche dodue. Comme si elle ne pesait pas plus qu'un sac de chiffons, il la souleva, lui coinça la tête dans la fourche d'un arbre à l'écart du feu, et sortit son couteau pour la dépecer. Chancelant sur ses jambes engourdies, Eragon se releva et rejoignit Garzhvog :

– Tu l'as tuée avec quoi ?

— Ma fronde.

— Tu comptes la cuire à la broche, ou est-ce que les Urgals mangent la viande crue ?

Tournant la tête, Garzhvog l'examina par-dessous sa corne. Une lueur d'émotion indéchiffrable brillait dans son œil jaune :

— Nous ne sommes pas des bêtes, Épée de Feu.

— Je n'ai pas dit cela.

Avec un grognement, l'Urgal se remit à la tâche.

— Ce sera trop long de la faire rôtir, remarqua encore Eragon.

— Je pensais à un ragoût. Nous ferons griller le reste sur des pierres.

— Un ragoût ? Mais comment ? Nous n'avons pas de chaudron.

Après s'être essuyé les mains dans l'herbe, Garzhvog tira ce qui semblait être un carré de tissu plié de la sacoche pendue à sa ceinture et le lui lança. Accablé de fatigue, Eragon ne fut pas assez vif et l'objet tomba sur le sol. On aurait dit une feuille de vélin de dimensions exceptionnelles. Lorsqu'il la ramassa, la chose s'ouvrit pour former une sorte de sac, large d'un pied et profond de trois. Le bord en était renforcé par une épaisse bande de cuir sur laquelle étaient fixés des anneaux de métal. Il l'examina, intrigué. La matière était douce au toucher et, détail curieux, le récipient n'avait pas de couture.

— Qu'est-ce que c'est ? demanda-t-il.

— La panse de l'ours des cavernes que j'ai tué l'année où mes cornes ont percé. Tu la suspends à un cadre ou tu la places dans un trou, tu la remplis d'eau, tu mets dedans des pierres chauffées au feu, les pierres chauffent l'eau, le ragoût est bon.

— Et les pierres ne brûlent pas la panse ?

— Ça n'est encore jamais arrivé.

— Elle est enchantée ?

— Pas de magie. Estomac à toute épreuve.

Avec un « Han ! », Garzhvog agrippa les hanches de la biche et lui ouvrit le bassin d'un seul geste. Il fendit le sternum à l'aide de son couteau.

— Ce devait être un grand ours, observa Eragon.

L'Urgal émit un petit son guttural :

— Il était plus grand que moi aujourd'hui, Tueur d'Ombre.

— Tu l'as abattu à la fronde, lui aussi ?

— Je l'ai étranglé à mains nues. Les armes ne sont pas autorisées lorsqu'on devient adulte et qu'on doit prouver son courage.

Laissant le couteau planté jusqu'au manche dans la carcasse, Garzhvog interrompit sa tâche quelques instants pour expliquer :

— La plupart des autres ne s'en prennent pas aux ours des cavernes. Ils s'en tiennent aux loups et aux bouquetins des montagnes. C'est pour ça que je suis devenu chef de guerre et pas eux.

Eragon retourna près du feu et, tandis que son compagnon préparait la viande, il creusa un trou près du foyer, y installa la panse d'ours et planta des pieux passés dans les anneaux pour la maintenir en place. Il rassembla une douzaine de cailloux de la taille d'une pomme autour de leur bivouac et les jeta dans les braises. En attendant qu'ils chauffent, il remplit la panse aux deux tiers, extrayant l'eau du sol grâce à un sort, puis il confectionna des pincettes avec les branches d'un jeune saule et une lanière de cuir brut nouée.

Lorsque les pierres furent rouge cerise, il s'écria :

— Elles sont prêtes !

— Mets-les dans l'eau, répondit Garzhvog.

Avec les pincettes, Eragon tira une pierre du feu pour la déposer dans la panse. L'eau se mit à fumer en sifflant au premier contact. Elle bouillait lorsqu'il en eut ajouté deux autres.

Garzhvog vint alors y verser deux énormes poignées de viande, qu'il assaisonna avec du sel, du thym, du romarin, et des plantes sauvages trouvées au cours de sa chasse. Il déposa ensuite une plaque de schiste sur le côté du feu pour s'en servir de gril.

Pendant que le repas cuisait, ils se taillèrent des cuillères dans la souche près de laquelle Eragon s'était débarrassé de sa hotte. Le temps semblait long, ils avaient faim. Dès que le ragoût fut à point, ils dévorèrent à belles dents. Eragon mangea deux fois plus qu'à son habitude, et Garzhvog engloutit le reste – assez pour nourrir six costauds.

Lorsqu'ils eurent terminé, Eragon s'étendit, se cala sur les coudes, fasciné par le ballet des lucioles qui dansaient en bordure du bois de hêtres, dessinant dans les airs des motifs abstraits. Quelque part, une chouette lança un appel. Les premières étoiles scintillaient dans le ciel violet.

Les yeux perdus au loin, il regardait sans voir ; ses pensées allèrent à Saphira, puis à Arya, puis à Arya et Saphira. Une douleur sourde naquit à ses tempes, et il ferma les paupières. Un craquement soudain l'arracha à sa torpeur : de l'autre côté de la panse d'ours vide, Garzhvog se curait les dents avec l'extrémité pointue d'un os qu'il avait cassé. Avant le repas, l'Urgal avait ôté ses sandales ; Eragon s'intéressa à ses pieds et constata, non sans surprise, qu'ils étaient pourvus de sept orteils.

— Tu as le même nombre d'orteils que les nains, remarqua-t-il.

Garzhvog cracha un reste de viande dans les braises :

— Je l'ignorais. Je ne serais pas allé examiner les pieds d'un nain.

— Tu ne trouves pas cela curieux que les Urgals et les nains aient quatorze orteils alors que les elfes et les humains n'en ont que dix ?

Les lèvres épaisses de Garzhvog se retroussèrent tandis qu'il grondait :

— Nous n'avons pas de sang commun avec ces rats de montagne sans cornes, Épée de Feu. Ils ont quatorze orteils, nous aussi. Les dieux l'ont voulu ainsi quand ils ont créé le monde. Il n'y a pas d'autre explication.

— Hmm, grommela Eragon en reportant son attention sur les lucioles.

Puis, après un silence, il demanda :

— Raconte-moi une histoire que les tiens apprécient, Nar Garzhvog.

Le Kull réfléchit un moment, ôta l'os de sa bouche et commença :

— Il était une fois une jeune Urgralgra appelée Maghara. Ses cornes brillaient comme des pierres polies, ses longs cheveux tombaient en cascade au creux de ses reins, et son rire charmait les oiseaux dans les branches. Elle n'était pas jolie, hélas, elle était laide. Dans son village vivait aussi un jeune bélier doté d'une force extraordinaire. Il avait tué quatre béliers à la lutte et en avait vaincu vingt-trois autres. Mais, malgré ses exploits et sa renommée, il n'avait pas encore choisi de compagne. Maghara rêvait de devenir sa compagne. Hélas, elle était laide, il ne la regardait pas. À cause de sa laideur, il ne remarquait pas ses cornes lustrées ni ses longs cheveux, il n'entendait pas son rire enchanteur. Malheureuse et déçue de se voir ignorée, Maghara gravit le plus haut sommet de la Crête pour implorer Rahna de l'aider. Rahna est notre mère à tous, celle qui a inventé le tissage et l'agriculture, celle qui a fait naître les Beors alors qu'elle fuyait un grand dragon. Rahna aux Cornes d'Or répondit à l'appel de Maghara et lui en demanda la raison. « Donne-moi la beauté, ô Honorable Mère, que je puisse attirer le bélier de mes rêves », dit Maghara. « Tu n'as pas besoin d'être belle, lui répondit Rahna. Tu as des cornes lustrées, de longs cheveux et un rire enchanteur. Avec ces atouts, tu attireras un bélier qui n'est pas assez sot pour s'arrêter à ton visage. » Alors, Maghara se jeta à ses pieds et supplia : « Ô Honorable Mère, je ne serai pas heureuse si je n'obtiens pas ce bélier. Rends-moi jolie, je t'en conjure ! » Rahna lui sourit : « Si j'exauce ton vœu, mon enfant, comment me revaudras-tu cette faveur ? » À quoi Maghara répondit : « Je t'offrirai ce que tu voudras. » Satisfaite, Rahna la rendit belle, et Maghara retourna dans son village, où tous s'émerveillèrent de son joli visage. Elle devint la compagne du bélier de ses rêves, ils eurent de nombreux enfants et vécurent heureux. Sept ans passèrent ainsi, puis Rahna vint trouver Maghara et lui dit : « Tu vis depuis sept ans avec le bélier que tu désirais. Tes vœux sont-ils comblés ? » « Oui, Honorable

Mère, ils le sont. » « En ce cas, je viens prendre mon dû. » Rahna examina leur maison de pierres, et elle s'empara du fils aîné de Maghara en disant : « Celui-ci est à moi. » Maghara eut beau la supplier, la Mère aux Cornes d'Or ne voulut rien entendre. Alors, Maghara prit la massue de son compagnon et la leva pour en frapper Rahna. Mais la massue se brisa dans ses mains. Pour la punir, Rahna la priva de sa beauté et s'en fut avec l'enfant dans sa demeure où résident les quatre vents. Elle nomma le garçon Hegraz, l'éleva et fit de lui le guerrier le plus puissant que la Terre ait jamais connu. Cette fable nous enseigne qu'il ne faut pas se battre contre le destin, sinon, comme Maghara, nous risquons de perdre ce que nous avons de plus cher.

Eragon contemplait le croissant de lune scintillant qui venait d'apparaître au-dessus de l'horizon :

— Parle-moi de vos villages, Nar Garzhvog.

— De quoi, exactement ?

— Ce que tu voudras. Quand je vous ai sondés, toi, Khagra et Otvek, j'ai revécu des centaines de souvenirs dans vos esprits. Seuls quelques-uns me sont restés, et ils sont flous. Je souhaiterais comprendre ce que j'ai vu.

— Je pourrais te raconter beaucoup de choses, gronda l'Urgal.

Pensif, il se cura un croc avec application et poursuivit :

— Nous sculptons la tête des animaux des montagnes sur des troncs d'arbres que nous plantons dans le sol près de nos maisons pour effrayer les esprits des grands espaces sauvages. Parfois, ces totems semblent presque vivants. Quand tu traverses un de nos villages, tu sens les yeux de toutes ces bêtes sculptées qui te regardent...

Le morceau d'os s'immobilisa entre les doigts du Kull, puis reprit son mouvement de va-et-vient.

— ... Près de la porte de chaque hutte, nous accrochons le namna, une bande de tissu aux couleurs vives, large comme ma main tendue, avec des motifs qui relatent l'histoire de la famille. Seules les tisserandes les plus âgées et les plus habiles peuvent ajouter des motifs à un namna, ou le retisser s'il est endommagé...

Le morceau d'os disparut dans le poing de Garzhvog.

– ... Pendant les mois d'hiver, ceux qui ont une compagne travaillent avec elle à la natte du foyer. Il faut cinq ans pour la tresser. Lorsqu'elle est terminée, on sait si on a bien choisi sa compagne.

– Je n'ai jamais traversé un de vos villages, intervint Eragon. Ils doivent être bien cachés.

– Bien cachés et bien défendus. Peu de ceux qui les voient survivent pour s'en vanter.

Fixant le colosse, Eragon durcit le ton :

– Comment as-tu appris cette langue, Garzhvog ? Il y avait un humain parmi vous ? Des captifs que vous gardiez comme esclaves ?

Garzhvog soutint son regard sans ciller :

– Nous n'avons pas d'esclaves, Épée de Feu. J'ai arraché ce savoir aux hommes contre lesquels je me battais pour le partager avec ma tribu.

– Tu as tué beaucoup d'humains, n'est-ce pas ?

– Tu as tué beaucoup d'Urgralgra, Épée de Feu. C'est ce qui rend notre alliance nécessaire. Sinon, ma race disparaîtra.

Eragon croisa les bras :

– Quand nous traquions les Ra'zacs, Brom et moi, nous sommes passés par Yazuac, une bourgade en bordure de la rivière Ninor. Nous y avons trouvé tous les habitants morts, entassés sur la place centrale. Au sommet de la pile, il y avait un bébé embroché sur une pique. Je n'ai jamais rien vu de pire. Et c'étaient des Urgals qui les avaient tués.

– Avant que j'aie mes cornes, répliqua Garzhvog, mon père m'a emmené en visite dans l'un de nos villages, du côté ouest de la Crête, en bordure des montagnes. Les nôtres avaient été torturés, brûlés, massacrés. Les hommes de Narda avaient appris que nous occupions ce secteur et surpris nos familles en arrivant avec une armée. Aucun membre de la tribu n'a réussi à s'échapper... Il est vrai que nous aimons la guerre plus que les autres races, Épée de Feu, et cela nous a nui bien souvent

431

par le passé. Nos femelles refusent de prendre pour compagnon un bélier qui n'a pas prouvé sa valeur au combat et tué au moins trois adversaires. On trouve dans la bataille un plaisir à nul autre pareil. Mais, tout amateurs d'exploits guerriers que nous sommes, nous avons cependant conscience de nos travers. Si notre race ne change pas, Galbatorix nous tuera tous au cas où il l'emporterait sur les Vardens ; et, si Nasuada et toi parvenez à renverser ce traître à langue de serpent, c'est vous qui nous tuerez. Je me trompe, Épée de Feu ?

– Non, dit Eragon en secouant la tête.

– Alors, cela n'avance à rien de ressasser les torts passés. Si nous ne pouvons fermer les yeux sur ce qu'ont fait nos races respectives, jamais il n'y aura de paix entre les humains et les Urgralgra.

– À supposer que nous vainquions Galbatorix, comment devrons-nous agir envers vous si, dans vingt ans, après avoir reçu de Nasuada les terres que vous avez demandées, vos fils se mettent à tuer et à piller pour trouver une compagne ? Tu connais l'histoire des tiens, Garzhvog, tu sais qu'il en a toujours été ainsi lorsque les Urgals ont signé des traités.

Garzhvog soupira :

– Eh bien, espérons qu'il existe des Urgralgra plus sages que nous de l'autre côté de l'océan, car nous ne serons plus de ce monde.

Ils n'échangèrent pas un mot de plus cette nuit-là. Garzhvog se roula en boule pour dormir, la tête à même le sol. Eragon s'enveloppa dans sa cape puis, adossé contre la souche, il observa la lente rotation des étoiles, alternant entre la veille et les rêves éveillés qui lui tenaient lieu de sommeil.

Le lendemain, en fin d'après-midi, ils arrivèrent en vue des Beors. Les montagnes apparurent d'abord comme de vagues silhouettes, assemblage géométrique de plans violets et blancs sur l'horizon, puis, à mesure que le soleil déclinait, la chaîne lointaine prit du volume. Eragon distinguait maintenant la large bande noire de forêts à sa base, surmontée par la bande plus large des champs étincelants de neige et de glace, et enfin les sommets nus de pierre grise, si hauts que rien n'y poussait, que la neige n'y tombait pas. Comme la première fois qu'il les avait vues, il se sentait écrasé par leur taille. Tous ses instincts se refusaient à croire qu'une telle masse puisse exister, et pourtant il savait que ses yeux ne le trompaient pas : les Beors atteignaient une hauteur moyenne de neuf mille toises, et comptaient de nombreux pics encore plus élevés.

Le soir venu, Eragon et Garzhvog ne s'arrêtèrent pas. Ils continuèrent de courir toute la nuit, et toute la journée suivante. Au matin, le ciel s'éclaira, mais il fallut attendre midi pour que le soleil se montre entre deux cimes, inondant de ses rayons le paysage plongé dans un étrange crépuscule par l'ombre des Beors. Émerveillé, Eragon fit alors halte au bord d'un ruisseau pour admirer en silence le spectacle de la nature.

Tandis qu'ils longeaient l'immense chaîne montagneuse, le jeune Dragonnier éprouvait une déplaisante impression de déjà-vu tant le voyage ressemblait à sa fuite de Gil'ead à Farthen Dûr en compagnie de Murtagh, de Saphira et d'Arya. Il lui sembla même reconnaître l'endroit où ils avaient campé après avoir traversé le désert du Hadarac.

Deux journées et deux nuits passèrent ainsi, longues et brèves à la fois. Les heures s'écoulaient, identiques, se fondaient les unes dans les autres, donnant naissance à un étrange paradoxe : le temps se traînait, paraissait s'étirer, comme si le voyage devait ne jamais finir, et pourtant la durée s'abolissait dans la morne répétition, et des portions entières du trajet s'effaçaient comme si elles n'avaient pas existé.

À l'entrée de la faille qui partageait la chaîne du nord au sud sur de nombreuses lieues, ils s'engagèrent entre les froids sommets indifférents. Parvenus à la rivière Dent d'Ours, qui coulait au fond de l'étroite vallée menant à Farthen Dûr, ils traversèrent l'eau glaciale et poursuivirent leur route vers le sud.

Ce soir-là, avant de s'aventurer dans les montagnes elles-mêmes, ils bivouaquèrent au bord d'une mare. Avec sa fronde, Garzhvog tua un cerf, et ils mangèrent leur content.

Rassasié, Eragon réparait un trou sur le côté de sa botte quand un hurlement terrible déchira l'air. Le cœur battant à se rompre, il scruta les ténèbres et aperçut, non sans inquiétude, la silhouette d'un animal gigantesque qui trottait le long de la berge.

– Garzhvog, murmura-t-il en s'armant de son fauchon.

Le Kull ramassa un caillou de la taille d'un poing, le plaça dans sa fronde et, se redressant de toute sa hauteur, il lança un cri si puissant que l'écho de son appel se répercuta à travers tout le paysage.

La bête s'immobilisa, puis elle reprit sa marche à un rythme plus lent, reniflant le sol ici et là. Lorsqu'elle entra dans le cercle de lumière du feu, Eragon retint son souffle. Devant eux se tenait un loup gris aussi grand qu'un cheval ; il avait de longs crocs acérés, des yeux jaunes et brillants qui suivaient leur moindre mouvement, des pieds énormes.

« Un Shrrg ! » songea Eragon.

Et, tandis que le loup géant faisait le tour de leur campement, il se souvint des elfes, de la manière dont ils traitaient les animaux sauvages ; en ancien langage, il lui dit :

– Frère loup, nous ne te voulons pas de mal. Ce soir, notre meute se repose, elle ne chasse pas. Tu es le bienvenu si tu veux partager notre nourriture et la chaleur de notre tanière.

Le Shrrg marqua une pause, ses oreilles pointées vers Eragon qui lui parlait.

– Qu'est-ce qui te prend, Épée de Feu ? gronda Garzhvog.

– Ne bouge que s'il attaque.

Le loup des montagnes s'approcha, circonspect, remuant sa grosse truffe humide. Intrigué par les flammes dansantes, il examina le feu avant de se diriger vers l'endroit où Garzhvog avait découpé le cerf. Là, il s'accroupit, engloutit les restes de viande et les viscères, puis, sans se retourner, il disparut dans la nuit.

434

Eragon se détendit et rangea son fauchon. Garzhvog resta debout, lèvres retroussées en un rictus de menace, tous les sens en alerte, guettant un signe de danger.

Aux premières lueurs de l'aube, ils levèrent le camp, coururent en direction de l'est, puis le long de la vallée qui les conduirait au mont Thardûr.

Dès qu'ils furent dans la forêt profonde qui défendait l'accès à l'intérieur de la chaîne, l'air devint plus froid ; le sol humide couvert d'un tapis d'aiguilles étouffait le bruit de leurs pas. Les arbres immenses et noirs semblaient les observer tandis qu'ils serpentaient entre les troncs épais, enjambaient l'enchevêtrement des racines saillantes qui s'élevaient parfois jusqu'à quatre pieds de haut. De gros écureuils au pelage sombre sautaient parmi les branches, jacassaient à grand bruit. Des coussins de mousse enveloppaient les souches et les troncs d'arbres morts. Il y avait là une abondance de fougères, de framboisiers sauvages, de champignons aux formes et aux couleurs variées.

Le monde rétrécit encore quand Eragon et Garzhvog se furent engagés dans l'étroit goulet de la vallée, bordé de montagnes oppressantes. Le ciel lointain n'était plus qu'un mince ruban couleur d'océan ; jamais il n'avait semblé aussi haut. Quelques maigres nuages effleuraient les flancs de la chaîne.

En tout début d'après-midi, ils ralentirent en entendant des rugissements effroyables. Eragon tira le fauchon de son fourreau, Garzhvog ramassa un galet pour en charger sa fronde.

– C'est un ours des cavernes, dit-il.

Un couinement aigu, aussi perçant que le bruit d'une pointe qui racle le métal, vint ponctuer sa remarque.

– Et un Nagra, ajouta-t-il. Prudence, Épée de Feu !

Ils avancèrent à pas feutrés et aperçurent bientôt les bêtes, à quelques centaines de pieds sur la pente. Une harde de sangliers au poil roux et aux défenses redoutables tournait en rond, grognant à qui mieux mieux, devant une imposante masse de

435

fourrure brune aux reflets argentés qui chargeait à pleine vitesse, toutes griffes dehors et claquant des mâchoires. Avec la distance, Eragon avait sous-estimé la taille des bêtes : en les comparant avec les troncs, il s'aperçut que les sangliers étaient beaucoup plus gros qu'un Shrrg, et que l'ours aurait presque occupé le volume de sa maison d'autrefois dans la vallée de Palancar. L'animal avait reçu des coups de défenses aux flancs, et ses blessures le rendaient fou de rage. Il se dressa en mugissant puis, d'un violent coup de patte, il renversa un sanglier, laissant des entailles sanglantes dans sa chair. Par trois fois, le sanglier tenta de se relever, et l'ours le renvoya au sol, jusqu'à l'achever. Tandis qu'il se penchait sur sa proie pour se nourrir, le reste de la harde s'enfuit vers les hauteurs dans un concert de couinements.

Impressionné par la puissance de l'ours, Eragon traversa son champ de vision à la suite de Garzhvog. L'animal releva son museau maculé de sang, les regarda passer de ses petits yeux ronds puis, ayant décidé qu'il n'avait rien à craindre d'eux, il se remit à manger.

— Je crois que Saphira elle-même n'aurait pas raison d'un tel monstre, murmura Eragon.

— Hmm, grommela Garzhvog. Elle crache le feu. Pas lui.

Ils continuèrent de surveiller l'ours aussi longtemps qu'il demeura visible, et ils gardèrent leurs armes à la main pour se défendre en cas de danger.

La journée touchait à sa fin quand des rires leur parvinrent. Ils s'interrompirent dans leur course ; Garzhvog leva un doigt, puis, remarquablement silencieux pour sa taille, il traversa un véritable mur de buissons pour se rapprocher du bruit. Posant les pieds avec précaution et retenant son souffle, Eragon l'imita.

Entre les feuilles des cornouillers, il aperçut un sentier au fond de la vallée et, près du sentier, trois enfants nains qui jouaient à se lancer des bâtons. Il n'y avait pas d'adultes à proximité. Reculant de quelques pas, il examina le ciel, dans lequel flottaient quelques panaches de fumée blanche, à environ un mile de l'endroit où ils étaient.

Une branche craqua quand Garzhvog vint s'accroupir près de lui pour lui dire à l'oreille :

— Épée de Feu, nos chemins se séparent ici.

— Tu ne m'accompagnes pas à Bregan Hold ?

— Non. J'avais pour mission d'assurer ta sécurité. Si je t'accompagne, les nains se méfieront de toi au lieu de te faire confiance. Le mont Thardûr n'est plus très loin. Je doute qu'on s'en prenne à toi entre ici et là-bas.

Eragon se massa la nuque, regardant tour à tour Garzhvog et les volutes de fumée qui montaient à l'est.

— Tu comptes courir sur tout le trajet de retour ? s'enquit-il.

— Oui, répondit le Kull en riant tout bas. Mais moins vite qu'à l'aller.

Perplexe, Eragon poussa une vieille souche de la pointe de sa botte, mettant au jour un nid de larves blanches dans les galeries qu'elles y avaient creusées.

— Ne te laisse pas dévorer par un Shrrg ou un ours, hein ? dit-il enfin. Il faudrait que je traque le coupable pour le tuer, et je n'en aurais pas le temps.

Garzhvog porta les deux poings à son front cornu :

— Que tes ennemis tremblent devant toi, Épée de Feu.

Sur ces mots, l'Urgal se releva et s'éloigna à longues foulées pour disparaître dans les profondeurs de la forêt.

Inspirant l'air frais des montagnes, Eragon se fraya un chemin à travers les broussailles. Lorsqu'il émergea des fougères et des cornouillers, les enfants nains s'immobilisèrent, et leurs visages joufflus se teintèrent d'inquiétude. Tendant ses paumes ouvertes devant lui, Eragon se présenta :

— Je suis Eragon, Tueur d'Ombre, Fils de Personne. Je viens voir Orik, fils de Thrifk à Bregan Hold. Pouvez-vous m'y conduire ?

Les enfants se taisaient. Bien sûr ! Les pauvres ne comprenaient pas sa langue ! Il reprit alors en parlant lentement, en soulignant les mots :

— Je suis un Dragonnier. Eka eddyr aí Shur'tugal... Shur'tugal... Argetlam.

437

Les yeux des jeunes nains s'illuminèrent, et leurs bouches s'arrondirent.

– Argetlam ! s'exclamèrent-ils, émerveillés. Argetlam !

Avec des cris de joie, ils se précipitèrent pour lui serrer les jambes de leurs petits bras, tirer sur ses vêtements. Eragon les observait en souriant comme un grand sot. Ils lui prirent les mains et l'entraînèrent le long du sentier en babillant dans leur langue incompréhensible pour lui, mais il prenait plaisir à les écouter.

Lorsque l'un des enfants, une fillette, lui tendit les bras, il la souleva de terre pour l'installer sur ses épaules. Elle s'agrippa à ses cheveux, ce qui le fit grimacer, puis elle se mit à rire avec tant de bonheur qu'il sourit de plus belle.

C'est dans cet équipage qu'Eragon gagna le mont Thardûr et Bregan Hold pour rejoindre Orik, son frère adoptif.

28
AU NOM DE L'AMOUR

Assis sur une grosse bûche, dépité, sourcils froncés, Roran fixait la pierre ronde et plate au creux de sa paume.

– Stenr rïsa, gronda-t-il entre ses dents.

La pierre ne bougea pas d'un pouce.

– Qu'est-ce que tu fabriques, Puissant Marteau ? lui demanda Carn en se laissant tomber près de lui.

Roran rangea le caillou dans sa ceinture, prit le pain et le fromage que Carn lui tendait :

– Rien. Je rumine.

– Oui. C'est fréquent avant une mission.

Tout en mangeant, Roran observait ses nouveaux compagnons. Avec lui, le groupe comptait trente hommes, des guerriers endurcis. Chacun était équipé d'un arc ; la plupart portaient aussi l'épée, et certains, leur arme de prédilection, pique, masse ou marteau. Sept ou huit d'entre eux devaient avoir à peu près son âge. Les autres étaient plus vieux de beaucoup. Le plus âgé du lot, leur capitaine, Martland Barbe Rouge, comte de Thun, avait vu suffisamment de printemps pour que sa célèbre barbe grisonne.

Dès qu'il avait été affecté à la patrouille de Martland, Roran était venu se présenter à sa tente. Trapu et courtaud, musclé d'avoir passé sa vie en selle à manier l'épée, le comte arborait une barbe épaisse et soignée qui lui tombait sur la poitrine. Après avoir examiné Roran de pied en cap, il avait déclaré :

439

– Dame Nasuada m'a dit le plus grand bien de toi, mon garçon. J'ai aussi entendu mes soldats chanter tes louanges, des rumeurs, des commérages, des histoires qu'on se raconte. Tu sais ce qu'il en est. Je ne doute pas que tu aies accompli des exploits remarquables. Tailler des croupières aux Ra'zacs dans leur propre repaire, par exemple ; cela n'a pas dû être de tout repos. Bien sûr, tu avais ton cousin pour t'aider... Tu es peut-être habitué à mener les gens de ton village par le bout du nez, mais maintenant, mon petit gars, tu fais partie des Vardens. De mes guerriers, pour être précis. Nous ne sommes pas tes parents. Nous ne sommes pas tes voisins. Nous ne sommes pas nécessairement tes amis. Notre devoir consiste à exécuter les ordres de Nasuada, et nous nous y employons, quoi qu'en pensent les uns et les autres. Tant que tu seras sous mon commandement, tu feras ce que je te demande, quand je le demande et comme je le demande, faute de quoi, je jure sur le corps de ma défunte mère – paix à son âme – que je t'écorcherai le dos à coups de fouet sans me soucier de qui est ton cousin. Est-ce bien clair ?

– Oui, mon capitaine !

– Bon. Si tu files droit, si tu fais preuve de bon sens, que tu t'arranges pour rester en vie, sache que, chez les Vardens, un homme décidé peut monter en grade assez vite. Rappelle-toi cependant que, quelles que soient tes ambitions, c'est moi et moi seul qui déciderai si tu es apte à commander ta propre patrouille. Et n'imagine pas un instant, *même en rêve*, que tu obtiendras mes bonnes grâces par la flatterie. Peu m'importe ton opinion à mon sujet. Que tu m'apprécies ou que tu me détestes, tout ce qui compte à mes yeux, c'est que tu fasses ton devoir.

– Je comprends parfaitement, mon capitaine !

– Hmm. Je suis prêt à te croire, Puissant Marteau. Quoi qu'il en soit, nous serons bientôt fixés. Va te présenter à Ulhart, mon second.

Roran avala le dernier morceau de son pain et but une gorgée de vin à sa gourde. Il aurait aimé un repas chaud, mais, au cœur de l'Empire, un feu risquait d'attirer l'attention sur eux. Il soupira, étira ses jambes pour soulager ses genoux endoloris par les longues heures passées en selle : depuis trois jours, il chevauchait sur Feu de Neige du crépuscule à l'aube.

Qu'il veille ou qu'il dorme, il demeurait conscient d'une légère tension mentale qui lui indiquait en permanence la direction de Katrina. Cette sensation provenait de la bague qu'Eragon lui avait offerte et le réconfortait : grâce à elle, où qu'ils soient en Alagaësia, Katrina et lui se retrouveraient, même s'ils étaient aveugles et sourds.

Près de lui, Carn marmonnait en ancien langage. Roran sourit. Carn était le magicien du groupe, chargé de veiller à ce que les mages ennemis ne les abattent pas tous d'un simple geste de la main. À en croire ses compagnons, Carn n'était pas particulièrement puissant, et chaque sort lui coûtait ; il compensait toutefois cette faiblesse par son aptitude à composer des enchantements d'une grande subtilité et à s'infiltrer dans les esprits de ses adversaires. Roran s'était aussitôt pris d'affection pour cet homme maigre, nerveux, au visage émacié et aux paupières tombantes.

En face de lui, Halmar et Ferth bavardaient, assis devant leur tente :

– ... alors, quand les soldats sont venus le chercher, racontait Halmar, il a rassemblé tout son monde dans le château et mis le feu à l'huile que ses serviteurs avaient répandue tout autour sur son ordre. Les ennemis étaient emprisonnés derrière des murs de flammes, et ceux qui sont passés plus tard en ont déduit que l'incendie n'avait pas laissé de survivants. Tu imagines ça ? Cinq cents soldats ratiboisés d'un coup sans sortir une épée !

– Comment a-t-il réussi à s'échapper ? demanda Ferth.

– Le grand-père de Barbe Rouge était un sacré malin. Il avait fait creuser un souterrain depuis le château jusqu'à la rivière la plus proche. C'est par là que Barbe Rouge, sa famille et ses serviteurs se sont enfuis. Il a conduit sa maisonnée au Surda, où le roi Larkin leur a donné asile. Plusieurs années se sont écoulées avant que Galbatorix découvre la supercherie. On a de la chance de servir sous ses ordres ; Barbe Rouge n'a perdu que deux batailles, et c'était à cause de la magie.

Halmar se tut tandis qu'Ulhart s'avançait entre les tentes. Le vieux briscard au visage sévère se planta au milieu du campement, jambes écartées, aussi indéracinable qu'un chêne centenaire. D'un coup d'œil, il s'assura que personne ne manquait et annonça :

– Le soleil est couché, il faut dormir. Nous repartons deux heures avant l'aube. Le convoi devrait être à sept miles d'ici. On ne traîne pas en route, on les surprend au moment où ils se lèvent, on abat les soldats, on brûle la marchandise et on rentre. Vous connaissez le refrain. Puissant Marteau, tu restes avec moi. Une erreur, et je t'étripe avec un hameçon émoussé.

Des rires fusèrent.

– Bien, conclut Ulhart. Et maintenant, au lit !

442   Feu de Neige galopait à pleine vitesse. Le vent fouettait le visage de Roran. Le tonnerre de son sang grondait dans ses oreilles, couvrant tout autre bruit. Il ne voyait plus que les deux soldats montés sur des juments brunes près de l'avant-dernier chariot du convoi.

Avec un cri retentissant, il leva son marteau. Les soldats sursautèrent, prirent armes et boucliers avec des gestes maladroits. L'un d'eux laissa tomber sa lance et se pencha pour la ramasser.

Roran ralentit Feu de Neige près du premier soldat, se mit debout sur ses étriers et le frappa à l'épaule, fendant sa cotte de mailles. Son bras cassé inerte, l'homme hurlait de douleur. Roran l'acheva d'un revers.

L'autre soldat avait récupéré sa lance et le visait au cou. Il para de son bouclier. Le fer cogna contre le bois. Pour ne pas perdre l'équilibre sous les impacts répétés, Roran serrait les flancs de sa monture, qui hennit et se cabra. L'un des sabots heurta la poitrine du soldat, déchirant sa tunique rouge. Tandis que l'étalon reprenait ses appuis, Roran écrasa la gorge de son adversaire, puis il le laissa agoniser au sol pour se diriger vers le chariot suivant, près duquel Ulhart se battait seul contre trois ennemis.

Quatre bœufs tiraient chaque chariot du convoi. Alors que Feu de Neige longeait l'attelage de celui qu'ils venaient de capturer, le bœuf de tête donna un coup de corne. Touché à la jambe, Roran eut le souffle coupé par la douleur. Baissant les yeux, il vit pendre un morceau de botte et des lambeaux de chair.

Avec un cri de guerre, il fondit sur le plus proche des adversaires d'Ulhart et l'abattit d'un seul coup de marteau. Le deuxième esquiva son attaque et s'enfuit au galop.

— Tue-le ! aboya Ulhart à Roran, qui fonçait déjà à la poursuite du fuyard.

Le soldat éperonnait sa monture avec tant de violence que l'animal saignait ; il n'était cependant pas assez rapide. Vif comme l'éclair, Feu de Neige semblait voler, Roran couché sur son encolure. Comprenant que la fuite était vaine, le soldat fit une brusque volte-face et attaqua au sabre. Roran para de justesse avec son marteau et amorça un moulinet pour frapper à la tête. Le soldat esquiva, puis attaqua de nouveau, aux bras, aux jambes. C'était à l'évidence une fine lame. Roran étouffa un juron. S'il ne remportait pas le combat dans les quelques secondes à venir, c'en était fait de lui.

Conscient d'avoir l'avantage, le soldat redoubla d'efforts, obligeant Feu de Neige à reculer. Par trois fois, Roran crut qu'il allait être blesser, mais le sabre dévia au dernier moment, écarté par une force invisible – bénis soient les sorts protecteurs d'Eragon !

Faute d'autre recours, il opta pour une manœuvre inattendue, tendit le cou en avant et s'écria : « Bouh ! » comme pour effrayer quelqu'un dans un couloir sombre. Le soldat sursauta ; Roran profita de sa surprise et lui fracassa le genou. Le visage de l'autre se décomposa sous le choc. Il n'était pas remis que

Roran frappait de nouveau aux reins. Le malheureux mugissait en arquant le dos quand un dernier coup de marteau abrégea ses souffrances.

Roran resta quelques instants sur place, le temps de reprendre son souffle, puis il mit Feu de Neige au petit galop et regagna le convoi. Attentif au moindre mouvement, il fit le point sur la situation. La plupart des soldats ennemis étaient déjà morts, ainsi que les conducteurs d'attelage. Près du chariot de tête, Carn se tenait face à un homme de haute taille vêtu de robes. Ils étaient immobiles, le corps raide. Seuls quelques tressaillements témoignaient de leur duel mental. Roran les observait quand, soudain, l'opposant de Carn bascula vers l'avant, rigide comme une statue.

Vers le milieu du convoi, cinq soldats entreprenants avaient détaché trois attelages et déplacé les chariots pour former un triangle depuis lequel ils résistaient à Martland Barbe Rouge et dix de ses hommes. Quatre de ces soldats tenaient l'ennemi à distance en passant leurs lances entre les chariots pendant que le cinquième tirait des flèches sur les Vardens, ce qui les obligeait à se mettre à couvert. L'archer en avait déjà blessé plusieurs ; certains étaient tombés de cheval, les autres étaient restés en selle suffisamment longtemps pour filer à l'abri.

Le front plissé, Roran réfléchissait : ils ne pouvaient pas s'attarder en terrain découvert, près d'une des principales voies de communication de l'Empire, pour abattre un à un les soldats en embuscade. Le temps jouait contre eux.

Tous les ennemis étaient tournés vers l'ouest, dans la direction des attaquants ; en dehors de lui, aucun Varden n'avait longé et dépassé le convoi. Les embusqués ignoraient donc qu'il venait à eux depuis l'est.

Une idée se fit jour dans l'esprit de Roran. En d'autres circonstances, elle lui aurait paru bien peu réaliste, mais en l'occurrence c'était le seul moyen de sortir de l'impasse au plus vite. Sans souci du danger – il avait cessé de craindre les blessures et la mort dès le début de la charge –, il lança Feu de Neige au galop, plaça la main gauche sur le pommeau de sa selle, quitta les étriers et rassembla ses forces. Lorsque Feu de Neige fut à cinquante pieds du triangle, il prit appui sur sa main gauche, se souleva et posa les deux pieds sur la selle, où il resta accroupi, déployant des trésors d'adresse et de concentration pour ne pas perdre l'équilibre. Comme il s'y attendait, l'étalon ralentit et amorça une volte à l'approche des chariots.

Alors que le cheval tournait, Roran relâcha les rênes et bondit au-dessus du chariot orienté vers l'est. Son ventre se noua. Il aperçut le visage de l'archer incrédule, ses yeux écarquillés, puis il s'effondra sur lui, et tous deux roulèrent au sol. Le corps du soldat amortit la chute de Roran, qui se mit aussitôt à genoux et pressa le rebord de son bouclier entre le casque et la tunique de son adversaire, lui brisant le cou. Après quoi, il se releva.

Les quatre autres soldats furent lents à réagir. Celui qui se trouvait à gauche de Roran commit l'erreur de tirer sa lance à l'intérieur du triangle. Dans sa hâte, il en coinça la pointe dans une roue, et la hampe se brisa entre ses mains. Roran se jeta sur lui. Le soldat voulut reculer, mais les chariots lui coupaient la retraite. Un coup de marteau sous le menton eut raison de lui.

Le second soldat, plus malin, lâcha sa lance pour dégainer. Il n'avait pas sorti son épée du fourreau que Roran lui défonçait le thorax.

Les deux derniers s'étaient ressaisis ; lame au poing, ils convergèrent sur lui en grimaçant. Roran tenta d'esquiver. Sa jambe blessée céda, il chancela, se reçut sur un genou, para de son bouclier, se jeta en avant et écrasa le pied de l'agresseur du plat de son marteau. Avec un juron, l'homme tomba à terre. Et le marteau s'abattit sur son crâne.

Il ne lui restait plus qu'un adversaire. Il se mit sur le dos pour lui faire face.

Jambes écartées, les bras en croix, il s'immobilisa.

Le soldat se dressait au-dessus de lui, menaçant, la pointe de son épée à moins d'un pouce de sa gorge.

Et Roran de songer : « C'en est fini de moi. »

C'est alors qu'un bras épais entoura la gorge du soldat et le tira en arrière. L'homme émit un cri étranglé. Une épée jaillit de son torse dans un flot de liquide vermeil, et il s'effondra, mort, découvrant Martland Barbe Rouge tout éclaboussé de sang.

Haletant, le capitaine varden retira sa lame du cadavre, la planta dans le sol et s'appuya sur le pommeau, puis examina le carnage dans le triangle formé par les chariots. Enfin, il hocha la tête en signe d'approbation :

— Je pense que tu feras l'affaire, Puissant Marteau.

Assis au bord d'un chariot, Roran se mordait les lèvres tandis que Carn découpait sa botte abîmée ; dans un effort pour ignorer les élancements de sa jambe blessée, il regardait tournoyer les vautours et se concentrait sur des souvenirs de la ferme familiale dans la vallée de Palancar.

Un grognement lui échappa quand Carn tâta l'entaille profonde.

— Excuse-moi, dit le magicien. Il faut que j'examine ta plaie.

Roran continua d'observer les vautours en silence. Au bout d'un moment, Carn prononça une formule en ancien langage, et, quelques secondes plus tard, la douleur s'était considérablement atténuée. Baissant les yeux, Roran constata que sa jambe était comme neuve.

Le teint plombé, Carn tremblait, épuisé d'avoir soigné deux autres guerriers avant lui. Il s'affala contre le chariot, les bras noués autour de son ventre. Il semblait sur le point de vomir.

— Ça ne va pas ? demanda Roran.

Carn esquissa un haussement d'épaules :

— Ça ira mieux tout à l'heure. Besoin de récupérer... Le bœuf t'a éraflé le tibia. J'ai pu refermer l'entaille ; je n'avais, hélas, plus la force de guérir le reste. La peau et les muscles sont ressoudés. Ainsi, tu ne saigneras plus et tu ne souffriras pas trop. Mais ta jambe n'est pas bien solide, elle te soutiendra tout juste. Évite les efforts le temps qu'elle finisse de cicatriser.

— Ce sera long ?

— Une semaine. Peut-être deux.

Roran enfila ce qui avait été une botte :

— Eragon m'a entouré de sorts pour me protéger des blessures. Ils m'ont sauvé la vie plusieurs fois aujourd'hui. Pourquoi ne m'ont-ils pas évité ce coup de corne ?

— Je l'ignore, soupira Carn. Personne n'est jamais paré contre toute éventualité. C'est ce qui rend la magie si dangereuse. Si tu négliges un minuscule détail en formulant un enchantement, ou bien tu en es seulement affaibli, ou bien il en résulte une catastrophe que tu n'avais pas prévue. Cela arrive aux meilleurs magiciens. Il doit y avoir une faille dans les sorts de ton cousin, un mot mal placé ou une faute de logique qui a permis à ce bœuf de t'encorner.

Roran se laissa glisser du chariot et gagna la tête du convoi en boitillant pour évaluer les résultats de la bataille. Cinq Vardens, dont lui, avaient été blessés au cours des combats. Deux autres étaient morts : un homme qu'il connaissait à peine et Ferth, avec lequel il avait bavardé en diverses occasions. Parmi les ennemis, soldats ou conducteurs d'attelage, il n'y avait pas de survivants.

Il s'arrêta devant ses deux premières victimes. Le spectacle des cadavres lui souleva le cœur. « Maintenant, j'en ai tué... combien ? Je ne sais plus. » Il prit soudain conscience que, dans la frénésie guerrière à la bataille des Plaines Brûlantes, il avait perdu le compte des hommes qu'il avait abattus. Le fait d'avoir envoyé assez d'ennemis à la mort pour ne pas se souvenir de leur nombre le laissa perplexe. « Faut-il que je décime des régiments entiers pour reconquérir ce que l'Empire m'a volé ? » La pensée qui suivit le troubla plus encore : « Et s'il le fallait ? Comment pourrais-je rentrer dans la vallée de Palancar et y vivre en paix avec une âme noire du sang que j'ai versé ? »

Fermant les yeux, Roran s'appliqua à détendre les muscles de son corps, à se calmer. « Je tue au nom de l'amour. Je tue par amour pour Katrina, par amour pour Eragon et tous ceux de

Carvahall. Je tue par amour des Vardens, par amour pour cette terre qui est la nôtre. Au nom de l'amour, je traverserai des océans de sang, dussé-je en périr ! »

— Jamais rien vu de tel, Puissant Marteau, déclara Ulhart.

Roran rouvrit les yeux sur le vieux briscard qui tenait Feu de Neige par la bride.

— Je ne connais personne d'assez fou pour tenter un truc pareil. Sauter par-dessus des chariots et s'en sortir vivant ! Bien joué. Un conseil d'ami, cependant. Si tu veux vivre un autre été, évite ce genre de numéro de voltige et les combats seul contre cinq. Un peu de prudence ne serait pas de trop.

— J'y songerai, répondit Roran en prenant les rênes de l'étalon.

Dans le laps de temps écoulé depuis qu'il avait eu raison des derniers soldats ennemis, les guerriers valides avaient entrepris d'inspecter le contenu des chariots. Ils ouvraient les ballots de marchandises et rapportaient leurs découvertes à Martland, qui notait afin que Nasuada étudie l'inventaire ; peut-être lui fournirait-il des renseignements sur les intentions de Galbatorix. Roran les observa tandis qu'ils fouillaient les derniers chariots du convoi, remplis de sacs de grain et de piles d'uniformes. Cette tâche terminée, ils égorgèrent les bœufs. En bon fermier, Roran en était malade. Il le fallait pourtant, et il aurait manié le couteau lui-même si on le lui avait demandé. Ils auraient bien ramené les bêtes chez les Vardens si elles n'avaient été trop lentes. En revanche, les chevaux de l'ennemi pouvaient les accompagner dans leur fuite. Ils en capturèrent le plus possible et les attachèrent aux leurs.

Enfin, l'un des hommes tira de ses sacoches une torche imprégnée de résine, l'enflamma à l'aide de son briquet à silex, puis, remontant le convoi sur toute sa longueur, il mit le feu aux chariots et jeta son brandon sur le dernier.

— En selle ! tonna Martland.

Malgré sa jambe douloureuse, Roran se hissa sur Feu de Neige et le guida vers Carn tandis que les hommes s'assemblaient sur deux files derrière leur capitaine. Les chevaux renâclaient et piaffaient, pressés de mettre une saine distance entre eux et l'incendie.

Martland partit d'un bon trot, et le groupe suivit, laissant derrière lui les chariots qui brûlaient, perles de flammes le long de la route déserte.

29
UNE FORÊT DE PIERRE

Des acclamations montèrent de la foule.

Eragon était installé sur les gradins que les nains avaient construits à la base des remparts extérieurs de Bregan Hold. Sur les pentes du mont Thardûr, la forteresse occupait un mamelon arrondi, situé à un bon mile au-dessus de la vallée envahie par la brume. De là, on voyait sur plusieurs lieues dans toutes les directions, jusqu'à ce que la vue bute contre les montagnes. Comme Tronjheim et les autres cités naines qu'Eragon avait visitées, Bregan Hold était creusée dans la pierre, un granit dont la teinte rosée conférait une certaine chaleur aux salles et aux galeries. Solide bâtiment aux murs épais, la citadelle proprement dite, haute de cinq étages, se terminait par une flèche, avec, à son sommet, une gemme transparente en forme de goutte d'eau ; large comme deux nains, le cristal était tenu en place par quatre arcs de granit en ogive.

Orik avait expliqué à Eragon que cette gemme fonctionnait comme les lanternes sans flamme, sorte de phare qui, dans les grandes occasions ou bien en cas d'urgence, inondait la vallée de sa lumière dorée. Les nains l'appelaient Sindriznarrvel, la Gemme de Sindri. De nombreuses constructions se greffaient sur les flancs de la forteresse : quartiers des domestiques, des guerriers du Dûrgrimst Ingeitum, dépendances, étables, forges, et même un temple consacré au culte de Morgothal, dieu nain du feu et patron des forgerons. Au pied des hautes murailles lisses de la cité, des panaches de fumée montaient de petites maisons en pierre, demeures des fermiers établis dans les clairières avoisinantes.

Depuis que les trois enfants l'avaient escorté dans la cour principale en criant à la cantonade : « Argetlam ! Argetlam ! », Eragon avait découvert tout cela et bien plus encore en compagnie d'Orik, qui l'avait accueilli comme un frère.

Après l'avoir conduit aux bains, le nain avait veillé à ce qu'on le vête de pourpre et lui ceigne le front d'un cercle d'or. Il lui avait présenté Hvedra – un bout de femme aux longs cheveux, au regard pétillant et aux bonnes joues de pomme saine – en déclarant fièrement qu'ils s'étaient mariés deux jours plus tôt. Tandis qu'Eragon le félicitait et lui faisait part de son étonnement, Orik, gêné, dansait d'un pied sur l'autre.

– Ça me chagrine que tu n'aies pas assisté à la cérémonie, avait-il répondu. J'avais demandé à l'un de nos magiciens de contacter Nasuada pour qu'elle t'autorise à venir avec Saphira, mais elle a refusé de te transmettre le message pour ne pas te détourner de tes devoirs. Je ne lui en veux pas, bien sûr ; je regrette seulement que cette guerre t'ait empêché d'être présent à nos noces, et nous à celles de ton cousin. Nous sommes tous parents, comme tu le sais, selon la loi sinon par le sang.

– Et je serais heureuse que tu me considères aussi comme membre de la famille, Tueur d'Ombre, avait ajouté Hvedra, avec un fort accent nain. Tant que ce sera en mon pouvoir, Saphira et toi serez toujours les bienvenus à Bregan Hold, et vous y trouverez refuge en cas de nécessité, même si Galbatorix lui-même est à vos trousses.

Ému, Eragon s'était incliné devant elle :

– Ton offre généreuse me touche. Si ce n'est pas indiscret, pourquoi avez-vous décidé de vous marier maintenant, Orik et toi ?

– Nous comptions le faire au printemps, et puis...

– Et puis les Urgals ont attaqué Farthen Dûr, et puis Hrothgar m'a envoyé en promenade chez les elfes avec toi. À mon retour ici, quand les membres du clan m'ont choisi pour nouveau Grimstborith, nous avons pensé que le moment était idéal pour devenir mari et femme après nos longues fiançailles. Rien ne prouve que nous serons encore en vie dans un an, à quoi bon attendre, hein ?

– Ils t'ont donc élu chef de clan.

– Oui, Eragon. Le choix du nouveau chef du Dûrgrimst Ingeitum a soulevé quelques dissensions. Nous avons passé plus d'une semaine en discussions. À la fin, les familles se sont mises d'accord pour que je succède à Hrothgar, puisque j'étais son seul héritier désigné.

À présent, assis sur les gradins près d'Orik et de Hvedra, Eragon regardait les joutes en mangeant le pain et le mouton que les nains lui avaient apportés. La tradition voulait qu'une famille bien pourvue en or offre un spectacle de tournoi aux invités du mariage. Celle de Hrothgar était si riche que les jeux duraient déjà depuis trois jours et se poursuivraient pendant quatre autres, avec des épreuves de toutes sortes : lutte, tir à l'arc, escrime, démonstrations de force, et le Ghastgar qui était en cours.

Aux deux extrémités d'une lice herbeuse, deux nains montés sur des Feldûnosts blancs fonçaient l'un vers l'autre. Les bouquetins des montagnes cornus couvraient soixante-dix pieds à chaque bond. Le nain de droite était équipé d'un petit bouclier rond fixé à l'avant-bras, il ne portait pas d'armes ; celui de gauche n'avait pas de bouclier et brandissait un javelot.

Eragon retenait son souffle tandis que les adversaires se rapprochaient. Lorsque les Feldûnosts ne furent plus qu'à une trentaine de pas l'un de l'autre, le nain au javelot lança son arme. L'autre ne chercha pas à se couvrir. D'une main vive, il saisit le projectile par la hampe et le leva bien haut sous les bravos de la foule. Eragon se joignit au tumulte, applaudissant avec enthousiasme.

— Joli ! s'exclama Orik en riant.

Et il vida sa chope d'hydromel. Sa cotte de mailles rutilait sous le soleil déclinant. Il arborait un heaume incrusté d'or, d'argent et de rubis ; cinq bagues de taille impressionnante ornaient ses doigts, et il avait, comme toujours, sa hache à la ceinture. Hvedra était encore plus richement parée dans sa robe somptueuse, rehaussée de broderies, avec, au cou, des colliers de perles et d'or torsadé ; un peigne d'ivoire dans lequel était sertie une émeraude grosse comme le pouce retenait sa chevelure.

Toute une rangée de nains se leva. Ensemble, ils embouchèrent des trompes recourbées, dont les notes cuivrées retentirent jusque dans les montagnes. Puis un héraut au torse puissant s'avança pour proclamer le nom du vainqueur en langue naine et appeler les concurrents suivants à prendre place pour le Ghastgar.

Quand le maître de cérémonie se tut, Eragon se pencha vers Hvedra et demanda :

— Tu nous accompagneras à Farthen Dûr ?

Secouant la tête, elle répondit avec un grand sourire :

— Je ne peux pas. En l'absence d'Orik, il faut que je reste ici pour veiller aux affaires du Dûrgrimst Ingeitum, afin qu'il ne trouve pas ses guerriers affamés et sa fortune dilapidée à son retour.

Gloussant de satisfaction, Orik tendit sa chope vide en direction d'un serviteur qui se tenait à quelques pas d'eux. Le petit homme se précipita pour la lui remplir tandis qu'il expliquait avec une pointe de fierté :

— Hvedra ne se vante pas, tu sais. Non contente d'être ma femme, elle est aussi... Zut, il n'y a pas de mot pour ça dans votre langue. Elle est la *grimstcarvlorss* du Dûrgrimst Ingeitum. Ce qui signifie... la gardienne de la maison, la grande organisatrice. Elle a pour devoir de veiller à ce que les familles du clan paient leur dîme à Bregan Hold, à ce que les troupeaux soient conduits dans les pâturages appropriés au bon moment, à ce que nos réserves de grain comme de nourriture pour les bêtes ne baissent pas trop, à ce que les femmes de l'Ingeitum tissent en quantité suffisante, à ce que nos guerriers soient bien équipés, nos forgerons, bien pourvus en métal ; bref, à ce que le clan soit géré de manière à s'enrichir et à prospérer. Nous avons un dicton, chez nous : « Une bonne grimstcarvlorss fait la fortune du clan. »

— Tout comme une mauvaise peut le détruire, ajouta Hvedra.

Orik lui prit la main :

— Et Hvedra est la meilleure qui soit. Ce n'est pas un titre héréditaire. Il faut s'en montrer digne pour obtenir ce poste. Il est rare que l'épouse du chef de clan soit également grimstcarvlorss. En cela, j'ai beaucoup de chance.

Ils rapprochèrent leurs têtes pour se frotter le nez. Gêné, Eragon se détourna ; il se sentait seul, exclu.

En se redressant, Orik but une gorgée d'hydromel et reprit :

— Il y a eu des grimstcarvlorss célèbres dans notre histoire. On prétend que les chefs de clan ne sont bons qu'à se déclarer la guerre et que les grimstcarvlorss préfèrent que nous passions notre temps à nous quereller afin que nous n'intervenions pas dans leurs affaires.

— Allons, Skilfz Delva, tu sais bien que ce n'est pas vrai, objecta Hvedra. Au moins, pas entre nous.

— Hmm.

Orik posa son front contre celui de son épouse, et, de nouveau, ils se frottèrent le nez.

Eragon reporta son attention sur la joute en cours, tandis que la foule sifflait et lançait des quolibets. Pris de panique au moment critique, l'un des concurrents du Ghastgar avait tiré son Feldûnost de côté et cherchait à fuir l'adversaire. Le nain au javelot lancé à sa poursuite fit deux tours de lice derrière lui. Lorsqu'il l'eut presque rattrapé, il se dressa sur ses étriers et lança son arme, frappant le lâche derrière l'épaule gauche. Avec un cri de douleur, le malheureux tomba de sa monture, le poing crispé sur le projectile planté dans sa chair. Un guérisseur se précipita pour le soigner. Bientôt, la foule tournait le dos à ce triste spectacle.

Orik retroussa les lèvres en une mimique de dégoût :

– Répugnant ! Ce garçon a déshonoré sa famille, qui ne s'en remettra pas avant des années. Je regrette que tu aies assisté à cet acte méprisable.

– Il est toujours pénible de voir quelqu'un se couvrir de honte.

Tous trois gardèrent le silence pendant les deux joutes qui suivirent, puis Orik surprit Eragon en lui agrippant le haut du bras :

– Tu aimerais voir une forêt de pierre ?

– Une forêt de pierre ? Ça n'existe pas. Sauf si elle est sculptée.

– Celle-là n'est pas sculptée, et elle existe. Alors ? Tu aimerais la voir ?

– Si ce n'est pas une plaisanterie... oui, cela me plairait beaucoup.

– Ah ! Je suis heureux que tu aies accepté. Je ne plaisante pas le moins du monde, et je te promets que, demain, tu marcheras parmi des arbres de granit. C'est l'une des merveilles des Beors. Tous les invités du Dûrgrimst Ingeitum devraient avoir la chance de la visiter.

455

*

Le lendemain matin, Eragon se leva de son lit trop petit dans sa chambre de pierre au plafond bas et au mobilier de taille réduite ; il se débarbouilla dans une cuvette d'eau froide et, par habitude, il chercha mentalement l'esprit de Saphira. Rien. Il ne rencontra que ceux des nains et des animaux alentour. Accablé par un profond sentiment d'isolement, il chancela, s'accrocha à la table de toilette et resta là, le souffle coupé, tétanisé, incapable de réfléchir tandis que des taches rouges dansaient devant ses yeux. Enfin, il soupira et inspira à fond.

« Elle me manquait au retour de Helgrind, mais au moins je savais que je rentrais le plus vite possible. Cette fois, je m'éloigne d'elle, et j'ignore quand nous serons de nouveau réunis. »

Lorsqu'il se fut ressaisi, il se vêtit et s'aventura dans les couloirs de Bregan Hold, saluant sur son passage les nains qui lui lançaient des « Argetlam ! » enthousiastes.

Il trouva Orik avec douze des siens dans la cour de la citadelle, occupés à seller un train de solides poneys dont l'haleine formait des panaches de vapeur blanche dans l'air froid. Eragon se faisait l'effet d'un géant parmi ces petits hommes trapus qui s'affairaient autour de lui.

– Ah, Eragon ! s'exclama Orik. Nous avons un âne pour toi à l'écurie si tu veux une monture.

– Je te remercie, je préfère aller à pied.

– Libre à toi.

Lorsqu'ils furent prêts à partir, Hvedra, en longue robe à traîne, descendit le grand escalier de l'entrée principale : elle tendit à Orik un olifant d'ivoire à l'embouchure et au pavillon incrustés d'or.

– Il appartenait à mon père, au temps où il chevauchait avec le Grimstborith Aldhrim, dit-elle. Je te le donne pour que tu te souviennes de moi pendant ton voyage.

Elle poursuivit en langue naine, si bas qu'Eragon l'entendait à peine. Orik se pencha, leurs deux fronts se touchèrent, puis il se redressa sur sa selle, porta l'olifant à ses lèvres et souffla. Une note aux sonorités chatoyantes s'enfla dans l'air, jusqu'à ce que toute la cour résonne à en vibrer. Deux corbeaux s'envolèrent d'une tour avec des croassements affolés. Un frisson d'excitation parcourut Eragon. Il avait hâte de se mettre en route.

Levant la trompe au-dessus de sa tête, Orik regarda Hvedra une dernière fois, éperonna son poney, trotta jusqu'aux grilles de Bregan Hold, et mit le cap vers l'est et le fond de la vallée, suivi par Eragon et les douze autres nains.

Trois heures durant, ils longèrent un sentier creusé par les passages sur les pentes du mont Thardûr, grimpant toujours plus haut. Tout en veillant à ce qu'ils ne se blessent pas, les nains imposaient une allure soutenue à leurs poneys, trop lente cependant au goût d'Eragon, qui aurait couru plus vite s'il avait été seul. Impatient, il rongeait son frein en silence. À quoi bon protester ? C'était inévitable lorsqu'il ne voyageait pas en compagnie d'elfes ou de Kulls.

Il frissonna, resserra les pans de sa cape. Le soleil n'avait pas franchi la crête des Beors, et l'humidité persistait. Pourtant, la matinée était bien avancée.

Ils arrivèrent sur un plateau de granit large de plus de mille pieds, que bordait une curieuse formation naturelle, une falaise faite de piliers octogonaux. Des voiles de brume mouvante cachaient le bout du plateau.

Orik leva haut la main et déclara :

– Nous y voici : Az Knurldrâthn.

Perplexe, Eragon fronça les sourcils. Il avait beau regarder de tous ses yeux, il ne distinguait rien d'intéressant en ce lieu désolé.

– Je ne vois pas de forêt de pierre, dit-il.

Orik descendit de son poney et confia les rênes au guerrier le plus proche.

– Viens avec moi, Eragon, si tu veux bien.

Il accompagna le nain jusqu'au banc de brouillard, à petits pas pour ne pas le dépasser. La brume humide et fraîche lui mouillait le visage. Elle était si dense qu'elle engloutissait le paysage, les enveloppait dans une grisaille omniprésente à l'intérieur de laquelle il n'y avait plus de haut, plus de bas, plus de repères. Imperturbable, Orik poursuivait son chemin avec assurance tandis qu'Eragon, désorienté, hésitait à poser les pieds et tendait le bras devant lui pour ne pas buter contre d'éventuels obstacles.

Orik s'arrêta au bord d'une légère fissure dans le granit du sol.

– Que vois-tu, à présent ? s'enquit-il.

Plissant les yeux, Eragon scruta le gris monotone autour de lui. En apparence, rien n'avait changé. Il ouvrait la bouche pour le dire quand, sur sa droite, il remarqua des irrégularités dans la masse de brouillard, une alternance de motifs plus clairs et plus foncés qui demeuraient fixes. Peu à peu, d'autres zones statiques lui apparurent, taches abstraites, contrastées, qui ne dessinaient rien de précis.

– Je ne..., commençait-il quand un souffle de brise lui ébouriffa les cheveux.

Sous la douce caresse du vent naissant, la brume s'estompa, et les ébauches de formes indistinctes se solidifièrent en de gros troncs couleur de cendre, aux branches nues et tourmentées. Des dizaines d'arbres les entouraient, Orik et lui, pâles squelettes d'une forêt ancienne. Il posa la paume sur un tronc. L'écorce était aussi froide et dure qu'une roche. Des lichens décolorés s'accrochaient à sa surface. Des picotements parcoururent la nuque d'Eragon. Il n'était pas très superstitieux, mais l'étrange demi-jour, la brume fantomatique et les silhouettes des arbres mystérieux ranimaient en lui l'étincelle de la peur.

Il s'humecta les lèvres :

– Qu'est-ce qui a causé ce phénomène ?

Orik haussa les épaules :

– Certains prétendent que Gûntera les a plantés là quand il a créé l'Alagaësia à partir du néant. D'autres affirment qu'Helzvog les a faits, parce que la pierre est son élément et que le dieu de la pierre peut bien avoir des arbres de pierre dans son jardin. D'autres encore pensent qu'autrefois c'étaient des arbres ordinaires et qu'un terrible cataclysme survenu il y a une éternité les a ensevelis sous terre ; alors, ils sont devenus terre eux-mêmes, et ils se sont pétrifiés.

– C'est possible ?

– Seuls les dieux le savent. Qui d'autre aurait l'explication à toutes les énigmes du monde ? Nos ancêtres ont découvert les premiers de ces arbres en extrayant le granit ici il y a plus de mille ans. Hvalmar Lackhand, Grimstborith du Dûrgrimst Ingeitum à l'époque, a ordonné qu'on cesse d'exploiter la carrière et envoyé ses tailleurs de pierre pour sortir les arbres de leur gangue de granit au burin. Quand ils en ont eu dégagé cinquante, Hvalmar a compris qu'il y avait peut-être des centaines, voire des milliers de ces arbres ensevelis dans le flanc du mont Thardûr, et il a renoncé au projet. Le lieu a cependant enflammé l'imagination de notre race, et, depuis, des knurlan de tous les clans sont venus ici pour continuer à arracher les arbres aux griffes de la montagne. Il y en a même qui ont voué leur vie à cette tâche. Nous envoyons aussi les enfants difficiles sortir un ou deux arbres de leur linceul de granit sous la surveillance d'un maître maçon. C'est devenu une tradition.

– Le travail doit être fastidieux.

– Il leur donne le temps de se repentir.

Orik marqua une pause, tapota sa barbe tressée et ajouta :

– J'ai moi-même passé quelques mois ici quand j'étais un jeune indiscipliné de trente-quatre printemps.

459

– Et tu t'es repenti ?

– Eta. Non. C'était trop... *fastidieux*. Au bout de plusieurs semaines, je n'avais encore dégagé qu'une seule branche. Lassé, je me suis enfui et acoquiné avec un groupe de Vrenshrrgn.

– Des nains du clan Vrenshrrgn ?

– Knurlagn du clan Vrenshrrgn : les Loups de la Guerre, les Loups Guerriers, je ne sais pas comment vous les appelez dans votre langue. Je me suis acoquiné avec eux, je me suis soûlé à la bière, et, pendant qu'ils chassaient le Nagra, j'ai décidé que moi aussi, je devrais tuer un de ces sangliers et l'offrir à Hrothgar pour apaiser sa colère contre moi. Ce n'est pas ce que j'ai fait de plus intelligent. Même nos guerriers les plus habiles hésitent à chasser le Nagra, et je n'étais encore qu'un gamin. Quand j'ai émergé des brumes de l'alcool, je m'en suis voulu et me suis traité d'imbécile. Trop tard pour revenir en arrière. Je m'y étais engagé solennellement, je n'avais plus qu'à tenir ma promesse.

Orik s'interrompit.

– Et alors ? le relança Eragon. Qu'est-ce qui s'est passé ?

– Oh, j'ai tué mon Nagra, avec l'aide des Vrenshrrgn. Mais il m'a encorné, blessé à l'épaule et envoyé valser dans les branches d'un arbre voisin. Les Vrenshrrgn ont dû nous porter, le Nagra et moi, jusqu'à Bregan Hold. Le sanglier a eu l'effet voulu sur Hrothgar, il en était ravi, et moi... Moi, malgré les soins de nos meilleurs guérisseurs, j'ai passé tout un mois au lit, ce qui, d'après Hrothgar, était une punition suffisante pour avoir désobéi à ses ordres.

– Il te manque, hein ? observa Eragon après une pause.

Orik resta quelques instants silencieux, le menton contre sa poitrine, puis il frappa le granit du manche de sa hache, et le bruit sec se répercuta parmi les arbres de pierre.

– Près de deux siècles se sont écoulés depuis le dernier dûrgrimstvren, Eragon, la dernière guerre des clans à avoir déchiré notre nation. Et, par la barbe noire de Morgothal, nous sommes à deux doigts d'en vivre une autre.

– Maintenant ? s'exclama Eragon, atterré. Ça va si mal que ça ?

– Pire encore. De mémoire de nain, jamais les tensions n'ont été aussi fortes. La mort de Hrothgar et l'invasion de l'Empire par Nasuada ont enflammé les passions, exacerbé les vieilles rivalités, conforté dans leurs opinions ceux qui pensent que lier notre sort à celui des Vardens serait de la folie.

– Comment peuvent-ils croire cela, alors que Galbatorix a déjà attaqué Tronjheim avec les Urgals ?

– Ils ont la certitude que Galbatorix est invincible, et les nôtres sont sensibles à cet argument. Peux-tu affirmer sans mentir que, si Saphira et toi deviez affronter le tyran aujourd'hui, vous parviendriez à le battre ?

– Non, répondit-il, la gorge nouée.

– C'est ce que je craignais. Les opposants aux Vardens se couvrent les yeux et ne voient pas la menace que représente Galbatorix. Ils prétendent qu'en offrant l'asile aux Vardens, en vous accueillant, Saphira et toi, nous avons donné au roi félon des raisons de nous faire la guerre qu'il n'aurait pas eues sans cela. Ils s'imaginent qu'en vivant cachés, en restant entre nous dans nos grottes et nos tunnels, nous n'aurons rien à craindre de Galbatorix. Ils ne comprennent pas que la soif de pouvoir insatiable qui l'anime ne lui laissera pas de repos tant que l'Alagaësia entière ne sera pas soumise et à ses pieds.

Orik secoua la tête ; les muscles de ses avant-bras se crispèrent tandis qu'il pinçait le tranchant de sa hache :

– Je ne permettrai pas que les nôtres se terrent comme des lapins affolés jusqu'à ce que le loup qui rôde dehors les débusque et les dévore jusqu'au dernier. Nous devons continuer à lutter dans l'espoir d'abattre enfin Galbatorix. Et je ne permettrai pas non plus que notre nation se désagrège en sombrant dans une guerre clanique. Les circonstances étant ce qu'elles sont, un nouveau dürgrimstvren détruirait notre civilisation et pourrait entraîner la perte des Vardens. Pour le bien de mon peuple, Eragon, je compte postuler au trône. Les Dûrgrimstn Gedthrall, Ledwonnû et Nagra se sont d'ores et déjà engagés à me soutenir. Il y a, hélas, trop d'obstacles entre la couronne et moi ; il ne me sera pas facile d'obtenir assez de voix pour devenir roi. Eragon, j'ai besoin de savoir si je peux compter sur toi pour m'aider dans cette entreprise.

Les bras croisés, le jeune homme alla d'un arbre à un autre, puis revint sur ses pas :

– Si je t'apporte mon soutien, les autres clans risquent de se retourner contre toi. Non seulement tu demanderas alors à ton peuple de s'allier aux Vardens, mais aussi d'accepter un Dragonnier comme un des leurs, ce qu'ils n'ont encore jamais fait, et je doute fort qu'ils le fassent aujourd'hui.

– J'y perdrai certains votes, j'en gagnerai aussi. C'est à moi d'évaluer les risques. Tout ce que je veux savoir, c'est si tu me soutiendras... Tu sembles hésiter, pourquoi ?

Évitant le regard d'Orik, Eragon fixait une racine à ses pieds :

— Tu te soucies du bien de ton peuple, et à juste titre. Mes préoccupations sont cependant plus vastes, puisqu'elles recouvrent le bien des Vardens, des elfes et de tous ceux qui s'opposent à Galbatorix. Suppose que... que tes chances d'obtenir la couronne soient à peu près nulles et qu'un autre chef de clan soit en mesure de la décrocher parmi les sympathisants des Vardens...

— Aucun Grimstborith n'est plus favorable aux Vardens que moi !

— Je ne remets pas ta loyauté en cause, objecta Eragon. Toutefois, si la situation que je viens d'exposer se produisait et que mon soutien permette à ce chef de clan de devenir roi, pour le bien de ton peuple et pour celui de toute l'Alagaësia, ne devrais-je pas le lui accorder ?

Avec un calme glacial, Orik lui répondit :

— Tu as engagé ta vie en jurant sur le Knurlnien, Eragon. Selon les lois de notre royaume, même si cela déplaît à certains, tu es membre du Dûrgrimst Ingeitum à part entière. En t'adoptant, Hrothgar a fait une chose sans précédent dans notre histoire, une chose que rien ne peut défaire, à moins que je ne te bannisse de notre clan en ma qualité de Grimstborith. Si tu te retournes contre moi, tu me couvriras de honte devant notre peuple, qui me retirera sa confiance. De plus, tu prouveras à tes détracteurs que nous aurions tort de nous fier à un Dragonnier. Les membres du clan ne renient pas les leurs au profit d'autres clans, Eragon. C'est mal vu, et tu risques de te réveiller une nuit avec un couteau planté dans le cœur.

— C'est une menace ? s'enquit Eragon avec la même froideur.

Orik jura et frappa de nouveau le granit de sa hache :

— Non, bien sûr ! Pour rien au monde je ne toucherais à un cheveu de ta tête ! Tu es mon frère adoptif, le seul Dragonnier qui ne soit pas sous l'emprise de Galbatorix, et, pour couronner le tout, j'ai de l'affection pour toi après tous ces voyages ensemble. Jamais je ne te ferai de mal, mais le reste de l'Ingeitum ne sera pas aussi tolérant. Ce n'est pas une menace, c'est la vérité nue. Si le clan apprend que tu as donné ton suffrage à un autre, je ne serai peut-être pas en mesure de contenir sa colère. Tu as beau être invité, protégé par les règles de l'hospitalité, si tu parles en faveur d'un autre, l'Ingeitum s'estimera trahi, et nous ne tolérons pas les traîtres parmi nous. Est-ce que tu comprends, Eragon ?

– Qu'est-ce que tu attends de moi ? s'écria-t-il en faisant les cent pas devant Orik. J'ai également prêté serment à Nasuada, et ce sont les ordres qu'elle m'a donnés.

– Et tu as juré fidélité au Dûrgrimst Ingeitum ! rugit le nain.

Eragon s'arrêta et le dévisagea :

– Tu voudrais que je sacrifie l'Alagaësia entière pour conserver ton rang ?

– Ne m'insulte pas, je te prie !

– Alors, ne me demande pas l'impossible, s'il te plaît ! S'il apparaît probable que tu accèdes au trône, je te soutiendrai, et sinon, non. Tu t'inquiètes du Dûrgrimst Ingeitum et de ton peuple dans son ensemble. Moi, le devoir m'impose de m'inquiéter de vous ainsi que de toute l'Alagaësia, et je ne peux pas me permettre de vous offenser, toi, ton... pardon, notre clan, et le reste du royaume des nains.

Orik se radoucit :

– Il existe un autre moyen, Eragon. Ce serait plus délicat pour toi, mais cela résoudrait ton dilemme.

– Ah oui ? Et quelle serait cette solution miraculeuse ?

Glissant sa hache dans sa ceinture, Orik s'avança, lui prit les deux bras et le regarda de dessous ses sourcils broussailleux :

– Aie confiance en mon jugement, Eragon le Tueur d'Ombre. Accorde-moi la même loyauté que si tu étais né au sein du Dûrgrimst Ingeitum. Ceux qui sont sous mes ordres ne donneraient pas leur voix à un autre clan contre leur Grimstborith. Si ce dernier commet une erreur, il en porte seul la responsabilité. Cela étant, je suis conscient de tes préoccupations.

Il baissa les yeux, marqua une pause et reprit :

– Si je n'ai aucune chance d'être roi, je m'en apercevrai, crois-moi. Le désir de pouvoir ne m'aveuglera pas. Si cela devait arriver – et j'en doute –, je donnerais ma voix à un autre

463

candidat, car je n'ai pas plus que toi envie de voir élire un Grimstborith hostile aux Vardens. En donnant ma voix à cet autre pour qu'il accède au trône, je mettrais à son service le statut et le prestige de tout l'Ingeitum, dont toi puisque tu en es membre. Me feras-tu confiance, Eragon ? M'accepteras-tu pour Grimstborith à l'instar de mes autres sujets qui ont prêté serment ?

Le jeune Dragonnier gémit et s'adossa à un arbre de pierre ; calant sa tête contre le tronc froid et rugueux, il contempla le blanc réseau tortueux des branches environnées de brume. *Sa confiance !* Orik lui demandait sa confiance, rien que ça ! Ce qu'il aurait le plus de mal à lui accorder. Malgré son amitié pour le nain, il répugnait à se mettre sous son autorité dans des circonstances aussi graves. Il y perdrait encore en liberté, et abdiquerait du même coup une part de ses responsabilités envers l'Alagaësia, ce qui ne l'enchantait pas. Il avait l'impression d'être suspendu au-dessus d'un gouffre, de lutter pour ne pas lâcher prise par crainte d'une chute mortelle pendant qu'Orik l'encourageait, s'efforçait de le convaincre qu'il y avait une plate-forme un peu plus bas.

— Je ne serai pas un serviteur soumis que tu commanderas à ta guise, dit-il. En ce qui concerne le Dûrgrimst Ingeitum, j'obéirai ; pour le reste, je garderai mon libre arbitre.

Orik hocha la tête avec gravité :

— Je ne m'inquiète pas des missions que Nasuada pourrait te confier, ni de savoir qui tu tueras en combattant l'Empire. Non, ce qui trouble mon sommeil quand je devrais dormir comme Arghen dans sa grotte, c'est de t'imaginer essayant d'orienter le vote du conseil des clans. Toutes nobles que soient tes intentions — et elles le sont —, tu connais mal notre politique, même si Nasuada t'a bien fait la leçon. C'est mon domaine, Eragon. Laisse-moi conduire mes affaires comme je le jugerai approprié. Hrothgar m'a formé pour cette tâche depuis mon plus jeune âge.

Eragon soupira. Il eut la sensation de tomber en déclarant :

– Très bien. Je me rangerai à ton avis quant à la succession au trône, Grimstborith Orik.

Un large sourire éclaira le visage du nain. Il pressa les bras d'Eragon avant de les relâcher :

– Ah, merci ! Merci, mon ami. Tu ne sais pas à quel point c'est important pour moi. C'est généreux de ta part, très généreux. Je ne l'oublierai jamais, même si je vis jusqu'à deux cents ans et que ma barbe traîne par terre.

Eragon ne put s'empêcher de rire :

– J'espère qu'elle s'arrêtera de pousser avant. Tu te prendrais les pieds dedans !

– C'est bien possible, commenta Orik en riant, lui aussi. De toute façon, Hvedra me la couperait dès qu'elle atteindrait mes genoux. Elle a des idées très précises sur la longueur qui sied à une barbe.

*

Ils quittèrent la forêt mystérieuse, Orik menant la marche à travers la brume qui tourbillonnait entre les troncs pétrifiés. Lorsqu'ils eurent rejoint les douze guerriers nains, le groupe descendit la pente du mont Thardûr, traversa la vallée en arrivant en bas, puis s'engagea dans un tunnel creusé dans la roche, si habilement masqué que jamais Eragon n'en aurait trouvé l'entrée seul.

C'est avec regret qu'il laissa derrière lui le pâle soleil et l'air frais des montagnes pour s'enfoncer dans un souterrain large de six pieds et haut de huit, trop bas de plafond à son goût. Droit comme une flèche, le couloir se prolongeait à perte de vue. Jetant un coup d'œil par-dessus son épaule, Eragon eut tout juste le temps d'apercevoir Farr qui refermait la porte de granit. Le groupe fut aussitôt plongé dans l'obscurité complète. Quelques instants plus tard, quatorze boules lumineuses de différentes couleurs apparurent : les nains avaient sorti des lanternes sans flamme de leurs sacoches de selle, et Orik lui en tendait une.

Tandis qu'ils cheminaient sous la montagne, les sabots des poneys claquaient sur le sol de pierre, remplissant l'espace d'échos discordants ; on aurait dit les cris de douzaines de fantômes déchaînés. Eragon grimaça. Il lui faudrait subir cette cacophonie sur des lieues et des lieues, puisque le tunnel se terminait à Farthen Dûr. La tête rentrée dans les épaules, les mains crispées sur les courroies de sa hotte, il s'imagina avec Saphira, haut dans le ciel parmi les nuées.

30
LE RIRE
DES MORTS VIVANTS

Roran s'accroupit pour observer la scène à travers le lacis des branches de saule.

À quatre cents coudées de lui, cinquante-trois soldats et conducteurs d'attelage assis autour de trois feux de camp prenaient leur repas dans le jour finissant. Ils s'étaient arrêtés pour la nuit sur la berge herbeuse d'une rivière sans nom. Les chariots de vivres et d'équipements destinés aux troupes de Galbatorix étaient disposés en arc de cercle autour des feux. Plusieurs dizaines de bœufs entravés paissaient à l'arrière du bivouac, ponctuant par moments le silence de doux mugissements. À environ quarante coudées vers l'aval de la rivière, une élévation de terrain protégeait le détachement contre une attaque de ce côté – et lui coupait la retraite.

« Où avaient-ils la tête ? » se demanda Roran. En territoire hostile, la prudence exigeait qu'on choisisse un endroit défendable pour camper, en général avec une formation naturelle pour protéger ses arrières ; mais il fallait aussi veiller à pouvoir fuir en cas d'embuscade. Là, Roran et la patrouille commandée par Martland n'avaient qu'à sortir des buissons où ils se cachaient pour coincer les hommes de l'Empire dans la pointe du V formé par la rivière et la plate-forme surélevée ; lorsqu'ils seraient pris au piège, les abattre l'un après l'autre serait un jeu d'enfant. Pourquoi les soldats du convoi ennemi avaient-ils commis cette erreur grossière ? « Bah, peut-être qu'ils viennent de la ville. Ou alors ils manquent d'expérience », songea Roran. Puis il réfléchit et fronça les sourcils. « Ils n'auraient pas confié une mission critique à des novices, tout de même ? »

– Tu as détecté quelque chose de suspect ? s'enquit-il sans quitter le campement des yeux.

Il n'avait pas besoin de se retourner pour savoir que Carn était près de lui, ainsi que Halmar et deux autres hommes. En dehors des quatre nouveaux venus remplacer ceux qui avaient été tués ou grièvement blessés au cours de leur dernier affrontement, Roran s'était battu au côté de chacun. S'il ne les appréciait pas tous, il avait une confiance aveugle en ses compagnons d'armes ; ce lien réciproque les unissait malgré les différences d'âge et d'éducation. Au terme de sa première bataille, Roran s'était étonné de se sentir si proche d'eux, de la chaleur qu'ils lui témoignaient.

– Je n'ai rien repéré, murmura Carn. Mais ça ne veut pas...

– Merci, je sais. Ils ont peut-être inventé des sorts que tu n'as pas encore identifiés. Il y a un magicien avec eux ?

– Je ne pense pas. Difficile d'en être sûr.

Roran écarta les feuilles étroites du saule pour mieux examiner la position des chariots.

– Je n'aime pas ça, grommela-t-il. Un magicien accompagnait l'autre convoi. Pourquoi n'y en a-t-il pas cette fois ?

– Nous sommes moins nombreux que tu l'imagines.

– Hm.

Perplexe, Roran se gratta la barbe. Le manque de bon sens des soldats ennemis le troublait. « Est-ce de la provocation, une invitation à attaquer ? Ils n'ont pourtant pas l'air prêts au combat... Ne pas se fier aux apparences. Quel piège pourraient-ils bien nous tendre ? Il n'y a personne d'autre sur plus de trente lieues... La dernière fois qu'on a vu Murtagh et Thorn, ils quittaient Feinster et volaient vers le nord. »

– Donne le signal, dit-il à Carn. Et préviens Martland que je trouve leur choix de bivouac louche. Ou bien ce sont des imbéciles, ou ils disposent d'un moyen de défense invisible, que ce soit la magie ou une diablerie de leur roi.

Silence. Puis :

– J'ai transmis. Martland partage tes inquiétudes, mais il propose qu'on tente notre chance pour ne pas rentrer bredouilles chez Nasuada.

Avec un grognement, Roran tourna le dos aux soldats de l'Empire et fit signe à ses compagnons, puis, ensemble, ils rampèrent à quatre pattes jusqu'à l'endroit où ils avaient laissé leurs chevaux.

Lorsque Roran monta Feu de Neige, l'étalon piaffa et secoua la tête.

– Tout doux, mon beau, souffla-t-il en lui flattant l'encolure.

Dans le crépuscule, la crinière et le poil de Feu de Neige brillaient comme de l'argent. Et, une fois de plus, Roran regretta qu'il ne soit pas bai ou brun, un peu moins visible.

Il décrocha son bouclier de la selle, l'attacha à son bras et tira son marteau de sa ceinture.

La gorge sèche, il déglutit péniblement. Une tension familière lui nouait les épaules. Il raffermit sa prise sur le manche de son marteau.

469

Quand les cinq hommes furent prêts, Carn leva l'index en baissant les paupières. Ses lèvres remuaient, comme s'il parlait seul. Un criquet stridula.

Les yeux de Carn se rouvrirent :

– Souvenez-vous de regarder vers le bas jusqu'à ce que votre vue s'adapte. Et, même après, ne regardez pas le ciel.

Il se mit ensuite à psalmodier des paroles incompréhensibles et vibrantes de pouvoir en ancien langage.

Roran se couvrit le visage de son bouclier en fixant le pommeau de sa selle tandis qu'une lumière blanche illuminait le paysage comme en plein midi. Cette clarté intense émanait d'un point situé quelque part au-dessus du campement ennemi. Malgré l'envie qu'il en avait, Roran résista à la tentation d'en localiser la source.

Avec un cri de guerre, il éperonna les flancs de Feu de Neige et se coucha sur son encolure. L'étalon s'élança. Carn et les autres suivirent en brandissant leurs armes. Les branches fouettaient le crâne et les épaules de Roran, puis Feu de Neige émergea des arbres pour foncer vers le camp à plein galop.

Les deux autres groupes de cavaliers, l'un conduit par Martland et l'autre par Ulhart, convergeaient eux aussi vers l'ennemi.

Soldats et conducteurs d'attelage hurlaient en se couvrant les yeux. Aveuglés, affolés, ils cherchaient leurs armes à tâtons et s'efforçaient de se positionner pour repousser l'attaque.

Au lieu de ralentir Feu de Neige, Roran l'éperonna de nouveau et se dressa sur sa selle, serrant de toute la force de ses jambes au moment où le cheval bondissait par-dessus l'étroit espace entre deux chariots. La terre volait sous ses sabots lorsqu'il se reçut ; des mottes tombèrent dans le feu, soulevant des gerbes d'étincelles.

Le reste du groupe sauta aussi. Sachant que ses compagnons s'occuperaient des soldats restés derrière lui, Roran concentra son attention sur ceux de devant. Il dirigea Feu de Neige vers l'un d'eux et lui brisa le nez d'un coup de marteau, puis, dans une explosion de sang vermeil, il l'acheva d'un autre sur le crâne avant de parer la lame d'un deuxième soldat.

Un peu plus loin le long de la courbe formée par les chariots, Martland, Ulhart et leurs hommes sautaient à leur tour dans le tonnerre des sabots et le tintement métallique des armures. Blessé par une lance, un cheval hennit et tomba.

Roran bloqua de nouveau l'épée de son adversaire, lui fracassa la main pour le désarmer, et, sans plus hésiter, il le frappa en pleine poitrine, lui défonçant le sternum. Le soldat s'effondra, mortellement blessé, tandis que Roran, en quête d'un ennemi à combattre, se retournait sur sa selle pour examiner le camp. Ses muscles frémissaient d'excitation, il percevait chaque détail avec une netteté sidérante, il se sentait invincible, invulnérable. Le temps lui-même se dilatait, s'étirait au point qu'une phalène égarée passa sous ses yeux au ralenti, comme engluée dans le miel.

C'est alors que des mains agrippèrent son haubert de mailles et le tirèrent à bas de son cheval. La chute lui coupa le souffle, sa vue se brouilla, il perdit brièvement connaissance. Lorsqu'il retrouva ses esprits, le premier soldat qu'il avait attaqué était assis sur sa poitrine et lui cachait la source de lumière que Carn avait suscitée. Un halo blanc lui entourait la tête et les épaules ; plongé dans l'ombre par le contre-jour, son visage demeurait indistinct. Roran ne voyait que ses dents, il étouffait, il manquait d'air : l'autre le tenait à la gorge et l'étranglait ! À tâtons, il chercha son marteau, hélas hors d'atteinte. Tendant la nuque et rentrant le menton pour donner moins de prise, il parvint à tirer son couteau de sa ceinture, puis, transperçant haubert et gambison, il le planta entre les côtes de son attaquant.

Le soldat n'eut pas la moindre réaction, pas même de surprise, et l'étau de ses mains serrait toujours autant.

Un flot de rire grinçant émanait de ses lèvres. Un rire hideux à vous glacer le sang. La terreur s'empara de Roran. Il se souvenait d'avoir entendu ce même rire fou en regardant les Vardens aux prises avec les hommes de l'Empire le long de la rivière Jiet, des hommes immunisés contre la douleur. En un éclair, il comprit pourquoi les soldats avaient si mal choisi le lieu de leur bivouac. « Peu leur importe d'être pris au piège, ils ne nous craignent pas ! »

Il voyait rouge, des étoiles jaunes dansaient devant ses yeux. Au bord de l'évanouissement, il reprit le poignard et frappa vers le haut, à l'aisselle, puis il remua la lame dans la plaie. Le sang tiède coulait sur sa main, et le soldat ne bronchait pas. Il réagit cependant. L'univers explosa en taches colorées tandis qu'il cognait la tête de Roran contre le sol. Une fois. Deux fois. Trois fois. Roran souleva les hanches et tenta de le désarçonner. En vain. Dans un effort désespéré pour se libérer, il frappa à l'aveuglette en direction de ce qu'il pensait être le crâne. Le couteau entama la chair tendre, et il frappa de nouveau dans la même direction. Cette fois, la lame s'enfonça jusqu'à toucher l'os.

Et la pression qui l'étouffait s'évanouit.

Roran resta un moment étendu à reprendre son souffle, puis il roula sur le flanc et vomit. Sa gorge le brûlait. Hoquetant et toussant, il se releva tant bien que mal. Près de lui, son adversaire gisait, inerte, le poignard enfoncé dans la narine gauche.

– Visez la tête ! s'écria-t-il, enroué. La tête !

Laissant le couteau où il était, il ramassa son marteau tombé non loin de là, se saisit d'une lance abandonnée, puis, sautant par-dessus le cadavre de sa victime, il courut rejoindre Halmar, qui se battait seul contre trois ennemis. Avant qu'ils sachent ce qui leur arrivait, il avait brisé le casque et fracassé le crâne des deux plus proches. Halmar se chargerait du dernier, il avait plus urgent à faire : celui dont il avait défoncé le sternum était ressuscité des morts ; assis contre la roue d'un chariot et crachant des caillots de sang, il peinait à tendre un arc.

Roran se précipita pour lui planter sa lance dans l'œil. Des lambeaux de chair et de cervelle s'accrochaient au fer lorsqu'il l'arracha du cadavre.

Une idée lui vint alors à l'esprit. Il lança le javelot contre une tunique rouge, de l'autre côté d'un feu, lui transperçant la poitrine, puis il glissa son marteau à sa ceinture et récupéra l'arc de l'adversaire précédent. Adossé au chariot, il se mit à tirer sur les ennemis qui couraient en tous sens, dans l'espoir de les atteindre au visage, à la gorge ou au cœur, ou du moins de les handicaper suffisamment pour que ses compagnons puissent les achever sans trop de difficulté. Avec un peu de chance, certains blessés mourraient d'hémorragie avant la fin de la bataille.

L'élan de la charge était brisé, le chaos régnait sur le campement. Les Vardens dispersés avaient perdu confiance. Certains étaient encore à cheval, d'autres à pied, et tous couverts de sang. Cinq d'entre eux au moins avaient péri sous les coups d'ennemis qu'ils avaient crus morts. Combien restait-il de soldats en tunique rouge ? Impossible de les compter dans cette masse de corps en mouvement, mais ils étaient encore plus nombreux que les vingt-cinq Vardens. « Ils pourraient nous mettre en pièces à mains nues pendant que nous nous échinons à tenter de les pourfendre », se dit Roran. Des yeux, il chercha Feu de Neige. Les naseaux dilatés, les oreilles plaquées contre le crâne, l'étalon blanc s'était réfugié près d'un saule, un peu plus bas au bord de la rivière.

Armé de son arc, Roran abattit encore quatre ennemis et en blessa une bonne vingtaine. Lorsqu'il n'eut plus que deux flèches dans son carquois, il aperçut Carn à l'autre bout du camp, engagé dans un duel au coin d'une tente en flammes. Tendant l'arc de toutes ses forces, il tira. Frappé en pleine poitrine, le soldat chancela sous l'impact, et Carn le décapita.

Roran lâcha l'arc, reprit son marteau et fila rejoindre le magicien.

– Tu ne peux donc pas les tuer par la magie ? lui cria-t-il.

Trop essoufflé pour parler, Carn haletait et secouait la tête. La lueur de l'incendie lui dorait le visage.

– Non, dit-il enfin. Tous les sorts que j'ai lancés ont été bloqués.

Roran grommela un juron, leva son bouclier et s'exclama :
– Allons-y ensemble, puisque c'est comme ça !

Épaule contre épaule, ils marchèrent sur le premier groupe de soldats : huit tuniques rouges qui encerclaient trois Vardens. Suivirent quelques minutes frénétiques dans le tintement et les éclats des lames qui entamaient la chair – minutes de chaos ponctuées par des éclairs de douleur. Leurs ennemis fatiguaient moins vite que des hommes ordinaires ; jamais ils ne se dérobaient à une attaque, jamais ils ne faiblissaient, même lorsqu'un coup les mutilait. La lutte était si épuisante que Roran fut repris de nausée. Leur dernier adversaire n'était pas plutôt à terre qu'il se penchait de nouveau pour vomir.

L'un des Vardens avait été tué d'un coup de couteau dans les reins. Les deux autres se joignirent à Roran et à Carn pour charger avec eux.

– Repoussez-les vers la rivière ! hurla Roran.

L'eau et la boue entraveraient les mouvements de l'ennemi, ce qui donnerait aux Vardens une chance de reprendre le dessus.

Non loin de là, avec la douzaine de cavaliers qu'il avait rassemblée, Martland refoulait déjà les tuniques rouges vers le flot scintillant.

Les soldats et les rares conducteurs d'attelage encore en vie résistaient, opposant leurs boucliers aux Vardens à pied, jouant de leurs lances contre les chevaux. Malgré la violence de leurs coups, ils furent contraints de battre en retraite et d'entrer jusqu'aux genoux dans le courant, où le reflet de l'étrange lumière blanche les aveuglait à moitié.

Martland descendit de cheval et se campa sur la berge en aboyant :

– Serrez les rangs et tenez bon ! Empêchez-les de rejoindre la terre ferme !

Jambes fléchies, Roran ajusta sa position pour accueillir le colosse qui lui faisait face. Brandissant son épée, l'homme jaillit dans une gerbe d'éclaboussures. Roran para de son bouclier, attaqua à son tour, mais son marteau heurta l'écu de son adversaire, qui feinta et le toucha à la jambe. Parades et ripostes s'enchaînèrent sans résultat. Enfin, Roran fracassa le bras gauche de l'ennemi. Déstabilisé, l'homme recula de quelques pas en souriant, puis éclata d'un rire terrifiant.

Glacé d'effroi, Roran se demanda si lui et ses compagnons survivraient à cet affrontement. « Ils sont encore plus difficiles à tuer que des serpents ! On a beau les tailler en pièces, ils continuent à se battre jusqu'à ce qu'on atteigne un organe vital ! » Ses pensées se dispersèrent : l'autre lui fonçait dessus, et sa lame brillait telle une flamme.

La bataille se mua en cauchemar. Alors que la nuit noire régnait alentour, l'étrange lumière magique conférait à la scène quelque chose d'irréel, décolorant toute chose et projetant de longues ombres aux contours trop nets sur la surface mouvante de l'eau. Cognant de toutes ses forces à coups répétés, Roran repoussait les assauts des soldats qui revenaient à la charge. Défigurés par leurs blessures, ils n'avaient plus rien d'humain, et ils refusaient de mourir. Dès que son marteau faisait mouche, des taches de sang noir se dissolvaient dans le courant comme de l'encre répandue. Chaque affrontement était le même, l'horreur semblait sans fin. Malgré tous ses efforts, il y avait toujours un soldat mutilé pour l'attaquer. Et ces morts en sursis qui mimaient la vie avec tant d'insistance, alors même que les Vardens détruisaient leurs corps, emplissaient l'air de leurs ricanements fous.

Puis ce fut le silence.

À croupetons derrière son bouclier, marteau au poing, haletant, couvert de sueur et de sang, Roran attendait, tous les sens en alerte. Au bout d'un moment, il comprit qu'il n'y avait plus d'ennemis debout dans l'eau. Par trois fois, il regarda à droite et à gauche pour se convaincre que les soldats étaient enfin – ouf ! – définitivement morts. Un cadavre flottait sur la rivière d'argent.

Soudain, il poussa un cri : une main venait de lui agripper le bras. Avec un grondement de fauve, il se retourna en se débattant. Et se détendit aussitôt : ce n'était que Carn, le visage blême, couvert de sang lui aussi.

– On a gagné, Roran ! s'exclama-t-il. C'est quelque chose, non ? Il n'y en a plus ! Fini ! On les a eus !

Roran laissa retomber ses bras le long du corps et renversa la tête en arrière. Il n'avait plus la force de s'asseoir. Il se sentait vidé... vidé et tout drôle. Ses sensations lui semblaient anormalement précises, et cependant il n'éprouvait que des émotions vagues, très atténuées, comme si elles s'étaient réfugiées au fond de son être. Cela valait mieux ainsi ; au moins, il ne risquait pas de perdre la raison...

– Rassemblement ! tonna Martland. Inspection des chariots ! Moins vous traînerez et plus vite nous laisserons ce lieu maudit derrière nous ! Carn, occupe-toi de Welmar. Il a une vilaine plaie, je n'aime pas ça.

Au prix d'un immense effort de volonté, Roran se propulsa en direction du convoi. Clignant des yeux pour en chasser la sueur qui gouttait de son front, il s'aperçut que leur détachement était bien réduit : seuls neuf des leurs tenaient encore sur leurs pieds. Il refoula cette triste constatation. « Le deuil sera pour plus tard, avance ! »

Alors que Martland Barbe Rouge traversait le campement jonché de cadavres, un soldat que Roran avait cru mort se retourna et trancha la main droite du capitaine. Avec des gestes si élégants qu'ils semblaient travaillés, Martland envoya voler l'épée adverse d'un coup de botte, posa un genou sur la gorge de l'homme à terre, puis, de sa main restante, tira son couteau de sa ceinture et le lui enfonça dans l'oreille pour l'achever. Les traits crispés, le feu aux joues, il enfouit son moignon sous son aisselle gauche en aboyant sur ceux qui se précipitaient vers lui :

– Fichez-moi la paix ! Ce n'est rien du tout. Aux chariots, et plus vite que ça ! Si vous ne vous remuez pas, bande de lambins, ma barbe sera blanche comme neige que nous serons encore ici ! Allez, ouste, et que ça saute !

Voyant que Carn ne bougeait pas, il fronça les sourcils :

– Ça vaut pour toi aussi ! File, ou je te fais fouetter pour insubordination !

Carn brandit la main sectionnée du capitaine :

– Je pourrais sans doute la ressouder, mais il me faut quelques minutes.

– Assez ! Et donne-moi ça !

Martland lui reprit sa main et la rangea sous sa tunique :

– Cesse de t'inquiéter pour moi, va plutôt sauver Welmar et Lindel si tu en es capable. Tu essaieras de me recoller quand nous aurons mis une saine distance entre nous et ces monstres.

– Il sera peut-être trop tard, objecta Carn.

– C'est un ordre, sorcier, pas une requête !

Tandis que Carn battait en retraite, le comte noua sa manche autour de son poignet en s'aidant de ses dents, puis il remit le membre blessé sous son aisselle. Il transpirait à grosses gouttes.

– Alors ? rugit-il. Qu'est-ce qu'il y a comme camelote dans ces fichus chariots ?

– Des cordes ! cria une voix.

– Du whisky ! s'exclama une autre.

– Ulhart, note les quantités pour moi, grommela Martland.

Roran aida ses compagnons à inventorier les chariots, détaillant marchandises et chiffres pour Ulhart. La tâche terminée, ils abattirent les bœufs et mirent le feu au convoi comme précédemment. Ils rassemblèrent ensuite leurs chevaux, attachèrent les blessés à leur monture et se mirent en selle.

Avant de partir, Carn leva le bras vers la clarté magique, murmura une formule complexe, et les ténèbres se refermèrent sur le monde. Levant les yeux, Roran vit l'image résiduelle du visage de Carn contre le ciel étoilé. Lorsque ses yeux se furent accoutumés à l'obscurité, il aperçut les silhouettes duveteuses de centaines de phalènes désorientées qui se dispersaient dans la nuit telles des âmes fantômes.

Le cœur lourd, Roran pressa les flancs de Feu de Neige et s'éloigna des restes du convoi.

31
DU SANG SUR LES PIERRES

Au comble de l'exaspération, Eragon quitta la salle circulaire creusée dans les profondeurs de la montagne sous le centre de Tronjheim. La lourde porte de chêne claqua derrière lui avec un *bang !* retentissant.

Poings sur les hanches au milieu du couloir voûté, il fixa d'un regard noir le sol carrelé d'agate et de jade. Depuis qu'Orik et lui étaient arrivés à Tronjheim trois jours plus tôt, les treize chefs de clan nains n'avaient cessé de se disputer sur des sujets qu'il jugeait sans importance, comme les droits de pâturage dans certains champs d'appartenance incertaine. En les écoutant débattre d'obscurs points de législation, le jeune Dragonnier avait à maintes reprises réprimé son envie de leur hurler que leur fol aveuglement allait condamner l'Alagaësia entière à vivre sous le joug de Galbatorix, et qu'ils seraient mieux avisés de remettre à plus tard leurs querelles mesquines, pour se choisir un roi dans les plus brefs délais.

Perdu dans ses réflexions, il marchait à pas lents, sans même remarquer les quatre gardes qui le suivaient partout, ni les nains qu'il croisait, et qui le saluaient invariablement d'un « Argetlam ! » Il songeait : « Íorûnn est la pire du lot. » Grimstborith du Dûrgrimst Vrenshrrgn, un puissant clan guerrier, elle avait laissé entendre on ne peut plus clairement dès le début des délibérations qu'elle comptait prendre la couronne. Jusque-là, un seul clan lui avait apporté son soutien officiel : l'Urzhad. Cependant, au cours des réunions entre chefs de clan, elle avait en diverses occasions prouvé qu'elle était brillante, rusée et capable de tourner n'importe quelle situation à son avantage. « Elle serait sans doute une excellente reine, concéda Eragon. Mais, retorse comme elle est, comment savoir si elle soutiendrait les Vardens, en supposant qu'elle soit élue ? » Il ne put s'empêcher de sourire. Parler avec Íorûnn le plongeait toujours dans l'embarras. Les nains la considéraient comme une beauté exceptionnelle, et force était de reconnaître qu'elle ne manquait pas d'allure. Or, elle montrait pour lui une fascination aussi inexpliquée qu'inexplicable. Au cours de leurs conversations, elle se plaisait à faire des allusions à l'histoire et à la mythologie des nains, allusions qu'il ne comprenait pas et qui avaient le don d'amuser Orik et les autres.

Outre Íorûnn, deux autres chefs de clan postulaient à la couronne : Gannel, chef du Dûrgrimst Quan, et Nado, chef du Dûrgrimst Knurlcarathn. En tant que gardien de la religion des nains, le Quan exerçait une grande influence sur le peuple entier ; toutefois, Gannel n'avait encore que deux clans en sa faveur, le Dûrgrimst Ragni Hefthyn et le Dûrgrimst Ebardac, un clan voué aux recherches érudites. En revanche, Nado rassemblait une coalition plus importante, constituée des clans Feldûnost, Fanghur et Az Sweldn rak Anhûin.

Íorûnn semblait convoiter le trône pour le seul pouvoir qu'il lui conférerait ; sans être ouvertement favorable aux Vardens, Gannel ne leur paraissait pas hostile. En revanche, Nado refusait avec véhémence de s'impliquer dans les affaires d'Eragon, de Nasuada, de l'Empire, de Galbatorix, de la reine Islanzadí, et des autres, à croire que, pour lui, l'univers se limitait aux montagnes des Beors. Le Knurlcarathn était le clan des travailleurs de la pierre. En effectifs comme en biens matériels, il était sans égal, car tous les clans dépendaient de lui pour creuser les tunnels et construire les maisons ; même l'Ingeitum avait besoin de ses services pour extraire le métal destiné à ses forgerons. Si la candidature de Nado n'était pas retenue, les chefs de clan moins importants qui partageaient ses opinions se précipiteraient pour prendre sa place. À commencer par le Az Sweldn rak Anhûin, clan que Galbatorix et les Parjures avaient presque anéanti au cours de leur rébellion ; qui s'était proclamé l'ennemi mortel d'Eragon pendant sa visite à Tarnag ; qui, lors des assemblées récentes, avait exprimé sa haine indéfectible envers Eragon, Saphira, et tout ce qui concernait Dragonniers et dragons. Ses membres s'étaient opposés à ce qu'Eragon assiste aux réunions des chefs de clan alors que la loi des nains l'y autorisait ; ils avaient exigé que la question soit mise aux voix, retardant ainsi les débats de six heures sans nécessité.

« Un jour, il faudra que je trouve un moyen de faire la paix avec eux. Faute de quoi, je serai obligé de finir ce que Galbatorix a commencé. Je ne veux pas passer ma vie à craindre le Az Sweldn rak Anhûin. » Comme souvent ces derniers jours, Eragon attendit quelques instants que Saphira réagisse. En l'absence de réponse, une douleur familière lui étreignit le cœur.

Les alliances entre les différents clans se maintiendraient-elles ? Il n'en avait aucune idée. Ni Orik, ni Íorûnn, ni Gannel, ni Nado ne disposaient d'un soutien suffisant pour emporter le vote populaire, de sorte que chacun s'employait à conserver la loyauté de ses partisans, tout en s'efforçant de rallier à sa cause les chefs qui s'étaient prononcés pour ses concurrents. Malgré l'importance des enjeux, Eragon trouvait la procédure bien ennuyeuse et terriblement frustrante.

D'après ce qu'Orik lui avait expliqué, avant que les chefs de clan puissent élire leur roi ou leur reine, ils devaient d'abord voter pour décider s'ils étaient *prêts* à le faire, vote préliminaire qui devait recueillir neuf suffrages favorables sur treize. Pour le moment, aucun des candidats, Orik inclus, ne se sentait assez sûr de ses assises pour passer à l'action et déclencher l'élection finale. Toujours selon Orik, c'était là une phase délicate qui, dans certains cas, se prolongeait à n'en plus finir.

Tout en réfléchissant à la situation, Eragon errait sans but à travers le dédale de couloirs et de halls situé sous Tronjheim, jusqu'à se trouver dans une salle sèche et poussiéreuse avec, d'un côté, cinq arches de pierre noire et, de l'autre, un bas-relief de vingt pieds de haut représentant un ours en colère, avec des crocs en or et des yeux en rubis.

– Où sommes-nous, Kvîstor ? s'enquit-il en se tournant vers ses gardes.

Sa voix résonnait comme dans une caverne. Au-dessus de lui, il percevait les consciences de nombreux nains qui vaquaient à leurs occupations dans les étages supérieurs, mais il ne savait pas comment les rejoindre.

Le responsable des gardes, un jeune nain qui ne devait pas avoir beaucoup plus de soixante ans, s'avança :

– Ces salles ont été débarrassées il y a des millénaires par le Grimstborith Korgan, alors que Tronjheim était encore en construction. Depuis, nous les utilisons très peu, uniquement quand notre peuple s'assemble à Farthen Dûr.

Eragon acquiesça de la tête :

– Tu peux me ramener à la surface ?

– Bien sûr, Argetlam.

En l'espace de quelques minutes, ils arrivèrent devant un large escalier aux marches basses, à la taille des nains ; en haut, ils débouchèrent dans un passage situé à la base de Tronjheim, dans le quart sud-ouest de la ville. De là, Kvîstor guida Eragon jusqu'à la branche sud des vastes couloirs, longs de quatre miles, qui divisaient la ville depuis les quatre points cardinaux.

Tandis qu'il se dirigeait vers le centre de la cité-montagne, Eragon éprouvait une certaine nostalgie. C'est par ce même couloir sud qu'avec Saphira il était entré dans Tronjheim pour la première fois quelques mois plus tôt, et pourtant il lui semblait avoir vieilli de plusieurs années dans l'intervalle.

Haute de quatre étages, l'avenue grouillait de nains appartenant aux divers clans. Étant donné sa taille, tous le remarquaient, assurément, mais tous ne daignaient pas le saluer, ce dont il leur savait gré : cela lui évitait d'avoir à leur répondre.

Il se raidit en voyant des membres du Az Sweldn rak Anhûin traverser la large allée sur un rang. Comme un seul homme, ils se tournèrent vers lui, le visage caché par le voile pourpre que ceux de leur clan portaient en public. Le dernier cracha par terre avant de disparaître sous une arche à la suite du groupe.

« Si Saphira était là, songea Eragon, ils n'oseraient pas se montrer aussi grossiers ! »

Une demi-heure plus tard, il atteignit le bout de la majestueuse galerie. Une fois de plus, il ne put contenir son émerveillement en passant entre les piliers d'onyx noirs, hauts comme trois hommes et couronnés de zircons jaunes, pour pénétrer dans le cœur même de Tronjheim.

De mille pieds de diamètre, la vaste salle circulaire s'enorgueillissait d'un sol de cornaline polie dans lequel était gravé un marteau entouré de douze pentacles, blason du Dûrgrimst Ingeitum et de Korgan, le premier roi des nains, qui avait découvert Farthen Dûr en cherchant de l'or. Les trois autres galeries principales de la cité-montagne débouchaient en face d'Eragon, à sa droite et à sa gauche. La salle dépourvue de plafond s'élevait sur neuf cents toises[1] jusqu'au sommet de la ville. Là, elle ouvrait sur la loge des dragons qu'Eragon et Saphira occupaient avant qu'Arya ne brise l'Étoile de Saphir, et sur le ciel lointain, inaccessible, disque d'un bleu intense entouré par les parois du cratère de Farthen Dûr – mont creux qui culminait à neuf mille toises d'altitude et protégeait Tronjheim du reste du monde.

La lumière du jour ne filtrait qu'en faible quantité à la base de Tronjheim, que les elfes appelaient la Cité de l'Éternel Crépuscule ; les rayons du soleil n'y pénétraient guère que pendant une demi-heure radieuse, juste avant et après midi en

---

1. Toise : mesure ancienne, correspondant à six pieds, soit environ un mètre quatre-vingts.

plein été. Pour l'éclairage, les nains avaient donc eu recours à une infinité de lanternes sans flamme, dont plusieurs milliers illuminaient la salle centrale. À l'extérieur des arcades qui bordaient chaque niveau de la cité-montagne, un pilier sur deux était équipé d'une lanterne accrochée à une potence. D'autres lanternes étaient installées sous ces mêmes arcades, d'autres encore marquaient l'entrée de pièces mystérieuses et suivaient le cours sinueux de Vol Thurin, l'Escalier sans Fin qui montait en spirale du sol jusqu'au sommet de cette salle centrale. L'effet spectaculaire transformait le lieu en féerie scintillante ; on aurait dit que le cœur de Tronjheim était tapissé de joyaux multicolores.

L'éclat des lanternes sans flamme pâlissait cependant face à la splendeur d'un véritable joyau, le plus beau de tous : Isidar Mithrim. Avec des poutres de chêne, les nains avaient construit un échafaudage de soixante pieds de diamètre au centre duquel ils réassemblaient avec un soin délicat les précieux morceaux de l'Étoile de Saphir fracassée. Les éclats de la gemme qui n'avaient pas encore trouvé leur place étaient rangés dans des caisses ouvertes, tapissées de laine brute et marquées d'inscriptions en runes. Elles couvraient une surface importante dans le quart ouest de la salle, où trois cents nains penchés sur elles s'affairaient à assortir des éclats de saphir pour reconstituer les pièces de ce puzzle gigantesque. Un autre groupe s'activait sur l'échafaudage à la reconstruction de la pierre elle-même.

Eragon les observa pendant quelques minutes, puis il se dirigea vers l'endroit où Durza et ses guerriers urgals avaient fracturé le sol en entrant dans Tronjheim par les souterrains. De la pointe de sa botte, il tapota la cornaline lisse comme un miroir. Les nains avaient accompli un miracle en effaçant toute trace des dégâts causés par l'Ombre ; il espérait cependant qu'ils érigeraient un monument pour commémorer la bataille de Farthen Dûr et la lutte contre Galbatorix, afin que les générations à venir se souviennent du lourd tribut de sang que nains et Vardens avaient payé.

En revenant vers l'échafaudage, il remarqua Skeg, perché sur une plate-forme au-dessus de l'Étoile de Saphir, et le salua de la tête. Il avait déjà rencontré le nain mince aux doigts agiles, membre du Dûrgrimst Gedthrall, auquel Hrothgar avait confié la restauration de leur trésor le plus précieux.

Skeg fit signe à Eragon de monter le rejoindre. Tandis qu'il se hissait sur les planches grossièrement taillées, un paysage étincelant de surfaces ondoyantes, de flèches plus pointues que des aiguilles et de fines arêtes tranchantes s'offrit à sa vue. Le sommet du saphir lui rappelait son enfance dans la vallée de Palancar, la rivière Anora en fin d'hiver avec sa glace irrégulière, qui avait fondu et regelé au fil des changements de température, donnant naissance à des creux et des bosses qui rendaient la marche malaisée. Mais, au lieu d'être bleue, blanche et transparente, la gemme des nains était d'un rose doux, traversé par des veines d'orange sombre.

– Alors, s'enquit-il. Ça avance comme tu veux ?

Avec un haussement d'épaules, Skeg agita les mains comme deux papillons :

– Ça avance comme ça peut, Argetlam. Il faut le temps qu'il faut pour obtenir la perfection.

– J'ai l'impression que vous progressez assez vite.

D'un doigt osseux, Skeg tapota le bout de son gros nez épaté :

– Le sommet d'Isidar Mithrim, qui se trouve maintenant en bas, Arya l'a cassé en gros morceaux qu'il nous était facile de remettre ensemble. En revanche, la base, qui est maintenant en haut...

Skeg secoua la tête, l'air chagrin :

– ... Avec la violence de l'impact, les fêlures, la pression sur la face externe de la gemme, qui l'éloignait d'Arya et de Saphira la dragonne pour la précipiter vers toi et cet Ombre au cœur noir... la pression, disais-je, a fait exploser les pétales de la rose en fragments de plus en plus petits. Et la rose, Argetlam, la rose est la clé du joyau. La composante la plus complexe et la plus belle d'Isidar Mithrim. C'est elle qui a le plus souffert, elle a été pulvérisée. Si nous ne parvenons pas à remettre en place chaque minuscule éclat de saphir, autant donner les restes de ce trésor à nos joailliers, et ils en feront des bagues pour nos mères.

Les mots coulaient de sa bouche comme d'un vase trop plein. Il hurla un ordre en langue naine à l'intention d'un des siens qui transportait une caisse à travers la salle, puis, tirant sur sa barbe blanche, il demanda :

— T'a-t-on raconté, Argetlam, comment Isidar Mithrim a été taillée pendant l'ère de Herran ?

Eragon hésita, réfléchit à ce qu'il avait appris de leur histoire à Ellesméra avant de répondre :

— Je sais qu'elle a été taillée par Dûrok.

— Oui, Dûrok Ornthond : Œil d'Aigle, comme vous dites dans ta langue. Ce n'est pas lui qui a découvert Isidar Mithrim, mais il l'a tirée seul de sa gangue, il l'a taillée, il l'a polie. Il a passé cinquante-sept ans à travailler sur l'Étoile-Rose. La gemme l'envoûtait. Chaque soir, il était penché sur Isidar Mithrim jusqu'au petit matin. Il avait résolu que l'Étoile-Rose ne serait pas une simple œuvre d'art, mais qu'elle toucherait le cœur de quiconque la verrait, et lui gagnerait une place d'honneur à la table des dieux. Sa dévotion au joyau était telle qu'après trente-deux ans de labeur, quand son épouse lui a dit que, s'il ne partageait pas le fardeau de son projet avec ses apprentis, elle quitterait sa demeure, Dûrok n'a pas daigné répondre ; il lui a tourné le dos pour se remettre à ciseler le contour du pétale qu'il avait commencé plus tôt cette année-là. Il a peaufiné Isidar Mithrim jusqu'à être satisfait de chaque ligne, de chaque courbe, des plus infimes détails. Alors, il a posé son polissoir, il s'est écarté de l'Étoile-Rose en s'écriant : « Gûntera me protège, c'est fini ! » et il est tombé raide mort.

Skeg se frappa le torse, produisant un son creux :

— Le cœur. Son cœur a lâché. Quelles raisons lui restait-il de vivre ? Et c'est cela que nous tentons de reconstruire, Argetlam : cinquante-sept ans de concentration incessante de la part d'un

485

des plus grands artistes que notre race ait connus. Si nous ne reconstituons pas Isidar Mithrim exactement comme elle était, nous amoindrirons le chef-d'œuvre de Dûrok pour ceux qui n'ont pas encore vu l'Étoile-Rose.

Et il ponctua ses paroles d'un coup de poing sur sa cuisse.

Eragon s'appuya contre la rambarde à hauteur de sa hanche pour regarder, de l'autre côté du chantier, cinq nains qui en abaissaient un sixième, retenu par un harnais de corde, juste au-dessus des arêtes coupantes du saphir brisé. Plongeant la main sous sa tunique, le nain suspendu en sortit un étui de cuir, l'ouvrit, puis, avec des pincettes minuscules, en retira un mince éclat, qu'il inséra dans une étroite fente de la gemme.

– Si le couronnement avait lieu dans trois jours, Isidar Mithrim pourrait-elle être prête ?

Pianotant sur la rambarde le rythme d'une chanson qu'Eragon ne reconnut pas, Skeg lui répondit :

– Sans l'offre de ta dragonne, nous prendrions notre temps avec Isidar Mithrim. La précipitation est étrangère à notre nature, Argetlam. Ce sont les humains qui s'agitent comme des fourmis affolées. Nous ferons cependant de notre mieux afin que l'Étoile-Rose soit prête pour le couronnement. S'il devait avoir lieu dans trois jours... je n'espérerais pas de miracle. Mais, plus tard dans la semaine, nous parviendrions peut-être à terminer.

Eragon le remercia et prit congé de lui. Suivi de ses gardes, il se rendit dans l'un des nombreux réfectoires de la cité-montagne, une longue salle basse avec des tables de pierre alignées d'un côté et, de l'autre, des nains qui s'affairaient devant des fours de saponite.

Là, Eragon déjeuna de pain au levain, de poisson à chair blanche pêché dans des lacs souterrains, de champignons et d'une purée de tubercules qu'il avait déjà goûtés à Tronjheim mais dont il ignorait encore l'origine. Avant de manger, il s'assura que la nourriture ne contenait pas de poison en usant de sorts qu'Oromis lui avait enseignés.

Tandis qu'il avalait la dernière bouchée de pain avec une gorgée de bière légère, Orik et son escorte de dix guerriers pénétrèrent dans la salle. Les guerriers s'installèrent ensemble, de manière à surveiller les deux entrées tandis qu'Orik venait s'asseoir sur le banc de pierre en face d'Eragon avec un soupir las. Posant les coudes sur la table, il se frotta le visage de ses mains.

Eragon murmura quelques sorts pour éviter qu'on les épie, puis il demanda :

– Aurions-nous subi un nouveau revers ?

– Non, non. Pas de revers. C'est juste que ces délibérations m'épuisent.

– J'avais remarqué.

– Et tout le monde a remarqué ton irritation. Garde ton sang-froid à l'avenir, Eragon. Révéler de telles faiblesses devant nos concurrents ne sert pas notre cause.

Orik s'interrompit le temps qu'un nain bedonnant approche de sa démarche de canard et dépose devant lui une assiette fumante.

Sourcils froncés, Eragon fixait le rebord de la table :

– Es-tu plus proche du trône, au moins ? Ces arguties interminables nous ont-elles permis d'avancer ?

– Une seconde – Orik acheva de mâcher un morceau de pain. Oui, nous avons gagné du terrain. Ne sois pas si défaitiste ! Après ton départ, Havard a accepté de baisser la taxe sur le sel que le Dûrgrimst Fanghur vend à l'Ingeitum. En échange il a obtenu un droit d'accès à nos tunnels qui mènent à Nalsvrid-mérna, pour y chasser les cerfs roux qui se rassemblent près du lac pendant les mois chauds de l'année. Si tu avais vu Nado grincer des dents quand Havard a accepté mon offre !

– Bah ! Des taxes, des cerfs... Quel rapport avec la succession de Hrothgar, hein ? Sois franc avec moi, Orik. Quelles sont tes chances par rapport aux autres chefs de clan ? Combien de temps ces débats vont-ils encore traîner ? Chaque jour que nous perdons nous rapproche de celui où l'Empire découvrira

notre ruse et où Galbatorix frappera les Vardens, profitant de
ce que je ne suis pas là pour tenir Murtagh et Thorn en échec.

Orik s'essuya la bouche avec le coin de la nappe :

– Mes chances sont plutôt bonnes. Aucun des Grimstborith
ne dispose d'un soutien suffisant pour appeler au vote, mais
Nado et moi sommes les mieux placés. Si l'un de nous deux
peut gagner à sa cause, disons deux ou trois clans, la balance
ne tardera pas à pencher en sa faveur. Havard hésite déjà.
Je pense qu'il ne faudra pas le pousser beaucoup pour qu'il passe
dans notre camp. Nous romprons le pain avec lui ce soir, et je
tâcherai de l'encourager dans cette voie.

Il engloutit un champignon rôti et ajouta :

– Quant à la durée du conseil des clans, il se terminera au
mieux dans une semaine. Au pire, il en faudra bien deux.

Eragon jura à mi-voix. Il était si tendu que son estomac grondait et menaçait de rejeter ce qu'il venait de manger.

Tendant la main vers lui, Orik lui prit le poignet :

488

– Ne te tracasse donc pas. Il n'y a rien que tu puisses faire
pour hâter la décision du conseil. Occupe-toi de ce que tu peux
changer et laisse le reste suivre son cours.

– Oui... Je sais bien. Le problème, c'est que le temps nous
manque, et si nous échouons...

– Qui vivra verra, dit Orik avec un sourire triste. Nul
n'échappe aux diktats du destin.

– Tu ne pourrais pas t'emparer du trône par la force ? Bien
sûr, tu n'as pas beaucoup de troupes à Tronjheim, mais, avec
mon soutien, qui s'opposerait à toi ?

Orik s'immobilisa, le couteau à mi-chemin entre son assiette
et ses lèvres. Puis il secoua la tête et se remit à manger, déclarant entre deux bouchées :

– Ce serait une catastrophe.

– Pourquoi ?

– Il faut vraiment que je t'explique ? Parce que notre race
entière se retournerait contre nous. Parce qu'au lieu de prendre
le contrôle de la nation, j'hériterais d'un titre vide. Si cela se

produisait, je ne parierais pas une épée cassée que nous serions encore de ce monde dans un an.

– Ah.

Orik se tut et acheva son repas. Il but ensuite une goulée de bière, rota et reprit le fil de la conversation :

– Nous sommes en équilibre sur un sentier de montagne tortueux bordé de chaque côté par un précipice. Beaucoup des miens haïssent les Dragonniers à cause des crimes qu'ont commis contre nous Galbatorix, les Parjures, et maintenant Murtagh. Beaucoup d'entre eux craignent le monde extérieur aux montagnes, aux tunnels et aux grottes dans lesquels nous nous cachons. Nado et le Az Sweldn rak Anhûin ne font qu'aggraver les choses. Ils jouent sur les angoisses des nôtres, leur empoisonnent l'esprit et les montent contre toi, les Vardens, le roi Orrin... Le Az Sweldn rak Anhûin incarne l'obstacle à surmonter si je veux devenir roi. Il nous faut trouver un moyen d'apaiser ses craintes et les craintes de tous ceux qui partagent ses vues. Même roi, je devrai leur prêter une oreille attentive si je tiens à conserver le soutien des clans. Le roi ou la reine des nains est toujours à la merci des clans, tout comme un Grimstborith est à la merci des familles qui composent le sien.

Rejetant la tête en arrière, Orik vida sa chope et la posa avec un claquement sec.

– Il n'y a pas quelque chose que je puisse faire, une coutume, une cérémonie de ton peuple à laquelle je puisse me plier pour amadouer Vermûnd, son Az Sweldn rak Anhûin et leurs partisans ? s'enquit Eragon. Je suis *sûr* qu'il y a une solution pour mettre un terme à leurs soupçons et en finir avec cette querelle.

– Ta mort en serait une, dit en riant Orik.

Et il se leva de table.

Tôt le lendemain matin, Eragon était assis, le dos contre le mur incurvé de la salle circulaire creusée sous le centre de Tronjheim, parmi une sélection de guerriers, de conseillers, de serviteurs et de parents des chefs de clan qui avaient l'insigne privilège d'assister au conseil des chefs. Ces derniers trônaient sur d'imposants fauteuils sculptés, autour d'une table ronde aux armes de Korgan et de l'Ingeitum, comme tous les objets importants des niveaux inférieurs.

Gáldhiem, Grimstborith du Dûrgrimst Feldûnost, avait pris la parole. De petite taille, même pour un nain – guère plus de deux pieds de haut –, il portait de longues robes avec des motifs dans les tons or, roux et bleu nuit. Contrairement aux membres de l'Ingeitum, il ne taillait ni ne tressait sa barbe, qui tombait en désordre sur sa poitrine. Debout sur son siège, il frappait la surface polie de la table de son poing ganté en rugissant :

– ... Eta ! Narho ûdim eta os isû vond ! Narho ûdim etal os formvn mendûnost brakn, az Varden, hrestvog dûr grimstnz-hadn ! Az Jurgenvren qathrid né dômar oen etal...

– ... Non ! traduisit le nain nommé Hûndfast à l'oreille d'Eragon. Je ne permettrai pas cela ! Je ne permettrai pas que ces sots sans barbe de Vardens détruisent notre pays. La Guerre des Dragons nous a affaiblis, et il n'est pas...

Le jeune Dragonnier étouffa un bâillement. Pour tromper son ennui, il laissa son regard dériver de chef en chef, de Gáldhiem à Nado, un nain au visage rond et aux cheveux blonds qui approuvait les vitupérations de son voisin par des hochements de tête emphatiques, puis à Havard, qui se curait les ongles avec un poignard, à Vermûnd au front étroit, dont le reste du visage caché par son voile pourpre demeurait une énigme ; penchés l'un vers l'autre, Gannel et Ûndin se parlaient à voix basse tandis que Hadfala, une naine âgée, chef du Dûrgrimst Ebardac et troisième alliée de Gannel, fixait la liasse de parchemins couverts de runes qu'elle apportait à chaque réunion ; venaient ensuite Manndrâth, chef du Dûrgrimst Ledwonnû, de profil pour Eragon, ce qui mettait en valeur son long nez en bec d'aigle, Thordis, Grimstborith du Dûrgrimst Nagra, dont il ne voyait que les longs cheveux auburn rassemblés en une natte deux fois plus longue qu'elle qui tombait jusqu'au sol et s'enroulait aux pieds de son siège, et Orik, de dos, à demi affalé sur l'accoudoir de son fauteuil ; près de lui, le très corpulent Freowin, Grimstborith du Dûrgrimst Gedthrall, se concentrait sur le corbeau qu'il était en train de sculpter dans un bloc de bois ; en contraste flagrant avec le sculpteur, Hreidamar, le Grimstborith du Dûrgrimst Urzhad, qui arborait un haubert de mailles et un heaume pour siéger au conseil, était un nain trapu aux bras noueux, sans une once de graisse superflue ; enfin, il y avait Íorûnn, Íorûnn au teint doré que seule gâtait une petite cicatrice en forme de croissant sur la pommette gauche, Íorûnn à la chevelure satinée retenue par un casque d'argent représentant la tête d'un loup montrant les crocs, Íorûnn à la robe d'un rouge vermillon, au collier d'émeraudes chatoyantes montées sur des carrés d'or gravés de runes mystérieuses.

Remarquant qu'Eragon l'observait, elle retroussa paresseusement ses lèvres en un sourire sensuel et, avec un naturel confondant, elle lui adressa un clin d'œil appuyé.

491

Gêné, il s'empourpra. La pointe de ses oreilles le brûlait. Il reporta son attention sur Gáldhiem qui pontifiait toujours, bombant le torse comme un jeune coq.

Selon les consignes d'Orik, Eragon réprima ses moindres réactions et demeura impassible pendant les débats du conseil. Lorsque la séance fut levée pour le repas de midi, il se hâta de rejoindre son ami pour lui souffler à l'oreille :

— Ne me cherche pas à ta table. J'en ai par-dessus la tête d'être assis et d'entendre parler. Je vais me dégourdir les jambes et explorer les tunnels.

Orik semblait troublé ; il acquiesça de la tête et répondit :

— Comme tu veux, mais sois de retour sans faute pour la reprise du conseil ; ton absence serait inconvenante, tant pis si ces discours t'assomment.

— Bon. Puisque tu insistes.

Dans la cohue des nains pressés d'aller déjeuner, Eragon quitta la salle pour rejoindre ses quatre gardes, qui jouaient aux dés dans le couloir avec des guerriers désœuvrés appartenant à d'autres clans. Suivi de son escorte, il partit au hasard, laissa ses pieds le porter selon leur fantaisie tandis qu'il réfléchissait aux moyens d'unir les factions naines rivales contre Galbatorix. Hélas, les méthodes qu'il imaginait étaient par trop rocambolesques pour avoir une chance de réussir, ce qui le contrariait énormément.

Il ne prêtait guère d'attention aux nains qu'il croisait dans les tunnels, se contentait de répondre à leurs saluts quand la courtoisie l'exigeait ; il ne se préoccupait pas davantage de savoir où il se trouvait et comptait sur Kvîstor pour le ramener à la salle du conseil le moment venu. En revanche, il suivait les déplacements de toutes les créatures vivantes qu'il détectait sur un rayon d'une centaine de pieds, jusqu'à la plus modeste des araignées embusquée derrière sa toile dans un coin de pièce. Il ne tenait pas à être surpris par quiconque le cherchait, quelle qu'en soit la raison.

Lorsqu'il s'arrêta enfin, il s'étonna d'être arrivé dans la salle poussiéreuse qu'il avait découverte la veille. À sa gauche, il y avait les cinq mêmes arches noires qui menaient vers de mystérieuses cavernes et, à sa droite, le même bas-relief avec son ours courroucé. Intrigué par cette coïncidence, il alla jusqu'à la sculpture et leva les yeux sur les crocs dorés de l'ours. Quel bizarre phénomène l'attirait en ce lieu ?

Il s'avança ensuite jusqu'à l'arche du milieu pour y jeter un coup d'œil. Faute d'éclairage, l'étroit passage auquel elle donnait accès disparaissait bientôt dans les ténèbres. Projetant sa conscience hors de lui, Eragon l'explora mentalement sur toute sa longueur et scruta quelques salles abandonnées. Une demi-douzaine d'araignées, une poignée de phalènes égarées, des mille-pattes et des grillons aveugles en étaient les seuls occupants.

– Hou hou ! lança-t-il dans le corridor.

Il suivit l'écho décroissant de sa voix, puis il se tourna vers son escorte :

— Kvîstor ? Y a-t-il des gens qui vivent dans cette zone ancienne ?

— Quelques-uns, répondit le nain au visage juvénile. Des knurlan aux mœurs étranges, qui préfèrent la solitude et le silence aux caresses d'une épouse et à des voix amies. Souviens-toi, Argetlam, c'est l'un d'eux qui nous a alertés lors de l'invasion des Urgals. Et puis, nous n'en parlons pas beaucoup, mais il y a aussi ceux qui ont enfreint nos lois et que leurs chefs de clan ont bannis pour un an sous peine de mort, parfois pour le reste de leur vie en cas de délit grave. C'est à peine s'ils existent pour nous, ce sont des morts vivants. Lorsque nous les croisons sur d'autres terres que les nôtres, nous les évitons comme la peste ; à l'intérieur de nos frontières, nous les pendons.

Quand Kvîstor se tut, Eragon lui fit signe qu'il était prêt à rentrer. Le garde prit la tête du groupe, il lui emboîta le pas, et ses collègues suivirent. Ils sortirent de la salle par la porte qu'ils avaient empruntée pour entrer et enfilèrent le tunnel. Ils n'avaient pas fait vingt pas qu'Eragon entendit un léger bruit de frottement derrière eux, si léger que Kvîstor n'en remarqua rien.

Par-dessus son épaule, le jeune Dragonnier aperçut, à la lueur des lanternes sans flamme, sept nains tout de noir vêtus, au visage masqué et aux pieds enveloppés de chiffons. Ils couraient dans leur direction, à une vitesse dont seuls étaient capables les elfes, les Ombres et autres créatures qui avaient la magie dans le sang. Dans la main droite, ils tenaient de longs poignards effilés aux pâles lames iridescentes, et, dans la gauche, un bouclier rond en métal, avec une pique acérée en son centre. Comme ceux des Ra'zacs, leurs esprits lui demeuraient cachés.

« Saphira ! »

Ce cri du cœur lui rappela qu'elle n'était pas là, et il se retourna pour faire face aux silhouettes noires. Agrippant son fauchon, il ouvrit la bouche pour donner l'alarme.

Trop tard.

Alors que son premier mot résonnait dans l'air, trois des étranges nains masqués se saisirent du garde qui fermait la marche, brandissant leurs poignards pour le tuer. Plus vite que la parole ou la pensée consciente, Eragon plongea de tout son être dans le flux de la magie et, sans l'aide de l'ancien langage pour structurer son sort, il modifia le tissu du monde de manière plus favorable. Comme tirés par des fils invisibles, les trois gardes qui le séparaient des attaquants volèrent vers lui et atterrirent debout à ses côtés, indemnes, mais désorientés.

Sentant ses forces diminuer, Eragon grimaça.

Deux nains masqués foncèrent sur lui, visant son ventre de leurs lames sanguinaires. Fauchon au poing, il para les deux coups, stupéfié par la rapidité et la férocité de ses agresseurs. L'un de ses gardes s'élança avec un cri sauvage, joua de la hache contre les assassins. Eragon n'eut pas le temps d'empoigner son haubert pour le ramener à l'abri qu'une lame blanche luisant d'un éclat spectral s'enfonçait dans son cou musclé. Le nain s'effondra, les traits déformés par la douleur. À sa grande horreur, Eragon reconnut Kvîstor ; sa gorge rougeoyait tel du métal en fusion, et se désintégrait autour du poignard.

« Ils ne doivent pas me toucher. Je ne peux pas risquer la moindre égratignure ! »

Rendu furieux par le meurtre de Kvîstor, Eragon frappa le coupable d'estoc, si vite que le nain masqué tomba mort à ses pieds avant de comprendre ce qui lui arrivait.

– Restez derrière moi, hurla-t-il alors à pleins poumons.

Des fissures apparurent dans le sol et les murs, des copeaux de pierre dégringolèrent du plafond tandis que sa voix puissante se réverbérait à travers le corridor. Abasourdis par ce déferlement sonore, les nains masqués s'interrompirent, puis ils reprirent l'offensive.

S'éloignant de plusieurs coudées des cadavres afin de pouvoir manœuvrer, Eragon opta pour une position basse ; solidement campé sur ses jambes pliées, il agitait le fauchon devant lui, prêt à l'action. Son cœur battait deux fois plus vite que de coutume ; le combat venait de commencer, et déjà il était hors d'haleine.

Large de huit pieds, le passage permettait une attaque de front à trois des six assassins restants. Ils se déployèrent ; deux d'entre eux amorcèrent un mouvement tournant pour le prendre de côté tandis que le troisième lui fonçait droit dessus.

N'osant pas se battre comme il l'aurait fait s'ils avaient été armés de lames ordinaires, Eragon sauta, bien haut et en avant, pirouetta à mi-parcours, toucha le plafond de ses pieds pour s'élancer de nouveau et retomber à quatre pattes derrière les nains masqués après un nouveau retournement aérien. Puis, le temps que ses ennemis pivotent pour lui faire face, il les décapita tous trois d'un seul revers.

Leurs poignards heurtèrent le sol une fraction de seconde avant leurs têtes.

Bondissant par-dessus leurs corps tronqués, il exécuta un salto pour atterrir à son point de départ.

Il était temps !

Un souffle de vent lui effleura le cou : une lame venait de rater sa gorge. Une autre accrocha le bord de sa jambière et l'entailla. Il esquiva et fit des moulinets avec son fauchon afin de se ménager assez d'espace. « Bizarre, songea-t-il. Mes sorts protecteurs auraient dû dévier leurs coups. »

Son pied glissa sur une flaque de sang frais. Déséquilibré, il partit à la renverse en laissant échapper un cri. Sa tête cogna contre la pierre, des étincelles bleues dansaient devant ses yeux, il suffoquait.

Ses trois gardes se précipitèrent pour le couvrir, maniant la hache avec un bel ensemble afin d'écarter les dangereuses lames luminescentes et de lui épargner leur morsure.

Il eut tôt fait de récupérer, se releva puis, se maudissant de ne pas y avoir pensé plus tôt, il aboya un sort qui comprenait neuf des douze mots mortels qu'Oromis lui avait enseignés. Hélas, il avait à peine libéré le flux de magie qu'il renonça et l'interrompit : les nains masqués vêtus de noir étaient bardés d'enchantements protecteurs. S'il avait disposé de cinq à dix minutes, il aurait pu en avoir raison ou les contourner, mais, dans ce genre de combat, chaque minute était une journée, et chaque seconde, une heure. La magie ayant échoué, il concentra toute la puissance de sa pensée en un fer de lance qu'il projeta vers ce qu'il pensait être la conscience d'un des assassins. Son attaque se heurta à une armure mentale comme jamais il n'en avait rencontré : lisse et sans faille, sans une trace des inquiétudes naturelles de créatures vivantes engagées dans une lutte à mort.

« Quelqu'un d'autre les protège. Ils ne sont pas seuls, pas que sept, il y a des gens derrière. »

Changeant brusquement de direction, il se rua sur l'attaquant de gauche et lui planta la pointe de son fauchon dans le genou. Le nain chancela. Les gardes d'Eragon convergèrent vers lui, immobilisèrent son bras armé de la sinistre lame et firent pleuvoir les coups de hache sur lui.

Le plus proche des deux derniers nains masqués avait anticipé la feinte d'Eragon et levé son bouclier pour parer. Le jeune Dragonnier rassembla toute sa puissance physique et abattit son fauchon sur l'écu ; il espérait le fendre en deux et trancher du même coup le bras qui le tenait comme il le faisait souvent avec Zar'roc. Dans la fièvre du moment, il omit de prendre en compte les inexplicables réflexes du nain. Le fauchon n'avait pas atteint sa cible que le bouclier basculait, déviant la lame de côté.

Deux gerbes d'étincelles jaillirent quand le contact se fit. La lame ripa du bord jusqu'à la pique au centre du bouclier, poursuivit sa trajectoire et vint heurter le mur de pierre du tranchant. Le choc se répercuta dans le bras d'Eragon tandis qu'avec un son cristallin, le fauchon se brisait en une douzaine de morceaux. Il n'en restait que six pouces de métal déchiqueté qui dépassaient du manche.

Consterné, Eragon laissa tomber l'arme fracassée pour empoigner le bouclier de son adversaire à deux mains, et s'efforça de maintenir le disque de métal entre lui et le poignard nimbé d'un halo lumineux. Doté d'une force peu commune, le nain masqué lui opposait une résistance farouche, l'obligeant même à reculer d'un pas. Sans relâcher sa prise de la main gauche, Eragon libéra sa droite et frappa avec tant de vigueur que son poing traversa l'acier trempé sans plus de difficulté que du bois vermoulu. Grâce aux tampons de cal qui protégeaient ses phalanges, il n'en souffrit pas.

Le choc violent projeta le nain contre le mur opposé. Tête pendante sur son cou désarticulé, il s'effondra tel un pantin dont on aurait coupé les cordes.

Eragon se débarrassa du bouclier percé, s'éraflant au passage, puis il dégaina son couteau de chasse.

Au même moment, le dernier nain vêtu de noir fondait sur lui. Eragon para la dague fatale... une fois, deux fois, trois fois... et il fit mouche, lacérant la manche matelassée de l'ennemi et entaillant son bras armé du coude au poignet. Le nain siffla de rage et de douleur ; au-dessus du masque de toile noire, ses yeux bleus lançaient des éclairs. Il amorça une série d'attaques, si vives qu'il était impossible de suivre les mouvements du poignard. Eragon fut contraint de bondir en arrière pour éviter la pointe mortelle. Le nain pressa l'avantage. Le jeune Dragonnier parvint à esquiver sur quelques coudées, puis son talon buta contre un cadavre. Sans quitter l'adversaire des yeux, il tenta de contourner l'obstacle, trébucha et, déséquilibré, donna de l'épaule contre un mur.

Avec un rire démoniaque, le nain s'élança, visant son torse découvert. Dans un effort futile pour se défendre, Eragon leva un bras, puis il roula le long du hall afin de s'éloigner, conscient que sa chance l'avait abandonné. Cette fois, il n'en réchapperait pas.

Il achevait un tour complet, se trouvait de nouveau face au nain quand il vit la pâle lame iridescente s'abattre sur lui telle la foudre du ciel. Et là, sous ses yeux étonnés, la pointe de la dague accrocha une lanterne sans flamme fixée dans le mur.

Il s'écarta sans plus attendre. L'instant d'après, une poussée brûlante dans son dos l'expédia vingt pieds plus loin, le précipita contre une arche, ajoutant quelques ecchymoses et égratignures à sa collection. Une détonation retentit, assourdissante. Avec l'impression qu'on lui enfonçait des piques dans les tympans, Eragon se couvrit les oreilles et se roula en boule avec un cri strident.

Quand le bruit et la douleur eurent cessé, il abaissa les mains et se remit debout sur ses jambes flageolantes. Le mouvement réveilla ses blessures et une myriade de sensations désagréables. Il grimaça, serra les dents. Sonné, désorienté, il examina les dégâts.

L'explosion avait noirci le passage sur dix bons pieds. De la suie et des cendres flottaient encore dans l'air aussi chaud qu'une forge. Son agresseur gisait à terre ; le corps couvert de brûlures, il gesticulait, se contorsionnait. Quelques convulsions encore, et il cessa de se démener. Les trois gardes d'Eragon étaient étendus sur le sol de pierre, à la limite de la suie, là où l'explosion les avait propulsés. Sous ses yeux, ils se redressèrent, chancelants, la barbe roussie en désordre ; le sang coulait de leur bouche, de leurs oreilles. Malgré les mailles incandescentes au bas de leurs hauberts, la chemise de cuir qu'ils portaient en dessous semblait les avoir protégés du pire.

Eragon s'avança d'un pas et s'arrêta aussitôt. Une douleur soudaine entre les omoplates lui arracha un gémissement. Tordant le bras, il voulut tâter l'endroit blessé pour évaluer la gravité de la plaie, mais le geste aggravait le mal, à tel point qu'il manqua de perdre connaissance. Il s'appuya au mur, regarda en direction de son assaillant mort. « J'ai dû être brûlé dans le dos, moi aussi. »

Il s'obligea à se concentrer, récita deux sorts pour guérir les brûlures, que Brom lui avait enseignés pendant leurs voyages. La magie courut sur sa peau comme une eau fraîche, et il se redressa avec un soupir de soulagement.

— Vous êtes blessés ? demanda-t-il à ses gardes qui venaient vers lui en boitillant.

Celui de tête fronça les sourcils et tapota son oreille gauche. Eragon jura à voix basse : lui-même n'entendait pas le son de sa propre voix ! Puisant dans les réserves d'énergie de son corps, il jeta un sort pour restaurer tous leurs tympans endommagés. Tandis qu'il récitait l'incantation, il éprouvait une furieuse envie de se gratter l'intérieur de la tête. Les démangeaisons cessèrent dès qu'il interrompit le flux de la magie.

– Vous êtes blessés ? répéta-t-il.

Le nain qui se trouvait sur sa droite, un costaud à la barbe fourchue, toussa et cracha un caillot de sang avant de grommeler :

– Rien de bien grave. Je m'en remettrai avec le temps. Et toi, Tueur d'Ombre ?

– Je devrais survivre.

À pas prudents, Eragon pénétra dans la zone noire de suie et s'agenouilla près de Kvîstor pour voir s'il pouvait encore le tirer des griffes de la mort. Dès qu'il posa les yeux sur l'entaille à sa gorge, il comprit que c'était sans espoir.

Tête baissée, il songea avec amertume à ce dernier carnage, à tous les précédents, puis il se releva :

– Pourquoi la lanterne a-t-elle explosé ?

– Elles sont remplies de lumière et de chaleur, Argetlam, répondit l'un des gardes. Lorsqu'elles se brisent, le contenu s'échappe d'un coup, il vaut mieux ne pas être dans le secteur.

– Vous avez une idée du clan auquel appartenaient ces assassins ? s'enquit-il encore.

Le nain à la barbe fourchue fouilla plusieurs cadavres masqués et vêtus de noir :

– Barzûl ! Ils ne portent pas de marques qui permettraient de les situer, Argetlam, mais j'ai découvert ceci.

Il tenait à la main un bracelet de crin de cheval piqué d'améthystes polies.

– Ce qui signifie ?

– Ces améthystes, déclara le nain en tapotant les cabochons d'un index noir de suie, cette variété particulière d'améthyste ne se trouve que dans quatre régions des Beors, dont trois sont la propriété du Az Sweldn rak Anhûin.

Eragon plissa le front :

— Grimstborith Vermûnd serait donc à l'origine de cette attaque ?

— Je n'en jurerais pas, Argetlam. Un autre clan a pu acquérir ces bracelets pour les incriminer, nous induire en erreur sur l'identité réelle de nos ennemis. Cela étant... je serais prêt à parier un chariot d'or que le Az Sweldn rak Anhûin est responsable.

— Eux ou d'autres, qui que soient ces traîtres, qu'ils soient maudits ! gronda Eragon.

Il serra les poings pour empêcher ses mains de trembler. Du bout de sa botte, il poussa l'une des redoutables dagues luminescentes :

— Les sorts qui imprégnaient ces lames, ceux qui entouraient ces... gens... hommes, nains, peu importe..., ont dû exiger une quantité phénoménale d'énergie et une formulation d'une complexité qui me dépasse. Lancer de tels sorts est aussi délicat que dangereux...

Il s'interrompit, regarda tour à tour ses trois gardes et déclara :

— Je vous prends à témoin et jure devant vous que ni cette attaque, ni le meurtre de Kvîstor ne resteront impunis. Quel que soit le clan qui a envoyé contre moi ces tueurs à face de crapaud baveux, dès que je connaîtrai son nom, ses membres vont le regretter. Ils regretteront d'avoir voulu m'atteindre, et le Dûrgrimst Ingeitum à travers moi. Je vous en fais le serment en tant que Dragonnier, en tant que membre du Dûrgrimst Ingeitum. Si on vous le demande, répétez cette promesse solennelle telle que je viens de l'énoncer.

Les nains s'inclinèrent devant lui, et celui à la barbe fourchue répondit :

— Nous obéirons à ton ordre, Argetlam. Par tes paroles, tu honores la mémoire de Hrothgar.

— Quel que soit leur clan, ajouta un autre, les coupables ont violé les lois de l'hospitalité. On ne s'en prend pas aux invités. Des rats se conduiraient mieux. Ce sont des *menknurlan* !

Sur ces mots, il cracha par terre, et les deux autres gardes l'imitèrent.

Eragon s'approcha des restes épars de son fauchon. Il s'agenouilla dans la suie et effleura un morceau de métal, en suivit les contours déchiquetés du bout de l'index.

« Il me faut une épée », songea-t-il.

« Il me faut une épée de Dragonnier ! »

32

UNE QUESTION
DE POINT DE VUE

Le vent-thermique-matinal-au-dessus-de-la-plaine – très différent du vent-thermique-matinal-au-dessus-des-collines – changea de direction[1]. Saphira ajusta l'angle de ses ailes pour compenser les modifications de vitesse et de pression dans l'air qui soutenait son poids à des milliers de pieds du sol inondé de soleil. Elle ferma un instant ses doubles paupières pour mieux goûter la douceur de son nid de brise, la tiède caresse des rayons sur son corps musclé. Elle imagina le scintillement radieux de ses écailles à la lumière, l'émerveillement de ceux qui la voyaient d'en bas, et elle ronronna de plaisir, confortée dans la certitude de sa propre projection. Qui pouvait égaler la splendeur de ses écailles, de sa longue queue effilée, de ses ailes si joliment dessinées, de ses griffes recourbées, de ses crocs blancs capables d'égorger un buffle d'une seule morsure ? Ni Glaedr-aux-écailles-d'or qui avait perdu une patte lors de la chute des Dragonniers. Ni Thorn ni Shruikan, tous deux esclaves de Galbatorix, corrompus par leur servitude. Un dragon qui n'était pas libre de vivre selon ses désirs n'était pas un dragon. Et puis, c'étaient des mâles et, si les mâles avaient quelque chose de majestueux, contrairement à elle, ils n'incarnaient pas la grâce et la beauté. Elle était sans conteste

502

---

1. Vent thermique : vent dû à des différences de température.

la plus extraordinaire créature d'Alagaësia, et c'était très bien ainsi.

Un frisson de satisfaction parcourut Saphira, du haut du crâne au bout de la queue. Cette journée était idéale. La chaleur lui donnait l'impression de reposer sur un lit de braises. Elle avait le ventre plein, le ciel était limpide, aucune tâche ne réclamait son attention, sauf guetter l'arrivée d'ennemis en mal de combat, ce qu'elle faisait de toute façon par habitude.

Son bonheur était sans nuages, à un détail près – mais quel détail ! Plus elle y pensait, plus sa frustration croissait, et le nuage finit par s'étendre, jusqu'à étouffer son contentement. Elle regrettait l'absence d'Eragon, aurait aimé partager cette journée avec lui. Irritée, elle gronda et laissa échapper un bref jet de flammes bleues, embrasant l'air devant elle. Puis elle contracta la gorge et coupa le flux de feu liquide qui lui chatouillait la langue. Quand Eragon, le compagnon-de-ses-pensées-et-de-son-cœur, se déciderait-il à contacter Nasuada depuis Tronjheim pour lui demander qu'elle, Saphira, vienne le rejoindre ? Elle l'avait encouragé à obéir aux ordres de Nasuada, à se rendre dans les montagnes-aux-cimes-si-hautes-qu'elle-ne-pouvait-les survoler, et le temps avait passé. Il était parti depuis trop longtemps ; elle en avait froid dans le ventre tant elle se sentait vide.

« Il y a une ombre sur le monde. Voilà ce qui me perturbe. Il est arrivé quelque chose à Eragon. Il est en danger, ou alors, il l'était récemment. Et je ne peux pas l'aider. » Elle n'était pas une dragonne sauvage. Dès sa sortie de l'œuf, elle avait partagé sa vie avec Eragon. Sans lui, elle n'était plus que la moitié d'elle-même. S'il mourait parce qu'elle n'était pas là pour le protéger, elle n'aurait d'autre raison de s'attarder en ce monde que la vengeance. Elle savait déjà qu'elle traquerait ses assassins pour les réduire en charpie, puis elle volerait jusqu'à la cité noire du traître-casseur-d'œufs qui l'avait gardée prisonnière pendant des décennies, et là, consciente qu'elle n'y survivrait pas, elle s'efforcerait de le tuer.

Saphira gronda de nouveau et claqua des mâchoires pour attraper au vol un stupide moineau qui passait à portée de ses dents. Elle rata son coup ; l'oiseau s'échappa indemne, ce qui exacerba encore sa mauvaise humeur. Un instant tentée de le poursuivre, elle y renonça. Elle n'allait pas se fatiguer pour une minuscule pelote d'os et de plumes dont elle ne ferait pas une bouchée !

La tête dans un sens, la queue dans l'autre pour faciliter le mouvement, elle inclina les ailes et fit un demi-tour. Tout en bas, une foule de petites créatures fuyaient le prédateur et cherchaient un abri. Même à des milliers de pieds, elle distinguait chaque plume du jeune faucon qui survolait les champs de blé à l'ouest de la rivière Jiet, la brune tache mouvante du lapin qui filait vers son terrier ; elle apercevait la petite troupe de biches cachées sous des buissons de cassis le long d'un affluent de la Jiet, et elle entendait les cris aigus d'animaux apeurés qui alertaient leurs frères à sa présence. Les tremblements de leurs voix la réjouissaient. Il était juste et naturel que sa nourriture la craigne. Si un jour elle craignait ses proies, elle comprendrait que le moment était venu de mourir.

À une lieue de là, vers l'aval, les Vardens s'entassaient le long de la rivière comme un troupeau de cerfs roux au bord d'un précipice. La veille, ils étaient arrivés au gué et, depuis, un tiers des hommes-amis, des Urgals-amis et des chevaux-qu'il-ne-faut-pas-manger avaient traversé le cours d'eau. L'armée progressait si lentement qu'elle se demandait parfois où les humains trouvaient le temps de faire autre chose que voyager étant donné la brièveté de leur vie. « Ce serait plus commode pour eux s'ils volaient. » D'ailleurs, pourquoi ne volaient-ils pas ? Ce n'était pas si compliqué. Elle s'étonnait toujours que des êtres choisissent de rester au sol. Même Eragon demeurait attaché à la terre-dure-molle, alors qu'il lui suffisait de prononcer quelques mots en ancien langage pour la rejoindre dans les airs quand l'envie lui prenait. Il est vrai que la conduite de ceux qui allaient cahin-caha sur deux jambes lui paraissait souvent inexplicable, qu'ils aient les oreilles rondes ou pointues, qu'ils aient des cornes ou qu'ils soient si petits qu'elle risquait de leur marcher dessus.

L'ombre d'un mouvement vers le nord retint son attention. Curieuse, elle s'en rapprocha. Une file de quarante-cinq chevaux épuisés se traînait en direction des Vardens. Comme ils étaient pour la plupart sans cavalier, elle n'imagina pas un instant qu'il s'agissait du groupe de Roran rentrant de son raid et ne le comprit qu'une demi-heure plus tard, lorsqu'elle distingua les visages des hommes. Que s'était-il donc passé pour que leurs effectifs soient à ce point réduits ? Elle eut un bref pincement d'inquiétude. Si elle n'était en rien liée à Roran, elle savait combien Eragon tenait à lui, ce qui constituait une raison suffisante pour qu'elle se préoccupe de son bien-être.

Projetant sa conscience vers les rangs désorganisés des Vardens, elle chercha la musique de l'esprit d'Arya et, lorsque l'elfe l'eut reconnue et lui eut ouvert l'accès à ses pensées, Saphira lui donna les nouvelles : « Roran devrait arriver en fin d'après-midi. Son bataillon est toutefois bien diminué. Un grand malheur s'est abattu sur eux pendant cette mission. »

« Merci, Saphira. J'en informerai Nasuada. »

Tandis que la dragonne rompait la transmission mentale avec Arya, elle sentit le contact interrogateur de l'elfe-au-pelage-de-loup-bleu-noir-Lupusänghren. « Je ne suis pas sortie de l'œuf hier ! protesta-t-elle. Inutile de t'enquérir de ma santé toutes les cinq minutes. »

« Je te présente mes humbles excuses, Bjartskular. Mais tu t'es absentée longtemps et, si certains t'ont observée, ils vont se demander pourquoi toi et... »

« Oui, je sais », gronda-t-elle. Et, les ailes en partie repliées, elle s'orienta vers le flot trouble de la Jiet pour descendre en lentes spirales, avec la sensation qu'elle ne pesait plus rien. « J'arrive dans une minute. »

À environ mille pieds de la rivière, elle tendit ses membranes et se redressa pour freiner, absorbant le choc causé par la résistance de l'air. Après s'être immobilisée, elle accéléra de nouveau, jusqu'à n'être plus qu'à une centaine de pieds de l'eau-brune-pas-bonne-à-boire. Là, elle se laissa porter, donnant parfois un bref coup d'aile pour maintenir son altitude, attentive aux brusques changements de pression fréquents dans l'air-frais-au-dessus-de-l'eau-courante, si traîtres qu'ils vous précipitaient soudain dans une direction inattendue, voire dangereuse – contre les arbres-pointus-qui-piquent ou le sol-dur-à-se-rompre-les-os.

Elle survola les Vardens rassemblés le long de la berge, assez haut pour que son arrivée n'effraie pas leurs stupides chevaux, puis elle descendit en planant et se posa parmi les tentes, sur une aire dégagée que Nasuada réservait à son intention. Ensuite, elle gagna la tente vide d'Eragon où Lupusänghren attendait son retour avec ses onze elfes magiciens. Elle les salua en clignant des yeux et en tirant la langue avant de se lover devant l'entrée avec résignation ; il lui faudrait somnoler tout le jour, comme elle le ferait si Eragon était réellement sous la tente et se reposait après avoir effectué avec elle quelque mission nocturne. Morne tâche quotidienne, que de rester là à ne rien faire ! C'était à périr d'ennui, mais nécessaire pour maintenir l'illusion qu'Eragon était toujours dans le camp. Saphira ne se plaignait donc pas, même après avoir passé douze heures et parfois davantage à salir ses écailles sur le sol-dur-bosselé-inconfortable, même si cette inactivité forcée lui donnait envie de se battre contre des armées entières, de raser des forêts et d'y mettre le feu, ou encore de prendre son essor pour s'envoler toujours plus haut, jusqu'à n'en plus pouvoir, jusqu'à atteindre les limites de la terre, de l'eau et des airs.

Elle grogna tout bas, pétrit le sol de ses griffes pour l'ameublir, puis, la tête sur les pattes de devant, elle ferma sa paupière intérieure de manière à sommeiller tout en surveillant les allées et venues. Une libellule passa devant son nez et, pour la énième fois, elle se demanda pourquoi, dans la langue des humains, ce misérable insecte s'appelait dragon-mouche. Quel mauvais esprit leur avait soufflé cette idée saugrenue ? « Oser nous comparer à une bestiole minable ! C'est vexant », maugréa-t-elle avant de s'assoupir.

Le gros-feu-rond-dans-le-ciel touchait presque l'horizon quand Saphira entendit des cris et des exclamations de bienvenue, signe que la patrouille de Roran avait atteint le campement. Elle se leva. Comme il l'avait fait en diverses occasions, Lupusänghren fredonna-murmura un sort qui engendrait une image d'Eragon privée de substance ; grâce à la magie de l'elfe, le Dragonnier fantôme sortit de la tente et grimpa sur le dos de la dragonne. L'illusion imitait le modèle vivant à s'y méprendre ; elle n'avait cependant ni conscience ni volonté propre. Si des agents de Galbatorix tentaient d'épier ses pensées, ils découvriraient la supercherie dans la minute. Afin d'assurer le succès de ce stratagème, l'apparition ne devait pas rester visible trop longtemps. Saphira était chargée de la transporter au plus vite en « lieu sûr ». Restait à espérer que la réputation d'Eragon découragerait les observateurs clandestins, et que ceux-ci n'oseraient pas effleurer son esprit pour y glaner des renseignements par crainte d'encourir sa colère.

Saphira s'élança, progressant par bonds, tandis que les douze elfes couraient en formation autour d'elle. Les hommes s'écartaient sur son passage et lançaient des « Salut à toi, Tueur d'Ombre », « Salut à toi, Saphira ! » si enthousiastes qu'elle en était toute réchauffée.

Lorsqu'elle arriva à la tente-chrysalide-papillon-rouge-aux-ailes-repliées de Nasuada, elle se coucha et passa la tête par le panneau que les gardes avaient relevé pour elle. Lupusänghren se remit à chantonner, et le fantôme d'Eragon sauta à terre pour pénétrer sous la toile vermeille où, à l'abri des regards indiscrets, il se fondit dans le néant.

— Le secret de notre ruse tient toujours ? s'enquit Nasuada depuis son trône de bois sculpté.

Lupusänghren s'inclina avec son élégance native :

– Une fois de plus, Dame Nasuada, je ne peux rien affirmer, il faut attendre. Nous aurons la réponse à cette question si l'Empire se manifeste pour profiter de l'absence d'Eragon.

– Je vous remercie, Lupusänghren. Ce sera tout.

L'elfe s'inclina de nouveau, sortit de la tente et alla prendre position quelques coudées en arrière de Saphira pour protéger son flanc.

Confortablement installée, la dragonne entreprit de nettoyer les écailles entourant la troisième griffe de sa patte avant gauche entre lesquelles s'accumulaient de disgracieux dépôts d'argile blanche récoltée à l'endroit où elle avait dévoré sa dernière proie.

Moins d'une minute plus tard, Martland Barbe Rouge, Roran, et un homme-aux-oreilles-rondes qu'elle ne connaissait pas entrèrent sous la tente et saluèrent Nasuada. Saphira s'interrompit dans sa toilette pour goûter l'air de sa langue ; elle détecta la saveur un peu rance du sang séché, le musc aigredoux de la sueur, une odeur de chevaux et de cuir, le tout relevé par une note légère mais parfaitement identifiable – le piment de la peur-humaine. En examinant le trio de plus près, elle remarqua que l'homme-à-la-longue-barbe-rousse avait perdu sa main droite. Et elle se remit à lécher sa patte avec application, débarrassant ses écailles de toute souillure pour leur rendre leur éclat premier. Pendant ce temps, Martland d'abord, puis l'homme-aux-oreilles-rondes-qui-s'appelait-Ulhart, et enfin Roran racontèrent une histoire de bataille, d'incendie, d'hommes qui riaient et refusaient de mourir quand ils l'auraient dû, qui continuaient à se battre bien après qu'Angvard ait appelé leur nom. Selon son habitude, Saphira se taisait alors que les autres – en particulier Nasuada et son conseiller, homme-long-au-visage-maigre-Jörmundur – interrogeaient les guerriers sur les détails de leur funeste mission. Eragon s'étonnait parfois de ce qu'elle participait si peu aux conversations. Les raisons de son silence étaient simples : en dehors d'Arya et de Glaedr, elle ne se sentait à l'aise que lorsqu'elle communiquait avec Eragon ;

la plupart de ces discussions lui paraissaient futiles – une perte de temps. Qu'ils soient oreilles-rondes ou oreilles-pointues, front-cornu ou petits-de-taille, les deux pattes n'en finissaient pas d'épiloguer, à croire que c'était pour eux une drogue. Brom n'épiloguait pas. Elle appréciait ce trait chez lui. Pour elle, les choix s'imposaient d'eux-mêmes : où bien il y avait une action à entreprendre afin d'améliorer la situation, auquel cas, elle agissait, ou bien il n'y avait rien à faire, et disserter sur le sujet revenait à brasser du vent. De toute façon, elle ne se souciait pas de l'avenir, sauf en ce qui concernait Eragon. Pour lui, elle s'inquiétait, toujours.

Quand ils en eurent terminé avec les questions, Nasuada témoigna de sa sympathie à Martland-qui-avait-perdu-une-main, puis elle les congédia, Ulhart et lui. Elle retint cependant Roran, auquel elle déclara :

– Tu as prouvé ta vaillance une fois de plus, Puissant Marteau. Je suis contente de toi.

– Je vous remercie, Ma Dame.

– Malgré les soins de nos meilleurs guérisseurs, Martland aura besoin de temps pour se remettre de sa blessure. Lorsqu'il aura récupéré, il restera mutilé et ne sera plus en mesure de mener des raids de ce genre. Dorénavant, il servira les Vardens à l'arrière et non pas au front. Je crois que je vais le promouvoir au rang de stratège. Qu'en penses-tu, Jörmundur ?

– L'idée me paraît excellente.

Nasuada hocha la tête avec satisfaction :

– Le seul problème, c'est que je vais devoir te placer sous les ordres d'un autre capitaine, Roran.

– Ma Dame, pourquoi ne commanderais-je pas ma propre patrouille ? Ne m'en suis-je pas montré digne lors de ces deux missions comme par mes succès passés ?

– Si tu continues à te distinguer de la sorte, Puissant Marteau, tu auras bientôt une unité à toi. Patience. Deux missions, aussi impressionnantes soient-elles, ne permettent pas de juger pleinement la personnalité d'un homme. Je suis d'une rare prudence quand il s'agit de confier mes guerriers à des tiers. Je te demande de te plier à mes désirs.

Roran serra la tête de son marteau qui dépassait de sa ceinture, si fort que ses veines et ses tendons saillaient. S'il lui en coûtait, il demeura courtois :

— Bien sûr, Dame Nasuada.

— Bon. Un page te fera connaître ta nouvelle affectation plus tard dans la journée. Oh, et veille à prendre un repas copieux quand vous aurez fêté vos retrouvailles, Katrina et toi. C'est un ordre, Puissant Marteau. Tu sembles sur le point de défaillir.

— Ma Dame.

Il se retirait déjà quand Nasuada leva la main :

— Roran ?

— Ma Dame ?

— À présent que tu as combattu ces hommes qui ne sentent pas la douleur, penses-tu que, si nous étions protégés comme ils le sont contre les souffrances physiques, nous aurions moins de peine à les vaincre ?

Après une hésitation, Roran secoua la tête :

— Leur force est aussi leur faiblesse. Ils ne se défendent pas comme ils le feraient s'ils craignaient la morsure d'une lame ou le dard d'une flèche, ils agissent sans prudence, au mépris de leur vie. Il est vrai qu'ils continuent à se battre quand des soldats normaux seraient morts depuis longtemps, ce qui est un avantage appréciable. Mais ils meurent aussi en grand nombre, car ils ne se soucient pas de leur corps. Dans leur folle témérité, ils vont au-devant de pièges et de dangers que nous éviterions coûte que coûte. Tant que les Vardens gardent le moral, je crois qu'avec des tactiques adaptées nous triompherons de ces monstres ricanants. En revanche, si nous étions comme eux, nous nous entretuerions jusqu'au dernier sans nous poser de questions. Comme eux, nous n'aurions plus d'instinct de survie. Du moins est-ce mon opinion.

— Merci, Roran.

Dès qu'il eut quitté la tente, Saphira demanda :

« Toujours pas de nouvelles d'Eragon ? »

– Non, répondit Nasuada. Et son silence commence à m'inquiéter. S'il ne nous a pas contactés d'ici deux jours, je chargerai Arya de transmettre un message aux magiciens d'Orik pour avoir un rapport détaillé. Dans l'hypothèse où Eragon ne parviendrait pas à hâter la décision du conseil des chefs, je crains qu'il ne nous faille compter sans les nains pour les batailles à venir. Le seul point positif dans ce désastre, c'est qu'Eragon nous reviendrait sans plus tarder.

Lorsque Saphira s'apprêta à quitter elle aussi la tente-chrysalide-rouge, Lupusänghren invoqua de nouveau le spectre du jeune Dragonnier. Dès qu'il fut sur son dos, Saphira sortit la tête de dessous la toile et, comme précédemment, elle traversa le camp par bonds successifs, escortée par les elfes.

Devant la tente d'Eragon, l'ombre-aux-couleurs-de-vie sauta à terre et disparut à l'intérieur. Saphira se coucha sur le sol, résignée à une longue journée d'ennui ininterrompu. Avant de reprendre sa sieste imposée, elle projeta sa conscience vers la tente de Roran et Katrina, puis pesa sur l'esprit de Roran jusqu'à ce qu'il abaisse ses défenses.

« C'est toi, Saphira ? » s'enquit-il.

« Tu en connais d'autres comme moi ? »

« Non, bien sûr. Tu m'as surpris. Je suis... euh... occupé pour le moment. »

Elle étudia ses émotions, celles de Katrina, s'amusa de ses découvertes.

« Je voulais juste te souhaiter la bienvenue. Je suis contente que tu sois rentré indemne. »

Les pensées de Roran défilaient, vite-brûlantes-brouillées-froides. Il semblait avoir des difficultés à formuler une réponse cohérente. Finalement, il déclara :

« C'est gentil à toi, Saphira. »

« Si tu peux, viens me rendre visite demain, et nous bavarderons à loisir. Ces journées passées à ne rien faire sont bien mornes pour moi. Tu me parleras d'Eragon et de sa vie avant que j'éclose pour lui. »

« Je... J'en serai très honoré. »

Satisfaite d'avoir rempli les devoirs de courtoisie si chers aux deux-pattes-à-oreilles-rondes en saluant le retour de Roran, réconfortée de savoir que la journée du lendemain en serait moins assommante – car il était impensable qu'on ose ignorer sa requête –, Saphira s'installa aussi confortablement que possible sur le sol dur et regretta une fois de plus son nid douillet dans l'arbre-maison-secoué-par-le-vent qu'elle occupait avec Eragon à Ellesméra. Un panache de fumée s'échappa de ses naseaux tandis qu'elle soupirait, puis elle s'assoupit et rêva qu'elle volait plus haut que jamais.

Elle battit des ailes, encore et encore, jusqu'à dépasser les infranchissables sommets des Beors. Là, elle décrivit des cercles et contempla, en bas, toute l'étendue de l'Alagaësia. Prise d'un désir irrépressible de monter plus haut pour voir ce qu'il y avait à voir, elle se remit à battre des ailes et, en l'espace d'un éclair, elle passa devant l'œil rond de la lune, s'élevant toujours davantage. Seule parmi les étoiles d'argent dans le ciel noir, elle flotta pendant une durée indéterminée, reine du monde qui scintillait en bas comme un diamant. Mais l'angoisse s'insinua soudain dans son âme, et elle cria de toute la force de sa pensée :

« Eragon, où es-tu ? »

33
EMBRASSE-MOI TENDREMENT

Roran ouvrit les yeux, s'extirpa des doux bras de Katrina et s'assit, torse nu, au bord du lit de camp qu'ils partageaient. Il bâilla, se frotta les yeux, puis fixa la mince bande de lumière qui filtrait entre les rabats de l'entrée, engourdi, abruti de fatigue accumulée. Malgré le froid, il ne se couvrit pas, demeura immobile.

– Roran ? appela Katrina d'une voix ensommeillée

Elle se cala sur un coude, lui caressa le dos, la nuque. Il ne réagit pas.

– Dors, Roran. Tu as besoin de repos. Bientôt, tu devras repartir.

Il secoua la tête sans même la regarder.

– Qu'est-ce qui te tracasse ? demanda-t-elle.

Elle s'assit à son tour, lui drapa une couverture sur les épaules, posa sa joue tiède sur son bras.

– Tu t'inquiètes à cause de ton nouveau capitaine, de la prochaine mission que Nasuada va vous confier ?

– Non.

Elle resta un moment silencieuse, puis :

– À chaque fois que tu t'en vas, il me semble avoir perdu un peu de toi à ton retour. Tu es devenu si fermé, si taciturne... Tu veux me raconter ce qui te trouble ? Tu peux, tu sais. Même si c'est terrible. Je suis fille de boucher, et j'ai vu plus que mon compte d'hommes tomber au combat.

– Je ne *veux* pas ! se récria Roran qui s'en étrangla. Je ne veux plus jamais y penser !

Il serra les poings, le souffle court :

– Un vrai guerrier ne se tourmenterait pas comme je le fais.

– Un vrai guerrier ne se bat pas parce qu'il en a envie, mais parce qu'il le faut. Un homme qui rêve de guerre, qui prend plaisir à tuer, est une brute et un monstre. Il ne vaut pas mieux qu'un loup enragé, capable de dévorer père et mère, de se retourner contre les siens, et toute la gloire qu'il conquiert sur les champs de bataille n'y changera rien.

Elle écarta une mèche de cheveux du front de Roran, lui effleura le haut de la tête :

– Tu m'as dit un jour que, de tous les récits de Brom, la Geste de Gerand était ton préféré, que c'était pour cela que tu te battais au marteau et pas à l'épée. Tu te souviens comme Gerand avait horreur de tuer, comme il répugnait à reprendre les armes ?

– Oui.

– Pourtant, il était reconnu pour le plus grand guerrier de son temps.

Elle lui couvrit la joue de sa paume, lui tourna la tête de manière à ce qu'il la regarde dans les yeux :

– Et toi, Roran, tu es le plus grand guerrier que je connaisse, ici ou ailleurs.

– Moi ? croassa-t-il, la gorge sèche. Que fais-tu d'Eragon, de...

– Ils n'ont pas le quart de ta valeur. Eragon, Murtagh, Galbatorix, les elfes... tous marchent au combat avec des sorts aux lèvres et des pouvoirs qui surpassent de beaucoup les nôtres. Toi – elle posa un baiser sur son nez –, tu n'es qu'un homme. Tu affrontes tes ennemis debout. Tu n'es pas magicien, et cependant tu as abattu les Jumeaux. Tu n'es ni plus rapide ni plus fort qu'un humain puisse l'être, et cependant tu n'as pas hésité à attaquer les Ra'zacs dans leur repaire pour me délivrer de leur cachot.

Il déglutit péniblement :

– J'étais protégé par les enchantements d'Eragon.

– Mais tu ne l'es plus. Et puis, à Carvahall, tu ne l'étais pas non plus, pourtant tu n'as pas fui les Ra'zacs.

Comme il se taisait, elle ajouta :

– Tu n'es qu'un homme, et tu as accompli des exploits dont Eragon ou Murtagh n'auraient pas été capables. Pour moi, cela fait de toi le plus grand guerrier d'Alagaësia... Personne à Carvahall n'aurait déployé autant d'efforts pour me délivrer.

– Ton père l'aurait fait.

Il la sentit frissonner.

– Oui, il l'aurait fait. Mais jamais il n'aurait pu convaincre les autres de le suivre.

Elle lui enlaça la taille, et ajouta :

– Quoi que tu aies vu ou fait, je serai toujours à ton côté.

– Et je n'en demande pas davantage, dit-il en la serrant tout contre lui.

Puis il soupira :

– N'empêche, j'aimerais que cette guerre se termine. J'aimerais de nouveau labourer la terre, semer des récoltes et moissonner à la saison. Les travaux de la ferme sont éreintants, mais au moins c'est du travail honnête. Tuer comme ça, c'est malhonnête. C'est du vol..., le vol de la vie d'autrui, et aucun être de bon sens ne devrait désirer cela.

– Comme je le disais.

– Oui, comme tu le disais.

Il s'obligea à sourire :

– Je me laisse aller. Voilà que je te charge de mes soucis, tu en as bien assez sans cela, déclara-t-il en posant la main sur son ventre qui s'arrondissait.

– Tes soucis seront mes soucis aussi longtemps que nous serons mari et femme, murmura-t-elle.

Et elle frotta le nez contre son bras.

– Il y a des soucis que personne ne devrait avoir à subir, surtout pas ceux qu'on aime.

Elle s'écarta un peu. Il remarqua alors son regard lugubre et sans éclat, ce regard qu'elle avait lorsqu'elle repensait à sa captivité dans la noire citadelle de Helgrind.

– C'est vrai, souffla-t-elle. Il y a des soucis que personne ne devrait avoir à subir.

– Ah, ne sois pas triste !

Il l'attira tout contre lui, la berça comme une enfant en maudissant le jour où Eragon avait trouvé l'œuf de Saphira sur la Crête. Au bout d'un moment, il la sentit se détendre entre ses bras. Il était moins crispé, lui aussi.

– Viens, dit-il en lui caressant la nuque. Embrasse-moi tendrement et remettons-nous au lit. Je suis fatigué et j'ai besoin de dormir.

Elle rit, et elle l'embrassa en y mettant toute sa tendresse. Puis ils s'étendirent, blottis l'un contre l'autre. Dehors, tout était calme. Seule, la rivière Jiet roulait ses eaux en bordure du campement sans jamais s'arrêter. Elle envahit les rêves de Roran qui s'imagina à la proue d'un navire, Katrina à son côté, les yeux rivés sur la gueule béante du maelstrom géant, l'Œil du Sanglier.

Et de songer : « Comment espérer en réchapper ? »

34
GLÛMRA

À des dizaines de toises sous Tronjheim s'ouvrait une immense caverne longue de milliers de pieds. Un lac aux eaux noires et calmes d'une profondeur inconnue en longeait la paroi et léchait le rivage de marbre. Des stalactites de couleur brune ou ivoire tombaient du plafond tandis que des stalagmites montaient du sol ; ces formations se rejoignaient parfois pour former d'énormes piliers aux contours irréguliers, plus gros que les arbres les plus majestueux du Du Weldenvarden. Entre les piliers, on voyait çà et là des monticules de compost piquetés de champignons, et de petites maisons de pierres, au nombre de vingt-trois. Des lanternes sans flamme éclairaient de leur rougeoiement la porte de chacune ; au-delà, tout n'était que ténèbres.

Eragon était assis dans l'une de ces habitations basses, sur une chaise trop petite pour lui, devant une table de granit qui lui arrivait aux genoux. Une odeur de fromage de chèvre frais, de champignons coupés en tranche, de levure, de ragoût, d'œufs de pigeons et de charbon imprégnait l'air. En face de lui, Glûmra, une naine appartenant à la Famille de Mord, mère de Kvîstor, le garde assassiné d'Eragon, se lamentait, s'arrachait les cheveux et se frappait la poitrine de ses poings. Ses larmes laissaient sur ses joues rebondies d'humides traces luisantes.

Ils étaient seuls dans la hutte. Les quatre gardes d'Eragon – Thrand, un guerrier membre de la suite d'Orik, ayant remplacé le défunt – attendaient dehors en compagnie de Hûndfast, l'interprète inutile puisque Glûmra parlait la langue des humains.

Après l'attentat contre lui, le jeune Dragonnier avait contacté Orik par télépathie et reçu l'ordre de courir au plus vite se réfugier dans le palais de l'Ingeitum où il serait à l'abri des assassins. Eragon avait obéi et n'avait plus bougé jusqu'à ce qu'Orik fasse ajourner le conseil au lendemain sous prétexte qu'une urgence au sein du clan exigeait son attention immédiate. Accompagné de ses meilleurs guerriers et de ses magiciens les plus habiles, le nain s'était ensuite rendu sur le site de l'embuscade pour enquêter par des moyens magiques et autres. Sitôt la tâche terminée, Orik était rentré dans ses appartements et avait déclaré à Eragon :

– Nous avons beaucoup à faire en peu de temps. Avant que le conseil ne reprenne demain matin à la troisième heure, il nous faut établir sans aucun doute qui est derrière cette tentative d'assassinat. Si nous y parvenons, nous aurons des arguments de poids contre les coupables. Sinon, nous serons dans le noir, incertains de l'identité de nos ennemis. Nous pouvons garder le secret sur cette attaque jusqu'à la prochaine réunion, mais pas au-delà. Le bruit des combats dans les tunnels n'aura pas échappé aux Knurlan, et ils en chercheront la cause, de peur qu'un éboulement souterrain mette la ville de Tronjheim en péril.

Tapant du pied, il avait maudit les ancêtres des responsables de l'embuscade, puis, les poings sur les hanches, il avait conclu :

– Une guerre des clans couvait déjà ; à présent, elle nous pend au nez. Nous devons agir vite afin d'éviter cette catastrophe. Il y a du pain sur la planche, des Knurlans à trouver, des questions à poser ; il nous faut menacer les uns, soudoyer les autres, voler des parchemins, et tout cela, avant demain.

– Je peux participer ? avait demandé Eragon.

– Certainement pas. Tu restes ici jusqu'à ce que nous sachions si l'Az Sweldn rak Anhûin ou un autre clan a des forces plus nombreuses massées quelque part dans le but de te tuer. De plus, tant que nous te cachons, les félons ignorent si tu es vivant, mort ou blessé. Maintenons-les dans l'incertitude, laissons-les croire que le sol pourrait se dérober sous leurs pieds.

Eragon s'était d'abord plié à la volonté d'Orik, mais le spectacle des nains qui s'activaient et lançaient des ordres avait ravivé son angoisse, éveillé en lui un profond sentiment d'impuissance. N'y tenant plus, il avait fini par attraper Orik par la manche et protesté :

– Si je dois être confiné entre quatre murs pendant que vous cherchez les coupables, je vais me ronger les ongles jusqu'à l'os. Tu es sûr que je ne peux pas vous aider ?... Et Kvîstor, au fait ? Ses parents habitent Tronjheim ? Quelqu'un les a prévenus de son décès ? Si ce n'est pas le cas, je leur porterai la nouvelle puisqu'il est mort en me protégeant.

Orik avait posé la question à ses gardes et appris que Kvîstor avait de la famille à Tronjheim, ou, plus exactement, sous Tronjheim. Il avait alors plissé le front en marmonnant un mot bizarre en langue naine.

– Ce sont des habitants des profondeurs, avait-il expliqué, des Knurlan qui ont opté pour la vie souterraine et ne viennent en surface qu'en de rares occasions. Ils sont plus nombreux ici qu'ailleurs, car, lorsqu'ils remontent, ils sont encore au cœur de Farthen Dûr et n'ont pas l'impression d'être dehors. Habitués aux espaces clos, la plupart d'entre eux supportent mal d'être à l'air libre. Je ne savais pas que Kvîstor était des leurs.

– Cela t'ennuie si je rends visite à sa famille ? Dans ces appartements, il y a des escaliers qui conduisent sous la ville, non ? Nous pourrions y aller sans attirer l'attention.

Après réflexion, Orik avait approuvé d'un hochement de tête :

– Bonne idée, Eragon. Le trajet semble assez sûr, et personne n'irait imaginer que tu te caches chez les habitants des profondeurs. C'est ici qu'on viendrait te chercher, et on t'y trouverait... Va et ne reviens pas avant que je t'envoie un messager, même si la Famille de Mord te met à la porte et que tu dois attendre demain matin perché sur une stalagmite. Un conseil cependant : les habitants des profondeurs sont des gens renfermés ; ils ont l'honneur très chatouilleux et d'étranges coutumes qui leur sont propres. Prudence. Avec eux, tu marches sur de l'ardoise qui s'effrite.

C'est ainsi qu'avec Thrand ajouté à ses gardes et Hûndfast l'interprète, portant une courte épée de fabrication naine à sa ceinture, Eragon avait pris le premier escalier pour s'enfoncer plus loin que jamais dans les entrailles de la terre. Il avait réussi à localiser Glûmra, l'avait informée de la mort de Kvîstor et l'observait maintenant tandis qu'elle pleurait son fils assassiné, émettait de longues plaintes inarticulées ou fredonnait des bribes de mélopées lancinantes.

Gêné par la violence de son chagrin, Eragon évitait de la regarder en face. Il s'intéressa au four de saponite verte contre un mur, aux frises géométriques usées qui en ornaient les contours. Il étudia le tapis vert et brun devant l'âtre, la baratte dans un coin, la viande séchée accrochée aux poutres du plafond. Il examina le lourd métier à tisser en bois placé sous une petite fenêtre ronde aux vitres couleur lavande.

Soudain, au plus fort de ses lamentations, Glûmra se leva de table. Ses yeux croisèrent ceux d'Eragon tandis qu'elle allait jusqu'au plan de travail. Là, elle posa la main gauche sur la planche à découper et, avant qu'il ait le temps de dire ouf, elle coupa la première phalange de son petit doigt avec un couteau de cuisine. Puis elle gémit et se plia en deux.

Eragon laissa échapper une exclamation et bondit de son siège. C'était plus fort que lui. Il se demanda si la naine devenait folle, s'il devait intervenir pour l'empêcher de continuer à se mutiler. Il était sur le point de proposer de la guérir quand il se souvint des mises en garde d'Orik concernant les habitants des profondeurs. « Elle risque de penser que je l'insulte ! » Il se tint coi et se rassit sur sa chaise trop petite.

Après un moment, Glûmra se redressa, elle inspira profondément, puis, en silence, avec des gestes calmes, elle nettoya la plaie au cognac, l'enduisit d'un onguent jaune et la pansa. Son gros visage rond encore pâle du choc, elle reprit sa place en face d'Eragon.

– Je te remercie, Tueur d'Ombre, d'être venu toi-même m'annoncer la nouvelle. Je suis fière d'apprendre que mon fils est mort en héros comme le doit un guerrier.

– C'était un brave, dit Eragon. Il voyait bien que nos ennemis étaient aussi vifs que des elfes, et pourtant, il s'est élancé au-devant d'eux pour me couvrir. Son sacrifice m'a donné le temps d'échapper à leurs lames et révélé les dangereux enchantements dont ils les avaient entourées. Sans cet acte courageux, je ne serais sans doute pas ici.

Glûmra hocha lentement la tête ; les yeux baissés, elle lissa les plis de sa robe :

– Sais-tu qui était responsable de cette attaque, Tueur d'Ombre ?

– Nous n'avons, hélas, que des soupçons. Alors même que nous parlons, Grimstborith Orik enquête pour tenter de découvrir la vérité.

– Était-ce l'Az Sweldn rak Anhûin ? demanda encore Glûmra.

Surpris par sa perspicacité, Eragon s'efforça de cacher sa réaction. Comme il se taisait, elle reprit :

– Leur querelle avec toi n'est un secret pour personne Argetlam ; chaque kurla de ces montagnes sait qu'ils t'en veulent à mort. Certains des nôtres leur prêtaient une oreille favorable, mais s'ils avaient vraiment l'intention de te tuer, ils ont bien mal jugé la nature de la roche et se sont condamnés.

Intrigué, Eragon haussa un sourcil interrogateur :

– Condamnés ? Comment cela ?

– C'est toi, Tueur d'Ombre, qui nous as débarrassés de Durza. En l'abattant, tu nous as permis de sauver Tronjheim et les demeures du dessous des griffes de Galbatorix. Notre peuple ne l'oubliera jamais, aussi longtemps que la Cité-Montagne restera debout. Et puis, des rumeurs nous sont parvenues par les tunnels.

Il paraît que ton dragon veut rendre sa splendeur à Isidar Mithrim ?

Eragon acquiesça de la tête.

– C'est généreux à toi, Tueur d'Ombre. Tu as fait beaucoup pour notre peuple et quel que soit le clan à l'origine de l'attaque, nous nous retournerons contre lui et nous vengerons.

– J'ai prêté serment devant témoins, et je prête serment devant toi : je punirai ceux qui ont envoyé ces traîtres assassins et je leur ferai regretter leur félonie. Toutefois...

– Je te remercie, Tueur d'Ombre.

Eragon hésita, puis se lança :

– Toutefois, nous ne devons rien entreprendre qui puisse déclencher une guerre des clans. Pas maintenant. S'il faut recourir à la force, c'est à Grimstborith Orik de décider où et quand nous tirerons l'épée, il me semble. Qu'en penses-tu ?

– J'y réfléchirai, Tueur d'Ombre. Orik est...

Le reste de la phrase s'étrangla dans sa gorge. Ses lourdes paupières retombèrent sur ses yeux et elle se pencha en avant, pressant sa main mutilée contre son ventre. La crise passée, elle se redressa, posa le dos de sa main sur sa joue opposée et se balança de droite à gauche en gémissant :

– Oh, mon fils..., mon merveilleux fils.

Elle se leva, contourna la table et, sur ses jambes flageolantes, elle se dirigea vers une petite collection d'épées et de haches accrochées au mur derrière Eragon, près d'une alcôve fermée par un rideau de soie rouge. Craignant qu'elle ne s'inflige de nouvelles blessures, Eragon se leva, lui aussi, si vite qu'il renversa la chaise de chêne dans sa hâte. Il tendait déjà le bras pour la retenir quand il comprit qu'elle allait vers l'alcôve et non vers les armes. Son bras retomba le long de son corps. Il ne voulait pas l'offenser.

Les anneaux de laiton cliquetèrent les uns contre les autres tandis que Glûmra tirait le rideau, découvrant, dans l'ombre du renfoncement, une large étagère gravée de runes et de motifs si complexes dans leur détail qu'il aurait pu les regarder pendant des heures sans en percer toutes les subtilités. Sur l'étagère se dressaient les statuettes des six principaux dieux des nains, ainsi que neuf autres entités qu'Eragon ne connaissait pas. Leurs traits et leurs attitudes étaient exagérés pour mieux rendre la personnalité de chacun.

Glûmra tira une amulette d'or de son corsage, la porta à ses lèvres, puis elle la plaça contre sa gorge. Elle s'agenouilla devant l'autel et entonna alors un chant funèbre dans sa langue. L'étrange mélodie naine émut Eragon aux larmes. Pendant plusieurs minutes, elle continua de chanter ; sa voix montait et descendait, troublante, imprévisible. Enfin, elle se tut, demeura immobile à fixer les statuettes et, dans sa contemplation, son visage ravagé par le chagrin se détendit. La douleur, la colère et le désespoir cédèrent la place à une expression de calme acceptation. Transfigurée par cette sérénité soudaine, elle semblait illuminée de l'intérieur. Sa métamorphose était telle qu'Eragon ne l'aurait pas reconnue.

— Kvîstor dînera ce soir à la table de Morgothal. Ainsi en sera-t-il, je le sais.

De nouveau, elle porta l'amulette à ses lèvres :

— J'aurais aimé rompre le pain avec lui, et avec mon mari, Bauden. Hélas ! il n'est pas encore temps pour moi de dormir dans les catacombes de Tronjheim, et Morgothal refuse l'accès de sa demeure à ceux qui précipitent leur départ de ce monde. Mais un jour viendra où notre famille sera réunie au grand complet, avec tous ses ancêtres qui ont vécu depuis que Gûntera a tiré cette terre des ténèbres. Ainsi en sera-t-il, je le sais.

Eragon s'agenouilla près d'elle et demanda d'une voix enrouée :

— Comment le sais-tu ?

— Je le sais parce qu'il en est ainsi.

Avec des gestes posés, empreints de respect, Glûmra effleura les pieds ciselés de chaque divinité.

— Comment en serait-il autrement, Tueur d'Ombre ? Le monde ne s'est pas créé spontanément. Pas plus qu'une épée ou

523

un casque ne se forgent de leur propre chef. Et puisque seuls les dieux ont le pouvoir de donner forme à la terre comme au ciel, c'est auprès d'eux qu'il nous faut chercher les réponses à nos questions. J'ai foi en eux, en leur justice, et, par ma foi, je me libère des fardeaux de la chair.

Elle s'exprimait avec tant de conviction qu'Eragon éprouva le désir de partager sa foi. Il souhaitait ardemment se décharger de ses doutes et de ses angoisses, avoir la certitude que, malgré les horreurs, la vie n'était pas que chaos et qu'elle avait un sens. Il voulait être sûr de ne pas sombrer dans le néant si une épée ennemie lui tranchait la tête, sûr de retrouver un jour Brom, Garrow et tous les amis disparus auxquels il était attaché. Son besoin aigu d'espoir et de réconfort le laissait désorienté.

Et pourtant.

Une part de lui-même résistait, le retenait de s'en remettre aux dieux nains, de lier son identité et son bien-être à une chose qu'il ne comprenait pas. Si les dieux existaient, pourquoi ceux des nains seraient-ils les seuls vrais dieux ? Pourquoi pas ceux de Nar Garzhvog, des tribus nomades ou même des prêtres noirs de Helgrind ? Convaincu que chacun plaçait ses propres divinités au-dessus de celles des autres et avait en elles la même foi que Glûmra en celles qu'elle vénérait, Eragon s'interrogeait : « Quelle est la vraie religion, et comment le savoir ? Le fait qu'un groupe partage certaines croyances n'implique pas qu'il détient la vérité... Au fond, peut-être qu'aucune religion ne rend compte de toute la vérité. Peut-être que chacune n'en contient que des fragments, que c'est à nous de les identifier et de reconstituer le puzzle. Ou peut-être que les elfes ont raison, qu'il n'y a pas de dieux. Mais comment le prouver ? »

Après un long soupir, Glûmra murmura une phrase en langue naine, puis elle se releva et tira le rideau de soie sur l'alcôve. Eragon l'imita et grimaça de douleur quand ses muscles mis à rude épreuve par les combats protestèrent. Il la suivit jusqu'à la table, reprit place sur sa chaise. D'un placard de pierre serti dans le mur, la naine sortit deux chopes d'étain ; elle décrocha une outre de vin suspendue à une poutre et leur versa à boire. Lorsqu'elle se fut installée en face de lui, elle leva sa chope pour porter un toast en langue naine, qu'Eragon répéta avec difficulté ; après quoi, ils burent.

— Il est bon de savoir que Kvîstor est vivant, dit Glûmra, qu'en ce moment même, vêtu de robes dignes d'un prince, il dîne dans la demeure de Morgothal. Puisse-t-il se couvrir de gloire au service des dieux !

Elle but de nouveau.

Quand sa chope fut vide, Eragon voulut prendre congé. Elle l'interrompit d'un geste impérieux :

— As-tu un endroit où dormir à l'abri de ceux qui souhaitent ta mort, Tueur d'Ombre ?

Il lui expliqua alors qu'il avait ordre de rester caché sous Tronjheim jusqu'à ce qu'Orik envoie un messager le chercher. Elle opina du chef et déclara d'un ton catégorique :

— En ce cas, tu attendras le messager ici avec tes compagnons, Tueur d'Ombre. J'insiste.

Eragon ouvrait à peine la bouche pour protester qu'elle l'interrompait en secouant la tête avec emphase :

— Tant que j'aurais une once de vie en moi, je ne permettrai pas que ceux qui ont combattu aux côtés de mon fils se morfondent dans ces grottes sombres et humides. Appelle tes compagnons, et nous festoierons en cette triste nuit.

Pour ne pas offenser son hôtesse, le jeune Dragonnier s'exécuta. Avec ses gardes et son interprète, il aida Glûmra à préparer le repas. Quand tout fut prêt, ils se mirent à table et dînèrent de pain, de viande et de tourtes, buvant et bavardant jusqu'à une heure avancée. Glûmra affichait un bel entrain, elle buvait plus que les autres, riait plus fort, était toujours la première à lancer un bon mot. D'abord choqué par sa conduite, Eragon s'aperçut que seules ses lèvres souriaient. Ses yeux ne brillaient pas et, lorsqu'elle pensait que personne ne la regardait, toute joie s'effaçait de ses traits, remplacée par une expression de quiétude austère. Il en conclut que sa bonne humeur était une forme d'hommage à la mémoire de son fils et un moyen pour elle de tenir à distance le deuil que lui causait la mort de Kvîstor.

« Jamais je n'ai rencontré une personne comme toi », songea-t-il tout en l'observant.

Minuit était passé depuis longtemps quand on frappa. Hûndfast ouvrit le battant sur un nain revêtu d'une armure complète. L'air tendu, nerveux, il surveillait les portes, les fenêtres, les recoins sombres. En ancien langage, il convainquit Eragon qu'il était le messager d'Orik, puis il déclara :

– Je suis Fran, fils de Flosi... Argetlam, Orik souhaite que tu rentres au plus vite. Il a des nouvelles importantes pour toi concernant les événements de la journée.

Alors qu'Eragon s'apprêtait à sortir, Glûmra lui agrippa le bras gauche de sa poigne d'acier et dit :

– Souviens-toi de ton serment, Tueur d'Ombre. Ne laisse pas les assassins de mon fils impunis !

Il plongea dans ses yeux gris, plus durs que du silex :

– Tu peux compter sur moi.

35
LE CONSEIL

Les nains qui montaient la garde devant les appartements d'Orik tirèrent les doubles battants pour Eragon et son escorte.

Les portes ouvraient sur un long hall d'entrée au milieu duquel s'alignaient trois sièges circulaires recouverts de tissu rouge. Des tentures brodées égayaient les murs, ainsi que les lanternes sans flamme omniprésentes. Le plafond surchargé était sculpté de scènes représentant une bataille célèbre de l'histoire naine.

Orik était en grande discussion avec un groupe de guerriers et plusieurs nains à barbe grise du Dûrgrimst Ingeitum. À l'approche d'Eragon, il se tourna vers lui, le visage grave :

– Bien. Tu n'as pas perdu de temps ! Hûndfast, tu peux te retirer, nous devons débattre en privé.

L'interprète s'inclina avant de disparaître sous une arche à gauche du hall. Lorsque le bruit de ses pas sur le sol d'agate polie eut diminué, qu'il fut hors de portée d'oreille, Eragon demanda :

– Tu ne lui fais pas confiance ?

– Je ne sais plus à qui me fier de nos jours, répondit Orik avec un haussement d'épaules. Si trop de gens sont mis au courant de nos découvertes, nous courons le risque que la nouvelle s'ébruite. Et, si un autre clan en avait vent avant demain, ce serait la guerre assurée.

Le reste du groupe paraissait soucieux et marmonnait à voix basse.

– Qu'avez-vous découvert ? s'enquit Eragon inquiet.

Sur un signe d'Orik, les guerriers assemblés derrière lui s'écartèrent, découvrant trois nains ligotés, le corps sanglant, entassés les uns sur les autres. Celui du dessous gémit et joua des pieds pour tenter de se dégager – en vain.

– Qui sont-ils ? demanda encore Eragon.

– J'ai fait examiner les poignards de tes agresseurs par plusieurs de nos forgerons, expliqua Orik. À leur facture, ils ont reconnu le travail d'un certain Kiefna Long Nez, un artisan spécialisé dans la fabrication des lames qui appartient à notre clan et jouit d'une grande renommée parmi les nôtres.

– Il est donc en mesure de nous dire qui lui a acheté ces poignards et de nous révéler du même coup l'identité de nos ennemis.

Orik ne put s'empêcher de rire :

– Oh, ce n'était pas si simple ! Nous avons remonté la piste des poignards depuis Kiefna jusqu'à un armurier de Dalgon, à de nombreuses lieues d'ici ; il les a vendues à une knurlaf qui...

– Une knurlaf ? l'interrompit Eragon.

– Une femme. Une femme qui avait sept doigts à chaque main lui a acheté ces lames il y a deux mois.

– Et vous l'avez retrouvée ? Elles ne doivent pas être si nombreuses à avoir autant de doigts.

– Détrompe-toi, le phénomène est assez fréquent. Quoi qu'il en soit, après quelques difficultés, nous avons réussi à la localiser. Elle vit à Dalgon, elle aussi. Mes guerriers l'ont soumise à un interrogatoire serré. Bien que membre du Dûrgrimst Nagra, elle agissait apparemment pour son propre compte et non pas sur ordre des responsables du clan. Nous avons appris de sa bouche qu'un nain l'avait engagée pour acheter ces poignards et les remettre à un marchand de vin qui les acheminerait depuis Dalgon. Le nain qui a passé la commande n'a rien dit de la destination finale des armes à sa commissionnaire. Cependant, en questionnant les négociants locaux, nous avons découvert que notre homme était allé directement de Dalgon à une ville appartenant au Dûrgrimst Az Sweldn rak Anhûin.

– Donc, c'était bien eux ! s'exclama Eragon.

– Eux ou d'autres qui voudraient leur faire porter le chapeau. Avant d'accuser l'Az Sweldn rak Anhûin, il nous fallait des preuves supplémentaires.

Une lueur malicieuse dans le regard, Orik leva un doigt :

– Alors, par le biais d'un enchantement des plus futés, nous avons suivi le chemin parcouru par les assassins à travers les tunnels et les grottes, jusqu'à une zone déserte du douzième niveau, près d'une salle secondaire adjacente au rayon sud du secteur ouest, le long de... peu importe les détails. Un jour, je t'enseignerai la disposition précise des lieux à Tronjheim de manière à ce qu'en cas de besoin, tu puisses te rendre à un endroit précis par tes propres moyens. Pour en revenir à notre affaire, la piste nous a conduits à un entrepôt abandonné où nous avons trouvé ces trois-là – du pouce, il désigna les prisonniers ligotés. Ils ne s'attendaient pas à notre visite, ce qui nous a permis de les capturer vivants. Encore qu'ils aient tenté de se suicider. Malgré quelques difficultés, nous avons brisé les barrières mentales de deux d'entre eux pour leur soutirer ce qu'ils savaient sur la question. Et nous laissons le troisième à la disposition des autres Grimstborithn qui l'interrogeront à loisir.

De nouveau, il désigna les nains captifs et ajouta :

– Ce sont eux qui ont équipé tes assassins pour l'embuscade. Ils leur ont fourni les poignards, les vêtements noirs, et ils les ont hébergés la nuit dernière.

– D'où viennent-ils ?

– Bah ! dit Orik en crachant par terre. Ce sont des Vargrimsts, des guerriers en disgrâce, des sans-clan. Personne ne traite avec cette racaille, sauf des fauteurs de troubles qui fomentent des complots en cachette. Comme dans le cas qui nous occupe. Ces trois recevaient leurs ordres directement de Vermûnd, Grimstborith de l'Az Sweldn rak Anhûin.

– Tu en es sûr ?

– Certain. C'est l'Az Sweldn rak Anhûin qui cherchait à te tuer, Eragon. Nous ne saurons sans doute jamais si d'autres clans ont trempé dans cette tentative d'assassinat, mais en exposant au grand jour la trahison de l'Az Sweldn rak Anhûin, nous obligerons leurs complices éventuels à se désolidariser d'eux ; ils renonceront, au moins pour un temps, à toute attaque contre le Dûrgrimst Ingeitum et, si nous jouons finement, ils me donneront leurs voix.

Eragon revit la lame iridescente plantée dans le cou de Kvîstor et les traits déformés du nain qui agonisait à terre.

– Comment punirons-nous l'Az Sweldn rak Anhûin pour ce crime ? Devrons-nous abattre Vermûnd ?

– Laisse-moi faire, j'ai un plan. La plus grande prudence s'impose tant la situation est délicate. Il y a bien longtemps qu'une pareille trahison ne s'était pas produite. En tant qu'étranger, tu ignores à quel point il nous est odieux que l'un des nôtres agresse un invité. L'offense est d'autant plus grave que tu es le seul Dragonnier libre à lutter contre Galbatorix. Il se peut que de nouvelles effusions de sang s'avèrent inévitables, nous aviserons plus tard. En ce moment, cela ne servirait qu'à déclencher une guerre des clans.

– La guerre des clans est peut-être le seul moyen de régler le problème de l'Az Sweldn rak Anhûin, observa Eragon.

– Je pense que non. Et, si je me trompe, si guerre il doit y avoir, c'est à nous de veiller à ce que tous les clans fassent bloc contre l'Az Sweldn rak Anhûin. Ce ne serait pas si terrible. Ensemble, nous aurions raison d'eux en une semaine au plus. En revanche, si le peuple était divisé en deux ou trois camps, le royaume n'y survivrait pas. Avant de tirer l'épée du fourreau, il est donc capital de convaincre le conseil de la félonie commise par l'Az Sweldn rak Anhûin. Dans ce but, permettrais-tu que les magiciens des clans qui le souhaiteront examinent tes souvenirs de l'embuscade ? Ce afin qu'ils constatent que tout s'est déroulé comme nous l'affirmerons, que ce n'était pas une mise en scène de l'Ingeitum visant à promouvoir ma cause.

Eragon hésita : ouvrir son esprit à des étrangers ne l'enchantait guère. Il tendit le menton en direction des trois nains entassés et ficelés :

— Et eux ? Leurs souvenirs ne suffiraient-ils pas à prouver la culpabilité de l'Az Sweldn rak Anhûin ?

Orik grimaça.

— En théorie seulement. Dans la pratique, les chefs de clan insisteront pour comparer leurs souvenirs aux tiens. Si tu refuses, l'Az Sweldn rak Anhûin prétendra que nous cherchons à cacher quelque chose au conseil et que nos accusations ne sont que des inventions calomnieuses.

— Bon. Puisqu'il le faut, je n'ai pas le choix. Mais si l'un de ces magiciens s'égare dans ma mémoire, fût-ce par inadvertance, je me verrai contraint d'effacer de son esprit ce qu'il n'a pas lieu de savoir. Il ne faudrait pas que certains secrets s'ébruitent.

— Certes. Comme des renseignements concernant une créature à trois pattes qui nous causeraient quelques soucis s'ils se répandaient dans toute la nation. N'aie crainte. Je suis sûr que les chefs accepteront tes conditions. Ils ont eux aussi des secrets qu'ils n'aimeraient pas voir divulguer. Et je suis tout aussi certain qu'en dépit des dangers, ils exigeront que leurs magiciens procèdent à l'examen. Au vu des dissensions que peut susciter cet attentat parmi les nôtres, les Grimstborithn se sentiront le devoir d'établir la vérité coûte que coûte – quitte à y perdre leurs meilleurs magiciens.

Se redressant de toute sa petite taille, Orik ordonna alors qu'on enlève les prisonniers du hall d'entrée et congédia ses vassaux. Il ne garda près de lui qu'Eragon et un contingent de vingt-six guerriers d'élite. Avec un geste noble, il prit le bras du jeune Dragonnier et le conduisit dans ses appartements.

— Ce soir, tu resteras avec moi. L'Az Sweldn rak Anhûin n'osera pas t'attaquer ici.

— Si tu espères dormir, je préfère te prévenir que je ne trouverai pas le repos cette nuit. Mon sang bouillonne encore de la fièvre des combats, et j'ai l'esprit plein de pensées inquiètes.

– Que tu dormes ou non, mon sommeil n'en sera pas troublé. Je mettrai un gros bonnet de nuit en laine pour m'en couvrir les oreilles et les yeux. Je te conseille cependant de te calmer à l'aide des techniques que t'ont enseignées les elfes afin de reprendre des forces. L'aube approche. Il ne nous reste que quelques heures avant la séance du conseil. Nous devons être aussi frais que possible pour affronter ce qui nous attend. En cette journée, notre stratégie et nos discours décideront du sort de mon peuple, de mon pays et de toute l'Alagaësia... Et ne fais pas cette tête d'enterrement ! Réfléchis plutôt à cela : que nous allions à la victoire ou à l'échec – et je souhaite de tout cœur que nous l'emportions –, notre conduite à ce conseil rendra nos noms célèbres jusqu'à la fin des temps. Voilà de quoi te réchauffer le ventre, une réussite propre à te remplir d'orgueil ! Les dieux sont capricieux. La seule immortalité sur laquelle nous puissions compter est celle que nous gagnerons par nos actes. Mieux vaut la gloire ou l'infamie que de sombrer dans l'oubli quand nous quittons ce monde.

Plus tard cette nuit-là, dans les heures noires qui précèdent l'aube, les pensées d'Eragon vagabondaient. Affalé entre les accoudoirs rembourrés d'un fauteuil nain trop étroit, il laissa sa conscience se dissoudre dans les fantasmes désordonnés de ses rêves éveillés. Devant lui, la mosaïque de pierre colorée du mur était comme drapée d'un écran lumineux sur lequel défilaient des scènes issues de son passé dans la vallée de Palancar, avant que la main sanglante du destin ne change le cours de son existence. Elles différaient toutefois de la réalité telle qu'il l'avait vécue, le plongeaient dans des situations imaginaires basées sur des détails quotidiens. Juste avant qu'il ne s'arrache à sa torpeur, les images lui apparurent soudain plus vraies que nature.

Il était devant l'atelier de Horst aux portes grandes ouvertes, par une nuit sans lune. Les ténèbres oppressantes semblaient prêtes à engloutir le cercle de lumière rougeoyante des braises. Près de la forge, Horst se dressait tel un géant. Le jeu des ombres sur son visage et sa barbe lui conférait un aspect terrifiant. Son bras puissant s'abattait sur l'extrémité d'une barre d'acier incandescente, et l'air retentissait des coups de son marteau. Une gerbe d'étincelles vint mourir sur le sol. Par quatre fois encore, le forgeron frappa le métal, puis il ôta la barre de son enclume pour la plonger dans un tonneau d'huile. Des flammes fantomatiques bleues et grises dansèrent à la surface du liquide avant de s'évanouir avec de petits sifflements rageurs. Sortant la barre du tonneau, Horst se tourna vers Eragon, fronça les sourcils et demanda :

— Qu'est-ce qui t'amène ici si tard ?

— Il me faut une épée de Dragonnier.

— Va-t'en. Je n'ai pas le temps de te forger une épée. Tu ne vois pas que je travaille sur un croc à chaudron pour Elain ? Elle en a besoin pour la bataille. Tu es seul ?

— Je ne sais pas.

— Où est ton père ? Où est ta mère ?

— Je ne sais pas.

Une voix se fit alors entendre, une voix élégante aux accents de pouvoir :

— Bon forgeron, il n'est pas seul puisque je l'accompagne.

— Et qui êtes-vous donc ? s'enquit Horst.

— Je suis son père.

Entre les battants de la porte béante comme une bouche d'idiot, une silhouette immense, nimbée d'un pâle halo lumineux, émergea de l'obscurité pour venir se planter au seuil de l'atelier. Une cape rouge tombait de ses épaules plus larges que celles d'un Kull. Dans la main gauche de l'homme luisait Zar'roc, aiguë comme la douleur. À travers les fentes de son heaume, ses yeux bleus perçaient Eragon et le clouaient sur place aussi sûrement qu'une flèche traverse le corps d'un lapin. Levant sa main droite, il la tendit vers le jeune Dragonnier.

— Viens avec moi, mon fils. Ensemble, nous pouvons anéantir les Vardens, tuer Galbatorix et conquérir l'Alagaësia. Donne-moi ton cœur, et nous serons invincibles.

« *Donne-moi ton cœur, mon fils.* »

Avec un cri étranglé, Eragon bondit du fauteuil et fixa le sol, les poings serrés, le souffle court. Les gardes d'Orik lui coulèrent un regard interrogateur. Trop perturbé pour s'expliquer, il préféra les ignorer.

Il était encore tôt et, au bout d'un moment, il reprit place dans le fauteuil. Il veilla cependant à rester lucide, à ne pas se perdre au pays des rêves par crainte que des apparitions reviennent le tourmenter.

Le dos contre le mur, la main sur le pommeau de sa courte épée naine, Eragon regardait les chefs de clan entrer dans la salle de conférence circulaire creusée sous la ville de Tronjheim et surveillait Vermûnd, Grimstborith de l'Az Sweldn rak Anhûin avec une attention particulière. Si le nain voilé de pourpre s'étonnait de le voir là, en vie et indemne, il n'en montrait rien.

Sentant la botte d'Orik presser la sienne, le jeune Dragonnier se pencha vers son compagnon sans quitter Vermûnd des yeux.

– N'oublie pas, lui souffla Orik. Troisième porte sur ta gauche.

Là, à l'insu des autres clans, le chef du Dûrgrimst Ingeitum avait posté cent de ses guerriers.

– Si nous en venons aux armes, demanda Eragon à voix basse, dois-je en profiter pour abattre ce serpent de Vermûnd ?

– Je te prie de t'en abstenir, sauf s'il essaie de nous tuer, toi ou moi.

Il eut un petit rire étouffé, puis ajouta :

– Cela ne t'attirerait pas les sympathies des autres Grimstborithn... Ah, il faut que j'y aille. Prie Sindri pour que la chance nous sourie.

Et Eragon pria.

Quand tous les chefs de clan furent installés à la table centrale, les spectateurs prirent place sur les chaises disposées en cercle autour de la salle. Contrairement aux nains, détendus sur leur siège, Eragon resta au bord du sien, vigilant et prêt à se battre au premier signe de danger.

Tandis que Gannel, le prêtre guerrier aux yeux noirs du Dûrgrimst Quan, se levait et prenait la parole, Hûndfast, l'interprète, s'approcha d'Eragon pour lui chuchoter une traduction continue :

– Bienvenue à vous, mes frères chefs de clan. J'ignore si cette réunion se déroulera sous des auspices favorables, car certaines rumeurs troublantes – des rumeurs de rumeurs en vérité – me sont parvenues. En dehors de vagues bruits qui circulent, je n'ai pas d'informations précises, pas de preuves sur lesquelles fonder une accusation de félonie. Toutefois, puisque c'est aujourd'hui mon tour de présider cette auguste assemblée, je propose que nous retardions les débats qui nous occupent pour me permettre de poser quelques questions au conseil si vous en êtes d'accord.

Les chefs de clans marmonnèrent entre eux, puis Íorûnn la vive, Íorûnn aux joues creusées de fossettes déclara :

– Je n'ai pas d'objection, Grimstborith Gannel. Tu as éveillé ma curiosité par tes insinuations. J'aimerais entendre tes questions.

– Moi aussi, dit Nado. Pose tes questions.

– Pose tes questions, renchérirent Manndrâth et les autres chefs, y compris Vermûnd.

Fort de leur approbation, Gannel posa les poings sur la table et demeura un moment silencieux, le temps de concentrer toutes les attentions sur lui. Enfin, il reprit la parole :

– Hier, pendant que nous déjeunions en divers endroits au gré de nos choix, des knurlan ont entendu une explosion souterraine dans toutes les galeries du quart sud de Tronjheim. Les rapports varient quant à son intensité, mais si nombreux sont ceux à l'avoir remarquée, sur un secteur si vaste, qu'il s'agissait à l'évidence d'un incident d'envergure. Comme vous, j'ai reçu les avertissements habituels concernant un effondrement

535

possible. Toutefois, ce que vous ignorez peut-être, c'est qu'il y a tout juste deux heures, les...

Hûndfast hésita et se hâta de chuchoter :

– Ce mot est difficile dans ta langue. Les gardiens des tunnels, je crois.

Et il enchaîna sur sa traduction :

– ... Les gardiens des tunnels ont découvert les traces d'un important combat dans les galeries anciennes créées par notre ancêtre renommé, Korgan Barbe Longue. Le sol était couvert de sang, les murs enduits de suie noire à cause d'une lanterne qu'un guerrier maladroit avait fendue de son épée, et la pierre alentour était fissurée. Sept corps brûlés et mutilés gisaient là ; des signes indiquaient que d'autres avaient été enlevés. Ce n'étaient pas les restes d'une obscure embuscade remontant à la bataille de Farthen Dûr, oh non ! Le sang comme la suie étaient encore frais et les fissures récentes. À ce qu'on m'a rapporté, les résidus d'une magie puissante étaient encore détectables sur les lieux. En ce moment même, plusieurs de nos magiciens les plus habiles s'efforcent de reconstruire les événements en images. Ils doutent hélas de réussir étant donné les enchantements retors dont étaient entourés les participants. Ma première question au conseil est donc la suivante : l'un d'entre vous en sait-il davantage sur ces étranges agissements ?

Lorsque Gannel se tut, Eragon se tendit, prêt à bondir de son siège si les nains voilés de pourpre de l'Az Sweldn rak Anhûin dégainaient leurs épées.

Orik toussota et dit :

– Je pense pouvoir t'éclairer en partie, Gannel. Mais, par nécessité, ma réponse sera longue. Je suggère en conséquence que tu commences par poser tes autres questions.

Le nain se rembrunit. Sourcils froncés, il tapota la table du poing :

– Très bien... Autre fait, indubitablement lié à l'affrontement dans les tunnels de Korgan, on m'a informé que de nombreux knurlan en armes circulaient à travers Tronjheim pour s'assembler en secret. Mes agents n'ont pas pu me renseigner sur l'appartenance clanique de ces guerriers. Il n'en reste pas moins que, si un membre du conseil profite de ce que nous siégeons en vue d'élire le successeur de Hrothgar pour mobiliser ses troupes à l'insu de tous, ses intentions ne sont sans doute pas des meilleures. Ma deuxième question est donc la suivante : qui est à l'origine de ces manœuvres mal avisées ? Au cas où personne ne s'avouerait responsable de ces mouvements de troupes abusifs, je serais en faveur d'une motion visant à expulser tous les guerriers de Tronjheim, quel que soit leur clan, ce pour la durée des débats, et je souhaiterais que nous nommions un juriste sur-le-champ, afin qu'il fasse la lumière sur cette affaire et soumette le coupable à notre jugement.

Les révélations de Gannel, sa question et sa proposition suscitèrent de vives polémiques parmi les chefs de clan ; les accusations volaient, suivies de démentis et de contre-accusations venimeuses. Dans la confusion croissante, alors que Thordris, fou de rage, vitupérait contre Gáldheim cramoisi, Orik toussota de nouveau. Le silence se fit, et les regards convergèrent sur lui.

— Je pense pouvoir t'expliquer cela aussi, Gannel, déclara-t-il d'un ton posé. En partie tout au moins. Je ne me prononcerai pas sur les activités des autres clans, mais plusieurs centaines de guerriers, membres du Dûrgrimst Ingeitum, ont traversé en hâte les quartiers des domestiques. Je le reconnais en toute sincérité.

Personne ne pipa mot jusqu'à ce que Íorûnn intervienne :

— Comment justifies-tu cette conduite belliqueuse, Orik, fils de Thifk ?

— Je l'ai dit tout à l'heure, ma réponse sera longue par nécessité. Si toi ou Gannel avez d'autres questions, je vous suggère de les poser maintenant.

Les sourcils touffus de Gannel se froncèrent encore davantage, au point qu'ils se rejoignaient presque.

— Puisqu'il nous faut attendre ton bon vouloir pour tirer cette affaire au clair, je garderai mes questions en réserve. Elles sont toutes liées à celles que j'ai déjà posées. À l'exception d'une seule qui vient de me traverser l'esprit. Tu sembles impliqué jusqu'au cou dans ces agissements douteux ; c'est donc à toi qu'elle s'adresse, Grimstborith Orik. Pour quelle raison as-tu exigé hier que la séance du conseil soit ajournée ? Et n'essaie pas de te défiler. Tu affirmes être au courant, le moment est venu de te justifier.

Tandis que Gannel se rasseyait, Orik se leva pour prendre la parole :

– Ce sera avec plaisir.

Abaissant son menton barbu contre son torse, il marqua une pause avant d'attaquer son récit d'une voix sonore. Curieusement, il ne commença pas comme Eragon le prévoyait – le reste de l'auditoire en fut sans doute tout aussi surpris. Au lieu de décrire l'attentat contre le jeune Dragonnier qui avait motivé l'interruption prématurée du conseil de la veille, Orik raconta comment, à l'aube de l'histoire, la race naine avait migré depuis les terres jadis verdoyantes devenues le désert du Hadarac dans les montagnes des Beors où ils avaient creusé d'innombrables galeries sur des miles et des miles, bâti de magnifiques citées à l'air libre comme en sous-sol, comment ils s'étaient battu avec entrain contre des factions rivales et contre les dragons, dragons auxquels ils vouaient depuis des millénaires une haine mêlée de crainte et d'un certain respect.

Orik parla ensuite de l'arrivée des elfes en Alagaësia, de leur guerre contre les dragons au cours de laquelle les deux espèces se seraient exterminées si elles n'avaient conclu un pacte et créé la caste des Dragonniers afin de maintenir la paix entre elles.

– ... Et comment avons-nous réagi, je vous le demande ? Avons-nous exprimé le souhait d'être inclus dans ce pacte ? Aspirions-nous à avoir une part du pouvoir qui serait celui des Dragonniers ? Non ! Nous nous sommes accrochés à nos traditions et à nos vieilles querelles, nous avons refusé jusqu'à l'idée de nous associer aux dragons, de permettre à des étrangers au royaume de faire la police parmi nous. Afin de préserver notre autorité, nous avons sacrifié notre avenir, car je suis convaincu que, s'il y avait eu des knurlan parmi les Dragonniers, Galbatorix n'aurait pas pris le pouvoir. En supposant que je me trompe, et sans nier les mérites d'Eragon qui s'est révélé être un excellent Dragonnier, Saphira aurait peut-être éclos pour l'un des nôtres et non pour un humain. Quelle gloire aurait alors été la nôtre ! Au lieu de cela, notre rôle en Alagaësia s'est amoindri depuis que la reine Tarmunora et l'homonyme d'Eragon ont scellé la paix avec les dragons. Les premiers temps, nous n'en avons pas fait grand cas ; il était plus facile de nier cette baisse de statut que de l'accepter. Et puis les Urgals sont arrivés, suivis par les humains, et les elfes ont modifié leurs enchantements de manière à ce que les hommes puissent devenir Dragonniers eux aussi. Avons-nous émis le vœu d'être inclus dans l'alliance comme nous l'aurions pu..., comme nous en avions le droit ?

Orik secoua la tête avec emphase :

— Non ! Notre orgueil nous l'interdisait. Pourquoi nous, les knurlan, la race la plus ancienne de cette terre, irions-nous supplier les elfes de nous accorder la faveur de leur magie ? Contrairement aux elfes et aux humains, nous n'avions pas besoin de lier notre sort à celui des dragons pour sauver notre peuple de la destruction. Et nous avons, bien sûr, fermé les yeux sur les batailles auxquelles nous nous livrions entre nous. C'étaient là des affaires privées qui ne concernaient pas les autres.

Dans la salle du conseil, les chefs de clan s'agitèrent. Beaucoup semblaient offusqués par les critiques d'Orik. Les plus réceptifs avaient la mine grave.

— ... Quand les Dragonniers veillaient sur l'Alagaësia, nous avons vécu une ère d'opulence comme en témoignent les annales du royaume. Jamais nous n'avions prospéré à ce point. Pourtant, nous n'étions pas à l'origine de cette période faste ; les Dragonniers en étaient la cause. Avec leur chute, la fortune a cessé de nous sourire ; là encore, nous n'y étions pour rien, tout tenait aux Dragonniers. Ces deux situations sont à mes yeux indignes d'un peuple comme le nôtre. Nous ne sommes pas une nation de vassaux soumise aux caprices de maîtres étrangers. Ceux qui ne sont pas descendants de Odgar et Hlordis n'ont pas à décider de notre destinée.

Ce raisonnement plut davantage aux chefs de clans ; souriant, ils approuvaient de la tête, Havard alla jusqu'à applaudir la dernière phrase.

– Prenons maintenant la période actuelle, poursuivit Orik. Galbatorix règne en maître et tous les peuples se battent pour échapper à sa domination. Il est devenu si puissant que, si nous ne sommes pas déjà ses esclaves, c'est qu'il n'a pas décidé de chevaucher son dragon noir pour venir nous attaquer de front. S'il le faisait, nous tomberions comme de jeunes sapins sous une avalanche. Fort heureusement, il se contente d'attendre que nous nous frayions un chemin à coups de hache et d'épée jusqu'aux grilles de sa citadelle à Urû'baen. Permettez-moi de vous rappeler une chose : avant qu'Eragon et Saphira n'arrivent

sur le pas de notre porte comme des chiens mouillés, avec une centaine de Kulls hurlants sur les talons, notre seul espoir de vaincre Galbatorix était qu'un jour, quelque part, Saphira éclorait pour le Dragonnier de son choix et que cet inconnu réussirait peut-être – si nous avions la chance insolente des joueurs qui gagnent toujours aux dés – à renverser le tyran. Que dis-je, un espoir ? Nous n'avions pas l'ombre d'un espoir. À peine l'espoir d'un espoir ! Quand Eragon s'est présenté, beaucoup des nôtres ont été déçus. Je l'étais aussi. « Ce n'est qu'un gamin, murmurions-nous. Il aurait mieux valu que ce soit un elfe. » Mais il nous a prouvé qu'il incarnait tous nos espoirs ! Il a tué Durza, sauvant du même coup notre cité, notre bien aimée Tronjheim. Sa dragonne, Saphira, a promis de rendre l'Étoile de Saphir à sa beauté première. Pendant la bataille des Plaines Brûlantes, ils ont chassé Murtagh et Thorn, nous assurant la victoire. Regardez ! Il a aujourd'hui l'apparence d'un elfe et, grâce à l'étrange magie de ce peuple, il en a aussi la vitesse et la force.

Orik leva un doigt pour retenir l'attention du conseil :

— De plus, dans sa grande sagesse, le roi Hrothgar a fait ce qu'aucun roi, aucun Grimstborith n'avait encore fait ; il s'est proposé d'adopter Eragon au sein de sa propre famille et du Dûrgrimst Ingeitum. Rien n'obligeait Eragon à accepter son offre. Il était d'ailleurs conscient que de nombreuses familles du clan y étaient opposées, que les knurlan en général verraient la chose d'un mauvais œil. Malgré cela, malgré son allégeance préalable à Nasuada, il a accepté le don de Hrothgar, tout en sachant que cela lui compliquerait la tâche. Comme il me l'a déclaré lui-même, il a prêté serment sur le Cœur de Pierre par devoir envers tous les peuples d'Alagaësia, et surtout envers nous — par gratitude pour la générosité que les nôtres lui ont témoignée ainsi qu'à Saphira, en la personne du roi Hrothgar. Le dernier Dragonnier libre d'Alagaësia, notre unique espoir contre Galbatorix, a de son plein gré choisi de devenir le knurla qu'il n'est pas par le sang. Remercions-en le génie de Hrothgar ! Depuis, Eragon s'emploie de son mieux à respecter nos lois et traditions ; il s'efforce d'en apprendre davantage sur notre culture afin d'honorer pleinement son serment. Quand Hrothgar est tombé, frappé par Murtagh le traître, Eragon m'a juré, sur toutes les pierres d'Alagaësia et en tant que membre du Dûrgrimst Ingeitum, de venger la mort de notre roi. Il me traite avec les égards dus à mon rang de Grimstborith, se soumet à ma volonté, et je suis fier de le considérer comme mon frère adoptif.

Les joues et la pointe des oreilles en feu, Eragon baissa les yeux. Auréolé de ces louanges excessives, il aurait du mal à rester à la hauteur de sa réputation. Ce n'était pas un cadeau ; Orik exagérait !

Emporté par son discours, le nain ouvrit grand les bras pour inclure les chefs de clan et s'exclama :

— En Eragon, nos vœux les plus chers sont comblés : il est tout ce que nous attendions d'un Dragonnier ! Il existe ! Il est puissant ! Mieux encore, il a adopté notre peuple comme aucun Dragonnier avant lui !

Laissant retomber ses bras, il poursuivit à voix si basse qu'il fallait tendre l'oreille pour saisir ses paroles :

– Alors même qu'il nous offre son amitié, comment l'accueillons-nous ? Principalement par des moqueries, des quolibets et des ressentiments. Je vous le dis, nous sommes une nation d'ingrats. Notre longue mémoire et nos vieilles rancunes nous desservent... La haine de certains est telle qu'ils ont eu recours à la violence pour assouvir leur colère. Peut-être s'imaginent-ils agir pour le bien de tous, auquel cas, leur cervelle est aussi moisie qu'une croûte de fromage abandonnée pendant des mois ! S'ils étaient sains d'esprit, pourquoi auraient-ils tenté d'assassiner Eragon ?

Le regard braqué sur Orik, les chefs de clans ne bougeaient plus un cil. Leur concentration était telle que le très corpulent Grimstborith Freowin avait laissé de côté le corbeau qu'il sculptait et croisées les mains sur son ample bedaine, aussi immobile qu'une statue naine.

Profitant de l'attention soutenue du conseil, Orik raconta comment sept nains masqués vêtus de noir avaient attaqué Eragon et ses gardes pendant qu'ils visitaient les galeries anciennes de Tronjheim. Il mentionna ensuite le bracelet en crin de cheval incrusté d'améthystes que les gardes d'Eragon avaient trouvé sur un cadavre.

– De quel droit oses-tu ! s'écria Vermûnd en bondissant de son siège. Ne compte pas rejeter la faute sur mon clan avec une preuve aussi mince ! On peut acheter ces babioles sur tous les marchés du royaume !

– Exact, répondit Orik en inclinant la tête vers lui.

Puis, d'une voix égale, sans effets ni temps morts, il relata les faits qu'il avait exposés la veille à Eragon : l'enquête auprès de ses sujets de Dalgon – sujets qui avaient confirmé l'origine des poignards portés par les assassins, œuvre du forgeron Kiefna, et révélé que l'acheteur des armes avait organisé leur acheminement depuis Dalgon jusqu'à une ville appartenant à l'Az Sweldn rak Anhûin.

Grommelant un juron, Vermûnd se leva de nouveau :

– Cela ne prouve rien ! Quand bien même ces lames seraient parvenues dans nos murs – ce qui n'est pas certain –, tu ne peux en tirer aucune conclusion ! Des knurlan de tous clans séjournent dans nos cités comme à Bregan Hold. Prends garde à ce que tu affirmes, Grimstborith Orik ! Tu ne disposes pas de preuves suffisantes pour incriminer mon clan.

– Je partageais cette opinion, Grimstborith Vermûnd, répliqua Orik. J'ai donc poussé plus loin et, hier soir, avec mes magiciens, j'ai remonté la piste des assassins jusqu'à sa source. Au douzième niveau de Tronjheim, nous avons capturé trois knurlan qui se cachaient dans un entrepôt poussiéreux. Nous avons brisé les barrières mentales de deux d'entre eux et découvert qu'ils avaient équipé les tueurs en vue de l'embuscade. Et ce n'est pas tout...

D'une voix terrible, plus tranchante qu'une lame, il conclut :

– Ils nous ont également appris l'identité de leur maître – toi, Grimstborith Vermûnd ! Je te déclare coupable, assassin et briseur de serments ! Je te déclare ennemi du Dûrgrimst Ingeitum ! Je te déclare traître envers le peuple entier, car c'est toi et ton clan qui avez fomenté cet attentat contre Eragon !

Aussitôt, une clameur monta du conseil. Les chefs hurlaient et gesticulaient pour tenter de se faire entendre. Eragon se leva et tira son épée d'emprunt d'un demi-pouce hors de son fourreau, prêt à l'action si les nains de l'Az Sweldn rak Anhûin profitaient du chaos pour attaquer. Seuls, Vermûnd et Orik demeuraient de marbre. Indifférents à la confusion qui les entouraient, ils se fixaient tels des loups rivaux.

Enfin, Gannel parvint à rétablir l'ordre et demanda :

– Grimstborith Vermûnd, peux-tu réfuter ces accusations ?

– Je les nie toutes en bloc, répondit ce dernier d'une voix dénuée d'émotion. Je les nie de tout mon être, et je défie quiconque d'en prouver la véracité devant un juriste.

Gannel se tourna alors vers Orik :

– Montre tes pièces à conviction, Grimstborith Orik, que nous puissions juger de leur validité. Il y a ici cinq juristes, si je ne me trompe.

Du geste, il désigna cinq nains à barbe blanche qui se levèrent et saluèrent.

– Ces sages veilleront à ce que nous ne sortions pas du cadre de la loi au cours de notre enquête. Le conseil est-il d'accord ?

– Moi, oui, dit Ûndin.

– Moi aussi, dit Hadfala.

Un à un, les chefs de clan rendirent un avis favorable, à l'exception de Vermûnd.

Orik commença par poser le bracelet d'améthyste sur la table. Chaque membre du conseil le fit examiner par un de ses magiciens, et tous conclurent que c'était une preuve insuffisante.

Orik envoya ensuite un de ses aides de camp chercher un miroir monté sur un trépied. Un magicien de sa suite jeta un sort et, sur la surface réfléchissante, on vit apparaître l'image d'une petite pièce encombrée de livres. Quelques instants passèrent, puis un nain y apparut à son tour et s'inclina devant le conseil. Haletant d'avoir couru, il se présenta comme Rimmar, prêta serment en ancien langage pour attester de sa bonne foi, puis il expliqua comment lui et ses assistants avaient obtenu leurs renseignements sur les poignards dont les agresseurs d'Eragon étaient armés.

Quand les chefs de clan eurent interrogé Rimmar, Orik demanda à ses guerriers d'amener les trois nains capturés par l'Ingeitum. Gannel leur ordonna de jurer en ancien langage qu'ils ne mentiraient pas, mais ils s'y refusèrent et le maudirent en crachant par terre. Alors, des magiciens appartenant aux différents clans joignirent leurs pensées et envahirent l'esprit des prisonniers afin de leur arracher la vérité. Tous sans exception confirmèrent les allégations d'Orik.

Ce dernier appela alors Eragon à témoigner. Malgré sa nervosité, le jeune Dragonnier s'avança jusqu'à la table centrale où les treize chefs de clan à la mine sombre le dévisageaient. Fixant son attention sur le motif coloré d'un pilier de marbre, il s'efforça d'ignorer sa gêne, répéta les serments en ancien langage que lui dictait un magicien nain, puis, sans en dire plus que nécessaire, il relata l'embuscade dans laquelle ses gardes et lui étaient tombés. Après avoir répondu aux inévitables questions du conseil, il autorisa deux magiciens choisis au hasard par Gannel à examiner ses souvenirs de l'attaque. Tandis qu'il abaissait ses barrières mentales, il s'aperçut que les magiciens nains n'étaient pas tranquilles. « Ils me craignent, songea-t-il, et c'est tant mieux. Ils seront moins susceptibles de fouiner où ils n'ont rien à faire. »

Au grand soulagement d'Eragon, l'examen se déroula sans incident et les deux magiciens corroborèrent son récit devant le conseil.

Gannel se leva de son siège et s'adressa aux juristes :

– Êtes-vous satisfait des preuves que nous ont apportées le Grimstborith Orik et Eragon Tueur d'Ombre ?

545

Les cinq nains à barbe blanche s'inclinèrent, et celui du milieu répondit :

– Nous le sommes, Grimstborith Gannel.

Leur verdict ne parut pas le surprendre. Après un vague grommellement, il déclara :

– Grimstborith Vermûnd, tu es responsable du meurtre de Kvîstor, fils de Bauden, et coupable d'une tentative d'assassinat contre un invité. Par tes actes, tu as couvert de honte notre peuple entier. Qu'as-tu à dire pour ta défense ?

Le chef de l'Az Sweldn rak Anhûin posa les deux mains à plat sur la table. Ses veines saillaient sous sa peau basanée :

– Si ce *Dragonnier* est knurla en toute chose, sauf par le sang, alors, ce n'est pas un invité, et nous sommes en droit de le traiter comme nous traiterions n'importe quel ennemi d'un autre clan.

– C'est ridicule ! s'exclama Orik outré. Tu ne peux pas prétendre qu'Era...

— Tiens ta langue, Orik, je t'en prie, intervint Gannel. Crier ne résoudra rien. Orik, Nado, Íorûnn, si vous voulez bien me suivre.

L'inquiétude rongeait Eragon tandis que les quatre chefs nains s'entretenaient avec les juges. « Ils ne laisseront tout de même pas Vermûnd échapper à son juste châtiment parce qu'il joue sur les mots ! »

Enfin, Íorûnn regagna la table et annonça :

— Les juristes sont unanimes. Bien que membre assermenté du Dûrgrimst Ingeitum, Eragon occupe par ailleurs des postes importants à l'extérieur de notre royaume, à savoir : celui de Dragonnier, celui d'émissaire officiel des Vardens envoyé par Nasuada pour assister au couronnement de notre prochain roi, enfin, celui d'ami privilégié de la reine Islanzadí et de son peuple. Pour toutes ces raisons, nous lui devons la même hospitalité qu'à n'importe quel ambassadeur, prince, monarque ou autre personnage influent en visite.

La naine coula un regard de biais à Eragon ; ses yeux noirs s'attardèrent sur lui avec aplomb.

— En bref, conclut-elle, il est notre honorable invité, et il convient de le traiter comme tel..., ce que tout knurla en possession de son bon sens était censé savoir.

— Oui, confirma Nado, il est notre hôte.

Il avait les lèvres pincées, décolorées, les joues creuses, comme s'il venait de mordre dans une pomme acide.

— Qu'as-tu à répondre cette fois, Vermûnd ? s'enquit Gannel.

Le nain voilé de pourpre se leva de son siège et regarda un à un les membres du conseil :

— Ma réponse est celle-ci – écoutez-moi bien, Grimstborithn : si un clan lève la hache contre l'Az Sweldn rak Anhûin à cause de ces accusations fallacieuses, nous considérerons cela comme un acte de guerre et agirons en conséquence. Si vous m'emprisonnez, nous considérerons cela comme un acte de guerre également et agirons en conséquence...

Eragon vit remuer le voile de Vermûnd et songea que, peut-être, le nain souriait derrière le tissu.

– ... Si vous cherchez à nous atteindre, que ce soit par le fer ou par la parole, si légères soient vos critiques, nous considérerons cela comme un acte de guerre et agirons en conséquence. À moins que vous ne souhaitiez mettre le pays à feu et à sang, je suggère que nous laissions le vent emporter les propos de la matinée et que nous concentrions nos pensées sur la tâche de choisir celui ou celle qui nous gouvernera depuis le trône de granit.

Les chefs de clan demeurèrent longtemps silencieux.

Exaspéré, Eragon se mordait la langue pour ne pas sauter sur la table et haranguer le conseil jusqu'à ce qu'il accepte de pendre Vermûnd pour ses crimes. Force lui était de réfréner ses ardeurs ; il avait promis à Orik de lui laisser l'initiative lors des réunions. « Orik est mon chef de clan. Le devoir m'impose de le laisser réagir comme bon lui semble. »

Freowin décroisa les mains et frappa la table de sa paume charnue. Sa voix rauque et puissante de baryton résonna à travers la salle :

– Tu jettes l'opprobre sur notre peuple, Vermûnd. Notre honneur de knurlan serait à jamais terni si nous fermions les yeux sur tes méfaits.

La vieille Hadfala remua ses papiers couverts de runes et dit :

– Que croyais-tu accomplir en tuant Eragon quand c'était à coup sûr causer notre perte ? En admettant que les Vardens soient capables de renverser Galbatorix sans son aide, as-tu pensé à la douleur de la dragonne Saphira, à sa vengeance qui s'abattrait sur nous si nous assassinions son Dragonnier ? Elle noierait Farthen Dûr dans l'océan de notre sang !

Vermûnd ne dit mot.

Un rire soudain rompit le silence. Surpris par cette incongruité, Eragon mit quelques instants à réaliser qu'il provenait d'Orik. Son hilarité apaisée, le nain prit la parole :

– Si nous nous en prenons à toi ou à l'Az Sweldn rak Anhûin, tu considères que c'est un acte de guerre, Vermûnd ? Parfait. Nous ne le ferons pas, nous ne ferons rien du tout.

Le chef de clan voilé de pourpre plissa le front :

– En quoi est-ce si drôle ?

Orik rit de nouveau :

– C'est drôle parce que je viens d'avoir une idée qui t'a échappée, Vermûnd. Tu souhaites que nous vous laissions en paix, toi et ton clan, c'est cela ? Eh bien, je propose au conseil que nous accédions à tes vœux. Je m'explique : si Vermûnd avait agi en son seul nom et pas en tant que Grimstborith, il serait banni pour ses crimes, sous peine de mort. Je propose donc que nous traitions le clan comme nous traiterions l'individu. Bannissons l'Az Sweldn rak Anhûin de nos cœurs et de nos esprits jusqu'à ce qu'il destitue Vermûnd pour se choisir un chef plus modéré, jusqu'à ce qu'il reconnaisse sa félonie et se repente devant le conseil, même si cela doit prendre mille ans.

Autour des yeux de Vermûnd, la peau fripée se décolora :

– Vous n'oseriez pas.

– Ah ! répondit Orik avec un large sourire. Mais dans cette hypothèse, personne ne ferait un geste contre les tiens. Nous nous contenterions de vous ignorer et refuserions tout commerce avec l'Az Sweldn rak Anhûin. Nous déclarerais-tu la guerre si nous ne faisions rien, Vermûnd ? Car, si le conseil en est d'accord, c'est exactement ce que nous ferons : rien. Nous obligeras-tu par la force à acheter ton miel, tes tissus et tes bijoux d'améthyste ? Tu n'as pas assez de guerriers pour cela. En conséquence, je demande au conseil de se prononcer sur cette proposition.

Les chefs de clans ne furent pas longs à se décider ; l'un après l'autre, ils se levèrent et votèrent le bannissement de l'Az Sweldn rak Anhûin. Nado, Gáldhiem et Havard, les anciens alliés de Vermûnd, se déclarèrent eux aussi favorables à la motion d'Orik. Avec chaque suffrage exprimé, le peu de peau découverte par le voile de Vermûnd pâlissait davantage. Il n'était plus que l'ombre de lui-même, triste fantôme dans des vêtements empruntés à une autre vie.

Le vote terminé, Gannel lui montra la porte :

— Va-t'en, Vragrimst Vermûnd. Quitte Tronjheim sur-le-champ, et qu'aucun membre de l'Az Sweldn rak Anhûin ne s'avise de troubler le conseil tant que les conditions énoncées ne seront remplies. Dans l'intervalle, nous vous éviterons. Sache cependant ceci : si ton clan peut racheter son déshonneur, toi, Vermûnd, tu resteras Vargrimst jusqu'à ta mort. Telle est la volonté du conseil.

Sur ces mots, Gannel se rassit.

Vermûnd ne bougea pas d'où il était. Ses épaules tremblaient sous le coup de l'émotion.

— C'est vous qui avez jeté l'opprobre sur notre peuple et qui l'avez trahi ! gronda-t-il. Les Dragonniers ont tué tout notre clan, à l'exception d'Anhûin et de ses gardes. Vous vous leurrez si vous imaginez que nous serons un jour prêts à l'oublier et à pardonner. Bah ! Je crache sur la tombe de vos ancêtres. Nous autres, au moins, nous n'avons pas perdu nos barbes. Nous ne nous commettrons pas avec cette marionnette des elfes alors que nos parents morts crient vengeance depuis la tombe.

549

Eragon bouillait de rage en voyant qu'aucun des chefs de clan ne répondait à la tirade de Vermûnd. Il s'apprêtait à répliquer tout aussi durement quand Orik lui jeta un coup d'œil et, d'un signe discret de la tête, lui intima de s'abstenir. Le jeune homme ravala sa colère avec difficulté sans comprendre pourquoi son ami laissait passer de telles insultes sans protester.

« C'est à croire que... Ah. »

Écartant son siège de la table, Vermûnd se leva, les poings serrés, les épaules remontées presque jusqu'aux oreilles. Et il se remit à invectiver les membres du conseil, à les agonir d'injures. Il s'emporta au point qu'il finit par hurler à pleine voix.

Il avait beau s'époumoner, se répandre en imprécations, les autres demeuraient impassibles. Ils regardaient au loin, comme absorbés dans des réflexions complexes, et jamais leurs yeux ne s'arrêtaient sur le chef disgracié. Lorsque, dans sa fureur, Vermûnd agrippa Hreidamar par le col de son haubert, trois gardes de ce dernier s'avancèrent pour les séparer avec un calme et une indifférence des plus surprenants. On aurait dit qu'ils aidaient leur maître à ajuster sa mise. Quand ils eurent relâché Vermûnd, ils ne daignèrent pas lui adresser un regard.

Eragon en eut froid dans le dos. Les nains se conduisaient comme si Vermûnd n'existait pas. « C'est donc cela le bannissement, pour eux, songea-t-il. Plutôt mourir que de subir ce sort ! » Il aurait eu pitié de Vermûnd s'il ne s'était alors souvenu des traits déformés de Kvîstor agonisant.

Avec un dernier juron, le traître sortit de la salle, suivi des membres de son clan qui l'avaient accompagné au conseil.

Dès que les portes se furent refermées derrière eux, l'atmosphère se détendit. De nouveau, les nains regardaient autour d'eux et discutaient sans retenue des mesures à prévoir concernant l'Az Sweldn rak Anhûin.

Orik les interrompit en tapant sur la table du pommeau de sa dague, et tous reportèrent leur attention sur lui.

– À présent que le problème de Vermûnd est réglé, je vous rappelle que nous sommes réunis ici pour élire le successeur de Hrothgar. La question a été longuement débattue ; il me semble que le moment est venu de laisser les discours derrière nous pour passer à l'action. Je demande donc au conseil de décider si nous sommes prêts – et je pense que nous le sommes – à procéder au vote final dans trois jours comme le dicte la loi. Pour moi, c'est oui, j'ai voté.

Freowin se tourna vers Hadfala, qui se tourna vers Gannel, qui se tourna vers Manndrath ; ce dernier tira sur son long nez et regarda Nado qui, affalé sur sa chaise se mordait les joues.

– Oui pour moi, dit Íorûnn.

– Oui, dit Ûndin.

– ... Oui, dit Nado, ainsi que les huit autres chefs de clan.

Quelques heures plus tard, la séance du conseil étant levée pour le repas, Eragon accompagna Orik dans ses appartements où ils déjeuneraient. Ils se turent jusqu'à être dans les pièces protégées contre les oreilles indiscrètes. Alors seulement, Eragon s'autorisa un sourire :

– Tu projetais de faire bannir l'Az Sweldn rak Anhûin depuis le début, pas vrai ?

Une expression de satisfaction éclaira le visage du nain qui sourit à son tour et se frappa le ventre :

– Absolument. C'était la seule issue possible pour éviter une guerre des clans. Une guerre n'est pas exclue, mais au moins ce ne sera pas notre faute. Et je doute fort qu'une telle calamité se produise. Malgré la haine qu'il te voue, l'Az Sweldn rak Anhûin sera atterré par le forfait que Vermûnd a commis en son nom. À mon avis, le traître ne restera pas Grimstborith bien longtemps.

– Et puis, tu as obtenu que l'élection du nouveau roi...

– Ou de la nouvelle reine.

– ... du roi ou de la reine ait enfin lieu.

Eragon marqua une pause. Il hésitait à gâcher le plaisir qu'Orik prenait à son triomphe et, pourtant, il lui fallait savoir :

– Tu es sûr d'avoir le soutien dont tu as besoin pour accéder au trône ?

Le nain haussa les épaules :

– Jusqu'ici, personne n'avait le soutien nécessaire. Les événements de la matinée ont modifié l'équilibre des forces et, pour l'instant, il nous est favorable. Autant battre le fer quand il est chaud ; nous n'aurons pas de sitôt une occasion pareille. Quoi qu'il en soit, nous ne pouvons permettre que les séances du conseil se prolongent indéfiniment. Si tu ne rentres pas bientôt chez les Vardens, tout sera peut-être perdu.

– Que ferons-nous en attendant le vote ?

– Nous commencerons par festoyer pour fêter nos succès. Quand nous serons repus, nous continuerons à tenter de gagner des suffrages en veillant à garder ceux que nous avons acquis. Cependant...

Les dents d'Orik brillaient sous la frange de sa barbe tandis qu'il souriait de plus belle :

– ... avant que nous buvions une seule gorgée d'hydromel, il te faut t'acquitter d'un devoir que tu sembles avoir oublié.

– Lequel ? demanda Eragon, que la lueur malicieuse dans les yeux de son ami laissait perplexe.

– Inviter Saphira à nous rejoindre, bien sûr ! Que je devienne roi ou pas, nous couronnerons un nouveau monarque dans trois jours. Elle va devoir voler à tire-d'aile pour arriver avant la cérémonie.

Étouffant un cri de joie, le jeune Dragonnier se précipita en quête d'un miroir.

36
INSUBORDINATION

Le sol noir était frais sous la main de Roran.

Il ramassa une petite motte de terre pour l'écraser entre ses doigts, nota avec satisfaction qu'elle était humide, riche de végétaux en décomposition propres à nourrir les récoltes. Il la porta à ses lèvres, la goûta du bout de la langue. Elle avait la saveur complexe du vivant, on y décelait des centaines d'arômes mêlés, des montagnes pulvérisées aux scarabées, du bois pourri aux tendres pousses d'herbe et aux racines.

« De la bonne terre agricole », songea-t-il. Des souvenirs de la vallée de Palancar lui revinrent ; le soleil d'automne qui baignait le champ d'orge devant la ferme familiale, les rangées régulières de tiges dorées qui oscillaient sous la brise, la rivière Anora à l'ouest, les sommets enneigés qui bordaient la vallée. « C'est là-bas que je devrais être, occupé aux labours, à élever les enfants avec Katrina, pas ici à irriguer les champs avec le sang des hommes. »

– Hé, là-bas ! s'écria le capitaine Edric sur son destrier. Assez rêvassé, Puissant Marteau ! Je pourrais changer d'avis et te laisser monter la garde avec les archers !

Roran s'essuya les mains sur ses jambières et se remit debout. Réprimant son aversion pour son supérieur, il répondit dans les règles :

– Oui, mon Capitaine. À vos ordres, mon Capitaine.

Depuis son affectation à la patrouille d'Edric, il s'était efforcé

553

d'en apprendre le plus possible sur lui. Il en avait conclu que c'était un commandant compétent – jamais Nasuada ne lui aurait confié une mission aussi importante sans cela –, mais il était dur, irritant, et il punissait ses guerriers à la moindre entorse aux usages en vigueur. Roran en avait fait par trois fois l'expérience au cours de sa première journée dans le bataillon. Pour lui, l'attitude de ce chef était de nature à saper le moral des troupes et à décourager tout esprit d'initiative chez ses subalternes. « C'est peut-être pour cette raison que Nasuada m'a mis entre ses mains. Ou alors, c'est encore pour m'éprouver. Pour savoir si je suis capable de ravaler mon orgueil pour servir un homme tel que cet Edric. »

Roran enfourcha Feu de Neige et remonta la colonne de deux cent cinquante soldats. Leur mission était simple ; depuis que Nasuada et le roi Orin avaient déplacé le gros de leurs armées hors du Surda, Galbatorix avait profité de leur absence pour mettre le pays sans défense à feu et à sang, saccageant villes et villages, incendiant les récoltes nécessaires à soutenir l'effort de guerre contre l'Empire. Le plus efficace pour éliminer les soldats ennemis aurait été d'envoyer Saphira les mettre en pièces. L'État-major varden avait cependant décidé qu'il serait trop dangereux de se séparer d'elle aussi longtemps et qu'elle s'absenterait uniquement pour aller chercher Eragon. Nasuada avait donc dépêché la compagnie d'Edric pour repousser l'ennemi dont ses espions avaient évalué les effectifs à environ trois cents. Mais, à leur grand désarroi, Roran et ses compagnons avaient découvert deux jours plus tôt des traces indiquant que leur nombre était plus près de sept cents.

Parvenu à la hauteur de Carn, qui montait sa jument pommelée, Roran ralentit Feu de Neige, puis se gratta le menton en examinant le paysage. Devant eux s'étendait une vaste prairie que ponctuaient des bosquets de saules et de peupliers. Des faucons et des buses chassaient dans le ciel ; en bas, l'herbe ondoyante grouillait de mulots, de lapins, de rongeurs et autres petits animaux. Seul signe que des hommes étaient passés par là, une large bande de végétation piétinée qui filait vers l'est et l'horizon.

La peau froncée tant il plissait les yeux, Carn regarda le soleil de midi.

— Nous devrions les rattraper avant que nos ombres soient plus longues que nous ne sommes hauts.

— Mouais, grommela Roran en réponse. Et nous saurons enfin si nous sommes assez nombreux pour les repousser ou si nous allons nous faire massacrer. Pour une fois, j'aimerais bien que nos forces soient supérieures à celles de l'ennemi.

Un sourire amer étira les lèvres de Carn :

— La lutte est toujours inégale pour les Vardens.

— En formation ! aboya Edric.

Il éperonna son cheval et s'élança sur la piste piétinée. Roran se tut, pressa les flancs de Feu de Neige et suivit le capitaine avec toute la compagnie.

Six heures plus tard, toujours en selle, il était caché derrière un bosquet de hêtres en bordure d'une rivière paresseuse, encombrée de joncs et de touffes d'algues. À travers le réseau des branches, il apercevait les murs gris d'un village à demi en ruine qui ne comptait pas plus de vingt maisons. Avec une colère croissante, il avait vu les habitants repérer les soldats qui arrivaient par l'ouest, puis rassembler quelques possessions pour s'enfuir vers le sud et le cœur du Surda. S'il n'avait tenu qu'à lui, Roran aurait révélé la présence d'un soutien armé aux villageois, les aurait assurés que ses compagnons et lui mettraient tout en œuvre pour éviter qu'ils soient chassés de chez eux. Il ne se souvenait que trop bien du désespoir et du sentiment d'impuissance qui l'avaient accablé lorsqu'il avait dû quitter Carvahall, et il leur aurait de bon cœur épargné cette souffrance. Il aurait aussi demandé aux hommes de se battre à leurs côtés. Dix ou vingt paires de bras supplémentaires pouvaient changer la donne, leur permettre de remporter la victoire. Et Roran savait mieux que personne avec quelle ardeur de simples villageois défendaient leurs foyers. Edric avait hélas refusé de l'entendre et exigé que les Vardens restent à l'abri dans les collines situées au sud-est du village.

— On a de la chance qu'ils soient à pied, lui murmura Carn en montrant du doigt la colonne de tuniques rouges qui marchait sur le village. S'ils étaient à cheval, jamais nous ne serions arrivés avant eux.

Roran se tourna vers les hommes assemblés derrière eux. Edric lui avait temporairement confié le commandement de quatre-vingt-un guerriers, dont une demi-douzaine d'archers, les autres étant armés de lances ou d'épées. Sand, un proche d'Edric, était à la tête d'un détachement identique, et le capitaine menait le reste de la compagnie. Les trois groupes s'entassaient parmi les hêtres – une erreur selon Roran ; le temps qu'ils perdraient à s'organiser en quittant le couvert des arbres donnerait à l'ennemi celui de préparer sa défense.

Se penchant vers Carn, il lui dit :

— Je ne vois pas de soldats mutilés ou avec des blessures sérieuses, mais cela ne prouve rien. Sais-tu s'il y a parmi eux des hommes immunisés contre la douleur ?

Carn soupira :

— J'aimerais le savoir aussi. Ton cousin en serait peut-être capable ; Murtagh et Galbatorix sont les seuls magiciens qu'Eragon ait à craindre. Moi, je ne suis pas à la hauteur. Je n'ose pas tester ces soldats. S'il y a des magiciens dans leurs rangs, ils s'apercevront que je les épie, et je risque de ne pas réussir à percer leurs barrières mentales avant qu'ils aient donné l'alerte.

Tandis qu'il étudiait l'armement de l'adversaire et réfléchissait au meilleur moyen de déployer ses hommes, Roran remarqua :

— Nous avons cette même discussion avant chaque nouvelle bataille.

— Pourvu que ça dure ! lui répondit Carn en riant. Si nous manquions à ce rituel...

— C'est que l'un de nous au moins serait mort.

— Sauf si Nasuada nous affecte à des régiments différents.

— En ce cas, nous ne ferons pas long feu. Personne ne protégera aussi bien nos arrières, conclut Roran.

L'ébauche d'un sourire naquit sur ses lèvres. C'était devenu une plaisanterie entre eux. Il tira son marteau de sa ceinture, puis grimaça en sentant un élancement dans sa jambe que le bœuf avait encornée. Plissant le front, il massa l'endroit douloureux.

Carn s'en aperçut :

— Ça ne va pas ?

— Bah ! Je n'en mourrai pas. Enfin... peut-être que si, seulement, je ne vais pas rester croupir ici pendant que vous autres allez tailler ces rustres imbéciles en pièces.

Parvenus au village, les soldats de l'Empire le traversèrent, ne s'arrêtant que pour fracasser les portes des maisons et vérifier que personne ne s'y cachait. Un chien surgit de derrière un tonneau d'eau de pluie et, le poil hérissé, se mit à aboyer contre l'envahisseur. Un soudard le tua d'un coup de lance.

Les premières tuniques rouges avaient atteint le bout du village, Roran serrait déjà le manche de son marteau, prêt à charger, quand des cris aigus retentirent et lui glacèrent le sang. Un groupe de soldats émergea de l'avant-dernière maison, traînant trois personnes qui se débattaient : un homme maigre aux cheveux blancs, une jeune femme au corsage déchiré, et un garçon qui n'avait pas plus de onze ans.

La sueur au front, Roran entonna à voix basse une lente litanie d'imprécations, maudissant les trois prisonniers de n'avoir pas fui avec leurs voisins, maudissant les tuniques rouge pour ce qu'elle avait fait et feraient encore, maudissant Galbatorix et maudissant le caprice du destin qui avait engendré cette situation. Derrière lui, ses hommes remuaient et marmonnaient avec colère ; ils piaffaient, pressés d'en découdre, de punir ces brutes pour leur cruauté.

Lorsqu'ils eurent terminé de fouiller les maisons, les soldats de l'Empire se rassemblèrent au centre du village, en arc de cercle autour des prisonniers.

« Oui ! » s'exclama Roran en lui-même. L'ennemi leur tournait le dos ; selon le plan d'Edric, c'était le moment rêvé. En prévision de l'assaut, il se dressa sur ses étriers, le corps tendu, la gorge trop sèche pour déglutir.

L'officier qui commandait les tuniques rouges était le seul cavalier parmi eux. Il descendit de cheval, échangea quelques paroles inaudibles avec le villageois aux cheveux blancs. Puis, sans prévenir, il dégaina son sabre, lui trancha la tête, et recula d'un bond pour éviter le jet de sang. La jeune femme redoubla de hurlements.

– Chargez, dit Edric.

Le ton était si calme que Roran comprit avec un temps de retard que c'était là l'ordre qu'il attendait.

– À la charge ! s'écria Sand près du capitaine.

Et il s'élança au galop hors du bosquet de hêtre, suivi par ses hommes.

– À la charge ! clama Roran en piquant des deux.

Il se protégea derrière son bouclier tandis que Feu de Neige l'emportait à travers les branchages et ne releva la tête qu'une fois à découvert, alors qu'ils dévalaient la colline dans le fracas des sabots. Brûlant de sauver la jeune femme et le garçon, Roran poussait Feu de Neige à pleine vitesse. Un regard en arrière lui apprit que ses hommes s'étaient séparés du reste des Vardens sans trop de difficultés ; en dehors de quelques traînards, ils étaient tous ensemble, à une trentaine de pas derrière lui. Il aperçut Carn qui chevauchait à l'avant-garde du groupe d'Edric, sa cape grise flottant au vent. Une fois de plus, il regretta que leur capitaine n'ait pas jugé bon de les laisser dans le même groupe.

Comme il en avait reçu l'ordre, Roran contourna le village par la gauche pour attaquer l'ennemi sur le flanc. Sand fit de même à droite tandis qu'Edric et ses guerriers fonçaient droit vers le centre du village.

De derrière les maisons, Roran ne vit pas l'affrontement initial ; il entendit cependant des cris et des appels frénétiques, puis d'étranges crissements métalliques suivis par les hurlements des hommes comme des chevaux.

L'angoisse lui noua le ventre. « Quel était ce bruit ? On aurait dit des arcs de métal... Ça existe, ça ? » Quelle qu'en soit la cause, il était anormal que tant de bêtes soient blessées. Convaincu que l'attaque avait mal tourné, Roran sentit ses membres se glacer. La bataille était peut-être déjà perdue...

Passé la dernière maison, il dirigea Feu de Neige vers le centre du village. Derrière lui, ses hommes l'imitèrent. À quatre cents coudées devant eux, une triple rangée de soldats postés entre deux bâtiments leur barrait le passage et ne semblaient pas craindre les chevaux qui fonçaient vers eux.

Roran hésita. Ses ordres étaient clairs : son groupe devait charger le flanc ouest de l'ennemi et pourfendre les troupes de Galbatorix jusqu'à effectuer la jonction avec Sand et Edric. Ce dernier n'avait toutefois donné aucune consigne au cas où, le moment venu, les circonstances s'avéreraient défavorables. S'il n'exécutait pas les ordres à la lettre, même pour éviter que ses hommes soient massacrés, Roran savait qu'il se rendait coupable d'insubordination et qu'Edric le punirait en conséquence.

Les tuniques rouges écartèrent alors leurs amples capes et armèrent leurs arbalètes.

Roran résolut sur-le-champ qu'il mettrait tout en œuvre pour assurer la victoire des Vardens. Il n'obéirait pas. Il n'allait pas laisser l'ennemi décimer son groupe d'une seule volée de traits pour échapper au châtiment.

– Tous à couvert ! aboya-t-il.

Tirant sur sa rêne droite, il fit volter Feu de Neige, ramenant l'animal derrière la maison. Dans la seconde qui suivit, une douzaine de carreaux [1] se plantèrent dans le mur.

Par chance, tous ses guerriers sauf un avaient réussi à se mettre à l'abri avant que l'adversaire ne tire. L'unique victime

559

---

1. Carreau : gros trait d'arbalète dont le fer est de section carrée.

gisait à terre dans son sang ; deux traits s'étaient enfoncés dans sa poitrine, perçant son haubert de mailles comme s'il n'offrait pas plus de résistance qu'un tissu. Son cheval affolé lança une ruade et s'enfuit à travers le village, soulevant derrière lui un sillage de poussière.

Roran agrippa une poutre qui dépassait du mur et tint Feu de Neige en place tandis qu'il réfléchissait à une stratégie possible. L'adversaire les avait piégés ; s'ils tentaient une sortie à découvert, ils finiraient criblés de carreaux et transformés en hérissons.

Un groupe de ses guerriers chevaucha jusqu'à lui depuis une maison que la sienne cachait en partie aux soldats ennemis.

– Comment procédons-nous maintenant, Puissant Marteau ? s'enquirent-ils.

Le fait qu'il ait désobéi aux ordres ne les troublait apparemment pas, au contraire : ils avaient retrouvé leur assurance, lui accordaient leur confiance.

En quête d'une solution viable, Roran jeta un regard alentour. Le hasard voulut que ses yeux s'arrêtent sur l'arc et le carquois accrochés à la selle d'un de ses hommes. Il sourit. S'il y avait peu d'archers parmi eux, tous étaient équipés d'un arc et de flèches pour chasser et contribuer à nourrir la compagnie lorsqu'ils étaient en pleine nature.

Désignant le bâtiment qui les couvrait, il déclara :

– Prenez vos arcs, et grimpez sur ce toit aussi nombreux que vous le pourrez. Si vous tenez à la vie, ne vous montrez pas avant que je donne le signal. À mon commandement, tirez, et continuez tant qu'il vous restera des flèches ou qu'un ennemi sera debout. C'est compris ?

– Oui, chef.

– Alors, au travail. Ceux qui n'auront pas de place ici, trouvez d'autres bâtiments d'où vous pourrez abattre ces soldats de vos traits les uns après les autres. Harald, fais passer le mot à toute la troupe et amène-moi ici dix de nos meilleurs lanciers et autant d'hommes d'épée. Vite.

– Bien, chef.

Les guerriers s'empressèrent d'obéir. Les plus proches de Roran détachèrent arcs et carquois de leurs selles et se hissèrent sur le dos de leurs montures, puis sur le toit de chaume de la maison. En l'espace de quatre minutes, la plupart des Vardens étaient à leurs postes – environ huit par toit, répartis sur sept bâtiments –, et Harald était de retour, accompagné par l'élite des lanciers et des hommes d'épée.

– Écoutez-moi bien, leur dit Roran. À mon signal, ceux qui sont là-haut vont tirer. Dès que la première volée de flèches frappera les tuniques rouges, nous volerons porter secours au capitaine Edric. S'il est trop tard, nous nous battrons, et ces pendards tâteront de notre fer. Les archers devraient causer assez de confusion pour que nous leur tombions dessus avant qu'ils puissent armer leurs arbalètes. Est-ce compris ?

– Oui, chef.

– Prêts à tirer... Feu ! hurla alors Roran.

Avec des rugissements de fauves, les archers se dressèrent sur les toits et tirèrent comme un seul homme, libérant un déluge de flèches. L'air vibrait de leurs sifflements hargneux, bientôt remplacés par les cris de douleur des blessés.

– On y va ! lança alors Roran.

Il piqua des deux et partit au galop. Ses hommes l'imitèrent. Au coin de la maison, ils prirent un tournant si brutal que certains faillirent perdre l'équilibre. Comptant sur sa vitesse et sur la protection des archers, Roran contourna les soldats désorganisés pour gagner le lieu de la charge désastreuse menée par Edric. Les cadavres des braves vardens et de leurs bons chevaux jonchaient le sol poissé de sang. Les derniers guerriers d'Edric se battaient au corps à corps. À la surprise de Roran, le capitaine était encore en vie et luttait avec cinq de ses hommes.

– Serrez les rangs derrière moi ! ordonna Roran à ses compagnons tandis qu'ils se jetaient dans la mêlée.

D'une ruade, Feu de Neige renversa deux tuniques rouges, brisa leurs épées et leur défonça le thorax. Satisfait des exploits

561

de l'étalon, Roran jouait du marteau. Pris dans le feu de l'action, il jubilait, grondait et frappait, abattant un ennemi après l'autre. Aucun ne résistait à la férocité de ses attaques.

– Par ici ! s'écria-t-il en approchant d'Edric et du groupe de rescapés. Venez vers moi !

Devant lui, les flèches pleuvaient toujours sur le gros des troupes adverses contraintes de s'abriter derrière des boucliers alors même qu'elles étaient assaillies par les lances et les épées des cavaliers vardens.

Lorsque Roran et ses compagnons eurent entouré les rescapés de la charge qui combattaient à pied, il leur cria :

– Arrière ! Aux maisons !

Couverts par les cavaliers, les hommes reculèrent pas à pas, jusqu'à être hors de portée des lames ennemies. Alors, ils coururent se réfugier dans le bâtiment le plus proche. Les tuniques rouges en tuèrent trois en route ; les autres se mirent à l'abri.

Haletant, Edric s'adossa au mur. Lorsqu'enfin, il fut en mesure de parler, il balaya du geste le groupe de Roran et dit :

– Ton intervention bienvenue arrive à point nommé, Puissant Marteau. Mais pourquoi n'es-tu pas sorti du cœur de la mêlée comme je m'y attendais ?

Roran lui expliqua ce qu'il avait fait, lui montra les archers sur les toits. Un pli sévère barra le front d'Edric et pourtant il ne le réprimanda pas d'avoir désobéi.

– Fais-moi descendre ces hommes de là-haut immédiatement. Ils ont réussi à briser la discipline des tuniques rouges. Nous les abattrons à l'épée, en honnêtes guerriers.

– Nous sommes trop peu nombreux pour les prendre de front ! protesta Roran. Ils sont à trois et plus contre nous !

– Eh bien, nous compenserons par notre vaillance ce qui nous manque en effectif ! glapit le capitaine. J'avais cru entendre que tu étais un brave, Roran. Une rumeur injustifiée, à ce qu'il me semble. Tu es aussi poltron qu'un lapereau. Et maintenant, obéis. Pas de discussion !

Edric fit signe à l'un des cavaliers de Roran :

– Toi. Donne ton cheval.

Dès que l'homme eut mis pied à terre, le capitaine monta en selle.

– Une moitié de vous autres, avec moi ; allons prêter main-forte à Sand. Les autres, restez avec Roran.

Sur ces mots, il éperonna sa monture et partit au galop avec ceux qui avaient choisi de le suivre. Filant d'une maison à l'autre, ils contournèrent les soldats rassemblés au centre du village.

Roran bouillait de rage en les regardant s'éloigner. Jamais auparavant il n'avait permis qu'on doute de son courage sans répliquer par des paroles ou par des coups. Avec la bataille en cours, pas question, bien sûr, qu'il règle ses comptes avec Edric. « Puisque c'est comme ça, je vais lui montrer de quel bois je me chauffe. Il veut du courage ? Il en aura. Mais c'est tout. Je refuse d'envoyer mes archers affronter ces soldats au sol alors qu'ils sont plus efficaces et courent moins de risques où ils sont. »

Il se retourna pour évaluer ce qui restait de son groupe initial. Parmi ceux qu'il venait de sauver, il se réjouit de voir Carn, un peu égratigné, maculé de sang, mais en bonne forme. Ils échangèrent un signe de tête, puis Roran s'adressa à ses cavaliers.

– Vous avez entendu les paroles d'Edric. Je ne suis pas d'accord avec lui. Si nous agissons selon ses consignes, nous finirons en tas sur un bûcher avant le coucher du soleil. Ce n'est pas en marchant à la mort que nous arracherons la victoire ! Elle est encore possible, je vous le promets. Et c'est par la ruse que nous compenserons ce qui nous manque en nombre. Vous savez tous comment j'ai rejoint les Vardens. Vous savez que j'ai déjà vaincu l'Empire dans un village comme celui-ci ! Je suis capable de rééditer mon exploit, mais pas tout seul. Me suivrez-vous ? Réfléchissez. Je prends sur moi la responsabilité de désobéir aux ordres d'Edric, je la revendiquerai. Il se peut toutefois que Nasuada et lui décident de punir ceux qui m'accompagnaient.

— Auquel cas, ils seraient bien sots, gronda Carn. Ils préféreraient que nous mourions tous ici ? J'en doute. Compte sur moi, Roran. Je suis des tiens.

Tandis que Carn s'exprimait, les autres se redressaient et leurs yeux brillaient d'une ardeur nouvelle. Roran comprit qu'ils le suivraient aussi — ne serait-ce que pour ne pas être séparés du seul magicien de la compagnie. De nombreux guerriers devaient la vie à un membre du Du Vrangr Gata, et les hommes d'armes qu'avait croisés Roran se seraient plutôt planté un couteau dans le pied que d'aller au combat sans un magicien à proximité.

— Oui, dit Harald. Tu peux compter sur nous aussi, Puissant Marteau.

— Alors, en route !

Il se pencha pour aider Carn à monter en selle derrière lui, pressa les flancs de Feu de Neige et, avec son bataillon, il contourna le village par l'arrière pour rejoindre les bâtiments d'où les archers tiraient toujours sur les soldats ennemis. Sur leur passage, les carreaux vrombissaient dans l'air comme des insectes géants furieux — dont un qui se planta dans le bouclier de Harald.

Lorsqu'ils furent à couvert, Roran demanda aux cavaliers de donner leurs arcs et leurs flèches aux hommes à pied qu'il envoya rejoindre les archers sur les toits. Puis il appela Carn qui avait sauté à terre dès qu'ils s'étaient arrêtés :

— J'aurais besoin d'un sort. Peux-tu nous protéger, moi et dix hommes, contre ces traits d'arbalète ?

— Pour combien de temps ? s'enquit le magicien après une hésitation.

— Une minute ? Une heure ? Va savoir.

— Protéger autant de monde contre des tirs nourris aurait vite raison de mes forces... Cela étant, si tu n'exiges pas que j'interrompe leur course en vol, je pourrais les faire dévier, ce qui...

— Ce sera parfait.

— Qui veux-tu que je protège ?

Roran les lui désigna. Après leur avoir demandé leur nom, Carn se mit à murmurer en ancien langage, les épaules voûtées, le visage pâle. Par trois fois, il tenta de formuler son sort sans y parvenir.

— Je suis désolé, bredouilla-t-il. J'ai perdu toute concentration.

— On se passe de tes excuses, gronda Roran. Fais ce qu'on te demande, bon sang !

Bondissant de Feu de Neige, Roran prit le visage de Carn entre ses mains et l'immobilisa face à lui :

— Tu vas me regarder. Regarde-moi droit dans les yeux. C'est ça. Continue... Bien. Maintenant, jette ton sort !

Le visage de Carn s'éclaira, ses épaules se détendirent et, d'une voix assurée, il récita l'incantation. Roran le sentit faiblir lorsqu'il prononça le dernier mot, puis il se ressaisit et annonça :

— C'est fait.

Roran le remercia de quelques tapes dans le dos avant de remonter en selle. Il se tourna ensuite vers ses dix cavaliers :

— Surveillez mes flancs et mon dos. Tant que je serais capable de manier le marteau, vous resterez derrière moi, c'est clair ?

— Oui, chef !

— À partir de maintenant, vous n'avez rien à craindre des traits d'arbalète, ne l'oubliez pas. Carn ne bouge pas d'ici, ménage-toi pour garder des forces. Si tu sens que l'enchantement t'épuise, que tu ne peux pas le maintenir, préviens-nous avant de l'interrompre. D'accord ?

— D'accord, répondit le magicien en s'asseyant sur le pas de la porte.

Roran reprit son bouclier et son marteau, il inspira profondément pour se calmer et dit :

— Préparez-vous.

D'un claquement de la langue, il mit Feu de Neige au pas, puis, suivi de ses dix cavaliers, il s'engagea sur la route de terre qui courait entre les maisons pour affronter les troupes de

Galbatorix. Au centre du village, il y avait encore dans les cinq cents soldats ; accroupis ou agenouillés derrière des pavois, ils s'escrimaient à réarmer leurs arbalètes. À intervalles irréguliers, l'un d'eux se redressait pour décocher un trait aux archers sur les toits avant de s'abriter tandis qu'une volée de flèches filait dans sa direction. Tels des joncs, elles semblaient pousser par touffe sur le sol ensanglanté et parsemé de cadavres. À quelques centaines de pieds, de l'autre côté des arbalétriers, Roran apercevait des mouvements confus – sans doute Edric, Sand et leurs derniers hommes qui se battaient. Si la jeune femme et le garçon étaient quelque part sur la place, il ne les remarqua pas.

Un carreau fonçait sur lui avec un sifflement rageur. À deux pieds de son torse, le projectile dévia brusquement et manqua sa cible. Par réflexe, Roran sursauta avec un temps de retard. Sa gorge se serra, son cœur s'accéléra.

Jetant un coup d'œil alentour, il avisa sur sa gauche une carcasse de chariot adossée contre une maison. Il la montra du doigt :

– Tirez-moi ce truc par ici et retournez-le. Faites au mieux pour barricader la rue.

Puis il cria aux archers :

– Ne laissez pas ces soldats nous contourner et nous attaquer sur les flancs ! Dès qu'ils rappliqueront par ici, éclaircissez leurs rangs. Et quand vous n'aurez plus de flèches, descendez nous rejoindre.

– Oui, chef !

– Attention à ne pas nous tirer dessus par accident, ou je reviendrai vous hanter jusqu'à la fin des temps, comptez sur moi !

– Oui, chef !

D'autres carreaux volèrent vers Roran et ses cavaliers, ricochèrent sur les sorts protecteurs de Carn et allèrent se planter dans les murs, le sol, ou disparurent dans le ciel.

Roran regarda ses hommes traîner le chariot en travers de la rue. Lorsque la tâche fut presque terminée, il releva le menton, prit une grande inspiration et, projetant sa voix vers les soldats ennemis, il rugit :

– Ohé, vous autres ! Bande de chacals apeurés ! Nous ne sommes que onze, et nous vous bloquons le passage ! Franchissez le barrage, et vous gagnez la liberté. Tentez votre chance si vous l'osez ! Comment ? Vous hésitez ? Où est votre courage ? Êtes-vous des hommes ou des vers rampants, bougres d'assassins à face de truie ? Vos pères n'étaient que des idiots baveux qu'on aurait dû noyer à la naissance ! Et vos mères, des catins de basse classe qui frayaient avec des Urgals !

Il sourit, satisfait, quand des adversaires outragés lui hurlèrent des insultes en retour. L'un d'eux perdit cependant toute envie de se battre et s'enfuit vers le nord en se couvrant de son bouclier. Il courait en zigzags mais, malgré ses efforts, il n'avait pas fait plus de cent pieds qu'un Varden l'abattit d'une flèche.

– Aha ! s'exclama Roran. Tas de vermine et de rats d'égout ! Vous n'êtes qu'un ramassis de lâches tous autant que vous êtes ! Pour vous redonner du cœur, sachez que je suis Roran Puissant Marteau, et qu'Eragon le Tueur d'Ombre est mon cousin ! Pourfendez-moi, et votre abomination de roi vous récompensera d'un comté ou mieux encore ! Il faudra le mériter et me vaincre à l'épée, car vos carreaux sont sans effet sur moi. Approchez misérables limaces, viles sangsues parasites et tiques à ventre mou ! Approchez ! Relevez le défi si vous en êtes capables !

Dans un concert de cris guerriers, trente soldats lâchèrent leurs arbalètes, dégainèrent leurs lames et, levant haut leurs boucliers, ils chargèrent les Vardens.

Derrière Roran, Harald protesta :

– Chef, ils sont trop nombreux.

– Certes, répondit Roran sans quitter l'ennemi des yeux.

Quatre tuniques rouges chancelèrent et s'effondrèrent, criblées de flèches.

– S'ils chargent tous à la fois, nous n'aurons aucune chance, insista Harald.

— Mais ils n'en feront rien. Vois comme ils sont désorganisés. Leur commandant a dû tomber. Tant que nous serrons les rangs et que nous maintenons la discipline, ils ne nous vaincront pas.

— Puissant Marteau, nous ne sommes qu'une poignée ! Jamais nous n'aurons raison d'eux.

Roran lui jeta un regard enflammé :

— Bien sûr que si ! Nous nous battons pour protéger nos familles, pour reprendre nos terres et nos maisons. Ils se battent parce que Galbatorix les y oblige. Leur cœur n'y est pas. Pensez à vos familles, à vos foyers. Un homme qui se bat pour un idéal peut tuer à lui seul cent de ses ennemis sans peine !

Tandis qu'il parlait, il revit Katrina dans sa robe de mariée bleue, sentit le doux parfum de sa peau, entendit sa voix assourdie lorsque, tard dans la nuit, ils bavardaient ensemble.

Katrina.

Une seconde encore, et l'ennemi était sur eux. Il n'y eut plus que le fracas des épées contre son bouclier, le bruit de son marteau s'abattant sur les casques et les cris de ses victimes. Les adversaires fondaient sur lui avec l'énergie du désespoir sans parvenir à ouvrir une brèche dans le mur des Vardens. Ils n'étaient pas à la hauteur. Quand le dernier attaquant succomba sous ses coups, Roran éclata d'un grand rire euphorique. Quelle joie de neutraliser les forces malfaisantes qui menaçaient la vie de son épouse bien-aimée et de son enfant à naître !

Il était d'autant plus satisfait qu'aucun de ses guerriers n'avait de blessures sérieuses. Pendant l'affrontement, il avait aussi remarqué que plusieurs archers étaient descendus des toits pour les rejoindre, montés sur leurs chevaux.

— Bienvenue dans la mêlée ! leur lança-t-il en souriant.

— C'est ce qui s'appelle un accueil chaleureux ! répondit l'un d'eux.

De son marteau sanglant, Roran désigna trois de ses hommes :

— Toi, toi et toi, entassez les corps sur la droite de la rue. Faites-moi un entonnoir avec le chariot de manière à ne laisser passer que deux ou trois soldats à la fois.

— Bien, chef ! acquiescèrent les guerriers en sautant de leurs montures.

Un carreau vola vers Roran qui l'ignora pour se concentrer sur le gros des troupes adverses. Une centaine de tuniques rouges s'assemblaient en vue d'une nouvelle charge.

— Plus vite, ils arrivent ! cria-t-il à ceux qui construisaient un rempart de cadavres. Harald, file donner un coup de main !

Tendu, il s'humecta les lèvres, surveillant tour à tour le travail de ses hommes et les mouvements de l'ennemi. À son grand soulagement, les quatre Vardens mirent le dernier corps en place et enfourchèrent leurs montures quelques instants avant que déferle la vague d'assaut.

Canalisé par les murs qui bordaient la rue, le chariot retourné et la triste barricade humaine, le flot ralentit jusqu'à s'enliser en atteignant Roran. Entassés les uns sur les autres dans cet espace restreint, les soldats étaient impuissants à se protéger des flèches qui leur pleuvaient dessus depuis les toits.

Armés de lances, ceux des deux premiers rangs menaçaient les Vardens. Roran para trois attaques ; incapable d'atteindre les assaillants que les hampes maintenaient à saine distance de son marteau, il jurait à jet continu. Un soldat toucha Feu de Neige à l'épaule. L'étalon hennit et se cabra, déséquilibrant son cavalier.

Lorsque Feu de Neige retomba sur ses pattes, Roran se laissa glisser de sa selle, maintenant l'animal entre lui et la haie de piques ennemies. Le cheval rua tandis qu'une lance perçait sa chair. Avant que les soldats ne lui causent d'autres blessures, Roran le tira par la bride, l'obligea à reculer entre ses congénères, jusqu'à ce qu'il ait la place de se retourner.

— Hue ! cria-t-il alors en lui claquant la croupe.

Et Feu de Neige sortit du village au galop.

— Écartez-vous ! aboya-t-il encore en gesticulant.

Dès que ses guerriers lui eurent ouvert un chemin entre leurs montures, il regagna la ligne de front et passa son marteau inutile dans sa ceinture.

569

Une lance piquait vers sa poitrine. Au prix d'un bleu, il bloqua le coup de son poignet, agrippa la hampe et arracha l'arme des mains de son adversaire. L'homme s'étala de tout son long. Retournant la lance, Roran l'acheva et abattit deux autres soldats dans la foulée. Puis, fermement campé sur ses jambes écartées, enraciné dans le sol riche et propice aux récoltes, il brandit sa lance et s'exclama :

— Approchez, fils de chiennes ! Bâtards dégénérés ! Tuez-moi si vous le pouvez ! Je suis Roran Puissant Marteau et je ne crains personne !

Il y eut un mouvement vers l'avant. Trois soldats grimpèrent sur les corps de leurs camarades morts pour échanger des coups avec lui. Roran esquiva d'un saut de côté, planta sa lance dans la mâchoire de celui qui se trouvait le plus loin sur sa droite et lui brisa les dents. Il retira le fer sanglant de la blessure, mit un genou à terre et empala celui du milieu.

Un choc secoua son épaule gauche. Son bouclier parut doubler de poids. En se relevant, il vit une lance plantée dedans, et le dernier des trois soldats qui se précipitait vers lui, l'épée au poing. Roran leva sa propre lance comme un javelot puis, voyant l'adversaire hésiter, il lui asséna un coup de pied à l'entrejambe et l'expédia de vie à trépas. Pendant la pause qui suivit, il se débarrassa de son bouclier et le jeta avec la lance fichée dans le bois entre les pieds de ses ennemis pour qu'ils trébuchent.

D'autres tuniques rouges s'avancèrent, tremblant devant Roran, son sourire carnassier et sa lance meurtrière. Les cadavres s'amoncelaient devant lui. Lorsqu'ils lui arrivèrent à hauteur de la taille, il bondit au sommet du rempart de corps et y resta. L'avantage que lui procurait cette position dominante compensait ses difficultés d'équilibre. Il lui était aisé de tuer ses adversaires tandis qu'ils s'efforçaient de grimper le rejoindre, butant contre un bras, une jambe, s'enfonçant dans un trou ou glissant sur la surface lisse d'un pavois.

De son perchoir, il découvrit que le reste des ennemis s'étaient joints à la mêlée, à l'exception d'une vingtaine qui, à l'autre bout du village, ferraillaient toujours contre les Vardens d'Edric et de Sand. Il comprit alors qu'il n'aurait pas de repos avant que les combats prennent fin.

Au fil de la journée, il récolta une douzaine de blessures, sans gravité pour la plupart : quelques éraflures à l'avant-bras, un doigt cassé, une légère entaille au flanc là où un poignard avait déchiré sa cotte de mailles. Il y en avait aussi de plus sérieuses. Il était couché sur le tas de cadavres quand un coup de couteau au jarret le handicapa pour de bon. Peu après, un costaud dont l'haleine empestait l'oignon et le fromage s'effondra sur lui ; dans un dernier sursaut avant de mourir, il lui planta un trait d'arbalète dans l'épaule. Roran se garda bien de l'ôter pour ne pas perdre tout son sang. À présent, il ne pouvait plus lever le bras. La douleur était permanente ; le moindre mouvement devenait torture mais, s'il ne se démenait pas, c'en était fait de lui. Alors, il massacrait, ignorant fatigue et blessures.

Par instant, il était conscient de ses compagnons à ses côtés ou derrière lui – lorsqu'ils lançaient un javelot ou qu'une épée jaillissait sur son flanc pour embrocher l'ennemi prêt à lui fendre le crâne. Le reste du temps, il se battait en solitaire tant l'espace entre la pile de corps inertes, le chariot renversé et les murs des maisons était étroit. Sur les toits, les archers qui n'avaient pas encore épuisé leurs flèches maintenaient un tir nourri, et les traits empennés de plumes d'oie grises pénétraient les muscles et les os.

Tard dans la bataille, Roran frappa un soldat de sa lance ; alors que le fer cognait contre l'armure, la hampe se fendit en deux entre ses mains. Surpris d'être encore en vie, l'homme hésita avant de lever son épée. Ce moment de distraction lui fut fatal. Plongeant sous la lame, Roran récupéra une lance abandonnée et le tua. Hélas, l'arme de remplacement ne dura pas deux minutes avant de se briser. Écoeuré, il jeta les morceaux de bois à ses adversaires, prit un bouclier sur un cadavre et tira son marteau de sa ceinture. Au moins, c'était une arme sûre qui jamais encore ne l'avait trahi !

L'épuisement se révéla être son ennemi le plus redoutable quand les derniers rangs ennemis approchèrent. Les hommes faisaient la queue pour se mesurer à lui l'un après l'autre. Ses membres lui pesaient, sa vision se brouillait, il manquait d'air, et pourtant, il trouvait la force de vaincre le suivant. Ses réflexes étant ralentis, les soldats lui causèrent une foule d'entailles et de bleus qu'il aurait évité sans peine un peu plus tôt.

Lorsqu'il y eut enfin des pauses entre ces duels et de l'espace entre ses opposants, il comprit que l'épreuve touchait à sa fin. Il ne fit pas grâce pour autant aux douze qui restaient. Ils n'avaient aucune chance de franchir le barrage des Vardens derrière lui ; cependant, ils ne demandèrent pas merci, ne cherchèrent pas à s'enfuir. Jurant, grondant comme des bêtes féroces, ils lui fonçaient dessus, mus par le désir farouche de tuer celui qui avait abattu tant de leurs camarades avant de sombrer eux-mêmes dans l'oubli.

En un sens, Roran admirait leur courage.

Quatre d'entre eux s'effondrèrent soudain, criblés de flèches. Un javelot lancé par l'un des Vardens derrière lui se planta sous la clavicule d'un cinquième qui tomba sur un lit de cadavres. Deux autres javelots firent deux nouvelles victimes. Les derniers atteignirent Roran. Celui qui menait le groupe l'attaqua à la bardiche [1]. Malgré le trait d'arbalète qui le handicapait, Roran leva le bras gauche pour bloquer l'arme avec son bouclier. Hurlant de douleur et de rage, pressé d'en finir avec cette bataille, il fracassa la tête de son assaillant d'un coup de marteau. Sautillant sur sa jambe valide, il s'en prit au suivant et lui défonça la poitrine sans lui laisser le temps de se défendre. Le troisième para deux attaques, puis Roran feinta et le tua aussi. Les deux derniers convergèrent et tentèrent de l'atteindre aux chevilles tandis qu'ils se hissaient sur la montagne de corps. Ivre de fatigue, Roran faiblissait. Il lutta contre

---

1. La bardiche est une arme d'hast faite d'un fer de hache allongé en forme de croissant fixé sur une hampe.

eux pendant un temps qui lui parut sans fin, distribuant les blessures, en récoltant de nouvelles. Mais il triompha malgré tout, écrabouilla le heaume de l'un et brisa la nuque de l'autre d'un coup bien placé.

Puis il vacilla, et s'écroula.

Il sentit qu'on le soulevait, et rouvrit les yeux sur Harald qui pressait une gourde de vin contre ses lèvres :

– Bois, Puissant Marteau. Ça te remontera.

Haletant, Roran avala péniblement quelques gorgées de liquide. Le vin tiédi par le soleil brûlait sa bouche sèche. Quand ses jambes furent en mesure de le soutenir, il déclara :

– C'est bon. Vous pouvez me lâcher.

Puis, appuyé sur son marteau, il examina le champ de bataille. Il prit aussi la mesure de la montagne de corps qui barrait la rue : ses compagnons et lui étaient à vingt bons pieds au-dessus du sol, presque au niveau des toits. La plupart des soldats ennemis avaient succombé sous les flèches des archers, mais il en avait tué beaucoup à lui tout seul...

– Je... Combien ? demanda-t-il à Harald.

Le guerrier couvert de sang secoua la tête :

– Aucune idée. J'ai perdu le compte passé trente-deux. Peut-être qu'un autre le saura. Ce que tu as fait là, Puissant Marteau... Je n'ai jamais vu un humain ordinaire accomplir un exploit pareil. La dragonne Saphira a bien choisi ; les hommes de ta famille sont des combattants hors pair. Ta prouesse est inégalée parmi les mortels, Puissant Marteau. Quel que soit le nombre de tes victimes aujourd'hui, je...

– Cent quatre-vingt-treize, leur cria Carn qui montait les rejoindre.

– Tu es sûr ? s'enquit Roran, dubitatif.

Carn fit oui de la tête en arrivant en haut :

– Sûr et certain. J'ai regardé et tenu le compte avec soin. Cent quatre-vingt-treize. Quatre-vingt-quatorze si tu inclus le type que tu as touché au ventre avant que les archers l'achèvent.

Roran n'en revenait pas. C'était à peine croyable ! Un rire rauque s'échappa de sa gorge :

— Dommage qu'il n'y en ait plus. Encore sept et j'atteignais deux cents.

Ses compagnons rirent avec lui.

Des plis soucieux creusaient le visage maigre de Carn qui tendit la main vers le carreau planté dans l'épaule gauche de Roran :

— Approche que je m'occupe de tes blessures.

— Non ! se récria Roran en l'écartant. D'autres sont plus gravement atteints que moi. Soigne-les d'abord.

— Sois raisonnable ! Certaines de ces entailles sont profondes. Tu risques de saigner à mort si je n'arrête pas l'hémorragie. J'en ai pour deux...

— Ça va ! Fiche-moi la paix.

— Roran, je t'en prie ! Regarde dans quel état tu es !

Ayant constaté l'étendue des dégâts d'un coup d'œil, il finit par céder :

— D'accord, mais dépêche-toi.

Tandis que Carn arrachait le trait d'arbalète et murmurait des sorts en ancien langage, Roran fixait le ciel, la tête vide de pensée. Partout où la magie guérisseuse agissait, les infernales démangeaisons cédaient la place au soulagement. Lorsque Carn en eut terminé, il souffrait encore, mais ses douleurs étaient supportables, et il avait retrouvé sa lucidité.

À bout de souffle, le teint plombé, affaibli par la dépense d'énergie, le magicien s'appuya sur ses genoux. Quand les tremblements de ses jambes eurent cessé, il déclara :

— Et maintenant... je vais aller... porter secours au reste des blessés.

Il se redressa et descendit du mur de cadavres, titubant comme s'il avait bu.

Inquiet pour son ami, Roran le suivit des yeux, puis il s'intéressa au sort des Vardens qui n'étaient pas dans son groupe. Rien ne bougeait à l'autre extrémité du village. Partout, ce n'était que corps inertes, vêtus de tuniques rouges ou de drap de laine brune.

– Quelqu'un sait où sont Edric et Sand ? s'enquit-il.

– Désolé, Puissant Marteau, répondit Harald. Pendant la bataille, je ne voyais pas plus loin que la pointe de mon épée.

Levant la tête, Roran interpella alors les rares archers encore sur les toits :

– Ohé, là-haut ! Quelqu'un sait où sont Edric et Sand ?

– Aucune idée, chef ! vint la réponse.

Usant de son marteau pour se soutenir, Roran descendit prudemment du tas de cadavres. Avec Harald et trois autres guerriers, ils traversèrent le village, exécutant les soldats ennemis qu'ils trouvèrent encore en vie. Au bout de la place centrale, le nombre des Vardens abattus dépassait de beaucoup celui des tuniques rouges. Là, Harald frappa son bouclier de son épée et s'écria :

– S'il y a des survivants, qu'ils se montrent !

Quelques instants plus tard, une voix se fit entendre quelque part parmi les maisons :

– Qui va là ? Nommez-vous !

– Harald et Roran Puissant Marteau avec d'autres Vardens. Si vous servez l'Empire, autant vous rendre. Vos camarades sont morts et vous ne nous vaincrez pas !

L'air retentit soudain d'un fracas métallique puis, par groupes de deux ou trois, les guerriers vardens sortirent de leurs cachettes pour se traîner jusqu'à la place. Beaucoup soutenaient des compagnons blessés. Ils paraissaient sonnés. Certains étaient couverts de sang au point que Roran les prit d'abord pour des prisonniers ennemis. Il en dénombra vingt-quatre. Edric apparut avec les derniers retardataires. Il soutenait un malheureux qui avait perdu un bras au cours des combats.

Sur un signe de Roran, deux de ses hommes le déchargèrent de son fardeau. Le capitaine se redressa puis, d'une démarche délibérée, il se dirigea vers Roran et le regarda droit dans les yeux, les traits figés en une expression indéchiffrable. Immobiles tous deux, ils se dévisageaient. Le silence régnait à présent autour d'eux. On aurait entendu une mouche voler.

Enfin, Edric prit la parole :

— Combien de tes hommes s'en sont tirés ?

— La plupart. Pas tous, mais presque.

Edric hocha la tête :

— Et Carn ?

— Indemne... Où est Sand ?

— Un soldat l'a touché pendant la charge. Il est mort il y a quelques minutes.

Le regard d'Edric balaya la place et se posa sur la montagne de cadavres :

— Tu as défié mes ordres, Puissant Marteau.

— Oui.

Edric tendit vers lui sa paume ouverte.

— Capitaine, non ! s'exclama Harald en s'avançant. Sans lui, nous ne serions pas là. Il en a tué presque deux cents à lui tout seul !

Son intervention n'eut aucun effet sur Edric. Il resta impassible, la main tendue. Roran ne bougea pas davantage.

— Roran, reprit Harald, tu sais que les hommes sont avec toi. Tu n'as qu'un mot à dire, et nous...

Roran le foudroya des yeux :

— Ne raconte pas de bêtises.

— Au moins, tu n'es pas totalement dénué de bon sens, grommela Edric entre ses lèvres pincées. Quant à toi, Harald, si tu ne veux pas mener les bêtes de charge sur le trajet de retour, tient ta langue.

Soulevant son marteau, Roran le remit à Edric. Puis il détacha son ceinturon auquel s'accrochaient sa dague et son épée et le lui remit aussi.

— Je ne porte pas d'autres armes, déclara-t-il.

Le visage sévère, Edric jeta le ceinturon sur son épaule.

— Roran Puissant Marteau, je te destitue de tes fonctions. Me jures-tu sur l'honneur que tu ne tenteras pas de t'enfuir ?

– Tu as ma parole.

– Bien. Tu te rendras utile dans la mesure du possible. Pour le reste, tu te conduiras en prisonnier.

Edric s'interrompit, parcourut le groupe des yeux et désigna l'un des guerriers :

– Fuller, tu prendras la place de Roran jusqu'à notre retour au campement où Nasuada jugera de ce qu'il convient de faire à son sujet.

– Oui, mon capitaine.

*

Avec les autres rescapés, Roran passa plusieurs heures à rassembler les morts vardens et à les enterrer en bordure du village. Au cours de cette opération, il apprit que neuf de ses quatre-vingt-un guerriers étaient tombés au combat alors qu'Edric et Sand avaient perdu à eux deux près de cent cinquante hommes. Edric en aurait perdu davantage encore si une poignée des siens n'avait choisi de suivre Roran lorsqu'il était venu leur prêter main-forte.

La tâche terminée, les Vardens récupérèrent leurs flèches ; ils érigèrent un bûcher au centre du village, dépouillèrent les tuniques rouges de leur équipement, les hissèrent sur le tas de bois et y mirent le feu. Une colonne de fumée noire et grasse s'éleva haut dans le ciel, voilant le disque rouge du soleil.

Ils n'avaient pas trouvé trace de la jeune femme et du garçon que les soldats de l'Empire avaient capturés. Puisqu'ils n'étaient pas parmi les victimes, sans doute s'étaient-ils enfuis dès le début des combats. C'est ce qu'ils avaient de mieux à faire. Où qu'ils soient, Roran leur souhaita bonne chance.

Il eut l'agréable surprise de voir Feu de Neige entrer dans le village en trottinant quelques minutes avant le départ. D'abord nerveux, effarouché, l'étalon ne se laissait pas approcher. En lui parlant à voix basse, Roran réussit à le calmer suffisamment pour panser la plaie qu'il avait à l'épaule. Puis, comme il n'était pas en état d'être monté, il l'attacha en tête du train des bêtes de somme. L'étalon regimba ; les oreilles couchées sur le crâne, il remuait la queue et montrait les dents.

– Tiens-toi un peu, lui murmura Roran en lui flattant l'encolure.

Feu de Neige roula des yeux, ronfla, et ses oreilles se redressèrent. Soulagé de le voir plus détendu, Roran se hissa sur un hongre qui avait appartenu à un guerrier défunt et prit sa place à l'arrière de la file en ordre de marche. Il s'efforça d'ignorer les regards appuyés de ses compagnons. Sur son passage, plusieurs d'entre eux lui soufflèrent de discrets « Bien joué ! » qui lui réchauffèrent le cœur.

Tandis qu'il attendait le signal du départ, Roran pensa à Nasuada, à Katrina, à Eragon, il s'inquiéta de leurs réactions lorsqu'ils apprendraient sa mutinerie. Pendant quelques instants, ses noires ruminations l'accablèrent. Puis il se ressaisit, et l'angoisse le quitta. « J'ai agi pour le mieux. Ce que j'ai fait était juste et nécessaire. Quoi qu'il arrive, je n'ai pas de regrets. »

– En route ! aboya Edric en tête de file.

Le groupe s'ébranla, Roran mit sa monture au pas, et ils partirent vers l'ouest, laissant derrière eux le village et le bûcher sur lequel leurs ennemis vaincus se consumaient.

37
MESSAGE DANS UN MIROIR

Le soleil matinal brillait de tous ses feux, enveloppant Saphira d'une agréable chaleur.

Elle se prélassait sur une plate-forme rocheuse, quelques pieds au-dessus de la coque-de-tissu-tente vide d'Eragon. Comme chaque nuit depuis que Nasuada avait envoyé Eragon à la grande-montagne-creuse-de-Farthen-Dûr, elle avait effectué des vols de reconnaissance en divers lieux de l'Empire, dont elle était rentrée somnolente. Ces expéditions – nécessaires pour cacher l'absence d'Eragon – lui pesaient. Le noir ne l'effrayait pas, bien sûr, mais elle était diurne de nature, et elle avait horreur de la routine. De plus, les Vardens se déplaçaient si lentement qu'elle survolait toujours les mêmes paysages. Le seul moment excitant remontait à la veille, quand elle avait surpris Thorn-faible-d'esprit-aux-écailles-rouges à l'horizon, vers le nord-est. Il n'avait pas cherché à l'affronter ; il avait poursuivi son chemin vers le cœur de l'Empire sans même se retourner. Quand Saphira avait rapporté la nouvelle, Nasuada, Arya et les elfes-garde-dragonne avaient réagi comme une troupe de geais affolés, piaillant et jacassant à qui mieux mieux, s'agitant en tous sens. Ils avaient même insisté pour que Lupusänghren-au-pelage-de-loup-bleu-noir la monte sous les traits d'Eragon pendant ses sorties. Naturellement, elle s'y était opposée. Permettre que l'elfe installe sur son dos une ombre-fantôme-inconsistante de son Dragonnier dès qu'elle prenait les airs ou atterrissait parmi les Vardens ne portait pas à conséquence. De là à se laisser chevaucher par un autre qu'Eragon, il y avait un monde. Elle ne s'y résoudrait qu'en cas de bataille imminente, et encore.

Saphira bâilla, étira sa patte avant droite, en écarta les doigts griffus, puis elle se détendit, enroula sa queue autour d'elle, adopta une position confortable, la tête pleine d'images alléchantes de cerfs dodus et autres proies.

Peu après, elle entendit un bruit de course – un humain pressé rejoignait la tente-chrysalide-papillon-rouge-aux-ailes-repliées de Nasuada. Saphira ne prêtait guère attention à ces constantes allées et venues de messagers.

Elle était sur le point de s'endormir quand un second coureur fila dans la même direction, bientôt suivi de deux autres. Les paupières closes, elle sortit le bout de la langue pour goûter l'air, ne détecta aucune odeur inhabituelle. Décidant qu'il n'y avait pas lieu de se déranger, elle s'abandonna à ses rêves de pêche et de baignade dans un frais lac vert.

Des cris furieux tirèrent la dragonne de son sommeil.

Sans remuer d'une écaille, elle tendit l'oreille pour écouter des deux-jambes en grand nombre qui se disputaient entre eux. Trop éloignée pour saisir leurs paroles, elle comprit cependant au ton de leurs voix qu'ils étaient dans une rage meurtrière. Des querelles éclataient parfois chez les Vardens, comme au sein de n'importe quel troupeau, mais elle n'avait encore jamais entendu autant de deux-jambes mener si grand tapage avec autant de passion.

Leurs cris de plus en plus perçants lui vrillaient le crâne. Ses griffes se crispèrent sur la roche ; de fines lamelles de quartz se détachèrent avec des craquements secs.

« Je vais compter jusqu'à trente-trois, se dit-elle. Et s'ils ne se sont pas arrêtés, j'espère pour eux que la cause de leur colère valait la peine de troubler le repos d'une fille-du-vent ! »

Quand Saphira atteignit vingt-sept, les deux-jambes se turent soudain. « Ce n'est pas trop tôt ! » Changeant de position pour être plus à l'aise, elle s'apprêta à se rendormir. Elle avait besoin de sommeil.

Il y eut alors des cliquetis métalliques, des froissements de fibres-tissus-cuirs. Les coups de couvre-pattes-de-peau martelaient le sol, et l'odeur reconnaissable entre toutes de la guerrière-à peau-sombre-Nasuada monta jusqu'aux narines de la dragonne. « Qu'est-ce qu'il y a encore ? » Exaspérée, elle songea à rugir jusqu'à ce qu'effrayés, ils s'enfuient en courant et lui fichent la paix.

Soulevant une paupière, elle aperçut Nasuada et ses six gardes qui s'avançaient vers elle. Parvenue à l'extrémité basse de la plate-forme, Nasuada ordonna à son escorte de rester en arrière, près de Lupusänghren et de ses elfes qui s'entraînaient sur une zone herbeuse, et elle entreprit seule l'ascension.

– Je te salue, Saphira, lança-t-elle.

Sa robe rouge semblait trop vive contre le vert des pommiers. Le reflet des écailles de Saphira mouchetait son visage de taches bleutées.

Trop lasse pour s'exprimer par des mots, la dragonne répondit d'un unique clin d'œil.

Après avoir jeté un regard alentour, Nasuada s'approcha de sa tête et murmura :

– Saphira, il faut que je te parle en privé. Tu peux lire dans mon esprit, mais je ne peux pénétrer le tien. Cela t'ennuie de rester en moi ? Ainsi, il me suffira de penser pour que tu entendes ce que j'ai à te dire ?

Agacée qu'on l'empêche de dormir, Saphira se projeta vers la conscience-dure-tendue-épuisée de la jeune femme sans dissimuler sa mauvaise humeur, puis elle déclara :

« Je peux entrer en toi quand je veux. Mais je me garderais bien de t'envahir sans y être invitée. »

« Bien sûr. Je comprends. »

Saphira ne reçut d'abord d'elle que des images et des émotions sans suite : un gibet en attente d'une pendaison, du sang répandu sur le sol, des visages grimaçants, la peur, la fatigue et, sous le chaos, une détermination indéfectible. « Je te prie de m'excuser, la matinée a été éprouvante. Montre-toi tolérante si mes pensées s'égarent. »

Saphira acquiesça d'un nouveau clignement de paupière :

« Que se passe-t-il ? Pourquoi les Vardens sont-ils si agités ? Des hommes ronchons m'ont tiré de mon sommeil avec leurs chamailleries, et, avant cela, j'ai entendu un nombre inhabituel de messagers qui traversaient le camp à toute allure. »

Nasuada se détourna ; lèvres pincées, elle croisa avec précaution ses bras bandés sur sa poitrine. Plus sombre que des nuages à minuit, la couleur de son mental vira au noir teinté de violence et de mort. Après une pause prolongée – ce qui ne lui ressemblait guère – elle reprit :

« L'un des Vardens, un dénommé Othmund, s'est infiltré dans le camp des Urgals la nuit dernière et en a tué trois pendant qu'ils dormaient autour du feu. Sur le moment, les Urgals ne se sont aperçus de rien ; et ce matin, le coupable a revendiqué ses meurtres et s'en est vanté devant tous nos guerriers. »

« Pourquoi les a-t-il tués ? Parce que des Urgals avaient massacré sa famille ? »

Nasuada nia de la tête :

« J'aurais préféré que ce soit le cas. Les Urgals comprennent la vengeance, ils ne seraient pas dans une telle colère. Le plus bizarre, c'est qu'ils ne lui ont rien fait. Ni à lui ni aux siens. Il leur voue une haine absolue pour la simple raison que ce sont des Urgals. Du moins à ce que j'ai déduit de notre conversation. »

« Tu comptes le punir ? »

Levant vers Saphira un regard lourd de tristesse, elle déclara :

« Il sera pendu pour ses crimes. Quand j'ai admis les Urgals dans nos rangs, j'ai décrété que quiconque s'attaquait à l'un d'eux subirait le même châtiment que s'il avait attaqué un humain. Je ne peux pas revenir maintenant sur cette décision. »

« Tu regrettes de l'avoir prise ? »

« Non. De tels actes sont inadmissibles, il fallait que mes hommes le sachent. Sans cela, ils risquaient de se ruer sur les Urgals sitôt l'alliance conclue avec Nar Garzhvog. À présent, je dois leur montrer que je tiens mes engagements. Si je ne sévis pas, il y aura d'autres meurtres ; les Urgals se feront justice eux-mêmes, et, une fois de plus, nos deux races seront à couteaux tirés. Il est normal qu'Othmund meure pour ses méfaits et pour avoir enfreint mes ordres. Le problème, Saphira, c'est que cela ne plaira pas aux Vardens. J'ai payé de mon sang pour m'assurer de leur loyauté, et ils vont m'en vouloir d'avoir pendu Othmund... Ils m'en voudront de mettre la vie des Urgals sur le même plan que la leur. »

Elle baissa les bras et tira sur ses manches :

« À vrai dire, cela ne m'enchante pas plus qu'eux. Malgré mes efforts pour traiter les Urgals en égaux comme mon père l'aurait fait, je ne peux pas m'empêcher de penser qu'ils l'ont tué, de revoir cette horde d'êtres cornus massacrant les Vardens à la bataille de Farthen Dûr, de me souvenir des récits qui ont marqué mon enfance – des histoires d'Urgals descendant des montagnes pour étriper des innocents dans leur lit. Depuis toujours, les Urgals ont été des monstres que nous redoutions, et voilà que j'ai lié notre sort au leur. Je ne peux pas m'empêcher de penser à tout ça, et je me demande si je n'ai pas commis une erreur. »

« Tu ne peux pas t'empêcher d'être humaine, dit Saphira pour la réconforter. Cependant, rien ne t'oblige à rester prisonnière des croyances de ceux qui t'entourent. Si tu le veux, tu peux transcender les limites de ton espèce. Les événements passés nous apprennent que les rois, les reines et autres dirigeants qui ont œuvré pour le rapprochement des races sont ceux qui ont contribué au bien de l'Alagaësia. C'est de la colère et des dissensions dont il faut se garder, pas des alliances avec d'anciens ennemis. N'oublie pas ta méfiance envers les Urgals, ils l'ont bien méritée, mais souviens-toi aussi qu'autrefois les nains et les dragons ne s'aimaient pas davantage que les hommes et les Urgals. Il fut un temps ou les dragons combattaient les elfes et les auraient anéantis s'ils l'avaient pu. S'il en est autrement aujourd'hui, c'est grâce à des gens comme toi, des gens qui ont eu le courage de mettre de côté leurs anciennes haines pour tisser à la place des liens d'amitié. »

Nasuada pressa sa joue contre celle de Saphira :

« Tu es une dragonne très sage. »

Amusée, Saphira avança la tête et lui effleura le front du bout de son nez :

« Je ne dis que la vérité telle que je la perçois. En supposant que ce soit de la sagesse, je suis ravie de t'en faire profiter ; tu me sembles néanmoins posséder toute la sagesse dont tu as besoin. L'exécution d'Othmund déplaira aux Vardens, c'est certain, mais il en faudrait davantage pour entamer l'attachement qu'ils te portent. Et puis, je suis sûre que tu trouveras moyen de les amadouer. »

« Oui, dit Nasuada en s'essuyant les yeux de l'index. Je crains de ne pas avoir le choix. »

Elle sourit alors et son visage en fut métamorphosé :

« Tu sais, ce n'est pas à cause d'Othmund que je venais te voir. Eragon m'a contacté ; il demande que tu ailles le rejoindre à Farthen Dûr. Les nains... »

Arquant le cou, Saphira rugit et lança le feu de son ventre vers le ciel en une gerbe de flammes scintillantes. Nasuada s'écarta tandis qu'autour d'elles tous les yeux se braquaient sur la dragonne. Celle-ci se releva et s'ébroua de la tête à la queue ; oubliant sa fatigue, elle déploya ses ailes, prête à l'envol.

Les Faucons de la Nuit se précipitèrent vers Nasuada, qui les renvoya d'un geste. Une bouffée de fumée l'enveloppa. Pressant sa manche contre son nez, elle se mit à tousser :

« Tu fais preuve d'un louable enthousiasme, Saphira, mais... »

« Eragon est souffrant ? Blessé ? »

« Il est en parfaite santé. Il y a cependant eu un... un incident... hier. »

« Quel genre d'incident ? »

« Ses gardes et lui ont été attaqués. »

Immobile, Saphira était toute attention tandis que Nasuada évoquait pour elle les souvenirs de sa conversation avec Eragon. Puis elle montra les crocs :

« L'Az Sweldn rak Anhûin ne connaît pas sa chance. Une

tentative d'assassinat ! Si j'avais été avec lui, ils n'en auraient pas réchappé si facilement. »

Nasuada esquissa un sourire :

« Voilà pourquoi il valait sans doute mieux que tu n'y sois pas... »

« Peut-être », reconnut la dragonne.

Une bouffée de fumée lui sortit des naseaux, elle remua la queue : « Remarque, cela ne me surprend pas. C'est toujours la même chose ; à chaque fois que nous nous séparons, il faut que quelqu'un s'en prenne à Eragon. J'en ai des démangeaisons dès que je le laisse seul plus de quelques heures. »

« Il est parfaitement capable de se défendre. »

« Certes. Mais nos ennemis ne manquent pas de talents non plus. » Impatiente, elle changea de position, leva plus haut ses ailes :

« Nasuada, j'ai hâte de partir. Tu as autre chose à m'apprendre ? »

« Non. Vole vite, Saphira, vole droit. Et surtout, ne t'attarde   585
pas à Farthen Dûr. Après ton départ, nous n'aurons que quelques jours de grâce avant que l'Empire s'aperçoive que je ne vous ai pas envoyés, Eragon et toi, en simple mission de reconnaissance. Galbatorix peut ou non décider de frapper en votre absence ; plus elle sera longue, plus les risques seront grands. De plus, je préférerais que vous soyez là tous les deux pour le siège de Feinster. Nous pourrions prendre la ville sans vous, mais cela nous coûterait bien des vies. En bref, le destin de tous les Vardens dépend de votre célérité. »

« Nous serons aussi rapides que les vents de tempête », l'assura Saphira.

Nasuada prit alors congé d'elle et quitta la plate-forme. Sans perdre un instant, Lupusänghren et ses elfes se précipitèrent vers la dragonne pour lui mettre l'inconfortable-plaque-de-cuir-selle-siège-d'Eragon sur le dos et en remplir les sacoches de nourriture et d'équipement, comme lorsqu'elle partait en voyage avec lui. Elle n'aurait pas besoin de tout ça, ne pouvait pas même atteindre ces réserves. Il lui fallait cependant les transporter pour préserver les apparences. Lorsqu'elle fut prête, Lupusänghren retourna la main contre sa poitrine à la manière des elfes en signe de respect et lui dit en ancien langage :

« Adieu, Saphira Écailles Brillantes. Puissiez-vous nous revenir indemne, Eragon et toi. »

« Adieu, Lupusänghren. »

Elle attendit que l'elfe-au-pelage-de-loup-bleu-noir crée l'ombre-fantôme-inconsistante-d'Eragon, que l'apparition sorte de la tente et s'installe sur elle. La silhouette immatérielle grimpa le long de sa patte et sur son épaule sans qu'elle sente rien. Quand Lupusänghren lui fit signe que le non-Eragon était en place, elle souleva les ailes jusqu'à ce qu'elles se rejoignent et s'élança du bout de la plate-forme rocheuse.

Pour stopper sa descente vers les tentes grises et s'éloigner du sol-dur-à-se-rompre-les-os, elle abaissa ses ailes, s'orienta dans la direction de Farthen Dûr et entama son ascension pour gagner les hauteurs froides à l'air raréfié, à la recherche d'un vent favorable qui lui faciliterait la tâche.

Elle survola la rive boisée de la rivière où les Vardens avaient choisi de camper ce jour-là et frétilla de joie. Fini la longue attente pendant qu'Eragon vivait des aventures sans elle ! Fini les fastidieux vols nocturnes au-dessus des mêmes paysages ! Fini l'impunité pour ceux qui cherchaient à nuire au compagnon-de-son-âme-et-de-son-cœur, car sa colère de dragonne s'abattrait sur eux ! Ouvrant grand la gueule, elle rugit de satisfaction et d'assurance, défiant les dieux s'il y en avait de s'en prendre à elle, la fille d'Iormûngr et de Vervada, deux des plus célèbres dragons de leur temps.

À neuf cents toises au-dessus du campement varden soufflait un fort vent de sud-ouest. Saphira se plongea dans le courant d'air mouvant et se laissa porter. En bas, la terre inondée de soleil défilait à vive allure tandis qu'elle projetait ses pensées devant elle :

« J'arrive, petit homme ! »

38

QUATRE BATTEMENTS
DE TAMBOUR

Hadfala, la naine aux cheveux blancs, chef du Dûrgrimst Ebardac se leva de son siège à la table du conseil et prononça une courte phrase dans sa langue natale. Penché en avant, le corps tendu, Eragon retenait son souffle.

Hûndfast lui murmura la traduction à l'oreille :

– Au nom de mon clan, je vote pour que Grimstborith Orik soit notre nouveau roi.

Soulagé, le jeune Dragonnier respira plus librement. Une voix. Pour être élu roi des nains, un chef de clan devait remporter la majorité des suffrages. Si aucun des candidats n'y parvenait, la loi prévoyait d'éliminer celui qui avait obtenu le moins de voix et d'ajourner le conseil pour procéder à un nouveau vote trois jours plus tard. Et ainsi de suite, jusqu'à ce qu'un chef de clan recueille la majorité nécessaire. Alors, les autres membres du conseil lui juraient fidélité. Le temps pressait pour les Vardens ; Eragon espérait de tout cœur qu'un seul vote suffirait, ou, dans le cas contraire, que les nains n'attendraient pas trois jours entre les tours et se contenteraient de suspendre la séance quelques heures. Si l'élection devait s'éterniser, il finirait par briser la grande table de pierre dans son exaspération.

Que la première à s'exprimer ait choisi Orik augurait favorablement de la suite. Eragon le savait : jusqu'à l'attentat contre lui, Hadfala soutenait la candidature de Gannel, chef du Dûrgrimst Quan ; son revirement laissait imaginer que le Grimstborith Ûndin, l'autre supporter de Gannel, se prononcerait lui aussi pour Orik.

Gáldhiem du Dûrgrimst Feldûnost se leva ensuite, ce qui ne s'imposait pas – de petite taille, même pour un nain, il était plus haut assis sur son siège que debout.

– Au nom de mon clan, annonça-t-il, je vote pour que Grimstborith Nado soit notre nouveau roi.

Se tournant vers Eragon, Orik lui dit tout bas :

– Pas de surprise, il fallait s'y attendre.

Le jeune Dragonnier acquiesça, puis jeta un coup d'œil sur Nado. Le nain au visage rond caressait le bout de sa barbe jaune avec satisfaction.

Ce fut ensuite au tour de Manndrâth du Dûrgrimst Ledwonnû :

– Au nom de mon clan, je vote pour que Grimstborith Orik soit notre nouveau roi.

Orik le remercia d'un signe de tête, auquel le chef répondit de même, ce qui fit remuer son long nez flasque. Tandis qu'il se rasseyait, tous les regards se portèrent sur Gannel. Dans la salle du conseil, le silence était tel qu'Eragon entendait la respiration des nains. En tant que chef du Quan, le clan religieux, et grand-prêtre de Gûntera, le roi des dieux nains, Gannel exerçait une grande influence sur l'ensemble du peuple. Son choix pouvait décider de l'attribution de la couronne.

– Au nom de mon clan, dit-il, je vote pour que Grimstborith Nado soit notre nouveau roi.

Des exclamations étouffées coururent à travers l'assistance. Le visage de Nado rayonnait. Crispant ses doigts entrelacés, Eragon jura pour lui-même.

– Rien n'est encore perdu, mon garçon, lui marmonna Orik. Il est déjà arrivé que le vote du Quan ne soit pas suivi.

– Oui, mais combien de fois ?

– Quelques-unes.

– À quand remonte la dernière ?

– Il y a huit cent vingt-quatre ans, quand la Reine...

Il se retourna et se tut au moment où Ûndin du Dûrgrimst Ragni Hefthyn se levait.

— Au nom de mon clan, proclama-t-il, je vote pour que Grimstborith Nado soit notre nouveau roi.

Orik croisa les bras. Même de profil, il avait l'air renfrogné. Eragon se mordit l'intérieur des joues et, les yeux rivés sur les motifs du sol, il recompta les suffrages exprimés, s'efforça d'évaluer les chances de son ami. En mettant les choses au mieux, les résultats seraient serrés. Ses doigts se crispèrent davantage, à tel point que ses ongles mordaient dans sa chair.

Thordis du Dûrgrimst Nagra se leva à son tour et drapa sa longue tresse sur son bras.

— Au nom de mon clan, dit-il, je vote pour que Grimstborith Orik soit notre nouveau roi.

— Trois partout, souffla Eragon.

Orik hocha la tête.

Le temps était venu pour Nado de se prononcer. Lissant sa barbe du plat de la main, le chef du Dûrgrimst Knurlcarathn sourit à l'assemblée, une lueur carnassière dans le regard.

— Au nom de mon clan, dit-il, je vote pour moi-même en tant que nouveau roi. Si je suis élu, je vous promets de débarrasser le pays des étrangers qui l'ont corrompu ; je promets d'employer notre or et nos guerriers à protéger notre peuple, non pas à sauver la peau des elfes, des humains et des *Urgals*. Je vous le jure sur l'honneur de ma famille.

— Quatre à trois, observa Eragon.

— Oui, commenta Orik. Je n'espérais guère que Nado vote pour un autre que lui, c'était trop demander.

Après avoir posé son morceau de bois et son ciseau, Freowin du Dûrgrimst Gedthrall hissa sa lourde masse hors de son siège et, les yeux baissés, il marmonna de sa voix de baryton :

— Au nom de mon clan, dit-il, je vote pour que Grimstborith Nado soit notre nouveau roi.

Puis il se rassit et se remit aussitôt à sculpter son corbeau, sans prêter attention au frisson d'étonnement qui passait sur la salle.

La satisfaction de Nado se mua en suffisance.

– Barzûl, gronda Orik, plus renfrogné que jamais.

Son fauteuil grinça. Ses mains raides dont les tendons saillaient agrippaient les deux accoudoirs :

– Quel fourbe ! Quel rat ! Il s'était engagé à me donner sa voix !

Le ventre d'Eragon se noua :

– Pourquoi t'a-t-il trahi ?

– Il se rend au temple de Sindri deux fois par jour. J'aurais dû deviner qu'il n'irait pas contre les vœux de Gannel. Bah ! Ce Gannel me mène en bateau depuis le début.

L'attention du conseil se reporta sur Orik, qui masqua sa colère et se leva. Après avoir regardé un à un les chefs de clans assemblés autour de la table, il s'exprima dans sa langue :

– Au nom de mon clan, dit-il, je vote pour moi-même en tant que nouveau roi. Si je suis élu, je vous promets d'apporter à notre peuple l'or, la gloire et la liberté de vivre en surface sans craindre que Galbatorix détruise nos foyers. Je vous le jure sur l'honneur de ma famille.

– Cinq à quatre, observa Eragon lorsque son ami eut repris sa place. Et pas en notre faveur.

– Merci, je sais compter, grommela Orik.

Coudes sur les genoux, le jeune Dragonnier examinait les divers chefs de clan. Il brûlait du désir d'agir, mais que faire ? Avec de tels enjeux dans la balance, il se sentait le devoir d'assurer l'élection d'Orik ; avec lui pour roi, les nains continueraient d'aider les Vardens dans leur lutte contre l'Empire. Hélas ! il avait beau réfléchir, aucune idée ne lui venait, il était condamné à attendre.

Havard du Dûrgrimst Fanghur se leva ensuite. Le menton contre la poitrine, il fronça les lèvres et tapota la table des deux doigts qui restaient à sa main droite. Il paraissait pensif. Eragon s'avança jusqu'au bord de sa chaise. Son cœur s'accéléra tandis qu'il s'interrogeait : « Tiendra-t-il sa parole envers Orik ? »

Le nain tapota la table une fois de plus, puis il claqua la pierre du plat de la main et, relevant le menton, il annonça :

– Au nom de mon clan, je vote pour que Grimstborith Orik soit notre nouveau roi.

Eragon se réjouit de voir Nado écarquiller les yeux et serrer les dents.

– Ha ! murmura Orik. Voilà qui pique un chardon dans sa barbe.

Deux des chefs ne s'étaient pas encore prononcés. Hreidamar, le Grimstborith trapu et musclé du Dûrgrimst Urzhad semblait embarrassé, contrairement à Íorûnn du Dûrgrimst Vrenshrrgn – les Loups de la Guerre –, qui lissait du bout des doigts la cicatrice en forme de croissant sur sa joue droite avec un sourire de chatte.

Curieux de savoir ce que ces deux-là auraient à dire, Eragon osait à peine respirer. « Si Íorûnn vote pour elle-même, et si Hreidamar lui est resté loyal, il faudra procéder à un second tour. Autant que je puisse en juger, elle n'y gagnerait rien, elle n'a donc aucune raison de le faire. À ce stade, elle ne peut plus espérer devenir reine puisqu'elle serait éliminée, et je la crois assez fine pour ne pas gâcher la voix dont elle dispose dans le seul but de raconter à ses petits-enfants que, un jour, elle a été candidate au trône. Cela étant, si Hreidamar lui reste fidèle et vote pour elle malgré tout, la majorité ne sera pas atteinte, et il faudra recommencer... Peste ! Si seulement j'avais le don de lire l'avenir ! Supposons qu'Orik soit battu, devrais-je prendre le contrôle du conseil ? Je pourrais fermer la salle afin que personne n'entre ni ne sorte, et ensuite... Non. Ce serait... »

591

Eragon interrompit ses réflexions quand Íorûnn fit un signe de tête à Hreidamar, puis posa ses yeux aux paupières lourdes sur le jeune Dragonnier. Celui-ci eut la déplaisante impression qu'elle le détaillait comme on évalue un bœuf de concours. Dans le cliquetis des mailles de son haubert, Hreidamar se dressa de toute sa taille et déclara :

– Au nom de mon clan, je vote pour que Grimstborith Orik soit notre nouveau roi.

Eragon sentit sa gorge se serrer.

Les lèvres rouges de Íorûnn se retroussèrent en un sourire amusé. Gracieuse, elle se leva pour s'adresser à eux de sa voix grave légèrement voilée :

– Il semblerait qu'aujourd'hui, le poids de la décision repose sur mes épaules. J'ai écouté tes arguments avec attention, Nado ; les tiens aussi, Orik. Vous vous êtes exprimés sur une grande diversité de sujets, vous avez tous deux émis des opinions avec lesquelles je suis en accord. Il est cependant une question primordiale : nous engagerons-nous, oui ou non, aux côtés des Vardens dans leur campagne contre l'Empire ? S'il s'agissait d'une simple guerre entre des clans rivaux, peu m'importerait que la victoire aille à l'un ou à l'autre, et je n'envisagerais pas une seconde de sacrifier des guerriers pour des étrangers. Tel n'est pas le cas, loin de là. Si Galbatorix venait à triompher, les Montagnes des Beors elles-mêmes ne nous protégeraient pas de sa colère. Pour la survie de notre royaume, nous devons veiller à ce que le tyran soit renversé. De plus, il me paraît indigne qu'une race aussi ancienne et puissante que la nôtre se terre dans ses galeries et ses cavernes pendant que des tiers décident du sort de l'Alagaësia. Lira-t-on plus tard dans les chroniques de ce siècle que nous avons combattu auprès des elfes et des humains comme les héros d'antan, ou que nous tremblions au fond de nos demeures tels des paysans apeurés pendant que la bataille faisait rage à nos portes ? Pour moi, en tout cas, le choix est clair.

Elle rejeta ses cheveux en arrière et conclut :

– Au nom de mon clan, je vote pour que Grimstborith Orik soit notre nouveau roi !

Le plus âgé des cinq juristes qui se tenaient au fond de la salle s'avança et frappa la pierre du sol de son bâton poli avant de proclamer :

– Honneur au roi Orik, quarante-troisième souverain de Tronjheim, Farthen Dûr, et de tous les knurlan qui vivent sur les pentes des Beors ou sous les montagnes !

Dans des froissements d'étoffe et des cliquetis d'armure, tous se levèrent et clamèrent :

– Honneur au roi Orik !

Eragon fit de même, étourdi à l'idée d'être en compagnie d'un monarque. Il jeta un coup d'œil sur Nado dont le visage n'était qu'un masque indéchiffrable.

Le juriste à barbe blanche frappa de nouveau le sol de son bâton :

– Que les scribes enregistrent la décision du conseil, et qu'on répande la nouvelle à travers tout le royaume. Hérauts ! Informez-en les mages par le biais des miroirs, trouvez les gardiens de la montagne et dites-leur : « Quatre battements de tambour. Quatre battements, et frappez plus fort que jamais, car nous avons un nouveau roi. Quatre battements si puissants que tout Farthen Dûr retentira de leur écho. » Allez et faites diligence !

Après le départ des hérauts, Orik s'extirpa de son fauteuil et regarda les nains qui l'entouraient. Il paraissait désorienté, comme s'il était surpris d'avoir obtenu la couronne.

– C'est une grande responsabilité que vous m'avez confiée, et je vous en remercie.

Il marqua une pause et reprit :

– Mon seul souci est l'intérêt de notre nation, et j'y veillerai sans défaillance jusqu'au jour où je retournerai à la pierre.

L'un après l'autre, les chefs de clans vinrent s'agenouiller devant Orik pour lui jurer fidélité en tant que loyaux sujets. Quand ce fut au tour de Nado, il récita les serments de manière mécanique, sans la moindre inflexion, sans trace d'émotion ; les mots tombaient de sa bouche comme des barres de plomb. Lorsqu'il se tut, le soulagement de l'assistance était palpable.

Le rituel des serments terminé, Orik décréta que son couronnement aurait lieu le lendemain matin, puis il se retira avec sa suite dans une pièce adjacente. Là, il se tourna vers Eragon, et tous deux se dévisagèrent en silence, jusqu'à ce qu'un large sourire éclaire les traits du nain, qui éclata de rire. Il rit de si bon cœur qu'il en devint tout rouge. Riant avec lui, Eragon le tira par le bras pour le serrer contre sa poitrine. Les gardes et les conseillers d'Orik firent cercle autour d'eux et félicitèrent leur chef à grand renfort de bourrades et d'exclamations enthousiastes.

Relâchant son ami, Eragon déclara :

– Je ne pensais pas qu'Íorûnn prendrait notre parti.

– Mouais. Je suis content qu'elle l'ait fait, mais ça ne simplifie pas les choses, répondit Orik avec une grimace. Je vais être obligé de la récompenser et de lui offrir au moins une place à mon conseil en remerciement de son soutien.

Eragon dut hausser le ton pour se faire entendre par-dessus le brouhaha :

– Tu auras peut-être lieu de t'en féliciter. Si les Vrenshrrgn sont à la hauteur de leur nom, nous aurons bien besoin d'eux avant d'atteindre les portes d'Urû'baen.

Orik ouvrait la bouche pour répondre quand une longue note grave, d'une puissance peu commune, résonna dans l'air. Les murs, le sol, le plafond en vibraient – ainsi que les os d'Eragon.

– Silence ! cria Orik.

Les conversations cessèrent.

Par quatre fois la note grave retentit et fit trembler la pièce comme si un poing géant cognait contre Tronjheim. Quand les dernières résonances se furent dissipées, Orik déclara :

– Jamais je n'aurais imaginé que les Tambours de Derva annonceraient un jour mon accession au trône.

– Ils sont grands, ces tambours ? s'enquit Eragon, impressionné.

– Près de cinquante pieds de diamètre, si ma mémoire est bonne.

Le jeune Dragonnier fut alors frappé par un détail curieux : de taille réduite comparés aux autres peuples, les nains avaient bâti les structures les plus imposantes d'Alagaësia. « Peut-être qu'en construisant grand, ils se sentent moins petits. » Sur le point d'exposer sa théorie à son ami, il se ravisa de justesse par crainte de l'offenser.

La suite d'Orik avait resserré les rangs autour de lui, ses aides de camp piaffaient, pressés de le consulter et l'assaillaient, parlant tous à la fois en langue naine, si fort qu'on ne s'entendait plus. Eragon, qui avait encore une question à lui poser, se trouva relégué dans un coin. Patient, il attendit une pause dans la conversation – en vain. Les minutes passèrent, il était évident que les nains continueraient de l'interroger et de lui prodiguer leurs conseils – si c'était bien là ce qu'ils faisaient comme le supposait le jeune Dragonnier.

N'y tenant plus, il dit en ancien langage : « Orik Könungr », chargeant le mot pour « roi » d'énergie de manière à ce qu'il retienne l'attention des personnes présentes. Le silence se fit aussitôt. Orik le regarda en haussant un sourcil.

– Majesté, puis-je avoir l'autorisation de me retirer ? Un... *devoir* urgent me réclame, s'il n'est pas déjà trop tard.

Les yeux bruns d'Orik s'éclairèrent, il avait compris à demi-mot :

– Bien sûr, vas y vite ! Et je te dispense des *Majestés*, *Sires* et autres titres. Ne sommes-nous pas amis, et frères par adoption ?

– Nous le sommes, Majesté, répondit Eragon. Mais il me semble approprié d'user envers toi de la même courtoisie que les autres. Tu es roi de notre peuple, et mon roi, puisque je suis membre du Dûrgrimst Ingeitum ; j'aurais tort de l'ignorer.

Orik l'examina quelques instants non sans une certaine distance, puis il hocha la tête :

– Comme tu voudras, Tueur d'Ombre.

Eragon s'inclina et quitta la salle. Accompagné de ses quatre gardes, il s'élança à travers les tunnels et gravit en hâte l'escalier qui menait au niveau du sol. Lorsqu'ils arrivèrent à la branche sud des principales galeries qui divisaient la cité-montagne, le jeune homme s'adressa à Thrand, le capitaine de ses gardes :

– J'ai l'intention de courir le reste du trajet. Comme vous ne parviendrez pas à me suivre, je suggère que vous vous arrêtiez à la grille sud de Tronjheim et que vous y restiez jusqu'à mon retour.

– Argetlam, je vous en prie, n'y allez pas seul. Il serait préférable que nous vous escortions. Comment vous en convaincre ?

Si nous ne sommes pas aussi agiles que les elfes, nous pouvons courir du matin jusqu'au soir, en armure complète qui plus est.

– J'apprécie ces nobles intentions. Cependant, je ne m'attarderai pas une seconde de plus que nécessaire, même si chaque pilier cachait des assassins. Adieu !

Sur ces mots, il s'élança dans la vaste galerie, filant de toute la vitesse de ses jambes et zigzaguant entre les nains qui se trouvaient sur son passage.

39
LES RETROUVAILLES

Il y avait presque un mile jusqu'à la grille sud de Tronjheim, distance qu'Eragon couvrit en quelques minutes. Tandis que ses pieds martelaient le sol de pierre, il apercevait les riches tentures qui, de chaque côté, masquaient les entrées des tunnels, les statues grotesques de bêtes et de monstres tapies entre les piliers de jaspe rouge sang soutenant l'arche de la vaste avenue. Haute de quatre étages, elle était si large qu'il n'avait aucune peine à éviter les nains qui y circulaient, encore qu'à un moment, une file de Knurlcarathn se mit en travers de son chemin, et il n'eut d'autre choix que de leur sauter par-dessus. Les nains se baissèrent avec des exclamations de surprise. Depuis les airs, Eragon s'amusa de leurs visages étonnés.

À longues foulées souples, il franchit l'immense grille de bois qui protégeait l'accès sud de la cité-montagne.

– Salut à toi, Argetlam ! lui crièrent les gardes.

Quarante coudées plus loin, il passa entre deux gigantesques griffons d'or, dont les yeux vides fixaient l'horizon, et sortit à l'air libre.

Il régnait dehors une agréable fraîcheur humide qui fleurait bon la pluie. Malgré l'heure matinale, un crépuscule gris enveloppait le disque plat qui entourait Tronjheim, sur lequel seuls poussaient des lichens et des mousses, ponctués ici et là de grosses touffes de champignons à l'odeur âcre. Là-haut, Farthen Dûr s'élevait à plus de neuf mille toises jusqu'à l'étroite ouverture par laquelle une pâle lumière filtrait à l'intérieur du vaste cratère. Il était difficile d'appréhender la taille de la montagne lorsqu'on la voyait d'en bas.

Attentif au rythme régulier de sa respiration et de ses pieds légers, il courait. Il n'y avait personne ; seule une chauve-souris curieuse décrivait des cercles autour de lui en émettant des cris aigus. Le calme environnant le réconfortait, le libérait du poids de ses soucis.

Il suivit l'allée pavée qui s'étendait depuis la grille sud de Tronjheim jusqu'aux deux lourdes portes noires, hautes de trente pieds, serties dans la base même de Farthen Dûr. Lorsqu'il s'arrêta, deux nains émergèrent d'une salle de garde cachée et s'empressèrent de les lui ouvrir, révélant un tunnel qui paraissait sans fin.

Il continua sa course ; passé les piliers de marbres incrustés de rubis et d'améthystes qui bordaient les cinquante premiers pieds, les parois du souterrain étaient nues. Leur triste monotonie n'était interrompue que par des lanternes sans flamme disposées à intervalles de vingt pieds et, parfois, par une grille ou une porte close. Sur quoi donnaient ces entrées ? Mystère. Il imagina les milliers de toises de pierre au-dessus de sa tête ; oppressé il chassa l'image de ses pensées.

À mi-parcours enfin, il sentit sa présence.

– Saphira ! s'exclama-t-il de toute son âme, de toute la puissance de sa voix.

L'écho se propagea le long des parois avec la force d'une douzaine de cris.

Quelques instants plus tard, le tonnerre assourdi d'un rugissement lointain lui parvint depuis l'autre bout du tunnel :

« Eragon ! »

Redoublant de vitesse, il ouvrit son esprit à la dragonne, abaissant toutes ses barrières mentales pour qu'ils puissent s'unir sans réserve. Telle une marée d'eau tiède, la conscience de Saphira s'engouffra en lui au moment où la sienne s'engouffrait

598

en elle. Eragon en eut le souffle coupé. Il trébucha, manqua tomber. Ils s'enveloppaient de chaleur, baignaient dans une intimité qu'aucune étreinte physique ne pouvait égaler, leurs deux identités se mêlaient à nouveau, indissociables. Grand était leur réconfort ; simple aussi : ils n'étaient plus seuls. Savoir qu'on est uni avec un être qui vous aime, vous comprend jusqu'au plus profond de vous-même et ne vous abandonnera pas, même dans les circonstances les plus désespérées, est le plus précieux de tous les biens – un bien qu'Eragon et Saphira savouraient pleinement.

Bientôt, il la vit foncer vers lui au risque de se cogner la tête au plafond, de s'érafler les ailes contre les murs. Ses griffes crissèrent sur la pierre du sol tandis qu'elle s'arrêtait dans une glissade, indomptable, étincelante, glorieuse.

Avec un cri de joie, Eragon bondit, se suspendit à son cou, le serra sans se soucier de ses écailles aux pointes acérées.

« Petit homme », murmura Saphira avec tendresse.

Elle le déposa à terre, ronfla et dit :

« Petit homme, à moins que tu ne veuilles m'étrangler, sois gentil et relâche tes bras. »

« Excuse-moi. »

Souriant d'une oreille à l'autre, il recula d'un pas, éclata de rire, pressa le font contre le museau de la dragonne et se mit à gratter les coins de sa bouche.

Les ronronnements de Saphira emplirent le tunnel.

« Tu es fatiguée », observa-t-il.

« Jamais je n'ai parcouru une telle distance à une telle vitesse. Je n'ai fait qu'une halte après avoir quitté le camp des Vardens. Je m'en serais dispensée si je n'avais eu trop soif pour continuer. »

« C'est vrai ? Tu n'as donc ni dormi ni mangé depuis trois jours ? »

Elle cligna des paupières, lui cachant un instant ses grands yeux de saphir.

« Tu dois mourir de faim ! » s'exclama-t-il, inquiet.

Il l'examina avec soin. Par chance, elle ne portait aucune trace de blessures. Il en fut soulagé.

« Je suis fatiguée, avoua-t-elle, mais je n'ai pas faim. Pas encore. Quand je me serai reposée, il faudra que je me nourrisse. Pour le moment, je crois que je serais incapable d'avaler ne serait-ce qu'un lapin... La terre tangue sous mes pattes, j'ai l'impression que je suis encore en vol. »

En d'autres circonstances, il lui aurait sans doute reproché son imprudence. Toutefois, après cette longue séparation, il était ému qu'elle ait pressé l'allure, lui en était reconnaissant.

« Merci, dit-il. J'aurais été très malheureux d'avoir à t'attendre une journée de plus. »

« Moi aussi. » Elle ferma les yeux, pressa la tête contre lui tandis qu'il continuait de lui gratter la mâchoire. « Et puis, je n'allais pas être en retard pour le couronnement, hein ? Qui le conseil a-t-il... ? »

Elle n'avait pas fini de formuler sa question qu'il lui projeta une image d'Orik.

« Ah ! soupira Saphira avec satisfaction. Il fera un excellent roi. »

« Je l'espère. »

« L'Étoile de Saphir est-elle prête pour que je la répare ? »

« Si les nains n'ont pas terminé de mettre les morceaux en place, je suis sûr qu'ils auront fini d'ici demain. »

« Parfait. »

Elle souleva une paupière, posa sur lui son regard perçant :

« Nasuada m'a parlé de l'embuscade que t'a tendue l'Az Sweldn rak Anhûin. Dès que je ne suis pas là, il faut que tu t'attires des ennuis. »

Il sourit, amusé :

« Et quand tu es là ? »

« Je dévore les ennuis avant qu'ils ne t'engloutissent. »

« C'est toi qui le dis. Tu oublies les Urgals qui nous ont attaqués près de Gil'ead et qui m'ont emmené captif. »

Une bouffée de fumée s'échappa d'entre les crocs de la dragonne :

« Ça ne compte pas. J'étais encore petite et je manquais d'expérience. Ça ne se reproduirait pas. D'autant que tu n'es plus sans défense comme alors. »

« Je n'ai jamais été sans défense, protesta-t-il. Seulement, j'ai des ennemis puissants. »

Pour une raison inexpliquée, Saphira trouva la remarque comique et rit à gorge déployée. Bientôt, Eragon riait avec elle à n'en plus pouvoir. Il s'en étouffait et se roulait par terre tandis qu'elle s'efforçait de contenir les gerbes d'étincelles qui jaillissaient de ses naseaux. Au beau milieu de leur fou rire, Saphira émit un son qu'Eragon n'avait encore jamais entendu – un bizarre grondement saccadé. Une sensation étrange lui parvint par le lien qui les unissait.

Saphira émit le bruit bizarre une seconde fois, puis elle secoua la tête, comme pour chasser un essaim de mouches.

« Oh là là, dit-elle. Je crois que j'ai le hoquet. »

Eragon en resta bouche bée. Sa surprise passée, il se plia en deux, riant plus fort que jamais. De grosses larmes roulaient sur ses joues. Dès qu'il commençait à se calmer, Saphira avait un hoquet et projetait la tête en avant comme une cigogne, lui causant un nouvel accès de fou rire. N'y tenant plus, il se boucha les oreilles, fixa le plafond et s'obligea à réciter tous les vrais noms de métaux et de pierres qu'il connaissait.

Lorsqu'il eut terminé, il prit une grande inspiration et se releva.

« Ça va mieux ? » lui demanda Saphira.

Un hoquet secoua les épaules de la dragonne, et il se mordit la langue : « Oui... Viens. Allons à Tronjheim. Il te faut de l'eau. Ça aidera le hoquet à passer. Et il faut que tu dormes. »

« Tu ne peux pas m'en débarrasser avec un sort ? »

« Sans doute que si. Enfin, peut-être. Il doit en exister un. Le problème, c'est que ni Brom ni Oromis ne me l'ont enseigné. »

Saphira eut un petit grondement en signe de compréhension. Aussitôt suivi d'un nouveau hoquet.

Eragon se concentra sur le bout de ses bottes :

« On y va ? Tu es prête ? »

En guise de réponse, elle tendit sa patte avant droite pour l'inviter à y grimper. Eragon ne se fit pas prier. Il monta s'installer sur la selle.

Ensemble, ils suivirent le tunnel qui les ramenait à Tronjheim, heureux tous deux, et plus heureux encore de partager ce bonheur.

40
LE COURONNEMENT

Les Tambours de Derva appelaient les nains à Tronjheim pour le couronnement de leur nouveau roi.

La veille au soir, Orik avait expliqué à Eragon qu'en temps normal, dès que le conseil avait arrêté sa décision, l'élu – roi ou reine – prenait ses fonctions immédiatement, mais n'était couronné que trois mois plus tard, voire davantage, afin que tous ceux qui souhaitaient assister à la cérémonie puissent mettre leurs affaires en ordre et se rendre à Farthen Dûr depuis les lieux les plus reculés du royaume.

– Il n'est pas si fréquent que nous couronnions un monarque, et la tradition veut que nous fêtions dignement l'événement. Les festivités durent plusieurs semaines, il y a des banquets, des jeux d'esprit, des tournois, des concours entre forgerons, sculpteurs, artisans et artistes divers... Quoi qu'il en soit, les circonstances actuelles sont tout sauf ordinaires.

Près de Saphira, en bordure de la salle centrale de Tronjheim, Eragon écoutait les tambours géants. De chaque côté de l'immense hall, des centaines de nains se pressaient sous les arcades à tous les niveaux de la cité-montagne, leurs yeux vifs et sombres rivés sur la dragonne et son Dragonnier.

Saphira se nettoyait le pourtour de la bouche, et sa langue râpeuse crissait sur ses écailles. Depuis qu'elle avait dévoré cinq moutons ce matin-là, elle n'arrêtait pas de se lécher. Elle leva une patte, s'en frotta le museau, sans parvenir à se débarrasser de l'odeur de laine brûlée qui s'accrochait à elle.

« Ne t'agite pas comme ça, protesta Eragon. On nous regarde. »

Saphira gronda doucement :

« Je ne peux pas m'en empêcher. J'ai des bouts de laine coincés entre les dents. Je me rappelle maintenant pourquoi j'ai horreur de manger des moutons : ces sales bêtes velues me font des pelotes dans l'estomac ! Je ne les digère pas. »

« Je te curerai les crocs quand ce sera terminé. D'ici là, tiens-toi tranquille. »

« Hmpf. »

« Est-ce que Lupusänghren a mis de l'herbe à feu dans tes sacoches de selle ? Cela te remettrait l'estomac d'aplomb. »

« Je n'en sais rien. »

« Hmm. »

Eragon réfléchit un moment :

« S'il n'y a pas pensé, je demanderai à Orik s'il y en a en stock à Tronjheim. Nous devrions... »

Il s'interrompit quand les échos du dernier battement de tambour se turent. Il y eut des mouvements dans la foule, des froissements d'étoffe, quelques brefs murmures en langue naine.

Une fanfare de douze trompettes emplit la cité-montagne de ses vibrantes notes cuivrées ; un chœur invisible entonna un chant. Eragon en eut la chair de poule ; son cœur s'accéléra comme à l'instant de partir à la chasse. Saphira partageait son excitation et balayait le sol de sa queue.

« C'est à nous », songea-t-il.

Ensemble, ils s'avancèrent dans le grand hall et prirent leur place parmi les chefs de clan, les chefs de guildes et autres notables. Tous faisaient cercle autour du vaste espace central au milieu duquel trônait l'étoile de saphir reconstruite, encadrée par des échafaudages. Une heure avant le couronnement, Skeg avait envoyé un message à Eragon et Saphira : avec son équipe d'artisans, ils venaient d'assembler les derniers fragments de la gemme ; Isidar Mithrim était prête pour que la dragonne lui rende sa splendeur d'antan.

Le trône de granit noir avait quitté sa résidence sous Tronjheim. On l'avait installé sous un dais, près de l'étoile de saphir, face à la branche est des galeries principales qui partageaient la ville – tourné vers le soleil levant, symbole de renouveau. Des milliers de guerriers nains en armure et cotte de mailles polies se tenaient au garde-à-vous, répartis en deux blocs importants devant le trône et sur deux doubles files, de chaque côté de la galerie longue d'un mile qui menait à la grille est de Tronjheim. Beaucoup d'entre eux portaient des enseignes décorées de motifs étranges. Hvedra, l'épouse d'Orik, était au premier rang. En prévision du couronnement, il l'avait envoyée chercher sitôt après que le conseil eut banni le Grimstborith Vermûnd. Elle était arrivée le matin même.

Pendant une demi-heure, les trompettes sonnèrent et le chœur caché chanta tandis que, d'une démarche mesurée, Orik avançait depuis la porte est jusqu'à la salle centrale. Sa barbe avait été brossée et frisée ; il portait des bottes de cuir souple lustrées avec des éperons d'argent, des jambières de laine grise, une chemise de soie pourpre qui chatoyait à la lumière des lanternes et, par-dessus, un haubert dont les mailles étaient faites d'or blanc. Une longue cape ourlée d'hermine et brodée à l'emblème du Dûrgrimst Ingeitum tombait de ses épaules et formait une traîne. Volund, le marteau de guerre que Korgan, premier roi des nains, avait forgé, était fixé à sa large ceinture cloutée de rubis. Paré de ces somptueux atours et de sa splendide armure, Orik semblait briller de l'intérieur ; Eragon en fut ébloui.

Douze enfants nains le suivaient, six garçons et six filles à en juger par leur coupe de cheveux. Vêtus de tuniques rouges, brunes et or, ils portaient entre leurs mains en coupe des globes polis d'un diamètre de six pouces faits de douze pierres différentes.

Au moment où Orik pénétra au cœur de la cité-montagne, le hall s'assombrit et de petites taches d'ombre mouvantes se mirent à danser sur tout ce qui s'y trouvait. Surpris, Eragon leva les yeux. Ce qu'il vit l'étonna davantage encore : il neigeait des pétales de roses depuis les hauteurs de Tronjheim ! Tels de gros flocons roses, les pétales veloutés se posaient sur la tête et les épaules des spectateurs, formaient un tapis sur le sol et embaumaient l'air de leur doux parfum.

Les trompettes et le chœur se turent tandis que, au pied du trône noir, Orik mettait un genou à terre et baissait la tête. Derrière lui, les douze enfants s'étaient immobilisés.

Eragon effleura le flanc tiède de Saphira, lui transmit sa tension et son excitation. Son ami ayant refusé de lui décrire le reste de la cérémonie, il ignorait ce qui se passerait ensuite.

Gannel, le chef du Dûrgrimst Quan, sortit du cercle des notables et s'avança jusqu'à la droite du trône. Le nain aux larges épaules respirait le luxe dans ses robes de riche étoffe rouge, bordées de runes scintillantes rehaussées de métal. Il tenait un long bâton au sommet duquel luisait une pointe faite de pierre cristalline.

Prenant le bâton à deux mains, il le souleva au-dessus de sa tête, puis en frappa le sol de pierre. Le bruit du choc résonnait encore quand il s'exclama :

– Hwatum il skilfz gerdûmn !

Pendant plusieurs minutes, il s'exprima en langue naine. Eragon l'écouta sans comprendre, car son interprète n'était pas avec lui. Soudain, les inflexions de sa voix changèrent. Le jeune homme s'aperçut que Gannel parlait à présent en ancien langage, qu'il tissait un enchantement de nature inconnue. Sans diriger l'incantation vers un objet ou une personne, il récitait :

– Gûntera, créateur du ciel, de la terre et des océans infinis, entend l'appel de ton fidèle serviteur ! Nous rendons grâce à ta magnanimité. Notre peuple prospère. Cette année, comme toutes les autres, nous t'avons offert les plus beaux béliers de nos troupeaux, des carafes d'hydromel aux épices ainsi qu'une part de nos récoltes de fruits, de légumes et de grain. Tes temples sont les plus riches du royaume, et ta gloire est inégalée. Ô puissant Gûntera, roi des dieux, prête l'oreille à ma prière et accède à notre requête ! Le temps est venu pour nous de nommer un dirigeant mortel qui veillera à nos affaires terrestres. Daigneras-tu bénir Orik, fils de Thrifk, et le couronner comme ses prédécesseurs selon la tradition ?

Eragon crut d'abord que la prière de Gannel resterait sans réponse, car il ne libéra pas de magie perceptible lorsqu'il se tut. Saphira attira cependant l'attention de son Dragonnier d'une légère pression du museau :

« Regarde ! »

À une trentaine de pieds au-dessus d'eux, il remarqua alors un vide qui se formait dans la pluie de pétales, comme si un objet invisible les écartait. Le vide s'étendit jusqu'au sol, dessinant peu à peu la silhouette d'une créature avec des bras, des jambes – une créature qui aurait pu être un nain, un homme, un elfe ou un Urgal si ses proportions n'avaient été différentes. Avec sa tête de la largeur de ses épaules, ses bras massifs qui lui descendaient aux genoux, son large torse et ses courtes jambes arquées, elle ne ressemblait à aucune espèce connue.

De minces rais de lumière aquatique émanaient de l'étrange vide, au centre duquel apparut l'image floue d'un être gigantesque, un mâle au corps velu. Le dieu – si c'en était un – ne portait qu'un pagne noué autour des reins. À la fois doux et cruel, son visage sombre aux traits lourds était celui d'un être capable de passer d'un extrême à l'autre sans prévenir.

Tout en observant le phénomène, Eragon perçut une présence insolite dans le hall, une conscience aux pensées indéchiffrables, d'une profondeur insondable, une conscience qui lançait des éclairs, qui s'enflait et grondait, aussi imprévisible qu'un orage d'été. Le jeune Dragonnier barricada aussitôt son esprit. Ce qu'il avait senti le dépassait, il en avait froid dans le dos. En proie à une peur inexpliquée, il se tourna vers Saphira en quête de réconfort. Elle fixait la silhouette, et ses yeux bleus de chatte brillaient plus que de coutume.

Dans un même mouvement, les nains s'agenouillèrent.

Le dieu parla alors, d'une voix qui évoquait les grincements des roches, le vent déchaîné sur les pentes arides des montagnes, le fracas des vagues sur les grèves de galets. Il s'exprimait en langue naine, avec tant de force que, sans les comprendre, Eragon redoutait le pouvoir de ses paroles. Par trois fois, l'apparition interrogea Orik, qui lui répondit d'une voix qui paraissait grêle en comparaison. Apparemment satisfaite, la divinité tendit ses bras luminescents et posa les index de chaque côté de la tête nue du nain.

L'air frémissait entre les doigts du dieu tandis qu'un heaume d'or incrusté de joyaux se matérialisait pour couronner Orik – le heaume même qu'avait porté Hrothgar. Puis l'être surnaturel se frappa le ventre et, dans un éclat de rire retentissant, il disparut, cédant la place à la pluie ininterrompue de pétales.

– Ûn qroth Gûntera ! proclama alors Gannel.

Les trompettes retentirent, éclatantes.

Orik se releva, gravit les marches du trône, se retourna face à la foule et s'assit sur le dur siège de pierre noire.

– Nal, Grimstnzborith Orik ! s'écrièrent les nains en tapant des pieds, en tambourinant sur leurs boucliers de leurs haches et de leurs lances. Nal, Grimstnzborith Orik ! Nal, Grimstnzborith Orik !

– Vive le roi Orik ! s'exclama Eragon.

Saphira salua le nouveau monarque d'un rugissement et renversa la tête pour lancer un jet de flammes au-dessus de l'assistance, réduisant en cendre tout un nuage de pétales. La vague de chaleur fit pleurer les yeux d'Eragon.

Gannel s'agenouilla devant Orik et s'adressa à lui en langue naine. Lorsqu'il eut terminé, Orik lui effleura le haut du crâne, et le chef alla reprendre sa place dans le cercle des notables. Nado s'avança jusqu'au trône et tint à peu près le même discours ; vinrent ensuite Manndrath, Hadfala, et les autres chefs de clan, à l'exception de Vermûnd qui avait été banni.

« Je suppose qu'ils lui jurent fidélité », dit Eragon à Saphira.

« Ils n'ont pas déjà prêté serment ? »

« Si, mais pas en public. »

Eragon regarda Thordris approcher du trône et reprit :

« D'après toi, Saphira, qu'est-ce que nous avons vu ? Était-ce Gûntera ou bien une illusion ? Son esprit m'a semblé réel ; je ne vois pas comment on pourrait imiter ça, seulement... »

« C'était peut-être une illusion. À ma connaissance, jamais les nains n'ont reçu d'aide de leurs dieux sur le champ de bataille ou dans quelque entreprise que ce soit. Je doute aussi qu'un véritable dieu accoure à l'appel de Gannel comme un chien dressé. Moi, je ne le ferai pas ; or, un dieu n'est-il pas plus grand qu'un dragon ? Il existe cependant en Alagaësia une foule de phénomènes mystérieux. Il est possible que nous ayons vu une ombre du passé lointain, le pâle reflet d'un être d'antan qui hante cette terre dans l'espoir de retrouver un jour son pouvoir. Comment savoir ? »

Lorsque le dernier Grimstborith se fut présenté devant leur roi, ce fut au tour des chefs de guilde. Après quoi, Orik fit signe à Eragon qui s'avança à pas lents entre une double haie de guerriers nains. Parvenu devant le trône, il s'agenouilla et, en tant que membre du Dûrgrimst Ingeitum, il reconnut Orik pour son souverain, lui jura fidélité et s'engagea à le protéger. Puis, en tant qu'envoyé de Nasuada, il le félicita au nom des Vardens et lui promit leur amitié.

Tandis qu'il se retirait, d'autres faisaient la queue pour témoigner de leur loyauté envers leur nouveau roi – une file interminable de nains enthousiastes.

Le rituel se prolongea pendant plusieurs heures. On procéda ensuite à la cérémonie des cadeaux. Chacun apporta à Orik une offrande de la part de son clan, de sa guilde – un gobelet d'or rempli de rubis et de diamants, un corselet de maille enchanté qu'aucune lame ne pouvait percer, une tapisserie longue de vingt pieds tissée avec la fine laine provenant de la barbe des Feldûnosts, une tablette d'agate sur laquelle étaient gravés les noms de tous les ancêtres d'Orik, un poignard à lame courbe

609

taillé dans une dent de dragon, et bien d'autres trésors. En signe de sa gratitude, Orik leur remettait à tous un anneau.

Eragon et Saphira furent les derniers à se présenter devant lui. De nouveau, le jeune Dragonnier s'agenouilla devant le trône et tira de sa tunique le bracelet d'or qu'il avait obtenu des nains la veille au soir.

– Voici le don que je t'apporte, roi Orik, dit-il en le lui tendant. Je ne l'ai pas fabriqué moi-même, mais je l'ai entouré de sorts protecteurs. Tant que tu le porteras, tu n'auras pas à craindre le poison. Si un assassin tente de te poignarder, de te lancer un projectile, l'arme n'atteindra pas sa cible. Ce cercle d'or écartera de toi les enchantements les plus hostiles. Il a d'autres propriétés que tu apprécieras si tes jours sont en danger.

Orik hocha la tête et prit le bracelet.

– Je te remercie de ce précieux cadeau, Eragon le Tueur d'Ombre, déclara-t-il.

Puis devant toute l'assistance, il mit le bijou à son bras.

Saphira prit alors la parole, projetant ses pensées sur la foule des spectateurs : « Voici ce que je t'offre, Orik. »

Ses griffes claquaient sur le sol de pierre tandis qu'elle s'approchait de l'étoile de saphir. Devant l'échafaudage, elle se dressa sur ses pattes arrière, posa celles de devant sur les grosses poutres de bois qui gémirent sous son poids mais ne cédèrent pas. Pendant plusieurs minutes, rien ne se produisit. Immobile, Saphira fixait l'énorme joyau.

Les nains l'observaient sans bouger. C'est à peine s'ils osaient respirer.

« Tu es sûre d'en être capable ? » s'enquit Eragon, malgré ses réticences à troubler sa concentration.

« Je ne sais pas. Les quelques rares fois où j'ai usé de magie, je ne me suis pas posé de questions. Je n'ai pas lancé de sort, je me suis contentée de vouloir changer les choses, et elles ont changé. Ce n'était pas un acte délibéré de ma part... Je devrais sans doute attendre que vienne le moment propice avant de réparer Isidar Mithrim. »

« Je peux t'aider, tisser un enchantement à travers toi. »

« Non, petit homme. C'est à moi de le faire, pas à toi. »

Une voix grave et sonore s'éleva soudain dans le vaste hall. Elle entonna une lente mélodie aux accents plaintifs. L'un après l'autre, les membres du chœur invisible se joignirent au chant, emplissant Tronjheim de leur musique mélancolique et belle. Eragon s'apprêtait à réclamer le silence quand Saphira l'en empêcha :

« Laisse. Ils ne me gênent pas. »

Sans comprendre le sens des paroles en langue naine, le jeune Dragonnier devinait à la ligne mélodique qu'elles évoquaient le regret de choses disparues — comme la splendeur passée de l'étoile de saphir.

Ému, il revit son enfance à jamais perdue dans la vallée de Palancar, et les larmes lui vinrent aux yeux.

Curieusement, il émanait de Saphira une tristesse semblable. Elle n'était pourtant pas encline au chagrin et à la nostalgie. Il s'en étonna, l'aurait interrogée s'il n'avait senti un mouvement au plus profond de son être — comme si une part ancienne de la dragonne s'éveillait.

Le chant se termina sur longue note tenue. L'écho s'en dissipait quand un puissant courant de pure énergie traversa Saphira — un courant d'une puissance telle qu'Eragon en resta sidéré. Alors, elle se pencha pour poser le bout de son nez sur l'étoile de saphir. Une lumière plus vive que l'éclair parcourut les fêlures fourchues de la gemme géante, puis l'échafaudage s'effondra, révélant Isidar Mithrim dans sa splendeur originelle.

Elle n'était cependant plus tout à fait la même, mais d'un rouge plus soutenu, plus riche. Et les pétales de la rose qui en formaient le cœur étaient filetés d'or sombre.

Les nains émerveillés écarquillaient les yeux devant leur joyau rendu à sa gloire première. Puis ils sautèrent de joie, se mirent à applaudir et à acclamer Saphira, à faire un tel tapage qu'Eragon se serait cru entouré de chutes d'eau. La dragonne salua la foule de la tête et regagna sa place auprès de lui.

« Merci », dit-elle alors.

« Merci ? »

« Merci de ton aide, petit homme. Ce sont tes émotions qui m'ont montré la voie. Sans elles, j'aurais pu rester des semaines avant de trouver l'inspiration qui m'a permis de réparer Isidar Mithrim. »

Levant les bras, Orik calma la foule en liesse avant de déclarer :

– Pour le don que tu nous offres, Saphira, tu as ma gratitude et celle de tout notre peuple. Grâce à toi, aujourd'hui, le royaume recouvre sa fierté, et nous n'oublierons jamais ce que tu as fait là. Il ne sera pas dit que les knurlan sont des ingrats ; à partir de ce jour, jusqu'à la fin des temps, ton nom sera cité aux festivals d'hiver avec ceux des maîtres artisans, et lorsqu'Isidar Mithrim sera de nouveau sertie au sommet de Tronjheim, il sera gravé dans la bague de métal qui entoure l'étoile de saphir, avec celui de Dûrok Ornthrond qui lui a donné forme. Eragon, Saphira, vous avez une fois encore témoigné de votre amitié envers les miens. Je me réjouis de constater que, par vos actes, vous prouvez que mon père adoptif a eu raison de vous intégrer au sein du Dûrgrimst Ingeitum.

Au terme des multiples rituels qui suivirent le couronnement, après qu'Eragon eut aidé Saphira à se débarrasser des touffes de laine coincées entre ses crocs – une tâche salissante qui le laissa poisseux, malodorant, et l'obligea à prendre un bain –, ils se rendirent au banquet en l'honneur d'Orik. Bruyante et animée, la fête se prolongea tard dans la nuit. Des jongleurs et des acrobates divertirent les convives de leurs tours d'adresse, et une troupe d'acteurs joua une pièce intitulée *Az Sartosvrenht rak Balmung, Grimstnzborith rak Kvisagûr*, titre que Hûndfast traduisit comme *La saga du roi Balmung de Kvisagûr*.

Lorsque l'agitation se fut atténuée, que beaucoup de nains pris de boisson somnolèrent à demi, Eragon se pencha vers Orik qui trônait en tête de table et dit :

– Majesté.

– Eragon, non. Je ne veux pas que tu m'appelles « Majesté » en permanence. Ne sois pas ridicule. Sauf si les circonstances l'exigent, tu m'appelleras par mon nom, comme d'habitude. Et pas de discussion, c'est un ordre.

Il tendit une main maladroite vers sa coupe, faillit la renverser et rit.

Eragon sourit :

– Orik, il faut que je sache. C'est vraiment Gûntera qui t'a couronné ?

Le nain baissa le menton, caressa le pied de son verre d'un air grave :

– Jamais nous n'avons été ni ne serons plus proches de Gûntera sur cette terre. Est-ce que cela répond à ta question ?

– Je... Je crois que oui. Il vient toujours quand on l'invoque ? A-t-il déjà refusé de couronner un de vos dirigeants ?

– Tu as entendu parler des Rois et des Reines Hérétiques ? s'enquit Orik dont les sourcils se touchaient presque.

– Non.

– Ce sont des knurlan qui n'ont pas obtenu la bénédiction de Gûntera et qui ont malgré tout insisté pour prendre le trône.

Il grimaça, puis ajouta :

– Leurs règnes ont été brefs et placés sous le signe du malheur, sans exception aucune.

– En somme, même élu par le conseil, tu ne serais pas roi aujourd'hui si Gûntera ne t'avait pas couronné.

– Ou alors, je serais roi d'une nation en guerre contre elle-même. Bah, je ne m'inquiétais pas trop. Avec les Vardens qui envahissent l'Empire, seul un fou aurait risqué une guerre civile en m'écartant du trône. Quoi que puisse être *Gûntera* par ailleurs, il est tout sauf fou.

– Mais tu n'étais certain de rien, insista Eragon.

Orik secoua la tête :

– Avant qu'il place le heaume sur ma tête, non.

41
PAROLES DE SAGESSE

Eragon heurta la cuvette.

– Excuse-moi, murmura-t-il.

Nasuada fronça les sourcils tandis que son visage se déformait au gré des rides à la surface de l'eau :

– Pourquoi t'excuser ? Des félicitations me semblent s'imposer, non ? Tu as accompli la mission que je t'avais confiée et bien davantage, que je sache.

– Non, je...

Réalisant soudain qu'elle ne voyait pas l'effet des remous sur son reflet, il s'interrompit. Le sort était prévu de manière à ce que le miroir fournisse à Nasuada une image claire de Saphira et lui, pas de ce qu'ils regardaient.

– Rien. Je viens de me cogner contre la cuvette, expliqua-t-il.

– Si ce n'est que cela, permets-moi de te présenter mes félicitations officielles. Tu as fait en sorte qu'Orik devienne roi...

– Au prix d'une tentative d'assassinat contre moi.

– Certes. Au prix d'une tentative d'assassinat, tu as sauvé notre alliance avec les nains, et la victoire pourrait bien en dépendre. Reste à attendre que les troupes naines nous rejoignent, en espérant que ce ne sera pas trop long.

– Orik a déjà ordonné à ses guerriers de se préparer au départ. Les clans auront besoin de quelques jours pour rassembler leurs armées. Cela fait, elles se mettront immédiatement en marche.

– Excellent. Plus vite ils seront ici, mieux cela vaudra ; leur aide ne sera pas de trop. À propos, quand comptez-vous rentrer ? Dans trois jours ? Quatre ?

Saphira remua ses ailes, effleura la nuque d'Eragon de son souffle chaud. Il lui jeta un coup d'œil par-dessus son épaule, puis, choisissant ses mots avec soin, il répondit :

– Ça dépend. Tu te souviens de ce dont nous avons discuté avant que je parte ?

Nasuada pinça les lèvres :

– Bien sûr. Je m'en souviens parfaitement. Je...

Elle se tourna de côté pour écouter un homme dont la voix n'était qu'un murmure à peine audible pour Eragon. Enfin, elle reporta son attention sur lui :

– La compagnie du capitaine Edric vient d'arriver. Elle a, paraît-il, essuyé de lourdes pertes. Rassure-toi cependant, mon garde m'informe que Roran a survécu.

– Il est blessé ?

– Je te tiendrai au courant dès que j'en saurai davantage. À ta place, je ne m'inquiéterais pas trop. Roran a une veine de...

La voix du personnage invisible vint de nouveau interrompre leur conversation. Nasuada s'écarta et disparut de l'image.

Nerveux, Eragon dansait d'un pied sur l'autre.

– Je te présente mes excuses, dit-elle à son retour. Nous approchons de Feinster et il nous faut combattre les groupes de soldats que Dame Lorana envoie nous harceler... Eragon, Saphira, nous avons besoin de vous pour cette bataille. Si les gens de Feinster ne voient que des hommes, des nains et des Urgals s'assembler aux pieds des murailles, ils se battront avec d'autant plus de vigueur qu'ils croiront pouvoir soutenir le siège. La ville tombera, quoi qu'ils fassent. Mais s'ils découvrent qu'un dragon et son Dragonnier mènent l'assaut contre eux, ils perdront toute envie de lutter.

– Il n'empêche...

Elle lui imposa silence d'un geste :

– Ce n'est pas tout, Eragon. En raison de mes plaies dues à l'Épreuve des Longs Couteaux, je ne suis pas en mesure de chevaucher aux côtés des Vardens comme par le passé. Il faut donc que tu me *remplaces*, que tu veilles à ce que mes ordres soient exécutés à la lettre, que tu sois là pour soutenir le moral de nos guerriers. De plus, des rumeurs sur ton absence circulent à travers le camp malgré tous nos efforts pour les désamorcer. Si cela nous valait une attaque de Murtagh et de Thorn, si Galbatorix les envoyait défendre Feinster..., je doute que nous ayons raison d'eux, même avec l'aide des elfes. Je suis désolée, Eragon, je ne peux autoriser ton voyage à Ellesméra pour le moment. C'est beaucoup trop dangereux.

S'appuyant des deux mains sur la table de pierre, Eragon se pencha sur la cuvette d'eau :

– Nasuada, je t'en prie. Si je n'y vais pas maintenant, quand irai-je ?

– Bientôt. Patience.

– Bientôt, répéta-t-il dans un soupir. Bientôt quand, Nasuada ? Elle fronça les sourcils :

– Comment veux-tu que je le sache ? Nous devons d'abord prendre Feinster, sécuriser la campagne alentour. Ensuite...

– Ensuite, vous marcherez sur Belatona ou Dras-Leona, puis sur Urû'baen.

Elle tenta de l'interrompre, mais il ne lui en laissa pas le loisir :

– Plus vous vous rapprocherez de Galbatorix, plus vous risquerez une attaque de Murtagh et de Thorn, voire du roi lui-même, et plus tu hésiteras à nous laisser partir... Nasuada, Saphira et moi n'avons encore ni les aptitudes, ni la force, ni les connaissances requises pour abattre Galbatorix, et tu le sais. S'il était prêt à quitter sa forteresse pour affronter les Vardens en personne, le tyran mettrait un terme à cette guerre sur-le-champ. Il faut *impérativement* que nous nous entretenions avec nos maîtres. Eux seuls connaissent la source du pouvoir de Galbatorix ; ils sauront peut-être nous enseigner une astuce ou deux qui nous permettront de le vaincre.

Baissant les yeux, Nasuada étudia ses mains :

– Thorn et Murtagh pourraient nous détruire pendant votre voyage à Ellesméra.

– Et si nous n'y allons pas, Galbatorix nous anéantira quand nous atteindrons Urû'baen... Ne pourriez-vous attendre quelques jours avant d'attaquer Feinster ?

– Nous le pourrions. Hélas, chaque jour passé aux abords de la ville nous coûtera des vies.

Elle se massa les tempes du talon de la main :

– Tu nous demandes beaucoup, Eragon. Ce pour un résultat incertain.

– Le résultat n'est pas assuré, j'en conviens. Toutefois, si nous n'effectuons pas ce voyage, notre perte est inévitable.

– Inévitable, vraiment ? Je n'en suis pas si sûre. Pourtant...

Le regard de Nasuada se perdit hors du cadre. Il y eut un long silence pesant. Enfin, elle hocha la tête, comme pour confirmer sa décision :

– Je peux retarder notre arrivée à Feinster de deux ou trois jours. Nous commencerons par prendre quelques bourgades des environs. Une fois sur place, j'occuperai les Vardens à construire des engins de siège et des fortifications. Cela prendra encore deux ou trois jours, et personne n'y trouvera à redire. Après cela, il nous faudra attaquer la ville. Ne serait-ce que pour nous réapprovisionner. En territoire ennemi, une armée qui n'avance pas est une armée qui meurt de faim. Je t'accorde six jours au mieux, quatre seraient préférables.

Tout en l'écoutant, Eragon fit un rapide calcul mental :

– Quatre jours ne nous suffiront pas, et six, pas davantage. Saphira a mis trois jours pour venir à Farthen Dûr, cela sans s'arrêter pour dormir et sans avoir à me porter. Si les cartes que j'ai étudiées sont exactes, il y a au moins la même distance d'ici à Ellesméra et encore autant d'Ellesméra à Feinster. Avec moi sur son dos, Saphira ira beaucoup moins vite.

« Parfaitement », lui souffla la dragonne tandis qu'il poursuivait :

– Dans le meilleur des cas, nous ne vous rejoindrions pas avant une semaine – à condition de ne rester qu'une minute à Ellesméra :

Une ombre de profonde lassitude passa sur les traits de Nasuada.

– Est-il bien nécessaire que vous alliez jusque là-bas ? Si vous utilisiez l'eau et les miroirs de communication pour contacter vos mentors dès que vous aurez franchi les sorts protecteurs du Du Weldenvarden ? Vous gagneriez ainsi un temps précieux.

– Je ne sais pas si ce sera possible. Nous essaierons.

Nasuada ferma les yeux quelques instants, puis elle déclara d'une voix enrouée :

– Je parviendrai peut-être à retarder notre arrivée à Feinster de quatre jours... Allez à Ellesméra ou n'y allez pas, je vous laisse le choix. Si vous décidez d'y aller, restez-y le temps qu'il vous faudra. Tu as raison, Eragon. Nous ne pourrons espérer la victoire tant que nous n'aurons pas découvert le moyen d'abattre Galbatorix. Cela étant, n'oublie pas le risque énorme que nous prenons, les vies que je vais sacrifier pour t'acheter du temps, et le nombre de Vardens qui mourront si nous assiégeons Feinster sans vous.

L'air sombre, Eragon acquiesça de la tête :

– Je ne l'oublierai pas.

– J'y compte bien. Et maintenant, filez ! Inutile de vous attarder plus longtemps. Vole, vole Saphira ! Vole plus vite que le faucon en chasse, et que rien ne te ralentisse.

Nasuada porta ses doigts à ses lèvres puis les posa sur la surface invisible du miroir, à l'endroit où se reflétait l'image du jeune homme et de la dragonne :

– Eragon, Saphira, que la chance vous accompagne dans votre voyage. Si nous nous revoyons, je crains que ce ne soit sur le champ de bataille.

Sur ces mots, elle sortit du cadre. Eragon rompit l'enchantement, et l'eau de la cuvette redevint limpide.

42
LE FOUET

Raide comme un piquet, Roran fixait un pli de la tente rouge derrière l'épaule de Nasuada.

Elle l'observait, il le sentait, mais il se refusait à croiser son regard. Dans le long silence pénible qui les enveloppait, il envisagea une foule d'hypothèses, toutes plus désastreuses les unes que les autres. Le sang battait à ses tempes comme s'il avait la fièvre. Il brûlait de quitter cet espace étouffant pour respirer l'air frais du dehors.

Enfin, Nasuada se décida à parler :

– Que vais-je faire de toi, Roran ?

Il se raidit encore :

– Ce qu'il vous plaira, Ma Dame.

– Admirable réponse, Puissant Marteau. Hélas ! elle ne résout pas mon dilemme.

Elle marqua une pause, but une gorgée de vin :

– Par deux fois, tu as défié les ordres du capitaine Edric. Si tu ne l'avais pas fait, ni lui, ni toi, ni le reste de la compagnie n'auriez sans doute survécu. Ton exploit ne change cependant rien à ta désobéissance avérée. Tu as toi-même avoué t'être rendu coupable d'insubordination ; si je veux maintenir la discipline chez les Vardens, je suis *obligée* de te punir.

– Oui, Ma Dame.

– La peste soit de toi, Puissant Marteau ! Si tu n'étais pas le cousin d'Eragon et si ta stratégie avait été un brin moins efficace, je t'aurais fait pendre pour faute grave.

Roran s'imagina la corde au cou et déglutit avec difficulté.

Du majeur de sa main droite, Nasuada pianotait sur le bras de son imposant fauteuil à un rythme précipité. Elle s'arrêta soudain :

— Tu souhaites continuer à te battre pour les Vardens ?

— Oui, Ma Dame, répondit-il sans hésiter.

— Que serais-tu prêt à supporter pour rester dans mon armée ?

Il ne s'autorisa pas le temps de réfléchir aux implications de cette question :

— Ce qu'il faudra, Ma Dame.

Les traits crispés de Nasuada se détendirent un peu ; elle hocha la tête avec satisfaction :

— C'est ce que j'espérais entendre. La tradition et les précédents établis ne me laissent que trois options. En premier lieu, la pendaison, que je préfère éviter... pour toutes sortes de raisons. Ensuite, trente coups de fouets, et tu quittes les rangs des Vardens. Enfin, cinquante coups de fouet, et je te garde sous mon commandement.

« Entre trente et cinquante, la différence n'est pas si grande », songea-t-il pour se donner du courage. Il s'humecta les lèvres :

— Est-ce que je serai fouetté devant tout le monde ?

— Ton orgueil n'entre pas en ligne de compte, Puissant Marteau. Le châtiment doit être sévère afin que d'autres ne soient pas tentés de suivre ton exemple. Et il doit avoir lieu en public afin de servir de leçon à l'ensemble des Vardens. Si tu es aussi malin que tu en as l'air, tu savais en défiant Edric que ton acte aurait des conséquences, et qu'elles seraient pour le moins déplaisantes. Le choix est simple : ou tu restes avec les Vardens, ou tu abandonnes tes amis et ta famille pour aller ton chemin.

Furieux qu'elle mette sa parole en doute, Roran releva le menton :

— Je n'abandonnerai personne, Dame Nasuada. Quel que soit leur nombre, les coups de fouet que vous m'imposerez ne seront pas aussi douloureux que la perte de ma maison et de mon père.

620

– Certes, dit-elle d'une voix plus douce. Il n'y a pas de comparaison... Un magicien du Du Vrangr Gata supervisera le supplice et veillera ensuite à ce que tu n'en aies pas de séquelles handicapantes. Toutefois, il ne guérira pas entièrement tes blessures et tu ne pourras pas recourir à l'aide d'un mage pour achever de les cicatriser.

– Je comprends.

– Tu recevras le fouet dès que Jörmundur aura rassemblé les troupes. Tu attendras ton châtiment sous bonne garde, dans une tente près de la potence.

Cette nouvelle le soulagea. Au moins, cela ne tarderait pas. Il n'avait aucune envie de passer des journées entières à ruminer de sombres pensées.

– Ma Dame, dit-il.

Elle le congédia d'un geste.

Pivotant sur ses talons, Roran sortit du pavillon rouge. Deux gardes l'encadrèrent aussitôt. Sans un regard, sans un mot, ils l'escortèrent jusqu'à une petite tente, à proximité d'un poteau noirci, haut de six pieds et demi, situé sur une éminence en bordure du campement.

Au sommet du poteau était fixée une poutre à laquelle on attachait les poignets des prisonniers. Le bois en était lacéré par les ongles des suppliciés.

Roran s'obligea à détourner les yeux et pénétra sous la tente dont le mobilier se réduisait à un tabouret de bois usé. Il s'y assit, se concentra sur sa respiration, déterminé à ne pas se départir de son calme.

Au bout de quelques minutes, il entendit des bruits de bottes, le cliquetis des cottes de mailles : les Vardens s'assemblaient autour du poteau. Roran imagina les milliers d'hommes et de femmes qui allaient le regarder – dont les villageois de Carvahall. Son pouls s'accéléra. La sueur perla à son front.

Une demi-heure encore, et Trianna, la sorcière, pénétra sous la tente. Elle lui demanda de se dénuder le torse, ce qu'il trouva fort embarrassant. Sans la moindre gêne, Trianna l'examina avec attention, elle jeta même un sort pour achever de guérir la plaie que le trait d'arbalète lui avait faite à l'épaule. Puis elle le déclara en bonne forme et lui donna une chemise en toile à sac pour remplacer la sienne.

Roran achevait à peine de l'enfiler quand Katrina souleva le rabat. Il en éprouva autant de joie que de crainte.

Les yeux de Katrina se portèrent sur Trianna qu'elle salua d'une révérence :

— Puis-je parler en privé à mon époux ?

— Bien sûr, dit la sorcière. J'attendrai dehors.

Dès qu'elle se fut retirée, Katrina se jeta au cou de Roran. Elle le serra de toutes ses forces, et il lui rendit son étreinte, avec d'autant plus de chaleur qu'il ne l'avait pas vue depuis son retour de mission.

— Oh ! Comme tu m'as manqué ! lui murmura-t-elle à l'oreille.

— Tu m'as manqué aussi, murmura-t-il en retour.

Ils s'écartèrent l'un de l'autre – juste assez pour se regarder dans les yeux.

— C'est injuste ! protesta alors Katrina, en plissant le front. Je suis allée trouver Nasuada, je l'ai suppliée de te pardonner ou au moins d'alléger ta peine ; elle a refusé d'accéder à ma requête.

Roran lui caressa le dos :

— J'aurais préféré que tu t'abstiennes.

— Pourquoi ?

— Parce que je me suis engagé à rester parmi les Vardens et que je ne reviendrai pas sur ma parole.

— Mais ce n'est pas juste ! s'exclama Katrina en lui agrippant les épaules. Carn m'a raconté ce que tu as fait, Roran. Tu as tué près de deux cents soldats à toi seul ! Sans ton acte d'héroïsme, aucun de tes hommes ne s'en serait tiré. Nasuada devrait de couvrir de louanges et de cadeaux, pas te condamner au fouet comme un vulgaire criminel !

— Peu importe que ce soit juste ou non, c'est nécessaire. À la place de Nasuada, j'aurais agi comme elle.

Katrina frissonna.

– Cinquante coups de fouet, tout de même... C'est beaucoup trop. Des hommes sont morts d'avoir subi ce genre de châtiment.

– Parce qu'ils manquaient de cœur. Ne t'inquiète pas. Il en faut plus que cela pour me tuer.

Un sourire factice flotta un instant sur les lèvres de la jeune femme, puis un sanglot lui échappa, et elle se blottit contre la poitrine de Roran. Il l'enveloppa de ses bras, lui effleura les cheveux, la rassura du mieux qu'il put. Il ne se sentait pourtant pas mieux qu'elle. Ils étaient enlacés depuis quelques minutes quand une trompe sonna, dehors, annonçant leur séparation prochaine.

– J'ai une faveur à te demander, dit alors Roran en s'écartant de Katrina.

Elle essuya ses yeux humides :

– Laquelle ?

– Retourne à notre tente et n'en sors pas avant la fin de mon supplice.

– Ah non ! s'exclama-t-elle, choquée. Je ne te quitterai pas... pas maintenant !

– S'il te plaît. J'insiste. Tu n'as pas à subir ce spectacle.

– Et toi, tu ne devrais pas avoir à subir ce châtiment, rétorqua-t-elle.

– La question n'est pas là. Tu souhaites rester à mon côté, je le sais, et je sais aussi que le supplice me sera moins pénible si tu n'es pas là à me regarder... Je l'ai cherché, Katrina, j'ai mérité cette peine. Je ne veux pas que tu en souffres aussi.

La tension se peignit sur les traits de la jeune femme :

– Où que je sois, je souffrirai à l'idée de ce que tu endures. Cela étant... je m'incline. Si j'accède à tes vœux, c'est pour l'unique raison que mon absence te soutiendra dans ton supplice... Si je le pouvais, tu sais, j'offrirais de bon cœur mon corps au fouet pour qu'il t'épargne.

– Et tu sais que jamais – il l'embrassa sur les deux joues – *jamais* je ne permettrais que tu prennes ma place.

623

De nouveau les larmes ruisselaient sur les joues de Katrina. Elle le serra si fort qu'il en étouffait presque. Ils étaient toujours dans les bras l'un de l'autre quand le rabat de la tente se souleva. Jörmundur entra, accompagné de deux Faucons de la Nuit. Katrina se dégagea de l'étreinte de Roran, salua les nouveaux venus d'une révérence et s'éclipsa sans un mot.

Jörmundur tendit une main à Roran :

– C'est l'heure.

Roran hocha la tête, se leva et se laissa conduire au poteau, autour duquel les Vardens se pressaient en rangs serrés. Hommes, femmes, nains et Urgals se tenaient droits et raides. Après un premier regard à la foule assemblée, Roran fixa l'horizon en s'efforçant d'ignorer les spectateurs.

Les deux gardes lui levèrent les bras pour les attacher à la poutre transversale tandis que Jörmundur venait se placer face à lui.

– Tiens, mords là-dedans, dit-il à voix basse en lui montrant une cale enveloppée de cuir. Cela t'évitera de te blesser.

Reconnaissant, Roran ouvrit la bouche pour qu'il insère l'objet entre ses dents. Le cuir tanné avait le goût amer des glands verts.

Une sonnerie de trompe retentit, suivie d'un roulement de tambour. Jörmundur lut l'acte d'accusation. Les gardes découpèrent la chemise en toile à sac de Roran qui frissonna dès que l'air froid caressa sa peau nue.

Une fraction de seconde avant que le coup ne porte, il entendit claquer le fouet.

Sensation de brûlure, comme si on appliquait une barre de métal chauffée à blanc sur son dos. Il cambra les reins et mordit dans la cale. Un gémissement étouffé s'échappa de ses lèvres – si atténué qu'il fut sans doute le seul à l'entendre.

– Un, compta le bourreau.

Le deuxième coup lui arracha une nouvelle plainte. Après cela, Roran n'émit plus un son, farouchement décidé à ne pas passer pour un faible devant les Vardens.

Le supplice se révéla aussi douloureux que les nombreuses blessures qu'il avait récoltées au cours des derniers mois. Au douzième coup, il renonça à lutter contre la souffrance, s'y abandonna dans une sorte de transe. Son champ de vision se rétrécit jusqu'à se réduire au bois usé qu'il avait sous le nez. Parfois, il ne voyait plus rien, sombrait dans l'inconscience l'espace de quelques secondes.

Après un temps qui lui parut durer une éternité, une voix lointaine annonça : « Trente ». Le désespoir s'empara de lui. « Jamais je n'en supporterai vingt de plus, ce n'est pas possible ! » songea-t-il. Puis il pensa à Katrina, à leur enfant à naître, et retrouva son courage.

*

Lorsque Roran reprit connaissance, il était sous sa tente, étendu à plat ventre sur le lit qu'il partageait avec Katrina. Agenouillée à son chevet, elle lui caressait les cheveux, lui murmurait de douces paroles à l'oreille tandis qu'une main anonyme enduisait les lacérations de son dos d'une pommade froide et gluante. Il grimaça quand l'inconnu toucha une zone trop sensible.

– *Jamais* je ne traiterais mes patients comme tu le fais, dit alors la voix de Trianna, hautaine.

– À en juger par la manière dont tu soignais Roran, je m'étonne qu'ils survivent à tes *traitements* ! rétorqua une autre voix féminine.

C'était celle d'Angela, l'herboriste aux yeux vifs. Il mit quelques instants à l'identifier.

– Quel toupet ! s'exclama Trianna. Je ne resterai pas là à subir les insultes d'une vulgaire *diseuse de bonne aventure* à peine capable de jeter le sort le plus enfantin.

– Eh bien, va t'en. Sinon, je t'insulte jusqu'à ce que tu reconnaisses que ce muscle s'attache *ici* et non pas *là*.

Roran sentit une légère pression en deux points de son dos distants de moins d'un pouce.

– C'est un comble ! grommela la sorcière en quittant la tente.

Tandis que Katrina lui souriait, Roran remarqua ses joues mouillées de larmes.

– Tu m'entends ? demanda-t-elle. Tu es conscient ?

– Je... Je crois que oui, croassa-t-il, enroué.

Sa mâchoire était endolorie d'être restée crispée si longtemps sur la cale couverte de cuir. Il toussa, grimaça de nouveau tant ses plaies lui cuisaient.

– Là, déclara Angela. C'est fini.

– Je suis surprise que Trianna et toi ayez pris tant de peine pour lui, observa Katrina.

– Ordres de Nasuada.

– Nasuada ? Pourquoi aurait-elle...

– C'est d'elle qu'il te faudra obtenir des explications. Veille à ce que Roran évite de se coucher sur le dos. Et de se tourner dans tous les sens pour ne pas rouvrir ses blessures.

– Merci, marmonna ce dernier.

Angela éclata de rire :

– Il n'y a pas de quoi. Ou plutôt si, il y a de quoi, mais ne te préoccupes pas pour ça. Et puis, je suis assez contente de vous avoir soignés, Eragon et toi. Méfie-toi des furets !

Sur cette phrase énigmatique, l'herboriste se retira. Roran referma les yeux.

– Tu as été très courageux, dit Katrina en effleurant tendrement son front.

– Vrai ?

– Oui. Jörmundur et tous ceux auxquels j'ai parlé affirment que tu n'as pas crié grâce, que tu as supporté ton supplice sans broncher.

– Tant mieux.

Il aurait voulu savoir si ses blessures étaient sérieuses, mais demander à Katrina de décrire l'état de son dos lui répugnait. Devinant ses pensées, elle le rassura :

– D'après Angela, avec un peu de chance, tu ne devrais pas garder trop de cicatrices. De toute façon, quand tu seras guéri, Eragon ou un autre magicien pourra gommer les marques, et il n'y paraîtra pas plus que si on ne t'avait jamais fouetté.

– Hmm.

– Tu veux boire quelque chose ? J'ai préparé une infusion d'achillée [1].

– Je veux bien.

Au moment où Katrina se levait, un froissement de toile signala l'arrivée d'un visiteur. Roran souleva une paupière et ne fut pas peu surpris de voir Nasuada près du poteau de l'entrée.

– Ma Dame, la salua Katrina, glaciale.

En dépit de ses élancements, Roran se redressa. Avec l'aide de Katrina, il réussit à s'asseoir au bord du lit et s'appuyait sur elle pour se lever quand Nasuada l'arrêta d'un geste :

– Je t'en prie, ne bouge pas. Je t'ai causé assez de souffrances pour ne pas t'en infliger de nouvelles.

– Qu'est-ce qui vous amène, Dame Nasuada ? Roran a besoin de repos pour se remettre. Sauf nécessité absolue, il a mieux à faire que de discuter.

– Je peux parler s'il le faut, Katrina, intervint-il

Nasuada pénétra dans la tente ; elle rassembla les plis de sa robe verte et s'installa sur la petite malle dans laquelle Katrina rangeait ses affaires. Après avoir lissé sa jupe, elle annonça :

– J'ai une mission à te confier, Roran, un raid comme ceux auxquels tu as déjà participé.

– Quand devrais-je partir ?

Qu'elle se soit déplacée en personne pour si peu le laissait perplexe.

– Demain.

– Vous êtes folle ! s'exclama Katrina, les yeux exorbités.

---

1. Achillée millefeuille : plante médicinale possédant entre autres des vertus cicatrisantes.

— Je t'en prie..., lui murmura Roran en posant la main sur son bras.

Elle se dégagea d'une secousse et reprit :

— La dernière fois que vous l'avez envoyé en mission, il a failli ne pas revenir, et, sur votre ordre, il vient d'être fouetté à en rester sur le carreau. Vous ne pouvez pas le renvoyer au combat dès le lendemain ! Il ne tiendra pas une minute contre les soldats de Galbatorix.

— Non seulement je le peux, mais j'en ai le devoir, répliqua Nasuada.

Son autorité était telle que Katrina se tut et attendit la suite. Sa colère n'était pas apaisée pour autant, cela sautait aux yeux.

Reportant toute son attention sur Roran, Nasuada poursuivit :

— Tu ne sais peut-être pas encore que notre alliance avec les Urgals est sur le point de s'effondrer. L'un des nôtres a tué trois des leurs pendant que tu servais sous les ordres du capitaine Edric – qui n'est plus capitaine, je t'en informe ; la nouvelle ne sera pas pour te déplaire. Quoi qu'il en soit, j'ai beau avoir fait pendre ce misérable tueur d'Urgal, nos rapports avec les béliers de Garzhvog sont de plus en plus difficiles.

— Je ne vois pas le rapport avec Roran, objecta Katrina.

Nasuada pinça les lèvres, puis elle s'expliqua :

— Il me faut convaincre les Vardens d'accepter les Urgals sans autre effusion de sang. Le meilleur moyen d'y parvenir est de leur prouver que les deux peuples sont capables de travailler ensemble à un objectif commun dans la bonne entente. À cette fin, le groupe avec lequel tu partiras sera composé en parts égales d'humains et d'Urgals.

— Je ne vois toujours pas..., commença Katrina.

— Et tous seront placés sous ton commandement, Puissant Marteau.

— Moi ? Pourquoi ?

— Parce que, dit Nasuada avec un sourire entendu, tu feras le nécessaire pour protéger tes amis et ta famille. En cela, nous nous ressemblons, au détail près que ma famille est plus étendue que la tienne puisque, de mon point de vue, elle englobe tous les Vardens. D'autre part, comme tu es le cousin d'Eragon, je préfère ne pas risquer un nouvel acte d'insubordination de ta part. Si cela se reproduisait, je serais contrainte de t'exécuter ou de te bannir, et je ne souhaite ni l'un ni l'autre. En conséquence, je te donne ta propre patrouille. Ainsi, tu n'en répondras à personne, sauf à moi. Si tu désobéis à mes ordres, il vaudrait mieux que ce soit pour abattre Galbatorix. Rien d'autre ne t'épargnera un châtiment bien pire que ces cinquante coups de fouet. Si je te mets à la tête de cette patrouille, c'est parce que tu as prouvé que, même dans les circonstances les plus défavorables, tu étais capable de convaincre n'importe qui de te suivre. Tu as toutes les chances de parvenir à maintenir la discipline au sein d'un groupe mixte d'Urgals et d'humains. J'aurais envoyé Eragon mais, puisqu'il est absent, c'est sur toi que retombe cette responsabilité. Quand les Vardens apprendront que le propre cousin d'Eragon, Roran Puissant Marteau – celui qui a tué près de deux cents ennemis à lui seul – est parti en mission avec des Urgals, et que la mission a été un succès, alors, nous pourrons espérer préserver notre alliance avec les béliers pour la durée de la guerre. Voilà pourquoi je tenais à ce qu'Angela et Trianna te prodiguent leurs soins. J'ai fait une exception, non pour t'éviter les souffrances du châtiment, mais parce que je veux que tu sois en état de commander. Que réponds-tu à cela, Puissant Marteau ? Puis-je compter sur toi ?

Roran regarda Katrina, conscient qu'elle désirait plus que tout au monde l'entendre dire qu'il n'était pas en état de mener un raid. Puis il baissa les yeux pour ne pas voir sa détresse et pensa à l'immense armée qui s'opposait aux Vardens.

– Oui, Dame Nasuada, murmura-t-il de sa voix cassée. Vous pouvez compter sur moi.

43

PARMI LES NUAGES

Saphira s'envola et parcourut les cinq miles qui séparaient Tronjheim de la paroi intérieure de Farthen Dûr. Là, Eragon et elle se dirigèrent vers l'est par le tunnel long de plusieurs miles creusé dans la base même de la montagne. En courant, Eragon aurait couvert la distance en une dizaine de minutes, mais le plafond trop bas empêchait Saphira de voler comme de sauter, de sorte qu'elle n'aurait pas pu le suivre. Il se contenta donc de marcher d'un pas vif.

Une heure plus tard, ils débouchèrent dans la vallée d'Odred orientée nord-sud. Niché parmi les contreforts, au point de départ de l'étroite vallée noyée sous les fougères, il y avait un lac de bonne taille, Fernoth-ménra, goutte d'encre sombre perdue entre les imposants sommets des Beors. La Ragni Darmn coulait au fond de la vallée depuis l'extrémité nord de Fernoth-ménra, jusqu'à se jeter dans l'Az Ragni près de Moldûn le Fier, le pic le plus au nord de la chaîne montagneuse.

Ils avaient quitté Tronjheim longtemps avant l'aube ; malgré le temps qu'ils avaient perdu dans le tunnel, il était encore tôt. Au-dessus d'eux, les rayons jaune pâle du soleil qui filtrait entre les immenses pics zébraient un ruban de ciel aux contours déchiquetés. En bas, dans la vallée, des bancs de nuages lourds s'accrochaient aux pentes des montagnes tels de grands serpents gris. Des volutes de brume blanche flottaient à la surface lisse du lac.

Au bord du Fernroth-ménra, ils s'arrêtèrent pour boire et remplir quelques gourdes en prévision du trajet. L'eau provenait de la fonte des neiges et des glaciers ; elle était si froide qu'Eragon en eut mal aux dents, mal dans les os du crâne. Il grimaça, serra les paupières et trépigna en attendant que la douleur passe.

Lorsqu'elle se fut dissipée, il contempla le lac. Entre les voiles de brume mouvante, il aperçut les vestiges d'un grand château construit sur un éperon rocheux. D'épaisses cordes de lierre étranglaient les murs en ruine. Il n'y avait pas d'autre végétation, aucun signe de vie. Inquiétant, sinistre, le bâtiment à l'abandon évoquait le cadavre en décomposition de quelque bête immonde.

« Tu es prêt ? » demanda Saphira.

« Oui, » dit-il, et il monta en selle.

Depuis le lac, Saphira se dirigea vers le nord, survolant la vallée d'Odred pour sortir des Beors. Par la force des choses, ils s'éloignaient d'Ellesméra située plus à l'ouest, les cols et les passages entre les montagnes culminant à quatre et cinq mille toises d'altitude.

Saphira volait aussi haut que le permettait la résistance physique d'Eragon. Il lui était plus facile de couvrir de longues distances dans l'atmosphère raréfiée des hauteurs que dans l'air lourd et humide à proximité du sol. Le jeune Dragonnier portait plusieurs couches de vêtements pour se protéger des températures glaciales ; il s'était entouré d'un sort contre le vent, de manière à ce que le flux s'écarte et passe de chaque côté de lui sans l'effleurer.

Monter un dragon n'était pas un exercice de tout repos. Il n'avait cependant pas à se concentrer pour garder l'équilibre comme il le faisait en piqué ou pendant des manœuvres complexes, car Saphira progressait en droite ligne à lents battements d'ailes réguliers. Pour s'occuper, il bavardait avec elle, réfléchissait aux événements des dernières semaines et observait le paysage changeant.

« Tu as usé de magie sans employer l'ancien langage quand les nains t'ont attaqué. Tu as pris de gros risques, petit homme, c'est dangereux. »

« Je sais. Je n'avais pas le temps de réfléchir pour formuler un sort. Et puis, toi, tu n'utilises jamais l'ancien langage pour en lancer. »

« C'est différent. Je suis un dragon. Nous n'avons pas besoin de l'ancien langage pour énoncer nos intentions ; nous sommes sûrs de ce que nous voulons, nous ne changeons pas d'avis aussi facilement que les elfes ou les humains. »

Le disque orange du soleil était à une paume de l'horizon quand Saphira déboucha de la vallée au-dessus des prairies qui jouxtaient la chaîne des Beors. Eragon se redressa sur sa selle, regarda autour d'eux, surpris de la distance qu'ils avaient parcourue.

« Dommage que nous n'ayons pu voler jusqu'à Ellesméra la première fois. Cela nous aurait donné davantage de temps avec Oromis et Glaedr. »

Saphira approuva d'un hochement de tête mental.

Elle continua de voler après le coucher du soleil, alors que les étoiles brillaient dans le ciel, que les montagnes n'étaient plus qu'une tache violette derrière eux. Elle aurait poursuivi sa route jusqu'au matin si Eragon n'avait insisté pour faire halte : « Tu es encore fatiguée de ton voyage à Farthen Dûr. Nous volerons toute la nuit demain et après-demain s'il le faut, mais, ce soir, tu as besoin de dormir. »

Malgré ses réticences, Saphira se posa près d'un bosquet de saules au bord d'une rivière. Lorsqu'il mit pied à terre, Eragon avait les jambes si raides qu'il tenait à peine debout. Il dessella la dragonne et se lova contre son corps tiède après avoir étalé son couchage sur le sol. Une tente lui était superflue, car Saphira l'abritait de son aile comme une mère faucon protège sa nichée. Ils sombrèrent bientôt dans leurs rêves respectifs qui s'entremêlaient de manière merveilleuse, leurs esprits restant liés jusque dans leur sommeil éveillé.

Dès que les premiers rayons de l'aube apparurent à l'est, ils reprirent les airs, survolant de très haut les plaines verdoyantes.

En milieu de matinée, un violent vent de face se leva, ce qui réduisit de moitié la vitesse de la dragonne. Elle s'efforça en vain de s'élever au-dessus des bourrasques. Des heures durant, elle lutta contre la tempête. Tandis qu'elle peinait, Eragon lui donnait autant de son énergie qu'il l'osait, sans grand résultat ; l'après-midi venu, au comble de l'épuisement, elle se posa sur un tertre herbeux. Les ailes pendantes, elle haletait et tremblait.

« Nous passerons la nuit ici », déclara Eragon.

« Non. »

« Saphira, tu n'es pas en état de continuer. Nous resterons au bivouac jusqu'à ce que tu aies repris des forces. Qui sait ? Le vent peut tomber dans la soirée. »

« Non. Sur ces plaines, il arrive qu'il souffle pendant des semaines et même pendant des mois sans discontinuer. Nous n'avons pas le temps d'attendre une accalmie. »

« Mais... »

« Je ne renoncerai pas pour quelques douleurs, Eragon. Les enjeux sont trop importants... »

« En ce cas, laisse-moi t'aider avec l'énergie d'Aren. Il y en a assez dans cette bague pour te soutenir jusqu'au Du Weldenvarden. »

« Non. Garde Aren pour le jour où nous n'aurons pas d'autre recours. Je me remettrai de mes fatigues dans la forêt. Tu ne dois pas entamer les réserves d'Aren pour mon seul confort. Nous pouvons en avoir besoin d'un moment à l'autre. »

« Il n'empêche, je n'aime pas te voir souffrir ainsi. »

Elle émit un léger grondement :

« Mes ancêtres les dragons sauvages n'auraient pas reculé devant cette misérable brise, et je ne reculerai pas non plus. »

Sur ces mots, elle s'élança et replongea au cœur de la tempête.

Au crépuscule, le vent hurlait toujours autour d'eux et entravait le progrès de Saphira, comme si le sort avait décidé qu'ils n'atteindraient pas le Du Weldenvarden. Eragon repensa alors à Glûmra, la naine, à sa foi dans les dieux des nains ; pour la première fois de sa vie, il éprouva le désir de prier. Il rompit le contact mental avec Saphira – si lasse et si anxieuse qu'elle ne s'aperçut de rien – puis il murmura :

« Gûntera, roi des dieux, si tu existes, si tu m'entends, et si tu en as le pouvoir, je t'en conjure, arrête ce vent. Je ne suis pas un nain, mais le roi Hrothgar m'ayant adopté au sein de son clan, je suis en droit de m'adresser à toi. Gûntera, je t'en prie, il faut que nous parvenions au Du Weldenvarden le plus vite possible, pour le bien des Vardens comme pour celui de ton peuple, les knurlan. Je t'en prie, je t'en supplie, arrête ce vent. Saphira ne tiendra pas beaucoup plus longtemps. »

Lorsqu'il eut terminé, il se trouva bien sot. Il s'ouvrit de nouveau à Saphira, sentit la douleur brûlante de ses muscles et grimaça.

Au plus noir de la nuit, par un froid glacial, le vent retomba ; il n'y eut plus que quelques bourrasques occasionnelles.

Le matin venu, Eragon reconnut le désert du Hadarac à son sol aride, dur comme du caillou.

« Zut ! dit-il. Nous sommes moins loin que je l'espérais. Penses-tu que nous arriverons à Ellesméra aujourd'hui ? »

« À moins que le vent se mette à souffler en sens inverse et nous porte sur son dos, j'en doute. »

Saphira peina en silence pendant quelques minutes avant d'ajouter :

« Toutefois, s'il n'y a pas d'autres surprises désagréables, nous devrions atteindre le Du Weldenvarden dans la soirée. »

« Hmm », grommela Eragon.

Ils ne firent que deux haltes ce jour-là. Pendant l'une d'elles, Saphira dévora deux canards qu'elle tua d'un petit jet de feu. Pour le reste, elle se passa de nourriture. Afin de ne pas perdre de temps, Eragon prenait ses repas en selle.

Comme la dragonne l'avait prévu, l'immensité verte du Du Weldenvarden leur apparut au coucher du soleil. Des arbres à feuilles caduques – des chênes, des hêtres, des érables –

croissaient en bordure de la forêt dont la majeure partie était constituée d'immenses pins sombres.

Le crépuscule enveloppait le paysage lorsqu'ils parvinrent à l'orée des bois. Saphira se posa délicatement sous les branches d'un imposant chêne centenaire. Elle replia ses ailes et resta immobile, trop lasse pour continuer. Sa langue vermeille pendait hors de sa bouche. Tandis qu'elle se reposait, Eragon écoutait le bruissement des feuilles, le ululement des chouettes, le craquètement des insectes nocturnes.

Lorsqu'elle eut récupéré, Saphira se mit en marche, passa entre deux chênes géants au tronc moussu, pénétrant dans le Du Weldenvarden au sol. Les elfes en avaient interdit l'accès par des moyens magiques et, pour voler, les dragons n'usaient pas seulement de leurs forces physiques. Si elle y était entrée par les airs, ses ailes auraient cessé de la soutenir et elle serait tombée du ciel.

Quelques centaines de pieds plus loin, elle s'arrêta dans une petite clairière et déclara :

« Là. Cela devrait suffire. »

Eragon détacha les lanières de ses jambes pour se laisser glisser le long de son flanc. Il arpenta la prairie jusqu'à trouver une plaque de sol nu. De ses mains, il creusa une cuvette peu profonde, large d'un pied et demi. Il la remplit d'eau par la magie puis lança un sort de communication à distance.

L'eau prit une douce teinte dorée chatoyante, et Eragon put voir l'intérieur de la hutte d'Oromis. Installé à sa table de cuisine, l'elfe aux cheveux d'argent lisait un rouleau en mauvais état. Levant les yeux de sa lecture, il reconnut le garçon et hocha la tête sans manifester la moindre surprise.

— Maître, le salua Eragon en retournant la main contre sa poitrine.

— Bienvenue à toi. Je t'attendais. Où es-tu ?

— Nous entrons tout juste dans le Du Weldenvarden, Saphira et moi... Maître, je sais que nous avions promis de revenir, mais les Vardens ne sont qu'à quelques jours de Feinster et, sans nous,

ils sont vulnérables. Nous manquons de temps pour faire le trajet jusqu'à Ellesméra. Pourriez-vous répondre à nos questions
maintenant par le biais de cet enchantement ?

Oromis se cala contre le dossier de son siège, le visage grave,
pensif. Enfin, il se décida à parler :

– Eragon, je ne t'instruirai pas à distance. Je devine certaines de tes interrogations, et je tiens à ce que nous abordions
ces sujets en tête à tête.

– Maître, je vous en prie. Si Murtagh et Thorn...

– Non, Eragon. Je comprends les raisons de ta hâte, mais
tes études comptent tout autant que la protection des Vardens,
peut-être davantage. Nous ferons cela correctement ou pas
du tout.

Le jeune Dragonnier soupira :

– Oui, Maître.

– Bien, approuva Oromis. Nous vous attendons, Glaedr et
moi. Volez droit, volez vite. Nous avons beaucoup à discuter.

Engourdi par la fatigue, Eragon rompit l'enchantement.
L'eau s'infiltra dans le sol tandis que, la tête dans les mains,
il fixait le sol humide à ses pieds. Près de lui, Saphira respirait
à grand bruit.

« Je suis désolé, dit-il. Je crains qu'il ne faille continuer. »

Elle cessa de haleter le temps de se lécher les babines avant
de répondre :

« Ce n'est pas grave. Je ne vais pas m'effondrer. »

Dubitatif, il leva les yeux vers elle :

« Tu en es sûre ? »

« Certaine. »

À regret, Eragon se hissa sur son dos.

« Puisque nous allons à Ellesméra, dit-il en rattachant ses
lanières, nous retournerons voir l'arbre Menoa. Cette fois, peut-
être réussirons-nous à comprendre ce que signifiait le message
de Solembum. Une nouvelle épée me serait d'un grand secours. »

À Teirm, lors de leur première rencontre, le chat-garou lui
avait parlé en ces termes : « Quand le temps sera venu où tu

auras besoin d'une arme, cherche entre les racines de l'arbre Menoa. Et quand tout te semblera perdu, quand ton pouvoir te semblera inefficace, rends-toi au rocher de Kuthian et prononce ton nom : il t'ouvrira la Crypte des Âmes. » Eragon n'avait aucune idée d'où se trouvait le rocher de Kuthian ; en revanche, pendant leur précédent séjour à Ellesméra, Saphira et lui avaient examiné l'arbre Menoa à diverses reprises. Ils n'avaient pas trouvé trace de l'arme en question, pas même le moindre indice quant à son existence. Entre les racines de l'arbre Menoa, ils n'avaient vu que de la mousse, de la terre, des morceaux d'écorce et quelques fourmis – rien qui signale un endroit où creuser.

« L'arme mentionnée par Solembum n'est peut-être pas une épée, remarqua-t-elle. Les chats-garous sont presque aussi friands d'énigmes que nous autres, les dragons. En supposant qu'elle existe, cette arme pourrait être un sort inscrit sur un bout de parchemin, un livre, un tableau, un morceau de roche pointu ou n'importe quel objet dangereux. »

« Quelle que soit sa nature, l'important, c'est que je la trouve. Qui sait quand nous aurons une chance de revenir à Ellesméra ? »

Saphira dégagea un arbre abattu qui lui barrait le passage, puis elle s'accroupit ; les muscles de ses épaules massives se tendirent, elle déploya ses ailes veloutées et s'élança avec une vigueur surprenante. Eragon poussa un petit cri et se cramponna à la selle tandis que, d'un seul bond vertigineux, la dragonne s'élevait au-dessus de la cime des arbres.

Survolant l'océan des branches mouvantes, elle s'orienta vers le nord-ouest et, avec de lents battements d'ailes, se mit en route pour la cité des elfes.

44
UN COMBAT SINGULIER

Le raid contre le convoi d'approvisionnement se déroula presque comme prévu. Trois jours après avoir quitté le camp, Roran et ses cavaliers descendirent la pente d'un ravin et attaquèrent la file sinueuse de chariots par le flanc. Dans le même temps, au creux de la vallée, les Urgals sortirent de derrière les rochers pour lancer une offensive frontale. Tuniques rouges et conducteurs d'attelage se battirent avec courage, mais l'embuscade les avait pris au dépourvu, alors qu'ils étaient encore mal réveillés et désorganisés. Les Vardens eurent vite raison d'eux. Au cours des combats, ils ne perdirent pas un guerrier, et trois seulement furent blessés – deux humains et un Urgal.

Roran tua plusieurs ennemis de sa main sans entrer dans le gros de la mêlée – il était à présent chargé de diriger les opérations. De plus, suite au supplice du fouet, il souffrait de son dos et craignait de rouvrir les plaies couvertes de croûtes s'il se démenait trop.

Jusque-là, il avait maintenu la discipline dans son bataillon de vingt hommes et vingt Urgals sans difficulté. À l'évidence, les deux groupes ne s'appréciaient guère et se méfiaient l'un de l'autre ; ayant grandi près de la Crête, Roran n'avait aucune sympathie pour les béliers à peau grise et ne leur faisait pas confiance. Malgré cela, tous avaient travaillé ensemble sans qu'il lui soit besoin d'élever la voix. Que les deux espèces collaborent sans broncher ne tenait pas à ses talents de chef, il en était conscient ; Nasuada et Nar Garzhvog avaient sélectionné ses guerriers avec soin parmi les meilleures lames, les plus raisonnables – et les moins emportés de nature.

Après l'attaque du convoi, les hommes rassemblèrent les cadavres des tuniques rouges et des conducteurs d'attelage. Alors que Roran supervisait l'opération, monté sur Feu de Neige, un terrible hurlement retentit soudain, quelque part à l'arrière de la file de chariots. Pensant qu'un nouveau contingent de soldats ennemis leur tombait dessus, il appela Carn et quelques-uns de ses hommes puis, piquant des deux, partit au galop en direction du bruit.

Quatre Urgals avaient attaché une tunique rouge au tronc noueux d'un saule et s'amusaient à le piquer de la pointe de leur épée. Avec un juron, Roran sauta à terre et, d'un coup de marteau, abrégea les souffrances du malheureux.

Un nuage de poussière enveloppa le groupe quand quatre cavaliers arrivèrent en renfort. Ils ralentirent leurs montures pour venir se placer de chaque côté de leur capitaine, prêts à le défendre.

Le plus grand des Urgals, un bélier nommé Yarbog, s'avança :

– Puissant Marteau, pourquoi avoir interrompu nos jeux ? Il aurait dansé pour nous pendant quelques minutes sans ton intervention.

Entre ses dents serrées, Roran répliqua :

– Aussi longtemps que vous serez sous mon commandement, vous ne torturerez pas les prisonniers sans de bonnes raisons. Est-ce compris ? Beaucoup de ces soldats ont été enrôlés de force dans l'armée de Galbatorix. Il y a parmi eux des parents, des amis, des voisins et, s'il nous faut nous battre contre eux, je ne tolérerai pas la cruauté gratuite. N'importe lequel des hommes ici présents pourrait être dans le camp adverse si le destin en avait décidé ainsi. Ce ne sont pas nos ennemis. Le seul ennemi, le vôtre comme le nôtre, c'est Galbatorix.

Le front bas de l'Urgal se plissa au point qu'il cachait presque ses yeux jaunes :

639

– Tu les tues pourtant, ces soldats, non ? Pourquoi nous priver du plaisir de les voir gigoter un peu avant qu'ils meurent ?

Roran se demanda si le crâne dur de l'Urgal résisterait à un bon coup de marteau. Puis il réprima sa colère et déclara :

– D'abord, parce que c'est mal.

Du pouce, il désigna le corps du soldat défunt :

– Et si c'était l'un des vôtres que l'Ombre Durza avait envoûté ? Vous le tortureriez aussi ?

– Bien sûr, répondit Yarbog. Les nôtres exigeraient qu'on les chatouille de nos épées pour leur permettre de prouver leur courage avant de mourir. Il n'en va donc pas de même chez les humains sans cornes ? Vous ne supportez pas la douleur, c'est ça ?

Le terme de « sans cornes » était-il une insulte grave dans la bouche des Urgals ? Roran n'en savait rien. Il savait en revanche qu'on les offensait en mettant leur valeur en doute – peut-être plus encore que les humains.

– N'importe lequel d'entre nous subirait sans broncher des douleurs que tu ne supporterais pas, Yarbog, répliqua-t-il en resserrant sa prise sur son marteau et son bouclier. Maintenant, si tu ne veux pas endurer des souffrances dont tu n'as pas idée, donne-moi ton épée, va détacher ce malheureux et porte-le sur la pile de cadavres. Ensuite, tu iras t'occuper des bêtes de charge. Je te les confie jusqu'à notre retour chez les Vardens.

Sans attendre la réaction de l'Urgal, il lui tourna le dos et reprit les rênes de Feu de Neige. Il s'apprêtait à remonter en selle quand Yarbog gronda :

– Non.

Un pied dans l'étrier, Roran s'immobilisa et jura en silence – c'était précisément le genre de situation qu'il espérait ne pas avoir à affronter au cours de cette mission. Pivotant sur lui-même, il apostropha le rebelle :

– Comment, non ? Tu refuses d'obéir aux ordres ?

Yarbog retroussa les lèvres et montra les crocs :

– Non. Je te conteste le droit de diriger cette tribu, Puissant Marteau.

Rejetant sa tête massive en arrière, le bélier beugla si fort qu'humains et Urgals s'interrompirent dans leur tâche pour courir jusqu'au saule. Bientôt, toute la troupe était rassemblée autour de Yarbog et de Roran.

– Veux-tu qu'on règle son compte à cet animal ? demanda Carn d'une voix sonore.

– Non, répondit Roran. Je m'en chargerai moi-même.

S'il regrettait un peu de se donner en spectacle devant tant de curieux, il était heureux que ses hommes soient auprès de lui face à la rangée de colosses à peau grise. Plus petits que les Urgals, les humains étaient tous à cheval en dehors de lui, ce qui leur donnerait un avantage au cas où les deux groupes en viendraient aux mains. Si cela se produisait, la magie de Carn ne leur serait pas d'un grand secours ; les Urgals avaient leur propre magicien, un chaman nommé Dazhgra, moins expert dans les subtilités de cet art secret, mais plus puissant que le leur.

Reportant son attention sur Yarbog, Roran déclara :

– Les Vardens n'ont pas coutume d'attribuer les postes de commandement au vainqueur d'un duel. Si tu tiens à te battre, je suis ton homme. Cependant, tu n'y gagneras rien. Carn prendra ma place si je suis vaincu, et c'est à ses ordres que tu devras te plier.

– Bah ! Je ne te conteste pas le droit de commander les tiens. Je te dénie tout pouvoir sur nous, les béliers guerriers de la tribu Bolvek ! Tu n'as pas fait tes preuves, Puissant Marteau, tu ne peux donc être notre chef. Si tu perds, le chef, ce sera moi, et nous ne plierons ni devant toi, ni devant Carn, ni devant d'autres créatures trop faibles pour mériter notre respect.

Roran réfléchit un instant avant de se résoudre à l'inévitable. Il lui fallait conserver son autorité sur les Urgals, fut-ce au prix de sa vie. Sinon, c'en serait fini de l'alliance entre les Vardens et les béliers. Il inspira profondément :

– Selon les traditions de mon peuple, c'est à celui qu'on met au défi de choisir l'heure et le lieu du duel, ainsi que les armes.

D'une voix gutturale, Yarbog tonna :

– L'heure, c'est maintenant, Puissant Marteau. Le lieu, ici. En combat singulier, ceux de mon peuple se battent en pagne et sans armes.

– La lutte sera inégale puisque je n'ai pas de cornes, observa Roran. Pour compenser ce manque, me laisseras-tu mon marteau ?

Après un temps d'hésitation, Yarbog se décida :

– Tu peux garder ton casque et ton bouclier. Pas de marteau. Les armes ne sont pas autorisées lorsqu'on se bat pour la place de chef.

– Je vois... Si je dois renoncer au marteau, je renonce également au casque et au bouclier. Quelles sont les règles, et comment saurons-nous qui a gagné ?

– Il n'y a qu'une seule règle : si tu fuis, tu as perdu et tu es banni de ta tribu. Tu gagnes en obligeant ton adversaire à se soumettre ; mais comme je ne me soumettrai pas, nous lutterons à mort.

Roran acquiesça de la tête. « Quelles que soient ses intentions, je ne le tuerai que contraint et forcé. »

– Allons-y ! rugit-il en frappant son bouclier de son marteau.

Suivant ses indications, hommes et Urgals dégagèrent un espace au milieu du ravin et y délimitèrent un carré de douze pas de côté avec des pieux. Les adversaires se dévêtirent et, tandis que deux Urgals enduisaient Yarbog de graisse d'ours, deux humains, Carn et Loften, faisaient de même pour Roran.

– Mettez-en le plus possible sur mon dos, murmura ce dernier.

Le gras assouplirait les croûtes de ses plaies et éviterait que certaines se rouvrent.

– Pourquoi as-tu refusé le bouclier et le casque ? lui murmura Carn à l'oreille.

– Ils n'auraient servi qu'à me ralentir. Il faut que je sois plus vif qu'un lièvre effarouché pour ne pas finir écrasé sous le poids de ce colosse.

Tandis que les deux Vardens lui graissaient les membres,

Roran étudiait son opposant, cherchait à repérer d'éventuelles faiblesses qu'il mettrait à profit.

Haut de plus de six pieds, Yarbog avait le dos large, le torse très développé, des bras et des jambes aux muscles saillants. Sa lourde tête aux cornes en spirales reposait sur un cou de taureau. Trois cicatrices zébraient son flanc gauche – les traces de griffes de quelque animal. Des poils noirs, raides et clairsemés, lui couvraient tout le corps.

« Au moins, ce n'est pas un Kull ! ». Sans douter de sa propre force, Roran ne se pensait pas capable de vaincre Yarbog. Quel homme pouvait espérer égaler les prouesses physiques d'un bélier Urgal en pleine possession de ses moyens ? Avec ses redoutables ongles noirs, ses crocs, ses cornes et le cuir gris qui lui tenait lieu de peau, Yarbog partait avec un avantage considérable. « Si l'occasion se présente, je n'hésiterai pas », songea Roran qui passait en revue tous les coups bas possibles. Ce duel ne ressemblerait en rien aux joutes auxquelles il se livrait avec Eragon, Baldor ou d'autres jeunes gens de Carvahall. Ce serait un combat acharné entre deux bêtes féroces.

Son regard revenait sans cesse sur les imposantes cornes du bélier – assurément son arme la plus dangereuse, et Yarbog s'en servirait en toute impunité pour l'assommer, lui labourer les chairs. De plus, elles le protégeraient des coups à la tête. Ah, mais elles limitaient la vision périphérique de l'Urgal... Ce don de la nature était potentiellement un handicap suffisant pour causer sa perte.

Dans sa hâte d'en terminer, Roran roulait des épaules et sautillait sur place.

Lorsque les combattants furent enduits de graisse d'ours, que leurs assistants se furent retirés, ils pénétrèrent tous deux dans le carré délimité par des pieux. Roran fléchit les genoux, prêt à bondir dans n'importe quelle direction au moindre signe de mouvement de Yarbog. Le sol rocheux était froid et dur sous ses pieds nus.

Un souffle de vent agita les branches du saule proche. L'un des bœufs attelés à un wagon donna du sabot contre une touffe d'herbe, et ses attelles grincèrent.

Yarbog poussa un long cri modulé et chargea, couvrant la distance qui le séparait de son adversaire en trois foulées qui résonnèrent comme un tonnerre. Roran attendit le dernier moment et sauta sur la droite. Hélas ! il avait sous-estimé la rapidité de Yarbog. Baissant la tête, l'Urgal lui donna un coup de corne à l'épaule gauche et l'envoya voler à l'autre bout du carré.

Il atterrit sur des cailloux pointus. Des éclairs de douleurs coururent sur son dos le long des plaies mal cicatrisées. Avec un grognement, Roran se releva. Plusieurs croûtes se fendirent, exposant sa chair meurtrie au contact mordant de l'air. Des graviers et de la terre restaient pris dans la couche de graisse qui recouvrait son corps. Traînant les pieds, il s'avança vers Yarbog sans jamais le quitter des yeux.

L'Urgal rugit. Il chargea de nouveau. De nouveau, Roran tenta d'esquiver. Cette fois, il y parvint de justesse. Yarbog se retourna, chargea une troisième fois. Et manqua sa cible.

L'Urgal changea alors de tactique. Marchant de côté comme un crabe, il lança les bras en avant pour agripper Roran de ses mains crochues et l'attirer dans une étreinte mortelle. Le jeune homme battit en retraite. Quoi qu'il arrive, il ne devait pas tomber entre les griffes de Yarbog, qui l'étoufferaient en un clin d'œil.

Autour du carré, les spectateurs silencieux observaient, impassibles, les déplacements constants des adversaires.

Pendant plusieurs minutes, ils échangèrent de brefs coups de poing. Roran s'employait à garder ses distances, cherchait à fatiguer Yarbog. En vain. Il ne servirait à rien de prolonger le combat. L'Urgal était toujours aussi frais qu'au début, et le jeune homme comprit que le temps ne jouait pas en sa faveur. S'il voulait remporter la victoire, il lui fallait en finir au plus vite.

Une stratégie s'ébaucha dans son esprit. Il se retira dans un coin, à l'opposé de son adversaire, et lui lança des piques pour le provoquer, l'obliger à charger encore :

– Bah ! Tu n'es qu'un gros lard plus lent qu'une vache à lait ! Alors, Yarbog ? Qu'est-ce que tu attends pour m'attraper ? Tu as les jambes en saindoux ? Tu laisses un humain te ridiculiser ? Tu devrais te couper les cornes de honte ! Que penseront les femelles et ta future compagne quand elles apprendront ça ? Diront-elles que...

Yarbog noya le reste de ses paroles sous un rugissement et lui fonça dessus tête baissée. Roran s'écarta d'un bond, tendit la main pour saisir la corne droite de l'Urgal, rata son coup et s'étala au milieu du carré, s'éraflant les deux genoux dans sa chute. Avec un juron, il se releva aussitôt.

Emporté par son élan, le bélier serait sorti de la lice s'il n'avait arrêté sa charge in extremis. Lorsqu'il se retourna, ses petits yeux jaunes cherchaient Roran.

– Yah ! hurla celui-ci.

645

Il tira la langue à son adversaire, le gratifia d'une collection de gestes grossiers puis s'exclama :

– Tu ne toucherais pas un arbre si tu l'avais sous le nez !

– Meurs, misérable humain ! gronda l'Urgal.

Les bras tendus, il bondit. Deux de ses griffes tracèrent des sillons sanglants sur les côtes de Roran qui parvint cependant à s'écarter. Cette fois, il put saisir une corne du bélier, s'y cramponna, et finit par agripper l'autre malgré les efforts que déployait Yarbog pour se débarrasser de lui. Usant des cornes comme d'un levier, le jeune homme tordit le cou de l'Urgal et le jeta à terre. Tous ses muscles protestaient, la violence du mouvement raviva les douleurs de son dos blessé.

Sitôt qu'il eut renversé l'adversaire, il posa le genou sur son épaule et pesa de tout son poids pour le clouer sur place. Yarbog renâclait, donnait des coups de reins, sans résultat. Roran tenait bon. Les pieds calés contre un rocher pour un meilleur appui, il renouvela l'effet de levier et tourna la tête de l'Urgal jusqu'à ce qu'elle refuse d'aller plus loin. Un homme en serait mort, la nuque brisée. La graisse rendait ses paumes glissantes et ne lui facilitait pas la tâche.

L'Urgal se détendit quelques instants, puis il redressa le torse en poussant sur son bras gauche, soulevant Roran avec lui, et il joua des jambes dans une tentative pour se relever - vaine aussi. Roran grimaçait et pressait sur le cou de l'Urgal, sur son épaule. Au bout de quelques secondes, le bras de Yarbog céda, et il retomba à plat ventre.

Les deux opposants haletaient comme s'ils avaient couru un marathon. Leur corps était couvert de poussière. Les poils raides et durs de l'Urgal piquaient Roran ; des filets de sang coulaient des griffures à son flanc, des plaies de son dos qui s'étaient rouvertes.

Lorsqu'il eut retrouvé son souffle, Yarbog se remit à ruer, à tressauter tel un poisson pris à l'hameçon. Roran peinait, mais ne lâchait pas, indifférent aux cailloux qui lui lacéraient pieds et jambes. Le bélier, incapable de se dégager, renonça aux sauts de carpe. Laissant aller ses membres, il raidit le cou et força, relâcha la tension pour forcer encore et encore dans le but d'épuiser Roran.

Ils luttaient, presque immobiles. Une mouche bourdonna autour d'eux, se posa sur la cheville de Roran. Des bœufs mugirent.

Une dizaine de minutes s'écoulèrent ainsi. La sueur ruisselait sur le visage du jeune homme. Il manquait d'air ; les muscles de ses bras semblaient prêts à se déchirer, les croûtes de son dos à éclater comme des fruits trop mûrs. Ses côtes griffées l'élançaient.

Il ne tiendrait pas beaucoup plus longtemps, il le savait. « Bougre d'animal ! Il ne cédera donc jamais ? »

Roran avait à peine formulé cette pensée qu'un spasme secoua la tête de Yarbog. La crampe lui arracha un grognement – le seul son qu'il eut émis depuis un bon moment.

– Tue-moi, Puissant Marteau, grommela-t-il tout bas. Je ne peux pas te vaincre.

Rajustant sa prise sur les cornes de son adversaire, Roran gronda en retour :

– Non. Si tu tiens à mourir, trouve quelqu'un d'autre pour te tuer. J'ai combattu selon tes règles, et c'est selon les miennes que tu me concéderas la victoire. Annonce haut et fort que tu te soumets, que tu as eu tort de me défier, et je te relâcherai. Sinon, je te maintiendrai là le temps qu'il faudra. Jusqu'à ce que tu te décides.

Une fois de plus, Yarbog remua la tête dans l'espoir de se libérer. Il souffla comme un buffle, générant un petit nuage de poussière. Enfin, il râla :

– La honte serait trop grande, Puissant Marteau. Tue-moi.

– Je n'appartiens pas à ton peuple et je ne me plierai pas à ses coutumes, déclara Roran. Puisque tu t'inquiètes tant pour ton honneur, dis aux curieux qui voudront des détails que tu as été vaincu par le cousin d'Eragon le Tueur d'Ombre. Je ne vois pas où serait la honte.

Plusieurs minutes passèrent. Le bélier ne bronchait pas. Roran tira brutalement sur ses cornes et rugit :

– Alors ? Tu vas répondre ?

Élevant la voix pour que tous les guerriers l'entendent, Yarbog capitula :

– Gar ! Svarvok me maudisse, je me soumets ! Je n'aurais pas dû te défier, Puissant Marteau. Tu es digne d'être chef. Pas moi.

Les hommes lancèrent des acclamations, frappèrent leurs boucliers du pommeau de leurs épées avec un bel ensemble tandis que les Urgals demeuraient silencieux.

Satisfait, Roran lâcha les cornes de Yarbog et roula à l'écart du bélier à peau grise avant de se relever. Le corps aussi douloureux que si on l'avait roué de coups une seconde fois, il sortit du carré et clopina jusqu'à Carn, qui l'attendait.

Il grimaça au contact de la couverture dont le sorcier l'enveloppa. Le frottement du tissu sur sa peau déchirée lui faisait mal. Carn lui tendit une gourde de vin et dit en souriant :

– Quand il t'a envoyé valser, j'ai cru ta dernière heure venue et perdu tout espoir. Je te connais pourtant. Tu ne te laisses pas abattre comme ça, hein, Roran ? En tout cas, c'est le plus beau combat auquel j'aie assisté. Tu es sans doute le seul humain de toute l'histoire à avoir lutté à mains nues contre un Urgal.

– Peut-être pas, répondit le jeune homme entre deux gorgées de vin, mais il y a des chances que je sois le seul à y avoir survécu.

Ils rirent tous deux, puis Roran reporta son attention sur le groupe des béliers rassemblé autour de Yarbog. Ils discutaient avec lui à voix basse cependant que deux des leurs le nettoyaient de la graisse, de la saleté qui collait à ses membres. Bien que moroses, ils ne paraissaient nourrir ni colère, ni rancœur. A priori, il n'aurait plus de problèmes avec eux.

S'il souffrait de ses blessures, il se réjouissait aussi des résultats du duel. « Ce ne sera certes pas le dernier accrochage entre nos deux peuples. Quoi qu'il en soit, tant que nous regagnons le camp varden sans autre incident, les Urgals ne rompront pas le pacte. Pas à cause de moi en tout cas. »

Après avoir bu une dernière gorgée de vin, il reboucha la gourde, qu'il rendit à Carn, puis hurla à ses troupes :

– Maintenant, on arrête de jacasser comme des pies soûles et on se dépêche d'inventorier le contenu des chariots ! Loften, rassemble les chevaux des tuniques rouges s'ils ne sont pas déjà à des lieues d'ici ! Dazhgra, tu te charges des bœufs ! Allez ! Pas de temps à perdre ! Thorn et Murtagh pourraient nous rendre visite. Hop, hop ! Et toi, Carn, dis-moi où sont passés mes fichus vêtements !

45
GÉNÉALOGIE

Quatre jours après leur départ de Farthen Dûr, Eragon et Saphira arrivèrent à Ellesméra.

Un clair soleil brillait dans le ciel quand le premier bâtiment de la cité leur apparut – une étroite tourelle en spirale aux fenêtres scintillantes, née des branches entremêlées de deux grands pins. Au-delà de la tourelle recouverte d'écorce, Eragon apercevait l'ensemble des clairières disposées selon un savant hasard, qui marquaient l'emplacement de la ville tentaculaire.

Tandis que Saphira planait au-dessus de la canopée, Eragon cherchait la conscience de Gilderien le Sage qui, en tant que porteur de la Flamme Blanche de Vándil, protégeait Ellesméra contre les ennemis des elfes depuis plus de deux millénaires et demi. Projetant ses pensées vers la ville, le jeune Dragonnier dit en ancien langage :

« Gilderien-elda, nous autorises-tu le passage ? »

Une voix grave et calme résonna alors dans l'esprit d'Eragon :

« Vous pouvez passez, Eragon Tueur d'Ombre et Saphira Écailles Brillantes. Tant que vous venez en paix, vous êtes les bienvenus ici. »

« Merci, Gilderien-elda », répondit Saphira.

Ses griffes effleuraient les cimes des pins aux aiguilles sombres, qui s'élevaient à plus de trois cents pieds du sol. Survolant la cité forêt, elle se dirigea vers la pente d'une colline située à l'extrémité opposée d'Ellesméra. À travers le réseau des branches,

Eragon distinguait les formes fluides des bâtiments faits de bois vivant, les parterres fleuris, les ruisseaux au cours sinueux, le rougeoiement d'une lanterne sans flamme et, parfois, le pâle visage d'un elfe tourné vers eux.

Inclinant ses ailes, Saphira remonta le long de la pente, jusqu'à atteindre l'À-pic de Tel'naeír. La falaise blanche et nue tombait à la verticale sur plus de mille pieds, jusqu'aux vagues de la forêt à sa base, et s'étendait sur une lieue de chaque côté. Tournant sur la droite, Saphira s'orienta vers le nord et longea le ravin. Deux battements d'ailes lui permirent de maintenir sa vitesse et son altitude.

Ils atteignirent bientôt une prairie herbeuse en bordure du gouffre. Là, sur la toile de fond des arbres, on distinguait une modeste maisonnette de plain-pied, qu'avaient engendrée quatre des pins voisins. Une rivière gazouillait sous la mousse, passait entre les racines d'un des pins, pour disparaître ensuite dans les profondeurs du Du Weldenvarden. Glaedr, le dragon d'or, était lové près de la maison, gigantesque, étincelant, avec ses dents d'ivoires aussi larges que le torse d'Eragon, ses griffes comme des faux, ses ailes repliées plus douces que le daim, sa queue musclée presque aussi longue que Saphira tout entière. Les stries de son œil visible brillaient à l'égal d'Isidar Mithrim. Le moignon de sa patte avant était caché derrière son corps. Une petite table ronde et deux chaises étaient placées à côté de lui ; et Oromis était assis tout près du dragon. Les reflets du soleil donnaient à ses cheveux d'argent un éclat métallique.

Eragon se pencha en avant quand Saphira se redressa pour ralentir. Elle se laissa tomber sur l'herbe verte et courut sur quelques foulées, les ailes à la verticale, avant de s'arrêter.

Épuisé, Eragon détacha de ses doigts gourds les lanières de ses jambes avant de se risquer à descendre le long de la patte de Saphira. Il avait à peine quitté sa selle que ses genoux se dérobèrent sous lui. Levant une main pour se protéger le visage, il tomba, se reçut à quatre pattes et se blessa la jambe sur une pierre tapie sous une touffe d'herbe. Avec un petit cri de douleur, il entreprit de se relever. Il se sentait plus raide qu'un vieillard.

Une main apparut alors dans son champ de vision.

Le jeune Dragonnier leva les yeux. Oromis se tenait devant lui, un vague sourire flottait sur son visage sans âge.

– Je salue ton retour à Ellesméra, Eragon-finariel, dit-il en ancien langage. Le tien aussi, Saphira Écailles Brillantes. Bienvenue à tous les deux.

Eragon prit la main que l'elfe lui tendait ; Oromis le releva sans effort apparent. Le jeune Dragonnier eut quelque peine à retrouver l'usage de sa langue. Il ne s'était pas exprimé à haute voix depuis son départ de Farthen Dûr, et la fatigue lui brouillait l'esprit. Portant deux doigts à ses lèvres, il répondit selon la coutume des elfes :

– Que la chance t'accompagne, Oromis-elda.

Puis il retourna la main sur sa poitrine en signe de courtoisie et de respect.

– Que les étoiles veillent sur toi, conclut Oromis.

Eragon répéta ensuite le rituel avec Glaedr. Comme toujours lorsqu'il effleurait la conscience du dragon, il fut intimidé par son assurance inébranlable.

Saphira ne salua ni Oromis ni Glaedr ; elle ne bougea pas d'où elle était. Le cou flasque, le nez au ras du sol, elle tremblait de tous ses membres comme si elle avait froid. Les coins de sa gueule ouverte étaient souillés de bave jaune séchée, et sa langue hérissée de piquants pendait entre ses crocs.

Eragon expliqua :

– Le lendemain de notre départ, nous nous sommes heurtés à un fort vent de face...

Il s'interrompit quand, soulevant sa tête géante, Glaedr se pencha au-dessus de Saphira, qui ne réagit pas. Alors, le dragon d'or souffla sur elle. De petites flammes dansaient au fond de ses naseaux. L'énergie qu'il déversait en elle lui redonna des forces et arrêta ses tremblements. Le soulagement qu'elle éprouvait se transmit à Eragon.

Le feu des narines de Glaedr s'éteignit dans un panache de fumée.

« Je suis allé à la chasse ce matin, dit-il de sa sonore voix mentale. Tu trouveras les restes de mes proies près de l'arbre à la branche blanche, au bout du champ. Mange ce que tu voudras. »

Une vague de gratitude silencieuse émana de Saphira. Traînant sa queue inerte, elle rampa jusqu'à l'arbre indiqué, s'installa dans l'herbe et s'attaqua à la carcasse d'un cerf.

Oromis fit signe à Eragon, lui désigna la table et les deux chaises :

– Viens.

Sur un plateau étaient disposés des coupes de fruits frais, de noix et de noisettes, un demi-fromage, une miche de pain, une carafe de vin et deux gobelets de cristal. Tandis qu'Eragon s'asseyait, Oromis demanda :

– Puis-je t'offrir un verre ? Tu dois avoir la gorge bien sèche.

– Avec plaisir.

D'un geste élégant, l'elfe ôta le bouchon de la carafe et leur versa à boire. Après avoir tendu un gobelet à Eragon, il s'assit à son tour et lissa les plis de sa tunique blanche de ses longs doigts minces.

Eragon goûta le vin moelleux au parfum de cerise et de prune.

– Maître, je...

Levant l'index, Oromis l'interrompit :

– Sauf cas d'urgence extrême, je préfère attendre que Saphira nous rejoigne pour discuter de ce qui vous amène ici. Tu es d'accord ?

Eragon hésita, fit oui de la tête et se concentra sur la saveur des fruits juteux. Le silence semblait convenir à Oromis, qui sirotait son vin en contemplant la vue sur l'À-pic de Tel'naeír. Derrière eux, telle une statue d'or vivante, Glaedr les observait.

Pendant près d'une heure Saphira s'employa à satisfaire son appétit. Lorsqu'elle fut rassasiée, elle se releva, alla jusqu'à la rivière et s'y désaltéra pendant une dizaine de minutes. Des gouttelettes s'accrochaient encore à ses écailles lorsqu'elle se détourna du cours d'eau pour s'étendre de tout son long aux pieds d'Eragon. Les paupières lourdes, elle bâilla, découvrant ses crocs luisants. Elle échangea les salutations d'usage avec Oromis et Glaedr avant de conclure :

« Parlez si vous le souhaitez, mais ne comptez pas trop sur ma participation. Je risque de m'endormir d'une seconde à l'autre. »

« Si tu t'endors, nous attendrons ton réveil pour continuer », déclara Glaedr.

« C'est très... aimable », répondit la dragonne qui peinait à tenir les yeux ouverts.

– Encore un peu de vin ? proposa Oromis.

Eragon déclina l'offre. L'elfe joignit le bout de ses doigts aux ongles arrondis, polis comme des opales :

– Inutile que tu me racontes ce qui t'est arrivé ces dernières semaines. Depuis qu'Islanzadí a quitté la forêt, Arya lui transmet les nouvelles du pays et, tous les trois jours, la reine nous envoie un messager ici. Je suis donc au courant de ton duel contre Murtagh et Thorn dans les Plaines Brûlantes et de ton voyage à Helgrind. Je sais comment tu as puni le boucher de ton village. Je sais aussi que tu étais présent au conseil des chefs nains à Farthen Dûr, et je connais le résultat du vote. Tu peux t'exprimer librement sans t'inquiéter d'avoir à m'éclairer sur les événements récents.

Eragon fit tourner une myrtille dans sa paume :

– Vous avez entendu parler d'Elva et de ce qui s'est passé quand j'ai tenté de lever la malédiction à laquelle je l'avais soumise ?

– Oui. Tu n'as peut-être pas réussi à libérer l'enfant de la totalité du sort, mais tu as payé ta dette envers elle comme il sied à un Dragonnier : quelle qu'en soit l'importance ou la difficulté, un Dragonnier s'acquitte de ses obligations.

– Elle ressent toujours la douleur de ceux qui l'entourent.

– Par choix, non plus parce que ta magie l'y oblige... Tu n'as pas entrepris ce voyage pour t'enquérir de mon opinion concernant Elva. Qu'est-ce qui te pèse, Eragon ? Pose tes questions, et je te promets d'y répondre dans la mesure de mes capacités.

– Tout le problème consiste à... à poser les bonnes questions.

Une lueur amusée éclaira les yeux gris d'Oromis :

– Ah ! tu commences à penser comme un elfe. Nous sommes vos mentors, Eragon. Tu dois nous faire confiance. Sois assuré que nous vous instruirons de ce que vous ignorez, Saphira et toi ; et que nous le ferons quand nous le jugerons opportun, car de nombreux points de votre formation ne peuvent être abordés que le moment venu.

Eragon déposa la myrtille au centre du plateau, puis, d'une voix calme mais ferme, il déclara :

– Il semblerait que vous ayez laissé de nombreux sujets dans l'ombre.

Pendant quelques instants, on n'entendit que le murmure de la brise dans les branches, les glouglous du ruisseau, les jacassements lointains d'écureuils bavards.

« Si tu as des reproches à nous faire, Eragon, dit enfin Glaedr, parle. Ne ronge pas ta rancœur comme un vieil os rassis. »

Saphira s'agita ; le jeune Dragonnier crut l'entendre gronder. Il jeta un coup d'œil sur elle, puis, réfrénant à grand-peine le flot d'émotions qui bouillait en lui, il demanda :

– Lors de mon précédent séjour, saviez-vous qui était mon père ?

Oromis hocha la tête :

– Nous le savions.

– Saviez-vous aussi que Murtagh était mon frère ?

De nouveau, l'elfe hocha la tête :

– Nous le savions, seulement...

– Alors, pourquoi n'en avez-vous rien dit !

Furieux, Eragon bondit de son siège avec tant de violence qu'il le renversa. Frappant du poing contre sa hanche, il s'éloigna de quelques pas, scruta les ombres de la forêt et se retourna. Sa rage s'accrut encore lorsqu'il vit Oromis aussi serein qu'à l'ordinaire.

— Vous comptiez me le dire un jour ? l'apostropha-t-il. M'avez-vous caché la vérité sur ma famille pour ne pas me distraire de mes études ? Par crainte que je devienne comme mon père ?

Une idée pire encore lui traversa l'esprit :

— Peut-être considériez-vous ce détail trop insignifiant pour le mentionner ? Et Brom ? Le savait-il ? S'est-il retiré à Carvahall parce que j'étais le fils de son ennemi ? Et n'imaginez pas que je vais croire à une coïncidence ! Ce n'était pas un hasard s'il vivait à quelques miles de chez moi ni si, *bizarrement*, Arya m'a envoyé l'œuf de Saphira sur la Crête.

— En ce qui concerne Arya, c'était un accident. Elle ignorait alors ton existence, affirma Oromis.

Tendu comme un ressort, muscles crispés, Eragon serra le pommeau de son épée naine :

— Quand Brom a vu Saphira pour la première fois, il s'est demandé si c'était une farce ou une tragédie. Je l'ai entendu marmonner ça entre ses dents. À l'époque, je l'ai cru effaré à l'idée qu'un simple fermier comme moi soit le premier à devenir Dragonnier depuis plus de cent ans. Je me trompais. En réalité, sa question portait sur le fait que le plus jeune fils de Morzan soit appelé à reprendre le flambeau ! Est-ce pour n'être qu'une arme contre Galbatorix que Brom et vous m'avez formé ? Pour que je rachète la félonie de mon père ? Ne suis-je rien d'autre pour vous qu'un instrument, un moyen de rétablir l'équilibre ?

Oromis n'eut pas le temps de répondre qu'Eragon jurait et enchaînait :

— Toute ma vie n'a été qu'un tissu de mensonges ! Depuis le jour de ma naissance, en dehors de Saphira, personne ne voulait de moi, ni Garrow, ni Tante Marian, ni même Brom, qui ne s'intéressait qu'au fils de Morzan et à sa dragonne. Depuis toujours, je dérangeais. Quoi qu'il en soit, je ne suis ni mon père, ni mon frère ; je refuse de suivre la voie qu'ils ont choisie.

Posant les deux mains sur la table, il se pencha en avant :

– Si c'est là ce qui vous inquiète, je ne suis pas près de trahir les elfes, les nains ou les Vardens en faveur de Galbatorix. Je ferai tout ce qui sera nécessaire, mais, à partir de maintenant, vous n'aurez ni ma loyauté ni ma confiance.

L'air et la terre tremblèrent tandis que Glaedr grondait en montrant ses longs crocs.

« Tu as plus de raisons que quiconque de nous accorder ta confiance, dragonneau, dit-il de sa voix de tonnerre. Sans nous, sans la peine que nous nous sommes donnée, il y a belle lurette que tu serais mort. »

Grande fut la surprise d'Eragon quand, aussitôt après, Saphira s'adressa à Glaedr et Oromis :

« Dites-le-lui. »

La détresse qu'il sentait en elle le troubla :

« Me dire quoi, Saphira ? »

Ignorant sa question, elle poursuivit :

« Cette dispute n'a pas lieu d'être. Inutile de prolonger les souffrances d'Eragon. »

Oromis haussa l'un de ses sourcils obliques :

– Tu le savais ?

« Je le sais. »

– Qu'est-ce que tu sais, Saphira ? hurla Eragon incapable de se contenir.

Pour un peu, il aurait tiré son épée du fourreau pour les menacer tous jusqu'à ce qu'ils s'expliquent.

Oromis montra du doigt la chaise renversée :

– Assieds-toi.

Ivre de rage et de rancœur, Eragon s'abstint d'obéir. L'elfe soupira :

– Je comprends que ce soit pénible pour toi. Cependant, si tu continues à poser des questions sans nous donner le temps de répondre, tu resteras frustré. Maintenant, s'il te plaît, assieds-toi, que nous puissions discuter de manière civilisée.

Eragon lui jeta un regard noir, redressa la chaise et se laissa tomber dessus.

– Pourquoi ? Pourquoi ne pas m'avoir dit que mon père était Morzan, le premier des Parjures ?

– Pour commencer, nous aurons beaucoup de chance si tu ressembles à ton père, et j'ai la nette impression que tu lui ressembles. Ensuite, comme je m'apprêtais à te le dire avant que tu ne m'interrompes, Murtagh n'est pas ton frère, il est ton demi-frère.

Eragon crut que le monde basculait sur ses bases ; son vertige était si intense qu'il dut s'agripper à la table :

– Mon demi-frère... Mais alors, qui... ?

Oromis cueillit une mûre dans un bol, la contempla quelques instants, puis la mangea.

– C'est malgré nous que Glaedr et moi t'avons caché la vérité. Nous n'avons pas eu le choix. Nous avons tous les deux prêté serment, pris l'engagement solennel que jamais nous ne te révélerions l'identité de ton père ou de ton demi-frère ni ne mentionnerions ton lignage. À moins que tu ne découvres ces secrets par toi-même ou que ces mêmes secrets te mettent en danger. Ce qui s'est passé entre Murtagh et toi dans les Plaines Brûlantes satisfait à ces conditions et nous permet aujourd'hui d'en parler librement.

Tremblant sous le coup de l'émotion, Eragon demanda :

– Oromis-elda, si Murtagh est mon demi-frère, alors, qui est mon père ?

« Cherche dans ton cœur, Eragon, dit Glaedr. Tu le sais déjà. Tu le sais depuis longtemps. »

– Je ne sais pas ! s'exclama le garçon en secouant la tête. Je ne sais pas ! Je vous en prie...

Glaedr souffla, laissant échapper un petit jet de flamme et de fumée :

« C'est pourtant évident, non ? Tu es le fils de Brom. »

46
LES AMANTS MAUDITS

Éberlué, Eragon fixait le dragon d'or.

— Mais... comment ? balbutia-t-il.

Avant que Glaedr ou Oromis puissent répondre, il se tourna vers Saphira et s'exclama, par la voix comme par l'esprit :

— Tu le savais ? Tu le savais depuis le début, et tu m'as laissé croire que Morzan était mon père, alors que... alors que je... je...

Le souffle court, il bafouillait. Incapable de s'exprimer de manière cohérente, il renonça à poursuivre. Un flot de souvenirs envahit ses pensées, balayant tout le reste. À la lumière de ce qu'il venait d'apprendre, il revit les expressions de Brom, entendit chacune de ses paroles et en comprit le sens. Tout lui apparaissait soudain limpide et juste. S'il voulait encore des explications, il ne doutait plus : Glaedr avait dit vrai, il le sentait jusque dans la moelle de ses os.

La main d'Oromis se posa sur son épaule, ce qui le fit sursauter.

— Calme-toi, Eragon, dit l'elfe avec douceur. Souviens-toi des techniques de méditation que je t'ai enseignées. Contrôle ta respiration, concentre-toi et laisse le sol absorber la tension de tes muscles... Oui, c'est bien. Continue, respire à fond.

Suivant les instructions de son maître, il cessa de s'agiter ; les battements de son cœur ralentirent. Lorsqu'il eut retrouvé sa lucidité, il regarda de nouveau Saphira et murmura :

— Tu le savais !

La dragonne souleva la tête :

« Oh, Eragon, j'aurais tellement aimé te le dire ! Je souffrais de voir à quel point la révélation de Murtagh te tourmentait, et je ne pouvais rien pour toi. J'ai essayé de t'aider, j'ai essayé souvent. Hélas ! comme Oromis, comme Glaedr, j'avais moi aussi prêté serment en ancien langage, juré de garder le secret sur l'identité de ton père. J'étais liée par ma promesse. »

– Qu-quand Brom s'est-il confié à toi ?

Il était si perturbé qu'il parlait encore à voix haute sans nécessité.

« Le lendemain de l'attaque des Urgals, juste après notre départ de Teirm. Avant que tu ne reprennes connaissance. »

– C'est à ce moment-là qu'il t'a expliqué comment contacter les Vardens à Gil'ead ?

« Oui. J'ignorais ce qu'il avait à dire quand il m'a fait promettre de ne jamais mentionner notre conversation devant toi, à moins que tu en découvres le contenu par toi-même. À mon grand regret, j'ai accepté. »

– Il ne t'aurait pas fait d'autres aveux ? voulut savoir le jeune homme dont la colère se ravivait. Confié d'autres menus secrets qui me seraient utiles ? Dit, par exemple, que Murtagh n'était pas mon seul frère, ou indiqué le moyen de vaincre Galbatorix ?

« Pendant les deux jours que j'ai passés avec Brom à traquer les Urgals, il m'a raconté sa vie en détail pour que tu saches quel genre d'homme il était et pourquoi il avait agi comme il l'a fait, au cas où il viendrait à mourir et où tu apprendrais qu'il était ton père. Brom m'a aussi laissé un cadeau pour toi. »

« Un cadeau ? »

« Un souvenir de lui te parlant comme un père, et non pas comme Brom le conteur. »

– Avant que Saphira te transmette ce souvenir, intervint Oromis, il vaudrait mieux que tu connaisses les circonstances qui ont présidé à ta naissance. Veux-tu m'écouter un moment, Eragon ?

Le jeune homme comprit alors que Saphira avait permis à l'elfe d'écouter ses confidences. Indécis, il hésita, puis il acquiesça de la tête. Oromis leva sa coupe de cristal, but quelques gorgées de vin, posa le verre et commença :

– Comme tu le sais déjà, Brom et Morzan ont été mes apprentis. De trois ans son cadet, Brom tenait Morzan en si haute estime qu'il lui permettait de le rudoyer, de lui donner des ordres, de le traiter avec le plus grand mépris.

– J'imagine mal Brom dans ce rôle, commenta Eragon d'une voix enrouée.

– À l'époque, il le supportait. En dépit de sa conduite honteuse, Brom aimait Morzan comme un frère. Il a fallu que Morzan trahisse les Dragonniers au profit de Galbatorix et que les Parjures tuent Saphira, la dragonne de Brom, pour qu'il reconnaisse enfin sa vraie nature. L'immense affection qu'il lui avait portée n'était qu'une chandelle face à un incendie en comparaison de la haine qui l'a remplacée. Brom s'est juré de contrecarrer les projets de Morzan par tous les moyens, de défaire ce qu'il avait fait, et de réduire ses ambitions à d'amers regrets. J'eus beau le mettre en garde contre ce choix si plein de colère et de violence, la mort de Saphira le rendait fou de douleur, il ne m'écoutait pas. Au cours des décennies suivantes, jamais sa haine n'a faibli ; il s'est employé sans relâche aux tâches qu'il s'était données : renverser Galbatorix, abattre les Parjures et, surtout, faire payer à Morzan les torts qu'il lui avait causés. Image même de la ténacité, Brom devint le cauchemar des Parjures et le phare de l'espoir pour ceux qui avaient à cœur de s'opposer à l'Empire.

Le regard d'Oromis se perdit au loin ; il fixa un moment la ligne blanche de l'horizon, but une gorgée de vin et reprit :

– Je suis assez fier de ce qu'il a accompli sans l'aide de son dragon. Un maître se réjouit toujours de voir briller l'un de ses élèves de quelque manière que ce soit... Mais je m'écarte du sujet. Voici une vingtaine d'années, les Vardens ont reçu de leurs espions infiltrés dans l'Empire les premiers rapports concernant les activités d'une femme mystérieuse connue sous le nom de la Main Noire.

— Ma mère, murmura Eragon.

— Ta mère et celle de Murtagh, confirma Oromis. À l'époque, les Vardens ne savaient rien d'elle, à ceci près qu'elle était extrêmement dangereuse et loyale envers l'Empire. Avec le temps, après bien des effusions de sang, il s'avéra qu'elle servait Morzan et lui seul, qu'il l'employait pour imposer sa volonté à travers le royaume. Ayant appris cela, Brom résolut de tuer la Main Noire afin de porter un coup à son ennemi. Comme les Vardens étaient incapables de prévoir les apparitions de ta mère, Brom se rendit au château de Morzan pour surveiller la forteresse et imaginer un stratagème afin d'y pénétrer.

— Où se trouvait ce château ?

— Il est encore debout. Galbatorix l'utilise aujourd'hui à ses propres fins. Il est situé sur les contreforts de la Crête, près de la rive nord-ouest du lac Leona, stratégiquement caché au reste du pays.

— Jeod m'a raconté que Brom y était entré en se faisant passer pour un domestique.

— C'est exact. La tâche n'a pas été facile. Morzan avait imprégné sa forteresse de centaines de sorts pour se protéger de ses ennemis. Il forçait aussi tous ceux qui le servaient à lui jurer fidélité, en employant le plus souvent leur vrai nom. Après bien des expérimentations, Brom a fini par découvrir une faille dans les défenses de Morzan, ce qui lui a permis d'obtenir une place de jardinier sur ses terres. C'est ainsi qu'il a rencontré ta mère.

Eragon baissa les yeux sur ses mains :

— Je suppose qu'il l'a séduite pour faire souffrir Morzan.

— Pas du tout, répondit Oromis. C'était peut-être son intention initiale, mais il est arrivé une chose que ni lui ni ta mère n'avaient prévue : ils sont tombés amoureux l'un de l'autre. À cette époque, elle avait perdu toute affection pour Morzan en raison des mauvais traitements qu'il lui infligeait, à elle et à leur fils nouveau-né – Murtagh. Je ne me rappelle plus comment les événements se sont enchaînés, toujours est-il qu'un jour, Brom lui a dévoilé sa véritable identité et, au lieu de le trahir, ta mère s'est mise à fournir aux Vardens des informations sur Galbatorix, Morzan et le reste de l'Empire.

– Je ne... Si Morzan lui avait fait prêter serment de fidélité en ancien langage, comment a-t-elle pu se retourner contre lui ?

Un sourire se dessina sur les lèvres minces d'Oromis :

– Parce qu'il lui autorisait plus de liberté qu'à ses autres serviteurs afin qu'elle use de son jugement et prenne des initiatives quand elle exécutait ses ordres. Dans son arrogance, Morzan s'imaginait que l'amour qu'elle lui portait était un gage de loyauté plus sûr que tous les serments. Or, elle n'était déjà plus la femme qui avait lié son sort au sien. Sa maternité et sa rencontre avec Brom l'avaient transformée au point de modifier son vrai nom, ce qui la libérait de ses engagements. Si Morzan avait été plus prudent, s'il avait par exemple jeté un sort qui l'alerterait dès qu'elle cesserait d'honorer ses promesses, il aurait su qu'il n'avait plus de pouvoir sur elle. C'était le défaut de Morzan ; trop impatient, il négligeait certains détails, vouant ainsi à l'échec ses enchantements les plus sophistiqués.

Eragon plissa le front :

– Pourquoi ma mère n'a-t-elle pas quitté Morzan à la première occasion ?

– Après les actes qu'elle avait commis en son nom, elle estimait de son devoir de venir en aide aux Vardens. De plus, elle se refusait à abandonner Murtagh entre les mains de son père.

– Rien ne l'empêchait de l'emmener.

– Elle l'aurait fait, j'en suis sûr, si elle l'avait pu. Morzan avait compris que l'enfant lui fournissait le meilleur des moyens de pression. Il avait obligé ta mère à mettre Murtagh en nourrice et ne lui autorisait que de rares visites – visites dont elle profitait à son insu pour retrouver Brom.

Oromis tourna la tête, observa le ballet aérien d'un couple d'hirondelles. Son fin profil aux traits obliques évoquait à la fois le chat et le faucon. Sans quitter les oiseaux des yeux, l'elfe poursuivit son récit :

— Malgré ses dons, ta mère ne savait jamais à l'avance où l'imprévisible Morzan l'enverrait, ni quand elle rentrerait de mission. Il fallait donc que Brom reste à demeure pour la voir en secret. Pendant près de trois ans, il a travaillé comme jardinier sur les terres du château, s'échappant parfois pour transmettre un message aux Vardens ou communiquer avec ses espions.

— Trois ans ! Il ne craignait donc pas que Morzan le reconnaisse ?

— Brom était très habile à se déguiser, dit Oromis en reportant son attention sur Eragon. Et puis, il y avait des lustres que Morzan et lui ne s'étaient pas revus.

— Ah.

Pensif, le garçon faisait tourner sa coupe entre ses doigts, contemplait les jeux de lumière sur le cristal. Après une pause, il demanda :

— Que s'est-il passé ensuite ?

— L'un des agents de Brom à Teirm est entré en contact avec un jeune érudit, un certain Jeod, qui désirait rejoindre les rangs des Vardens et affirmait avoir découvert l'existence d'un passage dérobé sous la forteresse d'Urû'baen : un tunnel qui débouchait au cœur de la partie ancienne construite par les elfes. Jugeant cette découverte trop importante pour l'ignorer, Brom a rassemblé ses affaires, pris congé des autres jardiniers, et il s'est mis en route pour Teirm.

— Et ma mère ?

— Un mois plus tôt, elle était partie en mission pour Morzan.

Eragon s'efforça de rassembler les bribes d'information recueillies auprès de diverses personnes :

— Brom est donc allé à Teirm où il a rencontré Jeod... Et, lorsqu'il a été convaincu que le tunnel existait vraiment, il s'est arrangé pour qu'on envoie quelqu'un voler les trois œufs de dragon que Galbatorix gardait à Urû'baen.

Le visage d'Oromis s'assombrit :

– Hélas, pour des raisons que nous n'avons jamais pu élucider, celui qu'ils avaient désigné pour cette tâche, un certain Hefring de Furnost, n'a réussi à prendre qu'un seul œuf, celui de Saphira. Il s'est enfui avec, au grand dam des Vardens comme de Galbatorix. Suite à cette trahison, Brom a passé sept mois à pourchasser Hefring à travers le pays dans l'espoir de récupérer le précieux objet.

– Et, pendant ce temps, ma mère s'est rendue en secret à Carvahall pour m'y donner naissance cinq mois plus tard.

– C'est exact. Tu as été conçu peu avant que ta mère parte pour sa dernière mission ; tandis que Brom traquait Hefring et l'œuf de Saphira, il ignorait donc qu'elle te portait. Lorsque, enfin, il a affronté Morzan à Gil'ead, ce dernier lui a demandé s'il avait une part dans la disparition de sa Main Noire. C'était une supposition logique, puisque Brom était responsable de la mort de plusieurs Parjures. Ton père en a conclu qu'il était arrivé malheur à sa compagne. Il m'a confié plus tard avoir puisé dans cette conviction la force et le courage qui lui ont permis de tuer Morzan et son dragon. Cela fait, il a découvert l'œuf de Saphira sur le cadavre de Morzan – le félon avait retrouvé la trace de Hefring et s'en était emparé. Brom ne s'est pas attardé, il a quitté la ville, ne s'arrêtant que le temps de cacher Saphira dans un endroit sûr où les Vardens viendraient la chercher plus tard.

– Ce qui explique pourquoi Jeod a cru que Brom était mort à Gil'ead.

Oromis acquiesça de la tête :

– La peur le tenaillait. Il a préféré ne pas attendre ses compagnons. Dans l'hypothèse où ta mère serait encore en vie, il craignait que Galbatorix fasse d'elle sa propre Main Noire et qu'elle soit à jamais asservie à l'Empire.

« Comme il devait l'aimer pour abandonner les siens en apprenant qu'elle était en danger ! » songea Eragon les larmes aux yeux.

— De Gil'ead, Brom est allé directement au château de Morzan, ne s'autorisant que de brèves haltes pour dormir. Malgré sa hâte, il est arrivé trop tard. Ta mère était rentrée quinze jours plus tôt, épuisée et souffrante suite à son mystérieux voyage. Les guérisseurs de Morzan ont tenté de la sauver, sans résultat. Elle s'est éteinte quelques heures avant le retour de Brom.

— Il ne l'a pas revue vivante ? demanda Eragon, la gorge serrée.

— Non.

Oromis s'interrompit. Ses traits se radoucirent :

— La perte de Selena lui a causé presque autant de peine que celle de son dragon. Le feu de sa personnalité en a été bien diminué, mais il n'a pas baissé les bras, il n'est pas devenu fou de douleur comme lorsque les Parjures ont tué sa Saphira. Il a résolu d'enquêter sur la mort de ta mère et de punir les coupables le cas échéant. Il a interrogé les guérisseurs de Morzan pour connaître les symptômes de son mal. Entre ce qu'il a appris d'eux et les rumeurs qui circulaient parmi les serviteurs, il a deviné la vérité sur sa grossesse. Fort d'un nouvel espoir, Brom s'est rendu là où il savait devoir chercher : la maison de ta mère, à Carvahall. Et tu étais là, dans la famille de Selena, avec ton oncle et ta tante. Il n'y est pas resté. Après s'être assuré que tu ne courais pas de danger immédiat, que personne au village ne savait que ta mère était la Main Noire, il est retourné en secret à Farthen Dûr et s'est fait connaître à Deynor, le chef des Vardens à l'époque. Persuadé, comme tout le monde, que Brom avait péri à Gil'ead, le brave homme n'en revenait pas. Brom l'a convaincu de ne mentionner sa survie qu'à une poignée de gens de confiance, puis il...

— Pourquoi ? voulut savoir Eragon. Pourquoi avoir feint d'être mort ?

— Brom tenait à vivre assez longtemps pour contribuer à former le nouveau Dragonnier. Il était recherché pour le meurtre de Morzan, et le meilleur moyen d'échapper aux sbires de Galbatorix consistait à laisser l'ennemi croire qu'il était déjà six pieds sous terre. Brom souhaitait également éviter d'attirer l'attention sur Carvahall. Il comptait s'y installer pour être près de toi – ce qu'il a fait – sans que l'Empire découvre ton existence. Pendant son séjour à Farthen Dûr, Brom a aidé les Vardens à négocier un accord avec la reine Islanzadí afin que les elfes et les humains se partagent la garde de l'œuf et que la formation du nouveau Dragonnier soit assurée à son éclosion. Après quoi, il a accompagné Arya, chargée de transporter l'œuf de Farthen Dûr à Ellesméra. À son arrivée, il nous a narré, à Glaedr et à moi, ce que je te raconte aujourd'hui pour que la vérité sur tes parents ne disparaisse pas avec lui au cas où il mourrait. Tu connais la suite mieux que moi.

Oromis se tut. Il y eut un silence prolongé.

Les yeux rivés sur le sol, Eragon réfléchissait à ce qu'il venait d'entendre et s'efforçait de démêler l'écheveau de ses sentiments. Enfin, il demanda :

– Brom est vraiment mon père, c'est sûr ? Parce que, si ma mère était la compagne de Morzan...

Il laissa sa phrase en suspens, trop gêné pour continuer.

– Tu es le fils de ton père, Eragon. Et ton père, c'est Brom. Il n'y a pas le moindre doute.

– Pas le moindre ?

– Non.

Pris d'un léger vertige, Eragon s'aperçut qu'il retenait son souffle.

– Je crois comprendre pourquoi..., commença-t-il en exhalant.

Il marqua une pause, inspira et reprit :

– ... pourquoi Brom ne m'a rien dit jusqu'à ce que je trouve l'œuf de Saphira. Mais je ne vois pas ce qui l'empêchait de m'en parler après. Pourquoi vous a-t-il fait jurer de garder le secret à tous les trois ?... Parce qu'il ne voulait pas me reconnaître pour son fils ? Parce qu'il avait honte de moi ?

– Je ne sais pas tout des raisons de Brom, Eragon. Je peux cependant t'affirmer qu'il désirait plus que tout revendiquer sa paternité et t'élever comme son fils. S'il s'en est abstenu, c'est par crainte que l'Empire découvre ce lien de parenté et tente de l'atteindre à travers toi. Sa prudence se justifiait, d'ailleurs. Souviens-toi des efforts mis en œuvre par Galbatorix pour capturer ton cousin afin de se servir de lui pour t'obliger à te rendre.

– Brom pouvait se confier à mon oncle. Jamais Garrow ne nous aurait trahis.

– Réfléchis, Eragon. Suppose que tu aies vécu avec Brom et que les espions de Galbatorix aient eu vent de sa survie. Il vous aurait fallu fuir Carvahall pour sauver vos vies. Brom espérait te protéger de ces dangers en gardant pour lui la vérité sur ton identité.

– En fin de compte, cela n'a servi à rien. Nous avons dû fuir Carvahall.

– Certes. L'erreur de Brom – si erreur il y a puisque, de mon point de vue, elle a engendré plus de bien que de mal –, c'est qu'il ne supportait pas de se séparer de toi. S'il avait eu le courage de ne pas retourner à Carvahall, tu n'aurais pas trouvé l'œuf de Saphira, les Ra'zacs n'auraient pas tué ton oncle, beaucoup de choses ne seraient pas arrivées, laissant la place à d'autres événements qui, eux, n'ont pas eu lieu. Quoi qu'il en soit, il n'a pas pu te chasser de son cœur.

Un frisson parcourut Eragon. Mâchoire crispée, il demanda :

– Pourquoi a-t-il persisté à se taire après l'éclosion de Saphira ?

Oromis hésita, manifestement troublé :

– Je ne sais que te répondre, faute de certitudes. Il se peut que Brom ait voulu continuer à te protéger de ses ennemis, qu'il se soit tu pour les raisons qui l'ont poussé à ne pas te conduire directement chez les Vardens : parce que tu n'étais pas préparé à cela. Peut-être projetait-il de t'en parler avant que tu n'ailles à Farthen Dûr. Si je devais hasarder une hypothèse, je dirais que Brom a gardé le silence non parce qu'il avait honte de toi, mais parce que, habitué à vivre avec ses secrets, il lui en coûtait de les partager. Et aussi – c'est une pure spéculation de ma part – parce qu'il n'était pas sûr de tes réactions. Tu avouais toi-même qu'à votre départ de Carvahall, tu le

667

connaissais mal. Il n'est pas impossible que Brom ait craint que tu le haïsses s'il te révélait la vérité.

– Moi, le haïr ? s'exclama Eragon. Comment aurais-je pu le haïr ?... Quoique, à la réflexion, je ne l'aurais peut-être pas cru.

– Et lui aurais-tu fait confiance, après une telle révélation ?

Le jeune homme se mordit l'intérieur des joues. « Non. Je n'aurais pas pu », songea-t-il tandis qu'Oromis poursuivait :

– Brom a agi au mieux dans des circonstances difficiles. Il avait pour tâche principale de veiller à ce que vous restiez en vie, Saphira et toi, de t'instruire et de te conseiller afin que tu n'uses pas de ton pouvoir à des fins égoïstes comme Galbatorix, tâche qu'il a menée à bien. S'il n'a pas été le père que tu aurais souhaité, il t'a légué le plus bel héritage qu'un fils ait jamais reçu.

– Il aurait agi de même envers n'importe quel nouveau Dragonnier.

– Ce qui ne diminue en rien la valeur de ce qu'il t'a transmis, observa Oromis. D'ailleurs, tu te trompes. Ce que Brom a fait pour toi, il ne l'aurait pas fait pour un autre. Si tu en doutes encore, pense qu'il a donné sa vie pour te sauver.

De la pointe d'un ongle, Eragon grattait le bord de la table en suivant une nervure du bois.

– Et c'est vraiment par *accident* qu'Arya m'a envoyé l'œuf de Saphira ?

– Oui. Un accident qui n'était pas entièrement dû au hasard. Au lieu d'être remis au père, l'œuf est apparu devant le fils.

– Comment cela a-t-il pu se faire, si Arya ignorait jusqu'à mon existence ?

Les maigres épaules de l'elfe se soulevèrent, puis retombèrent :

– Malgré des milliers d'années d'étude, nous ne sommes pas en mesure d'expliquer ou de prévoir les effets de la magie.

Eragon continua à gratter le bord de la table. « J'ai un père, songea-t-il. Je l'ai regardé mourir sans savoir que c'était lui... »

– Mes parents..., reprit-il. Ont-ils été mariés ?

— Je comprends les raisons de ta question et je crains que ma réponse ne te satisfasse pas. Le mariage n'a pas cours chez les elfes, c'est une coutume dont les subtilités m'échappent. Personne n'a joint les mains de Brom et de Selena lors d'une cérémonie célébrant leur union. Ils se considéraient toutefois comme mari et femme. La sagesse voudrait que tu ne te tracasses pas si certains de tes semblables te qualifient de bâtard. Qu'il te suffise de savoir que tu es bien leur fils, et que tous deux sont morts afin que tu vives.

Le jeune homme s'étonna du calme qui l'habitait. Depuis toujours, il s'interrogeait sur l'identité de son père. Lorsque Murtagh avait affirmé qu'il était le fils de Morzan, cette révélation l'avait bouleversé presque autant que le meurtre de Garrow. En apprenant de Glaedr que son père était Brom, il avait ressenti un choc, vite dissipé, sans doute parce que la nouvelle lui était plus acceptable. Malgré sa relative sérénité, ses sentiments envers ses parents demeuraient confus ; il lui faudrait des années pour les tirer au clair. « Mon père était Dragonnier ; ma mère était la compagne de Morzan et sa Main Noire. »

— Je peux en parler à Nasuada ? s'enquit-il.

— Parles-en à qui tu voudras. Le secret t'appartient désormais ; tu es libre d'en disposer. Que la terre entière apprenne que tu es l'héritier de Brom ne te mettra pas davantage en danger.

— Murtagh... Il croit que nous sommes frères à part entière. Il me l'a dit en ancien langage.

— Et je suis sûr que Galbatorix le croit aussi. Ce sont les Jumeaux qui ont découvert que vos mères n'étaient qu'une seule et même personne. Ils en ont informé le roi. Ils ignoraient cependant le rôle joué par Brom, car personne parmi les Vardens n'était au courant.

Levant les yeux pour observer des hirondelles, Eragon esquissa un sourire ironique.

— Pourquoi souris-tu ? demanda Oromis.

— Vous ne comprendriez peut-être pas.

L'elfe croisa les mains sur ses genoux :

– C'est fort possible. Tu n'en auras cependant le cœur net qu'après t'être expliqué.

Le garçon réfléchit. Les mots justes ne lui venaient pas aisément :

– Quand j'étais plus jeune, avant… avant *tout ça* – d'un geste large, il embrassa Saphira, Glaedr, Oromis, le monde en général –, je me plaisais à imaginer qu'en raison de sa grande beauté, ma mère était admise à la cour des vassaux de Galbatorix. J'imaginais qu'elle voyageait de ville en ville, dînait dans les châteaux, entourée de comtes et de gentes dames et que… qu'elle s'était éprise d'un homme riche et puissant ; que, contrainte par des circonstances mystérieuses de lui cacher mon existence, elle m'avait confié à Garrow et Marian, et qu'elle reviendrait un jour me révéler mon identité, m'avouer qu'elle n'avait jamais eu l'intention de m'abandonner.

– Ce n'est pas si loin de la vérité.

– Non, sauf que… dans mes fantasmes, mon père et ma mère étaient des personnages importants ; j'étais important, moi aussi. Le destin m'a donné ce que je souhaitais, mais la réalité n'est ni aussi brillante ni aussi heureuse que dans mon imagination… Je souriais de ma propre naïveté, je suppose. Et de l'ironie du sort : il y avait si peu de chances que mes rêves se réalisent !

Un souffle de brise passa sur la clairière, fit bruire les branches autour d'eux. Pendant quelques instants, Eragon observa les ondulations de l'herbe à ses pieds sous la caresse du vent. Enfin, il demanda :

– Ma mère était-elle bonne ?

– Comment pourrais-je te répondre ? Sa vie a été compliquée. Ce serait sotte présomption de ma part que de juger une personne que je connais si mal.

– Il faut que je sache ! s'exclama le garçon en se tordant les mains. Quand je me suis renseigné sur elle auprès de Brom, il me l'a décrite comme une femme fière et digne, toujours prête à aider les pauvres et les malheureux. Comment est-ce possible si elle était la Main Noire ? Jeod m'a raconté le genre d'atrocités qu'elle commettait lorsqu'elle était au service de Morzan... Était-elle mauvaise à ce moment-là ? Se moquait-elle que Galbatorix règne sur le pays ? Pourquoi est-elle allée vers Morzan ?

– L'amour est parfois une malédiction terrible, dit Oromis après un silence. Il peut vous rendre aveugle aux pires défauts de l'être aimé. Je ne pense pas que ta mère ait été consciente de la vraie nature de Morzan quand elle a quitté Carvahall avec lui. Après cela, il n'aurait pas toléré qu'elle lui désobéisse. Elle était son esclave malgré les apparences, et ce n'est que par une profonde métamorphose de sa personnalité qu'elle a pu se soustraire à son contrôle.

– Jeod prétendait qu'elle prenait plaisir à ses tâches en tant que Main Noire.

Une moue de dédain altéra les traits d'Oromis :

– Les récits d'exactions passées nous parviennent le plus souvent exagérés et déformés. Garde cela à l'esprit. Seule ta mère sait ce qu'elle a fait, pourquoi elle l'a fait et ce qu'elle ressentait. Or, elle n'est plus de ce monde pour se justifier.

– Qui croire ? Brom ou Jeod ?

– Quand tu as interrogé Brom à propos de ta mère, il t'a dit ce qu'il pensait être ses principales qualités. Je te conseillerais de t'en remettre à son avis. Si tes doutes persistent, souviens-toi que, malgré les crimes qu'elle a pu commettre en tant que Main Noire de Morzan, elle a fini par prendre le parti des Vardens et n'a pas ménagé sa peine pour te protéger. Fort de cette certitude, cesse de te tourmenter.

Poussée par le vent, une araignée suspendue à un fil ténu flotta sous les yeux d'Eragon, oscillant au gré de courants invisibles. Lorsqu'elle eut disparu, il remarqua :

– Lors de ma première visite à Tronjheim, Angela, la diseuse de bonne aventure, m'a déclaré que le destin de Brom était d'échouer dans toutes ses entreprises, sauf en ce qui concernait Morzan.

Oromis inclina la tête :

– C'est un point de vue. D'autres te diraient que Brom a réussi de grandes choses malgré leurs difficultés. Tout dépend de la manière dont on envisage le monde. Les devins s'expriment par énigmes qu'il n'est pas si simple d'élucider. Dans mon expérience, leurs prévisions sont une entrave à la paix de l'âme. Si tu veux être heureux, Eragon, ne te préoccupe ni de l'avenir ni de ce sur quoi tu n'as aucun contrôle. Concentre-toi sur le présent et sur ce que tu peux changer.

Une idée traversa l'esprit du jeune homme :

– Blagden, le corbeau blanc de la reine Islanzadí. Il est au courant pour Brom, non ?

Oromis haussa un sourcil :

– Crois-tu ? Je ne lui ai parlé de rien. Il est bien trop imprévisible pour qu'on se fie à lui.

– Le jour où Saphira et moi sommes partis pour les Plaines Brûlantes, il m'a récité une devinette... Je ne me rappelle plus la formulation exacte, mais il était question de deux dont l'un serait un alors qu'un pourrait être deux. Je me demande s'il ne se référait pas au fait que Murtagh et moi n'avons qu'un parent en commun.

– Ce n'est pas impossible. Blagden était ici, à Ellesméra, quand Brom m'a parlé de toi. Je ne serais pas surpris que ce voleur au bec pointu ait été perché dans un arbre voisin pendant que nous causions. Il a la déplaisante habitude d'épier les conversations. Il se peut aussi que sa devinette lui ait été inspirée par l'une de ses prémonitions.

Quelques instants plus tard, Glaedr s'agita. Oromis se tourna vers le dragon d'or, puis il se leva de sa chaise avec grâce et changea de sujet :

– Les fruits, les noix, le pain sont des nourritures saines. Je pense toutefois qu'après ton voyage il te faut un repas plus consistant. J'ai une soupe sur le feu qui réclame mon attention. Ne bouge pas, je t'en prie. Je l'apporterai quand elle sera prête.

D'un pas léger, l'elfe regagna sa petite maison recouverte d'écorce et disparut à l'intérieur. Tandis que la porte sculptée se refermait, Glaedr soupira, ferma les yeux et parut s'endormir.

Tout était silencieux. On n'entendait plus que le vent dans les branches.

47
L'HÉRITAGE

Eragon resta un bon moment assis à la table, puis il se leva, alla jusqu'au bord de l'À-pic de Tel'naeír et contempla l'étendue ondoyante de la forêt mille pieds plus bas. Du bout de sa botte, il poussa un caillou dans le vide, le regarda rebondir contre la falaise et s'enfoncer dans les profondeurs de la canopée.

Une branche craqua : Saphira venait le rejoindre. Les reflets de ses écailles, taches bleutées mouvantes, dansèrent sur lui tandis qu'elle s'installait à ses pieds et scrutait l'abîme, elle aussi.

« Tu m'en veux ? » s'enquit-elle.

« Non. Pourquoi t'en voudrais-je ? Tu ne pouvais pas rompre une promesse en ancien langage... Je regrette seulement que Brom ne me l'ait pas dit lui-même, qu'il ait jugé nécessaire de me cacher la vérité. »

La dragonne se retourna vers lui :

« Comment te sens-tu, Eragon ? »

« Tu le sais aussi bien que moi. »

« Je le savais il y a quelques minutes. À présent, je ne sais plus. Plus rien ne bouge en toi. Quand je sonde ta conscience, j'ai l'impression de plonger dans un lac si profond que je n'en vois pas le fond. Qu'éprouves-tu, petit homme ? Est-ce de la colère ? De la joie ? N'as-tu plus d'émotions à offrir ? »

« C'est de l'acceptation. Changer l'identité de mes parents n'est pas en mon pouvoir ; depuis la bataille des Plaines Brûlantes, je me suis réconcilié avec cette idée. Les choses sont ce qu'elles sont, que je grince des dents pendant des lustres n'y changera rien. Je suis... heureux de considérer Brom comme mon père... Enfin, je crois, je n'en suis pas certain... C'est trop à absorber d'un coup. »

« Ce que j'ai pour toi t'y aidera peut-être. Veux-tu découvrir les souvenirs que Brom m'a confiés à ton intention ou préfères-tu attendre ? »

« Montre. L'occasion ne se représentera peut-être pas. »

« Alors, ferme les yeux, et je te transmettrai une vision du passé. »

Eragon obéit et reçut de Saphira un flot de sensations : les images, les sons, les odeurs et bien davantage, tout ce qu'elle avait ressenti à ce moment-là.

Devant lui s'étendait une clairière, dans une forêt située parmi les contreforts du côté ouest de la Crête. L'herbe était dense et grasse, des voiles de lichen pendaient des hauts arbres moussus aux branches tombantes. En raison des pluies venues de l'océan, les bois y étaient plus touffus, plus humides que dans la vallée de Palancar. Vus par la dragonne, les verts et les rouges étaient plus éteints qu'ils ne l'auraient été pour lui, les bleus plus lumineux, plus vibrants. L'air frais sentait bon l'humus.

Au centre de la clairière, Brom était assis sur le tronc d'un arbre abattu.

Le vieil homme avait abaissé sa capuche, découvrant son crâne nu. Son épée reposait sur ses genoux. Son bâton noueux gravé de runes était calé près de lui contre la souche. À sa main droite brillait sa bague, Aren.

Pendant un long moment, il demeura immobile, puis il leva les yeux vers le ciel ; son nez en bec d'aigle projeta une ombre sur son visage. Enfin, sa voix rauque se fit entendre. Eragon eut l'impression que le temps se disloquait. Sous le choc, il chancela tandis que Brom commençait :

— De toute éternité, le soleil poursuit sa course d'un horizon à l'autre, et toujours la lune le suit. Les jours défilent, indifférents aux vies qu'ils usent les unes après les autres.

Le vieux Dragonnier reporta son attention sur Saphira, regardant Eragon à travers elle :

– Qu'on le veuille ou non, aucun être n'échappe à la mort, pas même les elfes ou les esprits. Toute chose a une fin. Si tu me vois ici, Eragon, ma fin est venue, je ne suis plus de ce monde, et tu sais que je suis ton père.

D'une bourse de cuir à sa ceinture, Brom sortit sa pipe, la bourra de cardus et l'alluma en murmurant : « Brisingr ». Il tira quelques bouffées et reprit :

– Si tu vois ceci, j'espère que tu es en sécurité, heureux, et que Galbatorix est mort. Je doute cependant que tu vives en paix, car tu es Dragonnier et un Dragonnier ne trouve pas de repos tant qu'il existe une injustice dans le pays.

Il secoua la tête en riant, et sa barbe ondula comme de l'eau :

– Ah ! Le temps me manque pour te dire la moitié de ce que je voudrais te dire ; j'aurais deux fois mon âge actuel avant d'en avoir terminé. Pour aller au plus court, je vais donc supposer que Saphira t'a déjà raconté comment j'ai rencontré ta mère, comment Selena est morte, et ce qui m'a conduit à Carvahall. J'aurais aimé parler avec toi face à face, Eragon. Peut-être en aurons-nous encore l'occasion, et Saphira n'aura pas besoin de te transmettre ce souvenir. Je le souhaite, mais c'est bien peu probable. Les chagrins de mes années me pèsent et le froid s'insinue en moi. Je pense deviner pourquoi : parce que c'est à ton tour de reprendre le flambeau. Il me reste beaucoup à faire. Si j'y parviens, et je l'espère, c'est pour toi seul, pas pour moi, et tu brilleras jusqu'à m'éclipser, j'en ai la certitude. Toutefois, avant que la tombe se referme sur moi, je tenais à t'appeler mon fils au moins une fois... Mon fils... Depuis toujours, je brûlais de t'avouer qui j'étais, Eragon. Te regarder grandir a été un plaisir à nul autre pareil. Une torture aussi, en raison du secret que je gardais dans mon cœur.

Brom eut alors un rire sans joie :

– En fin de compte, je n'ai pas réussi à te protéger de l'Empire, hein ? Si tu te demandes aujourd'hui qui est responsable du meurtre de Garrow, ne cherche pas plus loin, car tu l'as sous les yeux. C'est le fruit de ma sottise. Jamais je n'aurais dû retourner à Carvahall. Résultat, Garrow est mort, et te voilà Dragonnier. Je préfère te prévenir, Eragon, prends garde à ne pas tomber amoureux de n'importe qui. Le destin semble porter un intérêt morbide à notre famille.

Il remit sa pipe dans sa bouche, tira dessus et souffla la fumée blanche sur le côté. L'odeur âcre du cardus emplit les narines de Saphira.

– Si j'ai des regrets, poursuivit Brom, tu n'en fais pas partie. Tu t'es parfois conduit comme un imbécile, en laissant ces fichus Urgals s'échapper, par exemple. Cela étant, tu n'es pas plus bête que je ne l'étais à ton âge. Hm. Tu serais plutôt moins niais. Je suis fier de t'avoir pour fils, Eragon, plus fier que tu ne l'imagines. Je ne pensais pas que tu deviendrais Dragonnier, toi aussi ; je ne te le souhaitais d'ailleurs pas. Malgré cela, quand je te vois avec Saphira, j'ai envie de chanter à tue-tête comme un coq qui salue le soleil.

De nouveau, Brom tira sur sa pipe :

– Je comprends que tu m'en veuilles de mes cachotteries. À vrai dire, je n'aurais pas été ravi de découvrir l'identité de mon père de cette manière. Que cela te plaise ou non n'y change rien, nous sommes du même sang, toi et moi. N'ayant pas pu remplir mes devoirs de père, je t'offre en échange ce que j'ai à te donner : un conseil. Choisis de me haïr si tu le souhaites, mais écoute-moi bien, je sais de quoi je parle.

De sa main libre aux veines saillantes, Brom serra le fourreau de son épée tout en maintenant de l'autre la pipe au coin de sa bouche :

– Mon conseil est double. Quoi que tu fasses, veille à protéger ceux qui te sont chers. Sans eux, la vie est d'une tristesse infinie. C'est une évidence, j'en conviens, cela n'en est pas moins vrai. Pour le reste... Si tu as eu la grande chance de tuer Galbatorix – ou si quelqu'un a réussi à égorger ce traître – mes félicitations. Sinon, tu dois savoir qu'il est ton pire ennemi et le plus dangereux de tous. Tant qu'il ne sera pas mort, ni toi ni Saphira ne trouverez la paix. Même si vous fuyez au bout du monde, à moins de rejoindre les forces de l'Empire, il vous faudra l'affronter tôt ou tard. Je suis désolé, Eragon, mais c'est la dure vérité. J'ai combattu de nombreux magiciens et certains des Parjures. Jusqu'ici, j'ai toujours vaincu mes adversaires.

Brom plissa le front, ce qui accentua ses rides :

– Enfin, sauf une fois. Je n'étais pas adulte à l'époque. Quoi qu'il en soit, si j'ai toujours eu raison d'eux, c'est que, contrairement à beaucoup d'autres, je fais travailler ma tête. Comparé à Galbatorix, je ne suis pas un jeteur de sorts puissant. Toi non plus. Toutefois, au cours d'un duel de sorciers, l'*intelligence* est beaucoup plus utile que la puissance. On ne triomphe pas d'un magicien en martelant aveuglément sa conscience. Oh, ça non ! Pour t'assurer de la victoire, tu dois t'efforcer de comprendre comment ton ennemi interprète les messages qu'il reçoit et y réagit. Ainsi, tu découvriras sa faiblesse et tu frapperas juste. L'astuce ne consiste pas à inventer un sort auquel personne n'a jamais pensé ; elle consiste à trouver un sort qui a échappé à ton adversaire pour l'utiliser contre lui. L'astuce ne consiste pas à forcer le passage à travers les barrières mentales de l'autre, mais à se glisser en dessous ou à les contourner. Personne n'est omniscient, Eragon, ne l'oublie pas. Malgré ses immenses pouvoirs, Galbatorix ne peut pas tout prévoir. Quoi qu'il advienne, garde l'esprit alerte. Ne t'attache pas à quelque croyance que ce soit au point de perdre la faculté de t'adapter aux circonstances, d'envisager d'autres hypothèses. Galbatorix est fou, ce qui le rend imprévisible ; il y a cependant dans ses raisonnements des failles dues à sa folie. Trouve-les, Eragon, et peut-être qu'alors Saphira et toi serez en mesure de le battre.

Brom ôta sa pipe de sa bouche, le visage grave :

– J'espère que tu réussiras. Mon désir le plus cher pour toi, pour Saphira, est que vous jouissiez d'une longue vie fructueuse, une vie libérée de l'Empire et de la peur de Galbatorix.

J'aimerais te protéger des dangers qui te menacent ; hélas, je n'en ai plus les moyens. Je profite donc de cet instant pour te conseiller et t'enseigner ce que je peux pendant que je suis encore de ce monde... Mon fils. Quel que soit ton destin, sache que je t'aime et que ta mère t'aimait aussi. Que les étoiles veillent sur toi, Eragon, fils de Brom.

L'écho de ses dernières paroles s'estompa quand l'image se brouilla, et le souvenir disparut, laissant derrière lui un grand vide. Lorsqu'Eragon rouvrit les yeux, il s'aperçut que les larmes ruisselaient sur ses joues. Il eut un petit rire gêné et s'essuya avec l'ourlet de sa tunique.

« Brom craignait sérieusement que je le haïsse », dit-il en reniflant.

« Tu t'en remettras ? » demanda Saphira.

« Oui... Je crois que je m'en remettrai plutôt bien. Si certaines choses que Brom a faites me déplaisent, je suis fier qu'il soit mon père, fier de porter son nom. C'était un grand homme... Ce qui me chagrine, c'est de ne pas avoir connu mes parents en tant que parents. »

« Au moins, tu as passé du temps avec Brom. J'ai eu moins de chance que toi ; ceux qui m'ont engendrée étaient morts bien longtemps avant que je sorte de l'œuf. Faute de les avoir rencontrés, je n'ai d'eux que quelques vagues souvenirs qui me viennent de Glaedr. »

Eragon lui posa une main sur le cou et, tout en contemplant la vaste forêt des elfes depuis l'À-pic de Tel'naeír, ils se réconfortèrent l'un l'autre.

Bientôt, Oromis apparut au seuil de sa chaumière portant deux bols de soupe. Eragon et Saphira se détournèrent du paysage pour regagner la petite table installée devant l'imposant Glaedr.

48
ÂMES DE PIERRE

Le repas terminé, Eragon écarta son bol vide.

— Tu aimerais voir un fairth de ta mère ? demanda alors
Oromis.

Le jeune homme, stupéfait, écarquilla les yeux :

— Avec plaisir.

Des plis de sa tunique blanche, l'elfe sortit une mince pla-
quette d'ardoise et la lui tendit.

La pierre était lisse et fraîche sous les doigts d'Eragon. En la
retournant, il découvrirait un portrait, peint des années plus
tôt avec des pigments incrustés dans l'ardoise grâce à un enchantement. Une vague appréhension le faisait hésiter. Depuis toujours, il rêvait de savoir à quoi ressemblait sa mère, mais à présent
que l'occasion lui en était offerte, il craignait d'être déçu.

La curiosité l'emporta cependant. Sur l'autre face de la pla-
quette, on apercevait, comme à travers une vitre, un paysage
de jardin planté de roses rouges et blanches que baignait la
pâle lueur de l'aube. Une allée de gravier serpentait entre les
parterres fleuris et, au milieu de l'allée, une femme agenouillée
tenait une rose blanche entre ses mains, en respirait l'odeur, les
yeux clos. Un sourire flottait sur ses lèvres. Elle était d'une
grande beauté. Son visage exprimait la douceur, la tendresse ;
pourtant, elle portait des vêtements de cuir matelassé, des brassards noircis, des jambières, une épée et une dague à la ceinture. Ses traits rappelaient ceux de Garrow, qui avait été son
frère ; Eragon y reconnut aussi quelque chose de lui-même.

Fasciné, il pressa la paume contre le portrait. Il aurait aimé passer au travers pour effleurer le bras de la femme.

« Maman. »

— Brom m'a confié ce fairth avant de partir pour Carvahall, dit Oromis. Je l'ai conservé précieusement ; aujourd'hui, je te le donne.

Sans relever les yeux, Eragon demanda :

— Cela vous ennuierait de le garder aussi pour moi ? Il pourrait se briser au cours de mes voyages et de mes combats.

Le silence qui suivit le perturba ; il s'arracha à sa contemplation et reporta son attention sur Oromis. L'elfe paraissait soucieux, mélancolique.

— Non, Eragon, c'est impossible. Il te faudra trouver un autre moyen de le mettre en lieu sûr.

Devant la tristesse de son maître, il s'abstint d'insister malgré la question qui lui brûlait les lèvres : pourquoi ?

— Ton temps ici est limité, reprit l'elfe, et nous avons encore beaucoup à discuter. Dois-je deviner quel sujet tu souhaites aborder à présent ?

À regret, Eragon déposa le fairth sur la table et le tourna de façon à ce que l'image soit à l'envers :

— Lors de nos deux affrontements avec Murtagh et Thorn, Murtagh s'est révélé beaucoup trop puissant pour un simple humain. Dans les Plaines Brûlantes, il nous a maîtrisés, Saphira et moi, parce que nous ignorions l'étendue de sa force. Sans son brusque revirement, nous serions à présent prisonniers à Urû'baen. Un jour, vous avez affirmé connaître l'origine des immenses pouvoirs de Galbatorix. Nous en livrerez-vous le secret ? Maître, pour notre sécurité, il est important que nous le connaissions.

— Ce n'est pas à moi de te répondre, déclara Oromis.

— Qui me répondra, alors ? Qui ? Vous ne pouvez pas...

Glaedr ouvrit un œil d'or fondu aussi grand qu'un bouclier rond et déclara : « Moi... La source du pouvoir de Galbatorix réside dans les cœurs des dragons. Il nous vole notre force. Sans notre aide, les elfes et les Vardens l'auraient renversé depuis longtemps. »

Eragon fronça les sourcils :

– Je ne comprends pas. Pourquoi soutiendriez-vous Galbatorix ? Comment est-ce possible ? Il ne reste que quatre dragons et un œuf en Alagaësia... Je me trompe ?

« Beaucoup de dragons dont Galbatorix et les Parjures ont détruit le corps sont encore vivants aujourd'hui. »

– Encore vivants ?...

Abasourdi, Eragon jeta un coup d'œil à Oromis. L'elfe demeura silencieux, les traits figés en une expression indéchiffrable. Plus troublant encore, Saphira ne semblait pas le moins du monde surprise.

Dans un crissement d'écailles, Glaedr ajusta la position de sa tête sur ses pattes pour mieux regarder Eragon :

« Contrairement aux autres créatures, notre conscience ne réside pas seulement dans notre crâne. Il y a dans notre poitrine un objet dur comme une gemme, de même composition que nos écailles. On l'appelle l'Eldunarí, ce qui signifie le cœur des cœurs. Quand un dragon éclot, son Eldunarí est transparent et terne. En général, il reste ainsi durant toute la vie du dragon et, à sa mort, il se désintègre avec son corps. Toutefois, nous pouvons, si nous le voulons, transférer notre conscience dans cet Eldunarí. Il prend alors la couleur de nos écailles et luit comme une braise. Lorsqu'un dragon fait cela, l'Eldunarí survit à sa chair, et son essence perdure. Le dragon peut aussi dégorger son Eldunarí de son vivant. Ainsi, son corps et sa conscience ont des existences séparées tout en restant reliés, ce qui s'avère très utile dans certaines circonstances. Il faut savoir que cela nous met en grand danger, car quiconque possède notre Eldunarí dispose de notre âme et peut nous contraindre à lui obéir, fut-ce pour commettre les pires félonies. »

Le discours de Glaedr était si lourd de conséquences qu'Eragon en eut le vertige. Il reporta son attention sur Saphira et demanda :

« Tu étais au courant de tout ça ? »

Son long cou ondula avec un mouvement serpentin :

« J'ai toujours été consciente de mon cœur des cœurs. Je l'ai toujours senti en moi, mais je n'ai pas pensé à t'en parler. »

« C'est d'une importance capitale, et tu n'as pas pensé à m'en parler ? »

« Estimerais-tu ton estomac, ton foie, ton cœur ou un autre organe suffisamment digne d'intérêt pour m'en parler, Eragon ? Mon Eldunarí fait partie intégrante de moi. Je ne m'y intéressais pas plus que ça... Du moins, jusqu'à notre dernière visite à Ellesméra. »

« Donc, tu savais ! »

« Juste quelques petites choses. Glaedr m'a laissé entendre que mon cœur des cœurs était plus précieux que je ne le soupçonnais ; il m'a enjoint de le protéger afin de ne pas me remettre par mégarde entre les mains de nos ennemis. Il ne m'en a pas dit davantage, mais j'ai déduit en grande partie ce qu'il vient de te révéler par moi-même. »

683

« Et, malgré cela, tu n'as pas jugé bon de t'en ouvrir à moi ? »

« Ce n'est pas faute d'en avoir eu envie, gronda-t-elle. Seulement, comme pour Brom, Glaedr m'a fait promettre de n'en parler à personne, pas même à toi. »

« Tu as accepté ? »

« J'ai confiance en Glaedr comme en Oromis. Pas toi ? »

Sourcils froncés, Eragon se retourna vers l'elfe et le dragon d'or :

– Pourquoi n'avez-vous pas abordé ce sujet plus tôt ?

Oromis déboucha la carafe, remplit son verre de vin et déclara :

– Pour protéger Saphira.

– La protéger ? Mais de quoi ?

« De toi », répondit Glaedr.

Eragon en fut si surpris, si ulcéré, qu'il en perdit tous ses moyens. Il n'eut pas le temps de protester que Glaedr avait déjà repris la parole :

« À l'état sauvage, un dragon apprenait ce qu'était l'Eldunarí de ses aînés lorsqu'il était assez grand pour en comprendre la fonction. Ainsi, il ne risquait pas de transférer sa conscience dans son cœur des cœurs sans connaître la portée de son acte. Avec l'avènement des Dragonniers, une autre tradition est née. Les premières années sont capitales pour qu'un dragon et son Dragonnier établissent de saines relations ; les maîtres Dragonniers se sont aperçus qu'il valait mieux attendre que les couples nouvellement formés mûrissent avant de les informer sur l'Eldunarí. Ce pour éviter que, dans la folie de la jeunesse, un dragon ne décide de dégorger son cœur des cœurs dans le but de faire plaisir à son Dragonnier ou de l'impressionner. En nous détachant de notre Eldunarí, nous nous détachons d'une incarnation matérielle de tout notre être. Une fois qu'il est sorti de notre corps, il ne nous est plus possible de le reprendre en nous. Un dragon ne doit pas entreprendre cette dissociation à la légère : elle engage le reste de sa vie et en modifie le cours à tout jamais. »

— Votre cœur des cœurs est toujours en vous ? s'enquit Eragon.

Autour de la table, l'herbe se coucha sous une bouffée de vent chaud issue des narines de Glaedr :

« C'est une question inconvenante. Tu n'es en droit de la poser qu'à Saphira. Ne t'avise pas de recommencer, dragonneau. »

Rouge de confusion, Eragon eut la présence d'esprit de répondre au reproche en s'inclinant :

— Cela ne se reproduira plus, Maître.

Puis, après une pause, il demanda :

— Que... que se passe-t-il si l'Eldunarí se brise ?

« Si le dragon a transféré sa conscience dans son cœur des cœurs, il meurt pour de bon. »

Dans un cliquetis d'écailles, Glaedr cligna des yeux ; ses paupières internes et externes cachèrent un instant ses prunelles d'or irisées :

« Avant de faire un pacte avec les elfes, nous conservions nos cœurs dans les Du Fells Nángoröth, les montagnes situées au centre du désert du Hadarac. Plus tard, quand les Dragonniers se sont établis sur l'île de Vroengard, ils y ont construit un sanctuaire pour les Eldunarí ; sauvages ou appariés, les dragons confièrent alors leurs cœurs à la garde des Dragonniers. »

— Et Galbatorix s'en est emparé, c'est ça ?

Contre toute attente, les explications vinrent d'Oromis :

— Oui, mais il ne les a pas tous pris d'un coup. Il y avait bien longtemps que rien ne menaçait plus la caste ; certains des nôtres étaient devenus négligents et ne protégeaient pas les Eldunarí comme ils l'auraient dû. À l'époque où Galbatorix s'est retourné contre nous, il n'était pas rare que le dragon d'un Dragonnier dégorge son cœur par commodité.

— Par commodité ?

« Quiconque détient un Eldunarí peut communiquer avec le dragon auquel il appartient sans se soucier de la distance. Même si dragon et Dragonnier sont séparés par toute l'Alagaësia, ils partagent leurs pensées comme tu le fais en ce moment avec Saphira. »

685

— De plus, ajouta Oromis, un magicien qui possède un Eldunarí accroît la puissance de ses sorts en puisant dans les forces du dragon où qu'il se trouve. Quand...

Un colibri aux couleurs chatoyantes interrompit leur conversation. Dans un bourdonnement d'ailes à peine visibles tant elles battaient vite, il s'arrêta en vol au-dessus d'un bol de fruits, butina le jus d'une mûre écrasée et repartit vers la forêt. Lorsqu'il eut disparu parmi les troncs, Oromis reprit son récit :

— Quand Galbatorix a tué son premier Dragonnier, il a aussi volé le cœur de son dragon. Au cours des années qui ont suivi, alors qu'il se cachait dans la nature sauvage, il a brisé l'esprit du dragon pour qu'il se plie à sa volonté, sans doute avec l'aide de Durza. Et lorsque, avec Morzan à son côté, il est entré en rébellion pour de bon, il était déjà plus puissant que presque tous les autres Dragonniers. Ses pouvoirs ne tenaient pas à sa seule magie mais à la force mentale que lui procurait l'Eldunarí. Non content de s'employer à abattre Dragonniers et dragons,

Galbatorix s'était donné pour but d'acquérir le plus d'Eldunarí possible, soit en les arrachant à ses victimes, soit en les torturant jusqu'à ce que leurs dragons dégorgent leur cœur des cœurs. Nous nous en sommes, hélas, aperçus trop tard pour l'en empêcher ; il disposait d'une telle puissance que ne pouvions plus rien contre lui. Son entreprise était facilitée du fait que de nombreux Dragonniers voyageaient non seulement avec l'Eldunarí de leur dragon, mais aussi avec ceux de dragons dont l'enveloppe charnelle s'était dissoute, car l'essence de ces dragons s'ennuyait au fond des alcôves et rêvait d'aventures. Et, bien sûr, quand Galbatorix et les Parjures ont saccagé la cité de Doru Araeba, sur l'île de Vroengard, il a fait main basse sur le trésor d'Eldunarí qui y était conservé. C'est en usant contre l'Alagaësia entière des pouvoirs et de la sagesse des dragons que Galbatorix a bâti son succès. Les premiers temps, il ne contrôlait guère qu'une poignée des Eldunarí dont il s'était emparé. Il n'est pas si facile de réduire un dragon en esclavage, même pour un mage puissant. Sitôt après avoir vaincu les derniers Dragonniers, il s'est proclamé roi et s'est installé à Urû'baen pour se consacrer à soumettre les cœurs de dragon l'un après l'autre. Nous pensons qu'il y a passé la majeure partie des quarante années suivantes. Pendant ce temps, il ne se préoccupait guère des affaires du pays, ce qui a permis au Surda de faire sécession. Lorsqu'il est enfin sorti de sa retraite, il a repris les rênes de l'Empire et annexé les terres avoisinantes. Puis, pour une raison inexpliquée, après deux ans et demi de massacres supplémentaires, il s'est de nouveau retiré à Urû'baen et n'en a plus bougé. Moins seul qu'il ne l'était lors de sa première retraite, il se concentre à l'évidence sur un projet connu de lui seul. Malgré ses vices innombrables, il n'a pas sombré dans la débauche, de cela, les espions vardens sont certains. Nous n'en savons pas plus.

Plongé dans ses réflexions, Eragon fixait l'horizon. Pour la première fois, les histoires qu'il avait entendu raconter sur les pouvoirs surnaturels de Galbatorix prenaient tout leur sens.

Dans un élan d'optimisme, il se dit : « Je ne sais pas encore comment, mais si nous parvenions à libérer les Eldunarí de son emprise, il ne serait pas plus fort qu'un Dragonnier ordinaire. » Toute hasardeuse qu'elle fût, cette perspective lui rendit courage : le roi félon avait un point faible, il n'était pas invulnérable.

Tandis qu'il retournait cette idée dans sa tête, une nouvelle question lui vint à l'esprit :

– Pourquoi les récits d'autrefois ne mentionnent-ils pas le cœur des dragons ? Étant donné son importance, il serait logique que les bardes et les érudits en parlent. Or, je n'ai rien lu à ce sujet.

Oromis posa une main à plat sur la table :

– De tous les secrets d'Alagaësia, celui de l'Eldunarí est l'un des mieux gardés, même parmi les miens. Au fil de l'histoire, les dragons ont toujours veillé à cacher leur cœur au reste du monde. Ils ne nous en ont révélé l'existence qu'une fois le pacte magique scellé entre nos deux espèces, et seulement à quelques personnes choisies.

– Pourquoi ?

« Ah, dit alors Glaedr, nous aurions volontiers fait fi de ce secret s'il n'avait été nécessaire. Une fois l'Eldunarí connu de tous, les pires vauriens se seraient mis en devoir d'en obtenir, et l'un d'eux aurait fini par réussir. Nous avons donc pris les plus grandes précautions afin d'éviter cela. »

– Les dragons ont-ils un moyen de se défendre à travers leur Eldunarí ? s'enquit Eragon.

Les yeux de Glaedr semblèrent scintiller plus que de coutume :

« Excellente question. Un dragon qui a dégorgé son Eldunarí et qui jouit encore de son enveloppe charnelle est, bien sûr, en mesure de défendre son cœur à coups de griffes et de crocs, à coups de queue et d'ailes. Un dragon dont le corps est mort n'a pas cette possibilité. La seule arme dont il dispose est sa conscience et peut-être, dans un bon moment, la magie, que nous ne commandons pas à volonté. Voilà pourquoi de nombreux dragons choisissent de ne pas prolonger leur existence au-delà de la mort physique. Ne pas pouvoir bouger selon ses envies, ne percevoir le monde qu'à travers l'esprit des autres, ne plus être capable d'influencer le cours des événements par la pensée lors de rares éclairs de magie imprévisibles serait pénible à la plupart des créatures et l'est plus encore aux dragons, qui sont les plus libres de toutes. »

– En ce cas, pourquoi le font-ils ?

« C'est parfois le fruit d'un accident. Quand le corps flanche, il arrive qu'un dragon panique et se réfugie dans son Eldunarí. Lorsqu'un dragon a dégorgé son cœur avant que son corps meure, il n'a plus le choix, il perdurera qu'il le veuille ou non. Cependant, la plupart des dragons qui ont choisi de continuer à vivre sous forme d'Eldunarí étaient immensément vieux, bien plus âgés qu'Oromis et moi ne le sommes, si anciens qu'ils avaient renoncé aux préoccupations matérielles pour se retirer en eux-mêmes et désiraient passer le reste de l'éternité à méditer sur des questions inaccessibles à des êtres plus jeunes. Nous vénérions les précieux cœurs de ces dragons pour leur profonde sagesse et leur intelligence. Il était fréquent que les dragons, sauvages et appariés, ainsi que les Dragonniers viennent les consulter sur des sujets critiques. Que Galbatorix les ait réduits en esclavage est un crime d'une cruauté incommensurable. »

« J'ai moi aussi quelque chose à vous demander, dit Saphira dont la riche voix mentale vibrait dans la conscience d'Eragon. Quand l'un des nôtres se trouve confiné à son Eldunarí, est-il obligé de continuer à vivre sous cette forme ? S'il ne supporte plus sa condition, peut-il y mettre un terme en relâchant sa prise sur le monde pour glisser dans les ténèbres de l'au-delà ? »

– Pas de lui-même, dit Oromis. Sauf si l'inspiration magique le poussait soudain à briser son Eldunarí de l'intérieur, fait très rare à ma connaissance. La seule autre solution serait que le dragon convainque un tiers de le faire pour lui. Ce manque absolu d'autonomie est une des raisons pour lesquelles les dragons hésitaient à se retirer dans leur cœur des cœurs – par crainte d'y être emprisonnés à tout jamais.

Eragon sentit Saphira frémir de dégoût à cette seule idée. Elle s'abstint cependant d'exprimer son opinion et posa une nouvelle question :

« Combien d'Eldunarí sont aux mains de Galbatorix ? »

– Nous ne connaissons pas le nombre exact, répondit Oromis, mais nous estimons son trésor à plusieurs centaines.

Les écailles scintillantes de Saphira frétillèrent tout le long de son dos :

« Notre race n'est donc pas menacée d'extinction. »

Oromis hésita, et ce fut Glaedr qui prit la parole, surprenant Eragon par la manière dont il s'adressa à elle :

« Petite dragonne, même si la terre était couverte d'Eldunarí, notre race serait condamnée. Préservé dans son cœur des cœurs, un dragon est toujours un dragon, mais il n'est pas soumis aux instincts de la chair et ne dispose pas des organes pour les assouvir. En clair, il ne peut se reproduire. »

Une douleur à la base du crâne taraudait Eragon. Accablé par la fatigue de ses quatre jours de voyage, il peinait à se concentrer. À la moindre distraction, ses pensées partaient à la dérive.

La queue de Saphira s'agita :

« Je ne suis pas ignorante au point de croire que les Eldunarí soient en mesure de concevoir. Toutefois, leur existence me réconforte, je me sens beaucoup moins seule... Que l'espèce soit condamnée, peut-être. En tout cas, il y a plus de quatre dragons en vie dans le monde, qu'ils soient ou non revêtus de chair. »

– C'est vrai, confirma Oromis. Seulement, ils sont captifs de Galbatorix au même titre que Murtagh et Thorn.

« Je voulais sauver le dernier œuf ; cela me donne un objectif de plus : les délivrer », déclara Saphira.

– Nous nous y emploierons ensemble, commenta Eragon. Nous sommes leur seul espoir.

Il se massa le front de ses pouces et reprit :

– Il y a encore une chose qui m'échappe.

– Ah ? fit Oromis. De quoi s'agit-il ?

– Comment ces cœurs produisent-ils l'énergie que Galbatorix utilise s'il tire sa puissance d'eux ?

Il s'interrompit, réfléchit au moyen de clarifier sa question, puis, d'un large geste, il embrassa le ciel traversé d'hirondelles :

– Tous les êtres vivants mangent et boivent pour se sustenter, les plantes elles-mêmes se nourrissent. La nourriture fournit l'énergie dont le corps a besoin pour fonctionner. Elle fournit aussi l'énergie nécessaire à la magie, que nous lancions des sorts en puisant dans nos propres réserves ou dans celles des autres. Je ne vois pas d'où vient celle de ces Eldunarí. Ils n'ont pas d'os, pas de muscles, pas de peau ; ils ne mangent pas, que je sache. Alors, de quoi vivent-ils ? Où trouvent-ils leur force ?

Oromis sourit, découvrant ses dents un peu longues d'un blanc de porcelaine :

– Dans la magie.

– Dans la magie ?

– Oui, Eragon, dans la magie, que l'on définira comme une manipulation de l'énergie vitale, ce qu'elle est. Où les Eldunarí puisent la leur est un mystère pour les dragons comme pour nous ; personne n'en a découvert l'origine. Il se peut qu'à l'instar des plantes ils absorbent la lumière du soleil ou qu'ils se nourrissent sur les êtres qui les entourent. Quoi qu'il en soit, il a été prouvé qu'à la mort de son corps, un dragon qui s'est retiré dans son cœur des cœurs y apporte l'énergie dont il disposait encore avant que son enveloppe charnelle cesse de fonctionner. Après cela, ses réserves d'énergie s'accroissent à un rythme régulier pendant cinq à sept ans, jusqu'à atteindre leur maximum, ce qui représente une puissance énorme. La quantité totale d'énergie que peut contenir un Eldunarí dépend de sa taille. Plus le dragon est âgé, plus son cœur est gros, plus il peut emmagasiner d'énergie.

Eragon se revit affronter Murtagh et Thorn avec Saphira.

– Galbatorix aura donné plusieurs Eldunarí à Murtagh, dit-il. Il n'y a pas d'autre explication à sa force extraordinaire.

Oromis acquiesça de la tête :

— Tu as de la chance que Galbatorix ne lui en ait pas prêté davantage, ou il t'aurait vaincu sans difficulté, toi, Arya, et tous les magiciens du camp varden.

Le jeune Dragonnier se souvint qu'au cours de ces deux duels, l'esprit de Murtagh lui avait semblé constitué d'une foule d'entités différentes. Il transmit le souvenir à Saphira et commenta pour elle :

« Ce devaient être les Eldunarí que j'ai sentis… Je me demande où Murtagh les met. Thorn n'avait pas de sacoches à sa selle, et je n'ai pas remarqué de renflements bizarres sous les vêtements de Murtagh. »

« Je ne sais pas. En tout cas, c'est sans doute aux Eldunarí qu'il faisait allusion quand il t'a répondu qu'au lieu de t'arracher le cœur, mieux vaudrait que tu arraches *les siens*. Ses cœurs à lui, Eragon ! Au pluriel ! »

« Bon sang, tu as raison ! Peut-être voulait-il nous mettre en garde. »

Il inspira profondément pour dénouer la tension de ses épaules et se recala contre le dossier de son siège :

— En dehors du cœur de Saphira et de celui de Glaedr, y a-t-il des Eldunarí qui ne soient pas aux mains de Galbatorix ?

Des rides de tristesse se creusèrent aux coins de la bouche d'Oromis :

— Pas à notre connaissance. Après la chute des Dragonniers, Brom s'est mis en quête des cœurs de dragons qui auraient échappé à Galbatorix. Sans résultat. Pendant des années, j'ai moi-même fouillé l'Alagaësia en esprit sans percevoir l'ombre d'une pensée provenant d'un Eldunarí. Ils étaient tous répertoriés quand Galbatorix et Morzan ont lancé leur attaque contre nous ; aucun ne s'est évanoui mystérieusement dans la nature. L'existence d'un trésor caché d'Eldunarí prêts à nous aider si nous le découvrions est des plus improbables.

Eragon s'y attendait, ce qui ne l'empêcha pas d'être déçu.

— Une dernière question. Quand un dragon ou son dragonnier meurt, celui des deux qui survit dépérit le plus souvent et se suicide parfois. Les rares qui en réchappent deviennent en général fous. Je me trompe ?

« Non », répondit Glaedr.

— Que se passe-t-il si le corps du dragon meurt alors qu'il a déjà transféré sa conscience dans son Eldunarí ?

À travers ses semelles, Eragon sentit le sol vibrer tandis que Glaedr changeait de position avant d'expliquer :

« Si l'enveloppe charnelle d'un tel dragon meurt et que son Dragonnier lui survit, le couple devient alors ce que nous appelons un Indlvarm. La transition n'est pas très agréable pour le dragon, mais de nombreux couples se sont adaptés et ont continué à servir la Caste des Dragonniers avec honneur. En revanche, si c'est le Dragonnier qui meurt, le dragon s'arrange le plus souvent pour détruire son Eldunarí ou le faire détruire par un autre lorsqu'il n'en est plus capable, ce afin de suivre son Dragonnier dans le néant. Il y a eu des exceptions. Certains dragons se sont remis de leur perte, de même que certains Dragonniers — Brom entre autres —, et ils ont continué à servir notre caste, physiquement ou à travers leur cœur des cœurs. »

« Vous nous avez donné matière à réfléchir, Oromis-elda », déclara Saphira.

Eragon approuva d'un hochement de tête, trop occupé à méditer sur ce qu'il venait d'apprendre pour rompre son silence.

49
MAINS DE GUERRIER

Eragon grignota une fraise sucrée, tiédie au soleil, en contemplant la vaste étendue du ciel. Lorsqu'il eut mangé le fruit, il déposa la queue sur le plateau et la poussa du doigt au centre du plateau. Il ouvrait la bouche pour parler quand Oromis demanda :

– Que désires-tu de plus, Eragon ?

– Eh bien...

– Nous avons longuement discuté des sujets qui t'intéressaient. Qu'attendez-vous de cette visite, Saphira et toi ? Le temps vous presse et vous ne pouvez vous attarder à Ellesméra. Je me demande donc ce que vous comptez accomplir ici. À moins que vous n'ayez l'intention de repartir demain matin.

– Nous espérions qu'à notre retour, nous aurions tout loisir de poursuivre notre formation. À l'évidence, ce n'est pas le moment, mais il y a une chose que je souhaiterais faire.

– Laquelle ?

– Maître, je ne vous ai pas tout dit de mon séjour à Teirm avec Brom.

Eragon lui raconta alors comment, poussé par la curiosité, il était entré dans l'échoppe d'Angela qui avait lu son avenir dans les os de dragon, et il lui rapporta les conseils que Solembum lui avait donnés ensuite.

Pensif, Oromis effleura ses lèvres de l'index :

– Les références à cette diseuse de bonne aventure sont de plus en plus fréquentes depuis un an, que ce soit dans ta bouche ou dans les rapports que nous transmet Arya depuis le campement varden. Cette Angela semble avoir l'art d'apparaître au bon endroit dès qu'un événement important est sur le point de se produire.

« Elle est très douée pour cela », confirma Saphira.

– Sa conduite me rappelle une magicienne humaine qui a séjourné à Ellesméra autrefois, à ceci près qu'elle ne s'appelait pas Angela. Serait-ce une femme de petite taille, aux épais cheveux châtains et bouclés, aux yeux pétillants et à l'esprit aussi vif que ses répliques sont incongrues ?

– Votre description lui correspond parfaitement, mais est-ce la même ?

Oromis eut un petit geste de la main :

– Si oui, c'est une personne extraordinaire... Quant à ses prédictions, je ne m'en préoccuperais pas trop. Elles se réaliseront, ou pas. Faute d'autres renseignements, aucun de nous ne changera le cours des événements. En revanche, les paroles du chat-garou me semblent dignes d'intérêt. Je ne suis, hélas, pas capable de les élucider. Je n'ai jamais entendu parler de la Crypte des Âmes, et si le Rocher de Kuthian me rappelle quelque chose, j'ignore pourquoi ce nom m'est familier. Je chercherai dans mes grimoires, même si l'instinct me dit que je n'en trouverai pas trace dans les écrits elfiques.

– Et l'arme cachée sous l'arbre Menoa ?

– Je ne sais rien de cette arme, Eragon. Je connais pourtant bien les secrets de notre forêt. Dans tout le Du Weldenvarden, il n'y a que deux elfes dont les connaissances dépassent les miennes en ce domaine. Je leur poserai la question à tout hasard.

Devant la déception manifeste de son élève, Oromis reprit :

– Je comprends que tu aies besoin d'une épée de bonne facture pour remplacer Zar'roc. En cela, je peux t'aider. J'ai bien sûr ma propre lame, Naegling, et les elfes ont conservé deux épées de Dragonnier, Arvindr et Támerlein. La première est à Nädindel, trop loin pour que tu t'y rendes. L'autre, Támerlein, est ici même ; elle appartient au trésor de la Maison Valtharos.

Le maître des lieux, Sire Fiolr, y tient et ne s'en séparera pas à la légère. Je pense toutefois que si tu le lui demandes avec tout le respect qui convient, il acceptera de te la donner. Je vais m'arranger pour que tu le rencontres dès demain matin.

– Et si l'arme n'est pas à ma main ? s'inquiéta Eragon.

– Espérons qu'elle le sera. Je préviendrai Rhunön, la forgeronne, qu'elle aura ta visite plus tard dans la journée.

– N'a-t-elle pas juré de ne jamais forger une nouvelle épée ?

Oromis soupira :

– Si. Cela ne t'empêche pas de la consulter, elle est de bon conseil. De tous, c'est la plus apte à te recommander une arme qui te soit adaptée. Et puis, en supposant que Támerlein te plaise, je suis certain que Rhunön voudra l'examiner avant que tu ne repartes. L'arme n'a pas servi au combat depuis plus de cent ans et nécessite peut-être une remise en état.

– N'y aurait-il pas un autre elfe pour me forger une lame ?

– Non. Pas si sa facture doit égaler celle de Zar'roc ou de l'épée volée que s'est choisie Galbatorix. Rhunön compte parmi les plus âgés des nôtres. C'est elle seule qui a forgé toutes les épées de notre caste.

– Elle est aussi ancienne que les Dragonniers ! s'exclama Eragon, éberlué.

– Plus ancienne encore.

Il y eut une pause, puis :

– Que ferons-nous jusqu'à demain, Maître ?

– Va avec Saphira voir l'arbre Menoa ; vous n'aurez pas l'esprit tranquille tant que vous n'aurez pas cherché l'arme mentionnée par le chat-garou. Votre curiosité satisfaite, vous regagnerez vos quartiers dans la maison arboricole que les serviteurs d'Islanzadí entretiennent à votre intention. Après une bonne nuit, nous aviserons de ce...

– Maître, nous disposons de si peu de temps...

– Vous êtes beaucoup trop épuisés tous les deux, mieux vaudrait tempérer votre enthousiasme. Crois-moi, Eragon, le repos te sera plus profitable que de nouvelles stimulations. Ces heures de calme te permettront d'assimiler ce dont nous avons discuté. Même comparé aux conversations des rois, des reines et des dragons, notre échange n'avait rien d'anodin.

En dépit de ces affirmations, Eragon hésitait à passer le reste de la journée dans l'oisiveté. Un sentiment d'urgence le poussait à poursuivre le travail malgré sa fatigue.

Il remua sur sa chaise. Son agitation dut trahir son dilemme, car Oromis sourit :

– Si cela t'aide à te détendre, je te promets qu'avant votre départ, je t'enseignerai tout ce que je peux sur un usage de la magie que tu choisiras à ta guise.

Eragon réfléchit à cette proposition. Pensif, il faisait tourner sa bague autour de son index. Quel usage encore inconnu de la magie désirait-il apprendre plus que tout autre ? Enfin, il se décida :

– J'aimerais savoir invoquer les esprits.

L'expression d'Oromis devint grave :

– Je tiendrai parole, Eragon, mais la sorcellerie appartient aux arts noirs. Il est malséant de vouloir contrôler d'autres êtres afin d'en tirer avantage. Au-delà des considérations morales, la sorcellerie est une discipline d'une grande complexité et des plus dangereuses. Il faut au moins trois ans d'étude intensive avant qu'un magicien puisse espérer invoquer les esprits sans risquer qu'ils le possèdent. C'est une branche très particulière de la magie ; si tu en uses, c'est pour contraindre des créatures aussi puissantes qu'hostiles à te servir, des créatures qui, sitôt captives, s'emploieront à chercher une faille dans les chaînes qui les attachent à toi afin de se venger en te soumettant. Au cours de l'Histoire, jamais un Ombre n'a été Dragonnier, et, de toutes les abominations qui ont hanté cette bonne terre, ce serait assurément la pire, pire encore que Galbatorix. Choisis autre chose, Eragon, une pratique moins périlleuse pour toi comme pour notre cause.

– En ce cas, pourriez-vous m'apprendre mon vrai nom ?

– Tes requêtes sont de plus en plus délicates, Eragon-finariel. Si je le voulais, je réussirais sans doute à deviner ton vrai nom.

L'elfe aux cheveux d'argent examina le jeune homme avec une attention soutenue.

– Oui, dit-il après un silence, je pense que j'y arriverais. Je m'en abstiendrai cependant. Le vrai nom revêt une importance cruciale sur le plan magique, mais ce n'est pas un enchantement. Il est donc exclu de ma promesse. Si tu cherches à mieux te connaître, c'est à toi de le découvrir seul. Ta quête t'apportera un supplément d'expérience dont tu ne bénéficieras pas si je te livre la réponse. La sagesse se mérite ; elle ne te sera pas donnée par d'autres, fussent-ils des maîtres révérés.

Eragon tritura sa bague pendant quelques instants, puis il secoua la tête.

– Je ne sais pas..., marmonna-t-il. Mes questions se sont taries.

– Cela m'étonnerait, commenta Oromis.

Le jeune homme avait un mal fou à se concentrer. Ses pensées revenaient sans cesse à l'Eldunarí et à Brom. Une fois de plus, il s'émerveilla de l'étrange série d'événements qui avait amené Brom à Carvahall et qui avait fait de lui, Eragon, un Dragonnier. « Si Arya n'avait pas... » Une idée le traversa alors, et il sourit :

– M'apprendriez-vous à déplacer un objet instantanément d'un endroit dans un autre, comme Arya avec l'œuf de Saphira ?

– Un excellent choix, approuva Oromis. Bien que coûteux, c'est un sort très utile en de nombreuses circonstances. Tu ne regretteras pas de l'avoir à ta disposition dans ta lutte contre Galbatorix et l'Empire. Arya, pour ne citer qu'elle, peut témoigner de son efficacité.

L'elfe leva sa coupe vers le soleil dont la lumière rendit le vin presque transparent. Il examina le liquide pendant un long moment, posa le verre sur la table et dit :

– Avant que tu n'ailles en ville, j'ai une dernière nouvelle pour toi. Celui que tu as envoyé vivre parmi nous est arrivé il y a déjà quelque temps.

Eragon ne comprit pas immédiatement de qui il s'agissait. Puis la lumière se fit.

— Sloan est à Ellesméra ? s'étonna-t-il.

— Il habite seul dans une modeste hutte près d'un cours d'eau à l'ouest de la cité. La mort suivait ses pas quand il a émergé, chancelant, de la forêt. Nous avons soigné ses blessures physiques, il est maintenant en parfaite santé. Les elfes lui apportent nourriture et vêtements, veillent à son confort, l'accompagnent quand l'envie lui prend de se déplacer et lui font parfois la lecture. En général, il préfère sa solitude et ne parle guère à ceux qui viennent le voir. Par deux fois, il a tenté de s'enfuir, mais tes sorts l'en ont empêché.

« Il a fait plus vite que je ne pensais », dit Eragon à Saphira.

« Ton enchantement qui le poussait vers la forêt devait être plus puissant que tu ne l'imaginais. »

« Oui. »

Il reporta son attention sur Oromis et demanda à voix basse :

— Avez-vous jugé bon de lui redonner la vue ?

— Non.

« L'homme qui pleure est brisé de l'intérieur, expliqua Glaedr. Ses yeux ne lui servent à rien tant qu'il ne voit pas clair en lui. »

— Devrais-je lui rendre visite ?

— À toi d'en décider, répondit Oromis. Une nouvelle rencontre avec toi risque de le perturber. Tu es cependant responsable de son châtiment. Tu aurais tort d'oublier cet homme...

— Je ne l'oublierai pas, Maître.

Avec un brusque mouvement de la tête, l'elfe rapprocha son siège de celui d'Eragon :

— Il se fait tard, je ne te garderai pas davantage, car il faut que tu te reposes. Avant que tu ne nous quittes, j'aimerais encore vérifier quelque chose. Montre tes mains. Je serais curieux de savoir ce qu'elles disent sur toi, à présent.

Oromis tendit ses paumes ouvertes. Eragon posa les siennes par-dessus et frissonna au contact des doigts effilés de l'elfe sur ses poignets. Les tampons de cal à la jointure de ses propres doigts projetaient de longues ombres sur le dos de ses mains. Lorsqu'il les eut examinées, Oromis les retourna d'une pression légère mais ferme pour en étudier l'intérieur.

– Alors ? s'enquit le jeune homme.

Oromis relâcha ses mains puis désigna les cals :

– Tu as maintenant des mains de guerrier, Eragon. Prends garde qu'elles ne deviennent celles d'un homme qui se délecte de la guerre et des carnages.

50
L'ARBRE DE VIE

Depuis l'À-pic de Tel'naeír, Saphira survola la forêt ondoyante jusqu'à la clairière au centre de laquelle se dressait l'arbre Menoa. Plus gros que cent des immenses pins qui l'entouraient, il montait vers le ciel, droit comme un pilier, et le dôme de ses branches s'étendait sur des milliers de pieds. Le réseau de racines noueuses, à la base du tronc moussu, couvrait plus de dix acres avant de s'enfoncer dans le sol tendre pour y disparaître et se fondre dans le tissu des autres. Près de l'arbre Menoa, l'air était humide et frais ; une bruine constante tombait des aiguilles serrées de sa cime, arrosant les fougères qui se pressaient à son pied. Des écureuils roux couraient dans la ramure du vénérable géant qu'égayaient les trilles joyeux et les appels de centaines d'oiseaux. Il en émanait une présence attentive qui rayonnait dans toute la clairière : la conscience de l'elfe jadis connue sous le nom de Linnëa, qui guidait à présent le développement de l'arbre comme de la forêt.

Eragon parcourut le champ de racines en quête de l'arme mystérieuse ou d'un quelconque indice, sans plus de succès que précédemment. Il détacha un morceau d'écorce pris dans les mousses à ses pieds et le montra à Saphira :

« Qu'en penses-tu ? Si je le saturais de sorts, pourrais-je tuer un soldat avec ça ? »

« Si tu le voulais, tu pourrais tuer un soldat avec un brin d'herbe. Mais contre Murtagh et Thorn, ou contre le roi et son dragon noir, ce bout d'écorce ne te servira pas plus qu'une touffe de laine mouillée. »

« Tu as raison », dit-il en jetant sa trouvaille.

« Il me semble inutile que tu te rendes ridicule si le conseil de Solembum doit se révéler vrai. »

« Certes. Il faut peut-être aborder le problème sous un autre angle pour découvrir cette arme. Comme tu me l'as fait remarquer, rien ne prouve que ce soit une lame plutôt qu'une pierre ou un livre. Un bâton taillé dans une branche de l'arbre Menoa ferait, je pense, une arme de valeur. »

« Mais il ne vaudrait pas une bonne épée. »

« C'est sûr... Et puis, je n'oserais pas l'amputer sans son autorisation. Comment le convaincre d'accéder à ma requête ? Je n'en ai pas la moindre idée. »

Saphira arqua le cou, regarda vers le sommet de l'arbre, après quoi elle s'ébroua pour se débarrasser de l'eau accumulée entre ses écailles. Saisi par cette soudaine douche froide, Eragon recula avec un cri et se protégea le visage de son bras.

« Si quelque créature portait la main sur l'arbre Menoa, déclara la dragonne, je doute fort qu'elle y survivrait assez longtemps pour regretter son erreur. »

Pendant plusieurs heures, ils explorèrent la clairière. Eragon espérait encore tomber par hasard sur un creux entre les racines, une anfractuosité dont dépasserait le coin d'un coffre enseveli contenant une épée. « Puisque Murtagh a Zar'roc qui était la lame de son père, celle que Rhunön a forgée pour Brom devrait me revenir de plein droit. »

« Elle serait de la bonne couleur, ajouta Saphira. Sa dragonne, mon homonyme, était bleue, elle aussi. »

En désespoir de cause, le jeune homme se projeta mentalement vers l'arbre Menoa pour contacter la lente conscience qui l'habitait, lui expliquer sa quête et lui demander son aide. Peine perdue. Autant s'efforcer de communiquer avec le vent ou la pluie. L'arbre ne le remarqua pas plus que lui-même n'aurait senti les antennes d'une fourmi tâtant sa botte.

Déçus, Saphira et son Dragonnier quittèrent la clairière alors que le soleil effleurait l'horizon. Ils s'envolèrent vers le centre d'Ellesméra et se posèrent doucement dans la chambre de la maison arboricole que les elfes leur avaient attribuée. C'était un ensemble de pièces aux formes ovoïdes, perché au sommet d'un solide pin, à plusieurs centaines de pieds au-dessus du sol.

Dans la salle à manger, un repas de fruits, de légumes, de haricots rouges et de pain attendait Eragon. Après un dîner frugal, il se lova contre Saphira dans le nid doublé de couvertures aménagé pour elle. Il préférait cela à la solitude de son lit. Tandis que la dragonne sombrait dans un profond sommeil, il regarda les étoiles se lever puis s'éteindre dans le ciel que baignait le clair de lune, il pensa à Brom, au mystère qui entourait sa mère. Tard dans la nuit, il glissa dans la transe de ses rêves éveillés et y retrouva ses parents. Leurs voix étaient assourdies, à peine audibles ; faute d'entendre ce qu'ils disaient, il était conscient de leur amour pour lui, de leur fierté. Ce n'étaient là que des ombres nées de son esprit enfiévré, mais le souvenir de leur affection l'accompagnerait à jamais.

702

À l'aube, une jeune servante au corps de liane conduisit Eragon et Saphira par les sentiers d'Ellesméra jusqu'à la demeure ancestrale des Valtharos. Tandis qu'ils cheminaient entre les troncs sombres des tristes pins, ils n'aperçurent que trois elfes, longues silhouettes gracieuses aux pas silencieux. La ville semblait étrangement déserte.

« Quand les elfes partent en guerre, observa Saphira, ils ne laissent pas grand monde derrière eux. »

« Non. »

Le sire Fiolr les attendait dans un hall au plafond voûté éclairé par des lampes flottantes. Il avait un long visage sévère aux traits plus anguleux encore que ses pairs, un visage en lame de couteau, songea Eragon. Sa robe vert et or, dont le col rigide s'évasait et remontait derrière sa tête, lui donnait l'allure d'un oiseau exotique. Dans sa main droite, il tenait une baguette de bois blanc ornée de glyphes empruntés au Liduen Kvaedhí et couronnée par une perle luminescente.

Le sire Fiolr s'inclina, de même qu'Eragon. Ils échangèrent les salutations rituelles, et le jeune homme remercia son hôte de la générosité dont il faisait preuve en l'autorisant à examiner Támerlein.

— Depuis bien longtemps, cette épée est l'un des trésors les plus précieux de ma famille, et elle m'est particulièrement chère. Connais-tu l'histoire de Támerlein, Tueur d'Ombre ?

— Non, Sire.

— Ma compagne, la belle et sage Naudra, avait un frère, Arva, qui était Dragonnier à l'époque de la Chute. Naudra séjournait chez lui, à Ilirea, quand Galbatorix et les Parjures ont fondu sur la ville comme une tempête. Arva s'est battu aux côtés des autres Dragonniers pour défendre la cité, et Kialandí le Parjure lui a porté un coup mortel. Alors qu'il agonisait sur les remparts d'Ilirea, il a donné son épée, Támerlein, à Naudra pour qu'elle se défende. Armée de Támerlein, Naudra a pu échapper aux Parjures. Un dragon et son Dragonnier l'ont ramenée ici, où elle est morte de ses blessures peu de temps après.

De l'index, le sire Fiolr effleura sa baguette, ravivant l'éclat de la perle :

— Je révère Támerlein à l'égal de l'air que je respire ; je périrais plutôt que de m'en séparer. Hélas ! ni moi ni aucun membre de ma famille ne sommes dignes de cette épée. Elle a été forgée pour un Dragonnier, et nous ne le sommes pas. Afin de t'aider dans ton combat contre Galbatorix, je veux bien te la prêter, Tueur d'Ombre. Mais Támerlein demeurera propriété de la Maison Valtharos, et tu dois promettre de nous la rendre si moi ou l'un de mes héritiers te le demandions.

Eragon prêta serment, puis le sire Fiolr les mena, Saphira et lui, jusqu'à une grande table polie engendrée par le sol de bois vivant. Au bout de la table, il y avait un présentoir ornementé sur lequel Támerlein reposait dans son fourreau.

Forgée dans un acier résistant à la corrosion, la lame était du même vert profond que le fourreau. À son pommeau brillait une grosse émeraude, et une rangée de glyphes en décorait la garde. « Je suis Támerlein qui apporte le sommeil éternel », disait l'inscription en langue elfique. De la même longueur que Zar'roc, elle était plus large, avait une pointe plus arrondie et une poignée de facture plus lourde. C'était une arme aussi dangereuse que belle, mais Eragon comprit au premier coup d'œil que Rhunön l'avait créée pour un Dragonnier dont le style de combat était très différent du sien ; elle était plus adaptée à la taille, au fauchage, qu'aux techniques élégantes et vives que Brom lui avait enseignées.

Dès qu'il eut refermé les doigts sur la poignée, il constata que l'épée n'était pas à sa main. Támerlein n'était pas l'arme qu'il lui fallait. Ce n'était pas une extension de son bras comme l'était Zar'roc. Pourtant, il hésitait. Où trouverait-il meilleure lame que celle-ci ? Arvindr, l'autre épée de Dragonnier mentionnée par Oromis, était à des centaines de miles d'Ellesméra.

« Ne la prends pas, lui souffla Saphira. Si tu dois te battre à l'épée, si ta vie et la mienne en dépendent, alors, il te faut l'arme parfaite. Aucune autre ne fera l'affaire. De plus, je n'aime pas les conditions qui s'attachent au don de sire Fiolr. »

Eragon remit donc Támerlein en place sur son présentoir et s'excusa auprès de son hôte. L'elfe au visage étroit n'en parut pas déçu, bien au contraire. Eragon crut voir passer une lueur de satisfaction dans son regard farouche.

Après avoir quitté la demeure des Valtharos, Eragon et Saphira s'enfoncèrent dans la sombre forêt pour se rendre chez Rhunön, et empruntèrent le tunnel de cornouillers qui débouchait dans la cour intérieure de sa maison. Ils n'en étaient pas sortis qu'ils entendaient déjà le bruit du marteau sur un burin. Devant un établi près de la forge ouverte au centre de l'atrium, Rhunön sculptait un bloc d'acier. Impossible de deviner le sujet de son œuvre, à peine dégrossie.

– Tu es donc toujours en vie, Tueur d'Ombre, dit-elle de sa voix rauque sans lever les yeux de son travail. Oromis m'a appris que tu avais perdu Zar'roc au profit du fils de Morzan.

Eragon grimaça :

– Oui, Rhunön-elda. Il me l'a prise dans les Plaines Brûlantes.

– Humpf.

Rhunön se concentrait sur sa tâche, frappait le burin de son marteau à une vitesse surhumaine. Enfin, elle s'interrompit :

– Alors, l'épée a retrouvé son propriétaire légitime. Je n'aime pas beaucoup l'usage que... comment s'appelle-t-il, déjà ? Ah oui, Murtagh. Je n'aime pas l'usage que Murtagh en fait, mais un Dragonnier mérite une épée digne de ce nom, et aucune n'est mieux adaptée au fils de Morzan que celle de son père.

L'elfe coula un regard à Eragon de dessous ses sourcils :

– Ne t'y trompe pas, Tueur d'Ombre, je préférerais que tu aies gardé Zar'roc. Toutefois, je me réjouirais bien davantage si tu disposais d'une épée faite pour toi. Si Zar'roc t'a servi fidèlement, sa forme ne convenait pas à ta morphologie. Et ne me parle pas de Támerlein. Tu serais le dernier des sots si tu t'imaginais pouvoir la manier.

– Comme vous le voyez, je ne l'ai pas apportée.

Rhunön approuva d'un hochement de tête et se remit au travail :

– Tant mieux. Tu as bien fait.

– Puisque Zar'roc est l'épée qui convient à Murtagh, celle de Brom me conviendrait-elle ?

Les sourcils de Rhunön se rapprochèrent à se toucher :

– Undbitr ? Pourquoi me parles-tu de la lame de Brom ?

– Parce qu'il était mon père, déclara Eragon dont le cœur s'emplit de fierté.

– Vraiment ?

Posant burin et marteau, Rhunön vint l'examiner de près. Après des siècles de labeur à la forge, elle se tenait voûtée, de sorte qu'elle paraissait un peu plus petite que lui.

– Hmm. Je perçois quelques ressemblances, en effet. C'était un rude gaillard, ce Brom. Il disait ce qu'il pensait et ne mâchait pas ses mots. Cela me plaisait bien. Je ne supporte pas ce que sont devenus ceux de mon peuple. Ils sont trop polis, trop raffinés trop précieux. Ah ! je me souviens d'un temps où les elfes riaient et se battaient comme tout le monde. Aujourd'hui, ils sont renfermés, et certains semblent n'avoir pas plus d'émotions qu'une statue de marbre.

« Tu te réfères à l'époque qui a précédé l'alliance entre nos deux espèces ? » s'enquit Saphira.

Sourcils toujours froncés, Rhunön se tourna vers la dragonne :

– Écailles Brillantes. Bienvenue à toi. Oui. Je parlais des elfes avant que le pacte avec les dragons ne soit scellé. Les transformations auxquelles j'ai assisté depuis sont à n'y pas croire ; pourtant, elles ont eu lieu, et je suis l'une des rares personnes vivantes à me rappeler ce que nous étions jadis.

Reportant son attention sur Eragon, elle enchaîna :

– Undbitr n'est pas la solution à ton problème. Brom a perdu son épée pendant la chute des Dragonniers. Si elle n'a pas fini dans la collection de Galbatorix, elle est peut-être détruite, ou bien enfouie quelque part, avec les os des morts, sous un champ de bataille oublié. Il te faudra affronter ton ennemi avant de l'avoir retrouvée, en supposant que ce soit possible.

– Que faire, alors, Rhunön-elda ? demanda Eragon.

Il lui raconta comment il avait choisi un fauchon dans l'armurerie des Vardens, comment il en avait renforcé la lame par des sorts, et comment l'arme l'avait trahi dans les tunnels creusés sous Farthen Dûr.

– Bah ! renâcla l'elfe. Ce n'est pas une solution non plus. Une fois la lame forgée et refroidie, tu peux l'envelopper d'autant de sorts que tu veux, le métal est toujours aussi fragile. Un Dragonnier a besoin de mieux que ça. Il a besoin d'une épée capable de résister aux chocs les plus violents ainsi qu'à la magie. Non, ce qu'il faut, c'est chanter des sorts sur le minerai chauffé quand on le purifie, et ensuite quand on forge la lame, de manière à modifier la structure du métal, à en améliorer la qualité.

– Comment me procurer une telle arme ? Vous m'en forgeriez une, Rhunön-elda ?

Les fines rides de l'elfe se creusèrent. Elle se massa le coude, ce qui fit jouer les muscles saillants de son bras nu.

– Tu sais que j'ai juré de ne plus créer d'armes aussi longtemps que je vivrais.

– Oui.

– Quelle que soit mon envie de la briser, je suis tenue par cette promesse.

Massant toujours son bras, elle regagna son établi et reprit place devant sa sculpture :

– Pourquoi romprais-je mon serment, Dragonnier ? Dis-le-moi. Pourquoi mettrais-je au monde un nouveau voleur d'âmes ?

Eragon choisit ses mots avec soin avant de répondre :

– Parce qu'ainsi, vous pourriez contribuer à la chute de Galbatorix. Ce serait un juste retour des choses si je le tuais avec une de vos lames, puisque c'est avec elles que lui et ses Parjures ont massacré tant de Dragonniers et de dragons. L'usage qu'ils en ont fait vous révolte. N'est-ce pas le meilleur moyen de redresser la balance que de forger l'épée qui sera l'instrument du destin pour le roi félon ?

Rhunön croisa les bras et regarda le ciel :

– Une épée..., une nouvelle épée. Exercer mon art une fois encore après si longtemps...

Elle baissa les yeux, pointa le menton sur Eragon et ajouta :

– J'entrevois peut-être – peut-être – un moyen de t'aider, mais il ne sert à rien de spéculer, c'est impossible.

« Pourquoi ? » voulut savoir Saphira.

– Parce que je ne dispose pas du métal dont j'ai besoin ! gronda Rhunön. N'imaginez pas que je forgeais les épées de Dragonnier dans de l'acier ordinaire ! Oh, que non ! Autrefois, alors que je me promenais dans le Du Weldenvarden, j'ai découvert des morceaux d'une étoile filante tombée à terre. Ils contenaient un minerai qui ne ressemblait à aucun autre. J'ai regagné ma forge et je l'ai purifié. En mélangeant ce métal à de l'acier, j'ai obtenu une matière plus résistante, à la fois plus dure et plus flexible que tous les métaux d'origine terrestre.

Je l'ai nommé vif-acier en raison de son éclat peu commun et, lorsque la reine Tarmunora m'a demandé de forger les premières épées de Dragonnier, c'est le vif-acier que j'ai utilisé. Par la suite, dès que j'en avais l'occasion, je parcourais la forêt en quête du métal venu des étoiles. Je n'en trouvais pas souvent, et je le réservais aux Dragonniers. Au fil des siècles, les fragments de météorites devenaient de plus en plus rares. J'ai bien cru qu'il n'y en avait plus. Il m'a fallu vingt-quatre ans pour localiser les derniers. J'en ai tiré sept épées, dont Undbitr et Zar'roc. Depuis la chute des Dragonniers, je n'ai cherché le vif-acier qu'une fois, et c'était hier soir, suite à ce qu'Oromis m'a dit de toi.

Rhunön pencha la tête de côté en fixant Eragon de ses yeux humides :

– J'ai parcouru des lieues et des lieues, lancé une foule de sorts, et je n'en ai pas trouvé la moindre parcelle. S'il était possible de s'en procurer, nous pourrions envisager de te forger une épée, Tueur d'Ombre. Mais sans vif-acier, cette discussion n'est que vain bavardage.

Eragon s'inclina devant l'elfe forgeronne, la remercia du temps qu'elle lui avait consacré, puis, avec Saphira, il quitta l'atrium par le vert tunnel de cornouillers.

Ils marchaient côte à côte en direction d'une clairière d'où Saphira pourrait prendre son envol quand une idée vint à l'esprit d'Eragon :

« Du vif-acier. Ce doit être de cela que parlait Solembum. Je suis sûr qu'il y a du vif-acier sous l'arbre Menoa. »

« D'où le chat-garou tiendrait-il ça ? »

« Peut-être que l'arbre le lui a dit. Est-ce si important ? »

« Vif-acier ou pas, je ne vois pas comment accéder à ce qui se cache sous les racines de l'arbre Menoa. Nous n'allons pas les tailler à la hache. D'ailleurs, nous ne saurions pas où commencer. »

« Il faut que je réfléchisse. »

De la clairière proche de chez Rhunön, Eragon et Saphira survolèrent Ellesméra pour regagner l'À-pic de Tel'naeír, où Oromis et Glaedr les attendaient. Dès que le jeune homme eut sauté à terre, les deux dragons prirent leur essor au-dessus de l'abîme et montèrent haut dans les cieux, tournoyant sans but particulier, pour le seul plaisir d'être ensemble.

Tandis qu'ils dansaient parmi les nuages, Oromis enseigna à Eragon l'art de déplacer instantanément un objet d'un endroit à un autre, quel que soit leur éloignement.

— Dans la plupart des cas, expliqua l'elfe aux cheveux d'argent, l'énergie nécessaire à soutenir un enchantement augmente en fonction de la distance entre le magicien et le lieu à atteindre. Il y a cependant des exceptions, et cette technique en est une. Que j'envoie la pierre que j'ai dans la main de l'autre côté de la rivière ou jusque dans les îles du Sud, la dépense énergétique sera la même. D'où l'utilité de ce sort lorsqu'on doit transporter une chose par la magie sur une distance si vaste qu'il serait impossible de le faire dans l'espace sans en mourir. Mais souviens-toi que c'est un sort coûteux, à n'employer qu'en dernier recours. À titre d'exemple, déplacer un objet de bonne taille, comme l'œuf de Saphira, te laisserait épuisé au point de ne plus pouvoir bouger.

Oromis lui apprit ensuite à formuler le sort, ainsi que quelques variantes. Lorsqu'Eragon eut mémorisé les incantations à la satisfaction de son maître, l'elfe lui demanda de s'essayer à déplacer le caillou qui reposait au creux de sa paume.

Dès que le jeune homme eut prononcé la formule complète, la petite pierre disparut pour reparaître aussitôt au milieu de la clairière dans un éclair de lumière bleue accompagné d'une détonation et d'un souffle d'air brûlant. Surpris par le bruit, Eragon sursauta. Pris d'une soudaine faiblesse, il s'agrippa à une branche : ses jambes ne le soutenaient plus, le froid envahissait ses membres. Les yeux rivés sur la pierre qui trônait au centre d'un cercle d'herbe noircie, il se souvint de l'instant où l'œuf de Saphira lui était apparu et frissonna.

— Bravo, le félicita Oromis. Et maintenant, peux-tu me dire pourquoi la pierre a produit cette déflagration en se matérialisant dans l'herbe ?

Bien qu'attentif aux paroles de son maître, Eragon continuait de réfléchir au problème de l'arbre Menoa comme le faisait Saphira, là-haut, dans les airs. Plus il retournait la question dans sa tête, plus il désespérait de trouver une solution.

La leçon terminée, l'elfe lui demanda :

— Puisque tu ne prends pas Támerlein que te proposait Sire Fiolr, comptes-tu rester encore longtemps ici avec Saphira ?

— Je ne sais pas, Maître. J'aimerais tenter une dernière chose avec l'arbre Menoa. Si j'échoue, je n'aurai plus le choix et je rentrerai les mains vides chez les Vardens.

— Bien. Avant de partir, revenez nous voir, Saphira et toi.

— Oui, Maître.

Tout en volant vers l'arbre Menoa avec Eragon sur son dos, Saphira déclara :

« Ça n'a pas marché jusqu'ici, je ne vois pas pourquoi ça marcherait maintenant. »

« Parce qu'il le faut. Tu as une meilleure idée ? »

« Non, mais ça ne m'enchante pas. Nous ne pouvons pas prévoir la réaction de Linnëa. Rappelle-toi qu'avant de chanter pour s'intégrer à l'arbre, elle a tué celui qui avait trahi son amour. Elle risque de se fâcher, de recourir à la violence. »

« Elle n'osera pas. Pas si tu es là pour me protéger. »

« Hmm. »

Dans un souffle de vent, Saphira se posa sur une racine en forme de doigt, à quelques centaines de pieds du tronc de l'arbre Menoa. Dans les branches du géant, des écureuils affolés par l'arrivée de la dragonne couinaient des avertissements à leurs semblables.

Eragon se laissa glisser sur la racine et essuya ses paumes moites sur ses cuisses en murmurant :

— Bon. Ne perdons pas de temps.

D'un pas léger, il courut jusqu'à la base de l'énorme pin, les bras tendus en balancier afin de ne pas perdre l'équilibre. Saphira le suivit plus lentement, craquelant l'écorce de ses griffes sur son passage.

Accroupi sur une surface de bois mouillé, Eragon s'agrippa à une crevasse du tronc par crainte de glisser. Lorsque la dragonne fut derrière lui, il ferma les yeux, inspira lentement l'air humide et frais et projeta ses pensées vers le géant.

L'arbre Menoa ne fit pas le moindre effort pour empêcher le contact. Sa conscience était si vaste, si étrangère, si mêlée à celles des végétaux de la forêt qu'elle n'avait pas besoin d'autre protection. Pour exercer le moindre pouvoir dessus, il faudrait d'abord établir sa suprématie mentale sur une large portion du Du Weldenvarden, un exploit impossible à une personne seule.

Eragon recevait de l'arbre des sensations de chaleur, de lumière, de contact avec la terre sur des centaines de coudées à la ronde. Il sentait le mouvement de la brise dans les branches, la sève qui s'écoulait par une petite entaille. Une foule d'impressions similaires lui parvenaient des plantes sur lesquelles veillait l'arbre Menoa. En comparaison de la forte présence qu'il avait manifestée pendant la cérémonie de l'Agaetí Sänghren, l'arbre semblait presque endormi. Le jeune Dragonnier ne détectait qu'une ébauche de pensée consciente, si lente qu'elle en était indéchiffrable.

Rassemblant toute son énergie, Eragon lui lança un appel mental : « Je t'en prie, écoute-moi, ô arbre vénérable ! Ton aide m'est indispensable ! Le pays entier est en guerre, les elfes ont quitté l'abri du Du Weldenvarden, et je n'ai pas d'épée pour me battre ! Solembum, le chat-garou, m'a dit de chercher sous l'arbre Menoa quand j'aurais besoin d'une arme. Le moment en est venu. Je t'en prie, écoute-moi, ô Mère de la Forêt ! Aide-moi dans ma quête ! » Tout en parlant, il projetait des images de Thorn, de Murtagh et des armées de l'Empire. Saphira le soutenait de toute la puissance de son esprit, ajoutait ses propres souvenirs aux siens.

En plus des paroles et des images, Eragon envoyait à l'arbre un flot constant d'énergie puisée dans ses réserves et celles de Saphira ; il espérait le tirer de sa torpeur par ce don qui témoignait de sa bonne foi.

Plusieurs minutes s'écoulèrent sans que l'arbre Menoa réagisse. Eragon ne renonça pas pour autant. Puisque l'arbre évoluait à un rythme beaucoup moins rapide que les humains ou les elfes, il était naturel qu'il ne réponde pas immédiatement à leur requête.

« Nous ne pouvons pas nous épuiser ici si nous voulons rejoindre le camp des Vardens en temps et heure », déclara Saphira.

Le jeune homme concéda le point et interrompit le flux d'énergie à regret. Tandis qu'ils continuaient à plaider leur cause au pied de l'arbre Menoa, le soleil atteignit son zénith et entama sa descente vers l'horizon. Les nuages défilaient à travers le ciel, s'enflaient et rétrécissaient. Des oiseaux évoluaient entre les branches, des écureuils furieux piaillaient, des papillons voletaient de-ci de-là, et une colonne de fourmis rouges qui transportaient des larves blanches passa en ordre militaire devant les bottes d'Eragon.

Soudain, Saphira se mit à grogner, et tous les oiseaux prirent la fuite :

« Assez supplié ! C'est humiliant, à la fin ! Je suis un dragon, et je ne tolérerai pas d'être ignorée de la sorte, fût-ce par un arbre ! »

— Attends ! s'écria Eragon qui avait perçu son intention.

Peine perdue. Elle s'écarta du tronc, planta ses griffes dans la racine qui la portait et, tirant de toutes ses forces, elle arracha trois énormes morceaux de bois.

« Réveille-toi et viens nous parler, elfe-devenue-arbre ! » rugit-elle.

Puis, rejetant la tête en arrière comme un serpent prêt à frapper, elle cracha un jet de feu, inondant le tronc de flammes bleues et blanches.

Eragon se couvrit le visage et recula pour échapper à la chaleur.

– Saphira, arrête ! hurla-t-il, horrifié.

« Je m'arrêterai quand elle nous répondra. »

Une nuée de gouttelettes tomba sur le sol. Levant les yeux, Eragon vit les branches du pin trembler et se secouer avec une frénésie croissante. Les gémissements du bois emplissaient l'air. Un souffle de vent glacial lui fouetta le visage et il lui sembla entendre un grondement sourd à ses pieds. Autour de la clairière, les arbres semblaient plus grands, leurs lignes plus anguleuses. Ils penchaient vers l'avant, et leurs branches crochues se tendaient vers lui comme pour le saisir.

La peur s'empara de lui.

« Saphira... », murmura-t-il, et il plia les jambes, prêt à s'enfuir ou à se battre.

Refermant les mâchoires, Saphira coupa le flot de feu et se détourna de l'arbre Menoa. Lorsqu'elle aperçut le cercle des arbres menaçants, ses écailles se hérissèrent. Elle feula en direction de la forêt, balança la tête de droite à gauche, puis elle déploya ses ailes et battit en retraite.

« Vite, dit-elle. Sur mon dos. »

Avant qu'Eragon ait fait un seul pas, une racine grosse comme son bras jaillit de terre et s'enroula autour de sa cheville gauche pour l'immobiliser. D'autres racines plus grosses encore apparurent de chaque côté de Saphira, lui entourèrent les pattes et la queue. Clouée sur place, elle rugit de fureur et arqua le cou pour libérer un nouveau déluge de feu.

Les flammes vacillèrent dans sa gueule et s'éteignirent quand une voix se fit entendre dans sa tête et dans celle d'Eragon, une lente voix qui rappelait le bruissement des feuilles et disait : « Qui ose troubler mon repos ? Qui ose me mordre et me brûler ? Nommez-vous que je sache qui j'ai tué. »

Eragon grimaça de douleur tandis que la racine se resserrait autour de sa cheville. Si la pression s'accroissait encore, elle allait lui briser les os.

« Je suis Eragon, le Tueur d'Ombre, et elle, Saphira Écailles Brillantes, la dragonne à laquelle je suis lié. »

« Belle mort à vous, Eragon le Tueur d'Ombre et Saphira Écailles Brillantes. »

« Une minute, dit le jeune Dragonnier. Je n'ai pas terminé les présentations. »

Un long silence suivit. Enfin, la voix répondit :

« Continue. »

« Je suis le dernier Dragonnier libre d'Alagaësia, et Saphira la dernière dragonne vivante. Nous sommes peut-être les seuls à pouvoir vaincre Galbatorix, le traître qui a détruit les Dragonniers et conquis la moitié de l'Alagaësia. »

« Pourquoi m'as-tu blessée, dragonne ? » s'enquit la voix dans un soupir.

Saphira montra les crocs :

« Parce que tu refusais de nous parler, elfe-devenue-arbre. Parce qu'Eragon a perdu son épée et qu'un chat-garou lui a dit de chercher sous l'arbre Menoa quand il aurait besoin d'une arme. Nous avons fouillé partout sans résultat. Nous ne la trouverons pas seuls. »

« En ce cas, tu meurs en vain, dragonne, car il n'y a pas d'arme sous mes racines. »

Au désespoir, Eragon tenta de prolonger la conversation :

« Nous pensons que le chat-garou se référait au vif-acier, le minerai tombé des étoiles que Rhunön utilise pour forger les épées de Dragonnier. Sans ce métal, elle ne peut remplacer la mienne. »

Le sol se mit à gondoler, soulevé par les mouvements du réseau de racines qui couvrait la clairière. Des centaines de petits animaux pris de panique jaillirent de partout ; lapins, campagnols, musaraignes et mulots chassés de leurs abris par ce remue-ménage filèrent se réfugier au cœur de la forêt.

Du coin de l'œil Eragon vit accourir une douzaine d'elfes dont les longs cheveux flottaient au vent tels des oriflammes de soie. Silencieux, fantomatiques, ils s'arrêtèrent sous les branches en lisière des bois pour les observer, Saphira et lui, sans la moindre intention d'approcher ou de leur venir en aide.

Le jeune Dragonnier s'apprêtait à lancer un appel mental vers Oromis et Glaedr quand la voix résonna de nouveau :

« Le chat-garou savait de quoi il parlait. Il y a un nodule de vif-acier enfoui juste sous une de mes racines, mais il n'est pas pour vous. Vous m'avez mordue et brûlée, je ne vous le pardonne pas. »

Cette nouvelle aurait réjoui Eragon si l'angoisse n'avait tempéré son enthousiasme.

« Vous ne pouvez pas tuer Saphira ! s'exclama-t-il. C'est la dernière dragonne vivante au monde ! »

« Les dragons crachent le feu », murmura la voix, et un frisson courut parmi les grands pins alentour. « Les feux doivent être éteints. »

Saphira gronda une fois encore et dit :

« Si nous ne renversons pas celui qui a détruit les Dragonniers, il viendra jusqu'ici et brûlera la forêt. Il t'anéantira, toi aussi, elfe-devenue-arbre. Si tu nous aides, nous parviendrons peut-être à triompher de lui. »

Le frottement de deux branches produisit une plainte aiguë dont les bois renvoyèrent l'écho.

« Qu'il essaie de s'en prendre à mes jeunes protégés, et il mourra, déclara la voix. Personne n'est assez puissant pour triompher de la forêt, je vous le certifie en son nom. »

« Le don d'énergie que nous t'avons fait n'est donc pas suffisant à guérir tes blessures ? s'enquit Eragon. N'est-ce pas une compensation adéquate ? »

Au lieu de répondre, l'arbre Menoa sonda l'esprit d'Eragon, cinglant comme un grand vent à travers ses pensées. Enfin, il demanda :

« Quelle créature es-tu, Dragonnier ? Je connais tous les êtres vivants de cette forêt, et jamais je n'ai rien croisé qui te ressemble. »

« Je ne suis ni elfe ni humain. Je suis un hybride des deux. Les dragons m'ont transformé pendant l'Agaetí Sänghren. »

« Pourquoi t'ont-ils transformé, Dragonnier ? »

« Pour me rendre plus apte à combattre Galbatorix et les forces de son empire. »

« Je me souviens avoir senti une distorsion dans la trame de l'univers pendant la cérémonie. Je ne m'en suis pas préoccupée, cela ne semblait pas digne d'intérêt... En dehors du soleil et de la pluie, il y a bien peu de choses importantes, de nos jours... »

« Si cela peut te satisfaire, proposa Eragon, nous soignerons tes plaies et tes brûlures. Mais je t'en supplie, laisse-nous prendre le vif-acier. »

« Me donneras-tu ce que je veux en échange, Dragonnier ? »

« Oui », répondit-il sans hésiter.

Quel que soit le prix, il le paierait de bon cœur pour une épée de Dragonnier.

Les branches de l'arbre Menoa s'immobilisèrent et l'on n'entendit plus un bruit. Après plusieurs minutes de silence absolu, le sol se mit à trembler. Sous les yeux d'Eragon, les racines se tordaient, frottaient les unes contre les autres, répandant des morceaux d'écorce tandis qu'elles s'écartaient pour dégager un espace de terre nue, au centre duquel apparut peu à peu un bloc long de deux pieds et large d'un et demi. Le minerai avait l'apparence du fer rouillé ; à l'instant où il se dégageait du noir humus fertile, Eragon eut une légère crampe au bas-ventre. Il grimaça et massa l'endroit douloureux. La crampe était déjà passée. La racine qui lui tenait la cheville se desserra et reprit sa place dans le sol, de même que celles qui retenaient Saphira.

« Voilà ton métal, murmura l'arbre Menoa. Prends-le et va-t'en. »

« Mais... »

« Va-t'en..., répéta l'arbre dont la voix faiblissait. Va-t'en... »

La conscience étrangère se retira de lui comme de Saphira, se rétracta jusqu'à ce qu'Eragon perçoive à peine sa présence. Autour d'eux, les pins menaçants parurent se détendre et reprirent leur position habituelle.

– Ça alors..., dit Eragon tout haut, surpris que l'arbre Menoa n'ait pas réclamé son dû.

Perplexe, il alla jusqu'au bloc de minerai, s'en saisit et en souleva la lourde masse irrégulière. Puis, le serrant contre sa poitrine, il se détourna de l'arbre Menoa pour se diriger vers la forge de Rhunön.

Saphira le rattrapa et renifla le vif-acier.

« Tu avais raison, dit-elle. J'ai eu tort de l'attaquer. »

« En tout cas, nous avons récupéré le minerai. L'arbre... je ne sais pas ce qu'il y a gagné ; le plus important, c'est que nous ayons ce que nous étions venus chercher. »

Les elfes s'assemblèrent le long du sentier choisi par Eragon et les dévisagèrent, Saphira et lui, avec une attention si soutenue qu'il en eut la chair de poule. Pas un ne leur adressa la parole ; ils se contentaient de les fixer de leurs yeux obliques comme s'ils surveillaient une bête féroce de passage sur leur territoire.

Un panache de fumée monta des naseaux de la dragonne.

« Si Galbatorix ne nous tue pas, remarqua-t-elle, nous aurons notre vie pour nous en repentir. »

51
L'ESPRIT ET LA MATIÈRE

—Où as-tu trouvé ça ? voulut savoir Rhunön quand Eragon entra dans son atrium.

Chancelant sous le poids, il vint déposer le bloc de vif-acier aux pieds de l'elfe et, sans s'étendre sur les détails, il lui rapporta le conseil de Solembum concernant l'arme cachée sous l'arbre Menoa.

Accroupie, Rhunön caressait la surface granuleuse ; ses doigts s'attardaient sur les affleurements du métal pris dans la roche.

— Il faut être très fou ou très brave pour interroger l'arbre Menoa comme tu l'as fait. On ne plaisante pas avec la Mère de la Forêt.

« Il y en a assez pour une épée ? » demanda Saphira.

— Si j'en crois mon expérience passée, je pourrais en tirer plusieurs.

L'elfe se releva, se redressa de toute sa taille. Elle jeta un coup d'œil sur la forge au centre de l'atrium, son visage s'éclaira, et elle frappa dans ses mains avec enthousiasme et détermination :

— Au travail, maintenant ! Tu as besoin d'une épée, Tueur d'Ombre ? Parfait. Je t'en donnerai une comme l'Alagaësia n'en a encore jamais vu.

— Et votre serment ? s'inquiéta Eragon.

— Ne te tracasse pas pour le moment. Quand devez-vous être de retour chez les Vardens, tous les deux ?

— Nous aurions dû repartir le jour de notre arrivée.

Pensive, Rhunön marqua une pause.

— En ce cas, il me faudra hâter ce que je ne précipiterais pas en temps normal, user de magie au lieu de passer des semaines à créer une lame à la main. Vous m'aiderez, Écailles Brillantes et toi.

Eragon acquiesça d'un hochement de tête – ce n'était pourtant pas une question.

— Nous n'aurons pas de repos cette nuit, Tueur d'Ombre, mais je te promets que tu auras ton épée demain matin.

Sans effort apparent, Rhunön plia les genoux et souleva le bloc de minerai, puis elle le transporta sur son établi, près de sa sculpture en cours.

Eragon ôta sa tunique et sa chemise afin de ne pas les abîmer. Rhunön lui donna à la place un gilet ajusté et un tablier fait de tissu ignifugé. Elle était vêtue de même. Quand il lui demanda des gants, elle éclata de rire :

— Seuls les forgerons maladroits mettent des gants.

Elle le conduisit ensuite à une sorte de grotte au plafond bas, creusée dans le tronc d'un des arbres qui constituaient sa maison. À l'intérieur, il y avait des sacs de charbon de bois et des piles de briquettes d'argile blanche. Grâce à un sort, ils soulevèrent plusieurs centaines de briquettes et les transportèrent dehors, près de la forge à ciel ouvert ; après quoi ils firent de même pour les sacs de charbon de bois de la taille d'un homme.

Lorsque les matériaux furent rangés à la satisfaction de Rhunön, elle construisit un fourneau avec l'aide d'Eragon afin de purifier le minerai. Elle refusa d'user de la magie, de sorte qu'ils passèrent la majeure partie de l'après-midi à cette tâche. Ils creusèrent d'abord une fosse rectangulaire profonde de cinq pieds qu'ils remplirent en alternant les couches de sable, de gravier, d'argile, de charbon de bois et de cendre, ménageant des espaces et des conduits pour évacuer l'humidité qui, sans cela, ferait baisser la température. Lorsque les couches successives arrivèrent au niveau du sol, ils bâtirent par-dessus un creuset en forme d'auge avec des briquettes réfractaires et un mortier d'argile fraîche. Rhunön disparut alors dans sa maison ; elle en ressortit avec deux soufflets, qu'ils fixèrent aux tuyères situées à la base du creuset.

Ils s'interrompirent pour boire et dîner d'un peu de pain et de fromage.

Ce repas sommaire terminé, Rhunön entassa du petit bois dans l'auge et l'enflamma d'un mot ; lorsque le feu eut pris, elle y ajouta des bûches de chêne sec. Pendant près d'une heure, elle veilla au feu, l'entretenant avec le soin d'un jardinier surveillant la croissance de ses roses. Lorsque le bois fut réduit à des braises, Rhunön hocha la tête et dit à Eragon :

– Vas-y.

Il souleva le bloc de minerai et l'abaissa lentement dans le creuset. Quand ses doigts ne supportèrent plus la chaleur, il le laissa tomber et bondit aussitôt en arrière tandis que l'air s'embrasait de milliers d'étincelles. Il couvrit ensuite le minerai et son lit de braises d'une épaisse couche de charbon de bois destinée à nourrir le feu, puis, s'étant essuyé les paumes, il empoigna un des soufflets et l'actionna. De l'autre côté du fourneau, Rhunön en faisait autant. Le flux d'air frais constant permettrait d'accroître la température.

Les écailles de Saphira lançaient des éclairs bleutés à la lumière des flammes dansantes. Couchée à quelques coudées d'eux, elle fixait le cœur rougeoyant du foyer.

« Je peux vous aider si vous voulez, proposa-t-elle. Il ne me faudrait pas une minute pour fondre ce minerai. »

– Je sais, répondit Rhunön. Mais s'il fond trop vite, l'action du charbon de bois sera insuffisante, et le métal ne sera ni assez résistant ni assez malléable pour être forgé. Garde ton feu, dragonne. Nous en aurons besoin plus tard.

À la chaleur du fourneau, Eragon s'escrimait sur son soufflet. Les bras luisants de sueur, il transpirait à grosses gouttes. Rhunön et lui s'interrompaient parfois pour ajouter du charbon de bois dans le creuset.

Absorbé par ce travail monotone, le jeune homme perdit bientôt toute notion du temps. Son univers se limitait au grondement incessant du feu, aux sensations de ses mains sur les poignées, au sifflement de l'air et à la présence attentive de Saphira. Aussi fut-il surpris d'entendre Rhunön déclarer :

– Ça devrait être bon. Laisse ton soufflet.

Il s'épongea le front, s'arma d'une pelle et, suivant son exemple, s'employa à sortir les braises du creuset pour les transférer dans un tonneau plein d'eau ; elles grésillaient au contact du liquide et répandaient une fumée âcre.

Lorsqu'il n'y eut plus au fond qu'une flaque de métal incandescent, débarrassé de ses scories et impuretés, Rhunön le recouvrit d'une bonne couche de cendre fine et blanche, puis elle cala sa pelle contre le fourneau et alla s'asseoir sur un banc près de sa forge.

Eragon l'imita et demanda :

– Qu'est-ce qu'on fait maintenant ?

– On attend.

– On attend quoi ?

L'elfe eut un geste vague en direction du ciel, où des nuages effilochés baignaient dans les ors et les pourpres du couchant.

– La nuit. C'est dans le noir qu'on travaille le métal pour pouvoir juger de sa couleur exacte. De plus, il faut laisser refroidir le vif-acier jusqu'à ce qu'il ait la consistance requise. Sans cela, il serait impossible de le façonner.

Elle défit le cordon qui retenait ses cheveux derrière sa tête, les rassembla de nouveau et les rattacha.

– Dans l'intervalle, Tueur d'Ombre, nous allons parler de ton épée. Comment te bats-tu ? À une main ou à deux ?

Eragon réfléchit avant de répondre :

– Ça dépend. Si j'ai le choix, je préfère manier l'épée d'une main et me protéger de mon bouclier, mais les circonstances ne me le permettent pas toujours. Quand je dois me passer de bouclier, j'aime empoigner l'épée à deux mains, cela donne plus de puissance à mes coups. Le pommeau de Zar'roc était assez large pour ma main gauche en cas de nécessité, seulement, les saillies autour du rubis me gênaient et m'empêchaient d'avoir une bonne prise. Une poignée un peu plus longue me conviendrait mieux.

– Tu ne veux pas une véritable épée longue, je présume ?

– Non. Ce serait trop encombrant dans des espaces restreints.

– Sur le fond, tu n'as pas tort. Encore qu'on puisse jouer sur la longueur de la lame et celle de la poignée. Est-ce qu'une épée bâtarde te satisferait ?

Eragon revit l'épée que Murtagh avait à l'origine et sourit. « Pourquoi pas ? » songea-t-il.

– Oui. Une épée à une main et demie serait parfaite.

– Et la lame ? Quelle longueur ?

– Pas plus longue que Zar'roc.

– Hmm. Droite ou courbe ?

– Droite.

– Tu as des préférences en matière de garde ?

– Pas vraiment.

Les bras croisés, le menton contre la poitrine, les paupières mi-closes, Rhunön réfléchit à cela. Puis ses lèvres frémirent :

– Quelle largeur de lame ? N'oublie pas que, même très fine, elle ne cassera pas.

– Peut-être un peu plus large que Zar'roc à la garde.

– Pourquoi ?

– Je crois que ce serait plus joli.

Un rire éraillé s'échappa de la gorge de Rhunön :

– Le maniement de l'arme en serait-il amélioré ?

Muet de confusion, Eragon changea de position.

– Ne me demande jamais de modifier une épée pour des raisons esthétiques, le tança Rhunön. La beauté d'un instrument réside dans son utilité. Quelle qu'en soit la splendeur, même incrustée de pierres précieuses et de diamants, gravée de motifs les plus élaborés, une lame incapable de remplir ses fonctions serait laide à mes yeux.

L'elfe fronça les lèvres avant de résumer :

– Il te faut donc une épée adaptée au carnage sans restriction du champ de bataille, qui te permette aussi de te défendre dans les tunnels étroits creusés sous Farthen Dûr. Une épée pour toutes les occasions, de longueur intermédiaire, avec une poignée plus longue que la moyenne.

– Une épée pour tuer Galbatorix, dit Eragon.

Rhunön approuva d'un hochement de tête :

– À ce titre, elle devra être bien protégée contre la magie... Au cours du dernier siècle, il y a eu de gros progrès en matière d'armures. Il lui faudra une pointe plus fine que je ne les faisais autrefois... une pointe qui perce cuirasses et mailles, qui se glisse dans les interstices... Hmm.

D'une bourse à sa ceinture, elle tira une corde ponctuée de nœuds avec laquelle elle mesura les bras et les mains d'Eragon en long et en large. Lorsqu'elle eut terminé, elle se pencha pour prendre un tisonnier près de sa forge et le lui lança. Il le rattrapa au vol et haussa un sourcil interrogateur.

– Debout, maintenant, Tueur d'Ombre. Montre-moi comment tu te bats à l'épée.

Quittant sa place sous le toit en auvent de l'atrium, Eragon s'exécuta et enchaîna des séries de figures que Brom lui avait enseignées. Au bout d'un moment, un objet métallique tinta contre la pierre, puis Rhunön toussota et dit :

– Nous n'en sortirons jamais, ma parole !

Et, armée d'un autre tisonnier, elle se planta devant lui. Le front plissé, l'air sévère, elle le salua de son épée de fortune et s'écria :

– En garde, Tueur d'Ombre !

Le lourd tisonnier de Rhunön fendit l'air en sifflant. Eragon esquiva d'un bond de côté et para l'attaque. Le choc fut rude, elle n'y allait pas de main morte. Ils ferraillèrent ainsi pendant quelques minutes. Si elle manquait de pratique à l'escrime, elle n'en était pas moins un adversaire redoutable. Ils durent finalement interrompre leur assaut ; sous leurs coups violents, le fer trop tendre des tisonniers se déformait au point qu'ils étaient plus tordus que les branches d'un jeune if.

Rhunön les reprit et les jeta sur un tas d'outils hors d'usage. À son retour, elle releva le menton :

– À présent, je sais avec précision quelle forme doit avoir ton épée.

– Mais la forgerez-vous ?

Une lueur malicieuse éclaira les traits de Rhunön :

– Non. C'est toi qui la forgeras à ma place, Tueur d'Ombre.

Bouche bée, il bredouilla :

– Moi ? Je n'ai aucune expérience ! Je ne suis même pas apprenti forgeron. Je serais incapable de donner forme à un banal couteau.

– Quoi qu'il en soit, tu forgeras ton épée toi-même, insista-t-elle avec un sourire amusé.

– Comment cela ? Vous resterez à mon côté pour me donner des instructions pendant que je martèlerai le métal ?

– Oh non ! Je guiderai tes gestes de l'intérieur afin que tes mains fassent le travail qui m'est interdit. Faute d'être idéale, cette solution me permet d'exercer mon art malgré ma promesse.

Perplexe, Eragon fronça les sourcils :

– Que vous vous serviez de mes mains ou des vôtres, où est la différence ?

L'elfe se rembrunit et répliqua d'un ton sec :

– Tu la veux ou pas, cette épée, Tueur d'Ombre ?

– Bien sûr que je la veux.

– Alors, ne m'importune plus avec tes questions. Il y a une différence parce que j'en vois une. Si je pensais le contraire, mon serment m'empêcherait de forger l'épée à travers toi. Je te conseille de tenir ta langue. Sauf si tu tiens à rentrer les mains vides chez les Vardens.

– Oui, Rhunön-elda.

Ils retournèrent au fourneau. Là, Rhunön demanda à Saphira de sortir du creuset la masse encore chaude de métal solidifié.

– Casse-le en morceaux de la taille d'un poing, ordonna-t-elle avant de reculer à distance respectable.

Levant une patte de devant, Saphira l'abattit sur la barre irrégulière de vif-acier. Le sol trembla, le métal se fendit en plusieurs endroits. Par trois fois, la dragonne répéta l'opération avant que Rhunön soit satisfaite du résultat.

L'elfe rassembla alors les tronçons aux arêtes coupantes dans son tablier et les transporta sur une table basse près de la forge pour les trier en fonction de leur dureté, qu'elle évaluait selon la couleur et la texture des fragments.

– Certains sont trop durs, d'autres trop mous, expliqua-t-elle. Je pourrais y remédier, bien sûr, mais il faudrait une seconde chauffe. Nous n'utiliserons donc que ceux qui ont la consistance voulue. Pour les tranchants de la lame – elle effleura un ensemble de fragments au grain scintillant –, nous prendrons de l'acier plus dur afin qu'ils soient plus acérés. Pour l'arête centrale, de l'acier plus tendre – elle effleura un groupe d'un gris plus terne –, elle en sera plus souple, absorbera mieux les chocs. Toutefois, avant de forger l'épée pour lui donner sa forme, nous devons travailler le métal pour le débarrasser de ses dernières impuretés.

« Comment procède-t-on ? » s'enquit Saphira.

– Tu le sauras bientôt.

Rhunön alla s'asseoir en tailleur près d'un poteau qui soutenait le toit en auvent, s'y adossa et ferma les yeux, le visage serein :

– Tu es prêt, Tueur d'Ombre ?

– Oui, répondit Eragon malgré la tension qui lui nouait le ventre.

Au premier contact avec la conscience de l'elfe, il fut frappé par l'harmonie de notes graves qui résonnait à travers le paysage sombre et confus de ses pensées. Cette mélodie au rythme lent, inexorable, dans une tonalité étrange, lui tapait sur les nerfs. Qu'impliquait-elle quant à la personnalité de Rhunön ? Mystère. Quoi qu'il en soit, le malaise qu'elle lui causait raviva ses doutes. Ne faisait-il pas preuve d'imprudence en l'autorisant à prendre le contrôle de son corps ? Il se souvint alors

725

que Saphira veillait sur lui ; ses craintes se dissipèrent, et il abaissa ses dernières barrières mentales.

Il eut l'impression qu'un vêtement de laine brute frottait contre sa peau quand Rhunön enveloppa son esprit et s'insinua jusque dans les parties les plus secrètes de son être. Il frissonna, tenté de se rétracter. La voix rauque de l'elfe se fit alors entendre sous son crâne :

« Détends-toi, Tueur d'Ombre, et tout se passera bien. »

« Oui, Rhunön-elda. »

Elle entreprit alors de lui lever les bras, de déplacer ses jambes, de lui tourner la tête dans tous les sens ; par essais successifs, elle se familiarisait au maniement de son corps. Si Eragon trouvait bizarre de sentir ses membres remuer indépendamment de sa volonté, il fut plus surpris encore quand ses yeux se posèrent ici et là comme s'ils étaient animés d'une vie propre. En proie à un soudain sentiment d'impuissance, il eut une bouffée d'angoisse. Rhunön le fit marcher droit devant lui, son pied heurta le coin de la forge et il crut qu'il allait tomber. Reprenant d'instinct le contrôle de ses muscles, il agrippa le bout de l'enclume pour se stabiliser.

726

« N'interviens pas, le réprimanda l'elfe. Si tu paniques au mauvais moment pendant le travail, tu risques de t'infliger des blessures irrémédiables. »

« Si vous ne faites pas plus attention, vous risquez de me blesser aussi », rétorqua-t-il.

« Patience, Tueur d'Ombre. J'aurai maîtrisé cette technique avant la nuit. »

En attendant que les derniers rayons du couchant s'éteignent dans le ciel de velours, Rhunön prépara la forge et s'entraîna à manier divers outils. Sa maladresse à guider les membres d'Eragon disparut bientôt, même si en tentant d'attraper le marteau, elle lui cogna le bout des doigts contre le bord de la table. La douleur fut si vive qu'il en eut les larmes aux yeux.

« Excuse-moi, dit Rhunön. Tes bras sont plus longs que les miens. »

Quelques minutes plus tard, juste avant qu'ils se mettent à l'œuvre, elle remarqua :

« Heureusement, tu as la force et la rapidité d'un elfe, Tueur d'Ombre. Sans cela, nous n'aurions aucune chance d'en terminer cette nuit. »

Elle rassembla les morceaux de vif-acier durs et moins durs qu'elle avait choisis et les déposa dans la forge. À la requête de l'elfe, Saphira chauffa le métal, mâchoires entrouvertes d'un demi-pouce à peine afin de diriger les flammes en un jet étroit sans qu'elles débordent sur le reste de l'atelier. Le feu rugissant inondait l'atrium d'une lumière bleu cru, les écailles de la dragonne brillaient d'un éclat aveuglant.

À travers Eragon, Rhunön se saisit de pincettes et ôta le métal du torrent de flammes dès qu'il prit une teinte rouge cerise. Elle déposa les morceaux sur l'enclume, les aplatit l'un après l'autre de quelques coups de masse. À peine épaisses d'un quart de pouce, les plaques brûlantes chatoyaient, piquetées de minuscules taches incandescentes. Dès que l'elfe en était satisfaite, elle les laissait tomber dans un bac empli de saumure.

L'opération terminée, elle plongea les bras d'Eragon dans l'eau salée devenue tiède pour sortir les plaques de leur bain, puis les frotta avec un polissoir de grès pour les débarrasser des croûtes noires qui s'étaient formées à leur surface. Ce lissage exposa le grain du métal que l'elfe examina avec la plus grande attention avant de procéder à un nouveau tri des plaques en fonction de leur dureté et de leur pureté.

Leurs deux esprits étant en contact étroit, Eragon percevait les pensées et les sentiments de Rhunön. Elle possédait des connaissances d'une étendue surprenante, voyait des détails du métal dont il ignorait l'existence, effectuait des calculs auxquels il ne comprenait goutte. Il la sentait mécontente de la manière dont elle avait manié la masse pour aplatir le métal.

L'irritation de Rhunön continua de s'accroître jusqu'à ce qu'elle s'exclame :

« Bah ! Regarde-moi ces plaques cabossées ! Je ne peux pas forger une lame comme ça. Je n'ai pas un contrôle assez fin sur tes bras et tes mains pour créer une épée qui en vaille la peine. »

Avant qu'Eragon tente de la raisonner, Saphira intervint :

« Les outils ne font pas l'artiste, Rhunön-elda. Je suis certaine que tu trouveras un remède à cet inconvénient. »

« Tu appelles ça un inconvénient ? Je n'ai pas plus de coordination qu'un oisillon ! Je suis une étrangère dans une demeure inconnue », maugréa l'elfe.

Grommelant toujours, elle s'abîma dans des réflexions qui dépassaient l'entendement d'Eragon. Enfin, elle déclara :

« Je crois entrevoir une solution, mais je vous préviens, s'il m'est impossible de fournir le travail de qualité qui m'est coutumier, je ne continuerai pas. »

728 Sans plus d'explications, elle étala les plaques de métal sur son enclume et les brisa en morceaux de la taille d'un pétale de rose. Elle rassembla ensuite les copeaux de vif-acier les plus durs en un bloc rectangulaire qu'elle recouvrit d'argile et d'écorce de bouleau afin de les tenir ensemble.

La brique ainsi obtenue alla sur une pelle au manche long de sept pieds, comme celles qu'utilisent les boulangers pour mettre le pain à cuire et le sortir du four.

Après avoir placé la pelle au centre de la forge, Rhunön demanda à Saphira de diriger son feu dessus et fit reculer Eragon jusqu'au bout du manche. De nouveau, les flammes bleues éclairèrent l'atrium de lumière dansante. La chaleur était si intense que le jeune homme avait l'impression de griller, que le granit de la forge brillait d'un éclat jaune vif.

Il aurait fallu au moins une demi-heure pour porter le bloc à la température voulue par des méthodes conventionnelles. Quelques minutes suffirent à Saphira, qui coupa le jet de feu sur ordre de Rhunön dès que le bloc fut incandescent. Sitôt les mâchoires de la dragonne refermées, l'atrium fut plongé dans l'obscurité.

L'elfe poussa Eragon vers l'avant. À travers lui, elle transporta la brique de vif-acier dans sa coque d'argile sur l'enclume, brisa le moule et souda les copeaux chauffés à blanc à coup de marteau, frappa le métal et l'étira jusqu'à en faire une barre qu'elle incisa au milieu et replia avant de ressouder les deux moitiés ensemble. Les arbres vénérables qui entouraient l'atelier renvoyaient les échos du bruit, de sorte que l'atelier résonnait comme une cloche.

Lorsque le vif-acier passa du blanc au jaune, Rhunön le remit dans la forge et chargea Saphira de le baigner du feu de son ventre. Par six fois elle chauffa et replia le métal, le rendant plus homogène, plus malléable, jusqu'à ce qu'il plie sans casser.

Tandis qu'Eragon martelait les barres selon la volonté de Rhunön, elle le fit chanter et chanta avec lui. Leurs deux voix mêlées s'harmonisaient plutôt bien ; la mélodie montait et descendait au rythme du marteau. Un frisson parcourut le jeune Dragonnier quand l'elfe imprégna les paroles qu'ils prononçaient d'un flux d'énergie constant. Il comprit alors que leur chant tissait des sorts pour créer, pour donner forme et lier. À travers leurs deux voix, Rhunön chantait les propriétés du métal, les modifiait de manière inexplicable, tressait un réseau complexe d'enchantements destiné à lui conférer une solidité supérieure à celle de l'acier ordinaire. Elle chantait aussi le bras d'Eragon qui forgeait, et, sous l'influence de la mélodie, le marteau qu'il maniait tombait avec précision à l'endroit désiré.

Après avoir répété l'opération six fois, Rhunön trempa la première barre de vif-acier, puis elle fit de même avec la seconde. Elle rassembla ensuite les morceaux de métal plus tendre qu'elle souda ensemble et soumit par dix fois à un traitement identique. Enfin, elle lui donna la forme d'un bloc court et compact.

Cette tâche terminée, elle eut recours à Saphira pour chauffer de nouveau les deux barres d'acier plus dur. Lorsqu'elles

729

furent à point, elle les posa côte à côte sur l'enclume, les saisit à chaque extrémité avec des pincettes et tordit le tout sept fois pour en faire une torsade. Des gerbes d'étincelles volaient tandis qu'elle martelait la tresse pour en souder les deux parties ; puis elle la replia, la ressouda et l'étira encore six fois. Lorsque le métal eut enfin la qualité requise, elle l'aplatit en une épaisse plaque rectangulaire, la coupa en deux dans le sens de la longueur avec un ciseau, et donna à chaque moitié la forme d'un long V ouvert.

Le processus ne lui avait pas demandé beaucoup plus d'une heure et demie. La vitesse prodigieuse de l'elfe émerveillait Eragon ; pourtant, c'était son corps à lui qu'elle dirigeait. Jamais il n'avait vu un forgeron façonner le métal avec autant d'aisance ; Horst aurait mis des heures pour faire ce qu'elle réalisait en quelques minutes. Et, tout au long de ce travail astreignant, elle chantait sans discontinuer, tissant ses charmes dans le grain du vif-acier et guidant le bras d'Eragon avec une précision infaillible.

Dans la débauche de bruit, de feu, d'étincelles, de mouvements et d'efforts, Eragon crut apercevoir trois minces silhouettes en bordure de l'atrium. Quelques instants plus tard, Saphira confirma qu'il avait vu juste :

« Nous ne sommes pas seuls, petit homme. »

« Qui sont ces gens ? » s'enquit-il.

La dragonne lui transmit une image de Maud, la chatte-garou maigre et ridée comme une vieille pomme sous sa forme humaine, entre deux elfes pâles, pas beaucoup plus grands qu'elle, l'un mâle, l'autre femelle. Leur extraordinaire beauté transcendait celle de leur peuple. Il émanait de leurs visages ovales aux traits graves autant d'innocence que de sagesse. Impossible de leur donner un âge. Leur peau luisait d'un doux éclat argenté, comme si l'énergie saturait leur chair au point de déborder.

Lorsque Rhunön lui accorda quelques instants de repos, il l'interrogea sur l'identité des deux elfes mystérieux. Elle jeta un coup d'œil sur eux, ce qui permit au jeune homme de mieux les voir, puis, sans interrompre son chant, elle lui dit par la pensée :

« Ce sont Alanna et Dusan, les deux seuls enfants à Ellesméra. Leur conception nous a causé une grande joie il y a douze ans. »

« Ils ne ressemblent pas aux elfes que j'ai rencontrés », remarqua Eragon.

« Nos enfants ont des dons particuliers, Tueur d'Ombre. Aucun elfe adulte ne les égale en grâce ou en pouvoir. En vieillissant, la fleur qui est en nous se flétrit, même s'il nous reste un peu de la magie de nos jeunes années. »

Sans plus perdre de temps en bavardage, Rhunön guida Eragon pour qu'il place le bloc de vif-acier entre les deux bandes en V et les martèle de manière à ce qu'elles l'enveloppent. Elle souda ensuite les trois pièces en un tout et, pendant que le métal était encore chaud, elle l'étira en une ébauche grossière d'épée. Le bloc plus tendre devint l'arête centrale de la lame ; les bandes plus dures en formèrent les bords et la pointe. Lorsque l'ébauche eut presque la longueur de l'arme terminée, le rythme de travail ralentit. Rhunön s'attacha à en fignoler chaque partie, à en définir avec soin les angles et les proportions définitives en remontant depuis la pointe.

Afin que Saphira la chauffe par tronçons de six à sept pouces, l'elfe présentait le fer devant une narine de la dragonne qui soufflait alors une unique flamme bleue. Chaque jet de feu précipitait une foule d'ombres tourbillonnantes aux quatre coins de l'atrium.

Avec un étonnement mêlé d'admiration, Eragon observait ses mains qui façonnaient l'ébauche grossière en un élégant instrument de combat. Le dessin de la lame se précisait d'un coup de marteau au suivant, comme si, animé d'une volonté propre, le vif-acier *désirait* se muer en épée et prendre la forme que souhaitait Rhunön.

Enfin, ils cessèrent de battre le métal. La longue lame noire reposait sur l'enclume, inachevée, certes, mais déjà lourde d'intentions mortelles.

Eragon put reposer ses bras soumis à rude épreuve tandis qu'elle refroidissait. Knunön la lui fit ensuite porter dans un autre coin de l'atelier où six meules étaient disposées près d'un petit établi sur lequel s'alignait tout un assortiment de limes, de grattoirs et de pierres abrasives. Ayant fixé la lame entre deux cales de bois, ils passèrent une heure à en aplanir les faces au rabot, à en ciseler les contours à l'aide de diverses limes. Chaque geste portait avec une efficacité accrue ; comme pour le marteau précédemment, c'était à croire que les outils savaient exactement quelle quantité de métal enlever – ni trop, ni trop peu.

L'opération terminée, Rhunön prépara un feu de charbon de bois dans sa forge. En attendant qu'il soit à point, elle fit une boue avec de l'argile noire au grain fin, de la cendre, de la poudre de pierre ponce et de la sève de genévrier cristallisée. Elle en badigeonna la lame, en mit une double couche sur l'arête centrale. Plus le mélange à base d'argile était épais, moins vite le métal refroidirait dessous pendant la trempe, et plus souple serait cette partie de la lame.

L'enduit prit une couleur plus claire tandis que Rhunön le séchait d'une brève incantation. Elle dirigea ensuite Eragon vers la forge. Il posa l'épée sur le lit de braises rougeoyantes et, tout en activant le soufflet de sa main libre, il tira lentement l'arme vers sa hanche. Lorsque la pointe fut sortie du feu, Rhunön la lui fit retourner pour recommencer. Ils répétèrent ce manège jusqu'à ce que les bords prennent une couleur orange homogène et que l'arête centrale soit d'un beau rouge vif. Alors, d'un mouvement fluide, l'elfe souleva la barre de métal brûlante et en fendit l'air pour la plonger dans un bac près de la forge.

La surface de l'eau parut exploser en un nuage de vapeur, dans un concert de sifflements et de crépitements. Une minute plus tard, le silence revint, l'eau cessa de bouillonner ; Rhunön ôta l'épée devenue gris perle de son bain et la remit sur le feu pour la porter tout entière à une même température basse afin de durcir les bords pour qu'ils ne soient pas cassants. Puis elle la trempa de nouveau.

Eragon pensait qu'elle se retirerait de lui dès qu'elle aurait forgé et trempé l'arme. À sa grande surprise, elle n'en fit rien et continua à piloter son corps.

Elle lui fit arroser les braises pour les éteindre, le ramena à l'établi avec ses limes, ses grattoirs et ses pierres abrasives, l'assit devant et lui fit polir l'épée avec des pierres de plus en plus fines. Lisant dans les souvenirs de l'elfe, le jeune homme apprit qu'en temps normal, elle aurait passé une semaine à cette tâche, mais grâce au chant de leurs voix unies, elle avait pu accomplir le travail en quelques heures, et même tailler une étroite gouttière centrale des deux côtés de la lame. À mesure qu'il devenait plus lisse, le vif-acier se révélait dans toute sa beauté. Sous le scintillement, Eragon distinguait des motifs en torsade dont les lignes marquaient la frontière entre les diverses couches de métal velouté. Une bande couleur d'argent blanc, de la largeur de son pouce, courait comme une onde le long de chaque bord et donnait l'impression que les tranchants étaient faits de langues de feu givré.

Son bras droit céda alors que Rhunön couvrait l'arme d'un lacis d'entailles décoratives. La lime qu'il tenait en main lui échappa. Il s'étonna d'être à ce point épuisé. Concentré sur son travail, il ne s'était aperçu de rien.

« Assez », déclara l'elfe.

Et elle se retira aussitôt de sa conscience. Le choc de son absence soudaine déstabilisa Eragon, qui vacilla sur son siège et manqua tomber avant de reprendre le contrôle de ses muscles rebelles.

– Mais ce n'est pas fini ! protesta-t-il.

Sans les harmonies de leur duo prolongé, la nuit lui paraissait bien silencieuse.

Rhunön se leva de l'endroit où elle était assise en tailleur contre le poteau et secoua la tête.

— Je n'ai plus besoin de toi, Tueur d'Ombre. Va rêver jusqu'à l'aube.

— Mais...

— Tu es fatigué. Même avec ma magie, tu es capable de gâcher cette épée si tu t'entêtes à travailler dessus. À présent que la lame a sa forme définitive, je peux m'occuper du reste sans rompre mon serment. Va. Tu trouveras un lit à l'étage. Si tu as faim, il y a de la nourriture dans le garde-manger.

Peu désireux de partir, Eragon hésita puis s'éloigna de l'établi à regret, traînant les pieds dans la poussière. En passant près de Saphira, il lui caressa l'aile et lui souhaita bonne nuit, trop las pour en dire davantage. En retour, elle lui ébouriffa les cheveux de son souffle tiède et murmura :

« Je veille, petit homme, je me souviendrai pour toi. »

Il s'arrêta au seuil de la maison et se retourna vers le fond de l'atrium. Maud et les deux enfants elfes étaient toujours là. Il les salua de la main. Maud lui sourit, découvrant ses petites dents pointues. Un frisson parcourut Eragon tandis que les deux jeunes elfes le fixaient de leurs yeux de chat qui brillaient dans la nuit. Puis, voyant qu'ils ne bougeaient pas, il inclina la tête et s'engouffra à l'intérieur dans sa hâte de s'étendre sur un bon lit moelleux.

52
DRAGONNIER !

« Réveille-toi, petit homme. Le soleil s'est levé, et Rhunön s'impatiente. »

Eragon se redressa d'un bond, rejetant ses couvertures et ses rêves éveillés. Après les efforts de la veille, il avait les épaules et les bras douloureux. Il enfila ses bottes qu'il eut quelque peine à lacer dans sa hâte, puis il récupéra le tablier sale qui traînait par terre et dégringola l'escalier sculpté pour gagner la porte en arc de cercle.

Dehors, une aube radieuse éclairait le ciel. Quelques ombres s'attardaient encore dans l'atrium. Dès qu'il aperçut Rhunön et Saphira près de la forge, il courut les rejoindre tout en se peignant avec ses doigts.

Appuyée contre le bord de l'établi, l'elfe avait de grands cernes sombres sous les yeux, et ses rides s'étaient accentuées.

L'épée reposait devant elle, sous une pièce de drap blanc.

– J'ai accompli l'impossible, dit-elle d'une voix rauque au timbre fêlé. J'ai forgé une épée malgré mon serment de ne pas le faire. Je l'ai de surcroît créée en moins d'une journée, avec des mains autres que les miennes. Et le résultat n'est ni grossier ni bâclé. Oh non ! C'est de loin ma plus belle réalisation. J'aurais préféré user de moins de magie pendant sa conception, mais ce petit scrupule ne pèse pas bien lourd face à une telle perfection. Regarde !

Rhunön agrippa le coin du tissu et dévoila l'épée d'un geste vif.

Eragon en eut le souffle coupé.

Il l'avait laissée seule quelques heures pour se reposer, pensant que, dans l'intervalle, elle aurait juste le temps de façonner une poignée et une garde ordinaires pour l'épée, et peut-être un simple fourreau de bois. Au lieu de cela, l'objet posé sur l'établi rivalisait de splendeur avec Zar'roc, Naegling et Támerlein ; il était même plus beau encore, du moins à ses yeux.

La lame était couverte d'un fourreau lustré, du même bleu foncé que le dos de Saphira. La couleur se diaprait de reflets, telle l'eau claire d'un lac sous la lumière pommelée d'une forêt. Une feuille sculptée dans du vif-acier teinté de bleu en formait la pointe, et l'ouverture s'ornait d'un lacis de plantes grimpantes stylisées. La garde incurvée de l'arme était, elle aussi, faite de vif-acier bleuté, de même que les quatre griffes qui maintenaient en place le gros saphir serti dans le pommeau. Longue d'une main et demie, la poignée était façonnée dans un bois noir et dur.

Empli d'admiration respectueuse, Eragon tendit le bras pour la prendre, suspendit son geste et se tourna vers Rhunön :

– Je peux ?

L'elfe inclina la tête :

– Tu peux. Je te la donne, Tueur d'Ombre.

Il souleva l'épée de l'établi. Le fourreau et la poignée étaient frais sous ses doigts. Pendant plusieurs minutes, il en examina chaque détail avec émerveillement. Enfin, il resserra sa prise sur la poignée et tira la lame de son étui.

Elle était bleue aussi, d'un bleu plus clair, comme les écailles au creux de la gorge de Saphira. À l'instar de Zar'roc, elle chatoyait au moindre mouvement, s'irisait de toutes les nuances de bleu présentes sur la dragonne. En transparence, on distinguait encore les motifs en torsade au cœur du vif-acier et les deux bandes pâles qui couraient comme une onde le long des tranchants.

D'une seule main, le jeune homme fendit l'air de sa lame et rit de plaisir : elle était si légère, si rapide qu'elle semblait vivante. L'empoignant à deux mains, il se réjouit de constater que la poignée était d'une longueur idéale, puis il se fendit pour transpercer un ennemi imaginaire, qui en serait assurément mort.

— Là, dit Rhunön en désignant trois tiges de métal plantées dans le sol près de la forge. Essaie là-dessus.

Eragon se concentra, s'avança d'un pas et, avec un grand cri, trancha les trois tiges d'un coup, d'un seul. La lame émit une longue note cristalline dont les résonances se fondirent peu à peu dans le silence. Le jeune homme examina le tranchant de l'épée à l'endroit de l'impact. Rien. Pas la moindre trace.

— Es-tu satisfait, Dragonnier ? s'enquit Rhunön.

— Plus que satisfait, Rhunön-elda, répondit Eragon en s'inclinant devant elle. Je ne sais comment vous remercier de ce don.

— Tu me remercieras en tuant Galbatorix. S'il est une épée destinée à abattre ce roi fou, c'est bien celle-ci.

— Je m'y emploierai, Rhunön-elda. J'y mettrai toute mon énergie.

L'elfe approuva d'un hochement de tête.

— Eh bien, déclara-t-elle, tu as maintenant une épée à toi, comme il se doit. *Enfin*, te voilà Dragonnier à part entière !

— Oui, répondit Eragon.

Il brandit l'épée vers le ciel pour mieux l'admirer et conclut :

— Me voilà Dragonnier pour de bon.

— Avant de partir, il te reste une chose à faire.

— Quoi ?

— Il faut que tu lui trouves un nom, afin que je marque la lame et le fourreau du glyphe correspondant.

Eragon se rapprocha de Saphira et lui demanda :

« Tu as un avis sur la question ? »

« Ce n'est pas moi qui porte cette arme. Appelle-la comme il te plaira. »

« Certes. Mais tu as bien une idée ou deux, non . »

La dragonne baissa la tête et renifla la lame :

« Dent-de-diamant-bleu. C'est le nom que je lui donnerais. Ou alors, Griffe-bleue-de-sang. »

« Cela semblerait ridicule aux oreilles des humains. »

« Pourquoi pas la Faucheuse ou Perce-bedaine, en ce cas ? Il y aurait aussi Griffe-de-bataille, Serre-moirée, Tranche-membres. Tu peux l'appeler Terreur, Douleur ou Croque-en-bras, préférer Jamais-ne-s'émousse, ou Scintille-onde en raison des motifs de l'acier. Il y a encore Lame-fatale, Fer-des-elfes, Née-des-étoiles et bien d'autres. »

Surpris par sa verve soudaine, Eragon commenta :

« Tu as un don pour ça. »

« Inventer des noms au hasard, c'est facile. Imaginer le nom juste éprouverait la patience d'un elfe. »

« Que penses-tu de Tueuse-de-roi ? »

« Suppose que nous parvenions à tuer Galbatorix ? Ne feras-tu rien d'utile de ton épée une fois le but atteint ? »

« Hmm. »

738   Il mit l'épée contre la patte de la dragonne :

« Regarde. Elle est de la même couleur que toi... Je pourrais lui donner ton nom. »

Saphira émit un grondement sourd :

« Certainement pas ! »

« Tu es sûre ? dit-il en réprimant un sourire. Imagine que nous soyons au combat et... »

« Non ! – elle griffa le sol. Je ne suis pas un objet que tu manies à ta guise. Ne te moque pas, s'il te plaît. »

« Tu as raison. Excuse-moi... Et si je l'appelais Espoir en ancien langage ? Zar'roc signifie souffrance. Ne serait-il pas **appro**prié que je porte une épée dont le seul nom réconforte ceux qui souffrent ? »

« Un noble sentiment. Mais veux-tu donner de l'espoir à tes ennemis ? Tuer Galbatorix à coups d'espoir ? »

« Que voilà une idée plaisante », remarqua Eragon en gloussant.

« On en rit une fois, pas deux. »

Perplexe, le jeune homme se frotta le menton et réfléchit. Tandis qu'il contemplait les jeux de lumière sur la lame chatoyante et scrutait les profondeurs de l'acier, son œil s'arrêta sur les flammes blanches dansantes qui marquaient la limite entre l'acier plus tendre de l'arête centrale et celui plus dur des tranchants. Il revit alors Brom allumant sa pipe d'un mot, dans le souvenir que lui avait transmis Saphira. Il repensa à Yazuac, où il avait usé de magie pour la première fois, à son duel contre Durza à Farthen Dûr ; et il sut qu'il tenait le nom de son épée.

Il s'en ouvrit à Saphira puis, fort de son approbation, il leva l'arme à hauteur de son épaule et déclara :

– C'est décidé. Épée, je te nomme Brisingr !

Avec un bruit de bourrasque, la lame s'enflamma. Des langues de feu bleues léchaient les bords acérés de l'acier.

De surprise, Eragon poussa un cri, lâcha l'arme et bondit en arrière pour ne pas être brûlé. L'épée flambait toujours ; autour d'elle, l'herbe noircissait. Le jeune homme s'aperçut alors que le feu surnaturel tirait son énergie de lui. Il rompit le flux de magie, et les flammes s'évanouirent. Médusé, il se demandait comment il avait pu jeter un sort sans le vouloir. Il ramassa l'épée, en tâta la lame du bout des doigts. Elle n'avait pas même chauffé.

Sourcils froncés, Rhunön se précipita pour lui prendre l'épée des mains et l'examiner sous tous les angles.

– Tu as de la chance que je l'aie déjà protégée par des enchantements contre la chaleur et les chocs, le gronda-t-elle. Sans cela, tu aurais éraflé la garde et ruiné la trempe de l'acier. Même si elle se transforme en serpent, ne la laisse jamais tomber, Tueur d'Ombre. Sinon, je te l'enlève, et je te donne un marteau usé à la place.

Eragon s'excusa. Rhunön en parut apaisée et lui rendit son arme.

– Tu l'as enflammée sciemment ? demanda-t-elle.

– Non, répondit Eragon, incapable d'expliquer le phénomène.

– Répète ce que tu as dit, lui ordonna Rhunön.

– Quoi ?

– Le nom. Répète son nom.

Tenant l'arme à bout de bras par prudence, le jeune Dragonnier s'exclama :

– Brisingr !

Une colonne de flammes engloutit la lame et lui chauffa le visage. Cette fois, il remarqua la perte d'énergie que lui causait le sortilège et, après quelques instants, il éteignit le feu magique qui ne fumait pas.

Il renouvela l'expérience. Au mot de « Brisingr », des langues de feu bleuté enveloppèrent la lame.

« Voilà une épée digne d'un Dragonnier et de son dragon ! s'exclama Saphira, ravie. Elle crache le feu sans plus d'effort que moi. »

– Je n'ai rien fait pour lancer ce sort ! protesta Eragon. J'ai juste dit « Brisingr » normalement et...

Il émit un jappement et jura tandis que l'arme s'embrasait une fois de plus. Pour la quatrième fois, il éteignit le feu.

– Je peux ? s'enquit Rhunön en lui tendant sa main ouverte.

Il lui remit l'épée dont elle prononça le nom à son tour. Un frisson courut le long de la lame, mais ce fut tout. Pensive, l'elfe lui rendit l'objet et déclara :

– Je ne vois que deux explications possibles à ce prodige. La première, c'est qu'en participant à sa fabrication, tu as imprégné la lame de ta personnalité, de sorte qu'elle obéit d'elle-même à tes désirs. La seconde, c'est que tu as découvert le vrai nom de ton épée. L'une n'excluant pas l'autre, ces deux hypothèses se sont peut-être conjuguées. Quoi qu'il en soit, tu as bien choisi, Tueur d'Ombre. Brisingr ! Oui, cela me plaît. C'est un beau nom pour une épée.

« Un très beau nom », renchérit Saphira.

Rhunön posa la paume au centre de la lame et murmura un sort inaudible. Le glyphe elfique pour « feu » apparut des deux côtés de l'arme. Elle répéta ensuite l'opération sur la face antérieure du fourreau.

De nouveau, Eragon s'inclina devant elle et lui exprima sa gratitude. Saphira joignit ses propres remerciements. Un sourire se dessina sur le visage âgé de l'elfe. De ses pouces calleux, elle leur effleura le front et dit :

— Je suis heureuse d'avoir pu venir en aide aux Dragonniers une fois encore. Va, Tueur d'Ombre. Va, Écailles Brillantes. Rentrez chez les Vardens, et que vos ennemis fuient de terreur à la vue de votre épée.

Ils prirent congé de l'elfe et quittèrent la forge. Marchant au côté de Saphira, Eragon portait Brisingr dans ses bras comme un nouveau-né.

53
GRÈVES ET BRASSARDS

Une unique chandelle éclairait la tente de drap gris, piètre substitut à la lumière du jour.

Bras écartés, Roran se tenait immobile tandis que Katrina laçait les deux côtés du gilet matelassé qu'elle avait cousu pour lui. Lorsqu'elle eut terminé, elle tira sur le bas du vêtement, en lissa les plis et dit :

— Voilà. Ça ne te serre pas trop ?

— Non, répondit Roran en secouant la tête.

À la lueur vacillante de la flamme, elle prit ses grèves sur leur lit et s'agenouilla pour les lui mettre. Roran la regarda attacher les pièces d'armure au bas de ses jambes. Tiède à travers l'étoffe de son pantalon, sa main lui enveloppait le mollet.

Elle se releva et se retourna vers le lit pour y prendre les brassards.

Roran lui tendit ses bras ; leur regards se fondirent l'un dans l'autre. Avec des gestes lents, délibérés, elle fixa les pièces d'armure à ses avant-bras, puis ses mains descendirent de ses coudes à ses poignets, et il les enveloppa dans les siennes.

Elle lui sourit et se dégagea doucement.

Elle prit ensuite sa cotte de mailles, se hissa sur la pointe des pieds, passa le haubert par-dessus sa tête et le tint en place le temps qu'il enfile les manches. Alors, elle lâcha le vêtement de métal, et les mailles tintèrent comme une cascade de glace en descendant le long de son corps jusqu'à ses genoux.

Sur ses cheveux, elle posa la coiffe d'arme en cuir et noua le lacet sous son menton. Elle lui encadra le visage de ses paumes, effleura ses lèvres d'un baiser, puis alla chercher son heaume qu'elle glissa par-dessus la coiffe d'arme.

Elle allait repartir vers le lit quand Roran l'arrêta et enlaça sa taille qui s'épaississait.

— Écoute-moi, murmura-t-il en mettant tout son amour pour elle dans sa voix, dans son regard. Ça va aller, ne t'inquiète pas. Mais promets-moi de ne pas rester seule ici. Va voir Elain ; elle a besoin de ton aide. Elle est souffrante, et son bébé aurait déjà dû naître.

Katrina releva le menton, les yeux brillants de larmes qu'elle ne répandrait qu'après son départ.

— Faut-il vraiment que tu marches au combat en première ligne ? balbutia-t-elle.

— Il faut bien que quelqu'un le fasse. Autant que ce soit moi. Qui enverrais-tu à ma place ?

— N'importe qui... n'importe qui d'autre.

Katrina demeura un moment silencieuse, puis elle tira un fichu rouge de son corsage :

743

— Tiens. Porte ce gage de ma tendresse, que le monde entier sache combien je suis fière de toi.

Et elle noua le fichu à son ceinturon.

Roran l'embrassa deux fois, puis il la libéra, et elle alla chercher son bouclier et sa lance. Il l'embrassa une troisième fois avant de les lui prendre, passa le bras dans l'attache du bouclier.

— Si par malheur..., commença-t-il.

Katrina posa un doigt sur ses lèvres :

— Chut. N'en parle pas et cela n'arrivera pas.

— Tu as raison.

Il la pressa une dernière fois sur sa poitrine :

— Prends soin de toi.

— Toi aussi.

Au regret de l'abandonner, Roran leva son bouclier et sortit de la tente dans l'aube grise. Un flot d'hommes, de nains et d'Urgals se dirigeait à travers le camp vers le vaste espace piétiné où l'armée varden s'assemblait.

Respirant l'air frais à pleins poumons, Roran suivit le mouvement, sachant que sa troupe de guerriers l'attendait. Une fois sur place, il chercha la division commandée par Jörmundur pour se signaler à lui, puis il alla rejoindre son groupe et prit sciemment place près de Yarbog.

L'Urgal le regarda et grommela :

– C'est un bon jour pour se battre.

– Oui. Un excellent jour.

Une trompe sonna à l'avant de l'armée varden dès que le soleil parut à l'horizon. Brandissant sa lance, Roran se mit à courir avec tous ceux qui l'entouraient ; comme eux, il lançait de puissants cris de guerre tandis que les flèches et les pierres pleuvaient sur eux, volaient dans toutes les directions. Devant eux se dressait une muraille haute de quatre-vingts pieds.

Le siège de Feinster venait de commencer.

54
LES ADIEUX

Après avoir quitté la forge de Rhunön, Eragon et Saphira s'envolèrent pour leur maison arboricole. Là, le jeune homme rassembla ses affaires, sella la dragonne et reprit place sur son dos.

« Avant de retourner à l'À-pic de Tel'naeír, dit-il, j'aimerais faire une dernière chose à Ellesméra. »

« Tu y tiens vraiment ? »

« Je ne serai pas tranquille sans cela. »

Saphira prit son essor et se dirigea vers l'ouest. Lorsque les bâtiments s'espacèrent, elle descendit pour se poser sur un sentier au sol couvert de mousse. Eragon se renseigna auprès d'un elfe assis sur une branche, et ils repartirent à travers bois, jusqu'à une modeste chaumière d'une seule pièce, née d'un sapin dont le tronc penchait comme s'il était en permanence fouetté par les vents.

À gauche de l'habitation, il y avait un haut talus herbeux. De son sommet, un ruisseau tombait en cascade dans une mare limpide bordée d'orchidées blanches, puis il reprenait son cours sinueux pour se perdre dans les profondeurs de la forêt. Parmi les fleurs aux tiges grêles, près de la rive, sur une grosse racine bulbeuse, Sloan était assis en tailleur.

Eragon retint son souffle pour ne pas trahir sa présence.

Le boucher était vêtu d'une longue robe brune et orange à la mode des elfes. Un bandeau noir masquait ses orbites vides. Il tenait sur ses genoux un bâton de bois sec qu'il taillait à l'aide d'un couteau à lame recourbée. De nouvelles cicatrices avaient laissé leurs marques livides sur ses mains et ses bras ; son visage s'était creusé de rides qu'Eragon ne lui connaissait pas.

« Attends-moi, Saphira », dit-il en mettant pied à terre.

À son approche, Sloan s'interrompit dans sa tâche et releva la tête.

— Va-t'en, grommela-t-il de sa voix cassée.

Ne sachant que répondre, Eragon s'arrêta et garda le silence.

Sloan reporta son attention sur son bâton. Remuant les mâchoires comme s'il mastiquait, il en ôta quelques copeaux de bois, tapota la racine qui lui servait de siège de la pointe de son couteau et s'exclama :

— La peste soit de vous tous ! Vous ne pouvez donc pas me ficher la paix une heure ? Je veux être seul avec mon chagrin. Je ne veux pas entendre vos bardes et vos ménestrels, et je ne changerai pas d'avis, même si vous le demandez mille fois. Va-t'en ! Et ne m'importune plus !

Le cœur d'Eragon s'emplit de tristesse et de colère. Le spectacle de cet homme déchu, qu'il avait côtoyé toute son enfance, qu'il avait craint et détesté, le mettait mal à l'aise.

— Tu ne manques de rien ? s'enquit-il en ancien langage, d'un ton léger et chantant.

Sloan gronda de dégoût :

— Tu sais que je ne comprends pas ta langue, et je n'ai pas l'intention de l'apprendre. Tes paroles sont de trop. Si tu ne daignes pas t'exprimer dans la langue de mon peuple, alors, tais-toi.

Eragon ne répéta pas sa question dans leur langue commune. Il ne se retira pas non plus.

Avec un juron, Sloan se remit à la tâche. Tous les deux ou trois coups de couteau, il tâtait du pouce la surface entaillée pour s'assurer du progrès de sa sculpture. Quelques minutes passèrent, puis il reprit d'une voix plus douce :

— Tu avais raison ; mes pensées se calment dès que mes mains sont occupées. Parfois... parfois, j'en oublie presque ce que j'ai perdu. Mais les souvenirs reviennent m'accabler, ils m'étouffent...

Je suis content que tu aies affûté la lame. Un couteau doit toujours être aiguisé.

Eragon l'observa quelques instants encore, puis il alla rejoindre Saphira et monta en selle.

« Sloan n'a guère changé », remarqua-t-il.

« Personne ne se transforme complètement en si peu de temps. »

« J'espérais que son séjour à Ellesméra lui apporterait un peu de sagesse, et peut-être aussi qu'il se repentirait de ses crimes. »

« S'il refuse de reconnaître ses fautes, Eragon, rien ni personne ne l'y obligera. Tu as fait tout ce que tu as pu. À présent, c'est à lui qu'il incombe de se réconcilier avec son sort. S'il en est incapable, qu'il cherche la paix éternelle dans la tombe. »

D'une clairière proche de la chaumière, Saphira s'envola et fila à tire-d'aile vers le nord et l'À-pic de Tel'naeír. Le soleil matinal semblait posé sur l'horizon ; la lumière qui filtrait à travers les branches projetait de longues ombres, toutes pointées vers l'ouest telles des oriflammes violettes.

Saphira descendit vers la clairière et la maison de pin où Oromis les attendait en compagnie de Glaedr. Eragon s'étonna de voir le dragon d'or sellé. Par-dessus de lourdes robes de voyage dans les tons bleu et vert, l'elfe portait un corselet d'écailles doré ainsi que des brassards. Un grand bouclier en losange était attaché dans son dos, un heaume de forme archaïque reposait au creux de son bras, et Naegling, son épée couleur de bronze, pendait à sa ceinture.

Dans une brève bourrasque née de ses ailes, Saphira se posa parmi l'herbe et le trèfle. De sa langue, elle goûta l'air tandis qu'Eragon se laissait glisser à terre.

« Vous comptez nous accompagner chez les Vardens ? » demanda la dragonne en remuant la queue d'excitation.

— Nous volerons avec vous jusqu'aux confins du Du Weldenvarden. Là, nos chemins se sépareront, déclara Oromis.

— Nous quitterez-vous alors pour rentrer à Ellesméra ? demanda à son tour Eragon, déçu.

L'elfe secoua la tête :

— Non, Eragon, nous ne rentrerons pas. Nous continuerons notre route jusqu'à Gil'ead.

Saphira en siffla de surprise, un sentiment qu'Eragon partageait.

— Mais... Pourquoi Gil'ead ? bredouilla-t-il, perplexe.

« Parce qu'Islanzadí et son armée marchent sur la ville depuis Ceunon et s'apprêtent à l'assiéger », dit Glaedr dont l'étrange conscience irisée effleurait l'esprit d'Eragon.

« Allez-vous révéler le secret de votre existence à l'Empire ? » s'enquit la dragonne, incrédule.

Les paupières closes, Oromis resta quelques instants silencieux, le visage fermé, énigmatique.

— Le temps où nous vivions cachés est révolu, Saphira, répondit-il enfin. Nous vous avons transmis tout l'enseignement possible pendant vos trop brefs séjours ici, une bien piètre éducation comparée à celle que vous auriez reçue jadis. Les événements se précipitent, hélas. Étant donné les circonstances, il est heureux que nous vous en ayons appris autant. Glaedr et moi sommes aujourd'hui certains que vous en savez assez pour vaincre Galbatorix. Il est bien peu probable que l'un de vous deux ait l'occasion de revenir ici parfaire sa formation avant la fin de cette guerre, et moins probable encore que nous ayons un nouveau Dragonnier à instruire tant que le roi félon sévira sur notre belle terre. Nous avons donc décidé de ne plus nous confiner au Du Weldenvarden. Il est préférable que nous aidions Islanzadí et les Vardens à renverser le tyran plutôt que de nous prélasser dans l'oisiveté en attendant d'hypothétiques nouveaux élèves. Quand Galbatorix découvrira que nous sommes encore en vie, le doute se saisira de lui à l'idée que d'autres dragons et Dragonniers pourraient avoir survécu à l'extermination. De plus, la nouvelle de notre existence donnera du cœur aux nains et aux Vardens, elle annulera les effets néfastes causés par l'apparition de Murtagh et de Thorn dans les Plaines Brûlantes sur le moral des troupes. Et Nasuada pourrait bien voir ses effectifs augmenter grâce aux défections des soldats de l'Empire.

Eragon baissa les yeux sur Naegling et dit :

– Maître, vous n'allez pas prendre part aux affrontements, tout de même ?

– Et pourquoi pas ? répliqua Oromis.

Craignant d'offenser l'elfe ou son dragon, le jeune homme hésitait à répondre. Enfin, il se lança :

– Pardonnez ma franchise, Maître, vous ne pouvez pas vous battre. Comment le feriez-vous alors que vous ne jetez plus que des sorts peu coûteux en énergie ? Et ces spasmes qui vous affectent parfois ? S'ils survenaient en pleine bataille, c'en serait fait de vous.

– Comme tu devrais le savoir à présent, rétorqua Oromis, dans un duel entre magiciens, il est rare que la force seule décide du vainqueur. Quoi qu'il en soit, j'ai toute la force nécessaire ici, dans le joyau de mon épée – et il posa la paume sur le diamant jaune serti dans le pommeau de Naegling. Depuis plus de cent ans, Glaedr et moi stockons dans cette pierre notre énergie superflue. D'autres y ont ajouté la leur ; deux fois par semaine, des elfes nous rendaient visite pour y transférer leurs réserves de force vitale. Il y a dans ce diamant des trésors de puissance, Eragon. Grâce à lui, je pourrais déplacer une montagne. Nous défendre, Glaedr et moi, contre les épées, les lances et les flèches, ou même les roches lancées par les engins de siège n'est rien en comparaison. En ce qui concerne mes spasmes, j'ai inclus dans le diamant de Naegling certains sorts qui me protégeront si une crise me prend pendant le combat. Comme tu le constates, nous ne sommes pas sans ressources, loin de là.

Confus, Eragon baissa les yeux et murmura :

– Oui, Maître.

Oromis se radoucit :

– Je te sais gré de ta sollicitude, Eragon ; tes inquiétudes sont fondées. La guerre est une entreprise périlleuse et, dans le feu de la mêlée, le meilleur des guerriers risque de trouver la mort. Nous luttons cependant pour une noble cause. Si nous devons aller à la mort, Glaedr et moi, nous y allons de bon cœur, car notre sacrifice contribuera à libérer l'Alagaësia de la noire tyrannie de Galbatorix.

Le jeune homme se sentait soudain bien petit.

– Si vous mourez, dit-il, si nous réussissons malgré tout à tuer Galbatorix et à sauver le dernier œuf de dragon, qui formera ce dragon et le nouveau Dragonnier ?

À sa grande surprise, le maître lui pressa l'épaule.

– En supposant que cela se produise, répondit-il, le visage grave, c'est à vous, à Saphira et toi, qu'il incombera de les instruire dans les arts de notre caste. Oh, Eragon, pourquoi ce visage anxieux ? Tu n'affronterais pas la tâche seul. Je suis sûr qu'Islanzadí et Nasuada mettraient les plus sages érudits de nos deux peuples à ta disposition pour qu'ils te viennent en aide.

Un étrange sentiment de malaise habitait le jeune homme. S'il regrettait de ne pas être toujours traité en adulte, il n'était pas prêt pour autant à endosser le rôle d'Oromis. Rien que d'y penser, il avait l'impression de commettre un sacrilège. Il comprit alors qu'un jour, il appartiendrait à la génération des anciens et que, ce jour-là, il n'aurait plus de mentor pour le guider. Sa gorge se noua.

Relâchant son épaule, Oromis désigna l'épée qu'Eragon tenait entre ses bras :

– Toute la forêt a frémi quand tu as réveillé l'arbre Menoa, Saphira, et la moitié des elfes d'Ellesméra nous ont contactés, Glaedr et moi, pour nous supplier de voler à son secours. De plus, il nous a fallu intercéder en votre faveur auprès de Gilderien le Sage afin qu'il ne vous punisse pas d'avoir eu recours à des méthodes aussi brutales.

« Je ne m'excuserai pas, répliqua la dragonne. Nous n'avions pas le temps d'attendre que la douceur et la persuasion fassent leur effet. »

Oromis acquiesça de la tête :

— Je comprends, Saphira, je ne te reproche rien. Je voulais seulement que vous ayez conscience des conséquences de vos actes.

À la demande de l'elfe, Eragon le débarrassa du casque que celui-ci tenait sur son bras et lui tendit son épée nouvellement forgée pour qu'il puisse examiner.

— Rhunön s'est surpassée, déclara-t-il. Rares sont les armes, épées ou autres, de cette qualité. Tu as beaucoup de chance de porter cette lame remarquable.

Il haussa un sourcil oblique en lisant le glyphe, puis ajouta :

— Brisingr... un nom approprié pour une épée de Dragonnier.

— Certes, mais par quelque mystère, dès que je prononce son nom, la lame prend...

Il hésita et, pour ne pas prononcer le mot « feu » – brisingr en ancien langage , il se reprit :

— ... la lame s'enflamme.

Le sourcil d'Oromis s'envola vers son front :

— Vraiment ? Rhunön a-t-elle donné une explication à ce phénomène unique ?

Tout en parlant, il rendit Brisingr à Eragon en échange de son heaume.

— Oui, Maître, répondit le jeune homme.

Et il lui exposa les deux hypothèses de l'elfe forgeronne. Lorsqu'il eut terminé, Oromis, pensif, laissa son regard se perdre à l'horizon.

— Je me demande..., murmura-t-il.

Puis il secoua la tête, et ses yeux gris, plus graves que jamais, revinrent sur Saphira et Eragon :

— Je crains que ma fierté ait pris le dessus tout à l'heure. Glaedr et moi ne sommes peut-être pas démunis, mais, comme tu l'as justement souligné, Eragon, nous ne sommes pas indemnes. Glaedr a sa blessure, et j'ai mes propres... faiblesses. On ne m'appelle pas l'Infirme Inchangé sans raison. Nos handicaps ne poseraient pas de problème si nos adversaires étaient de simples mortels. Dans notre état actuel, nous pourrions

751

abattre des centaines et même des milliers d'humains. Le nombre n'y changerait rien. Hélas, notre ennemi est le plus redoutable félon que cette terre ait jamais porté. S'il m'en coûte de l'avouer, Glaedr et moi sommes désavantagés. Il n'est pas improbable que nous ne survivions pas aux batailles à venir. Nous avons vécu de longues vies fructueuses, et les chagrins de plusieurs siècles nous pèsent. Vous êtes jeunes et frais, tous les deux, pleins d'espoir. S'il existe en ce monde deux êtres capables de vaincre Galbatorix, c'est vous, j'en suis convaincu.

Oromis coula un regard empreint d'émotion à Glaedr :

— En conséquence, afin d'accroître vos chances de survie, par précaution dans l'éventualité de notre mort et avec ma bénédiction, Glaedr a décidé...

« J'ai décidé de vous donner mon cœur des cœurs, termina celui-ci. À toi, Saphira Écailles Brillantes, et à toi, Eragon le Tueur d'Ombre. »

Frappés de stupeur, Eragon et Saphira dévisagèrent le majestueux dragon d'or qui les dominait de toute sa taille.

« Maître, c'est trop d'honneur, balbutia Saphira. Êtes-vous sûr de vouloir nous confier votre cœur ? »

Glaedr abaissa sa lourde tête à la hauteur d'Eragon :

« J'en suis sûr et certain. Pour une foule de raisons. Si vous gardez mon cœur, vous pourrez communiquer avec moi et Oromis quelle que soit la distance qui nous sépare, et je vous soutiendrai de ma force quand vous serez en difficulté. Au cas où Oromis et moi tomberions au combat, nos connaissances et notre expérience, ainsi que mon énergie resteront à votre disposition. J'ai mûrement réfléchi, et j'ai la certitude d'avoir fait le bon choix. »

— Si Oromis mourait, intervint Eragon d'une voix douce, voudriez-vous vraiment vivre sans lui sous forme d'Eldunarí ?

De son immense œil d'or, Glaedr fixa le jeune Dragonnier :

« Je ne souhaite pas être séparé d'Oromis. Toutefois, quoi qu'il arrive, je continuerai à faire tout ce qui est en mon pouvoir pour renverser Galbatorix de son trône. C'est notre seul objectif, et rien, pas même la mort, ne nous empêchera de chercher à l'atteindre. L'idée de perdre Saphira t'horrifie, Eragon, à juste titre. Pense cependant qu'Oromis et moi avons eu des siècles pour accepter l'idée de cette séparation inévitable. Aussi prudents que nous soyons, si nous vivons assez longtemps, l'un de nous finira par s'éteindre. C'est, hélas, la triste vérité. Ainsi va le monde. »

– Je n'oserais pas prétendre que cette perspective me réjouit, ajouta Oromis. Mais le but de la vie n'est pas d'agir selon ses désirs. Le devoir passe d'abord, et c'est là le tribut que le destin exige de nous.

« Je vous demande donc, à toi, Saphira Écailles Brillantes, et à toi, Eragon le Tueur d'Ombre, de me répondre. Acceptez-vous le don que je vous fais de mon cœur et tout ce qu'il implique ! »

« Oui », répondit Saphira.

« Oui », répondit Eragon après une brève hésitation.

Alors, Glaedr releva la tête, la rejeta en arrière. Les muscles de son abdomen ondoyèrent et se contractèrent plusieurs fois tandis que des spasmes agitaient sa gorge, comme s'il était pris de hoquet. Écartant les pattes pour un meilleur équilibre, il tendit le cou droit devant lui. Sous sa cuirasse d'écailles scintillantes, tout son corps se tendait dans l'effort. Les mouvements de sa gorge s'accélérèrent, puis il abaissa la tête à la hauteur d'Eragon et ouvrit les mâchoires, répandant un flot d'air chaud à l'odeur âcre. Eragon plissa les yeux, réprima un haut-le-cœur et scruta les profondeurs de la gueule béante. Après une dernière contraction, une lueur dorée apparut parmi les replis humides de chair rouge sang. Une seconde encore, et un globe d'environ un pied de diamètre roula sur la langue vermeille du dragon, si vite qu'Eragon le rattrapa de justesse.

Tandis que ses doigts agrippaient l'Eldunarí gluant de salive, le jeune homme recula, le souffle court ; soudain, il ressentait les émotions de Glaedr, les sensations de son corps. L'excès d'informations lui donnait le vertige. C'en était trop, de même que l'intimité de ce contact. Il avait beau s'y attendre, le choc n'en était pas moins grand : il tenait tout l'être de Glaedr entre ses mains !

L'imposant dragon d'or sursauta lui aussi, puis il secoua la tête et protégea sa conscience à nu. Malgré les barrières mentales, Eragon percevait encore les ondes changeantes de ses pensées et les nuances de son humeur.

L'Eldunarí ressemblait à un joyau géant couleur d'or. Sa surface tiède était faite de centaines de facettes aux arêtes aiguës, aux angles et à la taille variables. Le centre diffusait une lumière atténuée, comme celle d'une lanterne sourde, une lumière qui palpitait à un lent rythme régulier. Au premier coup d'œil, cette clarté paraissait uniforme ; en l'observant mieux, Eragon y distinguait de minuscules courants, des ondes qui se croisaient, s'entrelaçaient de manière imprévisible. Dans ce flux continu, il y avait des taches plus sombres, presque immobiles, et de soudains jaillissements d'étincelles pas plus grosses que des têtes d'épingles, qui brillaient un instant avant de se fondre dans le rayonnement d'ensemble. Le cœur était vivant !

754

— Tiens, dit Oromis en lui tendant un solide sac de toile.

Au grand soulagement d'Eragon, son lien avec la conscience de Glaedr se rompit dès qu'il eut rangé l'Eldunarí dans le sac et que ses mains ne furent plus en contact direct avec la pierre lumineuse. À peine remis du choc, il serrait le précieux paquet sur sa poitrine, intimidé à l'idée qu'il contenait l'essence de Glaedr, anxieux aussi, car le pire était à craindre si ce cœur des cœurs tombait en d'autres mains.

— Merci, Maître, balbutia-t-il, ému, en s'inclinant devant le dragon d'or.

« Nous protégerons votre cœur au prix de nos vies », ajouta Saphira.

— Non ! s'écria Oromis indigné. Surtout pas au prix de vos vies ! C'est précisément là ce que nous souhaitons éviter. Veillez à ce qu'il n'arrive pas malheur au cœur de Glaedr par votre négligence, mais ne vous sacrifiez ni pour lui, ni pour moi, ni pour qui que ce soit. Employez-vous à survivre par tous les moyens. Si vous mourez, nos espoirs seront détruits avec vous, et le monde ne sera plus que ténèbres.

– Oui, Maître, acquiescèrent en chœur Eragon et Saphira, lui de vive voix, elle par la pensée.

« Tu as juré fidélité à Nasuada, Eragon. Tu lui dois loyauté et obéissance, dit Glaedr. Aussi, je t'autorise à lui parler de mon cœur s'il en était besoin, et en ce cas seulement. Pour le bien des dragons où qu'ils soient, le peu qu'il en reste, il ne faut pas que la vérité sur l'Eldunarí se répande. »

« Pouvons-nous en parler à Arya ? » s'enquit Saphira.

– Et à Lupusänghren ? Et aux elfes qu'Islanzadí a envoyés pour me protéger ? Je les ai laissés entrer dans mon esprit la dernière fois que nous avons affronté Murtagh et Thorn. Si vous nous aidez au cours d'une bataille, ils remarqueront votre présence, Glaedr.

« Vous pourrez en informer Lupusänghren et ses magiciens après leur avoir fait prêter serment de garder le secret. »

Oromis se coiffa de son casque :

– Arya étant la fille d'Islanzadí, elle peut être mise au courant. Toutefois, comme pour Nasuada, uniquement en cas de nécessité absolue. Un secret partagé n'en est plus un. Le mieux serait de vous discipliner pour ne plus y penser, bannir toute réflexion sur l'Eldunarí de vos esprits. Ainsi, personne ne vous volera de renseignements cruciaux.

– Oui, Maître.

– Et maintenant, en route, conclut Oromis en enfilant d'épais gantelets. J'ai appris par Islanzadí que Nasuada assiégeait Feinster. Les Vardens ont grand besoin de vous.

« Nous sommes restés trop longtemps à Ellesméra », constata Saphira.

« Peut-être, répondit Glaedr, mais cela n'aura pas été en vain. »

Oromis prit quelques pas d'élan, bondit sur l'unique patte avant du dragon, puis sur son dos hérissé de piques. Sitôt en

selle, il se pencha pour fixer les attaches de ses jambes et lança
à Eragon :

– Pendant le vol, nous réviserons la liste des vrais noms
que tu as apprise au cours de ta dernière visite.

Le jeune Dragonnier grimpa à pas prudents sur Saphira,
enveloppa le cœur de Glaedr d'une couverture et rangea le tout
dans une sacoche de selle puis, comme son maître, il assura les
lanières de ses jambes. Il sentait derrière lui l'aura d'énergie qui
rayonnait de l'Eldunarí.

Glaedr s'avança jusqu'au bord de l'À-pic de Tel'naeír et
déploya ses immenses ailes. La terre trembla quand le dragon
d'or s'élança vers le ciel parsemé de nuages. Ses puissantes
membranes fouettaient l'air tandis qu'il s'élevait dans un bruit
de tonnerre au-dessus de l'océan des arbres. Eragon agrippa
une pique de Saphira qui se jeta dans le vide à son tour, chu-
tant sur quelques centaines de pieds avant de monter rejoindre
Glaedr.

Chacun battant des ailes à son propre rythme, les deux dragons s'orientèrent vers le sud-ouest. Derrière Glaedr, Saphira
arqua le cou et lança un rugissement retentissant ; il répondit
de même. Leurs cris sauvages se répandirent à travers l'azur,
terrorisant bêtes et oiseaux.

55
EN VOL

Après avoir quitté Ellesméra, Saphira et Glaedr survolèrent
la forêt millénaire des elfes sans s'arrêter, très haut au-dessus
des grands pins noirs. Dans les trous de la canopée, Eragon
apercevait ici un lac, là le cours sinueux d'une rivière. Au bord
de l'eau, de petites troupes de chevreuils levaient la tête pour
regarder passer les dragons dans le ciel. La plupart du temps,
Eragon ne prêtait pas grande attention au paysage, trop occupé
à réciter mentalement les mots en ancien langage qu'il avait
appris d'Oromis. Lorsqu'il en oubliait un ou faisait une faute
de prononciation, l'elfe l'obligeait à revenir en arrière et à
répéter jusqu'à ce que tout soit correct.

Ils arrivèrent à la frontière du Du Weldenvarden le jour
même en fin d'après-midi. Là, au-dessus des ombres que projetaient les arbres sur la prairie, Glaedr et Saphira décrivirent
un cercle l'un autour de l'autre.

« Veille sur ton cœur, Saphira, dit le dragon d'or. Et sur le
mien aussi. »

« Je n'y manquerai pas, Maître. »

Depuis le dos de Glaedr, Oromis cria :

– Bon vent à vous deux, Eragon, Saphira ! Et que notre
prochaine rencontre ait lieu devant les grilles d'Urû'baen !

– Bon vent à vous aussi ! cria le jeune homme en retour.

Et, tandis que Saphira poursuivait sa route vers le sud-ouest,
Glaedr obliqua vers l'ouest pour longer la forêt qui les conduirait, Oromis et lui, au nord du lac Isenstar dont ils suivraient la
rive jusqu'à Gil'ead.

Saphira vola toute la nuit, ne se posant que pour boire et pour qu'Eragon puisse se dégourdir les jambes et se soulager. Sur le trajet du retour, ils n'eurent pas à affronter de vents de face comme à l'aller. L'air était calme, à croire que la nature souhaitait les voir rejoindre les Vardens au plus vite. Le lendemain, au lever du soleil, ils étaient dans le désert du Hadarac et filaient plein sud afin de contourner la frontière est de l'Empire. Lorsque, de nouveau, l'obscurité enveloppa ciel et terre de son étreinte glacée, Eragon et Saphira avaient laissé derrière eux les vastes étendues de sable arides ; ils survolaient les vertes prairies de l'Empire de manière à passer entre Urû'baen et le lac Tüdosten pour gagner Feinster.

Après deux jours et deux nuits de vol ininterrompu, Saphira n'en pouvait plus. Piquant sur un bosquet de bouleaux en bordure d'un lac, elle se posa et se roula en boule pour dormir quelques heures à l'ombre. Eragon monta la garde tout en s'entraînant à l'escrime avec Brisingr.

Depuis qu'ils s'étaient séparés d'Oromis et de Glaedr, une angoisse sourde tenaillait le jeune homme à l'idée de ce qui les attendait à Feinster. Ils étaient, bien sûr, mieux protégés que beaucoup contre la mort et les dommages corporels. Mais, lorsqu'il repensait à la bataille des Plaines Brûlantes, à celle de Farthen Dûr, lorsqu'il revoyait le sang gicler des membres tranchés, lorsqu'il se rappelait les cris des blessés, la brûlure d'une lame entamant sa propre chair, son ventre se nouait, ses muscles frémissaient d'énergie contenue, et il ne savait plus s'il voulait en découdre avec tous les soldats de la terre ou fuir le plus loin possible et se cacher dans un trou.

Ses craintes s'accrurent encore quand, ayant repris leur voyage, Saphira et lui virent depuis le ciel des colonnes d'hommes en armes dans les champs. Ici et là, de la fumée montait des villages saccagés. Le spectacle de ces destructions gratuites rendait le jeune Dragonnier malade. Détournant les yeux, il serra la pique de Saphira et plissa les paupières jusqu'à ne distinguer que les contours flous de ses doigts à travers la barrière de ses cils.

« Petit homme, murmura-t-elle d'une voix qui trahissait sa fatigue. Ce n'est pas notre première bataille. Ne t'inquiète donc pas tant. »

Il s'en voulut de l'avoir distraite dans son effort :

« Pardonne-moi... Ça ira mieux quand nous serons sur place. J'aimerais juste que ce soit fini. »

« Je sais. »

Eragon renifla, essuya son nez gelé sur la manche de sa tunique :

« Je regrette parfois de ne pas prendre au combat le même plaisir que toi. Ce serait plus facile. »

« Si c'était le cas, répondit-elle, la terre entière tremblerait devant nous, Galbatorix inclus. Non. Il vaut mieux que tu ne partages pas mon goût du sang. Cela rétablit l'équilibre... Nous nous complétons, Eragon. Séparés, nous ne sommes que la moitié de nous-mêmes, ensemble, nous formons un tout. Chasse de ta tête ces pensées délétères et pose-moi plutôt une devinette qui me tienne éveillée. »

« Voilà, dit-il après réflexion. Je suis rouge, bleu, jaune, et de toutes les couleurs de l'arc-en-ciel. Je suis long et je suis court, épais et mince, je reste souvent enroulé. Je suis capable de dévorer des centaines de moutons et d'avoir encore faim. Qui suis-je ? »

« Un dragon, bien sûr ! » répondit-elle sans hésiter.

« Non. Un tapis de laine. »

« Bah ! »

Le troisième jour du voyage se traîna, interminable, avec, pour seul fond sonore, les battements d'ailes de Saphira, le bruit de sa respiration haletante et le bourdonnement constant de l'air déplacé. Eragon avait les jambes et le bas du dos douloureux d'être resté si longtemps en selle. C'était peu de chose en comparaison de ce qu'endurait la dragonne. Les muscles de ses épaules et de son torse, trop sollicités, la brûlaient atrocement. Pourtant, elle persévérait sans se plaindre. Elle refusa même l'offre d'Eragon d'alléger ses souffrances par un sort :

« Garde tes forces. Tu en auras besoin en arrivant. »

Plusieurs heures après le coucher du soleil, Saphira oscilla de droite à gauche et chuta soudain de plusieurs pieds. Eragon se redressa, inquiet, et regarda autour de lui, cherchant la cause de ces turbulences. Rien. Rien que les ténèbres et les étoiles.

« Je crois que nous venons d'atteindre la rivière Jiet, dit-elle. L'air est froid et humide, comme lorsqu'on survole l'eau. »

« Feinster ne doit plus être bien loin. Tu es sûre de trouver la ville dans le noir ? Nous pourrions en être à cent miles, au nord ou au sud. »

« Certainement pas. Mon sens de l'orientation n'est peut-être pas infaillible, mais il est meilleur que le tien et que celui des autres créatures terrestres. Si les cartes des elfes que j'ai examinées sont exactes, nous ne sommes pas à plus de cinquante miles de Feinster, que ce soit au nord ou au sud. Et, à cette altitude, nous ne tarderons pas à l'apercevoir. Avec un peu de chance, nous sentirons aussi la fumée des cheminées. »

Elle avait raison. Tard dans la nuit, à quelques heures de l'aube, une lueur rouge sombre apparut à l'ouest sur l'horizon. Dès qu'il l'aperçut, Eragon se retourna pour sortir son armure de ses sacoches de selle. Il mit son haubert, sa coiffe d'arme, son heaume, ses brassards et ses grèves. Il regretta de ne pas avoir de bouclier ; il avait laissé le sien chez les Vardens avant de courir jusqu'au mont Thardûr avec Nar Garzhvog.

D'une main, il fouilla ses affaires à tâtons, trouva le flacon de faelnirv qu'Oromis lui avait donné. Le contact de l'argent était frais sous ses doigts. Il but une minuscule gorgée de liqueur enchantée au goût de baies de sureau, d'hydromel et de cidre chaud aux épices. Le liquide lui brûla la gorge, il en eut le feu aux joues. En l'espace de quelques secondes, sa fatigue s'estompa sous l'effet revigorant du faelnirv.

Eragon secoua le flacon. Apparemment, un tiers du précieux breuvage avait déjà disparu, ce qui le chagrina. Il n'en avait pourtant bu qu'une seule fois avant celle-ci. « À l'avenir, il faudra que je fasse plus attention », se dit-il.

À mesure qu'ils s'en rapprochaient, le rougeoiement se précisa, se divisa en milliers de foyers lumineux : des lanternes portatives, des feux de camp ou de cuisson, de grandes flaques de poix enflammée qui répandaient leur infecte fumée noire dans le ciel nocturne. On voyait maintenant une mer de fers de lances et de casques scintillants monter à l'assaut de la vaste cité fortifiée ; en haut des murailles, une foule de silhouettes s'activaient, décochaient des flèches sur les assaillants, versaient des chaudrons d'huile bouillante depuis les créneaux, coupaient les cordes lancées depuis le sol, repoussaient les échelles de leurs adversaires. Des appels et des cris montaient dans l'air qui résonnait des coups de bélier frappés contre les grilles de la cité.

Toute fatigue avait quitté Eragon qui observait le champ de bataille, notait l'emplacement des hommes, des bâtiments, des diverses machines de guerre. À l'extérieur des murs, des centaines de taudis s'entassaient les uns sur les autres, si serrés qu'un cheval ne serait pas passé entre eux : là vivaient les pauvres qui n'avaient pas les moyens de se loger dans la ville même. Les habitations semblaient désertes ; beaucoup avaient été détruites pour permettre aux Vardens d'accéder aux remparts. Une douzaine de ces masures étaient en feu ; les flammèches volaient d'un toit de chaume à l'autre, propageant l'incendie. À l'est de ce quartier misérable, les tranchées creusées afin de protéger le camp varden marquaient la terre de leurs courbes noires. De l'autre côté de la cité, il y avait des docks comme ceux de Teirm et, plus loin encore, l'océan immense roulait ses flots à l'infini.

Une excitation sauvage s'empara soudain d'Eragon. Au même moment, il sentit Saphira frémir.

« Ils n'ont pas l'air de nous avoir remarqués, dit-il en agrippant la poignée de Brisingr. Penses-tu que nous devions leur annoncer notre arrivée ? »

La dragonne lui répondit en lançant un rugissement si puissant qu'il en grinça des dents. Non contente de cela, elle cracha une gigantesque gerbe de flammes bleues.

Assaillants au pied des murailles et assiégés sur les remparts s'immobilisèrent. Le silence se fit sur le champ de bataille. Puis les rangs des Vardens explosèrent en acclamations, les guerriers martelaient leurs boucliers de leurs épées ou de leurs lances tandis que des plaintes de désespoir s'élevaient de la ville.

« Ah ! s'exclama Eragon en clignant des yeux. Quelle drôle d'idée tu as eue. Je n'y vois plus rien, maintenant ! »

« Pardon. »

« La première chose à faire, c'est de trouver un cheval qui vient de mourir pour que je puisse restaurer tes forces. »

« Inutile de... »

Saphira se tut. Un autre esprit effleurait leurs consciences. Sa panique initiale passée, Eragon reconnut Trianna.

« Eragon ! Saphira ! s'écria la sorcière. Vous tombez à pic ! Arya et un autre elfe ont réussi à escalader les murs, mais un groupe important de soldats les a piégés. Si personne ne leur vient en aide, ils ne survivront pas une minute de plus ! Vite ! »

56
BRISINGR !

Ramenant ses ailes contre son corps, Saphira plongea en piqué vers les sombres bâtiments de la ville. Eragon baissa la tête pour se protéger du vent qui lui fouettait le visage. Le monde se mit à tourner autour d'eux quand Saphira partit vers la droite dans une roulade afin que les archers ne puissent pas l'atteindre.

Les membres d'Eragon s'alourdirent tandis qu'elle freinait sa descente et se redressait. Lorsqu'elle fut de nouveau à l'horizontale, la sensation de pesanteur cessa. Tels d'étranges faucons criards, les flèches sifflaient autour d'eux. Certaines manquaient leur cible, les autres étaient détournées par les enchantements protecteurs dont ils étaient entourés.

Rasant la muraille extérieure, Saphira rugit de nouveau. À coups de griffes, à coups de queue, elle précipitait des groupes d'hommes hurlants dans le vide.

Une haute tour carrée armée de quatre balistes se dressait au bout du mur. Les arbalètes géantes tiraient des javelots longs de douze pieds sur les Vardens massés devant les grilles. À l'intérieur de l'enceinte, Eragon et Saphira aperçurent bientôt une centaine de soldats autour de deux guerriers qui, adossés à la tour, défendaient leurs vies contre une véritable forêt de lames.

Même d'en haut, malgré l'obscurité, Eragon reconnut Arya.

Saphira bondit des remparts, atterrit au milieu des soldats et en écrasa plusieurs. Les autres se dispersèrent avec des cris de surprise et de terreur. La dragonne gronda, frustrée de voir ses proies lui échapper. Balayant le sol de sa queue, elle en faucha encore une douzaine. Un homme tenta de passer devant elle en courant. Vive comme l'éclair, elle le saisit entre ses dents, secoua la tête et lui brisa la colonne vertébrale. Elle en expédia quatre autres dans l'au-delà de la même manière.

Entre-temps, le reste des soldats avait disparu parmi les bâtiments. Eragon détacha en hâte les lanières de ses jambes, sauta à terre et se reçut à genoux, déséquilibré par le poids de son armure. Il grommela un juron et se remit debout.

– Eragon ! s'exclama Arya en se précipitant vers lui.

Haletante, trempée de sueur, elle portait un casque peint en noir pour plus de discrétion et, en guise de cuirasse, un gilet matelassé.

– Bienvenue, Bjartskular. Bienvenue, Tueur d'Ombre, roucoula Lupusänghren à côté d'elle.

Ses petits crocs pointus reflétaient la lueur des torches et ses yeux jaunes étincelaient. Avec sa fourrure hérissée, il avait l'air plus menaçant que jamais. Comme Arya, il était maculé de sang – mais était-ce le leur ?

– Vous êtes blessés ? s'enquit Eragon.

Arya nia de la tête, et Lupusänghren déclara :

– Quelques égratignures, rien de grave.

« Que faites-vous seuls ici, sans troupes de soutien ? » demanda Saphira.

– Les grilles, expliqua Arya pantelante. Depuis trois jours, nous nous efforçons de les abattre. Elles sont immunisées contre la magie, et le bélier les a à peine entamées. Alors, j'ai convaincu Nasuada de...

Elle s'interrompit pour reprendre son souffle ; Lupusänghren termina à sa place :

– Arya a convaincu Nasuada de lancer l'assaut de ce soir afin que nous puissions entrer dans Feinster à l'insu de tous et ouvrir les grilles de l'intérieur. Malheureusement, nous avons croisé un trio de magiciens. Par une attaque mentale, ils nous ont empêchés d'user de magie le temps d'appeler des soldats en nombre suffisant pour nous écraser.

Pendant le récit de Lupusänghren, Eragon posa la main sur le torse d'un soldat mort et absorba ce qu'il lui restait d'énergie pour la transmettre à Saphira.

— Où sont passés ces magiciens ? s'enquit-il en répétant l'opération sur un cadavre voisin.

Les épaules velues de l'elfe se soulevèrent et retombèrent :

— Ils semblent avoir pris peur quand tu es apparue, Shur'tugal.

« C'est la moindre des choses », gronda la dragonne.

Eragon draina l'énergie de trois autres soldats et récupéra le bouclier rond du dernier.

— Bien, déclara-t-il en se relevant. Si nous allions ouvrir ces grilles aux Vardens ?

— Inutile de tarder davantage, approuva Arya.

Elle se mit en marche, puis coula un regard de biais à Eragon.

— Tu as une nouvelle épée, observa-t-elle.

— Oui. Rhunön m'a aidé à la forger.

— Et quel est le nom de cette lame, Tueur d'Ombre ? s'enquit Lupusänghren.

Eragon s'apprêtait à le lui dire quand quatre soldats débouchèrent d'une ruelle sombre, lance tendue devant eux. D'un geste fluide, Eragon dégaina Brisingr, qui luisait d'un éclat joyeux et sauvage, et, dans le même mouvement, il fendit la première hampe et décapita le soldat de tête. Arya en embrocha deux autres avant qu'ils puissent réagir, tandis que Lupusänghren bondissait de côté pour tuer le dernier de sa dague.

— Vite ! s'écria Arya, qui partit à toutes jambes en direction des grilles.

Eragon et Lupusänghren l'imitèrent, suivis de Saphira dont les griffes claquaient sur les pavés de la rue. Des archers les criblaient de flèches depuis les remparts et, par trois fois, des groupes de soldats se jetèrent sur eux. Sans même ralentir,

Eragon, Arya et Lupusänghren fauchaient leurs attaquants, quand Saphira ne les douchait pas d'un torrent de feu.

À mesure qu'ils approchaient des portes de la ville, les coups sourds du bélier se firent plus fort. Devant les lourds battants hauts de quarante pieds et renforcés de ferrures, ils aperçurent deux hommes et une femme vêtus de longues robes noires. Les bras levés vers le ciel, ils oscillaient d'un côté à l'autre et psalmodiaient en ancien langage. En voyant Eragon et ses compagnons, les trois mages se turent et, leurs vêtements flottant derrière eux, ils remontèrent en courant la grand-rue de Feinster qui menait au donjon.

Eragon brûlait de les poursuivre. Mais il fallait d'abord faire entrer les Vardens dans la ville, où ils seraient à l'abri des soldats postés sur les remparts. « Je me demande quel méfait ils préparent », songea-t-il en les regardant s'éloigner.

Avant qu'Eragon, Arya, Lupusänghren et Saphira n'atteignent leur but, cinquante soldats en armure rutilante sortirent des tours de garde pour leur barrer le chemin.

L'un d'eux frappa son bouclier du pommeau de son épée et hurla :

— Vous ne passerez pas, vils démons ! C'est chez nous, ici ! Jamais nous ne laisserons des Urgals, des elfes ou d'autres monstres inhumains souiller notre demeure ! Disparaissez ! Vous ne trouverez à Feinster que la souffrance et le sang !

Désignant les deux tours, Arya souffla à Eragon :

— Les mécanismes qui commandent l'ouverture sont à l'intérieur.

— Allez-y, Lupusänghren et toi. Pendant que vous contournerez les hommes, Saphira et moi nous nous chargerons de les occuper.

Arya acquiesça de la tête, et les deux elfes se fondirent parmi les ombres des maisons voisines.

Par le lien qui l'unissait à Saphira, Eragon sentit qu'elle s'apprêtait à foncer sur les soldats. Posant la paume sur sa patte, il lui dit :

« Attends. Laisse-moi d'abord essayer quelque chose. »

« Si ça ne marche pas, je pourrai en faire de la charpie ? » demanda-t-elle en se pourléchant les crocs.

« Tu en feras tout ce que tu voudras. »

À pas lents, Eragon s'avança vers les soldats, son épée d'une main, son bouclier de l'autre, les bras ouverts. Une flèche tirée d'en haut s'arrêta à trois pieds de sa poitrine avant de tomber au sol. Du regard, il balaya les rangs des hommes d'armes apeurés et annonça d'une voix forte :

– Je suis Eragon le Tueur d'Ombre ! Que vous ayez ou non entendu parler de moi, sachez que je suis Dragonnier, que j'ai prêté serment d'aider les Vardens à détrôner Galbatorix. Y en a-t-il parmi vous qui ont juré fidélité au roi ou à l'Empire en ancien langage ?... Alors ? Vous ne répondez pas ?

Celui qui s'était déjà exprimé, qui semblait être leur capitaine, prit alors la parole :

– Jamais nous ne jurerions fidélité au roi, pas même le couteau sous la gorge ! Notre loyauté va à Dame Lorana. Depuis des générations, elle et sa famille nous gouvernent et personne ne s'en plaint !

Les autres marmonnèrent leur assentiment.

– Eh bien, rejoignez-nous ! s'exclama Eragon. Posez vos armes, et je vous promets qu'il ne vous sera fait aucun mal, ni à vous ni aux vôtres. Vous n'avez aucune chance de tenir Feinster contre les forces alliées des Vardens, des Surdans, des nains et des elfes.

– C'est ce que tu crois ! lança un des soldats. Mais suppose que Murtagh et son dragon rouge reviennent par ici ?

Après un temps d'hésitation, Eragon répliqua avec assurance :

– Ils ne sont pas de taille à lutter contre moi et contre les elfes, qui se battent avec les Vardens. Nous les avons déjà mis en déroute une fois.

À gauche des soldats, le jeune Dragonnier vit Arya et Lupusänghren sortir de derrière un escalier de pierre menant en haut des remparts et avancer à pas de loup vers la tour qui gardait ce côté de la porte.

Le capitaine reprit :

– Nous n'avons pas prêté serment au roi, mais Dame Lorana l'a fait. Quel sort lui réserveras-tu ? Vas-tu la tuer ? L'emprisonner ? Non. Nous ne trahirons pas sa confiance. Vous ne passerez pas, ni toi ni les monstres qui grattent à nos murs. Comme les Vardens, tu ne promets que la mort à ceux qui ont été contraints de servir l'Empire ! Tu ne pouvais pas te tenir tranquille, Dragonnier ? Garder la tête basse pour que nous vivions en paix ? Non, bien sûr ! Trop avide de gloire et de richesses, il a fallu que tu apportes la ruine sur nos foyers pour satisfaire tes ambitions. Je te maudis, Dragonnier ! Je te maudis de tout mon cœur ! Puisses-tu quitter l'Alagaësia pour n'y jamais revenir !

Un frisson parcourut Eragon. Cette malédiction était l'écho de celle du Ra'zac à Helgrind, l'écho de la prédiction d'Angela à Teirm. Au prix d'un effort, il écarta ces tristes pensées et dit :

– Ce n'était pas mon intention, mais je vous tuerai si cela devient nécessaire. Posez vos armes !

Sans bruit, Arya ouvrit la porte de la tour de gauche et se glissa à l'intérieur. Avec la souplesse silencieuse d'un chat sauvage, Lupusänghren se faufila derrière les soldats pour gagner l'autre tour. Si l'un des hommes s'était retourné, il l'aurait surpris.

Leur capitaine cracha aux pieds d'Eragon :

– Tu n'as même pas l'air humain ! Tu es un traître à ton propre peuple !

Sur ces mots, il leva son bouclier et, l'épée au poing, il s'avança vers le jeune Dragonnier en grondant :

– Tueur d'Ombre ! Bah ! Un gamin comme toi ? J'y croirai quand mon petit frère de douze ans aura tué un Ombre !

Lorsqu'il ne fut plus qu'à quelques pieds de lui, Eragon se fendit et, d'un coup de Brisingr, transperça le bouclier, le bras qui le tenait, et le torse du capitaine de part en part. Après un unique spasme, l'homme ne bougea plus. Tandis qu'Eragon retirait sa lame du cadavre, des bruits discordants émanèrent des tours de garde ; les chaînes et les engrenages grinçaient, la lourde poutre qui bloquait les grilles de la cité se soulevait.

— Jetez vos armes ou vous êtes morts ! s'écria Eragon.

Hurlant d'une même voix, vingt soldats se ruèrent sur lui. Le gros de la troupe se dispersa dans le plus grand désordre ; certains s'enfuirent vers le centre de la ville, quelques-uns, suivant le conseil du jeune homme, posèrent leurs armes sur le pavé et s'agenouillèrent en bordure de la rue, les mains sur les genoux.

Une bruine de sang enveloppait le garçon tandis qu'il se taillait un chemin à travers les rangs de ses adversaires, dansant de l'un à l'autre sans leur laisser le temps de réagir. Saphira en renversa deux, puis, d'un jet de feu, fit rôtir les deux suivants dans leur armure. Emporté par son élan, Eragon dépassa sa dernière victime dans une glissade, le bras encore tendu du coup qu'il venait de porter. Derrière lui, les deux moitiés du corps pourfendu tombèrent, la première d'abord, la seconde une fraction de seconde plus tard.

Arya et Lupusänghren surgirent des tours au moment où les grilles s'ouvraient en gémissant, découvrant l'extrémité de l'énorme bélier varden. Sur les remparts, les archers battirent en retraite vers des positions plus défendables avec des cris de désarroi. Des douzaines de mains se saisirent des grilles pour les écarter tandis que la foule des guerriers Vardens, hommes et nains, se pressait sous le porche. Des exclamations fusaient : « Tueur d'Ombre ! » « Argetlam ! » « Heureux de te voir de retour ! La chasse est bonne ce soir ! »

— Ce sont mes prisonniers, lança Eragon en pointant Brisingr vers les soldats à genoux. Attachez-les et veillez à ce qu'ils soient bien traités. J'ai donné ma parole qu'il ne leur serait pas fait de mal.

Six guerriers s'empressèrent d'exécuter son ordre.

Et le flot des Vardens déferla sur la ville dans le tonnerre des bottes et le tintement des armures. Apercevant Roran, Horst et les villageois de Carvahall au quatrième rang, Eragon les héla, ravi de les retrouver tous. Brandissant son marteau en signe de salut son cousin se précipita vers lui. Les deux jeunes gens tombèrent dans les bras l'un de l'autre. Après une brève et vigoureuse étreinte, Eragon s'écarta et constata que Roran paraissait vieilli, que ses traits s'étaient creusés.

– Il était temps que tu reviennes, grommela ce dernier. Nous mourrions par centaines, ici, à tenter de prendre ces murs d'assaut.

– Saphira et moi avons fait au plus vite. Comment se porte Katrina ?

– Bien.

– Quand tout ça sera fini, il faudra que tu me racontes ce qui t'est arrivé pendant mon absence.

Lèvres pincées, Roran hocha la tête. Puis il montra Brisingr du doigt et demanda :

– D'où tiens-tu cette épée ?

– Des elfes.

– Elle a un nom ?

Eragon s'apprêtait à répondre quand les onze magiciens qu'Islanzadí avait envoyés pour les protéger, Saphira et lui, quittèrent la colonne au pas de course pour venir les entourer ; ils furent bientôt rejoints par Lupusänghren et Arya, qui essuyait la mince lame de son arme.

Les deux cousins n'eurent pas le loisir de reprendre la conversation interrompue : Jörmundur franchissait les portes.

– Tueur d'Ombre ! s'écria-t-il. Quel plaisir !

– Que souhaitez-vous que nous fassions maintenant ? s'enquit le jeune Dragonnier après lui avoir rendu son salut.

Le commandant arrêta son destrier et dit :

– Agis comme tu l'entends. Nous allons devoir nous battre pour atteindre le donjon. Les ruelles sont trop étroites pour Saphira. Prenez les airs et harcelez l'ennemi. Si vous parveniez à forcer l'entrée du donjon et à capturer Dame Lorana, vous nous rendriez un fier service.

– Où est Nasuada ?

– À l'arrière. Elle coordonne les opérations militaires avec le roi Orrin.

Jörmundur regarda le flot de guerriers défiler, puis il reporta son attention sur Eragon et Roran :

– Puissant Marteau, ta place est à la tête de tes hommes, pas à bavarder avec ton cousin.

Sur ce, il éperonna son cheval et remonta la rue ténébreuse en aboyant des ordres aux Vardens.

Alors que Roran et Arya se retournaient pour le suivre, Eragon agrippa l'épaule de son cousin et tapota l'épée de l'elfe de la sienne :

– Une minute, vous deux !

– Quoi, encore ? protestèrent-ils en chœur avec irritation.

« J'aimerais bien le savoir, renchérit Saphira. Pourquoi traîner ici à discuter quand l'action nous attend ? »

– Mon père ! s'exclama Eragon. Ce n'est pas Morzan, c'est Brom !

Éberlué, Roran cligna des yeux :

– Brom ?

– Oui, Brom !

– Tu en es sûr, Eragon ? s'enquit Arya, tout aussi surprise. Comment l'as-tu appris ?

– Sûr et certain ! Je vous expliquerai plus tard, mais il fallait que je vous le dise.

Roran secoua la tête :

– Brom… Je ne m'en serais jamais douté. En même temps, ça peut se comprendre. Tu dois te sentir soulagé d'être débarrassé du nom de Morzan.

Eragon sourit d'une oreille à l'autre :

– Plus que tu ne l'imagines.

– Prends soin de toi, hein ? conclut Roran.

Il gratifia son cousin d'une bourrade avant de courir vers Horst et les villageois.

Arya s'éloignait déjà, elle aussi. Eragon l'appela et lui lança :

771

— L'Infirme Inchangé a quitté le Du Weldenvarden pour retrouver Islanzadí devant Gil'ead.

Les yeux verts de l'elfe s'arrondirent. Lèvres entrouvertes, elle semblait sur le point de poser une question quand le flot des guerriers l'emporta vers le cœur de la ville.

Lupusänghren s'approcha alors d'Eragon :

— Pourquoi le Sage en Deuil a-t-il quitté la forêt, Tueur d'Ombre ?

— Son compagnon et lui estiment que le temps est venu de porter un coup à l'Empire et de révéler leur existence à Galbatorix.

Une onde parcourut la fourrure de l'elfe :

— Voilà une nouvelle d'importance s'il en est.

Eragon remonta en selle. Du dos de Saphira, il dit à Lupusänghren et à ses gardes :

— Frayez-vous un chemin jusqu'au donjon. Rendez-vous là-bas.

Sans attendre la réponse, la dragonne bondit sur l'escalier qui menait en haut des remparts. Les marches de pierre se fendaient sous son poids. Parvenue sur le large chemin de ronde, elle se jeta dans le vide et s'éleva au-dessus des taudis en flammes qui se pressaient au pied de la ville fortifiée.

Se souvenant alors qu'au cours de leur première visite à Ellesméra, Orik, Saphira et lui avaient prêté serment devant la reine Islanzadí, lui jurant de garder le secret sur Oromis et Glaedr, Eragon remarqua :

« Il faudra demander l'autorisation d'Arya avant de parler de nos maîtres à d'autres. »

« Quand elle aura entendu notre récit, je suis sûre qu'elle nous la donnera. »

« Oui... »

Eragon et Saphira survolèrent Feinster, se posant dès qu'ils apercevaient d'importantes concentrations de troupes ou des groupes de Vardens en difficulté. Sauf lorsqu'on l'attaquait de front, le jeune Dragonnier s'employait d'abord à convaincre ses adversaires de se rendre ; cette démarche allégeait sa conscience, même s'il échouait une fois sur deux. Il tenait à tous le même discours :

— Notre ennemi, c'est l'Empire, pas vous. Ne prenez pas les armes contre nous et vous n'aurez pas lieu de nous craindre.

Lorsqu'il apercevait une femme ou un enfant égaré dans une rue plongée dans l'ombre, il leur criait de se cacher dans la maison la plus proche.

Il examinait les pensées de chacun en quête de magiciens susceptibles de leur nuire. En dehors des trois qu'ils avaient déjà croisés, il n'en trouva pas d'autres, et ces trois-là devaient être bien protégés, car il ne les sentait plus. Leur apparente disparition l'inquiétait. Manifestement, ils avaient choisi de ne pas participer aux combats de quelque manière que ce fût.

« Ils ont peut-être l'intention de quitter la ville », dit-il à Saphira.

« Tu crois que Galbatorix les laisserait partir en pleine bataille ? »

« Je doute surtout qu'il ait envie de perdre un seul de ses magiciens. »

« C'est bien possible, mais la prudence s'impose. Qui sait ce que ces trois-là manigancent. »

Eragon haussa les épaules :

« Pour le moment, le mieux que nous puissions faire, c'est d'aider les Vardens à s'emparer de Feinster, et le plus vite sera le mieux. »

Elle approuva et piqua sur une place voisine où un affrontement était en cours. Habitués à se battre en terrain découvert, Eragon et Saphira découvrirent qu'en ville les manœuvres devenaient plus malaisées. Les rues étroites bordées de bâtiments entravaient les mouvements de la dragonne et les ralentissaient dans leurs réactions aux attaques, même si Eragon sentait leurs ennemis bien avant qu'ils ne leur tombent dessus. Chaque rencontre avec des soldats virait au combat acharné dans l'obscurité qu'éclairait parfois une flamme ou un éclair de magie. Sans le vouloir, Saphira démolissait parfois une façade d'un brusque balancement de la tête ou de la queue. La chance, l'habileté et les sorts qui les protégeaient leur permirent d'échapper au pire, mais ils étaient tendus, plus méfiants que sur le champ de bataille.

La cinquième escarmouche mit Eragon dans une telle rage que, quand les soldats battirent en retraite comme tous les autres avant eux, il leur donna la chasse, farouchement décidé à les tuer jusqu'au dernier. De manière inattendue, ils tournèrent soudain un coin de rue et défoncèrent la porte d'une mercerie pour s'y réfugier.

Sautant par-dessus les décombres, le jeune Dragonnier les suivit. L'intérieur était d'un noir d'encre ; une odeur de plumes et de parfum tourné imprégnait l'air. Il aurait bien éclairé la boutique par la magie si les soldats n'avaient été plus désavantagés que lui par l'obscurité. Il percevait leurs consciences, entendait leurs respirations haletantes, mais il ne distinguait

pas ce qui les séparait de lui. Il s'avança à pas prudents, tâtant le terrain du bout du pied. Le bouclier levé, il brandissait Brisingr, prêt à frapper.

Avec un bruit léger, à peine audible, un objet vola dans sa direction.

Eragon recula en chancelant sous l'impact tandis qu'une masse d'armes fendait son bouclier en deux. Des cris fusèrent. Un homme invisible renversa une chaise ou une table. Quelque chose se fracassa contre un mur. Le jeune homme se fendit, Brisingr s'enfonça dans de la chair et pénétra de l'os. Un poids mort tirait la lame vers le bas. Il la dégagea, et sa victime s'effondra à ses pieds.

Il risqua un rapide coup d'œil sur Saphira, qui l'attendait dehors, et s'aperçut qu'une lanterne accrochée dans la rue permettait à ses adversaires de le voir. Jetant les restes de son bouclier, il s'écarta en hâte de la porte.

Il y eut de nouveaux bruits de chute, de bris, des claquements de bottes précipités : les hommes se ruaient à l'arrière et dans l'escalier qui montait à l'étage. Eragon les imita. En haut vivait la famille des propriétaires. Les adultes criaient, un bébé pleurait. Il les ignora pour s'élancer à travers le dédale de pièces exiguës, traquant toujours ses adversaires. Enfin, il parvint à coincer les soldats dans un étroit salon pauvrement éclairé par une unique chandelle.

Il abattit les quatre hommes de quatre coups d'épée. Éclaboussé de sang, il s'essuya en grimaçant, récupéra un bouclier, examina les cadavres. Les laisser dans le salon lui parut de mauvais goût. Il les jeta dans la rue par la fenêtre la plus proche.

Alors qu'il regagnait l'escalier, une silhouette jaillit d'un recoin et tenta de le poignarder. Bloquée par les sorts protecteurs, la lame s'arrêta à un demi-pouce de son flanc. Par réflexe, il leva Brisingr, s'apprêtant à décapiter son agresseur... et s'aperçut que c'était un garçon de douze ou treize ans.

Eragon s'immobilisa. « Ça pourrait être moi, songea-t-il. À sa place, j'aurais agi de même. » Derrière le garçon, un homme et une femme en chemise et bonnet de nuit, pressés l'un contre l'autre le dévisageaient, horrifiés. Il frissonna, abaissa Brisingr, ôta le poignard des mains du garçon et dit d'une voix si forte qu'il en fut lui-même choqué :

– Un conseil. Ne sortez pas tant que la bataille fait rage.

Il hésita, puis ajouta :

– Je suis désolé.

Honteux, il quitta la boutique pour rejoindre Saphira, et ils continuèrent leur chemin le long de la rue.

Non loin de la mercerie, ils croisèrent des hommes du roi Orrin, les bras chargés de chandeliers en or, de plats en argent, d'ustensiles, de bijoux et de tentures provenant d'une riche demeure qu'ils venaient de dévaliser.

Jetant à terre la pile de tapis que portait l'un d'eux, Eragon tonna :

– Vous allez remettre tout ça où vous l'avez pris ! Nous sommes ici pour aider ces gens, pas pour les piller. Ce sont nos frères, nos sœurs, nos pères et nos mères. Je vous pardonne pour cette fois, mais faites passer le mot : les coupables de saccages et de rapines seront fouettés comme les voleurs qu'ils sont.

Saphira renchérit d'un grondement, et les guerriers penauds rapportèrent leur butin dans une belle maison à la façade ornée de marbre.

« À présent, Eragon, nous pourrions peut-être... »

La dragonne n'eut pas le loisir de continuer. Un homme en armure varden courait vers eux en criant :

– Tueur d'Ombre ! Tueur d'Ombre !

– Que se passe-t-il ? s'enquit Eragon en assurant sa prise sur la poignée de Brisingr.

– Nous avons besoin de toi, Tueur d'Ombre. De toi aussi, Saphira !

Ils le suivirent à travers Feinster jusqu'à une grande bâtisse de pierre face à laquelle plusieurs douzaines de Vardens se terraient derrière un muret. L'arrivée des renforts parut les soulager.

– Restez au large ! lança l'un d'eux. C'est plein de soldats, là-dedans ! Leurs arcs sont braqués sur nous !

Eragon et Saphira s'arrêtèrent de manière à ce qu'on ne les voie pas du bâtiment.

– Impossible de les atteindre, leur expliqua celui qui les accompagnait. Les portes et les fenêtres sont barricadées, et ils nous criblent de flèches dès qu'on approche.

« Tu y vas ou j'y vais, Saphira ? »

« Je m'en charge », répondit la dragonne.

Elle bondit et s'envola, fouettant l'air de ses ailes. Le bâtiment trembla et les vitres se brisèrent quand elle atterrit sur le toit. Impressionnés, les guerriers vardens la regardèrent planter ses griffes dans le mortier, desceller les pierres avec force rugissements jusqu'à ce qu'un pan de mur s'écroule, découvrant les soldats terrorisés qu'elle tua comme un chien terrier débusque et extermine les rats.

Lorsqu'elle revint près d'Eragon, les Vardens s'éloignèrent d'elle, manifestement apeurés par sa férocité. Sans même leur prêter attention, elle entreprit de se lécher les pattes pour nettoyer ses griffes et ses écailles souillées de sang.

« T'ai-je déjà dit à quel point je me réjouis de ne pas être ton ennemi ? » demanda Eragon.

« Non, mais le compliment me touche. Tu es mignon. »

*

Dans toute la ville, les soldats se battaient avec une ténacité admirable ; ils occupaient le terrain, ne reculaient qu'en dernière extrémité, opposaient une résistance farouche à l'envahisseur. Ralentis dans leur avance, les Vardens n'atteignirent le côté ouest de la ville qu'aux premières lueurs de l'aube.

L'imposant donjon carré était hérissé de tourelles de hauteurs différentes. Le toit en était fait d'ardoise afin que les assaillants ne puissent y mettre le feu. Devant s'étendait une vaste cour qui abritait quelques dépendances et une rangée de quatre catapultes ; un épais mur d'enceinte avec ses propres tourelles encerclait l'ensemble. Des centaines de soldats étaient postés à son sommet ; des centaines occupaient la cour. On y entrait par une arche creusée dans la muraille, que protégaient une herse de métal et deux solides battants de chêne.

Plusieurs milliers de Vardens s'activaient au pied des remparts : armés du bélier qu'ils avaient transporté depuis les portes de la ville, certains tentaient d'abattre la herse ; d'autres s'efforçaient d'escalader les murs avec des cordes et des grappins, des échelles que l'ennemi ne cessait de repousser. Les deux camps échangeaient des volées de flèches sans réussir à prendre l'avantage.

« Aux grilles ! » s'exclama Eragon en désignant l'entrée.

Saphira descendit au-dessus de l'arche. D'un jet de flamme, elle dégagea le chemin de ronde au niveau de la herse et, les naseaux fumants, elle se laissa tomber sur la muraille, causant un rude choc à son Dragonnier.

777

« Va, dit-elle. Je vais m'occuper des catapultes avant qu'ils ne commencent à envoyer des pierres sur les Vardens.

« Sois prudente. »

Il se laissa glisser de son dos sur les remparts.

« Ce sont eux qui feraient bien de se méfier », répliqua-t-elle.

Puis, fixant les lanciers qui se rassemblaient autour des machines de guerre, elle rugit, et la moitié d'entre eux courut se réfugier à l'intérieur du donjon.

La muraille était trop élevée pour qu'Eragon puisse sauter de là sans risque. Saphira passa la queue entre deux créneaux et, sitôt Brisingr rangée dans son fourreau, le jeune homme descendit de pique en pique comme le long d'une échelle. Arrivé au bout, il se laissa tomber au sol d'une hauteur de vingt pieds et atterrit dans une roulade au milieu des Vardens.

— Bienvenue parmi nous, Tueur d'Ombre, le salua Lupusänghren.

L'elfe se détacha de la foule pour venir le rejoindre avec ses onze compagnons.

— Bienvenue à vous, répondit Eragon en reprenant Brisingr en main. Pourquoi n'avez-vous pas encore ouvert ces portes ?

— Elles sont protégées par de nombreux sorts, Tueur d'Ombre. Il faudrait beaucoup d'énergie pour les abattre. Notre rôle consiste à vous défendre. Si nous nous épuisons à d'autres tâches, nous ne serons plus en mesure de le remplir.

Eragon ravala un juron et rétorqua :

— Vous préférez que Saphira et moi nous épuisions, Lupusänghren ? Serons-nous plus en sécurité ainsi ?

L'elfe le dévisagea de son insondable regard jaune ; enfin il s'inclina légèrement :

— Nous ouvrirons les portes sur-le-champ, Tueur d'Ombre.

— Non, gronda Eragon. Ne bougez pas, je m'en charge.

Il se fraya un chemin à travers la foule des Vardens pour gagner la herse baissée.

— Dégagez le terrain ! hurla-t-il en gesticulant.

Les guerriers s'écartèrent pour lui faire de la place. Un trait tiré d'une baliste ricocha contre ses protections magiques et fila en spirale le long d'une rue adjacente. Dans la cour, Saphira grogna, puis on entendit claquer des cordes qui se détendaient dans un fracas de bois brisé.

Empoignant son épée à deux mains, Eragon la brandit au-dessus de sa tête et s'écria :

– Brisingr !

La lame s'embrasa, jetant son feu bleuté sous les exclamations des guerriers étonnés. Eragon s'avança et l'abattit sur une barre transversale de la herse. Un éclair aveuglant illumina le mur et les bâtiments tandis que l'épée sciait le métal. Le jeune homme sentit sa fatigue s'accroître : Brisingr venait de trancher plusieurs sorts de protection. Il sourit. Les enchantements que Rhunön avait tissés dans le vif-acier étaient plus que suffisants pour déjouer ceux de l'ennemi.

Travaillant vite, à un rythme régulier, il découpa une partie de la herse pour ménager une ouverture. Lorsqu'il eut terminé, il recula, et la pièce se détacha pour tomber sur le pavé avec un bruit de gong. Il inséra ensuite la pointe de Brisingr dans l'étroite rainure entre les battants de la porte et poussa, augmentant le flux d'énergie qui nourrissait le feu de la lame afin qu'elle brûle le chêne et le pénètre comme un couteau entre dans du beurre. Des nuages de fumée l'enveloppaient, lui irritaient la gorge et les yeux.

Remontant sa lame, il brûla de même l'énorme poutre qui barrait la porte de l'intérieur. Dès qu'il ne sentit plus de résistance, il ramena Brisingr à lui et éteignit le feu magique. Comme il portait des gants épais, il n'hésita pas à saisir le bord rougeoyant d'un des battants et tira. L'autre s'ouvrit, apparemment de lui-même. Quelques secondes encore, et Eragon découvrit que c'était Saphira qui l'avait poussé. Assise sous l'arche de l'entrée, elle le regardait de son œil bleu étincelant. Derrière elle, les quatre catapultes étaient détruites.

779

Il se tint près de Saphira tandis que les Vardens envahissaient la cour, qui résonna de leurs cris de guerre. Épuisé par ses efforts, Eragon posa une main sur la ceinture de Beloth le Sage et restaura ses forces défaillantes grâce aux réserves stockées dans les douze diamants. Il proposa le reste à Saphira ; elle déclina l'offre malgré sa fatigue :

« Garde-le pour toi. Il n'y en a plus tant que ça. Ce qu'il me faudrait surtout, c'est un repas et une bonne nuit de sommeil.

Eragon s'appuya contre elle, paupières mi-closes.

« Patiente encore un peu, murmura-t-il. Ce sera bientôt fini. »

« Espérons-le. »

Au milieu du flot de guerriers, Angela apparut, vêtue de son étrange armure côtelée vert et noir, armée de son hûthvír, l'épée à double lame des prêtres nains. S'arrêtant devant Eragon, l'herboriste dit avec une expression espiègle :

— Jolie démonstration. Impressionnant. Tu es sûr que tu n'en fais pas trop ?

Perplexe, il plissa le front :

— De quoi parles-tu ? Je ne comprends pas.

— Allons ! Tu avais vraiment besoin d'enflammer ton épée ?

Eragon éclata de rire :

— Pour la herse, ce n'était pas nécessaire, mais ça m'a fait plaisir. Et puis, je n'y peux rien. J'ai appelé mon épée « Feu » en ancien langage, et dès que je prononce son nom, la lame s'enflamme comme un morceau de bois sec au contact des braises.

— Tu l'as appelée Feu ? s'exclama Angela, incrédule. C'est banal à pleurer ! Pourquoi pas Lame de Flamme, pendant que tu y étais ? Feu ! Je vous demande un peu ! Tu n'aurais pas préféré la nommer Croque-Mouton ou Tranche-Chrysanthème ? Quelque chose qui témoigne d'un brin d'imagination ?

— J'ai déjà un croque-mouton ici, répondit-il en flattant l'encolure de Saphira. Pourquoi en aurais-je deux ?

Le visage d'Angela se fendit d'un large sourire :

— En fin de compte, tu ne manques pas d'esprit. Il y a peut-être encore de l'espoir pour toi.

Sur ces mots, elle fit tournoyer les deux lames de son épée et repartit vers le donjon d'une démarche dansante tout en marmonnant :

– Feu ! A-t-on jamais vu ça !

« Méfie-toi, Eragon, gronda doucement Saphira. Si tu traites n'importe qui de croque-mouton, tu finiras mordu. »

« Oui, Dragonne. »

57
LES AILES NOIRES
DU DESTIN

Lupusänghren et ses onze elfes ne tardèrent pas à rejoindre Eragon et Saphira dans la cour. Le jeune homme les ignora, il cherchait Arya. Lorsqu'il la vit courir au côté de Jörmundur sur son destrier, il la héla en brandissant son écu pour attirer son attention.

Avec la grâce d'une gazelle, elle changea de direction pour venir à lui. Depuis leur dernière rencontre, elle s'était équipée d'un bouclier, d'un heaume complet et d'une cotte de mailles ; son armure brillait dans le petit jour gris.

– Saphira et moi comptons pénétrer dans le donjon par le haut et tenter de capturer Dame Lorana. Tu nous accompagnes ? demanda-t-il.

Le visage grave, elle fit oui de la tête.

Eragon sauta sur la patte avant de Saphira et grimpa en selle. L'instant d'après, Arya prenait place derrière lui et lui enserrait la taille. Déployant ses ailes de velours, la dragonne s'envola, plantant là Lupusänghren et ses onze magiciens abasourdis.

– Tu ne devrais pas abandonner tes gardes de manière aussi cavalière, murmura Arya à l'oreille d'Eragon.

Saphira amorça un virage serré, et l'elfe se cramponna, les mailles de son haubert pressant contre le dos du jeune homme.

Il s'apprêtait à lui répondre quand la vaste conscience de Glaedr s'insinua en lui. Pendant quelques instants, la ville de Feinster disparut à ses yeux, remplacée par ce que voyait et sentait le dragon d'or.

Les flèches-petits-frelons-piquants ricochaient contre les écailles de son ventre alors qu'il s'élevait au-dessus des grottes-de-bois éparses qu'occupaient les deux-pattes-aux-oreilles-rondes. L'air était calme, solide sous ses ailes, idéal pour les manœuvres aériennes. La selle frottait sur ses écailles au moindre mouvement d'Oromis.

Glaedr darda sa langue pour mieux goûter l'arôme alléchant de bois-brûlé-viande-grillée-sang-versé. Il était déjà venu en ce lieu. Souvent. Au temps de sa jeunesse, on ne connaissait pas cette cité sous le nom de Gil'ead. Elle était alors habitée par les elfes-graves-et-rieurs-à-l'esprit-vif et leurs amis. Ses précédentes visites avaient toutes été agréables, mais le souvenir de ses deux compagnons de nids, morts ici sous les coups des Parjures-pervertis, le peinait.

Œil-unique, le soleil paresseux, flottait juste au-dessus de l'horizon. Au nord, la grande-eau-Isenstar ondoyait et luisait comme de l'argent poli. En bas, le troupeau d'oreilles-pointues commandé par Islanzadí encerclait la cité-fourmilière-cassée. Les armures scintillaient tels des cristaux de givre. Un linceul de fumée bleue enveloppait le paysage, aussi dense que les froides brumes matinales.

Et, venant du sud, bébé-Thorn-hargneux-aux-griffes-qui-déchirent volait à tire-d'aile vers Gil'ead, hurlant son défi à la face du monde. Murtagh-fils-de-Morzan le chevauchait, tenant dans sa main droite la rutilante Zar'roc.

À la vue de ces deux misérables petits êtres, une profonde tristesse s'empara de Glaedr. Il aurait préféré qu'Oromis et lui ne soient pas contraints de les tuer. Une fois encore, il se répéta : « Dragon contre dragon, dragonnier contre dragonnier, il faut se battre, et tout cela à cause de Galbatorix-le-casseur-d'œufs. » D'humeur sombre, Glaedr accéléra les battements de ses ailes et sortit les griffes, prêt à mettre ses adversaires en pièces.

Une brusque secousse ébranla Eragon : Saphira faisait une embardée et chutait sur une vingtaine de pieds avant de retrouver son équilibre.

« Tu as vu ça aussi ? » s'enquit-elle.

« Oui. »

Avec un regard inquiet à sa sacoche de selle où était rangé le cœur des cœurs de Glaedr, Eragon se demanda si Saphira et lui ne devraient pas prêter main-forte à leurs maîtres. Il se rassura en pensant que les Grands Anciens ne manqueraient pas d'aide sur place ; l'armée des elfes comptait de nombreux magiciens.

La voix d'Arya résonna soudain à son oreille :

– Qu'est-ce qui ne va pas ?

« Oromis et Glaedr s'apprêtent à affronter Thorn et Murtagh », répondit Saphira.

Eragon sentit l'elfe se raidir derrière lui.

– Comment le savez-vous ?

– Je t'expliquerai plus tard. J'espère seulement qu'ils ne seront pas blessés.

– Moi aussi.

Du haut du ciel, loin au-dessus du donjon, Saphira descendit en vol plané silencieux et se posa sur la plus élevée des tours. Tandis qu'Eragon et Arya prenaient pied tant bien que mal sur le toit en pente raide, elle déclara :

« Cette fenêtre est trop petite pour moi. Je vous retrouve à l'intérieur. »

Sur ces mots, elle reprit son essor, les obligeant à se cramponner tant elle déplaçait d'air.

À la base du toit, Eragon et Arya se suspendirent dans le vide et se laissèrent tomber sur un étroit rebord de pierre huit pieds plus bas. Refoulant son vertige à l'idée de la chute qui le guettait s'il glissait, Eragon avança à pas prudents jusqu'à une fenêtre en forme de croix par laquelle il pénétra dans une grande pièce. Le long des murs s'alignaient des faisceaux de carreaux et de flèches, des râteliers garnis de lourdes arbalètes. S'il y avait eu là des gens, ils s'étaient enfuis à l'atterrissage de Saphira.

Arya entra à son tour ; elle inspecta les lieux, lui montra l'escalier dans le coin opposé et s'y rendit, furtive comme un chat dans ses bottes de cuir souple. Eragon s'apprêtait à la suivre quand il perçut d'étranges courants d'énergie à l'étage en dessous ; il repéra la présence de cinq personnes dont les esprits lui étaient fermés. Craignant une attaque mentale, il se retira en lui-même et s'attacha à réciter un poème elfique

– Tu les sens aussi ? murmura-t-il à sa compagne.

– Oui. Nous aurions dû emmener Lupusänghren.

Ils descendirent l'escalier en veillant à ne pas faire de bruit. Ils débouchèrent dans une salle beaucoup plus grande que la précédente. Du plafond haut de trente pieds pendait une lanterne de verre taillée dans laquelle brûlait une flamme jaune. Des centaines de tableaux décoraient les murs : portraits d'hommes barbus en tenue d'apparat, de femmes inexpressives assises parmi des enfants aux dents plates ; tristes paysages marins battus par les vents montrant naufrages et noyades, scènes de batailles dans lesquelles des humains massacraient de grotesques caricatures d'Urgals. Au nord, de hauts volets de bois ouvraient sur un balcon avec une balustrade de pierre. Une série de petites tables rondes couvertes de parchemins, trois sièges capitonnés et deux urnes de cuivre remplies de fleurs séchées occupaient le fond de la pièce. Une solide femme aux cheveux gris vêtue d'une robe couleur lavande était assise sur l'une des chaises. Elle accusait une ressemblance marquée avec les hommes des portraits. Un diadème d'argent incrusté de jade et de topaze ornait son front.

Au centre de la salle se tenaient les trois magiciens qu'Eragon avait aperçus en ville. La capuche de leur vêtement rabattue sur leurs épaules, ils formaient un triangle, les bras tendus de manière à ce que leurs doigts se touchent. Oscillant de droite à gauche au même rythme, ils marmonnaient des sorts mystérieux en ancien langage. Un quatrième était assis au milieu du triangle ; vêtu comme les trois autres, il se taisait et grimaçait comme s'il souffrait.

Eragon se projeta vers l'esprit de l'un d'eux, mais la concentration du magicien était telle qu'il ne put s'insinuer en lui pour le soumettre à sa volonté. L'homme ne parut pas même remarquer l'attaque. Arya dut se livrer à un exercice semblable sans plus de résultat, car elle plissa le front et chuchota :

. Ils ont reçu une bonne formation.

– Qu'est-ce qu'ils fabriquent à ton avis ? s'enquit-il dans un souffle.

– Aucune idée.

La femme en robe lavande les aperçut alors, tapis au coin de l'escalier. Contre toute attente, au lieu de donner l'alerte, elle posa un doigt sur ses lèvres, puis leur fit signe d'approcher.

Perplexes, Eragon et Arya se consultèrent du regard.

– C'est peut-être un piège, chuchota-t-il.

– Je le pense aussi.

– On y va ou pas ?

– Saphira est encore loin ?

– Non, elle arrive.

– En ce cas, allons saluer notre hôtesse.

D'un même pas, ils descendirent les dernières marches et traversèrent la pièce sur la pointe des pieds sans quitter des yeux les magiciens concentrés sur leur tâche.

– Vous êtes Dame Lorana ? demanda Arya à voix basse lorsqu'ils furent devant la femme en robe lavande.

– En personne, gente elfe.

Elle inclina la tête, se tourna vers Eragon et ajouta :

– Et je suppose que vous êtes le Dragonnier dont nous avons tant entendu parler ces derniers temps ? Êtes-vous Eragon le Tueur d'Ombre ?

– Lui-même.

Le soulagement se peignit sur son visage altier :

– Ah, j'espérais que vous viendriez.

Elle ponctua d'un geste en direction des magiciens :

– Il faut que vous les arrêtiez, Tueur d'Ombre.

– Pourquoi ne leur ordonnez-vous pas de se rendre ?

– Je ne peux pas, répondit Lorana. Ils n'obéissent qu'au roi et à son nouveau Dragonnier. J'ai moi-même prêté serment à Galbatorix, je n'ai pas eu le choix. S'il ne m'était pas impossible de lever la main contre lui ou ses serviteurs, je me serais chargée de les anéantir.

– Pourquoi cela ? Que craignez-vous d'eux ?

Les traits de Dame Lorana se crispèrent :

– Ils savent qu'ils n'ont aucune chance de repousser les Vardens en l'état, et Galbatorix ne nous a pas envoyé de renforts. Ils ont donc entrepris de créer un Ombre dans l'espoir que le monstre s'en prendra aux Vardens et sèmera le malheur et la confusion dans vos rangs.

L'horreur se saisit d'Eragon. Il ne se voyait pas affronter un autre Durza.

– C'est de l'inconscience ! s'exclama-t-il. Un Ombre serait capable de s'en prendre à la population de Feinster tout autant qu'aux Vardens !

Lorana acquiesça de la tête :

– Peu leur importe. Ils ne s'intéressent qu'à une chose : causer le plus de dégâts et de souffrance possible avant de mourir. Ils sont fous, Tueur d'Ombre. Pour le bien de mon peuple, vous devez empêcher ça.

Elle avait à peine terminé que Saphira se posait sur le balcon, fracturant la balustrade de sa queue. D'un coup de patte, elle écarta les volets, brisa l'encadrement de la fenêtre comme du petit bois, puis elle passa la tête et les épaules à l'intérieur avec un grondement sonore.

Imperturbables, les magiciens psalmodiaient toujours.

– Dieux du ciel ! lâcha Dame Lorana en agrippant les bras de son siège.

– Au travail ! lança Eragon.

Brisingr au poing, il marcha vers les magiciens. De son côté, Saphira s'avança. Et soudain, tout se mit à tourner. De nouveau, le jeune Dragonnier voyait par les yeux de Glaedr.

Rouge. Noir. Éclairs jaunes. Douleur… Douleur-à-vous-scier-les-os. Au ventre. À l'épaule gauche. Une douleur comme il n'en avait pas ressenti depuis plus de cent ans. Et soulagement.

Soulagement parce qu'Oromis-le-partenaire-de-sa-vie guérissait ses blessures.

Glaedr retrouva son équilibre, regarda Thorn. Le petit-moineau-de-dragon-rouge était plus vif et plus fort qu'il ne l'aurait cru. À cause des manipulations de Galbatorix, bien sûr.

Thorn se jeta contre le flanc gauche de Glaedr. Son côté faible. Celui de sa patte manquante. Ils tournoyaient ensemble, plongeaient vers le sol-plat-dur-casseur-d'ailes. Le dragon d'or mordait, griffait de ses pattes arrière, se démenait pour soumettre le dragonneau.

« Tu ne m'auras pas, poussin. Tu n'étais pas né que j'étais déjà vieux », s'encouragea-t-il.

Des griffes-poignards-blanches lui lacéraient le flanc, le ventre. Il donna un coup de queue, et une pique s'enfonça dans la cuisse de Thorn-aux-longs-crocs-rageurs. La lutte avait depuis longtemps épuisé les sorts invisibles qui leur servaient d'armure, les laissant vulnérables.

Lorsque le sol dansant ne fut plus qu'à mille pieds, Glaedr inspira, rejeta la tête en arrière et, d'une contraction de tout le corps, fit jaillir l'eau-de-feu de ses entrailles. Au contact de l'air, l'épais liquide s'embrasa dans sa gorge. Gueule grande ouverte, il enveloppa le dragon rouge dans un cocon de flammes dévorantes. Le torrent incandescent qu'il projetait lui chatouillait l'intérieur des joues au passage.

Refermant les mâchoires, il coupa le flot de feu tandis que petit-dragon-aux-griffes-tranchantes s'écartait de lui en couinant-se-tortillant. Depuis son dos, Oromis lui dit :

– Leurs forces les abandonnent ; je le vois à leur allure. D'ici quelques minutes, Murtagh perdra toute concentration, et je deviendrai maître de ses pensées. Ou bien nous les abattrons à coups de crocs et d'épée.

Glaedr approuva d'un grognement. Ils n'osaient pas communiquer par télépathie ; c'était frustrant.

Sur le vent-chaud-né-de-la-terre-labourée, il s'éleva dans le ciel, se retourna vers Thorn dont les membres ruisselaient de sang vermeil et rugit, prêt à reprendre le corps-à-corps.

Étendu sur le dos dans la tour du donjon, Eragon fixait le plafond, désorienté. Arya était à genoux près de lui ; l'inquiétude se lisait sur son visage. Elle le prit par le bras, l'aida à se relever. Il s'appuya sur elle, chancelant. De l'autre côté de la pièce, Saphira s'ébrouait. Il la sentit aussi déstabilisée que lui.

Les trois magiciens n'avaient pas bougé. Les bras tendus, ils oscillaient de droite à gauche et psalmodiaient en ancien langage. Les paroles de leur incantation résonnaient avec une puissance inhabituelle ; leur écho restait suspendu dans l'air au lieu de s'éteindre. L'homme assis au milieu du triangle tremblait de tous ses membres et secouait désespérément la tête.

Anxieuse, Arya demanda à mi-voix :

– Que s'est-il passé ?

Puis, attirant Eragon tout près, elle ajouta plus bas encore :

– Comment peux-tu connaître les pensées de Glaedr à cette distance, alors que son esprit est fermé à Oromis lui-même ? Pardonne-moi d'avoir effleuré ta conscience sans ton consentement, mais je craignais pour ta vie. Quel genre de lien vous unit à Glaedr, Saphira et toi ?

– Plus tard, dit-il en se redressant.

– Oromis t'a donné une amulette ou un objet magique qui te permet de contacter Glaedr ?

– Ce serait trop long à expliquer. Tu sauras tout plus tard, je te le promets.

L'elfe hésita et dit :

– D'accord. Je te le rappellerai si tu oublies.

Ensemble, Eragon, Saphira et Arya approchèrent des magiciens et en attaquèrent chacun un. Avec un son de cloche, Brisingr rebondit sur un mur invisible avant d'atteindre sa cible. La violence du choc se répercuta dans l'épaule d'Eragon. L'épée d'Arya buta, elle aussi, contre les protections magiques. Saphira n'eut pas plus de chance. Sa patte ripa et ses griffes grincèrent sur le sol de pierre.

Désignant l'un des mages – un grand homme pâle à la barbe emmêlée –, Eragon s'écria :

— Tous sur celui-ci ! Vite ! Avant que les esprits invoqués n'apparaissent !

Ils auraient pu abattre ou contourner les barrières de leurs adversaires par un contre-sort. Mais il était dangereux d'employer la magie contre des magiciens sans les avoir soumis d'abord. Ils préféraient ne pas prendre le risque d'être tués par un enchantement ignoré d'eux.

Pendant plusieurs minutes, Eragon, Saphira et Arya attaquèrent le barbu à tour de rôle. Aucun de leurs coups ne portait. Enfin, après une légère résistance, le mur invisible céda et Brisingr trancha la tête du mage. L'air miroita autour d'Eragon. Il se sentit faiblir tandis que ses propres protections le défendaient contre un sortilège inconnu. Puis toute tension cessa. La tête lui tournait. Son estomac gronda. Avec une grimace, il restaura ses forces en puisant de l'énergie dans la ceinture de Beloth le Sage.

Les deux autres sorciers ne répliquèrent pas, ne tentèrent pas de s'enfuir ; leur seule réaction à la mort de leur compagnon fut d'accélérer leur incantation. Les yeux révulsés, ils postillonnaient ; une bave jaunâtre moussait aux commissures de leurs lèvres.

Eragon, Saphira et Arya répétèrent l'opération sur le suivant — un gros homme avec des bagues aux pouces. Leurs assauts répétés eurent raison de son bouclier invisible, et ce fut Saphira qui l'envoya voler à travers la pièce d'un coup de patte. Il atterrit dans l'escalier et se fracassa le crâne sur un coin de marche. Cette fois, il n'y eut pas la moindre manifestation de contre-magie.

Alors qu'Eragon s'avançait vers la magicienne restante, des boules de lumière multicolores entrèrent dans la pièce par la fenêtre aux volets brisés et convergèrent sur l'homme assis. Rouges de colère, les esprits lançaient des éclairs ; ils lui tournèrent autour, se fondant les uns dans les autres jusqu'à former une muraille impénétrable. Les bras en l'air, le malheureux criait grâce. L'air bourdonnait et crépitait de l'énergie dégagée par ces êtres étranges. Eragon en avait la chair de poule et un goût de cuivre dans la bouche. Les cheveux de la magicienne s'étaient dressés sur sa tête. En face d'elle, Saphira faisait le gros dos, tous les muscles tendus.

Une onde de panique traversa Eragon. « Non ! songea-t-il, atterré. Pas maintenant ! Pas après ce que nous avons subi ! » S'il était plus puissant que lors de son duel contre Durza à Tronjheim, il n'en était que plus conscient de la menace que représentait un Ombre. Seuls trois guerriers avaient survécu après en avoir tué un : l'elfe Laetrí, Irnsad le Dragonnier et lui-même. Rien ne prouvait qu'il serait en mesure de rééditer son exploit. « Lupusänghren, où êtes-vous ? appela-t-il de toute sa pensée. Nous avons besoin de votre aide ! »

Et la scène qu'il avait sous les yeux disparut, remplacée par d'autres visions...

Blancheur. Vide de la blancheur. La douce-eau-du-ciel-froide rafraîchissait les membres de Glaedr après la fièvre du combat. Il buvait l'air, goûtait la sensation d'humidité sur sa langue sèche.

791

Encore un battement d'ailes, et l'eau-du-ciel s'écarta devant lui, dévoilant le soleil-grille-dos-aveuglant et la terre-brumeuse-verte-et-brune. « Où est-il ? » se demanda Glaedr. Il tourna la tête, chercha Thorn des yeux. Le petit-moineau-de-dragon-rouge avait fui loin au-dessus de Gil'ead, plus loin que ne volaient les oiseaux, si loin que, dans l'air raréfié, le souffle devenait vapeur.

– Derrière nous ! hurla Oromis.

Glaedr pivota. Trop lent. Le dragon rouge heurta de plein fouet son épaule gauche et le précipita dans la chute. De son unique patte avant, Glaedr saisit le poussin-féroce-griffant-mordant et serra pour l'étouffer. À force de se tortiller, Thorn s'extirpa en partie de son étreinte, hurla et s'accrocha à son torse de toutes ses griffes. Arquant le cou, Glaedr lui planta les crocs dans une patte arrière et l'immobilisa. Le dragon rouge ruait et se tordait tel un chat sauvage pris au piège. Le sang-salé-chaud coulait dans la bouche de Glaedr.

Ils tombaient. Accompagnés par le fracas des épées contre les boucliers ; Oromis et Murtagh échangeaient des coups. Thorn se contorsionna et Glaedr aperçut Murtagh-fils-de-Morzan. Le jeune humain lui parut apeuré, mais il n'en aurait pas juré. Malgré le lien qui l'unissait à Oromis depuis si longtemps, il avait encore du mal à déchiffrer les expressions des deux-pattes-sans-cornes au visage plat et mou ; leur absence de queue ne facilitait pas la tâche.

Les tintements métalliques cessèrent, et Murtagh s'écria :

— Maudit soyez-vous de ne pas vous être montrés plus tôt ! Maudits ! Soyez maudits ! Vous auriez pu nous aider ! Vous auriez pu...

Il s'interrompit, comme s'il s'étranglait.

Une force invisible arrêta leur chute. Si brusquement que Glaedr manqua lâcher la patte de Thorn et gronda. Puis la force les souleva tous les quatre, les emporta dans le ciel, plus haut, toujours plus haut, jusqu'à ce que la cité-fourmillère-cassée ne soit plus qu'une tache minuscule, jusqu'à ce que Glaedr lui-même manque d'air.

« Que fabrique le petit ? s'inquiéta le dragon d'or. Il veut se tuer ? »

792   Murtagh reprit alors la parole, d'une voix plus riche, plus grave, qui résonnait comme dans une salle vide. Les écailles de Glaedr se hérissèrent sur son dos. Il connaissait cette voix — celle de leur vieil ennemi.

— Ainsi, vous avez survécu, Oromis, Glaedr, dit Galbatorix.

Les mots roulaient sur sa langue d'orateur accompli, le ton était suave, faussement amical :

— Je pensais depuis longtemps que les elfes me cachaient peut-être un dragon ou un Dragonnier. Quelle satisfaction de voir mes soupçons se confirmer.

— Va-t'en, vil briseur de serments, s'écria Oromis. Tu n'obtiendras rien de nous !

— Quel accueil ! Que de dureté ! gloussa Galbatorix. Honte à toi Oromis-elda. Les elfes auraient-ils oublié leur légendaire courtoisie au cours du dernier siècle ?

— Tu ne mérites pas plus de courtoisie qu'un loup enragé.

— Allons, allons, Oromis. Souviens-toi ce que tu m'as dit quand je me tenais devant toi et les autres Anciens : « La haine est un poison. *Tu dois la chasser de ton esprit ou elle te corrompra.* » *Tu serais bien avisé de suivre tes propres conseils.*

— Je ne me laisserai pas prendre aux discours retors de ta langue de vipère, Galbatorix. Tu es une abomination, et nous veillerons à ce que tu sois anéanti, fût-ce au prix de nos vies.

— Pourquoi vous sacrifier, Oromis ? Pourquoi vous opposer à moi ? Quel dommage que ta haine ait terni ta sagesse ! Car tu étais sage autrefois. Peut-être le plus sage de notre caste. Tu as été le premier à voir la folie qui me rongeait l'âme, et c'est toi qui as convaincu les Anciens de ne pas m'accorder un autre œuf de dragon. Une sage décision. Futile, certes, mais sage. Ensuite, tu as échappé je ne sais comment à Kialandí et Formora, ceux-là mêmes qui t'avaient brisé, et tu es resté caché jusqu'à ce que tous tes ennemis sauf un soient morts. En cela aussi tu as fait preuve de sagesse, elfe.

Galbatorix marqua une brève pause avant de reprendre :

— Il n'est plus nécessaire de lutter contre moi. J'avoue avoir commis des crimes terribles dans ma jeunesse. C'était il y a long-temps. Cette époque est révolue. Ma conscience me torture quand je pense au sang que j'ai versé. Hélas, qu'y puis-je ? On ne revient pas en arrière. À présent, je m'attache à assurer la paix et la pros-périté de l'Empire dont je suis le seigneur et maître. Ne vois-tu pas que j'ai perdu ma soif de vengeance ? La rage qui brûlait en moi s'est épuisée, réduite en cendre. Réfléchis, Oromis. Qui est responsable de la guerre qui sévit dans toute l'Alagaësia ? Pas moi. Ce sont les Vardens qui ont déclenché les hostilités. Je me serais contenté de gouverner mon peuple, laissant les elfes, les nains et les Surdans vivre comme ils l'entendaient, si les Vardens m'avaient laissé tran-quille. Ce sont eux qui ont décidé de voler l'œuf de Saphira, eux qui ont couvert la terre de montagnes de cadavres. Pas moi. Tu étais sage, autrefois, Oromis, et tu peux le redevenir. Renonce à ta haine et rejoins-moi à Ilirea. Quand tu seras à mon côté, nous mettrons un terme à ce conflit et ouvrirons les portes à une ère de paix pour des millénaires.

Glaedr n'était pas convaincu. Il resserra l'étau de ses mâchoires, et Thorn se mit à hurler. Après le discours de Galbatorix, ce cri de douleur semblait incroyablement perçant.

D'une voix claire et sonore, Oromis répliqua :

— Non. Tu ne nous feras pas oublier tes atrocités par tes mensonges mielleux. Relâche-nous ! Tu n'as pas les moyens de nous garder suspendus ici beaucoup plus longtemps, et je refuse de perdre mon temps en vains échanges avec un traître de ton espèce.

— Bah ! Tu n'es qu'un sot sénile ! déclara Galbatorix, courroucé. Tu aurais dû accepter mon offre ; tu aurais été le premier parmi mes esclaves. Je te ferai regretter ton dévouement aveugle à l'idée que tu as de la justice. Et tu te trompes. Je peux vous retenir ici autant qu'il me plaira. Je suis devenu aussi puissant qu'un dieu, personne ne peut rien contre moi !

— Tu ne vaincras pas, dit Oromis. Les dieux eux-mêmes ont une fin.

Galbatorix lâcha un ignoble juron.

— Elfe, ta philosophie ne s'applique pas à moi ! Je suis le plus grand des magiciens et, bientôt, je serai plus grand encore. La mort m'épargnera. Toi, tu mourras. Et, avant de mourir, tu souffriras. Quand vous aurez tous deux enduré des souffrances inimaginables, alors, je vous tuerai, et je prendrai ton cœur des cœurs, Glaedr, et tu me serviras jusqu'à la fin des temps.

— Jamais ! s'exclama Oromis.

Le tintement des épées contre les armures reprit de plus belle.

Si Glaedr avait exclu son compagnon de ses pensées pour la durée du combat, le lien qui les unissait transcendait la pensée consciente ; il le sentit se raidir, paralysé par la douleur dévastatrice de son mal-rongeur-d'os-et-de-nerfs. Alarmé, il relâcha la patte de Thorn et tenta de l'éloigner. Le dragon rouge glapit sous ses coups de patte, mais ne bougea pas. Le sort de Galbatorix les tenait, limitait leurs déplacements à quelques pieds.

Choc violent du métal contre le métal. Et soudain, Glaedr vit Naegling passer devant lui. Brillant de tous ses feux, l'épée dorée tombait. Pour la première fois, la peur lui glaça le sang. L'énergiede-victoire-par-les-mots d'Oromis était en grande partie stockée dans le pommeau de l'épée ; ses protections magiques étaient liées à la lame. Privé de Naegling, il était sans défense.

Le dragon d'or se jeta de tout son poids contre le mur invisible dont Galbatorix les entourait. En vain, il se démena sans parvenir à le briser. Il sentit qu'Oromis se remettait de sa crise ; puis il sentit Zar'roc mordre dans la chair de l'elfe-aimé, lui entailler le corps de l'épaule à la hanche.

Glaedr hurla.

Il hurla comme son compagnon avait hurlé lorsqu'il avait perdu sa patte avant.

Une force inexorable s'enfla dans son ventre. Sans se poser de questions, il repoussa Thorn et Murtagh dans une explosion de magie qui les emporta au loin telles des feuilles mortes dans la tempête. Puis il replia ses ailes et piqua sur Gil'ead. S'il faisait assez vite, Islanzadí et ses magiciens pourraient peut-être sauver Oromis.

La ville était trop loin. La conscience de l'elfe vacillait… s'éloignait… elle allait s'éteindre…

Glaedr déversa sa propre énergie dans le corps défaillant de son compagnon pour le soutenir jusqu'à ce qu'ils atteignent le sol. Hélas ! il avait beau donner sans compter, il ne parvenait pas à endiguer l'hémorragie, la terrible hémorragie.

« Glaedr… libère-moi », lui murmura l'elfe en pensée.

Quelques instants plus tard, d'une voix plus faible encore, il chuchota :

« Ne me pleure pas. »

Et le compagnon de sa vie glissa dans le néant.

Il avait disparu.

Disparu !

DISPARU !

Une brume rouge enveloppa le monde ; elle palpitait au rythme de son cœur. Déployant ses ailes, il rebroussa chemin, se mit en quête de Thorn et de son Dragonnier. Ils ne lui échapperaient pas ; il les rattraperait, les brûlerait, les mettrait en pièces, les réduirait à rien. Le monde serait débarrassé d'eux.

Enfin, il vit le petit-moineau-de-dragon-rouge foncer sur lui ; rugissant de toute la puissance de son chagrin, il redoubla de vitesse. Thorn s'écarta pour tenter une attaque au flanc. Trop tard. Glaedr tendit le cou et croqua dans sa queue qu'il amputa de trois bons pieds. Une fontaine de sang jaillit du moignon. Avec un cri strident, le dragon rouge se tordit comme une anguille et se faufila derrière Glaedr, qui amorça un demi-tour. Plus petit, l'adversaire était plus agile. Le grand Dragon d'or sentit soudain une vive douleur à la base de son crâne. Sa vision se brouilla. Puis ce fut le noir.

Où était-il ? Seul.

Il était seul dans les ténèbres.

Seul dans les ténèbres, aveugle, paralysé.

Près de lui, il percevait les consciences d'autres créatures. Non, ce n'étaient pas Murtagh et Thorn. C'étaient Arya, Eragon et Saphira.

Alors, il comprit. L'horreur de la situation lui arracha un hurlement. Il hurla dans le noir, hurla de tout son être sans discontinuer. Il s'abandonna à son deuil, à sa souffrance. Peu lui importait l'avenir. Oromis était mort. Il était seul.

Seul !

Dans un brusque sursaut, Eragon revint à lui.

Roulé en boule sur le sol, il avait le visage trempé de larmes. Le souffle court, il se redressa, chercha Arya et Saphira.

Il lui fallut un moment pour donner un sens à la scène qu'il avait sous les yeux.

La magicienne, qu'il était sur le point d'attaquer avant de perdre connaissance, gisait morte à ses pieds, tuée d'un seul coup d'épée. Les esprits que ses compagnons et elle avaient invoqués étaient introuvables. Dame Lorana trônait toujours sur son fauteuil. De l'autre côté de la pièce, Saphira, chancelante, se remettait debout. Et l'homme, qui avait été assis dans le triangle formé par les trois magiciens, se dressait devant lui ; il tenait Arya à la gorge et l'avait soulevée de terre.

Le teint du magicien avait viré au blanc livide. Ses cheveux, qui avaient été bruns, étaient maintenant d'un rouge vif. Il se tourna vers Eragon et sourit, dévoilant ses prunelles grenat. Par son physique comme par son attitude, il ressemblait comme un frère à Durza.

— Notre nom est Varaug, dit l'Ombre. Tremblez, misérables !

Arya lui décocha un coup de pied, qui n'eut aucun effet.

La pression qu'exerçait le monstre pour briser les barrières mentales d'Eragon était difficilement soutenable. La violence de l'attaque l'immobilisa ; ses forces suffisaient à peine à repousser les filaments brûlants qui tentaient de s'insinuer dans ses pensées. Il était incapable de faire un pas, incapable de manier l'épée. Pour une raison inexpliquée, Varaug était plus puissant encore que Durza. Le jeune Dragonnier doutait de résister longtemps à un pareil assaut. Saphira était elle aussi aux prises avec l'Ombre. Le corps raide, comme pétrifiée, elle montrait les crocs.

Les veines du front d'Arya saillaient, ses joues se teintaient de rouge et de violet. Bouche ouverte, elle ne respirait pas. Du tranchant de la main, elle frappa le coude tendu de l'Ombre. Il y eut un craquement, et l'articulation se brisa. Le bras de Varaug mollit. L'espace d'un instant, les pieds d'Arya touchèrent le sol. Puis les os de l'Ombre se ressoudèrent, et il la souleva aussi haut qu'il put.

— Tu vas mourir ! gronda Varaug. Vous allez tous mourir pour nous avoir emprisonnés dans cette argile dure et froide.

Sachant Arya et Saphira menacées, Eragon écarta toute émotion, se fit pure détermination. Sitôt son mental apaisé, il lança sa pensée, limpide comme une eau claire, acérée comme une lame, contre la conscience trouble et bouillonnante de l'Ombre. Varaug était trop puissant, les esprits qui résidaient en lui trop disparates, pour que le jeune Dragonnier puisse espérer les soumettre à sa volonté. Il s'appliqua donc à isoler l'Ombre ; il l'enveloppa de sa conscience et bloqua chaque tentative d'attaque contre Arya ou Saphira. Dès que son adversaire esquissait un mouvement, il l'interrompait d'un contre-ordre.

À la vitesse de la pensée, ils luttaient aux frontières de la conscience de Varaug ; elle offrait un paysage si tourmenté, si incohérent qu'Eragon craignait de sombrer dans la folie à la surveiller de la sorte. Il touchait ses propres limites, s'efforçait d'anticiper chaque manœuvre, se battait avec acharnement, même s'il désespérait de triompher ; malgré sa vivacité, il n'avait aucune chance contre les trop nombreuses intelligences qui habitaient l'Ombre.

Sa concentration finit par vaciller. Profitant de la faille, l'ennemi força le passage, le piégea... le cloua sur place... inhiba ses pensées. Écumant de rage muette, Eragon en était réduit à fixer son adversaire. Des picotements douloureux coururent le long de ses membres tandis que les esprits s'engouffraient en lui, sillonnaient chaque fibre nerveuse.

– Ta bague est pleine de lumière ! s'exclama Varaug, les yeux écarquillés de plaisir. Quelle belle lumière ! Elle nous soutiendra longtemps !

Puis il gronda, furieux : Arya lui avait agrippé et brisé le poignet. À force de contorsions, elle lui échappa avant qu'il puisse se guérir. Elle n'avait pas sitôt repris son équilibre que l'Ombre lui lançait un coup de pied. Elle l'esquiva d'une roulade et se mit en quête de son épée.

Dans un suprême effort pour rejeter hors de lui la conscience oppressante de Varaug, Eragon tremblait.

La main d'Arya saisit la poignée de l'épée. Dans un cri inarticulé, l'ennemi fondit sur elle. Bruits de lutte, corps à corps : ils se disputaient l'arme. Et soudain, assénant un violent coup de pommeau à la tempe de Varaug, l'elfe le mit provisoirement hors de combat. Puis elle s'écarta du corps inerte.

Dans le même instant, Eragon échappa à l'emprise de l'Ombre et, sans souci de sa propre sécurité, il lança une nouvelle attaque mentale pour l'immobiliser, ne serait-ce qu'un moment.

Varaug se redressa sur un genou et chancela. Eragon le maintenait de toute son énergie.

– Tue-le ! s'écria-t-il.

Arya partit telle une flèche ; ses longs cheveux noirs se déployèrent en éventail… Et elle embrocha l'Ombre.

Avec une grimace de douleur, Eragon se dégagea de la conscience hostile. Varaug recula, s'arrachant à l'épée qui lui perçait le cœur. Bouche grande ouverte, il émit une plainte si aiguë que le verre de la lanterne vola en éclats. La main tendue, il s'avança vers l'elfe sur ses jambes flageolantes et s'arrêta. Sa peau perdit toute couleur, devint translucide. Au travers, on apercevait les douzaines d'esprits chatoyants prisonniers de sa chair. Ils palpitaient, grossissaient. Les muscles de Varaug se déchirèrent et, dans une explosion de lumière, les esprits s'échappèrent et quittèrent la tour, traversant les murs comme si la pierre n'avait pas plus de consistance que l'air.

Peu à peu, Eragon retrouva son calme, son souffle s'apaisa. Il se sentait très vieux, très las lorsqu'il rejoignit Arya. Appuyée à une chaise, elle pressait une main sur sa gorge. Elle toussa, cracha du sang. Comme elle n'était pas en état de parler, il recouvrit sa main de la sienne et dit :

– Wafse heill.

En libérant le flux d'énergie guérisseuse, il fut pris de faiblesse et dut, lui aussi, s'appuyer à la chaise pour se soutenir.

– Ça va mieux ? s'enquit-il quand le sort eut fait effet.

– Ça va, murmura-t-elle en le gratifiant d'un pâle sourire.

De la tête, elle désigna ce qui avait été Varaug :

– Nous l'avons tué… Nous l'avons tué, et nous n'en sommes pas morts… – elle paraissait surprise. Si peu de gens ont survécu après avoir tué un Ombre !

– Parce qu'ils se battaient seuls et pas à deux, comme nous.

– Non, pas comme nous.

– J'ai bénéficié de ton aide à Farthen Dûr, et toi de la mienne ici.

– Oui.

— Maintenant, je vais devoir t'appeler Tueuse d'Ombre.

— Nous sommes tous deux des...

Le gémissement plaintif de Saphira les interrompit. Sans cesse de gémir, elle se mit à gratter le sol, entamant la pierre de ses griffes. Sa queue remuait de droite à gauche, démolissant les meubles et les tristes tableaux qui ornaient les murs.

« Disparus ! se lamentait-elle. Disparus à jamais ! »

— Saphira, qu'est-ce qui se passe ? s'exclama Arya.

Comme elle ne répondait pas, l'elfe répéta sa question à Eragon.

— Oromis et Glaedr sont morts, dit-il, accablé. Galbatorix les a tués.

Arya chancela comme si on l'avait frappée. Elle se cramponna au dossier de la chaise, si fort que les jointures de ses doigts blanchirent. Les larmes lui montèrent aux yeux, se répandirent sur ses joues.

— Eragon...

Tendant une main vers lui, elle lui pressa l'épaule. L'instant d'après, sans trop savoir comment, il la tenait dans ses bras. Ses yeux le brûlaient, il voyait trouble. Il dut serrer les dents pour refouler ses larmes. S'il commençait à pleurer, il ne pourrait plus s'arrêter.

Ils restèrent longtemps enlacés, à se consoler, se réconforter mutuellement. Puis Arya se détacha de lui et demanda :

— Comment est-ce arrivé ?

— Oromis a été pris d'une de ses crises et, pendant qu'il était paralysé, Galbatorix s'est servi de Murtagh pour...

La voix d'Eragon se brisa. Il secoua la tête :

— Je te raconterai tout ça devant Nasuada. Il faut qu'elle en soit informée et je n'ai pas très envie de faire ce récit deux fois.

— Bon, eh bien, allons la voir.

58
LE JOUR SE LÈVE

Alors qu'ils descendaient de la tour avec Dame Lorana, Eragon et Arya se trouvèrent face à Lupusänghren et ses onze magiciens qui montaient les marches quatre à quatre.

– Tueur d'Ombre ! Arya ! s'exclama une elfe aux longs cheveux noirs. Vous n'êtes pas blessés ? En entendant Saphira se lamenter, nous avons craint que l'un de vous ne soit mort.

Eragon consulta sa compagne du regard. Son serment à Islanzadí lui interdisait de mentionner Oromis et Glaedr devant des étrangers au Du Weldenvarden – comme Dame Lorana – sans autorisation de la reine, de sa fille ou de quiconque lui succéderait sur le trône noueux d'Ellesméra.

Arya hocha la tête :

– Je vous dégage de vos promesses, Saphira et toi. Vous pouvez parler d'eux à qui vous jugerez bon.

– Nous sommes indemnes, reprit Eragon. Hélas ! Oromis et Glaedr viennent de mourir au combat à Gil'ead.

Les douze elfes, sous le choc, exprimèrent leur surprise horrifiée d'une même voix, puis ils bombardèrent Eragon de questions.

– Du calme, dit Arya en leur imposant silence d'un geste. Nous ne satisferons pas votre curiosité ici, ce n'est ni l'endroit ni le moment. Des soldats rôdent, des oreilles indiscrètes risquent de nous entendre. Gardez votre chagrin dans le secret de vos cœurs jusqu'à ce que nous soyons hors de danger et en lieu sûr.

Elle s'interrompit, regarda Eragon, puis ajouta :

— Je vous donnerai tous les détails sur les circonstances de leur mort quand je les connaîtrai moi-même.

— Nen ono weohnata, Arya Dröttningu, murmurèrent les elfes.

— Vous m'avez entendu appeler ? demanda Eragon à Lupusänghren.

— Oui, répondit l'elfe au pelage bleu de nuit. Nous sommes venus aussi vite que nous l'avons pu, mais une foule de soldats nous séparaient de vous.

En signe de respect, Eragon retourna une main sur sa poitrine selon la coutume des elfes :

— Pardon, Lupusänghren-elda. Je n'aurais pas dû vous abandonner comme je l'ai fait. Dans le feu de l'action, je me suis conduit comme un sot téméraire. Mon erreur a failli nous coûter la vie.

— Ne vous excusez pas, Tueur d'Ombre. Nous aussi, nous avons commis une erreur aujourd'hui, et je vous promets que cela ne se reproduira pas. À partir de maintenant, nous nous battrons pour vous et pour les Vardens sans restriction aucune.

Ensemble, ils gagnèrent la cour. Les Vardens avaient tué ou capturé la plupart des soldats qui défendaient le donjon. Les rares qui se battaient encore se rendirent en voyant Dame Lorana sous bonne garde. Ne pouvant emprunter l'escalier trop étroit, Saphira était descendue par la voie des airs et les attendait.

Eragon et Arya escortèrent Dame Lorana jusqu'à la dragonne pendant qu'un des Vardens allait chercher Jörmundur. Lorsque le vieux commandant les rejoignit, ils l'informèrent de ce qui s'était passé dans la tour — ce qui ne manqua pas de le surprendre — et lui remirent la prisonnière.

Jörmundur s'inclina devant elle :

— Ma Dame, soyez assurée que nous vous traiterons avec la dignité et le respect dus à votre rang. Si nous sommes vos ennemis, nous n'en sommes pas moins civilisés.

— Merci. Vous me soulagez. Cela étant, je me soucie avant

tout du sort de mes sujets. Si ce n'est pas trop demander, j'aimerais en parler avec votre chef, Nasuada.

– Justement, elle désire vous voir.

Avant de s'éloigner avec Jörmundur, Dame Lorana déclara :

– Gente elfe, Dragonnier, je vous suis reconnaissante d'avoir tué ce monstre avant qu'il ne répande la destruction et le deuil sur Feinster. Le destin a voulu que nous appartenions à des camps opposés, ce qui ne m'empêche nullement d'admirer votre courage et votre exploit. Au cas où nos chemins ne se croiseraient plus, je vous souhaite bonne chance à tous les deux.

Eragon s'inclina et dit :

– Que la chance vous accompagne aussi, Dame Lorana.

– Que les étoiles veillent sur vous, ajouta Arya.

Avec Lupusänghren et ses magiciens, Eragon, Saphira et Arya se mirent en quête de Nasuada à travers la ville. Ils la trouvèrent dans les rues grises où, montée sur son étalon, elle inspectait les dégâts.

Elle ne leur cacha pas sa joie :

– Je suis heureuse que vous soyez enfin de retour. Vous nous avez manqué ces derniers jours. Tu as une nouvelle épée, Eragon. Une épée de Dragonnier. Ce sont les elfes qui te l'ont donnée ?

– En un sens, oui.

Il regarda les passants d'un œil méfiant et baissa la voix :

– Nasuada, il faut que nous te parlions en privé, c'est important.

– Bien.

Elle examina les bâtiments voisins, désigna une maison qui paraissait abandonnée :

– Celle-ci devrait convenir.

Deux de ses gardes, les Faucons de la Nuit, se précipitèrent à l'intérieur. Ils reparurent quelques minutes plus tard, s'inclinèrent et déclarèrent :

– Elle est vide, Ma Dame.

– Parfait. Je vous remercie.

Elle mit pied à terre, tendit les rênes de son étalon à l'un de ses hommes et se dirigea vers la maison, suivie d'Arya et d'Eragon.

Ils explorèrent les lieux et s'installèrent dans la cuisine dont la fenêtre était assez grande pour que Saphira puisse y passer la tête. Eragon ouvrit les volets pour la dragonne ; elle posa le menton sur un comptoir de bois. Son souffle répandait dans l'air une odeur de chair brûlée.

Après avoir murmuré quelques sorts pour les isoler d'éventuels espions, Arya annonça :

– Nous pouvons parler sans crainte.

Eragon déglutit. Il n'avait aucune envie de revenir sur le triste sort d'Oromis et de Glaedr. Enfin, il se décida :

– Nasuada… Saphira et moi n'étions pas seuls… Il y avait un autre dragon et son Dragonnier engagés dans la lutte contre Galbatorix.

– Je m'en doutais ! s'exclama-t-elle. C'était la seule explication possible. Et ce sont vos maîtres d'Ellesméra, n'est-ce pas ?

« C'était, rectifia Saphira. Ils ne sont plus. »

– Comment cela ? Je ne comprends pas.

Eragon pinça les lèvres et refoula les larmes qui lui brouillaient la vue :

– Ils sont morts ce matin à Gil'ead. Galbatorix s'est servi de Murtagh et de Thorn pour les tuer. Il leur a même parlé par la bouche de Murtagh, je l'ai entendu.

L'enthousiasme s'effaça des traits de Nasuada ; le regard vide, elle se laissa tomber sur un siège, fixa les cendres dans la cheminée sans feu. Le silence régnait sur la pièce. Au bout d'un long moment, elle demanda :

– Tu es sûr qu'ils sont morts, Eragon ?

– Oui.

Elle s'essuya les yeux avec le bas de sa manche :

– Dis-moi tout, je t'écoute.

Alors, pendant une demi-heure, Eragon lui raconta ce qu'il savait d'Oromis et de Glaedr. Il expliqua comment ils avaient survécu à la chute des Dragonniers et pourquoi ils avaient décidé ensuite de rester cachés à Ellesméra. Il mentionna leurs handicaps respectifs, s'attacha à décrire la personnalité de chacun, les liens qui s'étaient tissés entre maîtres et élèves. Le souvenir des longues journées passées auprès d'Oromis à l'À-pic de Tel'naeír, de ce que l'elfe avait fait pour lui et Saphira, raviva le deuil d'Eragon. Au moment où il abordait le duel contre Murtagh et Thorn au-dessus de Gil'ead, Saphira leva la tête du comptoir pour émettre une longue lamentation.

Lorsqu'il eut terminé son récit, Nasuada soupira :

— Je regrette de ne pas avoir connu Oromis et Glaedr. Le destin ne l'a pas voulu, hélas... Mais il y a tout de même une chose qui m'échappe dans tout ça. Tu affirmes avoir entendu Galbatorix leur parler. Comment est-ce possible, Eragon ?

— J'aimerais bien le savoir aussi, renchérit Arya.

La gorge sèche, il se mit en quête de quelque chose à boire. Sans résultat. Il n'y avait ni eau ni vin dans la cuisine. Il toussota pour s'éclaircir la voix et entreprit de raconter leur dernière visite à Ellesméra. Saphira ajoutait parfois un commentaire ; ses interventions étaient aussi rares que brèves. Après avoir révélé la vérité sur ses parents, Eragon relata les événements marquants de leur dernier séjour à Ellesméra – la découverte du vif-acier sous l'arbre Menoa, la fabrication de Brisingr dans la forge de Rhunön, sans oublier la visite à Sloan. Enfin, il dévoila le secret des dragons, parla de leur cœur des cœurs.

Nasuada se leva et fit le tour de la cuisine :

— Eh bien, eh bien... Ainsi, tu es le fils de Brom, et Galbatorix se nourrit de l'essence des dragons dont la chair est morte... C'est presque trop... à peine croyable...

Elle se frotta les bras :

— En tout cas, nous connaissons maintenant la véritable source du pouvoir de Galbatorix.

Immobile, le souffle court, Arya paraissait sidérée.

— Les dragons sont encore vivants, murmura-t-elle en joignant les mains comme pour prier. Ils sont encore vivants après toutes ces années. Oh, si seulement nous pouvions le dire à tous les miens ! Quelle joie serait la leur ! Et que leur colère serait terrible s'ils découvraient que le tyran a fait des Eldunarí ses esclaves ! Le peuple entier marcherait sur Urû'baen, il se battrait sans relâche, prêt à se sacrifier pour arracher les cœurs des griffes de Galbatorix.

« Mais nous devons garder le secret. »

Arya baissa les yeux :

– Oui, Saphira. Et c'est dommage. J'aurais tant aimé le leur dire !

Nasuada reporta son attention sur l'elfe :

– Sans vouloir te vexer, je regrette que ta mère, la reine Islanzadí, n'ait pas jugé bon de nous en informer. Cela nous aurait été bien utile.

– Je ne te contredirai pas. Si Murtagh a pu maîtriser Saphira et Eragon dans les Plaines Brûlantes, c'est sans doute parce que Galbatorix lui avait donné quelques Eldunarí ; tu as manqué de prudence parce que tu l'ignorais. Sans les remords de conscience de Murtagh, nos deux plus précieux défenseurs seraient aujourd'hui asservis au roi félon. Il est vrai qu'Oromis, Glaedr et Islanzadí avaient de solides raisons pour garder ce secret. Leurs scrupules ont cependant failli nous conduire à notre perte. Je m'en ouvrirai à ma mère dès notre prochaine rencontre.

Nasuada arpentait l'espace entre le comptoir et la cheminée :

– Tu m'as donné matière à réflexion, Eragon... – elle tapota le sol de la pointe d'une botte. Pour la première fois depuis que les Vardens ont vu le jour, nous disposons d'une arme efficace contre Galbatorix. Si nous parvenons à le séparer de ces cœurs des cœurs, il perdra la majeure partie de sa puissance. Avec l'aide des autres magiciens, vous pourrez alors le réduire à merci.

– Et comment le séparerons-nous de ses cœurs ? objecta Eragon.

Nasuada haussa les épaules :

– Je n'en ai aucune idée, mais cela doit être possible.

Dorénavant, ta tâche consistera à trouver une solution. Rien n'est plus important.

Eragon sentit le regard attentif d'Arya peser sur lui. Troublé par l'intérêt qu'elle lui portait soudain, il haussa un sourcil interrogateur.

— Je me suis toujours demandé pourquoi l'œuf de Saphira s'est matérialisé devant toi et pas au milieu d'un champ désert en pleine nature, expliqua-t-elle. À présent, je comprends mieux. J'aurais dû deviner que tu étais le fil de Brom. Je ne le connaissais pas bien, mais je le connaissais, et il est vrai que vous vous ressemblez.

— Tant que ça ?

— Tu peux être fier d'être son fils, Eragon, déclara Nasuada. C'était un homme remarquable. Sans lui, les Vardens n'existeraient pas. Il est juste que tu poursuives l'œuvre qu'il a commencée.

— Tu veux bien nous monter l'Eldunarí de Glaedr ? s'enquit alors Arya.

Après un temps d'hésitation, Eragon sortit récupérer le sac de toile dans la sacoche de Saphira. Veillant à ne pas toucher le cœur, il dénoua le lacet et laissa le tissu retomber autour du joyau géant couleur d'or. Depuis la dernière fois qu'il l'avait vu, le cœur avait perdu de son éclat, s'était terni, comme si la conscience de Glaedr était en sommeil.

Nasuada se pencha et scruta le centre de l'Eldunarí, qui palpitait. La lumière dorée se reflétait dans ses prunelles.

— Glaedr est vraiment à l'intérieur ? demanda-t-elle.

« Oui », dit Saphira.

— Je peux lui parler ?

— Tu peux, mais je doute qu'il te réponde. Il vient de perdre son Dragonnier. Il lui faudra du temps pour se remettre du choc. S'il s'en remet un jour. Laisse-le en paix, Nasuada. S'il souhaitait te parler, il l'aurait déjà fait.

— Bien sûr. Il est en deuil, je ne veux pas le déranger. J'attendrai pour le rencontrer qu'il ait retrouvé la paix.

Arya s'approcha à son tour et plaça les mains de chaque côté de l'Eldunarí, à moins d'un pouce de sa surface. Elle contempla la pierre avec révérence, parut se perdre à l'intérieur. Puis elle murmura quelques mots en ancien langage, et la conscience de Glaedr s'anima brièvement.

Elle laissa retomber ses mains le long de son corps, reporta son attention sur Eragon et Saphira :

— Vous avez hérité de la plus grave des responsabilités. Vous avez la charge d'une vie. Quoi qu'il arrive, vous devez protéger Glaedr. Oromis disparu, nous avons plus que jamais besoin de sa force et de sa sagesse.

« Ne t'inquiète pas, Arya. Nous veillerons à sa sécurité », promit Saphira.

Eragon recouvrit l'Eldunarí de son sac et tira les cordons de ses doigts engourdis par la fatigue. Les Vardens avaient remporté une victoire importante, les elfes avaient pris Gil'ead, mais il n'en éprouvait aucune joie.

Il se tourna vers Nasuada :

— Et maintenant, qu'est-ce que tu comptes faire ?

— Maintenant ? répéta-t-elle en relevant le menton. D'abord, nous marcherons vers le nord sur Belatona ; quand la ville sera tombée, nous poursuivrons notre chemin jusqu'à Dras-Leona et, quand nous l'aurons prise, nous irons à Urû'baen où nous renverserons Galbatorix. Là, ce sera la victoire ou la mort. Tel est mon programme, Eragon.

Après avoir pris congé de Nasuada, Eragon et Saphira résolurent de quitter la trop bruyante Feinster pour le camp des Vardens afin de s'y reposer au calme. Entourés de Lupusänghren et de sa garde elfique, ils se dirigèrent en silence vers les grilles de la cité.

Portant le cœur des cœurs de Glaedr dans ses bras, Eragon fixait le sol à ses pieds. Il ne prêtait pas la moindre attention aux hommes qu'ils croisaient, qui couraient de-ci de-là. Il n'avait qu'une envie : se coucher et oublier ses peines. Les dernières impressions qu'il avait reçues de Glaedr le hantaient : *Il était seul. Le dragon d'or était seul dans les ténèbres... Seul !* Pris de nausée, Eragon réprima un haut-le-cœur. « C'est donc cela perdre son Dragonnier ou son dragon, songea-t-il. Pas étonnant que Galbatorix soit devenu fou ! »

« Nous sommes les derniers », dit Saphira.

Perplexe, Eragon fronça les sourcils.

« Le dernier dragon libre, le dernier Dragonnier libre, expliqua-t-elle. Il ne reste plus que nous. Nous sommes... »

« Seuls. »

« Oui. »

Son pied buta contre un pavé descellé. Il trébucha. Accablé, il ferma les yeux un instant. « Ce n'est pas possible. Nous n'y arriverons jamais. Nous ne sommes pas prêts pour ça ! »

Saphira était du même avis. La douleur et l'angoisse de la dragonne redoublèrent celles d'Eragon ; il se soutenait à peine.

Lorsqu'ils atteignirent les portes de la ville, il s'arrêta, peu désireux de se frayer un chemin à travers la foule qui fuyait Feinster. Des yeux, il chercha une autre sortie. Son regard s'arrêta sur le haut du mur d'enceinte, et un soudain désir de voir la cité à la lumière du jour s'empara de lui.

Laissant là Saphira, il gravit l'escalier quatre à quatre. Avec un grognement agacé, la dragonne suivit et, entrouvrant ses ailes, sauta d'un bond sur le chemin de ronde.

Côte à côte sur les remparts, ils restèrent près d'une heure à contempler le lever du soleil. Des rayons dorés illuminèrent peu à peu les champs verdoyants. Leur lumière teintait de rouge et d'orange les colonnes de fumée qui s'élevaient des feux. Au pied des murailles, les taudis avaient pour la plupart cessé de brûler. Les combats avaient cependant allumé d'autres incendies dans la cité ; ici et là, des flammes montaient vers le ciel, donnant à l'ensemble une beauté inquiétante. Derrière Feinster, l'océan miroitait jusqu'à l'horizon. Un unique navire, tout juste visible, faisait voile vers le nord.

La chaleur du jour naissant réchauffait peu à peu Eragon sous son armure et dissipait les brumes de sa mélancolie comme celles qui flottaient au-dessus des rivières. Il inspira à pleins poumons et exhala son souffle en détendant ses muscles noués.

« Non, dit-il. Nous ne sommes pas seuls. Tu es à mes côtés, Saphira, et moi aux tiens. Et puis, il y a Arya, Nasuada, Orik et tous les autres qui nous soutiendront dans notre lutte. »

« Et Glaedr aussi. »

« Et Glaedr. »

Baissant les yeux sur l'Eldunarí enveloppé de toile qui reposait entre ses bras, il eut un grand élan de compassion pour le dragon prisonnier de son cœur des cœurs. Dans son désir de le protéger, il le serra sur sa poitrine et posa une main sur l'aile de Saphira ; heureux de les avoir avec lui, il débordait de gratitude. « Nous y arriverons, songea-t-il. Galbatorix n'est pas invulnérable. Il a une faiblesse, et nous utiliserons cette faiblesse contre lui... Nous y arriverons, nous en sommes capables. »

« Nous y arriverons, c'est un devoir, dit Saphira. Pour nos amis, nos familles, pour toute l'Alagaësia, nous devons réussir. »

Levant bien haut l'Eldunarí de Glaedr, Eragon le tendit vers le soleil et le jour naissant. Il souriait à présent. Il souriait dans l'attente des batailles à venir, dans l'attente du moment où Saphira et lui affronteraient Galbatorix et abattraient enfin le roi félon.

FIN DU LIVRE III

L'HISTOIRE CONTINUE DANS LE LIVRE IV
DU CYCLE DE

L'HÉRITAGE

Répertoire
de l'ancien langage

Adurna rïsa : Eau, élève-toi.

Agaetí Sänghren : Le Serment du Sang (célébré tous les cent ans en mémoire du pacte passé entre les elfes et les dragons)

Älfa-kona : Femme elfe.

Äthalvard : Association d'elfes dédiée à la conservation de leurs chants et de leurs poèmes.

Atra du evarínya ono varda, Däthedr-vodhr : Que les étoiles veillent sur toi, Honoré Däthedr.

Atra esterní ono thelduin, Eragon Shur'tugal : Que la chance te favorise, Eragon le Dragonnier.

Atra guliä un ilian tauthr ono un atra waíse sköliro fra rauthr : Que la chance et le bonheur t'accompagnent et puisses-tu être protégé contre la mauvaise fortune.

Audr : Debout !

Bjartskular : Écailles brillantes.

Sänghgarm : Sang de loup.

Brisingr : Feu.

Brisingr, iet tauthr : Feu, suis-moi.

Brisingr raudhr ! : Feu, rougis !

Deyja : Mourir.

Draum kópa : Par le regard du rêve.

Dröttningu : Princesse.

Du deloi lunaea : Amollir la terre.

Du Namar Aurboda : Le Bannissement des Noms.

Du Vrangr Gata : Le Sentier Vagabond.

Edur : Butte, hauteur.

Eka eddyr aí Shur'tugal... Shur'tugal... Argetlam : Je suis un Dragonnier... un Dragonnier... Main d'Argent.

Eka elrun ono : Je te remercie.

Elda : Titre honorifique très élogieux, employé indifféremment pour les hommes et pour les femmes.

Eldhrimner O Loivissa nuanen, dautr abr deloi/Eldhrimner nen ono weohnataí medh solus un thringa/Eldhrimner un fortha onr fëon vara/Wiol allr sjon : Grandis, ô belle Loivissa, fille de la Terre/Grandis selon ton désir avec le soleil et la pluie/Grandis et fais éclore tes fleurs printanières/Afin que tous puissent les voir.

Eldunarí : Le cœur des cœurs.

Erisdar : Lanternes sans flamme inventées par les elfes, utilisées aussi par les nains.

Faelnirv : Liqueur elfique.

Fairth : Image créée par des moyens magiques sur une plaque d'ardoise.

Fell : Montagne.

Finiarel : Titre honorifique donné à un jeune homme à l'avenir prometteur.

Flauga : Voler.

Fram : En arrière.

Fricai onr eka eddyr : Je suis ton ami.

Gánga : Aller.

Garjzla, letta ! : Lumière, éteins-toi !

Gedwëy ignasia : Paume brillante.

Helgrind : Les Portes de la Mort.

Indlvarn : Lien particulier unissant un Dragonnier et son dragon.

Jierda : (se) Briser ou (se) casser.

Könungr : Roi.

Kuldr, rïsa lam iet un malthinae unin böllr : Or, élève-toi au-dessus de ma main et forme un arc.

Kveykva : Éclair.

Lámarae : Tissage de laine et de fils de chanvre.

Letta : Stop.

Liduen Kvaedhí : Écrit poétique.

Loivissa : Lys bleu à large corolle, qui pousse dans l'Empire.

Maela : Calme

Naina : Faire briller.

Nalgask : Mélange de cire d'abeille et d'huile de noisette servant à assouplir les peaux.

Nen ono weohnata, Arya Dröttningu : Comme tu voudras, princesse Arya.

Seithr : Sorcière.

Shur'tugal : Dragonnier.

Slytha : Dormir.

Stenr rïsa ! : Pierre, élève-toi !

Svit-kona : Titre honorifique protocolaire donné à une elfe d'une grande sagesse.

Talos : Cactus que l'on trouve aux alentours de Helgrind.

Thorta du ilumëo ! : Dis la vérité !

Vakna : Éveillé.

Vodhr : Titre honorifique masculin assez élogieux.

Waíse heill ! : Sois guéri !

Yawë : Lien de vérité.

Répertoire du langage des nains

Ascûdgamln : Poings d'acier.

Az Knurldrâthn : Les arbres de pierre.

Az Ragni : La rivière.

Az Sartosvrenht rak Balmung, Grimstnzborith rak Kvisagûr : *La saga du roi Balmung de Kvisagûr.*

Az Sindriznarrvel : Le gemme de Sindri.

Barzûl : Maudire *ou* jeter une malédiction.

Delva : Terme d'affection ; désigne également un nodule d'or extrait des Montagnes des Beors, très prisé chez les nains.

Dûr : Notre.

Dûrgrimst : Clan (littéralement « notre maison »).

Dûrgrimstvren : Guerre des clans.

Eta : Non.

Eta ! Narho ûdim etal os isû vond ! Narho ûdim etal os formvn mendûnost brakn, az Varden, hrestvog dûr grimstnzhadn ! Az Jurgenvren qathrid né dômar oen etal... : Non ! Je ne laisserai pas ceci advenir ! Je ne permettrai pas à ces fous imberbes, les Vardens, de détruire notre pays ! La guerre contre les dragons nous a laissés affaiblis et...

Fanghur : Créatures des Montagnes des Beors ressemblant à des dragons, mais plus petites et moins intelligentes.

Farthen Dûr : Notre Père.

Feldûnost : Barbiche des Glaces, variété de chèvre vivant dans les Montagnes des Beors.

Gáldhiem : Tête brillante.

Ghastgar : Tournoi à dos de feldunost.

Grimstborith : Chef de clan. Au pluriel *grimstborithn*.

Grimstcarvlorss : Maîtresse de maison.

Grimstnzborith : Dirigeant des nains, roi ou reine.

Hûthvír : Épée équipée d'une double lame utilisée par le Dûrgrimst Quan

Hwatum il skilfz gerdûmn ! : Écoute les mots que je te dis !

Ingeitum : Travailleurs du feu, forgerons.

Isidar Mithrim : La Rose Étoile (l'étoile de saphir).

Knurla : Nain (littéralement : celui qui est de pierre ; au pluriel *knurlan*).

Knurlaf : Femme/Elle.

Knurlag : Homme/Il/Lui.

Knurlagn : Hommes

Knurlcarathn : Travailleurs de la pierre ; maçons.

Knurlnien : Cœur de Pierre.

Ledwonnû : Collier de kílf ; désigne aussi toutes les sortes de colliers.

Menknurlan : Qui ne sont pas de pierre (la pire insulte en langue naine ; quasi intraduisible).

Mérna : Lac, étang.

Nagra : Ours géant des Montagnes des Beors.

Nal, Grimstnzborith Orik ! : Salut, roi Orik !

Ornthrond : Œil d'aigle.

Ragni Darmn : Rivière du Petit Poisson Rouge.

Ragni Hefthyn : Rivière Gardienne.

Shrrg : Loup géant des Montagnes des Beors.

Skilfz Delva : Mine de delva (voir ce mot).

Thriknzdal : Tranchant d'une lame de métal trempé.

Tronjheim : Casque de Géant.

Ûn qroth Gûntera ! : Ainsi parle Gûntera !

Urzhad : Ours des cavernes géant des Montagnes des Beors.
Vargrimst : Banni, sans clan.
Vrenshrrgn : Loups de Guerre.
Werg : Exclamation de dégoût (l'équivalent de *pouah !* chez les nains).

Répertoire du langage des nomades

No : Suffixe honorifique relié par un trait d'union au nom d'une personne qu'on respecte.

Répertoire du langage des Urgals

Herndall : Principes régissant la vie des tribus.

Namna : Bande de tissu dont les motifs racontent l'histoire d'une famille, accrochée devant l'entrée des huttes.

Nar : Titre honorifique marquant un grand respect, accordé aux hommes ou aux femmes.

Urgralgra : Mot employé par les Urgals pour se désigner eux-mêmes ; littéralement : « ceux qui portent des cornes ».

Remerciements

Kvetha Fricäya.
Je vous salue, amis.

La conception de *Brisingr* a été une période intense, pleine de satisfactions et de difficultés mêlées. Lorsque j'en ai commencé la rédaction, l'histoire m'est apparue comme un immense puzzle en trois dimensions, que je ne réussirais jamais à construire sans une stratégie précise. Malgré le défi que représentait cette expérience, elle s'est révélée passionnante.

À cause de sa complexité, l'intrigue a pris une ampleur que je n'avais pas prévue, à tel point que j'ai dû envisager un quatrième volume. La trilogie de l'Héritage devient donc le cycle de l'Héritage. Je m'en réjouis, car cela me permet d'explorer et de développer le caractère de mes personnages ainsi que leurs relations à un rythme plus naturel.

Comme pour *Eragon* et *l'Aîné*, je n'aurais pu achever ce livre sans le soutien d'une foule de gens bourrés de talent, qui ont toute ma reconnaissance. Je remercie donc :

À la maison : maman pour sa bonne cuisine, son thé, ses conseils, son infinie patience et son optimisme ; papa pour son coup d'œil très sûr, ses observations incisives sur le scénario et sur le style. Non seulement il m'a aidé à trouver le bon titre, mais la superbe idée de l'épée qui s'enflamme chaque fois qu'Eragon prononce son nom vient de lui ; enfin Angela, ma seule et unique petite sœur, pour avoir consenti une fois de plus à servir de modèle au personnage qui porte son nom, pour m'avoir fourni de précieuses informations botaniques et m'avoir éclairé sur l'art du tricot !

À la Maison des Écrivains : Simon Lipskar, mon agent, pour son amitié, l'énorme travail fourni, et pour m'avoir flanqué quelques coups de pieds – bien mérités – dans le derrière, dès le début de l'écriture de *Brisingr*. Sans cela, il m'aurait fallu deux ans de plus pour en venir à bout ! Et son assistant Josh Getzler qui a tant fait pour le cycle de l'Héritage.

À Knopf : mon éditrice, Michelle Frey, pour le formidable boulot qu'elle a accompli en m'aidant à alléger et densifier le manuscrit (le premier jet était encore plus long... !) ; l'éditrice associée Michele Burke pour m'avoir aidé à la rédaction des synopsis de *Eragon* et de *l'Aîné* ; la directrice commerciale Judith Haut, qui n'a cessé de promouvoir la série sur tout le territoire des Etats-Unis ; la directrice de la publicité Christine Labov ; la directrice artistique Isabel Warren-Lynch et son équipe, qui ont maquetté ce magnifique ouvrage ; John Jude Palencar pour sa superbe illustration de couverture (comment fera-t-il pour la surpasser dans le quatrième volume ?!) ; le correcteur Artie Bennet pour avoir vérifié chaque mot, existant ou inventé, avec tant de soin ; Chip Gibson, directeur du Département jeunesse de Random House ; Nancy Hinkel, directrice éditoriale de Knopf pour son soutien indéfectible ; John DeMayo, directeur des ventes, et son équipe ; John Adamo, directeur du marketing, dont l'équipe a conçu un superbe matériel promotionnel ; Linda Leonard pour son travail auprès des nouveaux médias ; Linda Palladino, Milton Wackerow et Carol Naughton, à la fabrication ; Pam White, Jocelyn Lange et l'équipe des droits internationaux, qui ont vendu le cycle de l'Héritage dans des dizaines de pays, lui permettant d'être traduit dans des dizaines de langues ; Janet Renard, secrétaire d'édition ; et tous ceux et celles qui m'ont soutenu.

À la Bibliothèque Sonore : Gerard Doyle, dont la voix a donné vie au monde d'Alagaësia ; Taro Meyer qui a soigné la prononciation des langues que j'ai inventées ; Orli Moscowitch, qui a tissé tous les fils ensemble ; et Amanda d'Acierno, éditrice de la Bibliothèque Sonore.

Oui, merci à vous tous !

The Craft of the Japanese Sword, de Leon et Hiroko Kapp et Yoshindo Yoshihara m'a fourni la plupart des informations dont j'avais besoin pour décrire avec précision le travail de la forge dans le chapitre « L'esprit et la matière ». Je recommande chaudement cet ouvrage à tous ceux qui désirent en savoir davantage sur la fabrication des épées (en particulier les lames japonaises). Saviez-vous que les forgerons japonais allument leur feu en martelant l'extrémité d'une barre de fer jusqu'à ce qu'elle rougisse, puis en la mettant en contact avec une planchette de cèdre enduite de soufre ?

823

Si certains d'entre vous s'étonnent de la référence au « dieu solitaire », dans la scène où Eragon et Arya discutent autour d'un feu de camp, ma seule excuse est que le Docteur Who peut voyager partout, même dans les réalités alternatives. Eh oui, je suis fan de la série !

Mais, surtout, merci à vous, amis lecteurs ! Merci d'avoir lu *Brisingr* ! Merci de votre fidélité au cycle de l'Héritage au long de ces dernières années ! Sans votre soutien, je n'aurais jamais été capable de me consacrer à l'écriture de cette saga. Et je n'arrive pas à imaginer ce que j'aurais pu faire d'autre.

Une fois encore, les aventures d'Eragon et Saphira s'achèvent ; une fois encore nous arrivons au bout du chemin... pour l'instant. Bien des miles s'étendent encore devant nous. Le dernier volume sera publié… dès que je l'aurai terminé, et je peux déjà vous assurer qu'il sera le plus excitant des quatre. J'ai hâte que vous l'ayez entre les mains !

Sé onr sverdar sitja hvass !

Christopher Paolini
20 septembre 2008

TABLE DES MATIÈRES

Cet ouvrage a été mis en pages
par DV Arts Graphiques à La Rochelle.

Impression réalisée par

C P I
Brodard & Taupin

La Flèche
pour le compte des Éditions Bayard
en mars 2009

Imprimé en France
N° d'impression : 50989